Tabela de Distâncias

Cidade de Nova York

233 / 375	Washington, DC					10 = Distância em milhas		
779 / 1253	688 / 1107	Chicago				10 = Distância em quilômetros		
1286 / 2069	1050 / 1689	1371 / 2206	Miami					
1300 / 2092	1073 / 1726	922 / 1483	856 / 1377	New Orleans				
1541 / 2479	1315 / 2116	921 / 1482	1349 / 2171	515 / 829	Dallas			
1793 / 2885	1669 / 2685	994 / 1599	2079 / 3345	1390 / 2237	878 / 1413	Denver		
2816 / 4531	2725 / 4385	2030 / 3266	3329 / 5356	2690 / 4328	2178 / 3504	1306 / 2101	Seattle	
2873 / 4623	2782 / 4476	2106 / 3389	3106 / 4998	2272 / 3656	1729 / 2782	1248 / 2008	801 / 1289	São Francisco
2763 / 4444	2640 / 4248	1989 / 3200	2736 / 4402	1902 / 3060	1445 / 2325	998 / 1606	1131 / 1820	382 / 614	Los Angeles

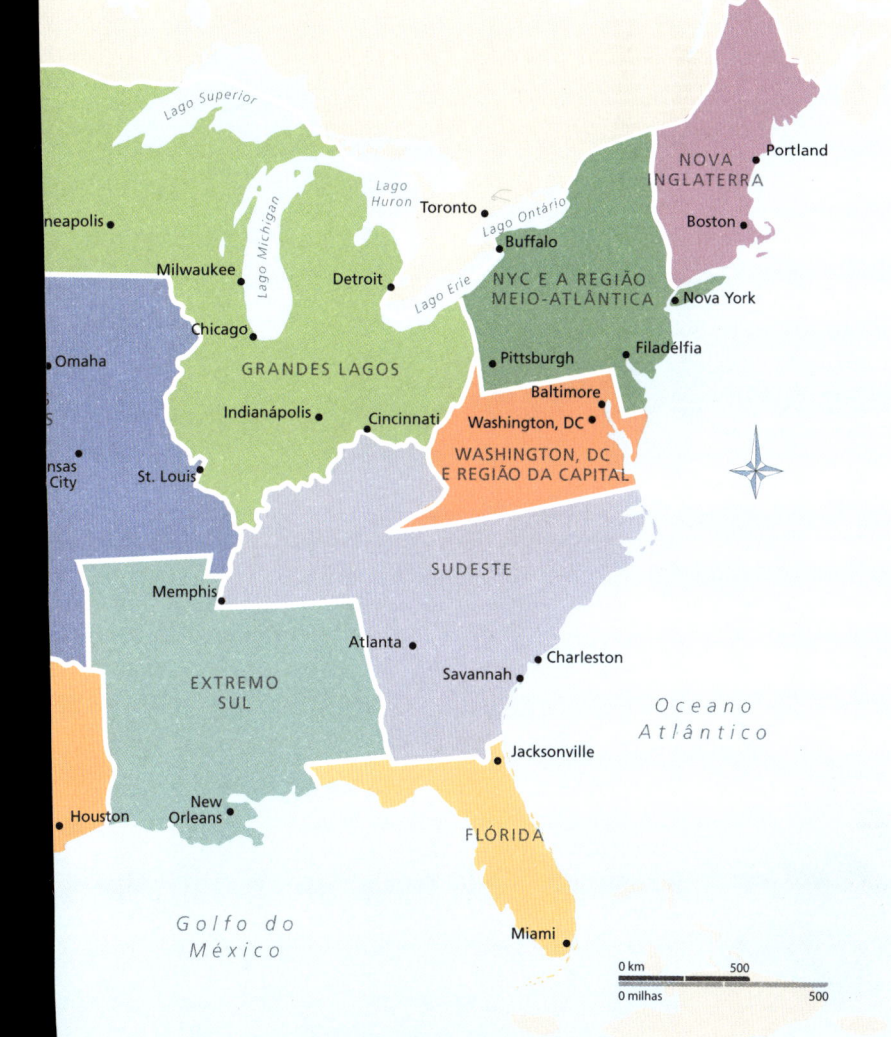

GUIA VISUAL - FOLHA DE S.PAULO

ESTADOS UNIDOS

GUIA VISUAL - FOLHA DE S.PAULO

ESTADOS UNIDOS

DK

PubliFolha

Título original: *Eyewitness Travel Guide – USA*

Publicado originalmente na Grã-Bretanha em 2004 pela Dorling Kindersley Limited, 80 Strand, WC2R 0RL, Londres, Inglaterra, uma empresa da Penguin Random House.

Copyright © 2004, 2015 Dorling Kindersley Limited
Copyright © 2015 Publifolha Editora Ltda.

ISBN 978-85-7402-770-8
5ª edição brasileira: 2015

Todos os direitos reservados. Nenhuma parte desta obra pode ser reproduzida, arquivada ou transmitida de nenhuma forma ou por nenhum meio sem a permissão expressa e por escrito da Publifolha Editora Ltda.

Proibida a comercialização fora do território brasileiro.

COORDENAÇÃO DO PROJETO: PUBLIFOLHA
Editores-assistentes: Camila Saraiva, Rodrigo Villela
Coordenadora de produção gráfica: Soraia Pauli Scarpa

PRODUÇÃO EDITORIAL: PÁGINA VIVA
Edição: Carlos Tranjan
Assistência de edição: Adriana Cerello
Tradução: Anna Quirino, Luis Reyes Gil, Ibraíma Tavares
Editoração eletrônica: José Rodolfo Arantes de Seixas, Estela Squaris

DORLING KINDERSLEY
Diretora editorial: Aruna Ghose
Editora de arte: Benu Joshi
Editores: Kajori Aikat, Rimli Borooah, Nandini Mehta, Manjari Rathi
Diagramação: Pallavi Narain, Supriya Sahai, Priyanka Thakur
Colaboração: Andrew Hempstead, Jack Finch, Jamie Jensen, Joanne Miller, Eric Peterson, Kevin Roe, Kap Stann, Nancy Mikula
Fotografias: Andy Holligan, Jon Spaull, Peter Wilson
Ilustrações: Arun P, Gautam Trivedi
Coordenação de Mapas: Uma Bhattacharya, Alok Pathak
Pesquisa iconográfica: Taiyaba Khatoon, Kiran K. Mohan
Coordenador de produção gráfica: Shailesh Sharma
Produtor gráfico: Vinod Harish
Edição nos EUA: Mary Sutherland

Esse livro segue as regras do Acordo Ortográfico da Língua Portuguesa (1990), em vigor desde 1º de janeiro de 2009.

Impresso na China.

Foi feito o possível para garantir que as informações desse guia fossem as mais atualizadas até o momento da impressão. No entanto, alguns dados, como telefones, preços, horários de funcionamento e informações de viagem, estão sujeitos a mudanças. Os editores não podem se responsabilizar por qualquer consequência do uso desse guia, nem garantir a validade das informações contidas nos sites indicados.

Os leitores interessados em fazer sugestões ou comunicar eventuais correções podem escrever para atendimento@publifolha.com.br.

PUBLIFOLHA
Divisão de Publicações do Grupo Folha
Al. Barão de Limeira, 401, 6º andar
CEP 01202-900, São Paulo, SP
Tel.: (11) 3224-2186/2187/2197
www.publifolha.com.br

UM MUNDO DE IDEIAS
www.dk.com

Imagem principal da capa: O Monument Valley visto do topo da Hunt's Mesa, Arizona
◀ Bela região montanhosa no Yosemite National Park, Califórnia

Touro de bronze, símbolo de Wall Street, perto da US Custom House, em Nova York

Sumário

Como Usar Este Guia **6**

Visita aos EUA

Descubra os EUA **10**

EUA Dentro do Mapa **18**

Informações Úteis **20**

EUA em Destaque

EUA Mês a Mês **38**

Parques Nacionais **44**

Grandes Cidades Americanas **48**

Percursos com Paisagem **50**

A História dos EUA **52**

NY e a Região Meio-Atlântica

NY **74**

Estado de Nova York **100**

New Jersey **106**

Filadélfia, PA **108**

Pensilvânia **116**

Nova Inglaterra

Boston, Massachusetts **138**

Massachusetts **156**

Rhode Island **160**

Connecticut **164**	**Extremo Sul**	
Vermont **170**	New Orleans **342**	
New Hampshire **174**	Louisiana **354**	
Maine **178**	Arkansas **358**	
Washington, DC e Região da Capital	Mississippi **360**	
	Alabama **364**	
Washington, DC **200**	**Grandes Lagos**	Vista de Dallas a partir da Reunion Tower
Virgínia **216**		**Texas**
Virgínia Ocidental **224**	Chicago **384**	Texas **468**
Maryland **226**	Illinois **396**	**Sudoeste**
Delaware **230**	Indiana **398**	Las Vegas **502**
Sudeste	Ohio **402**	Nevada **508**
Carolina do Norte **250**	Michigan **406**	Utah **510**
Carolina do Sul **254**	Wisconsin **410**	Arizona **520**
Geórgia **258**	Minnesota **414**	Novo México **538**
Tennessee **264**	**Grandes Planícies**	**Rochosas**
Kentucky **270**	Dakota do Norte **438**	Idaho **566**
Flórida	Dakota do Sul **440**	Montana **570**
Miami **290**	Nebraska **444**	Wyoming **574**
	Iowa **448**	Colorado **580**
	Missouri **450**	**Pacífico Noroeste**
	Kansas **454**	
	Oklahoma **456**	Washington **604**
		Oregon **618**
		Califórnia
		Los Angeles **646**
		São Francisco **682**
		Alasca e Havaí
		Alasca **718**
		Havaí **730**
		Índice Geral **748**
	Massachusetts State House, em Boston, arquétipo dos edifícios governamentais dos Estados Unidos	Agradecimentos **779**
		Frases **783**

COMO USAR ESTE GUIA

Este guia ajuda você a aproveitar melhor sua viagem pelos Estados Unidos. A seção *Visita aos EUA* traz mapas e dá dicas sobre a viagem e considerações úteis.

EUA em Destaque oferece uma visão geral de algumas das principais atrações e um resumo histórico. O livro se divide em catorze seções regionais, que cobrem de um a sete estados. A descrição de cada região começa com um retrato de sua história e um mapa da área. Em seguida vem a parte turística, que fornece mapas das cidades mais importantes. Para cada região há uma seção de informações úteis de viagem, seguida de uma lista dos hotéis e restaurantes recomendados.

Mapa dos EUA

As áreas coloridas mostradas no mapa da parte interna da capa indicam as catorze seções regionais deste guia.

1 Em Destaque Aqui, o mapa realça os diferentes estados em cada seção, além das cidades e áreas mais interessantes.

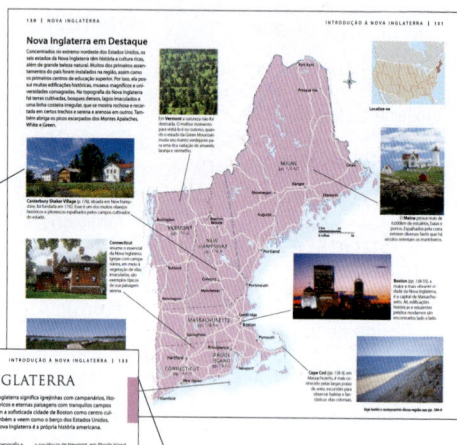

Cada seção de região tem um marcador com a sua cor.

2 Introdução a uma Região Esse capítulo dá ao leitor uma noção da geografia da região, de seu histórico, da política e das características do povo. Um esquema enumera datas e eventos importantes da história local.

3 Mapa Regional Para facilitar a consulta, as atrações de cada região são numeradas e localizadas num mapa. O números em bolinhas pretas (ex. ❸) também indicam a ordem em que a atração aparece no capítulo.

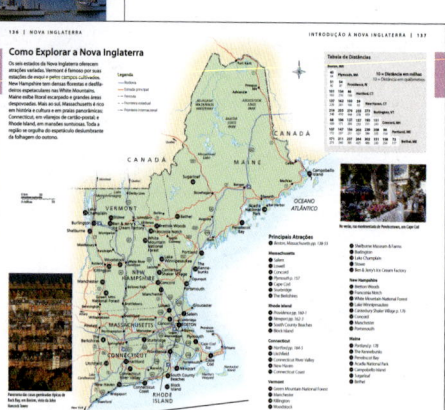

As Principais Atrações fornecem as atrações numeradas em sequência.

COMO USAR ESTE GUIA | 7

4 Mapa da Cidade Localiza as atrações das cidades mais importantes. As atrações de uma cidade como Boston estão indicadas com uma bolinha clara numerada (ex. ③), que contrasta com as pretas dos mapas regionais.

A seção **Prepare-se** fornece todas as informações úteis para planejar uma visita.

Principais Atrações listam as atrações numeradas dentro da cidade.

5 Grandes Atrações Prédios históricos são dissecados para revelar seu interior; museus e galerias têm andares coloridos para ajudar você a encontrar as mostras mais importantes.

Estrelas indicam atrações que todo visitante deve conhecer.

6 Informação Detalhada Cidades, vilas e outros pontos são descritos individualmente. Essas entradas aparecem na mesma ordem da numeração do mapa regional, no início da seção.

Cada entrada começa com informes práticos fundamentais, incluindo endereço e telefone dos escritórios de turismo locais. São dados os horários de funcionamento de museus e das principais atrações.

7 Informações Úteis Essa seção cobre temas como viagem, segurança, compras e diversões. Algumas cidades, como Nova York, têm cobertura separada.

A **Agenda** fornece informações para contatar serviços e locais mencionados no texto.

Informações sobre o **Clima** também são fornecidas para cada região.

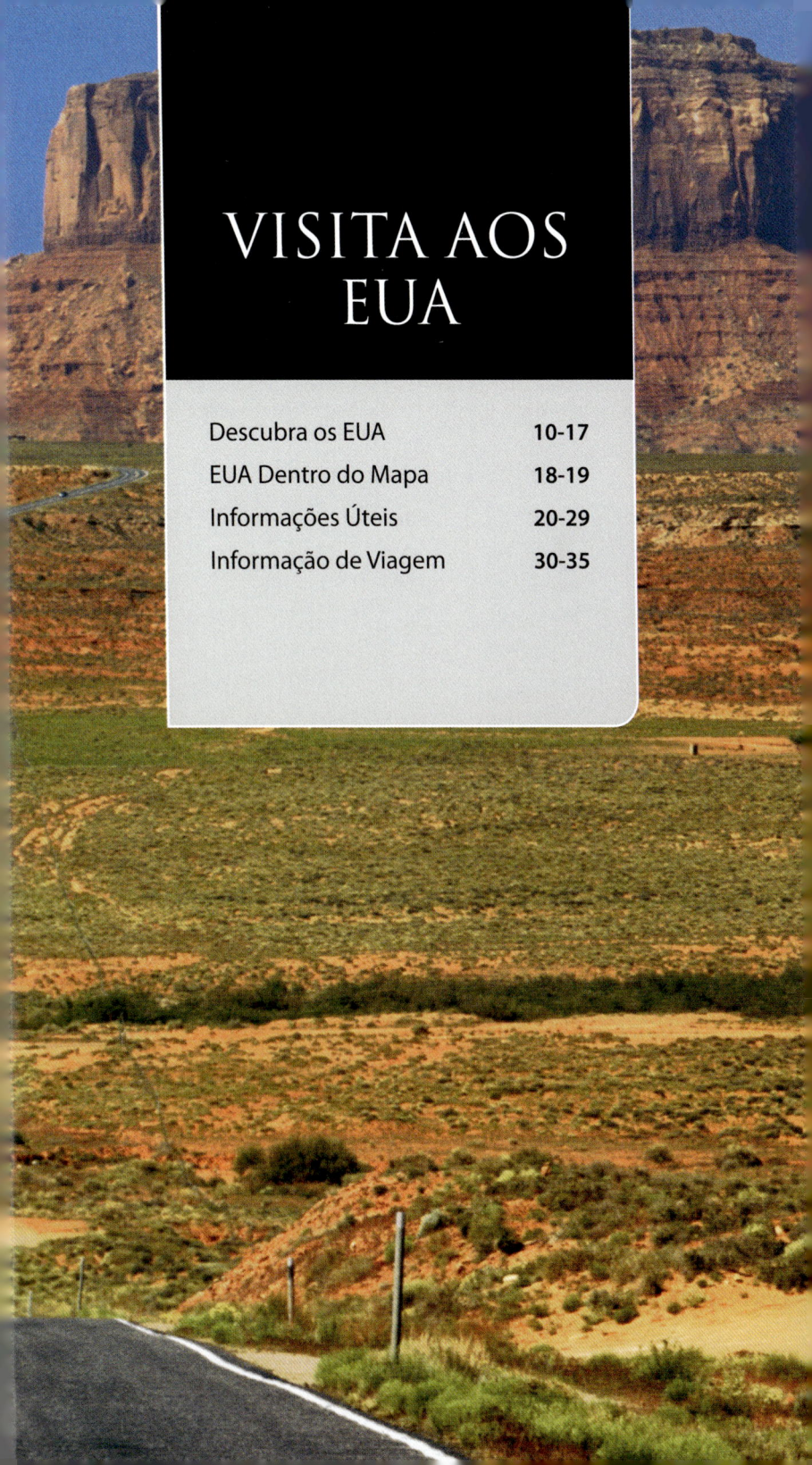

VISITA AOS EUA

Descubra os EUA	10-17
EUA Dentro do Mapa	18-19
Informações Úteis	20-29
Informação de Viagem	30-35

DESCUBRA OS EUA

Os roteiros a seguir foram elaborados para abranger o maior número possível de atrações no país, sem exigir grandes deslocamentos. Para começar, há passeios de dois dias em cada cidade principal americana: Nova York, Washington, Boston, Chicago e São Francisco. Repletas de atrações, bairros convidativos e diversidade cultural, elas estão entre as mais visitadas da América do Norte. Os itinerários podem ser seguidos individualmente ou combinados em uma viagem mais longa. Depois, são propostos seis roteiros de cinco dias cada que cobrem a região histórica da Nova Inglaterra, a ensolarada Flórida, Texas e o charmoso Sul, o maravilhoso Sudoeste com as Rochosas, a icônica Califórnia e o belo Noroeste do Pacífico. Essas áreas oferecem diversas atividades e atrações, incluindo algumas das regiões vinícolas mais renomadas do mundo. Escolha e combine seus itinerários favoritos ou simplesmente tome-os como inspiração.

Golden Gate Bridge
A Golden Gate Bridge se estende por 2,7km para cruzar a baía de São Francisco e ligar a cidade a Marin County. Dela se tem vistas estupendas.

5 Dias no Noroeste do Pacífico

- Explore lojas interessantes, estúdios de design e cafés no badalado **Pearl District**, em **Portland**.
- Desvie dos peixes voadores no famoso **Pike Place Market**, em **Seattle**.
- Reverencie a beleza magistral do **Mount Rainier National Park** e do **Mount St. Helens National Volcanic Monument**.

5 Dias na Califórnia

- Faça degustações inesquecíveis em vinícolas de renome mundial nos **vales de Napa** e **Sonoma**.
- Tire uma foto na base da célebre **Golden Gate Bridge**, em **São Francisco**.
- Finja ser um astro de cinema enquanto anda pelos icônicos bulevares **Sunset** e **Hollywood**, em **Los Angeles**.

5 Dias no Sudoeste e nas Montanhas Rochosas

- Observe o glamour da **Las Vegas Strip**.
- Explore a vastidão do **Grand Canyon** e maravilhe-se com essa obra-prima da natureza.
- Conheça a singular arquitetura de adobe que torna **Santa Fe** uma das cidades mais interessantes do país.

◀ Rodovia rumo ao Monument Valley, no Arizona

DESCUBRA OS EUA | 11

Nova Inglaterra
Essa região no nordeste do país tem muitos vilarejos históricos pitorescos, como esse em estilo shaker com uma igreja típica.

5 Dias na Nova Inglaterra

- Visite **Newport** e percorra a **Cliff Walk**, parando para ver mansões históricas como **The Breakers**.
- Aprecie lindos cenários naturais ao dirigir pelos 43km da famosa **Loop Road**, no **Acadia National Park**.
- Visite o charmoso bairro de **Old Port**, em **Portland**.

5 Dias no Extremo Sul, Sudeste e Texas

- Faça uma imersão em história no **Martin Luther King Jr. National Historic Site** e no **Jimmy Carter Library & Museum**, em **Atlanta**.
- Divirta-se com muitas compras, comidas e bebidas nas famosas ruas **Royal** e **Bourbon**, de **Nova Orleans**.
- Entenda a vida de vaqueiros e vaqueiras com uma visita ao **Fort Worth Stockyards National Historic District**.

Legenda
— 5 Dias no Noroeste do Pacífico
— 5 Dias na Califórnia
— 5 Dias no Sudoeste e nas Montanhas Rochosas
— 5 Dias na Nova Inglaterra
— 5 Dias no Extremo Sul, Sudeste e Texas
— 5 Dias no Sul da Flórida

Florida Keys
É possível pescar, mergulhar e se bronzear nas praias desse aglomerado de ilhas de coral fossilizado protegido por um recife.

5 Dias no Sul da Flórida

- Nade e mergulhe nos recifes de coral de **Florida Keys**.
- Aprecie a vida noturna e a arquitetura **art déco** de **Miami Beach**.
- Maravilhe-se com as vastas paisagens do **Everglades National Park**.

2 Dias em Nova York

Com bom planejamento, é possível ir à maioria dos lugares famosos e ter ótimas experiências em uma visita de dois dias à cidade.

1º Dia

Manhã Faça uma visita guiada de uma hora (saídas diárias a cada 15 minutos a partir das 10h15) pelo vasto **Metropolitan Museum of Art** (p. 90), conhecido como Met. Fãs de arte devem continuar o roteiro com uma caminhada curta pela Fifth Avenue até o fantástico **Solomon R. Guggenheim Museum** (p. 92), de Frank Lloyd Wright, que tem um dos melhores acervos de arte moderna do mundo. Depois, passeie pelo **Central Park** (pp. 88-9), nos arredores.

Tarde Pegue um ônibus na **Fifth Avenue** (p. 87) para a 59th Street e a Grand Army Plaza e ande até o **Rockefeller Center** (p. 86), na 49th Street, passando por mecas do consumo como Bergdorf Goodman, Tiffany, Trump Tower e Saks Fifth Avenue. Observe também a impressionante **St. Patrick's Cathedral** (p. 87). A seguir, suba até o observatório no 89º andar do **Empire State Building** (p. 83) e aprecie o lendário panorama da cidade. Para comprar suvenires, a **Macy's** (p. 83) é uma ótima opção e fica uma quadra a oeste. Se preferir, continue até a chamativa **Times Square** (p. 84).

2º Dia

Manhã Para evitar filas longas, chegue cedo ao **Battery Park City** (p. 77) e pegue o barco para a **Estátua da Liberdade** (p. 77) e a **Ellis Island** (p. 77), o símbolo do legado imigrante no país. Na volta, dá tempo de visitar o comovente **World Trade Center Site and 9/11 Memorial** (p. 76), em Lower Manhattan (faça reserva). Se o clima estiver agradável, caminhe pela **Wall Street** (p. 76).

Tarde Passeie pelas ruas arborizadas do famoso **Greenwich Village** (pp. 80-1) e entre nas butiques que vendem desde livros e roupas a iguarias culinárias. Descanse um pouco em algum dos cafés animados do **SoHo** (p. 80).

O Jefferson Memorial às margens da Tidal Basin, em Washington

2 Dias em Washington, DC

A capital do país é repleta de monumentos importantes, bairros atraentes e pontos históricos.

1º Dia

Manhã Comece o dia com um passeio pelo centro legislativo do país e símbolo da democracia americana, o neoclássico **Capitólio** (pp. 202-3). Em seguida, percorra o 1,6km do **Mall** (pp. 204-5), que é ladeado por diversos museus. Visite o **National Museum of American History** (p. 207) para ver a exposição First Ladies, a bandeira que inspirou o hino nacional e a cartola de Abraham Lincoln. A seguir, entre na fila para o elevador que vai ao topo do marco mais alto da cidade, o **Washington Monument** (p. 208).

Tarde Aprecie uma das construções mais célebres do mundo, a **Casa Branca** (pp. 210-1), residência do presidente do país. Depois, visite-a virtualmente no **White House Visitor Center** (p. 211). Encerre o dia com um show no **Kennedy Center** (p. 212), renomado por suas apresentações de música, teatro e balé.

2º Dia

Manhã Admire por algumas horas as pinturas maravilhosas à mostra na **National Gallery of Art** (p. 206). Visite depois o interessante **National Air & Space Museum** (p. 205), que expõe desde o primeiro avião dos irmãos Wright até os foguetes espaciais mais modernos.

Tarde Ande ao largo da **Tidal Basin** (p. 208), que fica ainda mais bela quando as cerejeiras estão em flor. Veja os monumentos formidáveis em homenagem a antigos presidentes, incluindo o **Jefferson Memorial** (p. 208) e o **Franklin D. Roosevelt Memorial** (p. 209). A curta distância desse ponto fica o inspirador **Lincoln Memorial** (p. 209), que paira acima da Reflecting Pool. Caminhe até o **Smithsonian American Art Museum & National Portrait Gallery** (p. 207), que tem retratos bem realistas de todos os presidentes americanos.

2 Dias em Boston

A importância de Boston na história dos EUA lhe rendeu um belo legado arquitetônico. Há também parques, jardins e diversas atrações.

1º Dia

Manhã Muito compacta, **Boston** pode ser facilmente explorada a pé. Comece o dia no **Boston Common** e no **Public Garden** (p. 141). Tome um café e ande pelas lojas chiques de Back Bay (p. 151) antes que as multidões cheguem.

O Boston Common, um dos espaços verdes da cidade, é cercado por prédios altos

DESCUBRA OS EUA | 13

Tarde Continue sua imersão cultural na cidade com uma tarde relaxante em um dos museus da redondeza – o **Museum of Fine Arts** (p. 152) ou o **Isabella Stewart Gardner Museum** (p. 152).

2º Dia
Manhã Admire alguns imóveis caríssimos da Nova Inglaterra no bairro histórico de **Beacon Hill** (pp. 140-1). Anime-se com uma dose de cafeína em uma cafeteria elegante para explorar as butiques finas e os antiquários da principal artéria do bairro, a bela **Charles Street** (p. 140).

Tarde Vá para a beira-mar e visite uma grande atração da cidade, o **New England Aquarium** (p. 149). Entre no fluxo constante de moradores, turistas e grupos de estudantes que circulam no **Quincy Market** (p. 147) para fazer compras, comer e prestigiar artistas de rua. Siga para o **Faneuil Hall** (p. 142), nos arredores, um dos lugares mais históricos da cidade. À noite, perambule pelo interessante **North End** (pp. 142-3). Entre na **Paul Revere House** (p. 148) e na charmosa **Old North Church** (p. 148); ambas são ainda mais fotogênicas à noite.

2 Dias em Chicago

A maior cidade do Meio-Oeste é um labirinto de bairros históricos. Chicago se destaca pela arquitetura imponente e pelas instituições culturais vibrantes.

1º Dia
Manhã Descubra o acervo impressionante do **Art Institute of Chicago** (p. 388). Entre os destaques estão a coleção impressionista e a ala de arte moderna. A seguir, admire arte contemporânea de alto nível no **Millennium Park** (p. 388), que abriga também a magnífica sala de concertos projetada por Frank Gehry no Pritzker Pavilion e a Crown Fountain, de Jaume Plensa.

Navy Pier, um animado centro recreativo e cultural em Chicago

Tarde Observe as vitrines da **Magnificent Mile** (p. 386). Aprecie a construção antiga, parecida com um castelo, que abriga a Water Tower e a Pumping Station. Ao norte do local, a Fourth Presbyterian Church é o segundo edifício mais antigo da Michigan Avenue. Atravesse a rua e visite o **John Hancock Center** (p. 387), que descortina belas vistas.

2º Dia
Manhã Vá direto ao **Navy Pier** (p. 387) para garimpar nas lojas antes de se divertir no **Chicago Children's Museum** (p. 387). Adultos sem crianças podem ver um filme no cinema IMAX.

Tarde O complexo do museu abriga três preciosidades culturais: o **Field Museum**, o **John G. Shedd Aquarium** e o **Adler Planetarium and Astronomy Museum** (p. 391). Depois, aprecie as vistas do porto a partir do gramado. Ao anoitecer, veja o show de som e luzes na **Buckingham Fountain** (p. 390).

2 Dias em São Francisco

Em colinas íngremes arborizadas, essa cidade linda tem lugares históricos, tesouros culturais e bairros com muita personalidade.

1º Dia
Manhã Imite o pessoal saudável da Califórnia e faça um passeio com uma bicicleta alugada (p. 698). Comece pelo pitoresco **Fisherman's Wharf** (p. 690) e passe pela magnífica **Golden Gate Bridge** (p. 695) até a bela **Sausalito** (p. 697), antigo centro pesqueiro. Pegue uma balsa para voltar e almoçar em um café no **Ferry Building** (p. 686). Após o almoço, não deixe de conferir o Gandhi Monument e sua inscrição (p. 686), no lado leste do edifício.

Tarde Visite **North Beach** (p. 690) e faça uma parada em alguns dos estabelecimentos históricos que tornaram famoso o bairro: a **City Lights Bookstore**, o **Vesuvio** e o **Caffè Trieste** (p. 690). Suba até o topo da **Coit Tower** (p. 690) e tire belas fotos. Para encerrar o dia, pegue uma balsa e visite a histórica prisão da **Alcatraz Island** (p. 691), mas faça reserva, pois os ingressos são limitados.

2º Dia
Manhã Faça um passeio na antiga meca do movimento hippie, **Haight Ashbury** (p. 693), e inclua uma visita ao icônico **Red Victorian B&B** (p. 693). Siga para o leste via nordeste até chegar à **Chinatown** (p. 688) local; aproveite para almoçar em um dos vários restaurantes renomados dali.

Tarde Vá sem pressa à espetacular **California Academy of Sciences** (p. 694), que aborda todos os aspectos do mundo natural. A seguir, atravesse a cidade de ônibus para conhecer a histórica **Mission Dolores** (p. 693), no centro de um dos melhores bairros da cidade, o Mission District.

Típicas casas vitorianas no distrito de Haight Ashbury, em São Francisco

5 Dias na Nova Inglaterra

- **Chegada** Pelo T. F. Green Airport, no sul de Providence, e siga para o Portland International Jetport. Uma alternativa é chegar e partir via Logan International Airport, em Boston.
- **Transporte** O leste de Massachusetts tem problemas de trânsito e estacionamento, então pondere se dentro das cidades não é melhor usar os meios de transporte público, sobretudo o MBTA. Já para ir de uma cidade a outra da Nova Inglaterra é mais prático alugar um carro, mas há serviços de ônibus e trens.

1º Dia: Providence e Newport

Maior cidade de Rhode Island, **Providence** *(pp. 160-1)* é repleta de atrações. Caminhe pelo centro para admirar a imponente **Rhode Island State House**, com sua cúpula de mármore branco. Siga pelo **Waterplace Park and Riverwalk** *(p. 160)* e suba a colina para conhecer as lojas ecléticas e restaurantes étnicos do bairro próximo ao campus da **Brown University** *(p. 160)*. Dali, percorra a **Mile of History** *(p. 160)*, na **Benefit Street**, que possui casas em estilos que variam de colonial e federal a grego tardio e vitoriano. Coma um cachorro-quente ao ar livre, então cruze o pequeno estado rumo à cidadezinha de **Newport** *(p. 162)*. A seguir, explore os 5,5km da **Cliff Walk** *(p. 163)*, parando para admirar mansões históricas como **The Breakers** *(p. 163)*.

2º e 3º Dias: Boston

Percorra a curta distância rumo ao norte para Boston, depois siga o roteiro "2 Dias em Boston" nas páginas 12-3.

4º Dia: Do Acadia National Park para Bar Harbor

Acorde cedo e dirija até o **Acadia National Park** *(p. 180)*, no Maine, que abriga a formidável **Loop Road**, de 43km, maior atração do parque. Mais para o fim da tarde, faça a curta viagem para **Bar Harbor** *(p. 180)*. Esse porto movimentado tem inúmeros restaurantes, lojas e opções de hospedagem.

5º Dia: Portland

Dirija para o sul rumo ao polo principal do Maine. Embora tenha enfrentado quatro incêndios desde sua fundação, em 1633, **Portland** *(p. 178)* ainda é uma das cidadezinhas mais encantadoras do país. Faça uma caminhada na Congress Street e no restaurado **Old Port District**. Passe a tarde admirando as coleções de Winslow Homer no **Portland Museum of Art** *(p. 178)* ou visite a histórica **Victoria Mansion** ou a **Wadsworth-Longfellow House** *(p. 178)*.

5 Dias no Sul da Flórida

- **Chegada** O Miami International Airport, a oeste do centro, e o Fort Lauderdale International Airport, cerca de 30 minutos ao norte de Miami, têm voos internacionais diretos para as maiores cidades do mundo.
- **Transporte** Há linhas de ônibus e agências de turismo, mas a maioria dos visitantes prefere alugar carro.

1º Dia: Miami

Comece pelo centro: vá ao **Bayside Marketplace** *(p. 294)*, ponto de partida de muitos barcos de agências de turismo. Tome o café da manhã nesse complexo divertido, então passeie de barco por uma hora e meia para ver as mansões dos ricos e famosos e a linha do horizonte de Miami. Visite o HistoryMiami no **Miami-Dade Cultural Center** *(p. 294)* para conhecer a história dinâmica e o crescimento veloz da região, assim como suas influências latinas. Passe o resto do dia a relaxar e a observar o movimento em **South Beach** *(p. 292)*. Depois, aproveite a vibrante vida noturna.

2º Dia: Miami Beach

Relaxe em **Miami Beach** *(pp. 292-3)*. Uma caminhada na Ocean Drive entre a 6th e a 13th Streets descortina o conjunto mais denso do mundo de edifícios **art déco** com motivos tropicais *(pp. 292-3)*. Entre nas lojas do **Lincoln Road Mall** *(p. 292)* e depois descanse em um café ao ar livre. Se estiver animado, aprenda sobre o legado judeu da região com uma visita ao comovente **Holocaust Memorial** *(p. 293)*, cujo ponto focal é a escultura de um enorme braço erguido.

3º Dia: Florida Keys

Dirija pela Overseas Highway (US 1) até Florida Keys. Em **Key Largo** *(p. 322)*, vá ao **John Pennekamp Coral Reef State Park** *(p. 322)* para agendar uma jornada ao recife de coral. Reserve três horas para mergulhar ou passear em um barco com fundo de vidro. Após o almoço, continue pela US 1 até **Key West** *(p. 323)*, ande pela **Duval Street** *(p. 323)* e veja o poente na **Mallory Square** *(p. 323)*.

4º Dia: Florida Keys

Comece o dia embarcando no **Conch Train** *(p. 323)* para uma visão geral da cidade. Vá ao **Wreckers' Museum** *(p. 323)*, que aborda a longa história marítima da região. Siga então para a **Hemingway Home** *(p. 323)*, em estilo colonial espanhol, onde o escritor Ernest Hemingway morou entre 1931 e 1940. Conheça as diversas lojas pitorescas da cidade e tome uma margarita em um bar ou café animado.

A Rhode Island State House, em Providence, com cúpula de mármore

DESCUBRA OS EUA | 15

Miami Beach, que se estende por 16km ao longo da costa da Flórida

5º Dia: Everglades National Park

Chegou a hora de fazer uma imersão no imenso **Everglades National Park** (p. 321). Entre no parque pela Main Park Road, um belo percurso de 63km. Visite o **Pa-hay-okee Overlook** (p. 321) para um panorama da vasta planície. Em **Flamingo** (p. 321), peixes-bois e crocodilos-americanos podem ser avistados perto da marina. Na viagem de volta, uma caminhada na **Mahogany Hammock Trail** (p. 321) o leva a uma das ilhas com árvores de Everglades.

5 Dias no Extremo Sul, Sudeste e Texas

- **Chegada** Pelo Hartsfield-Jackson Atlanta International Airport. A partida é pelo Bergstrom International Airport, de Austin.
- **Transporte** Há ônibus e trens entre as cidades principais, mas alugar um carro facilita os passeios.

1º Dia: Atlanta

Uma introdução ideal à região, **Atlanta** (p. 262) é uma metrópole em expansão, geralmente considerada a capital do Sul. Aprenda sobre os Jogos Olímpicos de Verão que ocorreram na cidade em 1996 com uma visita ao **Centennial Olympic Park** (p. 262), no centro. Nos arredores estão dois grandes destaques locais: o moderno **Georgia Aquarium** (p. 262)

e o impressionante **World of Coca-Cola** (p. 262). A sede mundial da CNN fica ali, e os visitantes podem brincar de apresentadores durante uma visita ao **CNN Studio** (p. 262). Entre as atrações históricas há o **Martin Luther King Jr. National Historic Site** (p. 262) e o **Jimmy Carter Library & Museum** (p. 263).

2º Dia: Do Alabama para New Orleans

Dirija para o sudoeste pelo **Alabama** (p. 364), atravessando o Extremo Sul do país. Cidades como **Montgomery** (p. 364), capital do Estado, **Selma** (p. 364) e **Mobile** (p. 364) merecem ao menos uma parada rápida. Siga viagem para chegar a **New Orleans** (pp. 342-51) antes do anoitecer. Coma e beba muito bem e aproveite a noite com música ao vivo de alta qualidade.

3º Dia: New Orleans

Descubra como New Orleans era no século XVIII por meio das exposições históricas no **Cabildo** (p. 346). Siga caminho passando por músicos de rua e cartomantes até o **Presbytère** (p. 346) e conheça a alegre cultura carnavalesca local no museu Mardi Gras. Caminhe pelos jardins da animada **Jackson Square** (p. 345) rumo ao restaurado **Old US Mint** (p. 344). Faça uma parada para compras no **French Market** (p. 344), repleto de bancas de produtos frescos e suvenires. Ande então até a **Royal Street** (p. 349), que reúne galerias de arte e antiquários, e chegue à esquina da famosa

Bourbon Street (p. 348), onde há muitas casas de show e bares movimentados que servem coquetéis fortes.

4º Dia: Dallas

Se a ideia de dirigir um dia pelos pântanos da Louisiana e pelo leste poeirento do Texas o desanima, pegue um dos numerosos voos diários de New Orleans para a região de Dallas e Fort Worth. Uma visita a **Dallas** (p. 472) deve incluir uma ida ao **Sixth Floor Museum** (p. 472), que evoca o assassinato do presidente John F. Kennedy, em 1963. Outras opções culturais são o **Dallas Museum of Art** (pp. 472-3) e o **Nasher Sculpture Center** (p. 473). Encerre o dia regalando-se com um autêntico churrasco do Texas.

5º Dia: Fort Worth

Nos arredores, a cidade de **Fort Worth** (p. 474) revela mais sobre as interessantes raízes do estado. O **Amon Carter Museum** (p. 475) apresenta a arte americana do Velho Oeste, e a animada **Sundance Square** (p. 474) é repleta de marcos históricos e lojas que vendem chapéus clássicos de vaqueiros e fivelas de cinto vistosas. Passe a tarde no **Fort Worth Stockyards National Historic District** (p. 474), que tem procissões diárias de gado de chifres compridos, e não deixe de visitar **Billy Bob's Texas** (p. 475), o "maior bar de música country do mundo". Se estiver com sorte, ídolos como Willie Nelson ou George Strait podem ocupar o palco durante sua visita.

A St. Louis Cathedral na Jackson Square, em New Orleans

5 Dias no Sudoeste e nas Montanhas Rochosas

- **Chegada** Pelo McCarran International Airport de Las Vegas, que fica na Strip. Partida pelo Albuquerque International Sunport ou Santa Fe Municipal Airport.
- **Transporte** É preciso alugar um carro para explorar grande parte da região.

1º Dia: Las Vegas, Centro da Strip

Comece a viagem com uma visita ao cassino **Bellagio** (p. 503) e sua estufa sensacional. Então, embarque no monotrilho rumo ao **CityCenter** (p. 503) para conhecer o elegante shopping center Crystals. Dali vá para o norte pela Strip até o **Paris** (p. 503) e aprecie a vista do topo da Torre Eiffel. Almoce ao ar livre na Strip ou em um dos lendários bufês de consumo à vontade. Na sequência, visite o **Caesars Palace** (p. 503) e confira a versão local do célebre *Davi*, de Michelangelo. Circule sob o céu artificial das Forum Shops antes de partir para o **Venetian** (p. 504), onde pode passear de gôndola no Canal Grande. Mais tarde, além de jantar em um restaurante gourmet e assistir a um show, junte-se às multidões no calçadão da Strip para ver atrações grátis, como o vulcão diante do **Mirage** (p. 504) e as fontes do **Bellagio** (p. 503).

2º Dia: Las Vegas, Sul da Strip

Conheça os megacassinos na ponta sul da Strip. Entre na pirâmide do **Luxor** (p. 502) através das patas da enorme esfinge e visite a exposição de artefatos do malfadado *Titanic* e a de corpos humanos plastinados. Passe então pelo castelo do **Excalibur** (p. 502) para ir ao **New York-New York** (p. 502); veja de perto a linha do horizonte de Manhattan e divirta-se na montanha-russa. Dirija até o centro original da cidade e visite um cassino na **Fremont Street Experience** (p. 506); ao anoitecer, veja os shows de som e luzes no baldaquino.

3º Dia: Grand Canyon

Saia cedo para passar o dia na orla sul do **Grand Canyon** (p. 532). Comece pelas vistas da **Grand Canyon Village** (p. 532), depois circule pelo cânion percorrendo a **Desert View Drive** (p. 532). Para passar a noite no parque, opte por algum bom hotel ou um acampamento rústico.

4º Dia: Do Grand Canyon para Santa Fé

Dirija para o leste rumo ao Novo México, mas faça um desvio: pegue a rota cênica de 45km para o **Petrified Forest National Park** (p. 526). Chegue à linda **Santa Fé** (pp. 540-1) a tempo de ver o poente mudar as cores dos edifícios de adobe que embelezam a capital estadual mais antiga da América do Norte.

5º Dia: Santa Fé

Passe o dia inteiro em Santa Fé. Visite o **Palace of the Governors** (p. 540) e o **Georgia O'Keeffe Museum** (p. 541), no centro, e o **Museum of International Folk Art** (p. 541), nos subúrbios da cidade. Saboreie as pimentas do Novo México, servidas de várias maneiras. Aproveite a tarde para conhecer as galerias de arte situadas na **Canyon Road** (p. 541).

5 Dias na Califórnia

- **Chegada** Pelo San Francisco International Airport ou pelo Oakland International Airport. Partida pelo San Diego International Airport.
- **Transporte** Como não há trens razoáveis na Califórnia, é necessário alugar um carro para circular pelo estado. O trânsito é um dos piores do país, então evite ao máximo os horários de pico.

1º Dia: Wine Country

Dirija para o norte da Bay Area a fim de explorar as vinícolas de renome mundial situadas nos **vales de Napa** (pp. 700-1) e **Sonoma** (p. 700). **Clos Pegase, Rutherford Hill** e **Mumm** (p. 700) estão entre as mais conhecidas. Faça uma pausa nos vinhos e visite também pontos históricos da região, como a **Mission San Francisco Solano de Sonoma** (p. 700) e a **Petrified Forest** (p. 701).

2º Dia: São Francisco

Selecione um dia do roteiro "2 Dias em São Francisco", na página 13.

3º Dia: De São Francisco para o Hearst Castle®

Dirija para o sul pela estupenda costa da Califórnia. Primeiro vem a bela **17-Mile Drive** (p. 680), seguida pela acidentada **Big Sur** (pp. 678-9). Cogite dar uma parada em dois destinos encantadores da região: **Carmel** (p. 680) e **Monterey** (pp. 680-1), que abriga o formidável **Monterey Bay Aquarium** (pp. 680-1). Se houver tempo de sobra, faça

Vista noturna da fervilhante Strip, em Las Vegas

DESCUBRA OS EUA | 17

Barcos ancorados no Embarcadero, em San Diego

uma visita guiada ao **Hearst Castle**® *(pp. 676-7)*, a incrível mansão do magnata da mídia William Randolph Hearst, no alto da montanha. Passe a noite em **Santa Barbara** *(p. 674)* ou em **San Luis Obispo** *(p. 675)*. Ambas têm lojas charmosas e restaurantes convidativos que servem vinhos locais.

4º Dia: Los Angeles
Continue para o sul até **Los Angeles** *(pp. 646-59)*. A capital mundial do entretenimento é muito vasta e conectada por um grande número de rodovias, algumas das quais terminam nas belas cidades litorâneas de **Venice** *(p. 649)* e **Santa Monica** *(pp. 648-9)*. Os icônicos **Sunset Boulevard** *(pp. 652-3)* e **Hollywood Boulevard** *(p. 654)* são grandes atrações para quem visita a cidade pela primeira vez. Fãs de arte devem ir ao **Getty Center** *(p. 648)* e ao **Museum of Contemporary Art** *(p. 657)*.

5º Dia: San Diego
Dirija para o sul e pare perto da fronteira mexicana, em San Diego *(p. 666)*. Faça um passeio cultural pelo **Museum of Contemporary Art** *(p. 666)* ou pelo **Embarcadero** *(p. 666)*, beira-mar que abriga o **Maritime Museum** *(p. 666)*, onde se pode embarcar em navios históricos. Atravesse a cidade para uma imersão no **Old Town San Diego State Historic Park** *(p. 666)*. Vá depois ao **Balboa Park** *(pp. 668-9)*, que sedia muitos museus. Se der tempo, visite também o **San Diego Zoo** *(p. 669)*. Encerre o dia com drinques ao poente e um jantar no **Hotel del Coronado** *(p. 710)*, na exclusiva Coronado Island.

5 Dias no Noroeste do Pacífico

- **Chegada** Pelo Portland International Airport, 19km a nordeste do centro. A partida é pelo Seattle-Tacoma International Airport, ao sul do centro de Seattle.
- **Transporte** É essencial alugar um carro para esse roteiro. Para economizar, certas viagens mais longas podem ser feitas de ônibus e trem, eventualmente intercaladas com carros alugados.

1º Dia: Seattle
Explore o bairro histórico mais famoso de Seattle, o **Pioneer Square** *(p. 604)*, e ande pelas ruas com calçamento de pedra. Almoce na grande atração local, o **Pike Place Market** *(p. 604)*, depois embarque no **Monorail** *(p. 606)* e cruze a cidade rumo ao **Seattle Center** *(p. 606)*, onde estão o **EMP Museum** *(p. 606)* – ideal para fãs de música – e o **Space Needle** *(p. 606)*, que tem vistas deslumbrantes da cidade, do Mount Rainier e além. O público descolado pode encerrar o dia nos bairros modernos de **Ballard** *(p. 607)* e **Fremont** *(p. 606)*.

2º Dia: De Seattle para Astoria
De Seattle, siga em direção ao sul para conhecer dois grandes destaques da região. O **Mount Rainier National Park** *(pp. 614-5)* tem atrações que demandam vários dias para serem exploradas; conforme a época, opte entre a **Nisqually Glacier** *(p. 614)* e as **Narada Falls** *(p. 614)*. Continue até o **Mount St. Helens National Volcanic Monument** *(p. 617)*, vulcão famoso desde sua erupção em 1980. Mais para o fim do dia, percorra a curta distância até **Astoria**, Oregon *(p. 620)*, para um jantar e uma boa noite de descanso.

3º Dia: De Astoria para Cannon Beach
Astoria *(p. 620)* tem muitas atrações históricas, como o **Captain George Flavel House Museum** *(p. 620)*. Suba no topo da **Astoria Column** *(p. 620)* e aprecie lindas vistas da região. Então, siga para o sul rumo a **Cannon Beach** *(p. 621)*. Admire a beleza natural do **Ecola State Park** *(p. 621)* e vá à praia para mergulhar os pés nas águas geladas do Pacífico. Jante em um dos bistrôs aconchegantes da cidade.

4º Dia: De Oregon Dunes para Portland
Continue para o sul até a **Oregon Dunes National Recreation Area** *(p. 621)*. Vá ao mirante para ter uma visão geral da região e, se o clima permitir, percorra a **Umpqua Scenic Dunes Trail** *(p. 621)*. Siga viagem, mas pare para admirar as formações rochosas e as dunas imponentes perto da cidadezinha de **Bandon** *(p. 621)*. Dirija para o norte rumo à maior cidade do estado, **Portland** *(p. 618)*, e conheça uma de suas premiadas microcervejarias.

5º Dia: Portland
Comece o dia em uma das cafeterias chiques do **Pearl District** *(p. 619)*. Continue a pé até o porto, em **Old Town** *(p. 619)*. Parte da história interessante do bairro pode ser explorada no belo **Lan Su Chinese Garden** *(p. 619)*. Se for um fim de semana, visite o **Portland Saturday Market** *(p. 619)*, um dos mais antigos e interessantes do gênero nos EUA. Passe a tarde no **Portland Art Museum** *(p. 618)*, depois conheça a **Pioneer Courthouse Square** *(p. 618)*, ótima para observar o movimento.

Narada Falls, uma das cachoeiras do Mount Rainier National Park

EUA Dentro do Mapa

Os Estados Unidos ocupam uma faixa de 4.800km que vão de leste a oeste entre os oceanos Atlântico e Pacífico, bem no coração da América do Norte. Conta com uma população de 317 milhões de habitantes. Ao sul, faz fronteira com o México e, ao norte, com o Canadá, e cobre uma área de 9 milhões de km², incluindo climas desde os trópicos até o Círculo Polar Ártico. O país é dividido em 48 estados, que, junto com o Alasca, no extremo noroeste, e as ilhas do Havaí, no oceano Pacífico, formam os 50 Estados Unidos da América. A capital é Washington, DC, um pequeno distrito federal localizado entre os estados de Maryland e Virgínia.

INFORMAÇÕES ÚTEIS

Milhares de visitantes do mundo todo viajam pelos EUA a cada ano, e milhares de americanos também passam as férias explorando e se divertindo em seu país. A rica diversidade da história, da cultura, das artes e das paisagens, além da tradição de hospitalidade e serviço, fazem da viagem pelos EUA algo agradável e descontraído. Em todos os cantos do país, as instalações turísticas costumam ser de alto padrão.

Essa seção fornece algumas informações básicas sobre as diversas opções de transporte e hospedagem, e trata de questões como passaporte e formalidades para tirar vistos, seguro de viagem, bancos, comunicações e saúde. A seção cobre o país como um todo, mas, posteriormente, serão dadas informações mais específicas nas seções de *Informações Úteis*, no final do capítulo de cada região.

Quando Ir

O melhor momento para viajar pelos EUA depende dos interesses e do itinerário do visitante. Convém escolher com cuidado a época da visita, pois a geografia e os padrões climáticos variam muito de uma região para outra, até no mesmo período do ano. Em geral, o verão é a época mais quente e mais concorrida para viajar, principalmente para as áreas do norte. No sul, em especial nos desertos do sudoeste, o calor do verão pode se tornar insuportável, enquanto na Nova Inglaterra costuma estar fresco e agradável. Por todo o país, os meses de verão são de férias escolares, por isso a maioria das áreas turísticas e dos parques nacionais fica lotada durante esse período. No verão também são realizados diversos eventos culturais, feiras e festivais ao ar livre.

A primavera talvez seja o melhor momento para visitar as Montanhas Rochosas e o Extremo Sul; os lugares não ficam apinhados e muitas vezes há descontos. Abril e maio são os meses ideais para ver as flores do campo e os jardins do sul dos EUA. O outono é outra época boa para viajar, quando as folhas das árvores das florestas de montanhas, principalmente no nordeste, produzem um colorido intenso, e a alta umidade do verão baixou para índices mais agradáveis. O inverno traz grande diversidade climática, desde pesadas nevascas nas capitais dos esportes de inverno da Nova Inglaterra e das Montanhas Rochosas até o sol tropical nas praias da Flórida e do Havaí.

Passaportes e Vistos

Independentemente da idade, pessoas que vão para os EUA, incluindo americanos em viagem de volta, precisam de passaporte válido, com chip eletrônico e validade de no mínimo seis meses a mais do que o tempo que a pessoa espera ficar no país.

Os brasileiros necessitam de visto para a entrada nos EUA. Para obter o visto é preciso agendar entrevista no consulado dos Estados Unidos, no site www.visto-eua.com.br ou pelo telefone (21) 4004-4950. Fique atento ao prazo, pois a entrevista pode demorar mais de três meses para ser agendada.

Mais informações sobre como obter o visto, assim como os documentos necessários, são fornecidas, em inglês, no site da embaixada norte-americana.

Os interessados em estudar, trabalhar ou permanecer no país por mais de 90 dias devem requisitar vistos especiais na embaixada americana. Se você estiver nos EUA e tiver de prolongar sua permanência, contate o escritório mais próximo do **Bureau of Citizenship and Immigration Services** *(p. 25)* e solicite essa permanência. Se isso não for feito, você poderá ser multado ou deportado.

O Clima nos EUA

Em razão da vastidão de seu território, os EUA se caracterizam por climas diferentes. Além das muitas variações regionais, o país também sofre mudanças drásticas nos padrões climáticos, provocadas em grande parte pelo Pacífico ocidental, que varrem todo o continente. A seção *Informações Úteis* de cada região contém um quadro como esse, abaixo.

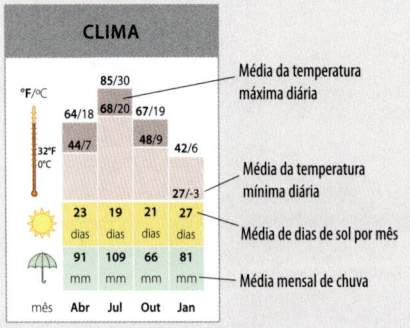

Alfândega e Duty-Free

Todos os que visitam os EUA são obrigados a preencher uma Declaração Alfandegária para entrar no país. Nesse formulário, disponível nos voos e nos postos alfandegários na chegada, você tem de declarar o valor de qualquer bem que esteja entrando nos EUA, e talvez tenha de pagar uma taxa para itens muito valiosos. É permitido aos viajantes levar pequenas quantidades de tabaco e de álcool consigo, mas algumas mercadorias são proibidas, como produtos à base de carne, plantas ou sementes, charutos cubanos e antiguidades históricas. Ao deixar os EUA, informe-se sobre as permissões alfandegárias para produtos feitos de tabaco (200 cigarros por pessoa maior de 18 anos) e bebidas alcoólicas (1 litro por pessoa com mais de 21 anos). Também não saem dos EUA produtos à base de carne, plantas e sementes, além de frutas e armas de fogo.

Planejamento

O país é muito grande e diversificado. Por isso, convém planejar a viagem para aproveitar ao máximo seu tempo nos EUA. Seguir um itinerário lógico e eficiente e reservar bastante tempo para se deslocar entre os lugares para apreciar tudo são duas providências muito importantes. Nas pp. 10-7 deste livro há sugestões de roteiros. Lembre-se de que os EUA dispõem de seis zonas de tempo *(p. 30)*. Todos os estados e as grandes cidades oferecem diversas informações, que podem ser solicitadas com antecedência, por telefone ou em websites. Um dos websites úteis é o **www.discoveramerica.com**. As livrarias também constituem uma fonte valiosa de informações de viagens, assim como as bibliotecas municipais, as agências de viagem e os escritórios de turismo locais ou regionais, por todo o país.

Feriados

Ano-Novo (1º jan)
Martin Luther King Jr. Day (3ª seg de jan)
Presidents' Day (3ª seg em fev)
Memorial Day (últ fim de semana de mai)
Independence Day (4 jul)
Labor Day (1ª seg de set)
Columbus Day (2º fim de semana de out)
Veterans' Day (11 nov)
Ação de Graças (4ª qui de nov)
Natal (25 dez)

Crianças

As crianças são bem-vindas em toda parte, e existe um número incrível de atrações especiais para os pequenos. De parques de diversões e aquários a parques nacionais e museus para crianças, há entretenimento por todo o país.

Grande parte dos restaurantes oferece cardápio especial para crianças, com comidas simples, porções menores e preços mais baixos. Por uma taxa pequena, a maioria dos hotéis fornece uma cama a mais ou um berço *(p. 27)*, e muitos hotéis e motéis possuem quartos conjugados ou conectados, especialmente para famílias. A grande exceção ao padrão de receber bem as crianças fica com boa parte dos *bed-and-breakfast*, alguns restaurantes gourmets nas cidades grandes e as estâncias de luxo que oferecem refúgios relaxantes ou cuidados de spa para os hóspedes. Os restaurantes e os hotéis que acolhem bem as crianças estão indicados na listagem que cobre todos os capítulos.

Idosos

Turistas mais idosos, ou da terceira idade, compõem uma grande fatia do público que viaja, e muitos hotéis e outros estabelecimentos oferecem descontos e serviços especiais para atraí-los. O visitante com mais de 50 anos pode entrar em contato com a **American**

Conversão de Medidas

Padrão EUA para Métrico
1 polegada = 2,54cm
1 pé = 30cm
1 milha = 1,6km
1 onça = 28g
1 libra = 454g
1 pinta EUA = 0,5 litro
1 quarto EUA = 0,947 litro
1 galão EUA = 3,8 litros

Métrico para Padrão EUA
1 centímetro = 0,4 pol.
1 metro = 3 pés 3 pol.
1 quilômetro = 0,6 milha
1 grama = 0,04 onça
1 quilo = 2,2 libras
1 litro = 1,1 quarto EUA

Association of Retired Persons ou AARP *(p. 25)* para se filiar (custa cerca de US$16 por ano) e usufruir bons descontos em viagens. Entre outras organizações que atendem idosos viajantes dentro e fora dos EUA está a **Road Scholar** (800-454-5768/www.roadscholar.org), que oferece por baixo custo excursões educacionais para pessoas acima de 55 anos, incluindo acomodações, atividades, palestras e refeições.

Portadores de Deficiência

Viajantes com deficiência física acharão fácil se locomover nos EUA, onde há iniciativas para oferecer acessos "livres de barreiras" por toda parte.

A Lei para Deficientes (ADA) exige que a maioria dos prédios públicos, como museus, hotéis e restaurantes, faça com que seus serviços e instalações sejam acessados por todas as pessoas, incluindo as com cadeiras de rodas *(p. 27)*. Trens, ônibus e táxis são preparados para acomodar cadeiras de rodas. Entre as organizações do país que ajudam o visitante deficiente a planejar e aproveitar a viagem estão **The Guided Tour Inc** (215-782-1370/www.guidedtour.com) e **Care Vacations** (780-986-6404/www.carevacations.com).

Comunicação e Bancos

A maioria dos bancos americanos aceita transferência de fundos de bancos estrangeiros. Muitos viajantes usam cartões de crédito ou cartões de débito para sacar dinheiro em caixas eletrônicos, o que simplificou bastante os saques e as compras. É melhor comprar cheques de viagem em dólares antes de entrar no país, a fim de evitar demoras e taxas extras. Os EUA oferecem excelentes serviços de telefonia e de correios; os celulares e os cafés com internet facilitaram e baratearam os contatos, e a maioria dos hotéis também oferece conexões com a internet.

AGENDA
Serviços Bancários

American Express Helpline
Tel (800) 221-7282.

American Express Travel Service
Tel (866) 901-1234.

Cirrus/Mastercard
Tel (800) 424-7787.

Travelex
Tel (800) 287-7362,
(800) 223-7373.

Visa Plus
Tel (800) 847-2911.

Telefones

Muitas empresas americanas oferecem serviços telefônicos a taxas variáveis. A maioria dos telefones públicos aceita moedas, mas as chamadas também podem ser lançadas no cartão de crédito. Chamadas locais custam de 50 cents a 1 dólar, com adicionais para ligações longas. Alguns hotéis oferecem aos hóspedes chamadas locais grátis; outros cobram taxas pesadas por ligação – cheque antes. Ligações internacionais são muito caras. Veja se convém usar cartões pré-pagos com taxas mais baratas para ligações internacionais. Celulares tri-band e quadri-band podem funcionar nos EUA. Comprar um chip SIM de uma operadora americana pode diminuir a conta. Empresas de aluguel de carros costumam alugar celulares para o cliente.

Serviços Postais

O correio abre das 9h às 17h (dias de semana); algumas agências abrem sábado de manhã. Cartões-postais e cartas podem ser colocados nas caixas de correio azuis em qualquer esquina. A correspondência deve ter o código postal de cinco dígitos. As tarifas para a postagem internacional variam, por isso compre selos no posto local. Há um serviço de remessas e um serviço *General Delivery*, pelo qual as cartas para você ficam num posto por 30 dias.

Internet

Bibliotecas, shoppings, hotéis e pontos de encontro em universidades são locais mais fáceis e baratos para acessar a internet. A maioria dos computadores de bibliotecas permite mandar e-mails e navegar pela rede. Muitas cidades grandes têm lojas que oferecem esse acesso por uma pequena taxa.

Bancos

Existem bancos em todas as cidades dos EUA e muitos oferecem postos de serviços em shoppings e supermercados. Instituições financeiras, como cooperativas de poupança e de crédito, também têm serviços bancários. Os cheques de viagem podem ser descontados com a apresentação do passaporte. Também se pode sacar dinheiro com cartão de crédito, mas é cobrada uma alta taxa pelo serviço. A maioria dos bancos não troca moeda estrangeira. Durante a semana, os bancos abrem das 9h às 16h, alguns ficam até as 18h na sexta-feira e outros abrem sábado de manhã.

Caixas Eletrônicos

A maioria dos bancos possui caixas automáticos 24 horas, que também estão em quase todas as estações de trem, aeroportos e shoppings. Os caixas estão conectados a redes e ali se pode sacar de contas de outros estados ou países. As principais redes para cartões de banco são **Visa Plus**, **Cirrus/Mastercard**, **Star** e **Interlink**. Verifique se o seu banco permite saques internacionais e se o cartão e o número de identificação (PIN) são compatíveis com as máquinas americanas. Muitos caixas cobram uma taxa de US$1 a US$2,50 por transação. Porém, as taxas de câmbio para transações nesses caixas são melhores do que as de cheques de viagem ou moeda estrangeira.

Cartões de Crédito

Os cartões mais aceitos são Visa, MasterCard, American Express, Japanese Credit Bureau (JCB), Discover e Diners Club (DC). Podem ser usados em hotéis, restaurantes, lojas e para pagar serviços, como os de médicos ou

---

Números Úteis

- O código internacional para os EUA é **1**.
- Para interurbanos dentro dos EUA: digite **1**, os 3 dígitos do código de área e os 7 dígitos do número.
- Para ligações locais: digite os 7 ou 10 dígitos do número.
- Para ligar para o Brasil usando o serviço **Brasildireto** da Embratel disque um dos códigos de acesso dos EUA (AT&T **1 800 344 1055**; MCI **1 800 283 1055**; Worldcom **1 800 809 2292**; Sprint **1 800 745 5521**; cartão pré-pago **1 888 883 4783**); escolha o idioma no qual deseja ser atendido; em seguida escolha uma das opções de ligação: automáticas, com cartão telefônico ou com auxílio de telefonista.
- Para ajuda da telefonista: digite **0**.
- Os prefixos **800**, **888**, **877** e **866** indicam ligações grátis.
- Para consultar a lista: digite **411**.
- Para emergências: digite **911**.

de aluguel de carro. Os cartões permitem que você fique mais tranquilo, e as taxas de câmbio para cartões costumam ser melhores do que para cheques de viagem ou dinheiro.

Cheques de Viagem

Alguns viajantes preferem levar cheques de viagem em vez de dinheiro, pois eles podem ser repostos em caso de perda ou furto. Os cheques de viagem mais aceitos são os emitidos pela American Express, em dólares americanos. É mais fácil pagar compras com cheque de viagem e receber o troco em dinheiro do que ir ao banco para trocar. Adquira cheques com valores de US$10, US$20 e US$50. É difícil trocar US$100, a não ser em bancos. Cheques em moeda estrangeira não são aceitos e fica difícil trocar os de fora do estado. Contate **American Express Helpline** para comunicar perda, roubo ou destruição de cheques de viagem.

Câmbio

Procure trocar seu dinheiro por dólares americanos antes de viajar para os EUA. É difícil fazer câmbio de moeda estrangeira, a não ser nos terminais de aeroportos das grandes cidades.

As principais empresas de câmbio nos EUA são a American Express e a Travelex. Se precisar de dinheiro rápido, pode passar pela loja do duty-free e comprar algo para trocar um cheque de viagem.

Moeda de 10 cents *(dime)*

Moeda de 5 cents *(nickel)*

Moeda de 1 dólar

Moeda de 25 cents *(quarter)*

Moedas

Existem moedas de 1 dólar, 50, 25, 10, 5 e 1 cents. As de 1 cent são conhecidas como pennies, *as de 5 cents,* nickels, *as de 10 cents,* dimes *e as de 25 cents,* quarters.

Cédulas

O dinheiro se divide em dólares e cents; 100 cents formam 1 dólar. Há cédulas (notas) de US$1, US$5, US$10, US$20, US$50 e US$100. Todas as notas eram verdes e difíceis de serem diferenciadas umas das outras. Agora a única nota completamente verde é a de 1 dólar.

Saúde e Segurança

Nos Estados Unidos não existe um serviço nacional de saúde, e o atendimento, embora excelente, é fornecido em grande parte pelo setor privado, o que o torna muito caro. Recomenda-se fazer um seguro-saúde de viagem que cubra parte dos custos relacionados a um acidente ou mal súbito. Em termos de segurança, algumas das grandes áreas urbanas têm um índice de crimes mais alto do que nas regiões rurais, o que indica a necessidade de precauções para uma viagem tranquila. Cheque com amigos ou com o pessoal do hotel que partes da cidade devem ser evitadas.

Segurança Pessoal

Embora a maioria dos locais turísticos seja razoavelmente segura para viajar, os visitantes devem tomar precauções para não serem vítimas de um crime. De modo geral, grande parte dos crimes ocorre em áreas não frequentadas por turistas. É sempre bom evitar locais pouco explorados por viajantes. Procure não usar joias caras, carregue apenas pouco dinheiro, use um cinto com dinheiro por baixo da roupa e mantenha câmeras e filmadoras em segurança.

Dinheiro

Carregue somente pequenas quantidades de dinheiro. Mantenha os cartões de crédito num cinto para valores em vez de colocá-los na mochila ou nos bolsos. A maneira mais segura de levar dinheiro é na forma de cheques de viagem, que permitem a você carregar um mínimo de dinheiro vivo. Use sempre os caixas eletrônicos de dia ou em ruas movimentadas e bem iluminadas.

Segurança no Hotel

Roubo em quarto de hotel não é comum, mas convém não deixar objetos de valor expostos quando sair. Pense se não é melhor guardá-los no cofre do hotel ou do quarto, junto com o grosso do dinheiro. Esse serviço não costuma ser cobrado. No quarto, use um cadeado para aumentar a segurança. Familiarize-se com as saídas de emergência e rotas de fuga de incêndios. Nunca deixe estranhos entrarem no seu quarto nem lhes forneça detalhes do local onde está hospedado.

Segurança no Carro

Um carro alugado pode servir para guardar suas compras. No entanto, ele também atrai ladrões, principalmente nos estacionamentos de locais grandes ou em áreas de caminhadas. Sempre tranque o carro ao sair dele e coloque valises e objetos de valor no porta-malas. Itens caros, como câmeras, deixados expostos ou num carro destrancado são alvos fáceis para os ladrões. À noite, estacione na garagem do hotel.

Segurança de Valores e Documentos

Antes de viajar, faça cópias autenticadas de documentos importantes, como passaporte; leve uma cópia consigo e deixe outra em local seguro ou com um amigo. Faça o mesmo com os números em série dos cheques de viagem e dos cartões de crédito, no caso de serem roubados ou perdidos. Todos os documentos importantes e a carteira devem ficar num cinto para valores.

Segurança ao Ar Livre

Participar de atividades ao ar livre implica alguns riscos, que podem ser minimizados com certas precauções. Para atividades como mountain biking, alpinismo, canoagem ou trilhas de moto, é fundamental o uso de capacete e outros itens de proteção. Use sempre colete salva-vidas ao andar de barco ou velejar. Em passeios pelo deserto ou em altitudes elevadas, deve-se usar chapéu e protetor solar, e beber muita água para não desidratar. Em áreas desérticas, leve uma caixa de primeiros socorros, gasolina a mais e um *kit* de ferramentas para o veículo, e carregue sempre um celular. Os que caminham devem se preparar para mudanças no tempo, em especial em grandes altitudes. Não saia das trilhas e, se acampar ou caminhar sozinho, é melhor avisar alguém de seus planos, destino e tempo estimado de chegada. Muitas trilhas têm registros onde você marca a saída e o término da caminhada ou do acampamento. Em áreas de florestas, o caminhante deve usar roupas bem coloridas e evitar as florestas sem trilha marcada ou os campos, durante a temporada de caça.

Insetos e Animais

Os entusiastas da vida ao ar livre devem se precaver contra os animais das áreas silvestres. Tome cuidado com os ursos, pois os ataques estão mais frequentes. Uma boa precaução é nunca dar comida a animais ou interferir na vida selvagem. As picadas e mordidas de insetos são irritantes mas não constituem grande perigo. Moscas, pernilongos e outros mosquitos são um transtorno, por isso leve repelente. Previna-se com soro antiofídico e estojo de primeiros-socorros se penetrar em área com cobras. Se for mordido por cobra ou escorpião, procure um médico imediatamente.

Evite contato com plantas alergênicas. Beba apenas água tratada ou fervida, para evitar doenças bacterianas.

Segurança na Água

Se for possível, surfistas e banhistas devem ficar em áreas que tenham salva-vidas. Se você não estiver acostumado com correntes fortes, evite praias sem salva-vidas. Mesmo que você seja um nadador experiente, preste atenção nos socorristas e nas condições das águas de lagos e mares. Nunca nade sozinho e fique atento a surfistas, esquiadores, barcos e jet skis. Fique de olho nas crianças o tempo todo.

Prevenção de Incêndios

Ao fazer caminhadas em áreas selvagens, tenha cuidado quando acender fogueiras. Já que a lenha é escassa e os incêndios florestais se espalham rapidamente, sempre verifique se as fogueiras são permitidas onde você acampar. Apague completamente o fogo. A fogueira que ainda solta fumaça não está apagada.

Informe de Bens Perdidos e Roubados

Apesar de serem muito pequenas as chances de reaver bens perdidos ou roubados, convém informar todos os itens desaparecidos (até seu carro) à polícia. A maioria das empresas de transporte, como as de táxi, ônibus, metrô e linhas aéreas, dispõe de departamentos de Achados e Perdidos, que podem ser contatados por telefone. É interessante ter uma lista do número de série de seus bens e o recibo de compra. Peça uma cópia do relatório policial para requerer o seguro. Para cartões de crédito ou cheques de viagem perdidos ou roubados, contate a operadora responsável.

Polícia

Boa parte do reforço legal dos EUA é mantido no âmbito dos governos estadual e municipal. As tropas estaduais e a State Highway Patrol lidam com acidentes de trânsito e transgressões fora dos limites da cidade. A polícia municipal e os xerifes patrulham as áreas rurais, as cidades pequenas e os vilarejos.

Os policiais carregam armas de mão e devem ser sempre tratados com respeito e educação. Em geral, eles são amistosos, dedicados e interessados em sua segurança. Em consequência do ataque terrorista de 2001, oficiais da National Transportation Security Administration foram colocados em aeroportos, estações de trem, terminais de ônibus e grandes locais cheios de gente. Eles fazem revista em passageiros, controle da multidão e outros serviços.

Em territórios federais, como nos parques nacionais e florestas, os guardas florestais protegem os visitantes. Quase todas as áreas silvestres não têm registro de crimes.

Assistência Legal

Viajantes de fora dos EUA que precisarem de assistência legal devem contatar o consulado mais próximo ou a embaixada em Washington, DC. Se for preso, você tem o direito de ficar calado, de ter aconselhamento legal e de fazer pelo menos um telefonema. A polícia lhe fornecerá os números de telefone necessários e deverá tratá-lo com respeito e consideração.

Seguro e Tratamento Médico

Um seguro de viagem abrangente é recomendado para quem visita os EUA. Qualquer tratamento médico ou dentário de emergência pode ficar muito caro. Assim, o comprovante da cobertura do seguro ajudará a custear parte dos custos relacionados a um atendimento não programado. Se você toma algum remédio, leve a receita.

Um bom seguro também pagará a reposição de um bem roubado ou danificado. Se você tiver de cancelar ou mudar os planos de viagem, muitas apólices reembolsam os gastos.

Emergências

Se estiver numa emergência e precisar de bombeiros, polícia ou serviços médicos, ligue para 911. A ligação é grátis de qualquer telefone público, e há telefones de emergência ao longo das rodovias mais importantes. Todos os recursos médicos dos EUA cuidam de emergência com feridos, mesmo para quem não tem meios. A **Travelers' Aid Society** dá assistência a viajantes sem recursos ou precisando de ajuda de emergência.

AGENDA

Emergências

Qualquer Emergência
Tel 911 (para chamar polícia, bombeiros ou emergência médica).

Travelers' Aid Society
w travelersaid.org

Hospitais e Recursos Médicos

Tel 411 (auxílio à lista).

Cartões de Crédito e Cheques de Viagem Perdidos

American Express
Tel (800) 528-4800 (cartões).
Tel (800) 221-7282 (cheques de viagem).
w americanexpress.com

Mastercard
Tel (800) 826-2181.
w mastercard.us

VISA
Tel (800) 336-8472.
w visa.com

Embaixadas

Brasil
w brazilembassy.org

EUA
w visto-eua.com.br
w embaixada-americana.org.br

Serviços de Imigração
US Bureau of Citizenship and Immigration Services.
w uscis.gov

Consulados do Brasil nos EUA

w brazilian-consulate.org
w brasilemb.org

Nova York
Tel (917) 777-7777.

Washington
Tel (800) 336-8472.

Los Angeles
Tel (323) 651-2664.

Miami
Tel (305) 285-6200.

Boston
Tel (617) 542-4000.

Idosos

American Association of Retired Persons
601 E St NW Washington, DC, 20049. Tel (888) 687-2277.
w aarp.org

Hospedagem

Os Estados Unidos oferecem grande variedade de hospedagem para todos os gostos e bolsos. No topo da escala de conforto, o visitante pode optar por hotéis e resorts luxuosos, encontrados nas grandes cidades. Pequenos hotéis no interior e *bed-and-breakfasts* (B&Bs), geralmente instalados em casas históricas amplas e reformadas, oferecem um ambiente mais pessoal. Para viagens econômicas, há milhares de motéis baratos ao longo das rodovias. Em geral, hotéis, motéis e albergues são limpíssimos. Para quem quiser aproveitar a natureza, existem diversos campings em parques e florestas.

Hotéis e Resorts

Para desfrutar todo o conforto oferecido pelos EUA, nada melhor do que optar por uma das muitas redes de hotéis, como **Hilton**, **Marriott** e **Starwood**. Hotéis históricos ou modernos, assim como resorts, em geral se localizam nas áreas centrais. A maioria dos resorts enfoca relaxamento e oferece serviços de spa ou acesso a golfe, tênis e outras atividades. Os melhores hotéis, nas grandes cidades, costumam sediar os restaurantes e os bares mais refinados. Oferecem ampla variedade de serviços para os hóspedes, como piscina e academia, e a recepção fornece informações sobre turismo, compras e condições especiais em teatros e restaurantes.

Há também diversos hotéis antigos e clássicos instalados em pontos tradicionais para férias, como as cabanas rústicas do início do século XX em parques estaduais e nacionais. Alguns dos hotéis famosos em parques nacionais, como o Old Faithful Inn, em Yellowstone *(p. 593)*, têm localização com paisagem inesquecível.

Uma alternativa aos grandes hotéis são os hotéis-butique. Esses estabelecimentos pequenos e exclusivos têm personalidade e enfatizam os serviços de conveniência. Costumam ser bem caros, por isso sempre pergunte o preço das diárias.

Viagem de Negócios

Muitos hotéis centrais atendem principalmente viajantes a negócios. Alguns oferecem acomodações especiais, com quartos muito amplos. Essas suítes costumam incluir café da manhã, lanches e coquetéis à noite.

Motéis

A maioria das acomodações para pernoite é oferecida por motéis. Quase sempre localizados ao longo das principais rodovias, oferecem estacionamento ao lado do quarto. Em geral, têm menos estrutura do que os hotéis, mas são mais baratos e, às vezes, dispõem de piscina e playground, além de restaurante. Os quartos contam com uma cama de casal ou duas de solteiro, banheiro, TV e telefone.

Muitos motéis são administrados como franquias nacionais, mas alguns dos mais agradáveis são propriedades locais. Entre as redes de motéis mais concorridas estão **Motel 6** e **Holiday Inn**.

Bed-and-Breakfast e Pousadas Históricas

A maioria das pousadas históricas oferece uma experiência enriquecedora. Quase sempre instaladas em mansões ou casas históricas magnificamente reformadas, são decoradas com peças de herança e antiguidades. Os B&Bs apresentam opções mais variadas, desde quartos em casas particulares, onde pode haver um banheiro compartilhado, até acomodações privativas de luxo, que se diferenciam das pousadas apenas no nome. Grande parte das pousadas e B&Bs aluga quartos para pernoite, embora alguns ofereçam descontos em estadas de uma semana ou mais.

Os B&Bs também fornecem café da manhã completo, muitas vezes servido numa sala onde os hóspedes possam se conhecer. Em geral, os cafés são fartos, com ovos e quitutes salgados e doces. Alguns B&Bs, em especial nas áreas rurais próximas a pontos turísticos concorridos, também servem jantares gourmets, com especialidades regionais.

Albergues

Para quem viaja sozinho, uma das melhores maneiras de encontrar pessoas e economizar é se hospedar nos albergues da **Hostelling International (HI)**, afiliada americana da International Youth Hostels Association (IYHA). Encontram-se albergues nos centros das cidades grandes e perto de destinos concorridos. Eles oferecem pernoite barato em dormitórios coletivos limpos, separados por sexo. Muitos dispõem de quartos privativos para casais ou famílias. Alguns albergues ficam em construções notáveis, como faróis ou quartéis reformados.

Todos os albergues possuem cozinha, banheiros e salas comunitárias. A HI Hostels tem diversas regras, como a proibição de álcool e, às vezes, horário de recolher. Os hóspedes devem levar roupa de cama. Esses albergues recebem viajantes de todas as idades, embora quem não seja membro tenha de pagar uma sobretaxa, além do pernoite, que varia de US$15 a US$50 por quarto. Em muitas áreas urbanas há também diversos albergues particulares, que oferecem quartos básicos ou camas em dormitórios.

Campings

Grande parte dos parques municipais, estaduais e federais, das florestas nacionais e de outras áreas públicas oferece estacionamento e espaço para barracas, além de mesa de piquenique, cova para fogueira, toaletes e, às vezes, chuveiros com água quente *(p. 47)*. Alguns são mais elaborados e têm eletricidade e pontos de água para trailers e motor homes. O preço do pernoite varia com a localização, os

INFORMAÇÕES ÚTEIS | 27

recursos e a temporada, mas costuma ficar entre US$20 e US$50. Muitos campings aceitam fazer reserva, enquanto outros funcionam na base do "quem chegar primeiro fica". Os serviços **Woodall's** e **Good Sam** trazem uma listagem de campings.

Os campings particulares, como os operados pelos **Kampgrounds of America** (KOA), oferecem salão de jogos, piscina e mercearia. Há os que possuem cabanas de madeira, boas para famílias. Os campings mais concorridos lotam nos fins de semana e no verão. Convém se instalar antes de anoitecer. Acampar em áreas de repouso das rodovias ou à beira de estradas, além de proibido, é perigoso.

Acomodações Rústicas ou Básicas

Há diversos campings bem básicos e primitivos em áreas florestais, preferidos pelos mochileiros. Em geral, são gratuitos, mas veja com os guardas-florestais quais as regras que devem ser respeitadas. Grandes extensões de terra no Oeste possuem áreas como essas, geridas por departamentos do governo, a exemplo do **National Park Service**, do **US Forest Service** e do **Bureau of Land Management** (p. 47).

Preços

As diárias variam muito e vão de menos de US$20, num acampamento ou num albergue, até acima de US$500, num hotel de luxo central. Muitos estabelecimentos cobram diária por quarto, mas há lugares, como em Las Vegas e Miami, em que as taxas são por cabeça, se duas pessoas dividirem o mesmo quarto.

O preço dos quartos de todos os níveis de conforto varia com a demanda. Por isso, vale a pena procurar descontos ou pacotes, principalmente nos fins de semana em áreas urbanas e em dias úteis nas áreas rurais, ou em qualquer lugar fora de temporada.

Reservas

Alguns estabelecimentos oferecem descontos para reservas antecipadas ou feitas pela internet. Confira também eventuais descontos de última hora. Muitos hotéis dispõem de pacotes em conjunto com algum evento especial, com entradas para teatro ou concerto com acomodação para o pernoite.

Boa parte dos estabelecimentos pede o número do cartão de crédito para efetuar a reserva. Se você cancelar, talvez lhe seja cobrado um pernoite, dependendo da época. Por exemplo, se não cancelar até as 18h, pode ter que pagar a diária. Nos locais mais concorridos, no pico da temporada, muitos hotéis e resorts talvez exijam um mínimo de duas noites de estada.

Quase todas as grandes empresas hoteleiras mantêm um telefone grátis para reservas, útil para quando você se desloca para outra cidade. Essas linhas dão informações atualizadas sobre o preço das diárias e disponibilidade e são uma boa maneira de comparar preços. A maioria das empresas publica agendas grátis de todas as suas propriedades, com mapas e outros detalhes.

Crianças

A maioria dos hotéis acolhe bem as crianças e fornece itens extras, como berços. Em alguns há serviços de baby-sitter. Em estabelecimentos mais familiares existem atividades para crianças e outros programas divertidos. Hóspedes com idade até 12 anos (às vezes, até 16 ou 18 anos) podem ficar no quarto dos pais sem cobrança. Os quartos costumam ter sofá-cama ou são montadas camas extras por uma taxa adicional. Para mais informações, veja a página 21.

Portadores de Deficiência

Por lei, qualquer estabelecimento é obrigado a dispor de recursos para deficientes (p. 21). A hotelaria faz o melhor para acomodar todos os clientes. Se você tiver necessidades específicas, avise antes. A maioria dos lugares tem acesso para cadeira de rodas, portas largas, banheiros adaptados e barras de apoio em toaletes e chuveiros.

Hotéis Recomendados

As opções de hospedagem citadas neste guia abrangem várias faixas de preço e foram selecionadas por suas instalações excelentes, pela boa localização e pela excelente relação custo-benefício. Há muitos hotéis de luxo, que oferecem o que há de melhor em atendimento e estrutura. Quem faz questão de estilo encontra hotéis-butique em cidades grandes. Para algo mais intimista, vale a pena ficar em um hotel ou B&B histórico. Albergues, motéis limpos e pousadas são alternativas mais baratas. Famílias talvez prefiram os resorts, muitos dos quais oferecem pacotes com atividades.

As melhores hospedagens estão indicadas nos quadros de destaque e oferecem algo realmente excepcional, como localização estupenda, história notável ou atmosfera convidativa. No entanto, é fundamental fazer reserva com bastante antecedência.

AGENDA

Hotéis e Resorts

Hilton
Tel (800) 445-8667.
W hilton.com

Marriott
Tel (800) 228-9290.
W marriott.com

Starwood
Tel (888) 625-5144.
W starwoodhotels.com

Motéis

Holiday Inn
Tel (800) 465-4329.
W ichotelsgroup.com

Motel 6
Tel (800) 466-8356.
W motel6.com

Albergues

Hostelling International
Tel (301) 495-1240.
W hiusa.org

Campings

Kampgrounds of America
W koa.com

Onde Comer e Beber

Além de culinárias regionais ótimas, muitas das quais estão ganhando projeção internacional, os EUA oferecem diversas experiências gastronômicas, sobretudo em cidades grandes. Nova York, Los Angeles, São Francisco e Chicago rivalizam com qualquer cidade global pela qualidade dos ingredientes e pela variedade de cozinhas disponíveis, com ambientes que variam de rústicos a românticos. Muitas vezes o melhor de cada região se deve a comunidades imigrantes que ajudaram a moldar a cultura local. A comida mexicana costuma ser excelente em restaurantes nos estados do Sudoeste, como Novo México e Arizona; há ótima comida asiática em enclaves de expatriados na maioria das cidades costeiras. Em cidades pequenas com menos diversidade, restaurantes de hotel frequentemente são a melhor opção.

Horários

Nos EUA, o café da manhã pode ser um banquete: restaurantes têm menus extensos, ao passo que hotéis em geral oferecem bufês grandes. Bacon, ovos, batatas coradas, panquecas, waffles, cereais, torradas e muffins figuram na maioria dos cardápios. O brunch dominical é uma refeição sem pressa, com direito a frutos do mar, carne e aves. O café da manhã é servido de 6h ou 6h30 até 10h30 ou 11h, embora muitos cafés sirvam a refeição o dia todo. Em geral, o brunch é disponível até 14h.

Costuma-se almoçar entre 11h30 e 14h30 ou 15h. Muitos restaurantes caros oferecem versões mais simples de seu menu noturno no almoço, as quais podem ter boa relação custo-benefício. Refeições noturnas são servidas a partir de 17h30 ou 18h e raramente clientes são aceitos após as 21h. Em cidades pequenas, muitos restaurantes fecham à noite, então ligue antes para se informar. No entanto, cidades fervilhantes como Nova York, Las Vegas e Miami têm muitas opções 24 horas, desde restaurantes convidativos a *diners* simples, com vários tipos de refeição.

Preços e Gorjeta

Embora seja difícil encontrar pechinchas nas cidades mais famosas, comer fora na maior parte do país é um programa bem acessível, e até os restaurantes mais caros oferecem opções mais em conta.

Refeições leves em cafés e *diners* custam entre US$10 e US$15, e muitos estabelecimentos de rede servem, no jantar, frango ou bife com batatas e legumes ou salada por menos de US$15. Restaurantes mexicanos, chineses e tailandeses oferecem porções combinadas excelentes por US$8-12. Em restaurantes e cafés finos, entradas no jantar variam entre US$20 e US$50 ou mais, e muitos oferecem refeições a preço fixo, excluindo bebidas, por menos de US$50.

A maioria das regiões tem alternativas mais baratas: os *diners* de Nova York, por exemplo, oferecem refeições completas por menos de US$20, e os famosos bufês nos cassinos de Las Vegas servem diversos pratos de alto padrão, como assados, saladas, massa e peixe, a preços razoáveis. Em geral, bufês de consumo à vontade custam entre US$15 e US$50.

Garçons geralmente ganham salários baixos e dependem de gorjetas para aumentar sua renda. Por isso, em todos os restaurantes com serviço é praxe dar gorjeta no final da refeição. A norma é deixar entre 15% e 20% do valor da conta, embora isso dependa de seu grau de satisfação com o atendimento. Caso pague com cartão de crédito, pode incluir a gorjeta na soma cobrada no espaço definido para isso no recibo. Alguns lugares de fast-food mantêm recipientes ao lado do caixa para os clientes deixarem a gorjeta. Barmen também esperam receber gorjeta de no mínimo US$1-2 por drinque ou de 20%, o que é melhor, por cada rodada de drinques.

O imposto sobre vendas não aparece no menu, mas incide sobre todos os tipos de comida e bebida. Embora varie conforme o estado e a cidade, esse imposto representa um acréscimo de 5% a 10% no custo de uma refeição.

Tipos de Comida e de Restaurante

Nos EUA há ampla variedade de opções para se alimentar bem, entre elas *diners* pequenos e cordiais que oferecem hambúrgueres e lanches e restaurantes gourmets que servem culinária sintonizada com as tendências globais – alguns, inclusive, são especializados em gastronomia molecular. Hotéis e resorts de alto nível sempre têm excelentes opções gastronômicas.

Na base da pirâmide alimentar, fast-food é algo disseminado em todo o país, e várias redes como McDonald's, Burger King, Wendy's, KFC e Taco Bell estão presentes nas vias principais da maioria das cidades. Todas servem as variações usuais e baratas de hambúrgueres, sanduíches, fritas e refrigerantes. Redes como Applebee's e Denny's apresentam mais variedade, com sopas, saladas, sanduíches, refeições e sobremesas. Em geral, a relação custo-benefício é boa, mas a qualidade varia de um estabelecimento para outro. Pizzarias de rede também funcionam em todo o país.

Restaurantes de nível médio servem diversas culinárias estrangeiras, como italiana, grega, chinesa, japonesa e indiana. Muitos estabelecimentos confiáveis desse tipo estão instalados em shopping centers e centros comerciais. Quem gosta de experimentar deve ficar de olho em bancas de rua e lanchonetes; caso haja fila, maior a chance de você ter descoberto comida boa como de restaurante a preços bem razoáveis, porém sem garçons e outras comodidades.

Chefs entusiastas em todo o país se empenham para encontrar os melhores e mais frescos produtos locais. Devido a isso, milhares de restaurantes passaram a ter menus que dão ênfase a especialidades sazonais feitas com ingredientes recém-chegados do produtor. Entre os destaques regionais estão os maravilhosos frutos do mar do Noroeste do Pacífico e da Nova Inglaterra, bifes e costelas suculentos do Meio-Oeste e produtos excelentes o ano inteiro na Califórnia e na Flórida.

Cafeterias e Cafés

As cafeterias são muito apreciadas em todo o país e facilmente encontradas por todos os cantos das principais cidades. Além de cafés especiais, costumam servir doces, bagels, sobremesas e sanduíches. Os cafés variam de estabelecimentos simples que servem lanches a lugares refinados com muitas opções interessantes para a clientela.

Vegetarianos

A culinária americana típica utiliza muita carne, de modo que os vegetarianos não encontram muita variedade fora de cidades grandes e balneários. No entanto, é possível encontrar saladas em todos os lugares, desde restaurantes sofisticados até redes de fast-food, e em certos casos elas equivalem a uma refeição. Em geral contêm carne ou frutos do mar, mas podem ser adaptadas para os vegetarianos.

Muitas redes de fast-food também servem saladas, sopas ou batatas assadas para agradar aos clientes que têm hábitos mais saudáveis. Além disso, é muito comum restaurantes étnicos oferecerem algumas opções sem carne, como frituras com legumes e pratos à base de arroz.

Álcool

Há cerveja e vinho em quase todos os estabelecimentos que servem comida; drinques básicos e coquetéis também são comuns. É preciso ter no mínimo 21 anos para comprar bebidas alcoólicas – ande sempre com um documento de identidade, mesmo que não aparente ter essa idade. Certas regiões proíbem restaurantes de servir álcool, então procure locais com a placa "BYOB" ("traga sua garrafa") e compre um vinho antes de entrar. Bebidas alcoólicas são proibidas em todas as reservas indígenas do país.

Portadores de Deficiência

Devido às legislações federal e estaduais, a maioria dos restaurantes do país é ao menos parcialmente acessível para cadeirantes. Em geral, há rampas na entrada, portas de abertura automática e banheiros com privadas e pias apropriadas. Vários lugares também oferecem estrutura adequada a outros tipos de deficiência. Alguns estabelecimentos históricos não precisam seguir essa exigência legal.

Crianças

Os restaurantes americanos acolhem bem o público infantil. A maioria dos estabelecimentos tem porções para crianças e cadeirões. A exceção fica por conta de bares, lounges e restaurantes com foco em diversão noturna, que proíbem a entrada de menores de 18 ou 21 anos à noite, e certos restaurantes mais finos que preferem não receber bebês e crianças pequenas para não incomodar os outros clientes. Caso tenha dúvidas, ligue antes e peça informações.

Vestuário

As pessoas se vestem de maneira casual para comer fora nos EUA. Até em restaurantes chiques raramente é preciso usar paletó e gravata; somente os lugares mais requintados e tradicionais indicam um tipo de vestuário obrigatório. Informe-se sobre isso ao fazer a reserva.

Reservas

É sempre recomendável fazer reserva nos restaurantes melhores e mais conhecidos em qualquer cidade. Muitos estabelecimentos aceitam reservas apenas para grupos grandes, com no mínimo seis pessoas. No entanto, a maioria não exige essa formalidade, e até os mais sofisticados costumam providenciar mesa para quem chega de última hora. No caso de fazer reserva com mais de um dia de antecedência, confirme antes de ir na data marcada.

Fumo

As leis sobre fumo variam conforme o estado e a cidade, porém costumam ser rígidas. Quase todos os restaurantes que permitem fumar têm ambientes específicos para isso. É bastante comum fumantes serem impedidos de acender um cigarro em destinos como Nova York e Los Angeles. As alternativas são procurar um pátio destinado a fumantes ou fumar na calçada antes ou após a refeição.

Restaurantes Recomendados

Os restaurantes citados neste guia foram selecionados devido a excelentes relação custo-benefício, comida, atmosfera e localização. Desde barracas simples com comida autêntica a templos caríssimos de gastronomia, esses lugares abrangem todas as faixas de preço e tipos de culinária.

Quem faz questão do melhor deve prestar atenção nos restaurantes indicados nos quadros de destaque. Tais estabelecimentos ganharam posição especial devido a uma ou várias qualidades excepcionais, como chef célebre, comida refinada, cenário bonito ou ambiente convidativo. Em sua maioria, são muito frequentados tanto por moradores locais como por visitantes, então prefira fazer reserva com bastante antecedência para não ter de enfrentar uma longa espera pela mesa.

De Avião

Os Estados Unidos são uma nação que viaja muito e tem muitas companhias aéreas que fazem voos domésticos e internacionais. Embora as viagens internacionais sejam oferecidas por empresas americanas e por centenas de empresas aéreas de outros países, os voos domésticos se limitam às companhias sediadas nos EUA. Como o país é enorme e as competições reduziram os preços consideravelmente, a viagem aérea se tornou parte integrante da vida. Hoje a maioria das viagens de longa ou média distância é feita de avião.

Voos para os EUA

Boa parte das grandes cidades do mundo tem voos diários para diversas cidades americanas. Pode-se voar direto do Brasil para algumas das maiores delas como Nova York, Miami, Boston, Washington e Nova Orleans. Para Los Angeles, o voo faz escala em Miami.

O tempo de voo de São Paulo e Rio de Janeiro a Nova York, por exemplo, é de cerca de nove horas, se a viagem for direta. Esse tempo aumenta se o voo tiver escalas. Para Los Angeles, por exemplo, a viagem pode levar até 12 horas.

Entre as principais companhias aéreas que operam voos regulares do Brasil para os EUA estão a **Tam**, a **United Airlines** e a **American Airlines**.

Para Manter os Custos Baixos

Nos EUA, as tarifas aéreas flutuam, dependendo da temporada, e até dobram nos períodos de férias, principalmente no verão e na época do Dia de Ação de Graças e do Natal. Em geral, ficam mais baratas entre fevereiro e março, quando viagens transatlânticas de ida e volta podem custar bem menos. Você também consegue preços menores em dias úteis. As tarifas mais baratas são as das passagens Apex (Advance Purchase Excursion) para linhas aéreas programadas. Têm de ser adquiridas 21 dias antes e valem para um período de sete a 30 dias. Porém, qualquer alteração necessária pode custar uma taxa extra. Algumas empresas também oferecem tarifas mais baratas se você limitar sua permanência a determinado período. Idosos e crianças podem obter desconto em alguns voos. Mas essas passagens nem sempre estão disponíveis. Outra opção são as tarifas de curta duração oferecidas na internet pelas empresas, quando há lugares disponíveis. Elas valem por alguns dias a partir do anúncio (as tarifas podem ser anunciadas na quarta-feira para viagens no fim de semana e volta no fim de semana seguinte).

A Chegada

Todo visitante internacional ou americano tem de passar pela alfândega e pela imigração ao desembarcar nos EUA (p. 21). Os principais aeroportos possuem cabines de informações multilíngues para responder às suas perguntas e dar detalhes sobre os transportes na cidade.

Os aeroportos internacionais estão ligados à cidade por transportes públicos e por táxi. Muitas locadoras de carro fornecem ônibus até o ponto em que o carro está, perto do aeroporto. As principais empresas aéreas estão ligadas a diversos serviços domésticos e todas dispõem de recursos para deficientes físicos. Ainda assim, convém combinar antes o serviço necessário, por meio da companhia ou de um agente.

Segurança

Depois dos ataques terroristas de 11 de setembro de 2001, as autoridades aumentaram as precauções de segurança antes dos voos (principalmente nos voos domésticos). O visitante internacional deve esperar revista e exame de sua bagagem de mão. Estão proibidos itens como pilhas, tesouras, lixas de unhas, agulhas de costura, objetos cortantes e recipientes contendo mais do que 100ml de líquido. As placas nas áreas de alfândega enumeram os itens proibidos na baga-

---

Fusos Horários nos Estados Unidos

Os Estados Unidos abrangem seis fusos horários – os estados "continentais" (48 estados contíguos) se dividem em fuso do Leste, Central, das Montanhas e do Pacífico, enquanto o Alasca e o Havaí têm seus próprios fusos. A cada fuso aumenta uma hora. Por exemplo: quando são 20h em Nova York, são 19h em Chicago, 18h em Denver, 17h em Los Angeles, 16h em Anchorage e 15h em Honolulu.

O horário do Leste marca cinco horas a menos do que o Horário Médio de Greenwich, e o Havaí fica 11 horas atrás de Greenwich. Com algumas variações, os EUA observam Horário de Verão entre meados de março e início de novembro.

INFORMAÇÃO DE VIAGEM | 31

gem. Visitantes terão seus vistos fotografados e suas impressões digitais tomadas, para comparação com um banco de dados da segurança nacional. Com o aumento dessa segurança, o check-in é demorado.

Dentro dos EUA

O visitante interessado em conhecer todo o país pode aproveitar os voos domésticos. Eles são operados por mais de uma dezena de empresas aéreas importantes, muitas das quais fazem voos internacionais. Uma ampla rede de voos domésticos serve a maior parte das cidades.

As grandes companhias aéreas operam uma rede chamada *hub-and-spoke*, com voos de longa distância entre aeroportos regionais, de onde voos mais curtos levam a pessoa ao destino desejado. A maioria dos voos da **Delta Airlines** converge para seu *hub* (centro) em Atlanta e Minneapolis, os da **United Airlines** se dirigem para Chicago e Denver, enquanto os da **American Airlines** costumam voar primeiro para Dallas ou Chicago.

Reserva de Voos Domésticos

Para estrangeiros, o jeito mais fácil de fazer reserva num voo doméstico é esse voo acompanhar seu itinerário. Assim, você só adquire um conjunto de passagens e fará um negócio melhor. Outra opção econômica é aproveitar os cupons "Visit USA" (VUSA), ótimos para diversos voos domésticos (de três a dez voos), por uma taxa pré-paga. Mas tais cupons têm de ser comprados antes da sua chegada e só podem ser resgatados com a mesma companhia na qual você fez o voo internacional. A internet e a desregulamentação das companhias aéreas facilitaram muito o planejamento das viagens e a compra de passagens. Agora os melhores preços estão nos sites dessas empresas.

Linhas Domésticas

A maior parte das empresas aéreas internacionais se aliou a linhas domésticas. Por exemplo: a **British Airways** se juntou a American Airlines, Air France/KLM e Delta Airlines, interligando as redes de voo. Além das grandes aerovias americanas, há um crescente número de empresas domésticas que fazem voos baratos. As mais concorridas são a **Southwest Airlines** e a **Jet Blue**, firmas que oferecem o básico e fazem voos quase apenas entre aeroportos pequenos. Tais empresas constituem um meio barato e confiável para viajar. Fornecem lanches simples e não fazem transferência para ou de outras aerovias, o que pode tornar um voo de conexão muito confuso, mas as tarifas são baixas e há poucas restrições.

Pacotes

Diversas empresas aéreas, além das agências e dos agentes de viagem, oferecem pacotes de voos para turistas, que combinam passagem e aluguel de carro. Esses pacotes valem a pena, pois lhe dão flexibilidade e costumam ser mais econômicos do que se você comprasse a passagem e, separadamente, alugasse um carro.

AGENDA

Empresas Aéreas

American Airlines
Tel (800) 433-7300.
W aa.com

Delta Airlines
Tel (800) 241-4141.
W delta.com

Jet Blue
Tel (800) 538-2583.
W jetblue.com

Southwest Airlines
Tel (800) 435-9792.
W southwest.com

TAM
Tel 4002 5700 (do Brasil).
Tel 1-888-2 FLY TAM (dos EUA).
W tam.com.br

United Airlines
Tel (800) 241-6522.
W united.com

Aeroporto	Informações	Distância da Cidade	Táxi até a Cidade	Tempo Médio do Trajeto
Chicago (O'Hare)	(800) 832-6352	27km do centro	US$45-50 até o centro	Estrada: 30min até o centro
Dallas-Fort Worth (Internacional)	(972) 574-8888	29km de Dallas	US$50-55 até o centro de Dallas	Estrada: 25min até o centro de Dallas
Los Angeles (LAX)	(310) 646-5252	24km do centro	US$60-65 até o centro	Estrada: 30min até o centro
Miami (Internacional)	(305) 876-7000	16km de Miami Beach	US$35 até Miami Beach	Estrada: 20min até Miami Beach
Nova York (JFK)	(718) 244-4444	24km de Manhattan	US$50-55 até o centro de Manhattan	Estrada: 1h até o centro de Manhattan
São Francisco (SFO)	(650) 821-8211	22km do centro	US$50-55 até o centro	Estrada: 25min até o centro
Seattle (Sea-Tac)	(206) 431-4444	22km do centro	US$40-45 até o centro	Estrada: 25min até o centro
Washington, DC (Dulles International)	(703) 572-2700	42km do centro	US$55-60 até o centro	Estrada: 40min até o centro

De Carro

Longe das grandes cidades, onde o trânsito é caótico, dirigir nos EUA é muito prazeroso. Passear de carro é um dos passatempos preferidos dos americanos e, para ver o país em todo o seu esplendor, você tem de ir de carro. As principais rodovias e a maioria das estradas quase nunca ficam cheias e, em geral, os motoristas são educados e cuidadosos. A gasolina não é cara, e as tarifas para alugar um carro são razoáveis. Você pode ficar sem carro em algumas cidades grandes, e em cidades como Nova York, Boston ou São Francisco é até melhor não ter carro. Mas, na maior parte do país, se você quiser explorar os amplos espaços abertos do Oeste, vai precisar de um carro, pois lá o transporte público é limitado.

Tipos de Estrada

Os EUA possuem excelente malha rodoviária, com mais de 6 milhões de km de estradas pavimentadas. Para quem viaja para longe, a parte do sistema de rodovias mais rápida e conveniente é formada pelas Interstate Highways, para alta velocidade. Algumas têm de seis a doze pistas nas duas direções, enquanto as áreas rurais quase sempre contam com duas ou três pistas.

Cobrindo o país de leste a oeste e de norte a sul, as Interstate Highways dispõem de placas com abreviatura: um "I" maiúsculo seguido de um número. Começam com I-5, na Costa Oeste, e terminam com I-95, movimentada rodovia ao longo da Costa Leste. As Transcontinental Interstates vão de leste a oeste; a I-10 sai da Flórida e vai até a Califórnia, e a I-90 liga Boston a Seattle.

Ao redor das cidades, um complicado sistema de anéis viários, interligações e estradas de acesso também faz parte do sistema Interstate. Tais estradas são mais conhecidas pelo nome do que pelo número. Por exemplo: a I-405, no sul da Califórnia, é chamada de "San Diego Freeway".

Grande parte das Interstate Highways é grátis, mas alguns estados cobram pedágio. Essas seções, conhecidas como "pedagiadas", têm o mesmo número das seções sem pedágio.

Antes da adoção do Interstate Highway System, as principais rodovias de longa distância eram as federais. Agora elas são as estradas principais nas áreas rurais, indicadas oficialmente com as letras "US" seguidas de um número, e vão da US-1, ao longo da Costa Leste, até a US-101, na Costa Oeste. Ladeadas de motéis com letreiros de néon e outros marcos clássicos de beira de estrada nos EUA, tais rodovias são mais lentas porém mais agradáveis e, junto com muitas outras estradas estaduais e municipais, oferecem trajetos com paisagens *(pp. 50-1)*.

Regras da Estrada

- O fluxo do trânsito é pela direita.
- As distâncias estão em milhas (1,609km).
- É obrigatório o uso de cintos, e crianças com menos de 4 anos têm de estar em cadeiras especiais.
- Nos semáforos, a luz verde significa avançar com segurança; a luz amarela significa preparar-se para parar; e a luz vermelha significa parar. Luz vermelha piscando quer dizer parar antes de avançar; e luz amarela piscando significa avançar com cuidado.
- Numa placa vermelha octogonal para parar, o trânsito deve ser interrompido por completo antes de prosseguir. Quando dois ou mais carros chegam simultaneamente a um sinal de parar, vindos de lados diferentes, deve-se dar passagem ao trânsito da direita.
- Uma placa triangular amarela significa que se deve ceder lugar para o trânsito contrário.
- Nas cidades, as pistas costumam ser divididas por uma linha central (em geral, branca). Ruas pequenas podem não ter essa linha.
- Nas estradas, uma linha dupla amarela está dizendo que não se pode ultrapassar nem cruzar essas linhas.
- Algumas estradas possuem uma pista central, protegida por linhas simples; elas se destinam às manobras para virar à esquerda.
- Os retornos são permitidos apenas onde estiver sinalizado.
- Em rodovias de várias pistas, o trânsito mais rápido anda pelas pistas da esquerda; o trânsito mais lento ocupa a pista da direita.
- Caminhões de carga costumam utilizar a pista lenta. Mantenha distância desses veículos, pois eles têm pouca visibilidade e são muito pesados e grandes.
- Nas rodovias de muitas pistas, só é permitida ultrapassagem pela esquerda. Em estradas menores, os locais de ultrapassagem segura estão indicados por uma linha amarela interrompida ao lado da linha dupla contínua.
- O limite de velocidade varia conforme os estados; vai de 25mph (40km/h) em áreas urbanas a 65-75mph (105-120km/h) em rodovias.
- Há limite de velocidade mínima de 45mph (72km/h) em rodovias e nas Interstate Highways. Nessas, o trânsito de pedestres e de gado não é permitido.
- É permitido estacionar na maioria das ruas, dependendo das regras, e as restrições são indicadas em placas. Estacione apenas na direção do trânsito. Se receber uma multa, pague-a imediatamente ou ela terá uma sobretaxa colocada pela locadora do carro, que a debitará do seu cartão de crédito.
- O visitante deve conhecer as exceções regionais ao padrão de leis de trânsito. Algumas delas estão indicadas na seção "Informações Úteis" de cada capítulo.
- A maioria das habilitações estrangeiras é aceita, mas se a sua não for em inglês, ou não tiver uma foto de identificação, você terá de tirar uma International Driver's License.
- Dirigir bêbado é uma infração grave e pode resultar em multa pesada ou prisão.

Os nomes das rodovias variam conforme o estado. No nordeste, por exemplo, as estradas são conhecidas como "routes", enquanto no Texas se chamam "FM" (*farm to market*) ou "RM" (*ranch to market*).

Para Alugar Carros

A maioria dos carros alugados é relativamente nova e com baixa quilometragem, e o preço gira em torno de US$300 por semana. Em geral, as melhores tarifas são oferecidas para carros alugados para a semana inteira e para carros que voltam ao mesmo local onde foram alugados. Uma opção econômica são os pacotes (*p. 31*).

Carros pequenos e econômicos são os mais baratos. Muitas empresas também oferecem veículos maiores e luxuosos, reformados, por preços bem baixos. A maioria dos carros alugados tem transmissão automática, direção hidráulica e ar-condicionado, mas você tem de confirmar antes. Verifique também se existem batidas no carro e anote isso no contrato.

Para alugar um carro, você precisa ter 25 anos, possuir carteira de habilitação válida, nenhuma infração de trânsito e cartão de crédito. A locadora vai cobrar um valor que vai de US$250 a US$1 mil para garantir o pagamento e a devolução do veículo. Dependendo do seguro que você já tem para seu carro, talvez queira aceitar a "franquia" e o seguro obrigatório que a locadora lhe oferecerá, e isso custará de US$20 a US$30 por dia, além do aluguel.

Driveaways

Uma opção barata para longas viagens é um carro *driveaway*. Por esse sistema, você leva um carro particular a determinado local, num tempo específico. A maioria dos *driveaways* é oferecida a membros, mas alguns anúncios aparecem em revistas e jornais.

É preciso ter flexibilidade para um *driveaway*, pois você não controla o destino e tem de escolher um trajeto eficiente, para fazer uma média de 650km por dia. Porém, como você só paga a gasolina, o preço é muito bom. Para viajar num carro *driveaway*, você não pode ter infrações, e a maioria das empresas exige que seja feito um depósito para cobrir o seguro que será reembolsado.

Uma das maiores empresas de *driveaways*, a **Auto Driveaway** possui escritórios por todos os EUA. Outras companhias aparecem na lista telefônica, sob o título "Automobile Transporters".

Aluguel de Trailers

Recreational vehicles (RVs), ou motor homes e trailers, são ótimos para famílias e grupos, pois têm camas, cozinha e banheiro. Os preços variam de US$900 a US$1.400 por sete dias, mais uma taxa por quilômetro rodado, mas as acomodações são grátis e você tem flexibilidade, apesar do desenho robusto do veículo, que é lento. Embora o aluguel de RVs seja antigo, suas condições se assemelham às dos carros.

Na maioria dos lugares é proibido estacionar na beira da estrada e em campos. Muitas cadeias de lojas, especialmente o Wal-Mart, permitem a permanência por uma noite em seus estacionamentos, com a aprovação do gerente. Mesmo com um RV, custa cerca de US$20 o pernoite num camping (*p. 26-7*). Para mais detalhes, contate a **Recreational Vehicle Association of America** ou a **Cruise America**.

Seguro

É muito importante ter um seguro adequado, se você pretende dirigir pelos EUA. Em geral, as locadoras de carros incluem o seguro no preço, mas se você trouxer o seu carro convém verificar se você dispõe de uma cobertura adequada, com seguro de vida e seguro do carro.

Postos de Combustível

Com exceção das áreas remotas, é fácil encontrar postos de combustível em locais convenientes. Muitos deles exigem pagamento adiantado, em dinheiro ou cartão de crédito. Boa parte dos postos possui uma loja de conveniência ao lado, onde se podem comprar comidas, bebidas e jornais.

Áreas de Descanso

Com localização prática, junto às Interstate Highways e às principais rodovias, as áreas de descanso têm acesso fácil e fornecem salas de descanso, telefones, mesas de piquenique, área para cachorros e, às vezes, café grátis. Algumas permitem pernoite, mas tenha cuidado com estranhos. Convém dar uma descansada quando se dirige por muito tempo.

AGENDA

Locadoras

Alamo
Tel (800) 354-2322.
W alamo.com

Avis
Tel (800) 331-1212.
W avis.com

Budget
Tel (800) 527-0700.
W budget.com

Hertz
Tel (800) 654-3131.
W hertz.com

Driveaways

Auto Driveaway
Tel (800) 346-2277.
W autodriveaway.com

Aluguel de Trailers

Cruise America
Tel (800) 671-8042.
W cruiseamerica.com

Recreational Vehicle Association of America
W gorving.com

Condições das Estradas

American Automobile Association (AAA)
Tel (800) 222-4357.
W aaa.com

De Moto ou de Bicicleta

Para os visitantes com bastante tempo e espírito de aventura, viajar pelos EUA de moto ou de bicicleta pode ser uma experiência maravilhosa. Percorrer uma estrada numa Harley-Davidson ou atravessar os lindos campos agrestes e tranquilos numa mountain bike talvez seja a aventura de uma vida. Um bom planejamento, familiarizar-se com as regras e leis, e usar o equipamento correto podem transformar esse modo de ver o país em algo agradável.

Motos

Fãs do filme *O selvagem* (1953), com Marlon Brando, ou de *Easy rider* (1969), com Jack Nicholson, talvez sonhem em percorrer os EUA numa moto. Hoje existem muitas empresas que alugam motos, principalmente em áreas próprias, onde pessoas habilitadas dirigem motos clássicas, como Harley-Davidson ou BMW.

É preciso ter uma habilitação americana ou um International Driving Permit para motocicletas. E a lei da maioria dos estados exige que você use capacete.

Aluguel e Passeios de Moto

O aluguel de moto é caro, pois as taxas e o seguro obrigatório podem elevar o preço até US$100 por dia. E você ainda tem de pagar seguro contra colisões. Se pretende ficar por um período maior, pode ser mais econômico comprar uma moto por alguns meses e depois vendê-la.

A **Eagle Rider Motorcycle Rentals & Tours** aluga motos Harley-Davidson e de outras marcas em mais de 25 estados, para retirada e devolução no mesmo local. Também oferece passeios com guia. A **Blue Sky Motorcycle Rentals** está presente em mais de dez estados, principalmente na Califórnia e no oeste dos EUA.

Os viajantes talvez se interessem em participar de diversos ralis de moto, nos quais milhares de motociclistas se reúnem anualmente em locais como Daytona Beach, na Flórida (início de março); Laconia, em New Hampshire (meados de junho); ou Sturgis, em Dakota do Sul (agosto).

Bicicletas

Outro jeito de ver o país é de bicicleta, que pode ser embarcada como bagagem na maioria dos aviões. Antes verifique com a empresa aérea quais são as exigências – muitas delas pedem que você desmonte a bicicleta e a acondicione numa caixa especial, disponível nas boas lojas de bicicletas.

Em diversas cidades existem ciclovias, muitas vezes separadas do trânsito de carros. Em algumas cidades maiores as bicicletas podem ser presas do lado de fora dos ônibus municipais ou carregadas no metrô.

Para pedalar por longas distâncias, é importante equipar-se com uma boa bicicleta, ferramentas, peças sobressalentes, mapas e capacete. Os ciclistas devem obedecer a todas as leis de trânsito e tomar cuidado com seu veículo e com a engrenagem dele.

Nos EUA, bicicletas não são tão comuns como em outros países. Os motoristas de carros e caminhões não estão acostumados a dividir a estrada com bicicletas, o que pode trazer riscos. Tome cuidado com motoristas de motor homes, pois eles costumam calcular mal o tamanho de seus veículos. Bicicletas não podem circular em rodovias de acesso restrito.

Aluguel e Passeios de Bicicletas

Há bicicletas para alugar em todas as grandes cidades americanas por cerca de US$25 por dia, ou se podem comprar bicicletas usadas em mercados de pulgas ou vendas de garagem. Notas sobre vendas de segunda mão aparecem em anúncios de jornal ou em quadros de hospedarias. Procure nas Yellow Pages firmas que alugam bicicletas. A **Backroads** organiza passeios de bicicleta com guia, passando por lindos trajetos, com pernoites em pousadas ou campings de parques nacionais. Se quiser pedalar por uma longa distância, entre em contato com a **Adventure Cycling Association,** que criou uma rede de trajetos próprios para bicicletas em estradas calmas e panorâmicas e também oferece vários passeios com guia, além de dicas.

Ciclismo Recreativo

Em áreas rurais, há ciclovias que foram ferrovias desativadas e recuperadas. Conhecidas como "rail trails", são os melhores percursos de longa distância para bicicletas e para caminhadas, quase sempre acompanhando rios e com ladeiras moderadas. Além disso, há muitas estradas rurais por todos os cantos. Áreas como o Wine Country da Califórnia e os vales de rios da Nova Inglaterra estão entre as mais frequentadas.

Os viajantes mais atléticos e temerários talvez queiram fazer mountain biking, esporte promovido em muitas áreas recreativas, como as descidas de resorts de esqui, no verão.

AGENDA

Aluguel e Passeios de Moto

Blue Sky Motorcycle Rentals
Tel (800) 251-5550.
w blueskymotorcyclerentals.com

Eagle Rider Motorcycle Rentals & Tours
Tel (888) 900-9901.
w eaglerider.com

Passeios de Bicicleta

Adventure Cycling Association
150 E Pine St, Missoula, MT 59802.
Tel (800) 755-2453.
w adventurecycling.org

Backroads
Tel (800) 462-2848.
w backroads.com

De Ônibus ou de Trem

Embora levem mais tempo do que os voos, as longas viagens de ônibus ou de trem permitem que você aprecie a beleza dos EUA. A Greyhound – principal empresa de ônibus de longa distância – oferece instalações modernas, com cinema e toaletes a bordo. Os trens da Amtrak, espaçosos e confortáveis, têm vagão-restaurante, vagões com observatório e ótimos ambientes sociais. Se você quiser conhecer seus companheiros de viagem, ônibus e trens são os transportes mais indicados.

Viagem de Ônibus

A empresa **Greyhound Lines** serve todas as grandes cidades atendidas por voos, além de pequenas cidades ao longo do caminho, mas o tempo de viagem é bem mais longo. Ao embarcar, leve algo para comer e beber, pois as refeições ficam restritas às paradas dos ônibus. Os ônibus também são uma boa opção para o transporte urbano ou suburbano, mas, como o serviço pode ser limitado em áreas rurais, planeje o trajeto com atenção quando visitar o interior. Os ônibus da Greyhound fazem conexão com os aeroportos e com os serviços da Amtrak.

Passagens e Reservas

Muitas estações de ônibus ficam em áreas urbanas deterioradas. Por isso, à noite, convém pegar um táxi para o seu destino. Indague sobre descontos e tarifas especiais, inclusive para compras on-line. A maioria das linhas de ônibus importantes oferece desconto para crianças até 12 anos, estudantes e idosos (com identidade), assim como viagens ilimitadas durante determinado período.

As passagens podem ser compradas no dia da viagem, mas as tarifas são mais baratas se forem adquiridas antes. Para reservar, contate a Greyhound diretamente ou peça a um agente de viagem.

Para visitantes internacionais, as passagens da Greyhound são mais baratas se adquiridas de um agente fora dos EUA. Se quiser interromper a viagem para explorar uma região, ou fazer uma viagem longa, saiba que pode existir um ótimo pacote para você.

Passeios de Ônibus

A maioria dos estados dispõe de empresas que oferecem pacotes de viagens curtas em ônibus de luxo. Esses passeios com guia constituem um modo confortável de visitar pontos turísticos sem se preocupar com horários, bilhetes de entrada e tempo de funcionamento. Alimentação e acomodações estão incluídos.

Os viajantes que dispõem de mais tempo talvez queiram experimentar outras empresas, como a **Green Tortoise**, que fazem lentos percursos entre grandes cidades. Os passageiros desses ônibus podem parar para acampar, preparar refeições e visitar o interior. E esses ônibus têm colchões de espuma para dormir. Tais passeios não são indicados para qualquer pessoa, embora possam oferecer um giro memorável pelo campo, feito de maneira agradável e tranquila.

Viagem de Trem

As ferrovias dos EUA estão desaparecendo. Mas ainda existe uma pequena rede agradável de trajetos de trem de longa distância para passageiros, operada pela **Amtrak**, o sistema ferroviário nacional. Apesar da rede limitada e de horários muitas vezes inconvenientes, um passeio panorâmico de trem pode ser uma experiência inesquecível.

Passagens de Trem e Reservas

Em geral, as passagens pela Amtrak precisam ser reservadas. Para tirar o máximo proveito de uma viagem pela empresa, vale a pena pagar um pouco mais por um leito, que custa cerca de US$150 por noite, numa cabine dupla. As refeições estão incluídas no preço. A viagem pela Amtrak é ótima para visitantes internacionais, que podem aproveitar diversas passagens que dão 15, 30 ou 45 dias de viagem por uma tarifa de US$450 a US$880, dependendo das datas e regiões visitadas.

Ferrovias Históricas

Muitas ferrovias pioneiras, que desbravaram as fronteiras do Oeste, voltaram a funcionar como atrações turísticas, percorrendo curtas distâncias (quase sempre com locomotivas a vapor) em meio a cenários espetaculares. Diversos trens, que trafegam por bitola estreita, foram construídos por empresas mineradoras ou serrarias há mais de um século. Entre as ferrovias mais procuradas estão a **Durango & Silverton Narrow Gauge**, no sul do Colorado (*p. 588*), a **Cumbres & Toltec**, no Novo México, e a **Grand Canyon Railway**, em Williams, no Arizona, que margeia o Grand Canyon.

AGENDA

Viagem de Ônibus

Greyhound Lines
Tel (800) 231-2222 (24h).
w greyhound.com

Passeios de Ônibus

Green Tortoise
Tel (800) 867-8647.
w greentortoise.com

Ferrovias

Amtrak
Tel (800) 872-7245.
w amtrak.com

Cumbres & Toltec Railroad
Tel (888) 286-2737.
w cumbrestoltec.com

Durango & Silverton Narrow Gauge
Tel (888) 872-4607.
w durangotrain.com

Grand Canyon Railway
Tel (800) 843-8724.
w thetrain.com

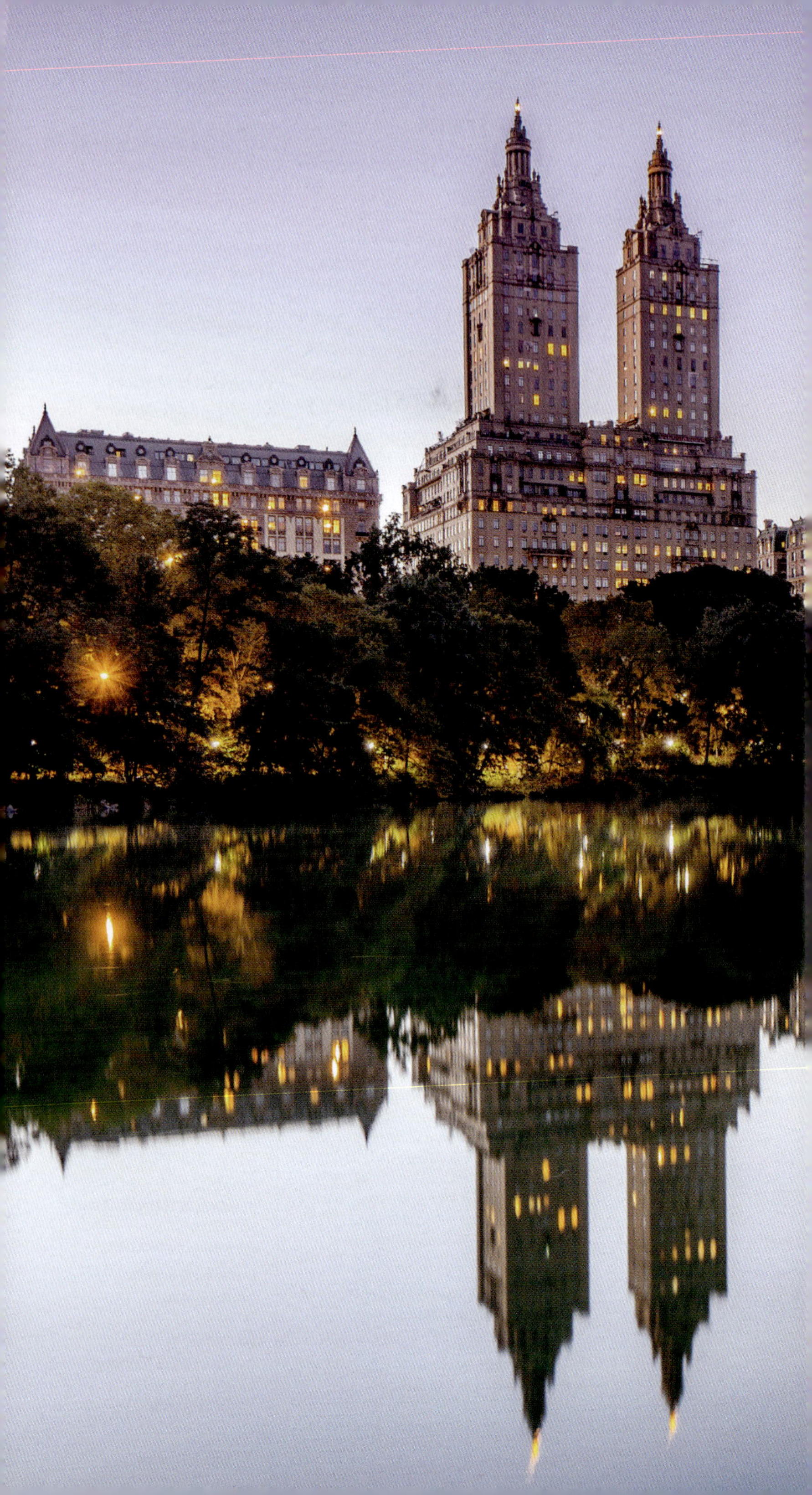

EUA EM DESTAQUE

EUA Mês a Mês	**38-43**
Parques Nacionais	**44-47**
Grandes Cidades Americanas	**48-49**
Percursos com Paisagem	**50-51**
A História dos EUA	**52-63**

EUA MÊS A MÊS

Pelo tamanho e pela extensão dos EUA, em qualquer época do ano você encontra o clima certo para combinar com qualquer atividade. Em pleno inverno, por exemplo, enquanto esquiadores aproveitam a neve das Rochosas e da Nova Inglaterra, quem gosta de sol se reúne na Flórida e nos desertos do Arizona. O clima e o calendário de eventos aquecem o verão com grande quantidade de feiras rurais, festivais de artes e música e outros eventos. Muitos festejam a história e a cultura do país. Em outubro e novembro ocorrem festivais de colheita, principalmente perto do Dia de Ação de Graças. O ano termina com festas religiosas, como Natal, Hanukah, Ramadã e o Kwanzaa, uma celebração afro-americana. Essa época é também o auge das temporadas de futebol universitário e profissional, com uma série de jogos do campeonato do Dia de Ano-Novo e a final do Super Bowl.

Primavera

A primavera inspira um profundo espírito de renovação em todo o país. Flores do campo forram os desertos, cerejeiras e magnólias florescem e a neve que derrete alimenta rios e cachoeiras em seu pico anual. Entre os eventos que comemoram a estação, os mais simbólicos são os primeiros jogos da temporada de beisebol, com início em abril.

Março

Academy Awards *(fim fev-meados mar)*, Hollywood, CA. A indústria cinematográfica premia seus astros com Oscars dourados.
Lahaina Ocean Arts Festival *(início mar)*, Lahaina, HI. Aulas, mergulhos, sessões de observação celebram a jubarte que hiberna longe da costa havaiana.
Bike Week *(início mar)*, Daytona, FL. Corredores e fãs se juntam num dos maiores eventos de motociclismo.
St. Patrick's Day Parade *(fim de semana próximo a 17 mar)*, Boston, MA; Nova York, NY; Chicago, IL; São Francisco, CA. Desfiles comemorativos das tradições irlandesas ocorrem nessas cidades. Locais menores, como Butte, MT, e Savannah, GA, também festejam.
South by Southwest Festival *(meados mar)*, Austin, TX. Festival independente de pop music e filmes.
National Cherry Blossom Festival *(fim mar-início abr)*, Washington, DC. Mais de 200 eventos, como exibições, caminhadas, fogos de artifícios e concertos, celebram o florescimento das famosas cerejeiras da cidade e o início da primavera.

Abril

Páscoa *(data varia)*. Esse feriado de primavera é um modelo de contrastes. Cerimônias matinais de "Easter Sunrise" são realizadas em todo o país. Em Nova York, personagens fantasiados participam da Easter Parade na Fifth Avenue. Nessa época, colegiais se reúnem na Flórida, no Texas e na Califórnia para sua anual "Spring Break".
Patriot's Day *(seg próxima a 18 abr)*, Lexington e Concord, MA. De manhã cedo são feitas representações das primeiras batalhas da Revolução Americana, seguidas pela corrida mais famosa do país: a Maratona de Boston.
New Orleans Jazz & Heritage festival *(fim abr)* New Orleans, LA. Performances de estrelas e revelações.

Maio

Cinco de Mayo *(5 mai)*. Festividades relacionadas à cultura mexicana, com danças folclóricas e música de mariachi, ocorrem por todo o país para comemorar o aniversário da Batalha de Puebla.
Kentucky Derby *(1º sáb mai)*, Louisville, KY. A maior corrida de cavalos do país e o início do campeonato Triple Crown acontecem no final de uma festa popular que dura duas semanas.
Wright Plus *(meados-fim mai)*, Chicago, IL. É possível visitar edifícios e residências projetados pelo arquiteto Frank Lloyd Wright durante esse passeio em Oak Park.
Spoleto Festival USA *(fim mai-início jun)*, Charleston, SC. Maior festival de artes nos Estados Unidos.
Indianapolis 500 *(dom antes do Memorial Day)*, Indianápolis, IN. Corrida automobilística mais famosa dos EUA, atrai mais de 100 mil fãs.
Kinetic Sculpture Race *(fim de semana do Memorial Day)*, Arca-

Jóqueis em Churchill Downs no Kentucky Derby, em Louisville

◀ O edifício de apartamentos San Remo visto do Central Park, em Nova York

ta, CA. A cultura do norte da Califórnia se destaca nesse evento de três dias, no qual esculturas impulsionadas por pessoas realizam uma corrida por terra e por mar.

Verão

O feriado do Memorial Day, no final de maio, marca o início não oficial do verão. Essa é a época de começo das férias e de viajar para estudantes e suas famílias. É um bom momento para apreciar festivais de música, geralmente realizados em belos locais campestres. O clima é quente e úmido, com temporais à tarde em boa parte do país.

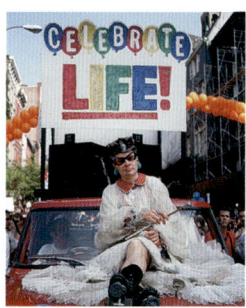

Fogos no Independence Day iluminam o céu de Houston, no Texas

A extravagante Lesbian and Gay Pride Parade, em Nova York

Junho

B. B. King Homecoming Festival *(fim mai-início jun)*, Indianola, MS. Um dos mais antigos e concorridos festivais de blues no Extremo Sul.
Harvard-Yale Regatta *(início jun)*, New London, CT. Série de corridas universitárias de remo que dá ao visitante a chance de ver a elite da Ivy League em ação.
Red Earth Native American Festival *(início-meados jun)*, Oklahoma City, OK. Grande reunião de dança e música indígena dos EUA, realizada no que foi o último vestígio do "Indian Territory".
Lesbian and Gay Pride Day *(dom fim jun)*, Nova York, NY, e São Francisco, CA. Grandes paradas com elaborados carros alegóricos e festividades enchem as ruas dessas duas cidades.

Taste of Chicago *(fim jun-início jul)*, Chicago, IL. As melhores comidas e músicas da cidade podem ser experimentadas numa festa ao ar livre, à beira do lago Michigan.

Julho

Independence Day *(4 jul)*, Bristol, RI; Boston, MA; Independence, MO; Stone Mountain perto de Atlanta, GA. Embora o país todo comemore o Fourth of July com desfiles e fogos, essas cidades realizam ótimos espetáculos.
Ernest Hemingway Days *(meados jul)*, Key West, FL. A cidade onde morou o escritor oferece uma semana de produções teatrais, concurso de contos e uma competição de sósias de Hemingway.
Tanglewood Music Festival *(jul-ago)*, Lenox, MA. As orquestras Boston Symphony e Boston Pops dão concertos ao ar livre numa linda propriedade nas Berkshire Mountains.
Hawaiian International Billfish Tournament *(fim jul-meados ago)*, Kailua-Kona, HI. Um evento anual desde 1959, essa competição de pesca atrai equipes de pescadores de longe, que vão em busca de marlins de tamanho recorde.

Agosto

Sunflower River Blues & Gospel Festival *(início ago)*, Clarksdale, MS. Um dos festivais de blues mais agradáveis ocorre na terra do blues: o delta do Mississippi.

Newport Jazz Festival *(início-meados ago)*, Newport, RI. Desde 1954, esse festival atrai os melhores músicos de jazz de todas as partes do país e do mundo.
Elvis Week *(meados ago)*, Memphis, TN. Também chamada "Deathweek", reúne uma série de eventos para festejar a vida e a época em que viveu Elvis Presley, até o aniversário de sua morte, em 16 de agosto.
Alaska State Fair *(fim ago-set)*, Palmer, AK. Essa feira é famosa por seus legumes enormes, com abóboras e repolhos que batem recordes mundiais por causa do sol de 24 horas no verão do estado.
US Open Tennis Championships *(ago-set)*, Nova York, NY. Jogadores profissionais de tênis de todo o mundo competem nesse torneio de Grand Slam.

Cerimônia de abertura do US Open Tennis Championships

O famoso colorido avermelhado das folhas secas na Nova Inglaterra

Outono

Durante o outono na Nova Inglaterra as folhas das árvores que fornecem madeira dura assumem tons avermelhados e dourados, o que atrai turistas de todas as partes do mundo. No Oeste as regiões vinícolas festejam a colheita anual, e nos Grandes Lagos e no Meio-Oeste os apreciadores de cerveja se reúnem na Oktoberfest, festa organizada por diversas colônias alemãs do país. Com a aproximação do inverno, a temporada de compras de Natal tem início com o desfile do Dia de Ação de Graças da loja Macy's, na Broadway, em Nova York.

Setembro

Mississippi Delta Blues and Heritage Festival *(meados set)*, Greenville, MS. Festival de blues e cultura afro-americana no coração do delta do Mississippi.
Norwalk Seaport Oyster Festival *(meados set)*, Norwalk, CT. Queima de fogos, barcos antigos e ostras da região para provar.
Northeast Kingdom Fall Foliage Festival *(meados set- início out)*, Vermont. Para comemorar a mudança de estação e a queda das folhas de colorido brilhante, diversos passeios e eventos ocorrem em cidadezinhas do norte do estado de Vermont.
Major League Baseball Championships *(set-out)*. Os maiores times profissionais do país se enfrentam, e os vencedores competem nas October's World Series.
Texas State Fair *(fim set-meados out)*, Dallas, TX. Grande feira voltada para o Texas.
Fall Pilgrimage *(fim set-meados out)*, Natchez, MS. Três semanas de eventos festejam a cultura e a arquitetura pré-Guerra Civil.

Outubro

King Biscuit Blues Festival *(início out)*, Helena, AR. com o patrocínio do moinho King Biscuit, a cidadezinha de Helena, à beira do rio Mississippi, festeja o blues desde a década de 1920.
Festivals Acadiens *(início out)*, Lafayette, LA. Mais de 100 mil pessoas se reúnem na capital do Cajun Country para apreciar as atrações exclusivas, os sons e sabores da Louisiana.
Ironman Triathlon *(sáb próximo da lua cheia)*, Kailua-Kona, HI. Mais de mil dos melhores atletas mundiais participam de uma série de provas, que combinam natação em 3,8km, corrida de bicicleta de 180km e uma maratona de 42km.
American Royal Rodeo *(data variável, meados out a início nov)*, Kansas City, MO. Uma das maiores e mais famosas competições de rodeio profissional do país, com apresentações típicas.
Italian Heritage Parade *(meados out)*, São Francisco, CA. A Columbus Avenue, que corta o distrito de Italian-American North Beach, ganha vida com um desfile que comemora o orgulho do povo italiano. Outras paradas como essa ocorrem pelo país.
Oktoberfest *(fim out)*. Organizados de acordo com a famosa festa de Munique, festivais regados a cerveja são realizados por colônias alemãs das grandes cidades americanas e também em cidadezinhas de imigração alemã, como New Braunfels, TX, Hermann, MO, e Leavenworth, WA.
Haunted Happenings *(todo out)*, Salem, MA. Precedendo o Halloween, na histórica sede dos Julgamentos das Feiticeiras de Salem se encena uma série de eventos e atividades cujo tema é o sobrenatural.
Halloween *(31 out)*. Enquanto as crianças se fantasiam com trajes assustadores e pedem docinhos na vizinhança, muitos adultos se reúnem em festas barulhentas em locais como Key West, FL, e Greenwich Village, em Nova York.

Novembro

Dia de los Muertos (Dia de Finados) *(1º nov)*, São Francisco, CA. Festividades no Mission District de São Francisco realçam essa data católica, quando se diz que as almas dos mortos visitam os vivos. Festejos semelhantes ocorrem nos bairros mexicanos em todo o país.
Thanksgiving (Dia de Ação de Graças) *(4ª qui de nov)*. Para comemorar a sobrevivência dos peregrinos que aportaram em Plymouth, MA, em 1620, as famílias se reúnem para fazer uma bela refeição, composta de peru assado, recheio,

Balão gigante de caubói na Texas State Fair, em Dallas

Peru flutua na Thanksgiving Day Parade da Macy's, em Nova York

molho de *cranberry* e torta de abóbora. Muitos restaurantes servem pratos especiais e a cidade de Plymouth, MA, recria o culto de ação de graças dos peregrinos.
Macy's Thanksgiving Day Parade *(Dia de Ação de Graças)*, Nova York, NY. Gigantescas figuras infláveis marcham pela Broadway para comemorar o Dia de Ação de Graças e iniciar a temporada de festejos de Natal.

Inverno

Mais conhecido pela mania de compras que antecede o Natal, o inverno nas cidades americanas é um tempo de luzes que piscam, de ruído das caixas registradoras e nevascas ocasionais. As lojas de departamentos ao longo da Fifth Avenue de Nova York, da State Street de Chicago e de outros centros atraem clientes com vitrines muito bem decoradas. Resorts de esqui contam com atividades especiais de inverno, como corridas de trenós e visitas de Papai-Noel. O inverno também é o melhor momento para observar a migração da baleia-cinza pelo oceano Pacífico ou das baleias jubarte a caminho das áreas de procriação no Havaí. Em fevereiro há diversos desfiles e festas públicas, que vão desde as comemorações do Ano-Novo Chinês até as brincadeiras e festividades do Mardi Gras, em New Orleans.

Dezembro

Triple Crown of Surfing *(fim nov a meados dez)*, North Shore O'ahu, HI. Em geral, a mais prestigiada competição de surfe se estende por três semanas, se as ondas e o tempo permitirem.
Boston Tea Party Reenactment *(meados dez)*, Boston, MA. Atores vestidos a caráter revivem a famosa Boston Tea Party, um protesto que teve papel importante ao precipitar a Revolução Americana.
New Year's Eve *(31 dez)*, Nova York, NY. Os mais notáveis festejos da noite de Ano-Novo do país começam na Times Square, em Nova York, e são televisionados ao vivo para o Leste dos EUA e transmitidos em videoteipe para todo o país. As festas de passagem de ano ocorrem na maioria das grandes cidades, destacando-se as comemorações públicas em Las Vegas e São Francisco.

Janeiro

New Year's Day *(1º jan)*. Desfiles e festejos são realizados por todo o país, e costumam estar ligados a jogos de campeonatos de futebol universitário, como Orange Bowl, em Miami, o Cotton Bowl, em Dallas, o Sugar Bowl, em New Orleans, e o Rose Bowl, em Pasadena, CA (normalmente precedido por um desfile televisionado em rede nacional).
Martin Luther King Jr. Day *(3ª seg)*. Pelo país todo, eventos celebram o nascimento e a vida do líder dos direitos humanos.
Riverwalk Mud Festival *(meados jan)*, San Antonio, TX. Enquanto operários drenam as águas para limpar o Riverwalk no centro, músicos e atores agitam a festa.
Cowboy Poetry Gathering *(fim jan)*, Elko, NV. Caubóis vão para essa cidade a fim de contar histórias, recitar seus poemas e cantar músicas sobre o heroico Oeste americano.

Fevereiro

Groundhog Day *(2 fev)*, Punxsutawney, PA. A estrela da festa é uma marmota que prevê o início da primavera.
Mardi Gras *(fev-mar)*, New Orleans, LA. Carnaval com desfiles coloridos, grandes festas e bailes de máscaras. Algumas cidades pequenas também comemoram.

Leão no Ano-Novo Chinês de Chinatown, em São Francisco

Chinese New Year *(data varia, fim jan a meados fev)*. Para festejar o Ano-Novo chinês, ocorrem desfiles coloridos em São Francisco, em Nova York e em muitas outras cidades.
Iditarod Trail Sled Dog Race *(fim fev-início mar)*, Anchorage, AK. Duas semanas de corrida árdua para os cachorros que puxam trenós e seus condutores.

O Clima nos EUA

A maioria das pessoas aprecia um clima temperado, mas o país é tão grande que muitas regiões têm extremos climáticos. O Alasca possui o inverno mais severo, ao passo que as temperaturas mais quentes estão no Havaí e na Flórida. Mesmo entre os 48 estados contíguos o clima varia muito, e vai das pesadas nevascas nas Rochosas ao calor intenso do Death Valley, no deserto da Califórnia. Além das quatro estações, os EUA também presenciam climas incomuns, como os tornados destruidores que se formam na primavera e no verão, nas Grandes Planícies; os temporais que assolam o Sul, no verão; e os fortes furacões que atingem áreas litorâneas do Sudeste, no outono.

Subártico (Alasca)
Apesar de as temperaturas caírem bem abaixo de zero na maior parte do ano, os verões quentes apresentam a claridade contínua do "sol da meia-noite".

Temperado (Califórnia)
O clima ameno da Costa Oeste se assemelha ao das regiões mediterrâneas, com invernos moderados e verões longos e ensolarados.

Tropical (Havaí)
Esse paraíso insular é quente e agradável o ano todo. Chove bastante no inverno, em geral no litoral nordeste e onde venta muito.

Árido (Sudoeste)
O clima quente e seco do deserto do Sudoeste atrai milhares de visitantes. No inverno, costuma nevar nas altitudes mais elevadas, mas o sol aparece o ano todo.

O CLIMA NOS EUA | 43

Temperado Frio (Nova Inglaterra)
Dias claros e ensolarados seguidos de noites geladas provocam o colorido intenso das famosas folhagens de outono da Nova Inglaterra. A região apresenta verões quentes e invernos frios com nevascas em algumas áreas.

Continental Frio (Grandes Lagos)
A região dos Grandes Lagos é famosa pelos invernos gelados, quando recebe as nevascas mais pesadas do país.

Temperado Frio (Grandes Planícies)
Resfriados por ventos árticos no inverno e atingidos por tornados na primavera, os estados do Meio-Oeste quase sempre têm verões longos e quentes.

Tropical Quente (Flórida)
Em geral, o clima abafado da Flórida e do golfo do México é quente e muito úmido. Os furacões costumam atingir a costa entre junho e novembro, o que torna o período de dezembro a abril o mais concorrido para visitar a região.

Parques Nacionais

Para muitos visitantes, o ponto alto de uma visita aos EUA é conhecer as belíssimas paisagens rurais e sua vida selvagem. Aproximadamente 34 milhões de hectares de puro esplendor foram preservados como parques nacionais, encontrados em 49 dos 50 estados. Do Acadia National Park, na acidentada costa do Maine, aos desertos do Death Valley, na Califórnia, os parques abrangem grande variedade de terrenos e hábitats para diversas espécies em extinção. Muitos dispõem de instalações, como agradáveis chalés rústicos, e oferecem diversas atividades ao ar livre.

Yellowstone National Park *(pp. 576-7)*, em Wyoming, é o mais antigo parque nacional dos EUA. Entre as atrações estão gêiseres e o maior rebanho de bisões do país.

Os picos do **Grand Teton National Park's** *(p. 575)* são uma das principais atrações do Wyoming.

Badlands National Park *(p. 440)*, o parque mais importante de Dakota do Sul, intercala íngremes formações de arenito com gramadas pradarias.

Olympic National Park *(p. 608)*, reserva de biosfera da Unesco, preserva exuberantes florestas de Washington.

Death Valley National Park *(pp. 672-3)*, no deserto de Mojave, na Califórnia, é um dos locais mais quentes do mundo.

As casas na rocha do **Mesa Verde National Park** *(p. 588)* mostram como viviam os primitivos habitantes do Colorado.

Yosemite National Park *(p. 706)*, um conjunto de florestas, campos e rochas graníticas, é um destino fantástico.

Grand Canyon National Park *(pp. 530-3)*, talvez o parque mais visitado do Arizona e dos EUA, é um grandioso espetáculo de formações rochosas magníficas.

PARQUES NACIONAIS | 45

Voyageurs National Park *(p. 419)*, área de surpreendente beleza natural, cujo nome vem dos caçadores de pele franco-canadenses. A maioria dos visitantes atravessa em barcos a rede de lagos e rios do parque, mas há várias trilhas para bicicletas.

Caribu no Denali National Park, no Alasca

Alasca

Kobuk Valley NP
Gates of the Arctic NP
Denali NP *(pp. 728-9)*
Wrangell St. Elias NP
Lake Clark NP
Glacier Bay NP Katmai NP
Kenai Fjords NP *(p. 725)*

Havaí

Haleakal NP
Hawai'i Volcanoes NP
(pp. 738-9)

Great Smoky Mountains National Park *(p. 264)*, no Tennessee e na Carolina do Norte, abriga uma flora de incrível diversidade.

Acadia National Park *(p. 180)*, paraíso insular selvagem e intocado no Maine, é cortado por trilhas de bicicletas que oferecem belíssimas vistas do litoral. A principal atração, porém, é a panorâmica Loop Road, de 43km.

Everglades National Park *(p. 321)* cobre grande extensão de baixios alagados no extremo sul da Flórida. Esse ecossistema único se caracteriza por três ilhas ou elevações onde vive uma enorme variedade de flora e fauna. Os moradores mais famosos e mais temidos do parque são os aligatores.

Como Explorar os Parques

Não há exagero em afirmar que se pode passar a vida explorando as imensas extensões dos parques nacionais, como Grand Canyon ou Yosemite. Muita gente visita os parques só porque está por perto ou para ver atrações específicas, a exemplo dos gêiseres de Yellowstone. Para a viagem valer mais a pena e ficar mais agradável, o visitante deve restringir o número de parques que pretende visitar, em vez de explorar os mais atraentes. Reserve pelo menos um dia inteiro para cada parque.

Origens

O primeiro parque nacional do mundo foi criado em 1872 para proteger as maravilhas geotérmicas e as criaturas selvagens de Yellowstone, na crista das Montanhas Rochosas. A partir de então, 401 locais de interesse histórico ou panorâmico nos EUA passaram a receber proteção federal. Entre eles estão 59 parques do sistema de parques nacionais, que oferecem ao visitante algumas das experiências de vida selvagem mais inesquecíveis, de deslumbrantes lagos glaciais e florestas exuberantes a grandes extensões de deserto árido.

O **National Park Service**, uma unidade do Department of the Interior dos EUA, também administra os litorais, os campos de batalha e os sítios históricos (como o Independence Hall de Filadélfia, na Pensilvânia) e monumentos nacionais (a exemplo do Mount Rushmore, em Dakota do Sul).

Para Planejar a Visita

Os parques nacionais atraem milhões de visitantes todos os anos. De fato, o concorrido Great Smoky Mountains National Park recebe mais de 10 milhões de visitantes, enquanto mais de 3 milhões de pessoas visitam parques relativamente remotos, como Yellowstone e Yosemite. Para evitar as multidões, procure visitar os parques fora do pico da temporada de verão (jun-ago), quando eles ficam apinhados.

Apesar de os parques mais concorridos serem as preciosidades das terras públicas americanas, há muitos mais tranquilos, em que se pode apreciar a natureza sem ajuntamentos. Procure aproveitar as trilhas bem conservadas que lhe permitem fugir das multidões e do trânsito, aproveitando mais os parques.

Passes, Taxas e Permissões

Para ajudar a manter suas instalações, a maioria dos parques cobra uma taxa de admissão, válida por sete dias, que vai do valor simbólico de US$1-5, em locais menores, a mais de US$20 nas grandes atrações. Alguns parques não têm taxas, mas cobram por atividades específicas.

Se quiser percorrer mais de dois ou três parques, o visitante pode pensar em adquirir um **America the Beautiful – National Parks and Federal Recreational Lands Pass**. Válido por um ano, custa aproximadamente US$80 e permite a entrada do portador e de todos os que estiverem no mesmo veículo particular em todos os parques e áreas de recreação nacional, além das propriedades florestais do **Bureau of Land Management (BLM)**. Nos parques onde é cobrada uma taxa por pessoa, o passe admite a entrada do portador e mais três adultos (menores de 16 não pagam). Esse

Principais Parques Nacionais

Abaixo estão os parques nacionais mais concorridos dos EUA (em ordem alfabética), incluindo os principais parques mostrados nas páginas anteriores. Essa listagem descreve os diferentes tipos de paisagem e de formação geológica encontrados em cada parque.

Parque	Vulcões/Geotermia	Montanhas	Geleiras	Extremos Climáticos	Erosão Profunda	Recifes de Coral e Ilhas	Pântanos Litorâneos
Acadia NP, ME (p. 180)			●				
Arches NP, UT (pp. 512-3)					●		
Badlands NP, SD (p. 440)					●		
Biscayne NP, FL (p. 322)						●	
Bryce Canyon NP, UT (pp. 518-9)					●		
Canyonlands NP, UT (p. 514)					●		
Death Valley NP, CA (pp. 672-3)				●			
Denali NP, AK (pp. 728-9)		●					
Everglades NP, FL (p. 321)							●
Glacier NP, MT (p. 571)			●				
Glen Canyon & Lake Powell, AZ (p. 515)					●		
Grand Canyon NP, AZ (pp. 530-33)					●		
Grand Teton NP, WY (p. 575)		●					
Great Smoky Mts. NP, TN, NC (p. 264)		●					
Hawai'i Volcanoes NP, HI (p. 738)	●						
Mesa Verde NP, CO (p. 588)				●			
Mount Rainer NP, WA (pp. 614-5)	●						
Olympic NP, WA (p. 608)				●			
Rocky Mountain NP, CO (p. 583)		●					
Sequoia & Kings Canyon NP, CA (p. 707)				●			
Shenandoah NP, VA (p. 223)		●					
Voyageurs NP, MN (p. 419)			●				
Yellowstone NP, WY (pp. 576-7)	●						
Yosemite NP, CA (p. 706)			●				
Zion NP, UT (p. 517)					●		

PARQUES NACIONAIS | 47

Visitantes observam o Thunder Hole, no Acadia National Park, no Maine

AGENDA

Bureau of Land Management
Tel (202) 208-3516.
🌐 blm.gov

National Park Campground Reservations
Tel (877) 444-6777.
🌐 recreation.gov

National Parks Pass
🌐 nps.gov/findapark/passes.htm

National Park Service
🌐 nps.gov 🌐 ohranger.com

US Forest Service
Tel (800) 832-1355.
🌐 fs.fed.us

passe pode ser comprado na entrada dos parques ou, antecipadamente, na internet (www.store.usgs.gov/pass). Cidadãos americanos ou residentes permanentes com mais de 62 anos podem ter um **Senior Pass** (US$10), que é uma entrada vitalícia para parques nacionais, monumentos, locais históricos, áreas de recreação e refúgios de vida selvagem. Ele dá entrada ao portador e passageiros que o acompanham num veículo particular (se houver taxa por veículo) ou até quatro acompanhantes adultos (se houver taxa individual). Também dá desconto de 50% sobre taxas federais cobradas em diversas instalações. Pode ser adquirido pessoalmente em uma área federal, como um parque ou monumento nacional. O **Access Pass** é um passe vitalício para cidadãos ou residentes com deficiência física permanente. É necessário apresentar comprovante médico.

Placa sobre trânsito de animais

Tipos de Hospedagem

As instalações para o visitante variam conforme o parque. Alguns oferecem recursos básicos e os mais concorridos têm hotéis de luxo nas proximidades. Convém reservar bem antes as acomodações para o pernoite. Há parques que só fazem reservas do tipo "quem chegar primeiro fica". Assim, quanto mais cedo chegar ao local, melhor. A maioria dos parques dispõe de campings para barracas e veículos, mas quase sempre, para os veículos, não fornecem pontos de eletricidade, água ou esgoto. Em geral, os campings custam entre US$10 a US$ 50 por noite. Os campings administrados pelo **US Forest Service** e pelo Bureau of Land Management (BLM) são mais baratos e de disponibilidade mais fácil.

Shark Valley Visitor Center, no Everglades National Park

Dicas para Visitar os Parques

- Use roupas adequadas – botas resistentes, chapéu, mais trajes impermeáveis ou roupa quente, conforme as condições.
- Leve água potável, binóculos, estojo de primeiros-socorros, protetor solar e repelente de insetos.
- Não deixe lixo. Use as lixeiras do parque ou leve o lixo para fora do parque.
- Não toque música alto nem buzine dentro dos limites do parque, pois isso perturba os outros.
- Não interfira nem provoque ou alimente animais do parque.
- Caçar é proibido. O visitante que violar a proibição sofrerá penalidades pesadas.
- Não se aproxime de nenhum animal selvagem, que pode ser muito perigoso.
- Fale baixo nas trilhas e aumente a chance de observar a vida selvagem.
- Não caminhe sozinho e não se aventure fora das trilhas; senão, se arriscará a encontrar animais perigosos e também será fácil perder-se na mata.
- Deixe seu itinerário com um companheiro de viagem; se você demorar muito, ele pode informar ao guarda do parque.
- Observe e obedeça a todas as indicações oferecidas quanto a limites de velocidade, alimentos, animais, água e todas as precauções de segurança. Ao respeitar essas regras e regulamentos você apreciará melhor o parque e manterá a si mesmo e a vida selvagem em total segurança.

Grandes Cidades Americanas

Uma das principais atrações ao visitar os EUA é a oportunidade de apreciar suas muitas cidades importantes. Elas vão desde locais do período colonial, com ambiente europeu e acolhedor para pedestres, como Boston, até metrópoles modernas e frenéticas como Los Angeles, onde ninguém caminha, a não ser para entrar e sair do carro. Entre as duas, há uma ampla variedade de cidades, com história e cultura próprias. Washington, DC, a capital, é conhecida pela política e pelas galerias de arte. Miami oferece o sabor latino. New Orleans está recheada de música, comidas e diversão. Nova York e Chicago são famosas pela arquitetura e pela noite estimulante. Na Costa Oeste, São Francisco e Seattle possuem cenários pitorescos e artes vibrantes. Enfim, cada cidade tem algo para todos os gostos.

Seattle *(pp. 604-7)* ressurgiu das cinzas do grande incêndio de 1889 e se tornou uma cidade próspera, com prédios cintilantes, lojas caras e hotéis sofisticados.

São Francisco *(pp. 682-99)*, com ondulantes colinas, vistas do mar e rica mistura étnica, assume caráter diferenciado, com o *status* de capital cultural da Costa Oeste.

Dallas *(pp. 472-3)* virou sinônimo da riqueza dos campos petrolíferos e do gado do Texas. Hoje é o centro financeiro e de diversões do estado.

Los Angeles *(pp. 646-65)* muitas vezes é associada aos filmes, ao fascínio de Hollywood, ao luxo das casas de Beverly Hills e ao burburinho de Sunset Boulevard. Contudo, essa cidade vibrante também abriga alguns dos melhores museus e galerias do país, além de ter lindas praias voltadas para o oceano Pacífico.

GRANDES CIDADES AMERICANAS | 49

Chicago *(pp. 384-95)*, localizada na ponta sudoeste do lago Michigan, é mundialmente famosa por sua arquitetura inovadora. Técnicas novas de construção foram aperfeiçoadas na cidade, que também foi o local de criação de obras-primas do design moderno, por arquitetos como Frank Lloyd Wright e outros.

Filadélfia *(pp. 108-15)*, onde foi assinada a Declaração de Independência, em 4 de julho de 1776, é o berço dos EUA. Hoje essa "Cidade do Amor Fraternal" é um dos destinos mais procurados do país.

Boston *(pp. 138-55)* orgulha-se com razão de seu passado. Enquanto sua herança colonial se reflete nas edificações, a cidade também conta com diversos locais importantes, diretamente relacionados à luta americana pela liberdade.

Nova York *(pp. 74-99)*, a "Big Apple", é uma das maiores cidades do mundo. Um aspecto de seu caráter está na arquitetura moderna e ousada; outros giram em torno dos diversos museus importantes, de suas áreas étnicas e das opções de diversão.

New Orleans *(pp. 342-51)* é uma cidade divertida, com bares, restaurantes e as sempre animadas festas do Mardi Gras.

O centro das atividades de **Miami** *(pp. 290-9)* está em South Beach, com seus hotéis art déco e lojas da moda.

Washington, DC *(pp. 200-15)*, capital do país, é uma cidade com impressionante arquitetura clássica e grandiosas avenidas arborizadas. Além do foco político, também possui um centro cultural, com museus localizados ao longo do Mall.

Percursos com Paisagem

Um dos maiores prazeres de viajar pelos EUA é explorar as rodovias e estradas com paisagem. Das tranquilas vias rurais às supermovimentadas rodovias costeiras, elas oferecem vistas da abundante beleza natural e oportunidades para conhecer cidadezinhas convidativas. Muitos dos percursos bem conhecidos também são históricos e acompanham o trajeto dos pioneiros: o Pony Express ou trilhas por onde passaram soldados da Guerra Civil. Para mais informações sobre esses percursos, visite www.fhwa.dot.gov/byways.

A **Going-to-the-Sun Road** (p. 571) cruza o Glacier National Park, seguindo os precipícios das Montanhas Rochosas. O percurso oferece vistas maravilhosas das montanhas.

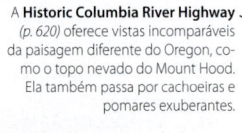

A **Historic Columbia River Highway** (p. 620) oferece vistas incomparáveis da paisagem diferente do Oregon, como o topo nevado do Mount Hood. Ela também passa por cachoeiras e pomares exuberantes.

A **Pacific Coast Highway** (Highway 1) foi considerada a primeira rodovia com paisagem da Califórnia, em 1966. Uma das estradas mais belas do mundo, seu trecho mais bonito é pelo Big Sur.

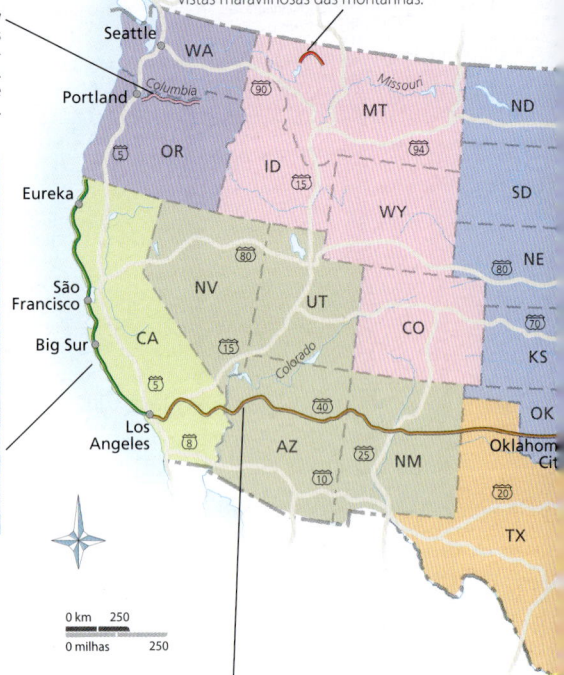

Route 66 (p. 457), de Chicago a Los Angeles, talvez seja a rodovia americana mais admirada. Boa parte do trajeto original permanece intocado, oferecendo um passeio saudosista pelo coração do país.

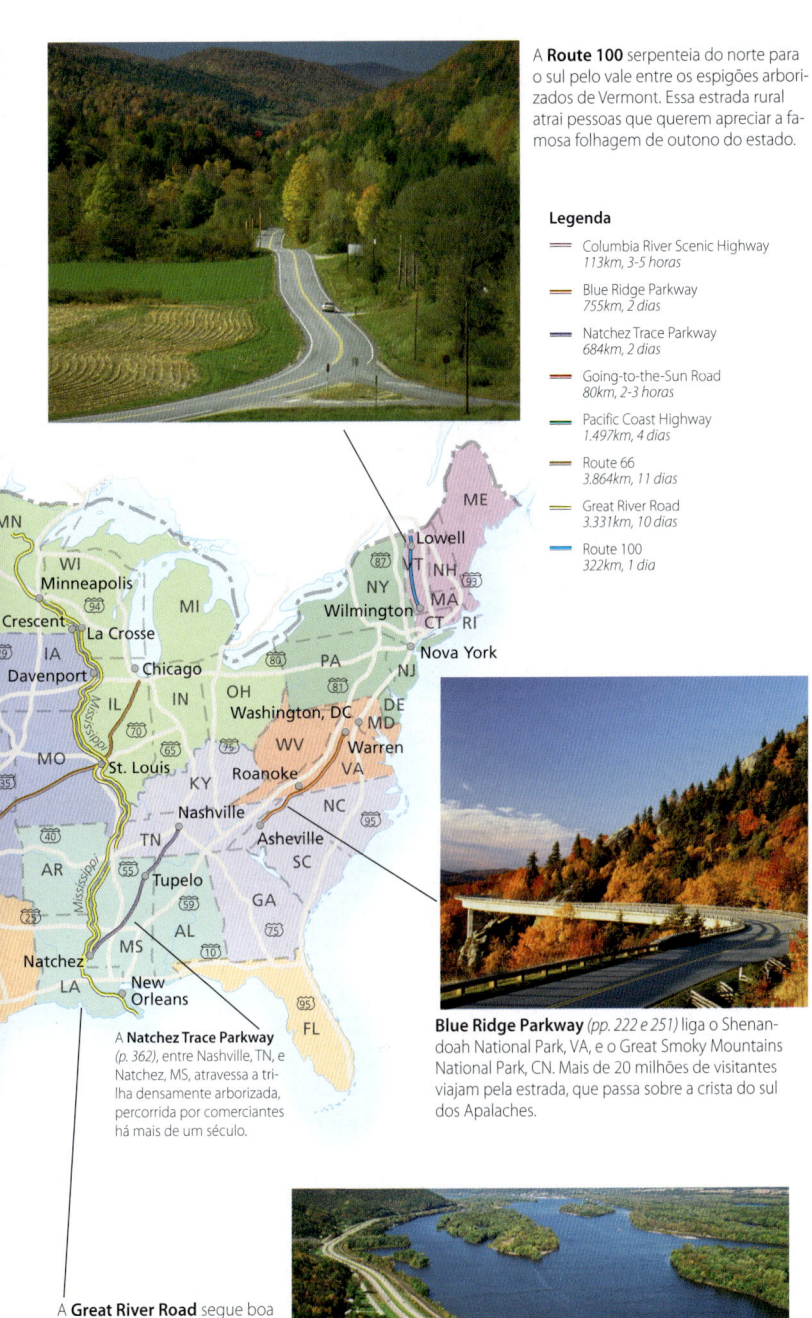

PERCURSOS COM PAISAGEM | 51

A **Route 100** serpenteia do norte para o sul pelo vale entre os espigões arborizados de Vermont. Essa estrada rural atrai pessoas que querem apreciar a famosa folhagem de outono do estado.

Legenda

- Columbia River Scenic Highway
  113km, 3-5 horas
- Blue Ridge Parkway
  755km, 2 dias
- Natchez Trace Parkway
  684km, 2 dias
- Going-to-the-Sun Road
  80km, 2-3 horas
- Pacific Coast Highway
  1.497km, 4 dias
- Route 66
  3.864km, 11 dias
- Great River Road
  3.331km, 10 dias
- Route 100
  322km, 1 dia

A **Natchez Trace Parkway** *(p. 362)*, entre Nashville, TN, e Natchez, MS, atravessa a trilha densamente arborizada, percorrida por comerciantes há mais de um século.

Blue Ridge Parkway *(pp. 222 e 251)* liga o Shenandoah National Park, VA, e o Great Smoky Mountains National Park, CN. Mais de 20 milhões de visitantes viajam pela estrada, que passa sobre a crista do sul dos Apalaches.

A **Great River Road** segue boa parte do curso do Mississippi, desde a nascente em Minnesota até o golfo do México. Ao percorrer as duas margens do rio, a rota possui áreas de grande beleza panorâmica e muitos pontos históricos, passando por grandes cidades, como St. Louis e New Orleans.

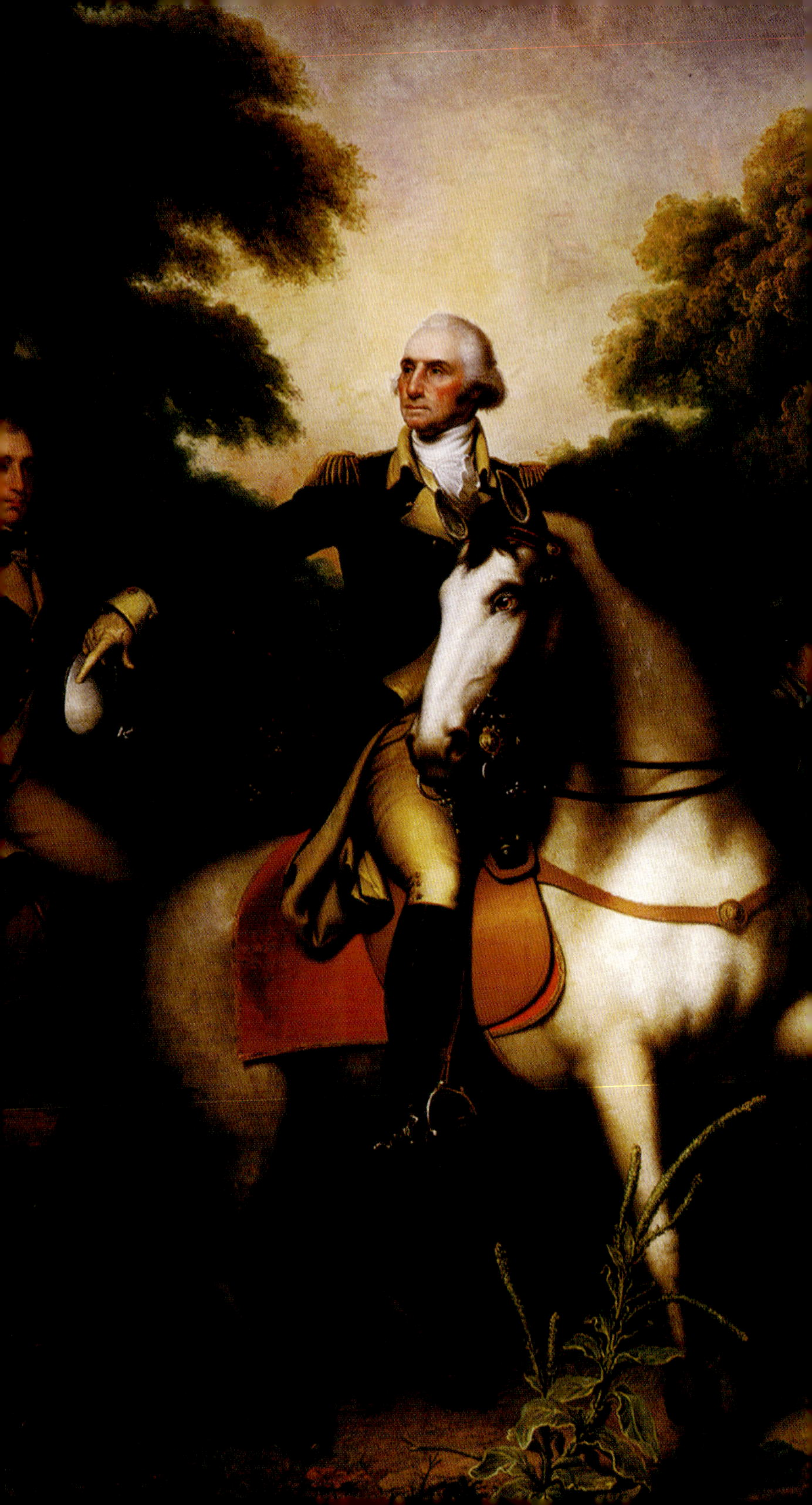

A HISTÓRIA DOS EUA

Os homens entraram na América do Norte pela Sibéria entre 13 mil e 30 mil anos atrás, migrando pelo estreito de Bering até o Alasca. O gelo desapareceu e eles foram até os ricos territórios de caça das Grandes Planícies. Isolados da Eurásia com o derretimento do gelo e o aumento do nível do mar, esses primeiros colonizadores se tornaram caçadores-coletores, com uma agricultura incipiente.

Nesse período de isolamento, surgiu um padrão ecológico, genético e social único, que se mostrou desastrosamente frágil ao se defrontar com os primeiros europeus, no final do século XV.

Primeiros Exploradores

A exploração europeia se tornou importante quando o aprimoramento da navegação possibilitou viagens mais longas, como as de Colombo (1492) e de Cabot (1497). Os primeiros descobridores se impressionaram com a quantidade de recursos naturais que encontraram. Animais, como os castores, foram logo caçados por causa de sua pelagem viçosa. Quando os europeus começaram a pesquisar mais, aproveitaram-se do conhecimento profundo dos povos indígenas e usaram as trilhas já abertas por eles para descobrir o continente. Um mapa de 1507 tem o nome "América", dado em homenagem a um dos primeiros exploradores do Novo Mundo, Américo Vespúcio.

Colônias Rivais

A antiga rivalidade entre a Espanha, a França e a Grã-Bretanha prosseguiu com a descoberta do Novo Mundo, em 1492. A Espanha fundou na América do Norte suas primeiras colônias bem-sucedidas, na Flórida (1565) e no Novo México (1598), mesclando interesses comerciais e religiosos. O primeiro assentamento da França foi em Quebec (1608), ao passo que os holandeses estabeleceram um posto comercial (1624) na foz do Hudson. Contudo, foram os ingleses que obtiveram o controle, com colônias na Virgínia (1607), Nova Inglaterra (1620) e Pensilvânia (1681). No início, muitos colonizadores morriam doentes e desnutridos. A Virgínia se tornou a colônia mais lucrativa do Novo Mundo, graças ao cultivo do tabaco. Por volta de 1700, a população dessas colônias inglesas era de 250 mil pessoas, além dos nativos, enquanto apenas mil não nativos viviam nas regiões francesas e espanholas.

Cristóvão Colombo desembarca no Novo Mundo, em 12 de outubro de 1492

◄ George Washington diante de Yorktown, retratado por Rembrandt Peale entre 1824 e 1825

A batalha de Bunker Hill pintada por John Trumbull em 1786

A Revolução Americana

O século XVIII foi um período de mudanças mundiais significativas, principalmente no Novo Mundo. Os colonizadores expandiram seus domínios, desalojando ou dizimando tribos indígenas, numa mistura de compras de terra, ataques e doenças. Nas colônias sulistas da Virgínia e Carolina, onde a falta de terras desencorajava novas imigrações, era importada grande quantidade de escravos africanos, que alcançaram o total de 150 mil (40% da população) em 1750. A Revolução Americana se espalhou rapidamente e transformou a face da terra em alguns anos. A remoção de uma potencial ameaça francesa, seguida da conquista britânica do Canadá na Guerra dos Sete Anos, levou os americanos a queixas contra os abusos ingleses, resumidas na frase "Sem representação, nada de impostos". Em 1770, as tropas britânicas abriram fogo contra um grupo de colonos rebeldes, matando cinco, no que ficou conhecido como Massacre de Boston. Em 1773, alguns comerciantes coloniais se disfarçaram de índios e jogaram ao mar um carregamento de chá no porto de Boston, em protesto contra o monopólio inglês para o comércio de chá.

A guerra estourou em abril de 1775, quando os britânicos marcharam sobre a cidade de Concord na tentativa de se apossarem de armas dos "Minutemen" (milicianos americanos). Na luta travada na volta dos ingleses a Boston, morreram mais de 70 casacos-vermelhos e mais de 90 americanos. Os britânicos ocuparam Nova York e Filadélfia, e os mal-equipados americanos contra-atacaram durante o inverno rigoroso. A guerra chegou ao sul. Combatentes sob o comando de Daniel Boone e George Rogers Clark capturaram postos avançados em Kentucky e Illinois. Por fim, os americanos venceram, graças também ao apoio francês; e a guerra terminou oficialmente em 1783.

PRINCIPAIS DATAS HISTÓRICAS

1763 Terminada a Guerra dos Sete Anos, a França entrega seus territórios nos Grandes Lagos

1773 Boston Tea Party

19 de abr de 1775 Inicia a Revolução Americana

1776 A Declaração de Independência é adotada em Filadélfia

1783 O Tratado de Paris põe fim à Revolução Americana

1790 Um quadrado de 100 milhas na fronteira de Maryland/Virgínia é reservado para a nova capital: Washington, no District of Columbia

1793 O moinho movido a água de Samuel Slater, em Pawtucket, em Rhode Island, traz a Revolução Industrial para os EUA

1803 Ohio é o primeiro dos territórios do Noroeste a se tornar estado

1803 Aquisição da Louisiana

1814 Francis Scott Key compõe "The Star-Spangled Banner"

1824 Criado o Bureau of Indian Affairs, uma divisão do US War Department, para lidar com as relações com as tribos indígenas

1832 Ao resistir às tentativas de retirada de seu povo do território tradicional, o chefe Black Hawk lidera um combate com mil índios Fox-Sauk, mas é aniquilado pelo exército dos EUA

Boston Tea Party: patriotas disfarçados de índios lançam o chá no porto de Boston

George Washington segura uma cópia da Constituição dos EUA, cercado pelos fundadores, em 1787

Nascimento de uma Nação

Por volta de 1783, os recém-criados Estados Unidos da América tinham o esboço de uma Constituição e uma fronteira que avançava para o oeste até o rio Mississippi. A nova Constituição foi adotada oficialmente em 1788 e, em 1791, acrescentaram-se as dez emendas da "Declaração de Direitos" (Bill of Rights), garantindo a cada cidadão as liberdades de expressão, de imprensa, de religião e de se reunir em público. Em 1800, a capital foi transferida de Filadélfia para a nova cidade de Washington, DC, que então tinha 3.200 habitantes.

Destino Manifesto

Os EUA se expandiram muito nos primeiros anos, desbravando, primeiro, as terras do "Território de Noroeste", ao longo dos Grandes Lagos, em 1787. A aquisição da Louisiana, em 1803, adicionou uma enorme área a oeste, antes controlada pela França. Essa expansão rápida criou a necessidade de inspecionar os novos territórios. A famosa expedição transcontinental de Lewis e Clark, entre 1803 e 1806, foi financiada pelo Congresso, por pedido expresso do presidente Thomas Jefferson.

O primeiro teste de força do novo país foi em 1812, quando os EUA se viram no meio de uma guerra entre a França e a Grã-Bretanha. Embora os dois países concordassem em parar de interferir com os navios americanos, as forças dos EUA atacaram os interesses britânicos no Canadá. Em represália, os britânicos incendiaram o Capitólio e a Casa Branca em Washington, DC. Por ironia, a guerra terminou com um tratado de paz assinado duas semanas antes que sua maior escaramuça – a batalha de New Orleans – ocorresse, em janeiro de 1815.

Após essa guerra, os EUA desistiram de anexar o Canadá e iniciaram o grande avanço para oeste. Os colonizadores penetraram as Grandes Planícies, o Oregon e, por fim, a periferia norte da República do México, inclusive o Texas e a Califórnia. A Santa Fe Trail, aberta ao comércio em 1823, trouxe o Novo México para a área de influência dos EUA. Por volta de 1850 havia uma extensa rede de comunicações. O trânsito de barcos a vapor dominava os rios, aumentado por canais e ferrovias que cruzavam o país.

A posse das terras do Oeste fez milhões de pioneiros migrarem para lá e forjarem uma nova vida. Em meados do século XIX, as pessoas já tinham a ideia de que o país era uma faixa contínua de um oceano ao outro. Essa ideia, nas palavras do jornalista populista John L. O'Sullivan, era o "Destino Manifesto" do país. Foi possível realizar assentamentos ordeiros por causa da inspeção oficial e da divisão das terras em segmentos retangulares, cada um com uma milha quadrada de área. Foram abertas trilhas na direção oeste até os campos auríferos da Califórnia, que se tornou estado em 1850. Por volta de 1869, mais da metade da população vivia a oeste dos Montes Apalaches, contra apenas 10% em 1800.

Ilustração de 1891: índios lutando com soldados dos EUA

Conflitos por Terras

Apesar dos conflitos com a Grã-Bretanha pelo Canadá, os EUA conseguiram resolver essas questões pacificamente. Mas isso não ocorreu com o México, que temia as ambições territoriais americanas, principalmente depois que o presidente Andrew Jackson falou em comprar o Texas. Tudo se agravou depois que o Texas declarou independência do México, em 1835. Ignorando as tribos nativas (e a posse legal da maior parte da terra pela Espanha), os EUA se apossaram do Texas em 1845, uma atitude que levou à guerra com o México. E essa mesma guerra levou os EUA a confiscarem a Califórnia e boa parte do Sudoeste. Em 1848, o México cedeu quase a metade de seu território. A entrega das terras do norte do Oregon pela Grã-Bretanha, em 1846, e a compra feita por James Gadsden, em 1853, de 30 mil milhas quadradas do Sudoeste completaram a expansão para oeste. Assim, em menos de 50 anos o país havia mais que triplicado de tamanho.

A Destruição dos Índios

A partir de 1500, doenças como a varíola e a sífilis acabaram com quase 90% de algumas tribos. Conforme aumentou o assentamento de europeus, a transferência forçada das tribos se tornou frequente. Isso chegou ao auge com a marcha forçada da maior parte da nação cheroqui do Sudeste para Oklahoma, ao longo da "Trilha das Lágrimas". À medida que os europeus avançavam para oeste, as tribos foram confinadas em reservas, quase sempre nas terras mais pobres e desoladas, onde muitos permanecem até hoje. A construção de ferrovias transcontinentais no final do século XIX abriu o Oeste para os caçadores, que mataram milhões de búfalos. Em pouco tempo, as culturas indígenas da América do Norte foram destruídas ou marginalizadas pelos europeus, que transformaram o continente numa potência econômica, industrial e política mundial.

A Guerra Civil

Entre a independência em 1783 e 1860, duas sociedades muito diferentes se desenvolveram nos EUA. No Norte surgiu uma sociedade industrializada, comprometida com um sistema bancário e de crédito liberais e tarifas protecionistas, enquanto o Sul criou uma sociedade agrária, menos populosa, contrária às vendas das terras públicas no Meio-Oeste, com altos impostos e sem restrição à escravidão.

Ainda se debatem as causas da Guerra Civil, embora a escravidão tenha sido um ponto de discórdia. As linhas da batalha foram

PRINCIPAIS DATAS HISTÓRICAS

1838 O governo dos EUA força a ida dos índios cheroquis para oeste, na "Trilha das Lágrimas"

1846-8 Guerra com o México. Os EUA compram Arizona, Califórnia, Utah, Nevada e Novo México

1859 O abolicionista John Brown ataca o Federal Armory, em Harpers Ferry

1861 Confederados tomam Fort Sumter, na Carolina do Sul

1861 Batalha de Bull Run (Manassas), primeira batalha terrestre de peso na Guerra Civil

1º de jan de 1863 Abraham Lincoln publica a Proclamação de Emancipação que liberta escravos em áreas dominadas pelos confederados

Julho de 1863 Forças da União derrotam o general Robert E. Lee e a Confederação em Gettysburg

9 de abr de 1865 Robert E. Lee se rende ao general da União Ulysses Grant na Appomattox Court House, na Virgínia

14 de abr de 1865 Lincoln é assassinado por simpatizante da Confederação, John Wilkes Booth, em Washington, DC

18 de dez de 1865 Adota-se a 13ª emenda da Constituição, que põe fim à escravidão nos EUA

1870 Afro-americanos conquistam cidadania plena

desenhadas sobre a questão de ampliar a escravidão para os estados recém-formados do Oeste. O Sul resistia ao crescente poder do governo federal e desejava que cada estado decidisse o problema com independência. Os estados do Norte queriam manter a escravidão dentro dos limites da época, em parte para proteger sua própria mão de obra. O governo federal deixou a decisão para os novos estados, e tumultos entre escravagistas e abolicionistas assolaram o Oeste. Em 1856, guerrilhas escravagistas incendiaram a cidade de Lawrence, Kansas, e 200 pessoas foram mortas em represália. Três anos depois, 22 abolicionistas liderados por John Brown atacaram o Federal Armory de Harpers Ferry, na Virgínia, na esperança de provocar uma revolta de escravos. Ele e sua tropa foram mortos e seus esforços polarizaram ainda mais a nação já dividida. Por volta de 1860, o país era formado por dezoito "estados livres" (principalmente no Norte) e quinze "estados escravagistas" (principalmente no Sul). Quando Abraham Lincoln foi eleito presidente, em 1860, a Carolina do Sul se separou da União, seguida por seis outros estados sulistas, que se reuniram para formar os Estados Confederados da América.

Os primeiros disparos da Guerra Civil foram feitos em abril de 1861, quando os confederados atacaram Fort Sumter na Carolina do Sul. O presidente Lincoln mobilizou soldados dos EUA para sufocar a rebelião, e logo mais quatro estados escravagistas, incluindo a Virgínia, se separaram da União. Richmond se tornou a nova capital confederada, e a Virgínia forneceu a maior parte das lideranças militares da Confederação. Quatro estados escravagistas permaneciam na União e os condados do oeste da Virgínia se separaram para formar a Virgínia Ocidental, que se juntou à União em 1863.

Os confederados venceram a primeira batalha terrestre importante, em Manassas, na Virgínia, em julho de 1861, e nos dois anos seguintes muitas batalhas ocorreram na Virgínia e em Maryland. Com a derrota em Gettysburg, em 1863, os confederados finalmente retrocederam. No mesmo ano, as forças da União passaram a controlar o rio Mississippi. Elas destruíram Atlanta, em 1864, e marcharam pela Geórgia, cortando as linhas de suprimentos e praticamente cercando o exército confederado remanescente. Em abril de 1865 a Guerra Civil terminou.

A destruição provocada pela guerra foi enorme. Quase 3 milhões de soldados lutaram na guerra (cerca de 10% de toda a população da época) e 620 mil deles morreram. Cidades inteiras ficaram em ruínas, e

Forças confederadas ocupam Fort Sumter, na Carolina do Sul, em 15 de abril de 1861

levaria anos para o país se recuperar da devastação da guerra.

O Oeste Selvagem

O final do século XIX foi um momento de mudança radical em todo o país. O Sul vencido e os escravos libertos sofreram com a devastação da reconstrução, enquanto no Oeste os indígenas presenciavam a destruição de seu estilo de vida e viam suas terras lhes serem tomadas. A morte de sua cultura foi "decretada" em 1862, quando o Homestead Act outorgou 160 acres de terra a qualquer colono branco, escravo liberto ou mulher solteira. O exército combateu tribos indígenas pelas Grandes Planícies nas décadas de 1870 e 1880, e a resistência indígena do deserto do Sudoeste terminou com a rendição de Gerônimo, chefe apache, em 1886.

No Leste e no Meio-Oeste poderosos moinhos e fábricas substituíram os produtores locais, e a população foi se mudando das fazendas autossuficientes para viver nas cidades caóticas. Num período relativamente curto, o ritmo de vida foi alterado pelo crescimento das ferrovias, do telégrafo, do telefone, do automóvel e do avião. As ferrovias trouxeram o Oeste distante para os mercados do Leste, e as cidades afastadas, que surgiram ao longo das ferrovias muitas vezes se transformaram em lugares sem lei. No período pós-Guerra Civil os EUA se tornaram uma potência internacional. Compraram o Alasca da Rússia, em 1867, e ocuparam o Havaí (1893), as Filipinas (1899) e o Panamá (1903).

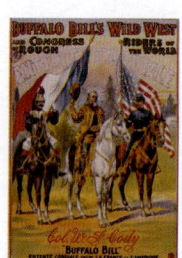

Cartaz de Buffalo Bill's Wild West, de 1900

Imigração, Urbanização e Industrialização

Enquanto as histórias do Oeste selvagem maravilhavam as pessoas, o mais significativo era a importância crescente da industrialização. O rápido deslocamento demográfico das pequenas cidades e fazendas para as grandes cidades e fábricas foi inevitável. Essa mudança se tornou possível, em parte, por levas de imigrantes que duplicaram a população em poucas décadas.

Na década de 1880 chegaram mais de 6 milhões de imigrantes, e na primeira década do século XX vinha 1 milhão de pessoas por ano. Na Primeira Guerra Mundial, a população atingiu 100 milhões de habitantes, dos quais 15% eram estrangeiros. A maioria ficou nas cidades da Costa Leste e, pela primeira vez na história, a população era quase toda urbana.

A estabilidade da população se refletiu na estabilidade da indústria e dos negócios. Em 1882, a Standard Oil Company, de John D. Rockefeller, tinha o monopólio da indústria petrolífera, seguido de outros monopólios, legalmente organizados como trustes, dos produtos de tabaco, dos bancos e do aço. O abuso de poder de monopólio dessas empresas foi denunciado por escritores como Upton Sinclair e Frank Norris. Os movimen-

PRINCIPAIS DATAS HISTÓRICAS

1867 Rússia vende o Alasca por US$7,2 milhões

1869 Terminada a primeira ferrovia transcontinental, quando a Union Pacific e a Central Pacific se encontram em Promontory, no Utah

1876 Batalha de Little Big Horn, em Montana

1876 A Corte Suprema dos EUA legaliza instalações "separadas mas iguais" para brancos e não brancos, sancionando a segregação racial

1884 Nova York e Boston ligadas por telefone

1886 A Estátua da Liberdade é erguida em Nova York

1898 O USS *Maine* explode em Havana, e estoura a Guerra Hispano-Americana

1915 A rodovia Lincoln, de Nova York a São Francisco, é a primeira estrada transcontinental

1915 Começa a "Grande Migração" de afro-americanos para cidades do Norte

6 de abr 1917 Os EUA declaram guerra à Alemanha

1925 Fundamentalistas cristãos proíbem o ensino da teoria da evolução em muitos estados

1929 Queda da Bolsa de Nova York

1934 A orquestra de Benny Goodman populariza o swing

1939 Transmissão comercial regular de TV

Caricatura do Tio Sam recebendo imigrantes na "US Ark of Refuge"

tos políticos também resistiram ao crescimento das empresas, encontrando um aliado no presidente Theodore Roosevelt, que lutou contra os trustes e deu passos significativos para a proteção do meio ambiente contra a devastação causada pelo desenvolvimento industrial desenfreado. O início do século XX também viu o crescimento de sindicatos, que organizavam greves bem-sucedidas e às vezes violentas para melhorar a remuneração e as condições de trabalho, e evitaram o trabalho infantil nas fábricas.

Boom e Colapso

O envolvimento na Primeira Guerra Mundial confirmou a posição dos EUA como potência mundial, tirando a nação de seu longo isolamento. Mas, depois da guerra, os soldados voltaram da Europa para muita agitação, como greves trabalhistas e distúrbios raciais. Essa depressão econômica provocou muito sofrimento e modificou para sempre o papel doméstico do governo.

Na década de 1920, chamada "Era do Jazz", houve uma explosão de criatividade artística, em especial na música popular. Foram erguidos marcos de arquitetura e engenharia, e a crescente popularidade dos carros estimulou a construção das primeiras rodovias transcontinentais, que conectaram a nação e deram origem aos primeiros subúrbios. Tal criatividade coincidiu com a Lei Seca, que proibiu a venda de álcool. Por ironia, foi essa mesma lei que levou a estilos de vida descontrolados, com consumo de drogas e álcool.

A Grande Depressão e o "New Deal"

A quebra de Wall Street em 1929 destruiu milhares de sonhos e deixou muitos americanos na penúria. Fazendeiros e negros nas cidades e áreas rurais foram bastante atingidos, pois os bancos recolheram seus fundos. O desemprego duplicou e os produtos de consumo doméstico caíram pela metade, comparados ao início da década. Uma seca prolongada e ventos constantes provocaram tamanha destruição que as Grandes Planícies foram chamadas de "Tigela de Poeira", obrigando quase 200 mil fazendeiros a migrar para a Califórnia.

O governo, que promovera o *boom* e era responsabilizado pelo colapso, foi rejeitado pelo eleitorado, o que levou, em 1932, à eleição do democrata Franklin Delano Roosevelt. Nos primeiros cem dias de governo, Roosevelt criou programas assistenciais federais (o "New Deal") para revitalizar a economia, criar empregos e ajudar os que tinham sofrido com a quebra da economia. Ele também instituiu organismos reguladores para prevenir colapsos econômicos futuros. Embora tenham

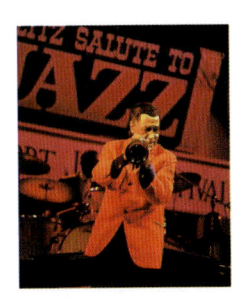

Duke Ellington, festejado ícone da Era do Jazz

Os navios de guerra *USS West Virginia* e *Tennessee* incendiados após o ataque japonês a Pearl Harbor

sido gastos milhões de dólares nesse programa assistencial, 20% dos americanos continuavam desempregados em 1939.

A Guerra Fria

O ataque japonês a Pearl Harbor em 1941 e a entrada dos EUA na Segunda Guerra Mundial marcaram o novo papel do país na política internacional. Com o início da Guerra Fria, as bases militares americanas, instaladas durante a guerra, ganharam importância renovada. A Guerra Fria promoveu alianças com outras nações. A poderosa influência americana e o investimento no exterior eram vistos como um modo de comprometer outras nações com o bloco capitalista. O Plano Marshall, de 1948, forneceu US$13 bilhões para a reconstrução da Europa Ocidental do pós-guerra e para a diminuição da influência comunista.

Às vezes, os desenvolvimentos econômico e social eram ofuscados pelo fantasma de uma guerra nuclear. A Guerra da Coreia foi o primeiro de muitos enfrentamentos para barrar a expansão do comunismo. O medo dentro do país inspirou anos de "caça às bruxas" anticomunista, como a comandada pelo senador Joseph McCarthy. A Guerra Fria também originou várias operações militares ao redor do mundo, como a intervenção na Guatemala, em 1954, a invasão fracassada de Cuba, em 1961, e a Guerra do Vietnã, nas décadas de 1960 e 1970, a tentativa mais longa e dispendiosa de conter a ameaça comunista.

Depois do Vietnã, os EUA se afastaram das atividades internacionais. A invasão soviética do Afeganistão, em 1979, reviveu a Guerra Fria por mais uma década. Com o colapso da União Soviética, em 1991, os Estados Unidos se tornaram a única superpotência mundial.

Prosperidade no Pós-Guerra

Ao contrário do resto do mundo, esse foi um dos períodos mais prósperos na história dos EUA. A economia, estimulada pela mobilização da indústria na Segunda Guerra Mundial, e a corrida armamentista com a União Soviética foram os principais fatores para a geração de uma riqueza sem precedentes. As fábricas se adaptaram ao período de paz e o consumo de bens duráveis dominou o mercado. A posição dos EUA como centro do sistema de comércio internacional possibilitou sua entrada em importantes mercados externos. A compra de casas beneficiou os americanos da classe média graças ao apoio do governo e de

PRINCIPAIS DATAS HISTÓRICAS

7 de dez de 1941 Ataque japonês a Pearl Harbor

1945 A ONU é criada em São Francisco

14 de ago de 1945 Após o bombardeio dos EUA em Hiroshima e Nagasaki, o Japão se rende e termina a guerra

1961 Alan Shepard é o primeiro astronauta americano; os soviéticos erguem o Muro de Berlim

1962 Bloqueio naval contra bases de mísseis soviéticos em Cuba

1963 Assassinato de John F. Kennedy, em Dallas

1968 Martin Luther King Jr. é assassinado

1969 Neil Armstrong caminha na Lua

1974 Richard Nixon renuncia após Watergate

1989 Fim do Muro de Berlim e da Guerra Fria

1990-1 Guerra do Golfo

11 de set de 2001 Terror ataca Nova York e Washington, DC

2003 Explode o ônibus espacial *Columbia*, matando seus ocupantes

2003 George W. Bush declara guerra ao Iraque

2005 O furacão Katrina devasta New Orleans e outras cidades da Louisiana e do Mississippi, deixando mais de 500 mil pessoas desabrigadas

2008 Colapso dos bancos desencadeia a recessão

2012 Barack Obama é reeleito presidente para um segundo mandato

2014 O One World Trade Center é inaugurado em Manhattan, Nova York, no local dos ataques terroristas de 2011

novas técnicas de construção. A maioria dos adultos possuía carro e cresceu o consumo de produtos como geladeiras, lavadoras, secadoras e lava-louças.

Movimentos dos Direitos Civis

Enquanto os negros americanos migravam do Sul rural para os centros urbanos, nas décadas de 1940 e 1950, os brancos abandonavam a vida na cidade pelos subúrbios, levando consigo o dinheiro dos impostos. A crise financeira piorou com o declínio de indústrias tradicionais e, nas décadas de 1960 e 1970, muitas cidades também sofreram. As moradias deterioravam, as estradas não tinham manutenção, e, nas áreas urbanas, se tornaram comuns problemas como pobreza, crime e tensão racial. A pobreza não se confinava às cidades; pessoas de áreas rurais no Extremo Sul e nos Apalaches estavam entre as mais carentes do país.

As novas oportunidades do pós-guerra foram negadas a muitos afro-americanos, ainda mais no Sul, que mantinha a segregação. Amparados por uma decisão da Suprema Corte, em 1954, que considerou a segregação inconstitucional, os negros lutaram pelo fim da discriminação. Em 1955, um boicote aos ônibus em Montgomery, no Alabama, forçou a empresa a acabar com a segregação. O sucesso estimulou protestos em todo o Sul. Em 1964 e 1965, o Congresso aprovou leis que proibiram a discriminação racial.

Na década de 1960, também cresceu a consciência política em outros grupos; aumentou o número de protestos contra a Guerra do Vietnã. Na década de 1970, o movimento feminista fez muitos progressos no sentido de pôr um fim na discriminação sexual. Uma onda de ambientalismo também tomou o país nessa época e culminou na criação da US Environmental Protection Agency. Na crise da aids, no final da década de 1980, o homossexualismo se tornou uma opção cada vez mais aceita, e casais de gays e lésbicas conseguiram proteção legal. Em seu segundo mandato, o presidente Obama se declarou a favor do casamento gay, e este foi legalizado em 2014 em dezesseis estados e no distrito de Colúmbia.

Sermão do reverendo Martin Luther King Jr. na Ebenezer Baptist Church, em Atlanta

A Era Moderna

O *boom* pós-guerra terminou no início da década de 1970, com a Guerra do Vietnã e a crise de energia produzindo inflação prolongada e recessão. Na década de 1980, os computadores e outros aparelhos digitais começaram a mudar o modo de os americanos se comunicarem. A internet abriu novos meios de trabalho e gerou muito dinheiro. Na virada do milênio, o *boom* alimentado pela internet entrou em colapso, levando a economia à recessão. A controversa eleição de George W. Bush em 2001 dominou o noticiário e mostrou que os americanos estavam profundamente divididos.

Os ataques a Nova York e Washington, DC, em setembro de 2001, levaram Bush a declarar guerra ao terrorismo. Isso resultou num conflito contra o Talibã no Afeganistão, em 2002, e em outro que depôs Saddam Hussein no Iraque, em 2003. O estresse econômico gerado por cinco anos de guerra e o desequilíbrio do setor financeiro levaram à crise do final de 2008, da qual o país se recupera. No mesmo ano, a campanha para presidente revelou novas diretrizes para a política do país, com mais espaço para as minorias. Barack Obama foi eleito o 44º presidente da nação e o primeiro presidente afro-americano. Reelegeu-se em 2012.

Os Presidentes Americanos

Os presidentes dos Estados Unidos vieram de todas as camadas sociais. Pelo menos dois nasceram num chalé de madeira – Abraham Lincoln e Andrew Jackson. Outros, como Franklin D. Roosevelt e John F. Kennedy, eram de famílias abastadas. Millard Fillmore frequentou escola que só tinha uma sala e Jimmy Carter cultivava amendoim. Muitos, a exemplo de Ulysses S. Grant e Dwight D. Eisenhower, eram militares que ganharam popularidade por sua atuação em batalhas.

Legenda
- Federalista
- Democrata Republicano
- Liberal (Whig)
- Republicano
- Democrata

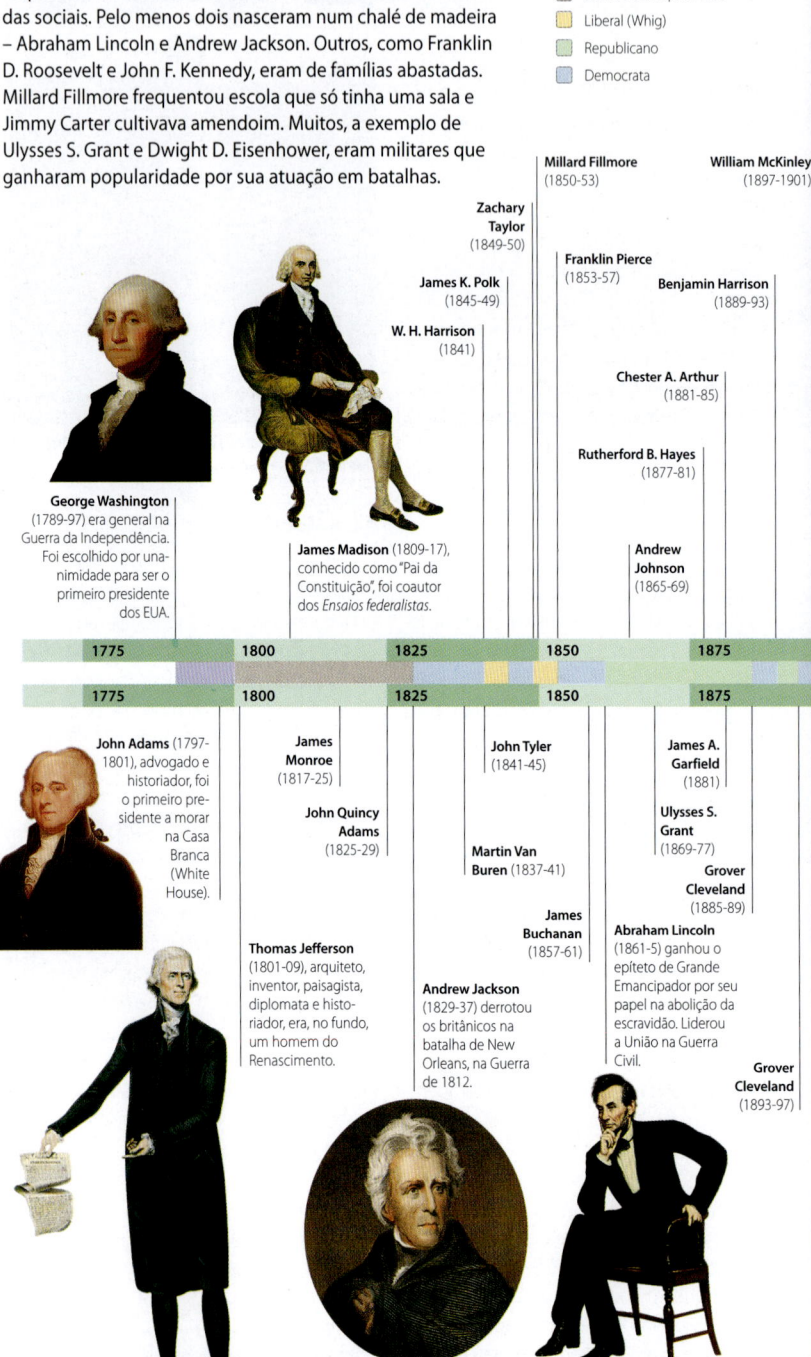

George Washington (1789-97) era general na Guerra da Independência. Foi escolhido por unanimidade para ser o primeiro presidente dos EUA.

James Madison (1809-17), conhecido como "Pai da Constituição", foi coautor dos *Ensaios federalistas*.

W. H. Harrison (1841)

James K. Polk (1845-49)

Zachary Taylor (1849-50)

Millard Fillmore (1850-53)

Franklin Pierce (1853-57)

Benjamin Harrison (1889-93)

William McKinley (1897-1901)

Chester A. Arthur (1881-85)

Rutherford B. Hayes (1877-81)

Andrew Johnson (1865-69)

1775 — 1800 — 1825 — 1850 — 1875

John Adams (1797-1801), advogado e historiador, foi o primeiro presidente a morar na Casa Branca (White House).

James Monroe (1817-25)

John Quincy Adams (1825-29)

Thomas Jefferson (1801-09), arquiteto, inventor, paisagista, diplomata e historiador, era, no fundo, um homem do Renascimento.

John Tyler (1841-45)

Martin Van Buren (1837-41)

James Buchanan (1857-61)

Andrew Jackson (1829-37) derrotou os britânicos na batalha de New Orleans, na Guerra de 1812.

James A. Garfield (1881)

Ulysses S. Grant (1869-77)

Grover Cleveland (1885-89)

Abraham Lincoln (1861-5) ganhou o epíteto de Grande Emancipador por seu papel na abolição da escravidão. Liderou a União na Guerra Civil.

Grover Cleveland (1893-97)

A HISTÓRIA DOS EUA | 63

Harry S. Truman (1945-53) tomou a decisão de jogar bombas atômicas em Hiroshima e Nagasaki, em 1945.

Woodrow Wilson (1913-21) comandou o país na Primeira Guerra Mundial e abriu caminho para a Liga das Nações.

John F. Kennedy (1961-3) foi um dos presidentes mais populares. Mandou o primeiro astronauta para o espaço, criou o Peace Corps e a Arms Control and Disarmament Agency. Seu assassinato chocou a nação.

Richard Nixon (1969-74) fez a abertura com a China e mandou os primeiros homens para a Lua. Renunciou após o escândalo de Watergate.

Franklin D. Roosevelt (1933-45) começou o "New Deal", um programa de reforma e assistência, durante a Grande Depressão. Foi eleito para quatro mandatos.

Jimmy Carter (1977-81) intermediou o acordo de paz entre Israel e Egito, e ganhou o Prêmio Nobel da Paz de 2002.

Barack Obama (2009) se tornou o primeiro presidente afro-americano.

George Bush (1989-93)

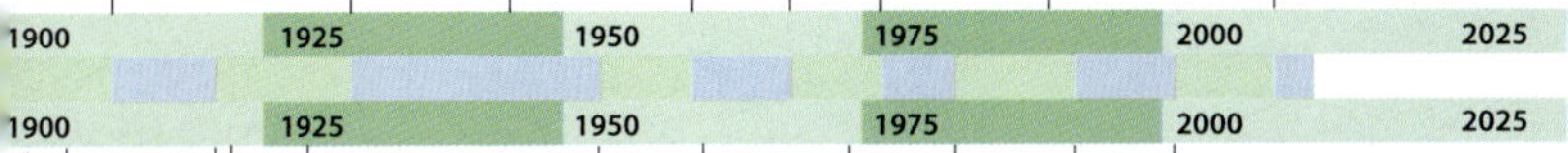

1900   1925   1950   1975   2000   2025

1900   1925   1950   1975   2000   2025

William H. Taft (1909-13)

Dwight D. Eisenhower (1953-61)

Herbert Hoover (1929-33)

Gerald Ford (1974-77)

George W. Bush (2001-09)

Warren Harding (1921-23)

Calvin Coolidge (1923-29)

Ronald Reagan (1981-9), ator de cinema e presidente popular, cortou impostos, aumentou despesas militares e reduziu programas do governo.

William J. Clinton (1993-2001): seus dois mandatos tiveram prosperidade sem precedentes.

Lyndon B. Johnson (1963-69) intensificou o conflito no Vietnã, o que resultou em grandes protestos.

Theodore Roosevelt (1901-9) criou muitos parques nacionais e supervisionou a construção do canal do Panamá.

O Papel de Primeira-Dama

No século XIX, a primeira-dama atuava quase apenas como anfitriã e conselheira "de bastidores". Dolley Madison era conhecida como "Aclamada de Washington". Mais tarde, quando Eleanor Roosevelt realizou suas próprias coletivas de imprensa, o papel de primeira-dama mudou muito. Jackie Kennedy ofereceu apoio às artes, Rosalynn Carter ia às reuniões de Gabinete, Nancy Reagan liderou campanha contra drogas, Barbara Bush promoveu a literatura e Hillary Clinton comandou sua própria campanha primária presidencial.

Hillary Clinton, primeira-dama e senadora por NY, em 1999

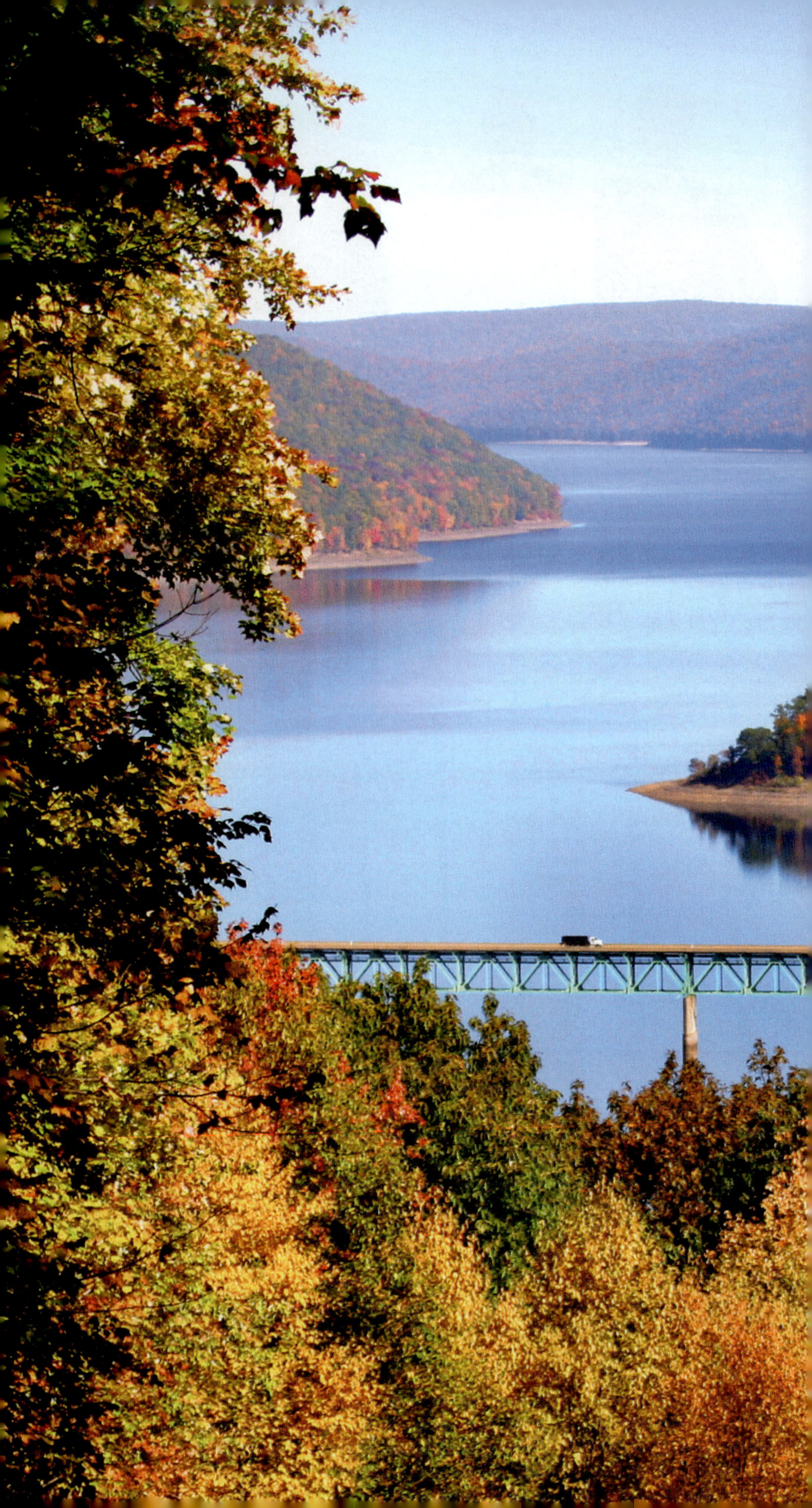

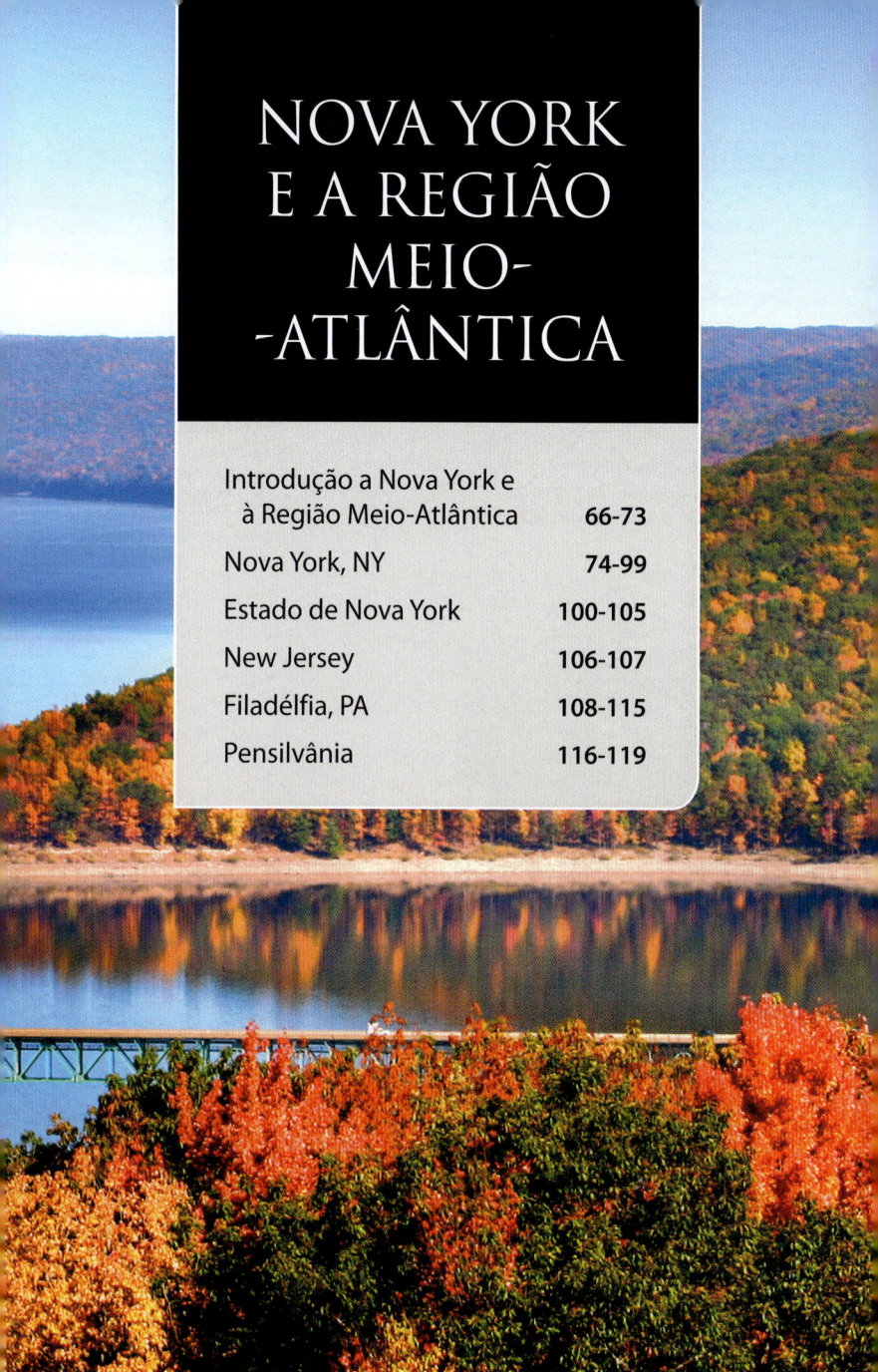

NOVA YORK E A REGIÃO MEIO-ATLÂNTICA

Introdução a Nova York e à Região Meio-Atlântica	66-73
Nova York, NY	74-99
Estado de Nova York	100-105
New Jersey	106-107
Filadélfia, PA	108-115
Pensilvânia	116-119

Nova York e a Região Meio-Atlântica em Destaque

A região de três estados que circunda a cidade de Nova York é uma das áreas mais fascinantes dos EUA. New Jersey, a menor região, porém a de maior densidade populacional, vai de Nova York até Filadélfia. A oeste, a paisagem bucólica da Pensilvânia se estende quase até os Grandes Lagos, com cidadezinhas, vales com fazendas verdejantes e as ondulações das Allegheny Mountains. Mais ao norte, o estado de Nova York tem cidades, vilarejos e aldeias que se espalham entre o vale do rio Hudson e Niagara Falls. Das duas cidades principais, Nova York é um centro vibrante, cosmopolita e capital financeira do mundo, enquanto Filadélfia é mais histórica, mantendo a condição de capital colonial.

Niagara Falls *(p. 105)*, localizada na fronteira entre o Canadá e os EUA, é uma das principais atrações do estado de Nova York, atraindo mais de 10 milhões de visitantes por ano.

Pittsburgh *(p. 118)*, na Pensilvânia, reergueu-se das cinzas de um passado industrial para se tornar uma das cidades mais atraentes do país. O Andy Warhol Museum e o Carnegie Institute são atrações turísticas concorridas.

Gettysburg *(p. 116)* é um dos sítios históricos mais significativos da Pensilvânia. Em julho de 1863, a pacata cidade foi palco de uma violenta batalha da Guerra Civil. Também no local, quatro meses depois, o presidente Abraham Lincoln proferiu seu comovente Discurso de Gettysburg.

◀ Pitoresca paisagem de outono do rio Allegheny, em Pittsburgh, Pensilvânia

INTRODUÇÃO À REGIÃO MEIO-ATLÂNTICA | 67

O estado de Nova York (pp. 100-5) oferece grande diversidade de paisagens, desde o belo vale do Hudson até as escarpadas Adirondack Mountains e a área vinícola dos Finger Lakes. Destacam-se: Albany, capital do estado, e a impressionante Niagara Falls.

Localize-se

Nova York (pp. 74-99), com seus excelentes museus e ampla variedade de compras, refeições e opções de diversão, é uma das cidades mais visitadas nos EUA. Seu famoso *skyline* apresenta vários arranha-céus, entre eles o icônico Empire State Building.

Filadélfia (pp. 108-15), a "Cidade do Amor Fraterno", foi o centro do movimento revolucionário pela independência americana. O Independence National Historic Park preserva estruturas e artefatos relacionados àqueles tempos agitados.

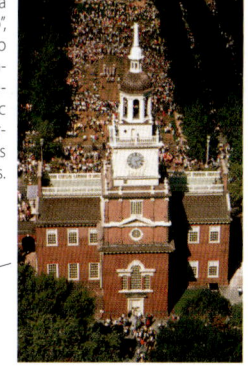

Cape May (p. 107), na extremidade sul de New Jersey, é um resort do período vitoriano que atrai muitos visitantes. Entre as outras atrações do estado estão os opulentos cassinos de Atlantic City e o pitoresco Delaware Gap.

Veja hotéis e restaurantes dessa região nas pp. 122-7

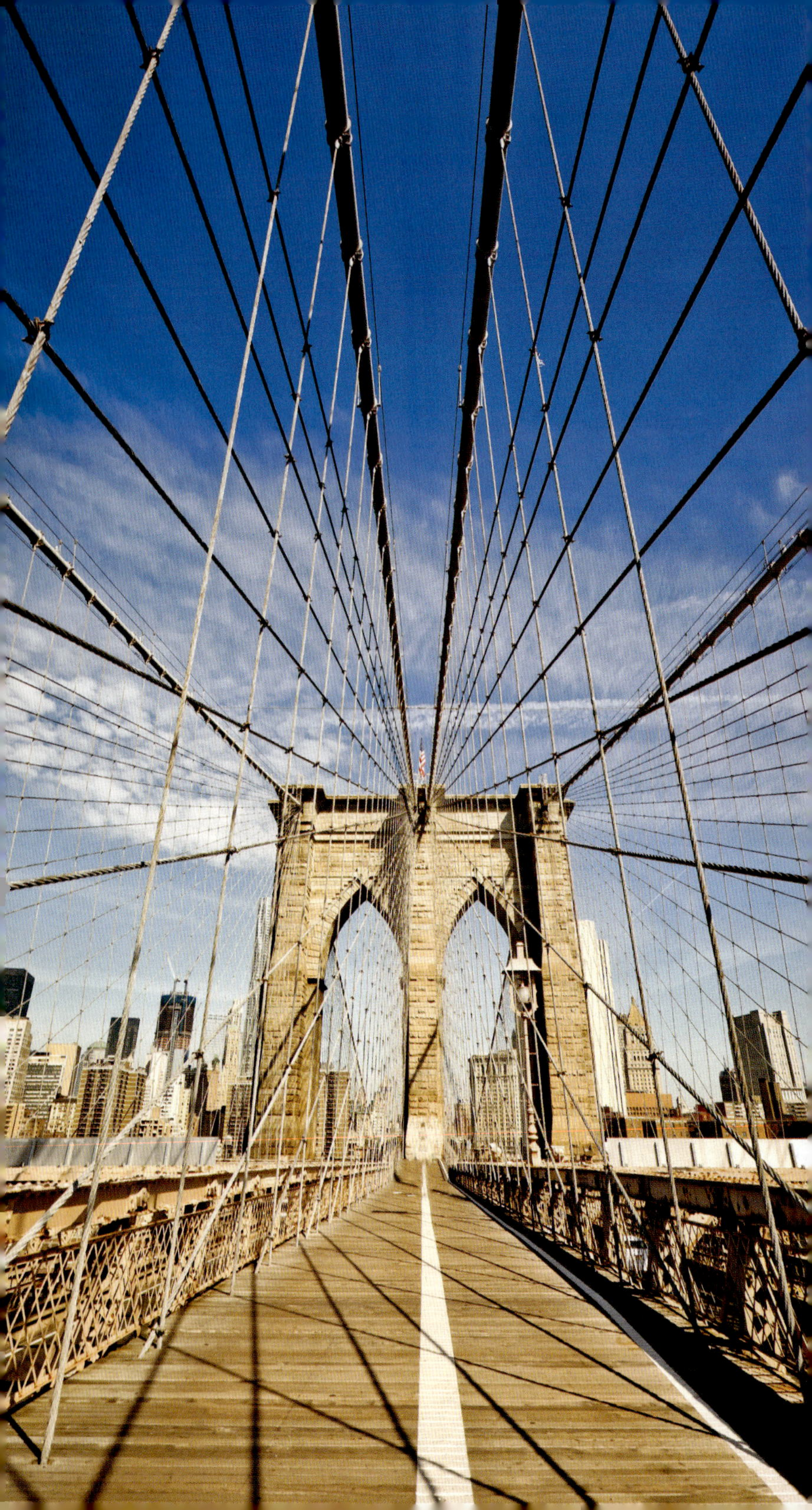

NOVA YORK E A REGIÃO MEIO-ATLÂNTICA

A região de três estados que circunda a cidade de Nova York incorpora a diversidade e o dinamismo americanos. A vitalidade da cidade de Nova York e da Filadélfia é contrabalançada por um interior extremamente calmo, quase bucólico. A paisagem meio-atlântica é espetacular e vai dos lindos cenários montanhosos a ricos vales de rios, além de florestas entremeadas de fazendas.

Nova York, a "Big Apple", domina o Nordeste dos EUA e controla boa parte da economia e da cultura do país. Sem exagero, é uma das grandes cidades do mundo, e não dá para imaginar uma visita à região sem passar algum tempo ali. Filadélfia, a outra grande cidade, foi o núcleo urbano mais importante do período colonial, e sua rica história oferece uma visão inesquecível dos ideais dos primeiros americanos.

Ao redor dessas cidades está uma região que retrata uma imagem mais completa da nação. New Jersey, apesar de sobressair pela indústria pesada e subúrbios expandidos, tem muito a oferecer, desde o resort litorâneo de Cape May, da era vitoriana, até a "Ivy League" Princeton University. No estado da Pensilvânia, a oeste, cenas pacatas das fazendas no interior da "Pennsylvania Dutch", onde comunidades amish e menonitas ainda falam alemão (deutsch), se justapõem às cidades industriais de Pittsburgh e Reading. Mais ao norte, o estado de Nova York exibe montanhas majestosas, lagos tranquilos e o panorâmico vale do rio Hudson.

A História

A riqueza natural da Região Meio-Atlântica manteve boa parte dos povos nativos mais poderosos e bem adaptados dos EUA. Os primeiros grandes grupos foram tribos algonquianas, como os lenni lenape, que viviam no que hoje é New Jersey e Pensilvânia. No início do século XVI, os índios algonquianos foram expulsos pelos iroqueses, que se estabeleceram na área dos Finger Lakes, no centro do estado de Nova York. Esses iroqueses, uma das tribos americanas mais sofisticadas socialmente, formaram uma poderosa aliança entre suas cinco tribos: senecas, cayugas, oneidas, mohawks e onondagas. Nesse mo-

Fazendeiros amish colhem milho em Lancaster County, na Pensilvânia

◀ A ponte do Brooklyn sobre o rio Hudson, na cidade de Nova York

mento, os primeiros europeus se esforçavam para travar relações comerciais. Embora Giovanni da Verrazano tenha visitado Nova York por volta de 1524, foi só em 1609 – quando a Companhia Holandesa das Índias Ocidentais enviou Henry Hudson para explorar o rio que hoje leva seu nome – que os primeiros assentamentos foram fundados. No mesmo ano, o explorador francês Samuel de Champlain apresentou pedido de posse do nordeste do estado de Nova York, tendo se aventurado por ali via Quebec.

Em 1624, os holandeses fundaram a primeira colônia na região, o Fort Orange, na atual Albany, iniciaram outra em Nova Amsterdã (depois Nova York), no ano seguinte, e mais tarde avançaram para estabelecer bases em New Jersey e Pensilvânia. As relações entre holandeses e índios beneficiavam os dois: os holandeses forneciam armas e outros artigos de metal aos índios, que pagavam com valiosas peles de castor e de outros animais. Porém o contato com estrangeiros resultou na difusão de doenças, como varíola e sarampo, que logo dizimaram os nativos.

Giovanni da Verrazano

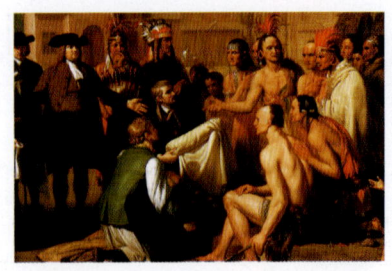

Detalhe do monumental *Penn's Treaty with the Indians* (c. 1770), de Benjamin West

A partir da década de 1660, enquanto a Inglaterra lutava pelo poder no Novo Mundo, o interior de Nova York virava um campo de batalha para disputas na Europa distante. A fim de consolidar seu controle sobre o comércio do outro lado do Atlântico, os ingleses compraram as colônias holandesas e fundaram outra, a Pensilvânia. Essa colônia, que se desenvolveu em terras doadas pelo rei Carlos II ao rico quacre William Penn, em 1680, prosperou graças ao solo fértil, ao clima saudável e a um grupo de pioneiros relativamente abastados e ativos. Sua capital, Filadélfia, floresceu e se tornou reduto do nascente movimento para a independência americana.

Independência e Indústria

Na primeira metade do século XVIII os ingleses e seus colonos americanos fizeram uma série de batalhas por fronteiras contra os franceses e seus aliados indígenas. O custo dessas guerras em perdas de vidas e de propriedades foi alto e para pagá-lo a Coroa inglesa aumentou diversos impostos, muitos dos quais oneraram muito os comerciantes de Nova York e Filadélfia. Em 1774, e novamente em 1776, representantes do Congresso Continental de Filadélfia debateram a questão e acabaram por declarar independência da Inglaterra. Logo depois, o exército inglês ocupou Nova

---

PRINCIPAIS DATAS HISTÓRICAS

1524 O navegante italiano Giovanni da Verrazano aporta em Nova York

1609 Henry Hudson explora e mapeia o rio Hudson e o litoral de New Jersey

1624 Os holandeses fundam Fort Orange

1664 A Inglaterra invade a Nova Holanda. A cidade de Nova Amsterdã passa a ser Nova York

1731 Benjamin Franklin funda a primeira biblioteca pública do país, em Filadélfia

1776 Adota-se a Declaração de Independência, na Filadélfia

1825 É aberto o Erie Canal, de 588km

1863 As forças da União derrotam Robert E. Lee e a Confederação, em Gettysburg

1929 Queda na Bolsa provoca a Grande Depressão

1933 Franklin Delano Roosevelt, governador de Nova York, é eleito presidente

1978 O jogo é legalizado em Atlantic City

1987 Queda na Bolsa

2001 Ataques terroristas destroem o World Trade Center (WTC)

2004 Lançada pedra fundamental para a nova torre no local do WTC

2011 Inauguração do National September 11 Memorial no 10º aniversário do 11 de setembro

York e Filadélfia e as manteve até o fim da Guerra Revolucionária, em 1783. Talvez a batalha mais significativa tenha ocorrido no verão de 1777, em Saratoga Springs, onde os patriotas derrotaram os ingleses comandados pelo general John Burgoyne. Embora essa vitória tenha valido aos americanos o apoio vital da França, as forças revolucionárias, organizadas no Exército Continental sob comando de George Washington, ainda passaram por tremendas provações. Mais de 3 mil soldados morreram de doenças no Valley Forge, no interior de Filadélfia, no inverno de 1777-78. Depois que os britânicos abandonaram suas colônias americanas em 1783, a cidade de Nova York serviu como capital da nova nação até 1790, seguida por Filadélfia, de 1790 a 1800.

Apesar de as batalhas pela independência terem sido travadas e vencidas por fazendeiros e comerciantes, o século seguinte viu a região emergir como importante centro industrial. O Erie Canal foi cortado no interior do estado de Nova York, entre 1817 e 1825, e a Pensilvânia se tornou o maior produtor nacional de carvão e aço. Ferrovias cruzavam a região em meados do século XIX e foi essa força industrial que permitiu ao Norte resistir à secessão da Guerra Civil. A região enviou mais de 600 mil homens para lutar pela União e a principal batalha travada ali foi em julho de 1863, na cidadezinha de Gettysburg, no sudeste da Pensilvânia. Conhecida como "maré alta" da guerra, essa batalha criou o limite norte para o sucesso dos confederados, num único momento em que as forças sulistas cruzaram a linha Mason-Dixon, a fronteira Pensilvânia-Maryland, que marcava a divisão entre os estados escravagistas e abolicionistas.

Memorial de Guerra em Saratoga Springs

Povos e Culturas

Por aproximadamente um século depois da Guerra Civil, as minas, os moinhos e as fábricas de Nova York, New Jersey e Pensilvânia atraíram grandes levas de imigrantes europeus. Entre 1880 e 1910, por volta de 12 milhões de imigrantes entraram pelo porto da cidade de Nova York. Durante a Primeira Guerra Mundial, mais pessoas, até afro-americanos do Extremo Sul, vieram trabalhar nas fábricas de armamentos. Hoje um terço da população se considera minoria étnica, e em muitas cidades essas "minorias" às vezes compreendem a maioria dos moradores. Assim, certas áreas são identificadas por sua composição étnica – Chinatown ou Little Italy, em Nova York, o Italian Market, no sul de Filadélfia, ou áreas polonesas do lado sul de Pittsburgh.

Anos de disputas trabalhistas e diversas revoltas econômicas fizeram muitas indústrias fecharem nas décadas de 1960 e 1970. Nova York, centro financeiro do mundo capitalista, quase faliu na década de 1970.

Contudo hoje as coisas estão mudadas. O "turismo de tradição" nos campos de batalha, nas antigas áreas industriais, nos canais históricos e nas ferrovias se transformou num negócio importante e atrai milhões de visitantes do mesmo modo que as concorridas Niagara Falls.

San Gennaro Festival na Little Italy de Manhattan

Como Explorar Nova York e a Região Meio-Atlântica

Nova York e Filadélfia, as duas principais cidades, dominam a viagem pela Região Meio-Atlântica. Mas há outras atrações nessa área, como os exclusivos balneários de verão de Hamptons, as imediações da Universidade de Princeton e a Pittsburgh industrial, hoje vibrante centro cultural. Também chamam a atenção as paisagens, que vão das amplas praias de New Jersey e da beleza tranquila dos campos dos amish, na Pensilvânia, às agrestes montanhas Adirondack, no estado de Nova York. É preciso um carro para explorar o vasto interior da região. Todas as estradas levam às cidades de Nova York e Filadélfia, principalmente a New Jersey Turnpike (I-95), principal artéria norte-sul. Para sair da costa rumo a oeste, as duas melhores estradas são a I-80, que cruza a Pensilvânia, e a I-90, a New York Thruway. Muitas rodovias estaduais e municipais conectam as áreas rurais, ao passo que as grandes cidades têm ótimos serviços de trens de subúrbio e da Amtrak.

Taughannock Falls cercadas de árvores perdendo a folhagem, no Taughannock Falls State Park

Principais Atrações

① *Nova York, NY pp. 74-99*

Estado de Nova York
② Jones Beach State Park
③ Hamptons e Montauk
④ Hudson River Valley
⑤ Albany
⑥ Saratoga Springs
⑦ Adirondack Mountains
⑧ Cooperstown
⑨ Finger Lakes
⑩ Syracuse
⑪ Rochester
⑫ Chautauqua
⑬ Buffalo
⑭ Niagara Falls

New Jersey
⑮ Princeton
⑯ Atlantic City
⑰ Cape May

Pensilvânia
⑱ *Filadélfia, PA pp. 108-15*
⑲ Gettysburg
⑳ Lancaster
㉑ Hershey
㉒ York
㉓ Reading
㉔ Longwood Gardens
㉕ Pittsburgh
㉖ Laurel Highlands
㉗ Western Amish Country

Legenda dos símbolos *na orelha da contracapa*

INTRODUÇÃO A NOVA YORK E À REGIÃO MEIO-ATLÂNTICA | 73

Tabela de Distâncias

Cidade de Nova York

150					
241	Albany, NY		**10 = Distância em milhas**		
396	292		10 = Distância em quilômetros		
634	470	Buffalo, NY			
126	284	475			
203	454	764	Atlantic City, NJ		
100	251	414	62		
160	404	666	100	Filadélfia, PA	
179	304	420	164	102	
288	489	675	264	164	York, PA
366	499	215	366	304	220
589	803	346	589	489	354	Pittsburgh, PA

Legenda

— Rodovia
— Rodovia principal
— Ferrovia
- - Fronteira estadual
····· Fronteira internacional

Vista da bela arquitetura moderna de Filadélfia

● Nova York, NY

Com seus arranha-céus e suas luzes brilhantes, essa é uma cidade insuperável. Cobre uma área de 780km² e abrange cinco regiões *(boroughs)*: Manhattan, Bronx, Queens, Brooklyn e Staten Island. Boa parte das grandes atrações está em Manhattan, cuja extremidade sul foi alvo dos ataques terroristas de 11 de setembro de 2001. Lojas sofisticadas, museus e teatros ficam em Midtown e ao longo do Central Park.

Legenda
- Local de interesse
- Rodovia

Principais Atrações

① Wall Street
② World Trade Center Site and 9/11 Memorial
③ Battery Park City
④ Estátua da Liberdade
⑤ Ellis Island
⑥ South Street Seaport
⑦ *Brooklyn Bridge p. 78*
⑧ Civic Center
⑨ Eldridge Street Synagogue
⑩ Chinatown
⑪ Little Italy
⑫ TriBeCa
⑬ SoHo Historic District
⑭ Washington Square
⑮ Greenwich Village
⑯ East Village
⑰ Union Square
⑱ Flatiron Building
⑲ Madison Square
⑳ *Empire State Building p. 83*
㉑ Herald Square
㉒ Times Square
㉓ The New York Public Library
㉔ Morgan Library & Museum
㉕ Grand Central Terminal
㉖ United Nations
㉗ Rockefeller Center
㉘ *St. Patrick's Cathedral p. 87*
㉙ Museum of Modern Art
㉚ Fifth Avenue
㉛ *Passeio pelo Central Park pp. 88-9*
㉜ Whitney Museum of American Art
㉝ Frick Collection
㉞ Metropolitan Museum of Art
㉟ *The Solomon R. Guggenheim Museum p. 92*
㊱ American Museum of Natural History
㊲ Lincoln Center

Grande Nova York
(veja detalhe)

㊳ Columbia University
㊴ Riverside Church
㊵ St. Nicholas Historic District
㊶ Studio Museum in Harlem
㊷ *The Cloisters p. 96*
㊸ The Bronx
㊹ Brooklyn

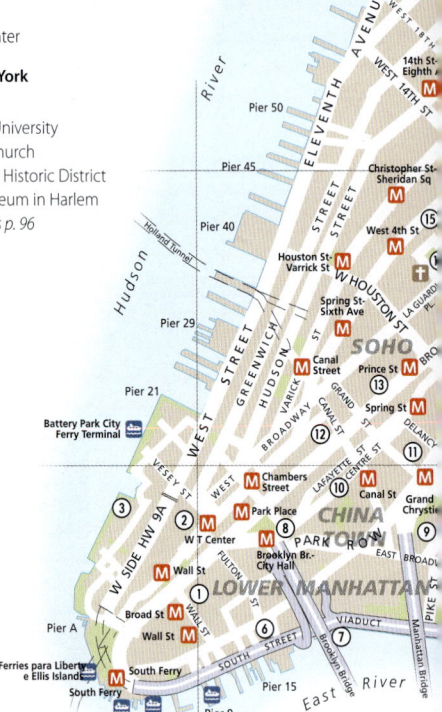

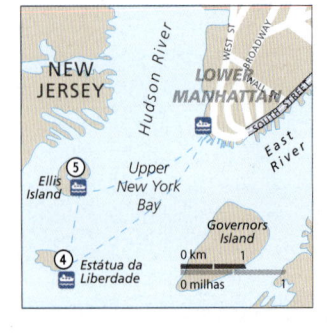

NOVA YORK E A REGIÃO MEIO-ATLÂNTICA | 75

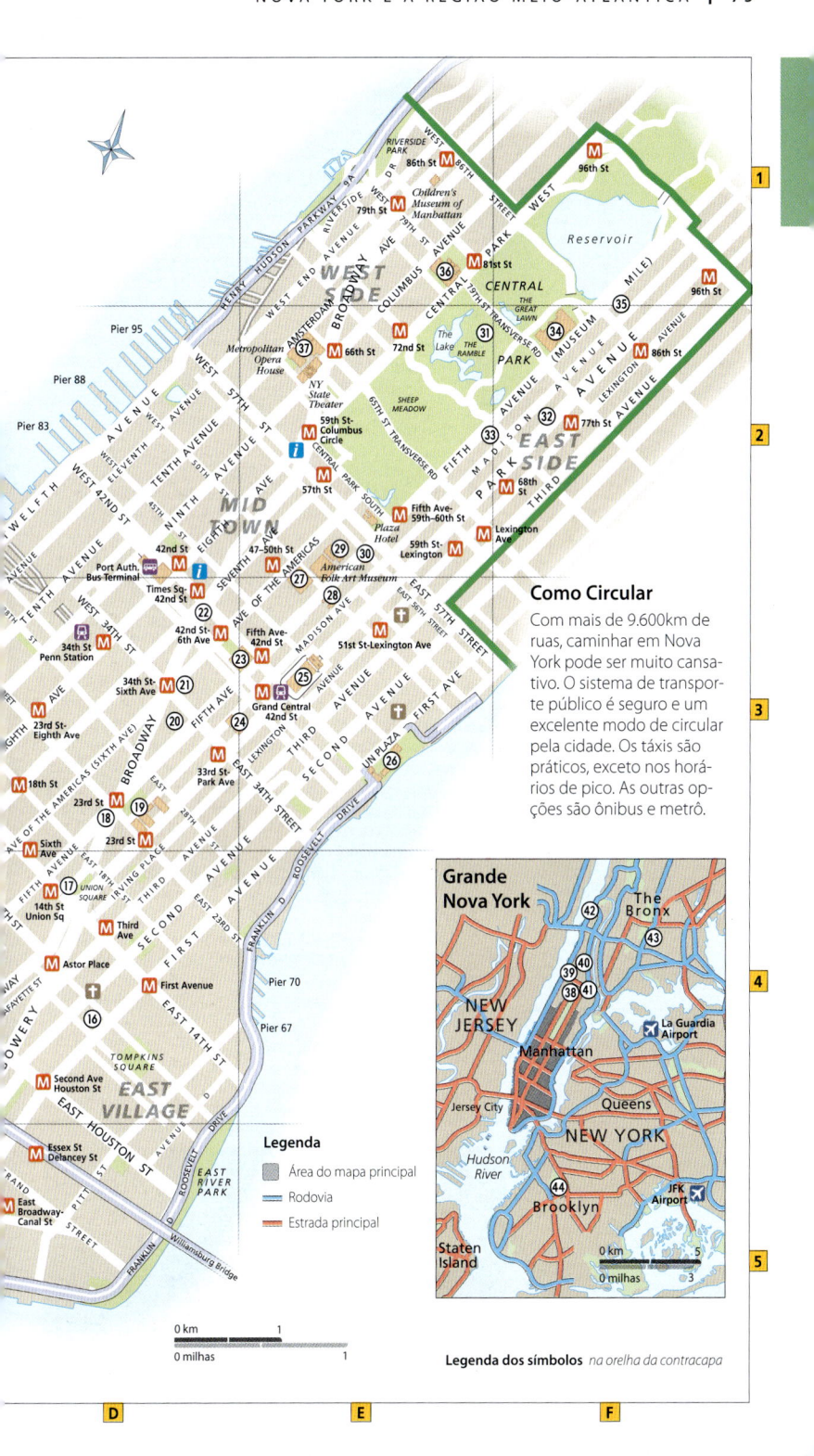

Como Circular

Com mais de 9.600km de ruas, caminhar em Nova York pode ser muito cansativo. O sistema de transporte público é seguro e um excelente modo de circular pela cidade. Os táxis são práticos, exceto nos horários de pico. As outras opções são ônibus e metrô.

Legenda
- Área do mapa principal
- Rodovia
- Estrada principal

Legenda dos símbolos *na orelha da contracapa*

Trinity Church no fim de Wall Street

① Wall Street

Mapa B5. Ⓜ 2, 3, 4, 5 para Wall St, I, R, W para Rector St. 🚌 M1, M6, M15.

Seu nome vem da paliçada que impedia o avanço de inimigos e índios sobre Manhattan. Hoje Wall Street é o coração do distrito financeiro da cidade. O **Federal Reserve Bank** fica na Liberty Street. Inspirado no Renascimento italiano, esse é um banco do governo que controla os bancos e cunha o dinheiro americano. Cinco andares embaixo da terra fica um grande depósito para o ouro internacional. A reserva de cada país é armazenada em compartimento próprio, dentro do cofre subterrâneo protegido por portas de 90 toneladas.

Mais adiante fica o **Federal Hall National Monument**. Ali a estátua de bronze de George Washington marca o local em que o primeiro presidente fez seu juramento para o mandato, em 1789 *(p. 71)*. A estrutura imponente foi erguida entre 1834 e 1842, como Custom House dos EUA, e é um dos melhores projetos clássicos da cidade. No fim da rua fica a **Trinity Church**. Construída em 1836, essa igreja episcopal com torre quadrada é uma das mais antigas paróquias anglicanas do país, fundada em 1697. Projetada por Richard Upjohn, foi uma das igrejas mais grandiosas de seu tempo e marcou o início da Renovação Gótica nos EUA. As portas de latão esculpido foram inspiradas nas *Portas do Paraíso*, em Florença. O campanário de 85m era a estrutura mais alta de Nova York até a década de 1860. Muitos nova-iorquinos famosos foram enterrados no local.

Centro do mercado financeiro mundial, a **New York Stock Exchange** (NYSE – Bolsa de Valores de Nova York) ocupa um prédio de dezessete andares, erguido em 1903. No início, a negociação de ações e cotas era realizada a esmo na área, mas 24 corretores assinaram um acordo, em 1792, para negociar apenas entre si. Isso criou a base da NYSE. A filiação foi rigorosamente limitada e um "assento" que custava US$25 em 1817 agora chega a custar milhões de dólares. Em 2006 se tornou a primeira bolsa transatlântica. A NYSE tem altos ("bull markets") e baixos ("bear markets") periódicos e viu avanços tecnológicos, desde o registro das cotações até as negociações eletrônicas, transformarem um mercado local em mundial.

🏛 Trinity Church
Broadway com Wall St. **Tel** (212) 602-0800. 🕐 7h-18h seg-sex; 8h-16h sáb, 7h-16h dom. ⛪ 12h05 seg-sex; 9h, 11h15 dom. 🎵 concertos: 13h qui e ocasionalmente 17h dom.
Ⓦ trinitywallstreet.org

🏛 New York Stock Exchange
20 Broad St. **Tel** (212) 656-3000. 🚫 galeria de visitantes fechada por razões de segurança.
Ⓦ nyse.com

② World Trade Center Site and 9/11 Memorial

Mapa B5. Muro na Church St. Ⓜ Cortlandt St, Rector St, WTC Station. Memorial: **Tel** (212) 266-5211. 🕐 horários podem variar, geralmente 10h-20h diariam. Os ingressos devem ser reservados on-line ou por telefone.
Ⓦ 911memorial.org

Imortalizadas por inúmeros cineastas e fotógrafos, as duas torres do World Trade Center se destacaram na silhueta de Manhattan desde 1973 até o ataque terrorista de setembro de 2001. O "Marco Zero" continua a evoluir conforme a área é reformada e os escritórios voltam a funcionar. No 10º aniversário do ataque foi inaugurado o National September 11 Memorial. Ele é formado por dois espelhos-d'água que cintilam na marca onde ficavam as torres gêmeas e conta com a maior cascata artificial da América do Norte – à sua volta, gravados em bronze, encontram-se os nomes das 2.983 vítimas do atentado. Ao lado, um museu apresenta material que relata a história do World Trade Center e dos ataques do 11 de setembro, incluindo homenagens.

Touro de bronze de Wall Street, perto da Custom House

World Financial Center do Battery Park City visto do rio Hudson

Veja hotéis e restaurantes dessa região nas pp. 122-7

③ Battery Park City

Mapa B5. 1 para Rector St. batteryparkcity.org
World Financial Center: West St. **Tel** (212) 945-2600. 1, 2, 3, A, C, e J, M, Z para Chambers St; 4, 5, 6 para Brooklyn Bridge/City Hall Station; E para WTC Station; W, R para City Hall. worldfinancialcenter.com; skyscraper.org

A mais jovem área de Nova York é uma iniciativa ambiciosa para recuperar 37ha ao longo do rio Hudson. Esse enorme complexo residencial e comercial pode abrigar mais de 25 mil pessoas, a um custo estimado de US$4 bilhões. Uma esplanada de 3km oferece linda vista da Estátua da Liberdade. A parte mais visível é o **World Financial Center**. Modelo de projeto urbano de Cesar Pelli & Associates, a iniciativa é parte fundamental da revitalização de Lower Manhattan, na qual os danos provocados pelos ataques ao World Trade Center foram tratados como questão de urgência. No coração do complexo fica o Winter Garden, um enorme espaço público de vidro e aço, muito usado para concertos e eventos de arte. É ladeado por restaurantes e lojas, e se abre para uma praça animada e uma das marinas do rio Hudson.

O Skyscraper Museum fica no hotel Ritz-Carlton (39 Battery Park).

④ Estátua da Liberdade

Mapa A5. Liberty Island. **Tel** (212) 363-3200. 1, W, R para S Ferry, 4, 5 para Bowling Green. M6, M15 para S Ferry, então Circle Line-Statue of Liberty Ferry de Battery a cada 30-45min, 9h30-15h30 verão (horários variam no inverno). Time pass é necessário para entrar na estátua. **Tel** (201) 604-2800 ou statuereservations.com para reservas jul-ago: 9h-18h diariam; set-jun: 9h30-17h diariam. 25 dez. Tarifa do ferryboat inclui entrada para Ellis e Liberty Is. elevador até o topo do pedestal; interior do pedestal acessível. nps.gov/stli; circlelinedowntown.com

A imagem domina o porto e se intitula "Liberty Enlightening

Estátua da Liberdade, símbolo marcante de Nova York

the World". É o símbolo da liberdade para milhões de pessoas desde a inauguração pelo presidente Grover Cleveland, em 1886. Presente da França para o centenário dos EUA em 1876, a estátua foi concebida pelo escultor Frédéric-Auguste Bartholdi. No poema de Emma Lazarus, gravado na base, a Liberdade diz: "Dê-me seu povo exausto, seus pobres/Suas massas que, urgentes, anseiam pelo sopro da liberdade".

A figura de 93m fica num pedestal colocado dentro de um antigo forte. Numa das mãos ela segura uma tocha nova, com chama recoberta por ouro 24 quilates; na outra há um livro com a inscrição "4 de julho de 1776", em latim. Os raios de sua coroa representam os sete mares e os sete continentes. A coroa foi fechada ao público após os ataques terroristas de 11 de setembro, mas reabriu em 2009. Hoje, grupos de dez pessoas (um por vez) podem subir os 377 degraus do lobby até esse nível.

Após reforma de US$100 milhões, a estátua ressurgiu em 3 de julho de 1986.

⑤ Ellis Island

Mapa A5. **Tel** (212) 363-3200. 4, 5 para Bowling Green; 1, W, R para Whitehall/South Ferry, então Circle Line/Statue of Liberty Ferry de Battery. Partidas: a cada 30-45min 9h30-15h30 verão (horários variam no inverno). **Tel** (877) 523-9849 ou (201) 604-2800. jul-ago: 9h-18h diariam; set-jun: 9h30-17h15 diariam. 25 dez. Tarifa do ferryboat inclui entrada para Ellis e Liberty Is. nps.gov/elis; statuecruises.com

Mais da metade da população americana descende de gente que passou pela Ellis Island, que serviu de posto de imigração de 1892 a 1954. Por volta de 17 milhões de pessoas atravessaram seus portões na maior leva de imigrantes que o mundo já viu. Passageiros de primeira e segunda classes dos navios eram organizados a bordo, mas os que vinham nos porões eram embarcados em ferryboats e levados à apinhada ilha para exames médicos e legais. Imigrantes com doenças contagiosas podiam ser mandados de volta. A Ellis Island ficou em ruínas até 1990, quando um projeto de US$189 milhões da Statue of Liberty-Ellis Island Foundation Inc. reformou os prédios.

Hoje centralizado no Great Hall ou Registry Room, o local abriga o **Ellis Island Immigration Museum**, de três andares, com mostras permanentes. Boa parte de sua história é contada em fotografias e na voz de imigrantes, e um banco de dados eletrônico rastreia ancestrais. Fora, o American Immigrant Wall of Honor é o maior mural de nomes do mundo. Nenhum outro lugar explica tão bem o "cadinho" que formou o caráter da nação.

Vista da principal construção da Ellis Island

⑥ South Street Seaport

Mapa C5. Fulton St. **Tel** (212) 732-7678. Ⓜ Fulton St. 🅞 nov-mar: 10h-19h seg-sáb, 11h-18h dom; abr-out: 10h-21h seg-sáb, 11h-20h dom. ♿ 🎵 concertos. 🎭 📷
w southstreetseaport.com
South Street Seaport Museum: 12 Fulton St. **Tel** (212) 748-8600. 🅞 abr-dez: 10h-17h ter-dom; jan-mar: 10h-17h sex-dom. ⬤ ter; 1º jan, Ação de Graças, 25 dez. ♿ 🎫 exposições, filmes. 🎭 📷 **w** southstreetseaportmuseum.org

O farol flutuante de Ambrose no píer do South Street Seaport no rio East

Chamado de "rua dos veleiros" no século XIX, o coração do porto de Nova York no distrito histórico de South Street Seaport foi restaurado com criatividade para o turismo. Lojas e restaurantes se combinam a equipamentos náuticos, prédios históricos comerciais do século XIX e museus, com maravilhosas vistas da Brooklyn Bridge e do rio East a partir de ruas calçadas de pedras. Navios históricos ancorados no local vão do pequeno rebocador *W. O. Decker* à grandiosa barca de quatro mastros *Peking*, o segundo maior veleiro do mundo. Passeios curtos na escuna *Pioneer* são uma ótima maneira de ver o rio. O **South Street Seaport Museum** cobre doze quarteirões do que já foi o principal porto americano. Além dos seis navios históricos, possui mais de 10 mil artefatos, peças artesanais e documentos do mundo naval do século XIX e início do século XX. O **Maritime Crafts Center,** localizado no Pier 15, exibe belos objetos, como figuras de proa de barco feitas em madeira entalhada e por modelagem. As **Schermerhorn Row**, nas Fulton e South Streets, foram construídas como armazéns, em 1813, combinando estilo federal com elementos do *revival* grego. As construções foram restauradas e agora abrigam um centro para visitantes, lojas, restaurantes e um rinque de patinação no gelo.

---

⑦ Brooklyn Bridge

Mapa C5. Ⓜ J, M, Z para Chambers St, 4, 5, 6 para Brooklyn Bridge-City Hall (lado de Manhattan); A, C para High St, Brooklyn Bridge (lado do Brooklyn). 🚌 M9, M15, M22, M103. ♿

Prodígio da engenharia quando foi construída, em 1883, a Brooklyn Bridge ligava Manhattan ao Brooklyn, então duas cidades separadas. Naquele tempo, era a maior ponte suspensa do mundo e a primeira feita de aço. O engenheiro John A. Roebling, nascido na Alemanha, concebeu uma ponte que passava sobre o rio East ao ficar preso pelo gelo num ferryboat para o Brooklyn. Levou dezesseis anos para terminar a ponte, que precisou de 600 operários e consumiu vinte vidas, inclusive a de Roebling. A maioria morreu do mal dos mergulhadores, depois de sair de câmaras subaquáticas de escavação. Da calçada para pedestres da ponte e através do artístico cabeamento tem-se linda vista da cidade.

Brooklyn Bridge, a primeira ponte suspensa feita de aço

Suportes diagonais

As quatro amarras principais têm dezenove cabos, cada um feito com 278 fios de aço, colocados paralelamente.

Cada viga de aço do piso pesa 4 toneladas.

Placas de apoio prendem as amarras no topo de cada uma das duas torres.

Fios de sustentação

Cabos de aço, cada um com 5.657km de fios galvanizados com zinco para protegê-los do vento, da chuva e da neve.

Sapatas, cada uma do tamanho de quatro quadras de tênis, fornecem uma área seca para escavações subaquáticas. Conforme a obra prosseguia, elas afundaram no leito do rio.

Veja hotéis e restaurantes dessa região nas pp. 122-7

NOVA YORK, NY | 79

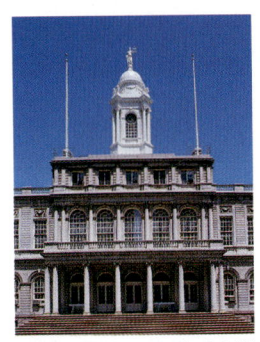

Imponente fachada georgiana do século XIX na City Hall

⑧ Civic Center

Mapa C5. **M** 2 e 3 para Park Pl; A, C para Chambers St; W, R para City Hall. Woolworth Building: 233 Broadway. **M** City Hall, Park Place. ⏰ horário comercial. City Hall: City Hall Park. **Tel** (212) 311. **M** Brooklyn Br-City Hall. ⏰ somente passeios marcados. ♿ Municipal Building: 1 Center St. **M** Brooklyn Br-City Hall. ♿

O movimentado Civic Center de Manhattan concentra o sistema de tribunais dos governos municipal, estadual e federal. A New York County Courthouse de 1926 fica ao lado da US Courthouse de 1933, um prédio de 31 andares que termina em pirâmide. O Tweed Courthouse, construído pelo infame Boss Tweed, um político corrupto, está sendo restaurado para abrigar o Museum of the City of New York. Entre os prédios monumentais está o gótico **Woolworth Building**, de 1913, quartel-general do magnata Frank W. Woolworth. Projetado pelo arquiteto Cass Gilbert, foi o edifício mais alto da cidade até 1930 e criou um padrão para futuros arranha-céus. Há também a histórica **City Hall**, sede do governo desde 1812. Essa construção georgiana, com influência do Renascimento francês, é considerada um dos melhores exemplos da arquitetura americana do início do século XIX. O City Hall Park era a área verde do vilarejo de Nova York há 250 anos. A nordeste fica o **Municipal Building**, uma fantasia que parece um bolo de casamento, encimado pela estátua *Civic Fame*.

⑨ Eldridge Street Synagogue

Mapa C5. 12 Eldridge St. **Tel** (212) 219-0888. **M** E Broadway. ⏰ 10h-17h dom-qui, 10h-15h sex. 🔒 sex anoitecer, sáb a partir das 10h. 🚻 ✉ a cada meia hora, das 10h-15h. 📷 **w** eldridgestreet.org

Essa casa de oração em estilo mourisco foi a primeira grande sinagoga erguida nos EUA pelos imigrantes judeus do Leste da Europa, de onde vieram 80% dos judeus americanos. Na virada do século XX, era o templo mais extravagante da área e cerca de mil pessoas o frequentavam. À medida que os fiéis deixaram a área, os serviços diminuíram e o templo fechou na década de 1950. Três décadas depois, um grupo de cidadãos levantou fundos para restaurar o magnífico santuário. Agora a sinagoga é considerada National Historic Landmark.

⑩ Chinatown

Mapa C5. Ruas ao redor da Mott St. **M** Canal St. Eastern States Buddhist Temple: 64b Mott St. ⏰ 9h-18h diariam. **w** explorechinatown.com

Em Nova York, a maior e mais colorida área étnica é Chinatown. No início do século XX era basicamente uma comunidade de operários imigrantes. Seus salários eram mandados para as famílias na China, que não podiam se juntar a eles por causa das rigorosas leis de imigração. Hoje mais de 200 mil chineses americanos vivem no local. As lojas e calçadas estão cheias de comidas e ervas exóticas e há presentes que vão de coçadores de costas a antiguidades. Mas a maioria das pessoas visita Chinatown para comer em um dos mais de 200 restaurantes ou lojas de iguarias asiáticas. Entre as atrações está o **Eastern States Buddhist Temple**, cujo interior recende a incenso e dispõe de mais de 100 Budas dourados, e a Doyers Street, curva e minúscula, chamada "Bloody Angle", reminiscência das guerras dos Tongs, entre as décadas de 1920 e 1940. Os Tongs eram irmandades criminosas rivais, que deram ao local sua reputação de zona perigosa.

⑪ Little Italy

Mapa C4. Ruas ao redor da Mulberry St. **M** Canal St. **w** littleitalynyc.com

Outra área étnica de Lower East Side é Little Italy, que concentra imigrantes que vieram do Sul da Itália no final do século XIX. Eles preservaram a língua, os costumes e a comida, o que fez de Mulberry Street um ambiente italiano cheio de cores e sabores. Hoje, apesar de Little Italy ter encolhido para apenas alguns quarteirões, a Feast of San Gennaro, de dez dias em setembro, atrai multidões de participantes. Na Mulberry Street fica a **Old St. Patrick's Cathedral** em estilo *revival* gótico. Ela se tornou igreja paroquial quando a catedral se mudou para o centro *(p. 87)*. NoLita, ao norte de Little Italy, está cheia de butiques e o pessoal da moda corre para lá à procura de marcas menos conhecidas.

Little Italy já concentrou milhares de imigrantes

⑫ TriBeCa

Mapa C4. S da Houston St, N da Chambers St e O da Lafayette St para rio Hudson. Ⓜ Spring St, Canal St, Franklin St, Chambers St.

Essa área que tem o nome de seu formato geográfico, TRIangle BElow CAnal, era formada quase apenas por armazéns abandonados. Então, Robert de Niro instalou o TriBeCa Film Center num armazém de café e o bairro virou o centro da indústria cinematográfica da cidade. Conhecida como Hollywood do Leste, TriBeCa sedia muitos eventos e exibições. O anual TriBeCa Film Festival ocorre na primavera e atrai celebridades e um grande público. Os filmes exibidos vão de curiosidades estrangeiras a sucessos de bilheteria. Concertos, feiras de rua e festas de estreia completam a lista de eventos. TriBeCa é agora uma das áreas mais refinadas de Nova York, com restaurantes finos, hotéis da moda, galerias de arte, cafés e lofts onde moram celebridades.

⑬ SoHo Historic District

Mapa C4. S da Houston St. Greene Street; Ⓜ Canal St, Spring St, Prince St.

A maior concentração de arquitetura de ferro fundido do mundo sobrevive no SoHo, antigo bairro industrial. A região abrange quase 150 construções e ocupa, aproximadamente, a área desde a Houston Street sul até a Spring Street, e da West Broadway para o leste, em volta da Crosby Street. Seu coração é a **Greene Street**; 50 prédios de ferro fundido ocupam uma área de mais de cinco quarteirões. Os mais bonitos são os nos 72-76, o "King", e nos 28-30, a "Queen". Uma inovação americana do século XIX, o ferro fundido era mais barato do que pedras e tijolos e permitia que elementos decorativos fossem pré-fabricados com moldes em fundições e empregados nas fachadas. A área esteve ameaçada de demolição nos anos 1960, mas protestos de artistas que moravam e trabalhavam em seus galpões (de aluguéis baratos) a salvaram.

O **Singer Building** na Broadway foi construído por Ernest Flagg, em 1904, num momento em que os blocos com estrutura de aço e argila começaram a substituir o ferro fundido. Esse edifício de doze andares, ornamentado com sacadas de ferro batido e arcos graciosos pintados de verde-escuro, servia de escritório e depósito da fábrica de máquinas de costura Singer. O nome original, feito de ferro, permanece aplicado acima da entrada da loja, na Prince Street.

Lojas chiques substituíram muitas galerias experimentais do SoHo, mas ainda há vestígios do passado artístico do bairro, a exemplo da **Morrison Hotel Gallery**, que apresenta artes, música e fotografia desde a década de 1940, além de noites de autógrafo e outros eventos. As ruas do SoHo têm cafés da moda, restaurantes, lojas e butiques chiques de estilistas. Também oferece o *brunch-and-browse* de domingo mais procurado da cidade.

🏛 **Morrison Hotel Gallery**
24 Prince St. **Tel** (212) 941-8770.
🕐 11h-18h seg-qui, 11h-19h sex e sáb, 12h-18h dom.
🌐 morrisonhotelgallery.com

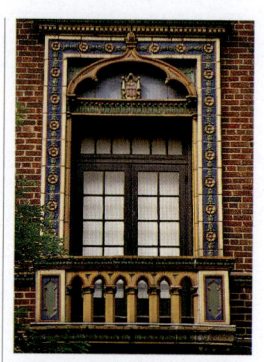

Janela na esquina da West 4th Street com a Washington Square

⑭ Washington Square

Greenwich Vil. **Mapa** C4. Ⓜ W 4th St.

Hoje um dos espaços mais vibrantes da cidade, a Washington Square era um pântano que foi aterrado para formar um parque. O magnífico arco de mármore de Stanford White, terminado em 1895, substituiu a versão de madeira que marcava o centenário da posse de George Washington. Em 1916, artistas liderados por John Sloan e Marcel Duchamp subiram no topo do arco e declararam "a livre e independente república de Washington Square, o estado de Nova Boêmia". Décadas depois, Bob Dylan cantou suas primeiras músicas perto da fonte, no centro do pequeno parque.

⑮ Greenwich Village

Mapa C4. N da Houston St e S da 14th St. Ⓜ W 4th St-Washington Square, Christopher St-Sheridan Square, 8th St.

Conhecido como "the Village", esse aglomerado de ruas se tornou refúgio dos boêmios e abrigou famosos escritores, artistas e músicos de jazz. Mais tarde, transformou-se em bairro gay. Essa área ganha vida à noite, quando cafés, teatros e boates fervilham em cada esquina. Uma caminhada por suas travessas revela charmosas casas geminadas e pátios verdejantes.

A "Queen", no SoHo Historic District

Veja hotéis e restaurantes dessa região nas pp. 122-7

As quinze casas geminadas em estilo italiano que se alinham no lado norte de **St. Luke's Place** datam da década de 1850. A poeta Marianne Moore morou no local e Theodore Dreiser escreveu *An American Tragedy* na casa de nº 16.

O coração do Village é a **Sheridan Square**, um labirinto formado por sete ruas conhecido como "ratoeira". Foi no Stonewall Inn, um bar gay na Christopher Street, que houve uma rebelião contra os abusos da polícia, em 27 de junho de 1969, um marco para o movimento gay que se iniciava.

Jefferson Market Courthouse talvez seja o marco mais precioso do Village. Construído como fórum em 1877, foi transformado em biblioteca em 1967. Na frente fica Patchin Place, um pequeno bolsão de casas do século XIX, onde moraram o dramaturgo Eugene O'Neill e os poetas E. E. Cummings e John Masefield. A noroeste de Greenwich Village fica o elegante Meatpacking District, repleto de boates, bares e restaurantes. Esse bairro é também o ponto de partida para o concorrido High Line, um parque urbano construído sobre linhas elevadas de bondes já desativadas.

Jefferson Market Courthouse
425 Ave of the Americas. W 4th St-Washington Sq. **Tel** (212) 243-4334. 12h-20h seg e qua, 10h-18h ter, 12h-18h qui, 13h-18h sex, 10h-17h sáb. feriados. nypl.org

Mobiliário original no Merchant's House Museum, em East Village

⑯ East Village

Mapa D4. 14th St para Houston St. Astor Place.

Famosos nova-iorquinos moraram nesse antigo território holandês até 1900, quando mudaram para bairros residenciais. Depois no local viveram imigrantes alemães, judeus, irlandeses e ucranianos. Na década de 1960, East Village se tornou um núcleo de hippies e o berço do punk.

Atualmente, East Village abriga diversos cafés boêmios e restaurantes animados, butiques vintage e cinemas independentes.

O **Cooper Union**, de seis andares, foi erguido em 1859 por Peter Cooper, rico industrial que fabricou a primeira locomotiva a vapor dos EUA e fundou a primeira faculdade coeducacional gratuita, não sectária. Seu Great Hall foi inaugurado em 1859 por Mark Twain, e Abraham Lincoln pronunciou ali seu discurso "Right Makes Might" em 1860.

O **Merchant's House Museum**, de 1832, uma notável mansão do *revival* grego, é uma máquina do tempo que mostra um modo de vida que desapareceu. O imóvel foi comprado por Seabury Tredwell, um comerciante rico, e permaneceu na família até 1933.

De 1899, a **St. Mark's-in-the-Bowery**, uma das igrejas mais antigas de Nova York, está situada na East 10th Street. O governador Peter Stuyvesant e seus descendentes foram enterrados nela.

A **Tompkin Square**, de estilo inglês, acolheu a primeira manifestação trabalhista americana, em 1874; depois serviu como principal ponto de encontro da comunidade hippie e, em 1991, foi palco de violentos distúrbios em que a polícia tentou expulsar os desabrigados que a ocupavam. Uma escultura de um menino e uma menina observando um barco a vapor relembra os mais de mil moradores locais que morreram no desastre do vapor *General Slocum*, no dia 15 de junho de 1904.

Merchant's House Museum
29 E 4th St. **Tel** (212) 777-1089. 12h-17h qui-seg e com hora marcada. Fotografias sem flashes são permitidas. merchantshouse.com

A torre alta do Old Jeff, em Greenwich Village

⑰ Union Square

Mapa D4. Ⓜ 14th St-Union Square. Greenmarket: 8h-18h seg, qua, sex, sáb.

Inaugurado em 1839, esse parque já foi ponto de encontro de oradores eventuais e de traficantes de drogas. Reformas o transformaram numa área florescente de Manhattan. Uma feira livre enche a praça com mais de 200 fazendeiros de todo o estado de Nova York vendendo produtos frescos, como verduras, frutas, legumes em miniatura, flores frescas e doces caseiros, mel e fios recém-trançados. A área também conta com lojas de departamento com ótimos preços, mercados *gourmet* e outras variedades.

⑱ Flatiron Building

Mapa D3. 175 5th Ave. Ⓜ 23rd St. ⓞ horário comercial.

O formato incomum desse prédio acompanha o lote triangular, intrigando os nova-iorquinos desde que foi construído por David Burnham, arquiteto de Chicago, em 1902. Um dos primeiros edifícios a usar estrutura de aço, ele foi precursor da era dos arranha-céus. Logo passou a ser conhecido como Flatiron por sua forma que lembrava um ferro de passar, mas alguns o chamavam de "maluquice de Burnham", profetizando que os ventos criados pelo formato do prédio o derrubariam. Mas ele resistiu ao tempo.

O trecho da Fifth Avenue até o sul do edifício ficou deteriorado, mas reviveu com lojas chiques, como Emporio Armani e Paul Smith, que deram à área outro aspecto e um nome novo: The Flatiron District.

Flatiron Building, um dos primeiros prédios famosos de Nova York

Appellate Court, considerada a mais ativa do mundo, em Madison Square

⑲ Madison Square

Mapa D3. Ⓜ 23rd St.

A tranquila Madison Square foi aberta em 1847, no centro de um bairro residencial onde nasceram o político Theodore Roosevelt e a escritora Edith Wharton. Era limitada pelo elegante Fifth Avenue Hotel, pelo Madison Square Theater e pelo Madison Square Garden de Stanford White. O braço com a tocha da Estátua da Liberdade foi exibido no local em 1884. Com um belo paisagismo, essa praça cheia de estátuas fica perto dos restaurantes mais finos da cidade. Os moradores caminham e levam os cachorros para passear em qualquer horário. Logo na saída da Madison Square fica o espetacular edifício da **New York Life Insurance Company**, projetado em 1928 por Cass Gilbert, famoso pelo Woolworth Building (p. 79). O prédio tem a marca registrada de Gilbert, a torre em pirâmide, inspirada na Giralda, de Sevilha. O interior é ornamentado com lâmpadas suspensas, portas de bronze e painéis, e uma escadaria grandiosa leva à estação do metrô.

Uma quadra ao sul fica a **Appellate Division of the Supreme Court of the State of New York**, um palacete de mármore projetado por James Brown Lord, em 1900. Considerada a corte de justiça mais movimentada do mundo, ela abriga as apelações dos casos civis e criminais de Nova York e do Bronx. Durante a semana, o público pode apreciar o belo interior, decorado pelos irmãos Herter, e até mesmo a sala de audiência, quando não há sessão.

Exposições no saguão costumam mostrar alguns dos casos mais famosos da corte. Entre as celebridades cujos recursos foram decididos ali estão Babe Ruth, Charlie Chaplin, Fred Astaire, Harry Houdini, Theodore Dreiser e Edgar Allan Poe.

Também no lado leste de Madison Square fica a **Metropolitan Life Tower**, com 54 andares. Construída em 1909, era o edifício mais alto do mundo, nesse tempo, e um símbolo corporativo adequado para a maior companhia mundial de seguros. Diz-se que só os ponteiros dos minutos do enorme relógio de quatro lados pesam 454kg cada um. Uma série de murais históricos de N. C. Wyeth, famoso ilustrador de clássicos como *Robin Hood*, *Ilha do tesouro* e *Robinson Crusoe* (e pai do pintor Andrew Wyeth), está agora em exposição no saguão.

🏛 **Appellate Division of the Supreme Court of the State of New York**
E 25th St com Madison Ave. ⓞ 9h-17h seg-sex. ⬤ feriados.

Veja hotéis e restaurantes dessa região nas pp. 122-7

NOVA YORK, NY | **83**

⑳ Empire State Building

Mapa D3. 350 5th Ave. **Tel** (212) 736-3100. Ⓜ B, D, F, N, Q, R, W, 1, 2, 3 para 34th St; 6 para 33rd St. 🚌 Q32, M1-M5, M16, M34. Observatórios: 8h-2h. Último elevador às 1h15. **W** esbnyc.com

As obras do Empire State Building, o arranha-céu mais alto e imponente de Nova York, começaram em março de 1930, logo após a queda da Bolsa. Ao ser inaugurado, em 1931, era tão difícil alugar um espaço que foi apelidado de "the Empty State Building". Só a popularidade dos observatórios salvou o prédio da falência – até agora, eles atraíram mais de 120 milhões de visitantes –, mas logo o edifício se tornou símbolo da cidade em todo o mundo. Com uma média de quatro andares acrescentados a cada semana, foram gastos 410 dias para erguer esse prédio de 102 andares feitos de pedra calcária e tijolos. O 102º andar pode ser visitado mediante pagamento de uma taxa adicional. Em fevereiro, ocorre a Empire State Run-Up, quando 150 corredores sobem os 1.576 degraus da escadaria. Eles partem do saguão e vão até o 86º andar (famoso por seus observatórios), em 10 minutos.

Observatório do 102º andar

O edifício foi projetado para ter 86 andares. Porém, foi acrescentado um mastro de 46m para ancorar zepelins. Agora o mastro de 62m faz transmissões de rádio e TV para a cidade e quatro estados.

Elevadores de alta velocidade andam a 305m por minuto.

Dez milhões de tijolos foram usados na construção do edifício.

A luz de projetores coloridos nos 30 andares do topo marcam eventos especiais e sazonais.

A estrutura foi feita com 60 mil toneladas de aço e erguida em 23 semanas.

Painéis de alumínio foram usados em volta das 6.500 janelas, em vez de pedras. Acabamentos de aço ocultam imperfeições nos cantos.

Um espaço entre os andares contém fiação, canos e cabos.

Empire State Building: saguão de entrada na Fifth Avenue

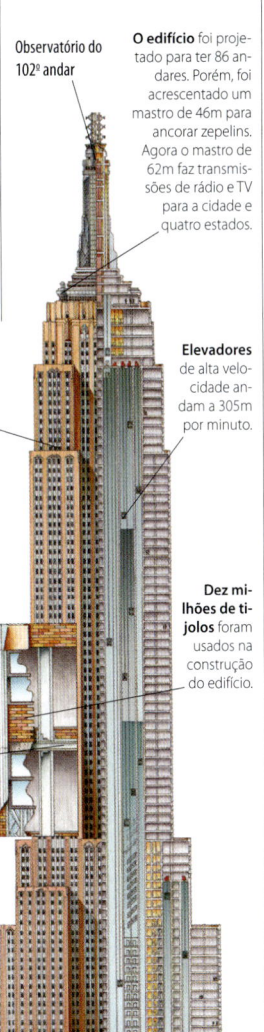

Entrada da Macy's na 34th Street

㉑ Herald Square

Mapa D3. 6th Ave. Ⓜ 34th St-Penn Station.

Seu nome vem do *Herald*, jornal cuja redação funcionou no local de 1893 a 1921. A praça era o centro da turbulenta região dos teatros, que em meados do século XIX era conhecida como Tenderloin District. Teatros, salões de dança, hotéis e restaurantes criavam uma vida fervilhante até que reformadores severos moralizaram o local na década de 1890. O relógio ornamental, numa ilha onde a Broadway encontra a 6th Avenue, foi tudo que restou do Herald Building.

A Herald Square se tornou meca de compradores, depois que a Manhattan Opera House foi demolida, em 1901, para dar lugar à **Macy's**. A "maior loja do mundo" começou modestamente. Foi criada pelo ex-baleeiro Rowland Hussey Macy, em 1857; o logotipo com a estrela vermelha lembra uma tatuagem dele dos tempos de marinheiro. A loja foi vendida em 1888 e mudou para o atual endereço em 1902. A fachada da 34th Street preserva o relógio original, a marquise e a placa com o nome. A Macy's patrocina o famoso Thanksgiving Day Parade (p. 41) e os fogos do Fourth of July. Seu Spring Flower Show atrai milhares de visitantes.

🏬 **Macy's**
151 W 34th St. **Tel** (212) 695-4400. 9h-21h seg-qui, 9h-22h sex, 9h-23h sáb; 11h-20h30 dom. ● feriados.
W macys.com

㉒ Times Square

Mapa D3. Ⓜ 42nd St-Times Square.
🛈 1.560 Broadway (46th St),
8h-20h diariam. ⏰ 12h sex.
🌐 timessquarenyc.org

Com nome derivado da torre do jornal *The New York Times*, a Times Square é o cruzamento mais famoso da cidade. Embora o *The New York Times* tenha se mudado de sua sede original, na extremidade sul da praça, uma bola de cristal continua caindo à meia-noite do Ano-Novo, como ocorre desde a inauguração do edifício em 1906. Desde 1899, quando Oscar Hammerstein construiu os teatros Victoria e Republic, o local também se tornou o coração da região de teatros da cidade. A transformação do bairro, na década de 1990, levou à renovação de muitos teatros, como o New Victory e o New Amsterdam. Suas produções, assim como a área de bares e restaurantes, atraem fãs de teatro todas as noites.

O antigo charme da Broadway se equipara às diversões modernas de Times Square *(p. 98)*. Ali estão os estúdios da MTV e o E-Walks, enorme complexo de diversões e compras. Estruturas notáveis, como o Bertelsmann e o edifício de escritórios Condé Nast, minimalista, situam-se ao lado de construções clássicas, como o Sardi's, o Paramount Hotel e o Baroque Lyceum Theater. Uma novidade na Times Square são as praças de pedestres pontilhadas com mesas e cadeiras.

O grande salão de leitura da New York Public Library

㉓ The New York Public Library

Mapa E3. 5th Ave esq. 42nd St. **Tel** (212) 930-0830. Ⓜ 42nd St-Grand Central. ⬤ diariam; horário variado. ⬤ feriados. ♿ 📷 palestras, oficinas, leituras. 🌐 nypl.org

Os arquitetos Carrère e Hastings ganharam a cobiçada tarefa de projetar a principal biblioteca pública de Nova York, em 1897. O prédio de mármore branco, que eles desenharam no estilo beaux-arts, satisfazia a proposta do primeiro diretor da biblioteca para um lugar iluminado, silencioso e arejado, onde milhões de livros poderiam ser guardados e também disponibilizados o mais depressa possível. Foi inaugurada em 1911, recebendo aclamação imediata, apesar de ter custado à cidade US$9 milhões. O gênio dos arquitetos pode ser apreciado no Main Reading Room, imenso espaço painelado que abrange quase dois quarteirões. Abaixo dele estendem-se 140km de prateleiras, com mais de 7 milhões de volumes. Leva apenas alguns minutos para os funcionários ou para um elevador computadorizado providenciar um livro. O Periodicals Room dispõe de 10 mil periódicos atuais de 128 países. Em suas paredes há murais de Richard Haas, que exaltam as maiores editoras de Nova York. A biblioteca original mesclou as coleções de John J. Astor e James Lenox. Agora o acervo vai desde a cópia manuscrita que Thomas Jefferson fez da Declaração da Independência até uma cópia datilografada de *The Waste Land*, de T. S. Eliot. Mais de mil dúvidas são respondidas diariamente por um enorme banco de dados acessado por catálogos computadorizados.

Essa biblioteca é o centro de uma rede de 82 ramificações, com quase 7 milhões de usuários. Outras unidades conhecidas são a New York Public Library for the Performing Arts, no Lincoln Center *(p. 93)*, e a do Schomburg Center, no Harlem, reconhecida como uma das principais instituições focadas exclusivamente em temas afro-americanos, como a diáspora africana e outras experiências relacionadas. No local ocorrem eventos e exibições de filmes.

Midtown Manhattan

A silhueta de Midtown Manhattan se enfeita com algumas das agulhas e torres mais espetaculares da cidade – desde a beleza conhecida do pináculo art déco do Empire State Building até a moderna sede do Citigroup, terminada em cunha. Conforme a linha costeira continua pela cidade, a arquitetura fica mais variada; o complexo das Nações Unidas domina um longo trecho, e no Beekman Place começa uma faixa de blocos residenciais exclusivos, que oferecem um pouco de isolamento para ricos e famosos.

Porta de elevador do Chrysler Building

Nações Unidas, fundada em 1945, tem sua bela sede num terreno de 70 mil metros no rio East *(p. 86)*.

Empire State Building *(p. 83)*

The Highpoint

Tudor City

Veja hotéis e restaurantes dessa região nas pp. 122-7

NOVA YORK, NY | 85

A Garden Court envidraçada da Morgan Library & Museum

㉔ Morgan Library & Museum

Mapa E3. 225 Madison Ave. **Tel** (212) 685-0008. 🚇 6 para 33rd St, 7 para 5th Ave, 4, 5, 6, 7, S para Grand Central Terminal & Museum. ⏰ ter-qui 10h30-17h, sex 10h30-21h, sáb 10h-18h, dom 11h-18h. ⬤ seg, Ação de Graças, 25 dez, 1º jan. 🎟 grátis 19h-21h sex. ♿ 📷 📱 🎧 🚫
w themorgan.org

Esse magnífico edifício foi projetado para abrigar o acervo particular do banqueiro Pierpont Morgan (1837-1913), um dos maiores colecionadores de seu tempo. Seu filho J. P. Morgan Jr. transformou o local em instituição pública, que possui uma esplêndida coleção de manuscritos raros, gravuras, livros e encadernações.

O complexo inclui a biblioteca original e a casa de J. P. Morgan Jr. O suntuoso estúdio de Pierpont Morgan e sua biblioteca original contêm alguns de seus quadros e objetos de arte preferidos, e uma grande variedade e artefatos culturais. Destaca-se uma das onze cópias que restaram da Bíblia de Gutenberg (1455), impressa em pergaminho, e seis folhas da orquestração do Concerto para Trompa em mi-bemol maior, de Mozart, escrito com tintas de cores diferentes.

A Garden Court, uma área de três andares com iluminação natural, liga a biblioteca à casa. As mostras são mudadas com regularidade.

㉕ Grand Central Terminal

Mapa E3. E 42nd St esq. Park Ave. **Tel** (212) 532-4900. 🚇 4, 5, 6, 7, S para Grand Central. 🚌 M101-104, M42. ⏰ 5h30-1h30 diariam. ♿ 📷 qua 12h30 (grátis), ligar (212) 935-3960 e sex 12h30 (grátis), ligar (212) 883-2420. Guarda-volumes; achados e perdidos: (212) 340-2555.
w grandcentralterminal.com

Um dos melhores terminais ferroviários do mundo, essa construção beaux-arts de Nova York é frequentada por 500 mil pessoas diariamente. O prédio atual data de 1913 e possui uma fachada magnífica. Destaca-se o salão principal dominado por três janelas em arco que enchem o espaço com luz natural. O teto abobadado dessa imensa área de pedestres é decorado com constelações. Em cima do balcão de informações há um relógio de quatro faces.

A Grande Escadaria, inspirada na da Ópera de Paris, é uma lembrança do tempo glamouroso das primeiras viagens de trem. Ao lado do salão principal fica o Vanderbilt Hall.

Agora a Grand Central não se limita mais aos viajantes diários. Ela se tornou uma atração por si só, com museu, mais de 40 lojas, um mercado de culinária gourmet e restaurantes finos, além do famoso Oyster Bar *(p. 125)*. Vale a pena visitar o bar The Campbell Apartment, que fica no belo escritório que pertenceu ao magnata John W. Campbell (é exigido traje formal).

Relógio com vitral de Tiffany cercado por esculturas no topo da Grand Central Terminal

Para muitos, o **Chrysler Building**, com sua agulha brilhante de aço inoxidável, é o arranha-céu perfeito de Nova York.

The Waldorf-Astoria, um dos melhores hotéis de Nova York, com belo interior, é coroado por torres forradas de cobre.

Grand Central Terminal
MetLife Building
UN Plaza 1 e 2
Trump World Tower
Rockefeller Center *(p. 86)*
Japan Society
100 UN Plaza
General Electric Building
866 UN Plaza
Beekman Tower
Citigroup Center

Prédios da ONU vistos do jardim

㉖ United Nations

Mapa E3. 1st Ave com 46th St. **Tel** (212) 963-8687. 4, 5, 6, 7, S para 42nd St-Grand Central Station. M15, M27, M42, M50, M104. mar-dez: 9h30-16h45 diariam; jan-fev: seg-sex apenas. 1º jan, Ação de Graças, Memorial Day, Eid, 25 dez e Labor Day (atividade limitada nos feriados de fim de ano). para visitas guiadas. seg-sex em vinte idiomas. Palestras, filmes. un.org

Filantropo e multimilionário, John D. Rockefeller Jr. doou US$8,5 milhões para a compra do terreno à beira do rio East quando Nova York foi escolhida para acolher a sede da ONU. Esse complexo foi criado pelo arquiteto Wallace Harrison e uma equipe de consultores internacionais. A Organização das Nações Unidas se formou no final da Segunda Guerra Mundial com o propósito de manter a paz, incentivar a autodeterminação e oferecer ajuda econômica e bem-estar social pelo mundo. Atualmente 189 membros se reúnem regularmente todos os anos, de meados de setembro a meados de dezembro, na Assembleia Geral, uma espécie de Parlamento internacional.

O organismo mais poderoso é o Conselho de Segurança, instalado no Conference Building. Ali, os representantes e seus assistentes se reúnem para deliberar sobre questões de paz e segurança internacionais. Em 1998 a ONU recebeu o Prêmio Nobel da Paz. O Conselho Curador e o Conselho Econômico e Social ficam no mesmo prédio. Visitas guiadas ao longo do dia mostram as diversas salas dos conselhos e o salão da Assembleia Geral, oferecendo uma visão geral do funcionamento da organização.

㉗ Rockefeller Center

Mapa E3. 630 5th Ave entre 49th e 52nd Sts. (212) 332-6868. 47th-50th Sts. (212) 664-7174 (reserva recomendada). Observatório Top of the Rock. **Tel** 877-NYC-ROCK. 8h-11h diariam. rockefellercenter.com

Marco histórico nacional, uma cidade dentro da cidade, esse é o maior complexo privado do mundo. As obras começaram na década de 1930, no local arrendado por John D. Rockefeller Jr. para um teatro de ópera que ele planejara. A crise de 1929 alterou seus planos e Rockefeller, preso a um arrendamento de longo prazo, prosseguiu com um empreendimento próprio. Foi o primeiro projeto a integrar jardins, restaurantes e lojas a uma área de escritórios. O número de prédios chegou aos atuais dezenove, embora as estruturas mais modernas não sigam as elegantes linhas art déco dos primeiros catorze. Os Channel Gardens mudam conforme o calendário e seu nome homenageia o canal da Mancha, pois seus jardins separam os edifícios Francês e Inglês.

A peça central do complexo é o G. E. Building, de 70 andares, sede dos estúdios da NBC. As visitas aos bastidores se tornaram uma atração concorrida. O programa de TV *Today* pode ser visto ao vivo todos os dias da semana, de manhã, da calçada em frente ao estúdio.

Uma atração interessante é o observatório **Top of the Rock** que fica entre os 67º e 70º andares. Outro ponto é o Radio City Music Hall. Antes palácio do cinema, agora apresenta eventos espetaculares, como os shows de Natal e de Páscoa. O centro também conta com um rinque de patinação no inverno.

Vista do Rockefeller Center

Obras de Arte na ONU

O edifício da ONU adquiriu diversas obras de arte e reproduções de artistas importantes, muitas doadas pelos países-membros. A maioria delas diz respeito ao tema de paz ou da cordialidade internacional. Sob a obra de Norman Rockwell, *The Golden Rule*, lê-se: "Faça aos outros o que gostaria de que eles lhe fizessem". Marc Chagall pintou um grande vitral em memória do ex--secretário-geral Dag Hammarskjöld, que morreu num acidente enquanto estava em missão de paz, em 1961. A escultura *Reclining Figure: Hand* (1979), de Henry Moore, enfeita o jardim. Há muitas outras esculturas e pinturas de artistas de várias nações.

Reclining Figure: Hand (1979), escultura doada pela Henry Moore Foundation

Veja hotéis e restaurantes dessa região nas pp. 122-7

NOVA YORK, NY | 87

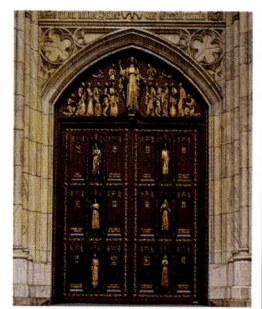

Portal de bronze da St. Patrick's Cathedral

㉘ St. Patrick's Cathedral

Mapa E3. 5th Ave com 50th St. **Tel** (212) 753-2261. 🚇 6 para 51st St; E, V para Fifth Ave. 🚌 M1, M2, M3, M4, M27, M50. ✝ seg-sáb frequentes; dom 7h, 8h, 9h, 10h15, 12h, 13h, 16h (em espanhol), 17h30. ♿ ⌚ seg-sex. 📷 8h30-20h. Concertos, palestras.

O mais bonito prédio do *Revival* Gótico de Nova York foi projetado por James Renwick Jr. e terminado em 1878. Essa também é a maior catedral católica dos EUA – acomoda mais de 2.500 pessoas aos domingos. Em 1850, quando o arcebispo John Hughes decidiu construir uma catedral no local – bem afastado do centro naquele tempo –, muitos criticaram sua escolha. Hoje a igreja fica no coração de Midtown Manhattan.

㉙ Museum of Modern Art

Mapa E2. 11 W 53rd St. **Tel** (212) 708-9400. 🚇 5th Ave-53rd St. 🚌 M1, M2, M3, M4, M27, M50. ⌚ 10h30-17h30 sáb-qui. ⛔ Ação de Graças, 25 dez. 🎟 grátis para menores de 16; grátis para todos 16h-20h sex. 📷 🎥 grupos. 📱 ♿ 📷 🌐 **moma.org**

Um dos acervos de arte moderna mais abrangentes do mundo está exposto no Museum of Modern Art (MoMA). Fundado em 1929, serviu de modelo para outros museus do gênero. Foi também o primeiro museu de arte a incluir objetos utilitários em suas mostras, desde rolamentos e circuitos de silício até utensílios domésticos.

Após a realização de um projeto de expansão de US$650 milhões, o MoMA reabriu em 2004. O prédio oferece um espaço de exposição de seis andares, quase o dobro do antigo museu. Ampliações envidraçadas garantem muita luz natural para o edifício. O acervo do MoMA conta com mais de 150 mil obras, desde clássicos do Impressionismo até coleções inigualáveis de arte moderna e contemporânea, com pinturas, esculturas, gravuras, desenhos, fotografias e artes gráficas.

Destacam-se obras famosas, como *Les Demoiselles d'Avignon* (1907), de Picasso, *Starry Night* (1889), de Van Gogh, e *Water Lilies* (c. 1920), de Monet.

㉚ Fifth Avenue

Mapa E2. 🚇 5th Ave-53rd St, 5th Ave-59th St.

Desde sua concepção, no início da década de 1800, a Fifth Avenue sempre foi domínio dos ricos e famosos. Na época era ladeada por palacetes construídos pelos Astor, Vanderbilt, Belmont e Gould, o que lhe valeu o apelido de Reduto dos Milionários. Mas, à medida que lojas e empresas comerciais se estabeleceram no local na década de 1900, a sociedade se deslocou para o norte.

Agora o coração da avenida mais conhecida de Nova York se estende do Empire State Building *(p. 83)* até Grand Army Plaza, onde se ergue o Plaza Hotel, de 1907. Nesse trecho ficam várias lojas famosas, que fizeram da Fifth Avenue sinônimo mundial de artigos de luxo.

A loja Cartier, na 52nd Street, ocupa uma mansão beaux-arts, de 1905, que originalmente era a casa do banqueiro Morton F. Plant. Dizem que ele a trocou por um colar de pérolas perfeitas. Entre as joalherias e lojas de acessórios estão a Tiffany's, imortalizada por *Bonequinha de luxo* (1958), de Truman Capote, a Harry Winston e a Henri Bendel. Das lojas de departamentos, destacam-se a Saks Fifth Avenue, a Bergdorf Goodman e a maravilhosa loja de brinquedos F. A. O. Schwarz.

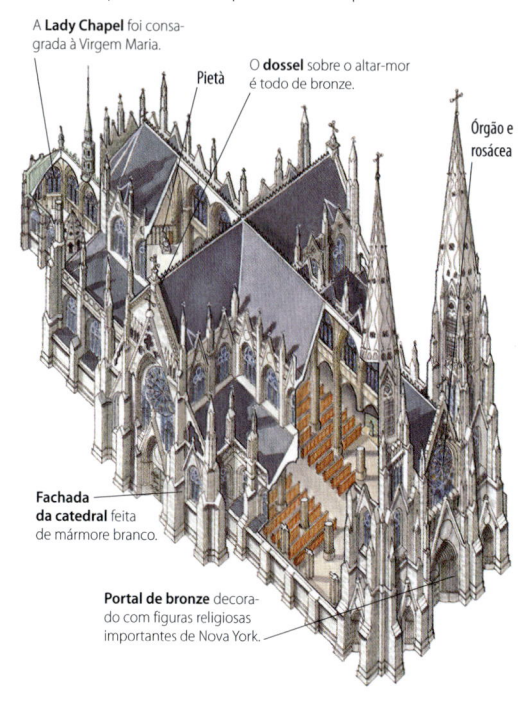

A **Lady Chapel** foi consagrada à Virgem Maria.

Pietà

O **dossel** sobre o altar-mor é todo de bronze.

Órgão e rosácea

Fachada da catedral feita de mármore branco.

Portal de bronze decorado com figuras religiosas importantes de Nova York.

Passeio pelo Central Park

Área verde com 340ha no meio de Nova York, o parque oferece recreação e beleza para moradores e visitantes. Seu projeto é de Frederick Law Olmsted e Calvert Vaux, e foi elaborado em 1858. Levou dezesseis anos para que se cultivassem e desenvolvessem mais de 500 mil árvores e arbustos. Na curta caminhada da 59th Street até a 79th Street dá para apreciar alguns dos pontos mais pitorescos do Central Park, do arborizado Ramble aos espaços abertos de Bethesda Terrace.

★ **Strawberry Fields**
Essa área tranquila foi criada por Yoko Ono em memória de John Lennon, que vivia no edifício Dakota, por perto.

★ **Bethesda Fountain**
Essa esplanada muito ornamentada dá vista para o lago e para as margens arborizadas do Ramble.

O **Wollman Rink** foi restaurado pelo magnata Donald Trump na década de 1980, para futuras gerações de patinadores.

★ **The Dairy**
Nessa construção gótica vitoriana fica o Centro dos Visitantes. Comece o passeio pelo local e pegue um calendário dos eventos do parque.

Estátua de Hans Christian Andersen
Um dos pontos preferidos das crianças no Central Park. Local concorrido para contar histórias, no verão.

Veja hotéis e restaurantes dessa região nas pp. 122-7

NOVA YORK, NY | 89

Bow Bridge
Essa ponte de ferro fundido liga o Ramble a Cherry Hill por um gracioso arco de 18m que cruza o lago.

Localize-se

San Remo Apartments
Um dos cinco prédios de apartamentos com duas torres, no Central Park West, famosos pela beleza e pelos detalhes arquitetônicos.

★ Belvedere Castle
Dos terraços, tem-se uma vista sem igual da cidade e do parque. Suas paredes de pedra abrigam o Central Park Learning Center.

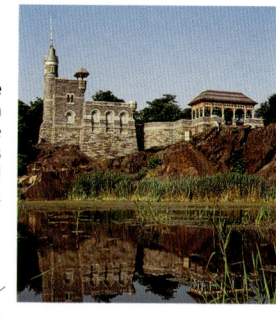

LEGENDA

① **Frick Collection** *(p. 90)*

② **O Wildlife Conservation Center** possui três zonas climáticas para abrigar mais de 130 espécies animais.

③ **The Pond**

④ **Plaza Hotel**

⑤ **The Dakota Apartment Building**

⑥ **American Museum of Natural History** *(p. 93)*

⑦ **O Ramble** é uma área arborizada de 15ha, cortada por trilhas e riachos. É um paraíso para ornitólogos – mais de 250 espécies de aves foram identificadas no parque, que fica na rota de migração do Atlântico.

⑧ **Obelisco**

⑨ **Reservoir**

⑩ **Guggenheim Museum** *(p. 92)*

⑪ **Metropolitan Museum** *(p. 90)*

⑫ **Alice no País das Maravilhas** está imortalizada em bronze na extremidade norte do Conservatory Water, junto com o Gato-que-Ri, o Chapeleiro Maluco e o Rato Silvestre.

★ Conservatory Water
Aos sábados, de março a novembro, há corridas de barcos de brinquedo. Muitas dessas embarcações ficam guardadas na casa de barcos vizinha ao lago.

㉜ Whitney Museum of American Art

Mapa F2. 945 Madison Ave. **Tel** (212) 570-3600, (800) WHITNEY. Ⓜ 6 para 77th St. 🚌 M1, M2, M3, M4, 30, 72. ⊙ 11h-18h qua-qui, sáb-dom, 13h-21h sex. ⦿ feriados. 🎟 (doações 18h-21h sex). ♿ 📷 Palestras, exibições de filmes e vídeos. ✏ 🏛
ⓦ whitney.org

A grandiosa entrada do Metropolitan Museum of Art

Toda a variedade da arte americana dos séculos XX e XXI está exposta no Whitney Museum, fundado pela escultora Gertrude Vanderbilt Whitney, em 1930, depois que o Metropolitan Museum of Art rejeitou seu acervo pessoal de obras de artistas vivos, como Edward Hopper e George Bellows. No início, o museu foi instalado atrás do estúdio de Whitney, em Greenwich Village (pp. 80-1), e mudou-se para o atual prédio, uma pirâmide invertida projetada por Marcel Breuer, em 1966. Uma sucursal no centro foi instalada no Philip Morris Building (120 Park Avenue).

As galerias Leonard e Evelyn Lauder no quinto andar têm exposições permanentes, com obras de Calder, O'Keeffe e Hopper. Mostras temporárias ocupam o saguão, o segundo, o terceiro e o quarto andares. Entre os pontos altos estão *Circus* (1926-31), escultura de Alexander Calder, e o *Early Sunday Morning* (1930), de Edward Hopper, que retrata o vazio da vida urbana americana. Roy Lichtenstein também está representado nesse museu.

A Whitney Biennial ocorre em anos ímpares e é a mais significativa mostra das novas tendências da arte americana.

㉝ Frick Collection

Mapa F2. 1 E 70th St. **Tel** (212) 288-0700. Ⓜ 6 para 68th St. 🚌 M1, M2, M3, M4, 30, M72, M79. ⊙ 10h-18h ter-sáb, 13h-18h dom. ⦿ quase todos os feriados. 🎟 (crianças com menos de 10 anos não entram). ✏ ♿ 🏛 Concertos, palestras, filmes e vídeos.
ⓦ frick.org

O inestimável acervo artístico do magnata do aço Henry Clay Frick (1849-1919) está exposto num ambiente residencial, em meio aos móveis de sua mansão suntuosa, o que oferece um raro vislumbre de como os multimilionários viviam nos anos dourados de Nova York. Frick desejava que o acervo fosse um memorial a si mesmo e legou a casa toda à nação, após sua morte.

A coleção conta com uma soberba mostra da pintura dos velhos mestres, mobiliário francês e esmaltes de Limoges.

A West Gallery, com iluminação natural, exibe óleos de Hals, Rembrandt e Vermeer, cujo *Oficial e garota sorridente* (1655-60) é um exemplo fantástico do uso que o pintor holandês fazia do claro/escuro.

O Salão Oval apresenta Gainsborough, enquanto a Biblioteca e a Sala de Jantar são dedicadas a obras inglesas. Na Sala de Visitas ficam obras de Ticiano, Bellini e Holbein.

Retrato de Lady Meux (1881), de James Whistler, na Frick Collection

㉞ Metropolitan Museum of Art

Mapa F2. 1.000 Fifth Ave. **Tel** (212) 535-7710. Ⓜ 4, 5, 6 para 86th St. 🚌 M1, M2, M3, M4. ⊙ 9h30-17h15 dom e ter-qui, 9h30-20h45 sex, sáb. ⦿ 1º jan, 1ª seg mai, Ação de Graças, 25 dez. 🎟 ♿ 📷 ✏ 🏛 🏛 Concertos, palestras, exibições de filmes e vídeos. ⓦ metmuseum.org

Um dos melhores museus do mundo, o Metropolitan abriga tesouros que abrangem 5 mil anos de cultura internacional. Fundado em 1870 por um grupo de artistas e filantropos que desejavam uma instituição americana de arte para rivalizar com as da Europa, começou com três coleções particulares europeias e 174 quadros. Agora o acervo tem mais de 2 milhões de peças, e o prédio original, de 1880, no estilo *Revival Gótico*, teve projeto de Calvert Vaux e Jacob Wrey e foi ampliado muitas vezes. Os acréscimos incluem pátios atraentes, com janelas enormes que dão para o Central Park, e as deslumbrantes **Byzantine Galleries**, localizadas sob a Grande Escadaria.

A maior parte do acervo está disposta nos dois andares principais. No primeiro ficam o **Costume Institute** e parte da **Robert Lehman Collection**. Essa extraordinária coleção particular, adquirida em 1969, conta com obras dos velhos mestres e de artistas holandeses, espanhóis e franceses, pós-impressionistas e fauvistas, além de porcelanas e mobiliário. O avançadíssimo Costume Institute cobre tendências da moda desde o século XVII até a atualidade. Estão expostos vestidos de baile napoleônicos e vitoria-

Veja hotéis e restaurantes dessa região nas pp. 122-7

Ciprestes (1889), quadro de Vincent van Gogh

nos, trajes para noite de Elsa Schiaparelli, criações de Worth e Quant, e figurinos dos balés russos. No segundo andar ficam a **American Wing**, as European Sculpture and Decorative Arts, a **Egyptian Art** e a **Michael C. Rockefeller Wing**. Essa ala, concebida por Nelson Rockefeller em memória de seu filho, que perdeu a vida numa expedição que pesquisava a arte em Papua-Nova Guiné, expõe um belo acervo com mais de 1.600 objetos de arte da África, das ilhas do Pacífico e das Américas. Entre as peças africanas, destacam-se esculturas de marfim e bronze do reino de Benin (Nigéria). Há também objetos de ouro pré-colombianos, cerâmicas e trabalhos de pedra do México e das Américas Central e do Sul. A American Wing possui um dos melhores acervos do mundo de pinturas americanas, diversas delas de Edward Hopper. Entre as mais elogiadas está o primeiro retrato de George Washington, feito por Gilbert Stuart, o conhecido retrato de *Madame X*, de John Singer Sargent, e o monumental *Washington cruzando o Delaware*, de Emanuel Leutze. Há também salões de época, como o projetado por Frank Lloyd Wright, e o de cristais Tiffany.

O Metropolitan dispõe de uma das maiores coleções de arte egípcia fora do Cairo. Os objetos vão de fragmentos de lábios de uma rainha do século XV a.C. ao Templo de Dendur. Muitos dos objetos foram descobertos em expedições patrocinadas pelo museu, no início do século XX.

A **Lila Wallace Wing** conta com a crescente coleção de arte contemporânea do museu. Entre as grandes obras encontram-se o retrato de *Gertrude Stein* (1905), de Picasso, e *Ritmo de outono*, de Jackson Pollock.

O ponto alto do museu é a admirável coleção de 3 mil **European Paintings**, na qual se destacam obras-primas de pintores holandeses e flamengos, a exemplo de *Os ceifeiros* (1551), de Brueghel, e o *Autorretrato* (1660), de Rembrandt, pintado quando ele tinha 54 anos. Entre as melhores telas impressionistas e pós-impressionistas encontra-se *Ciprestes* (1889), pintada por Vincent van Gogh um ano antes de sua morte.

O terceiro andar abriga uma grande coleção de **Asian Art**, com esculturas, porcelanas e tecidos chineses, japoneses, coreanos, indianos e do Sudeste Asiático. O jardim chinês no estilo Ming foi cultivado no Astor Court por artesãos de Souzhou.

O **Cantor Roof Garden** exibe mostras anuais de esculturas do século XX, cuja disposição contrasta com a silhueta da cidade ao fundo. Os visitantes podem ir às lojas do museu, localizadas no andar principal e no mezanino.

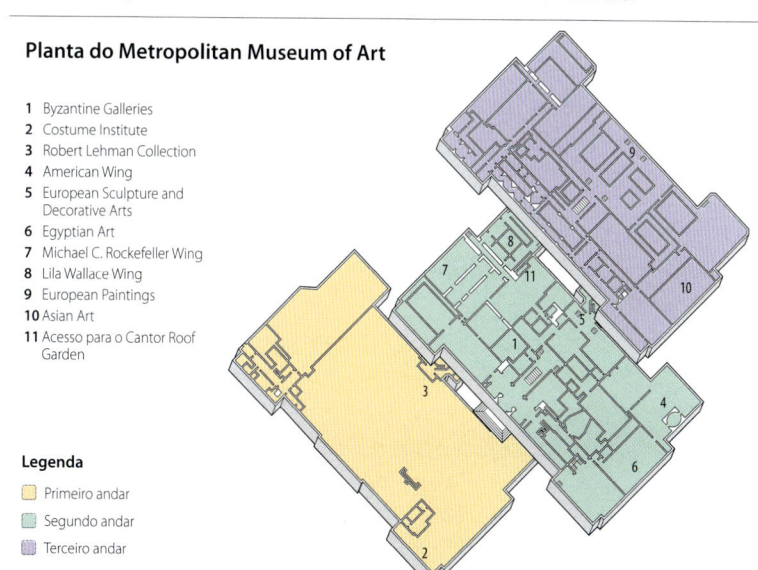

Planta do Metropolitan Museum of Art

1 Byzantine Galleries
2 Costume Institute
3 Robert Lehman Collection
4 American Wing
5 European Sculpture and Decorative Arts
6 Egyptian Art
7 Michael C. Rockefeller Wing
8 Lila Wallace Wing
9 European Paintings
10 Asian Art
11 Acesso para o Cantor Roof Garden

Legenda

Primeiro andar
Segundo andar
Terceiro andar

㉟ The Solomon R. Guggenheim Museum

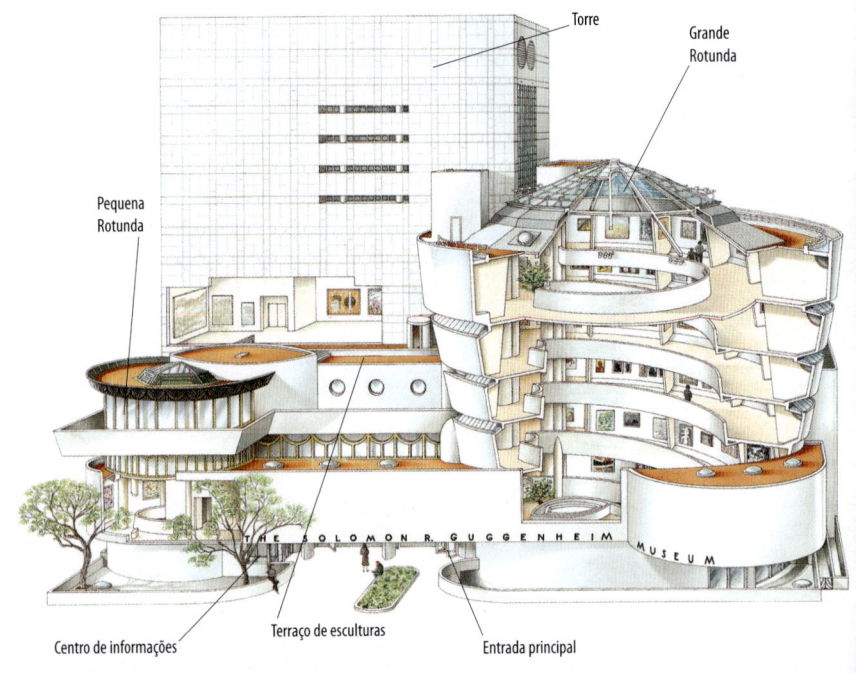

1.071 5th Ave com 89th St. **Tel** (212) 423-3500. Ⓜ 4, 5, 6 para 86th St. 🚌 M1, M2, M3, M4. ⏰ 10h-17h45 dom-qua e sex, 10h-19h45 sáb. ⏰ qui, 1º jan, 25 dez. 💰 "Pague o que desejar" 17h45-19h45 sáb. ♿ 🎵 Concertos, palestras, performances: 📷 📹
w guggenheim.org

Instalado numa construção considerada uma referência arquitetônica do século XX está um dos melhores acervos de arte moderna e contemporânea do mundo. Única edificação projetada em Nova York pelo notável arquiteto americano Frank Lloyd Wright (*p. 394*), foi terminada após sua morte, em 1959.

A fachada do museu, em formato de concha, se tornou um marco da cidade. O interior é dominado por uma rampa em espiral que serpenteia para cima e para baixo, passando por obras de grandes artistas dos séculos XIX e XX. Com o passar dos anos, o acervo central de arte abstrata expressionista do Guggenheim cresceu com a doação de diversas coleções importantes. Desde Willem de Kooning até Jackson Pollock e Robert Motherwell.

Agora o museu conta com grande volume de obras de artistas como Kandinsky, Brancusi, Calder, Klee, Chagall, Miró, Léger, Mondrian, Picasso, Oldenburg e Rauschenberg.

Nem toda a coleção permanente fica exposta o tempo todo. Apenas uma pequena parte é vista, pois a galeria principal, a Grande Rotunda, costuma apresentar mostras especiais. A Pequena Rotunda exibe parte do acervo dos famosos artistas impressionistas e pós-impressionistas que o museu possui. Já as galerias da torre apresentam exposições de obras da coleção permanente e de exemplares contemporâneos.

O terraço de esculturas do

Homem de braços cruzados (1895-1900), de Cézanne, no Guggenheim Museum

quinto andar tem uma bela vista panorâmica do Central Park. Três aquisições importantes do museu são a coleção Justin Thannhauser, mais de cem fotografias da Robert Mapplethorpe Foundation e arte minimalista, pós-minimalista e conceitual da coleção de Giuseppe Panza.

The Solomon R. Guggenheim Museum

- Torre
- Grande Rotunda
- Pequena Rotunda
- Centro de informações
- Terraço de esculturas
- Entrada principal

Veja hotéis e restaurantes dessa região nas pp. 122-7

㊱ American Museum of Natural History

Central Park West com 79th St. **Tel** (212) 769-5100. Ⓜ B, C para 81st St. 🚌 M7, M10, M11, M79. ⏱ 10h-17h45 diariam. 🎫 ⬤ Ação de Graças, 25 dez. ♿ 💰 doações. 📷 💻 📱 🌐 amnh.org

No mundo, esse é um dos maiores museus de história natural e atrai mais de 4,5 milhões de visitantes por ano. Desde que o prédio original foi aberto em 1877, o complexo cresceu a ponto de cobrir quatro quarteirões da cidade. Hoje contém mais de 30 milhões de espécimes e objetos. As áreas mais visitadas são a dos dinossauros e o Milstein Family Hall of Ocean Life.

Entre pelo Central Park West no segundo andar, para ver a exposição *Barossauro* e os povos e animais da África, Ásia e Américas Central e do Sul. As mostras do primeiro andar têm vida oceânica, meteoros, minerais e pedras preciosas. O terceiro andar é ocupado pelo Hall da Biodiversidade e exposições sobre indígenas norte-americanos, pássaros e répteis. Dinossauros, peixes fósseis e os primeiros mamíferos estão no quarto andar.

A principal atração do **Rose Center** para a Terra e o Espaço é o Hayden Planetarium, que contém um Space Theatre com tecnologia avançada, o famoso Cosmic Pathway e o Big Bang Theater.

Barossauro, no American Museum of Natural History

O complexo do Lincoln Center for the Performing Arts

㊲ Lincoln Center

Broadway entre W 62nd e W 65th St. Ⓜ 1 para 66th St. 🚌 M5, M7, M10, M11, M66, M104.

Gigantesco complexo cultural construído na década de 1950, o Lincoln Center foi concebido para acolher a Metropolitan Opera House e a New York Philharmonic. Naquele tempo era considerado ousado e arriscado imaginar que, em um único complexo, pudessem coexistir diferentes artes performáticas. Agora o Lincoln Center atrai mais de 5 milhões de espectadores por ano.

O **Lincoln Center for the Performing Arts** surgiu em maio de 1959, quando o presidente Eisenhower foi a Nova York lançar a pedra fundamental, o compositor Leonard Bernstein ergueu sua batuta e ouviu-se a New York Philharmonic e o Juilliard Choir em *Hallelujah Chorus*. Logo o centro estava ocupando 6ha de um local que tinha muitos cortiços e que serviu de cenário para o clássico musical *West Side Story*, de Bernstein.

Nesse centro ficam o **New York State Theater**, sede do aclamado New York City Ballet e da New York City Opera, onde óperas são apresentadas a preços populares, e a **Metropolitan Opera House**, o ponto central da praça. Esse belo edifício possui cinco enormes janelas em arco, que mostram o suntuoso *foyer* e dois murais de Marc Chagall. Grandes nomes cantaram ali, a exemplo de Maria Callas, Jessye Norman e Luciano Pavarotti.

Há mais duas instituições notáveis no local: o Lincoln Center Theater e o Avery Fisher Hall, sede da New York Philharmonic, orquestra mais antiga dos EUA. A melhor maneira de conhecer o complexo é com uma visita com guia.

O **American Folk Art Museum** apresenta um acervo excelente e amplo de arte folclórica tradicional, que inclui colchas (*quilts*), peças entalhadas e pinturas, desde o século XVIII até o presente. A galeria recebe trabalhos de artistas autodidatas dos EUA e do exterior. Muitas peças, de artes decorativas a rebuscados bordados, exaltam a história e a cultura americanas, revelando uma forte identidade nacional. O Contemporary Center do museu, aberto em 1997, é dedicado à arte folclórica dos séculos XX e XXI, e inclui de tudo, desde pinturas abstratas e comoventes autorretratos até almofadas bordadas e bonecas exclusivas.

O **Hotel des Artistes** (1 W 67th Street), nas proximidades, foi construído em 1918 como estúdio para os artistas que estavam trabalhando. Entre os moradores estavam ilustres como Alexander Woollcott, Isadora Duncan, Noël Coward, Rodolfo Valentino e Norman Rockwell. O Café des Artistes é conhecido pelos murais românticos de Howard Chandler Christy e pela culinária fina.

🏛 **Lincoln Center for the Performing Arts**
Tel (212) 546-2656. ♿ 📠 (212) 875-5350. 🎫 💻 🌐 lincolncenter.org

🏛 **American Folk Art Museum**
2 Lincoln Square. **Tel** (212) 595-9533. ⏱ 12h-19h30 ter-sáb, 12h-18h dom. 📷 ♿ 💰 📱 💻 📠 🌐 folkartmuseum.org

Grande Nova York

Embora, oficialmente, façam parte da cidade de Nova York, Upper Manhattan e os distritos fora de Manhattan são muito diferentes na maneira de ser. Longe do alvoroço do centro, eles são residenciais e não têm os famosos arranha-céus de Nova York. A diferença fica evidente até na maneira como os moradores descrevem a ida até Manhattan como quem vai "à cidade". E tais áreas contam com atrações como a Columbia University, o maior zoo da cidade, jardins botânicos, museus, igrejas, praias e grandes campos de esportes.

Prédio em estilo clássico da biblioteca da Columbia University, em Manhattan

㊳ Columbia University

Mapa F4. Entrada principal na W 116th St e Broadway. **Tel** (212) 854-1754. 1 para 116th St-Columbia University. Visitors' Center: **Tel** (212) 854-4900. 9h-17h seg-sex. 13h seg-sex. **w** columbia.edu

Columbia é uma das melhores e mais antigas universidades americanas. Foi fundada como King's College com autorização do rei Jorge II da Grã-Bretanha, em 1754. De início, estava localizada em Lower Manhattan, mas o novo *campus* foi erguido em Morningside Heights. Os arquitetos McKim, Mead e White, que projetaram os primeiros prédios em volta do quadrilátero central, dispuseram a universidade numa plafatorma, colocada acima do nível da rua. Um prédio clássico com colunas, a **Low Library** domina esse quadrilátero. A estátua *Alma Mater*, de Daniel Chester French, bem em frente, tornou-se o pano de fundo das manifestações estudantis contra a Guerra do Vietnã, em 1968. Agora o prédio abriga escritórios e a rotunda é usada para fins cerimoniais e acadêmicos. Os livros foram levados para a Butler Library, do outro lado do quadrilátero, em 1932. À direita, a **St. Paul's Chapel**, de 1904, ficou conhecida pelos trabalhos de madeira e pelo interior abobadado. A luz natural, vinda de cima, ilumina toda a capela, que tem ótima acústica.

Parte da "Ivy League", a Columbia é famosa por suas faculdades de direito, medicina e jornalismo. Fundada em 1912 pelo editor Joseph Pulitzer, a Faculdade de Jornalismo é sede do Prêmio Pulitzer, conferido aos melhores textos e músicas. Entre os destacados acadêmicos e alunos, do passado e atuais, estão mais de 50 ganhadores do Nobel. E entre seus alunos se destacam Isaac Asimov, J. D. Salinger e James Cagney.

Os visitantes podem passear pelo quadrilátero central, onde futuros líderes americanos usando jeans se encontram e se misturam entre as aulas.

Espalhados pelo *campus* existem cafés onde os alunos travam longas discussões filosóficas, debatem assuntos do dia ou simplesmente relaxam.

À leste, na Amsterdam Avenue, fica a **Cathedral of St. John the Divine**. Iniciada em 1892 e com apenas dois terços terminados, seu interior tem 180m de comprimento e 45m de largura. Trata-se de uma catedral neogótica, com gárgulas entalhadas à mão, erguida para ser a maior do mundo. Métodos de construção medieval, como pedra sobre pedra com apoio de contrafortes, continuam a ser usados para terminar a estrutura.

A catedral abriga eventos culturais populares.

🏛 St. Paul's Chapel
Columbia University. **Tel** (212) 854-1487 (concertos). 116th St-Columbia Univ. 10h-23h seg-sáb (período escolar), 10h-18h (férias). dom.

🏛 Cathedral of St. John the Divine
Amsterdam Ave com W 112th St. **Tel** (212) 316-7490. 1 para Cathedral Pkwy (110th St). M4, M5, M7, M11, M104. 7h-18h seg-sáb, 7h-19h dom. Choral Evensong 16h dom. Concertos, peças, exposições, jardins. **w** stjohndivine.org

㊴ Riverside Church

Mapa F4. 490 Riverside Dr com 122nd St. **Tel** (212) 870-6700. 116th St-Columbia Univ. 10h30-17h ter-dom. 10h45 dom, com permissão do prior. visita grátis 12h15 dom; Concertos de carrilhão: 12h30, 15h dom. **Tel** (212) 870-6784. Teatro: **Tel** (212) 870-6784.
w theriversidechurchny.org

O projeto da Riverside Church foi inspirado na catedral de Chartres, na França. Essa igreja gótica com estrutura de aço de 21 andares foi inaugurada por John D. Rockefeller Jr., em 1930. O Laura Spelman Rockefeller Memorial Carillon (em honra da mãe de Rockefeller) é o maior do mundo, com 74 sinos. O sino das horas, de 20 toneladas, é o maior e mais pesado sino afinado de carrilhão já forjado. O órgão, com 22 mil tubos, está entre os maiores do planeta. A segunda galeria apresenta uma imagem de Jacob Epstein, *Cristo em majestade*, moldada em gesso e coberta com folhas de ouro. Outra imagem de Epstein, *Madona e Menino*, está no pátio

Escultura de pedra na Cathedral of St. John the Divine

A Riverside Church, de 21 andares, vista do norte

perto do claustro. Os painéis do retábulo homenageiam oito homens e mulheres, como Sócrates, Michelangelo, Florence Nightingale e Booker T. Washington, cujas vidas exemplificaram os ensinamentos de Cristo.

Para refletir em silêncio, entre na Christ Chapel, pequena e isolada, inspirada numa igreja românica francesa do século XI. O visitante podia tomar o elevador até o vigésimo andar e depois subir a pé os 140 degraus até a plataforma de observação no alto do campanário de 120m. No entanto, o observatório foi fechado sem previsão de reabertura. Durante os concertos de carrilhão não se tem acesso ao campanário.

⑳ St. Nicholas Historic District

Mapa F4. 202-250 W 138th e W 139th St. Ⓜ 135th St (B, C).

Esses dois quarteirões contrastam surpreendentemente com os arredores deteriorados e são conhecidos como King Model Houses. Foram construídos em 1891, quando o Harlem era considerado um bairro burguês de Nova York. Eles ainda compreendem um dos inconfundíveis exemplos de mansões geminadas da cidade. Uma característica que diferencia essas casas é a existência de uma passagem que pode ser acessada pelas extremidades da avenida e em diferentes pontos ao longo do quarteirão. A passagem serve para esconder as latas de lixo e a entrega de serviço.

O construtor, David King, escolheu três prestigiadas empresas de arquitetura, que conseguiram criar um todo harmonioso, ao mesclarem seus estilos diferentes. A mais famosa, a empresa McKim, Mead & White, foi responsável pelo conjunto mais ao norte, composto de sólidos palacetes renascentistas de tijolos à vista. Eles têm entrada no térreo, ao contrário das típicas casas nova-iorquinas, com escadas de arenito avermelhado. A sala de estar tem sacadas com grade de ferro batido, e acima das janelas foram colocados medalhões decorativos em relevo.

Os prédios georgianos projetados por Price e Luce são feitos de tijolo amarelado decorado com pedra branca. As construções georgianas de James Brown Lord são quase vitorianas, com belas fachadas de tijolo vermelho e fundações de arenito avermelhado.

Durante anos, muitos profissionais de destaque e líderes civis moraram no local. Entre eles estavam músicos célebres, como W. C. Handy e Eubie Blake, e um dos fundadores do American Negro Theater, Abram Hill, que colaborou na produção de uma peça que se passa no distrito histórico e se chama "On Striver's Row" (rua dos esforçados), nome pelo qual a área passou a ser conhecida.

㊶ Studio Museum in Harlem

Mapa F4. 144 W 125th St. **Tel** (212) 864-4500. Ⓜ 125th St (2, 3). ◯ 12h-21h qui e sex, 10h-18h sáb, 12h-18h dom. ⬤ feriados. doações. Palestras, programas infantis, filmes. **studiomuseum.org**

O museu foi fundado em 1967 e instalado num loft da Fifth Avenue, com o propósito de se tornar o primeiro centro para a exposição da arte e do artesanato dos afro-americanos.

O local atual, um prédio de cinco andares na principal rua comercial do Harlem, foi doado ao museu pelo New York Bank for Savings, em 1979. Existem galerias nos dois níveis para exposições temporárias, que apresentam artistas e temas culturais, e três galerias são dedicadas ao acervo permanente, com obras de importantes artistas negros, como Romare Bearden e Elizabeth Catlett.

Os arquivos fotográficos contêm um dos mais completos registros do Harlem no seu apogeu. Do piso principal, abre-se uma porta para um pequeno jardim de esculturas. Além dessas excelentes exposições, o museu também mantém um programa nacional de artistas residentes e oferece palestras regulares, uma variedade de programas infantis e festivais de filmes. Livros, camisetas e artesanato africano são vendidos numa pequena loja.

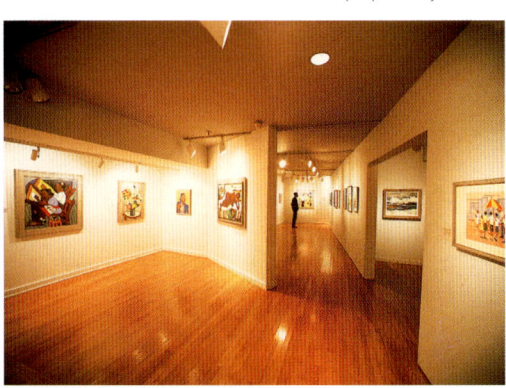

Espaços de exposição no Studio Museum in Harlem

㊷ The Cloisters

Mapa F4. Fort Tryon Park. **Tel** (212) 923-3700. Ⓜ A para 190th St (saída pelo elevador). 🚌 M4. 🕐 mar-out: 10h-17h15 diariam; nov-fev: 10h-16h45 diariam. ⬤ 1º jan, Ação de Graças, 25 dez. 💰 doações. Proibido gravar vídeo. ♿ 📞 reservar. 🎵 Concertos, conferências.
w **metmuseum.org/cloisters**

Sucursal mundialmente famosa do Metropolitan Museum *(pp. 90-1)*, dedicada à arte medieval, os Cloisters ficam numa edificação que incorpora claustros, capelas e salões medievais. Organizada em ordem cronológica, a exposição começa com o período românico (1000 d.C.) e vai até o gótico (1150 a 1520). Destaca-se pelos manuscritos com iluminuras fantásticas, vitrais, trabalhos de metal, esmaltes, marfins e lindas tapeçarias bem-conservadas. Talvez a parte mais interessante dos Cloisters sejam os jardins, cultivados de acordo com informações hortícolas descobertas em tratados e poesias medievais.

Concorridos concertos de música antiga são realizados no local com regularidade. Telefone antes para reservar entrada.

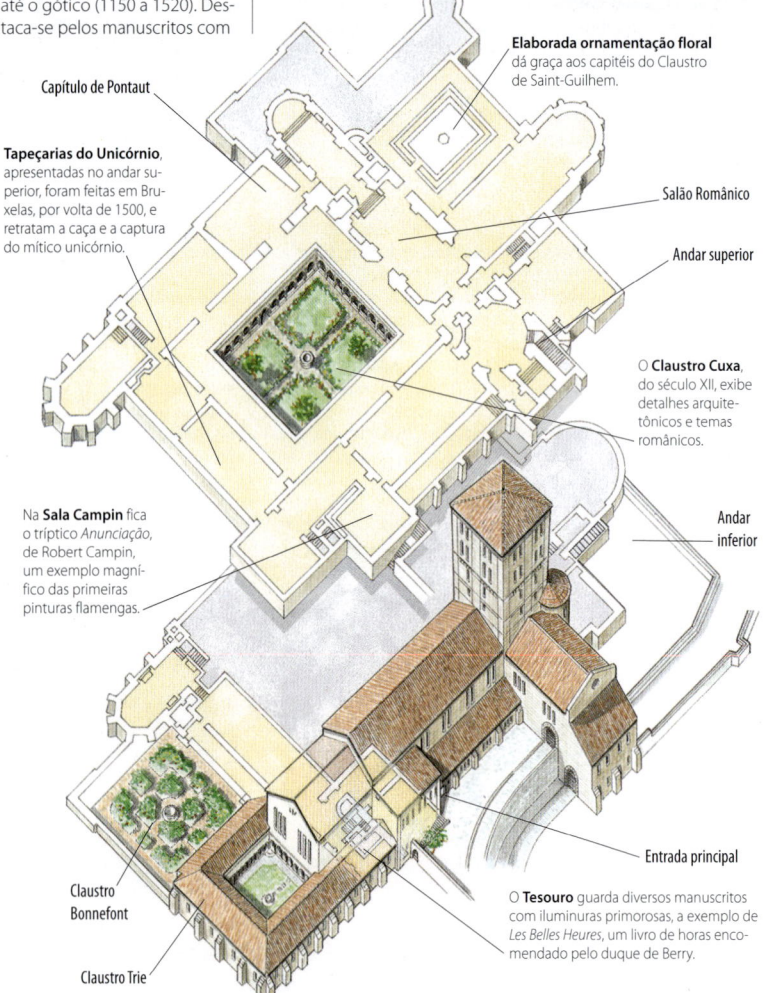

Teto abobadado do Capítulo de Pontaut Chapter, em The Cloisters

Capítulo de Pontaut

Tapeçarias do Unicórnio, apresentadas no andar superior, foram feitas em Bruxelas, por volta de 1500, e retratam a caça e a captura do mítico unicórnio.

Na **Sala Campin** fica o tríptico *Anunciação*, de Robert Campin, um exemplo magnífico das primeiras pinturas flamengas.

Claustro Bonnefont

Claustro Trie

Elaborada ornamentação floral dá graça aos capitéis do Claustro de Saint-Guilhem.

Salão Românico

Andar superior

O **Claustro Cuxa**, do século XII, exibe detalhes arquitetônicos e temas românicos.

Andar inferior

Entrada principal

O **Tesouro** guarda diversos manuscritos com iluminuras primorosas, a exemplo de *Les Belles Heures*, um livro de horas encomendado pelo duque de Berry.

Veja hotéis e restaurantes dessa região nas pp. 122-7

NOVA YORK, NY | 97

Jungle World, floresta tropical com clima controlado, no Bronx Zoo

㊸ The Bronx

Mapa F4. Ⓜ B, D, 4 para 161st St (Yankee Std); 2, 5 para Tremont Ave (Bronx Zoo); 4, B, D para Bedford Park Blvd (NY Bot. Garden).

Subúrbio antigo e próspero, em que a famosa avenida Grand Concourse era ladeada de apartamentos para ricos, o Bronx tem atualmente partes que se tornaram símbolo de decadência urbana. Mas os visitantes ainda frequentam a área a fim de fugir da opressora cidade de concreto em busca de beleza e silêncio, ao passo que os nova-iorquinos enchem o **Yankee Stadium** (1923), sede do time de beisebol New York Yankees. Dê uma volta por uma das partes mais endinheiradas e bonitas da cidade – Riverdale –, situada entre a W 242 e a Broadway.

A principal atração do bairro é o **Bronx Zoo**. Inaugurado em 1899, é o maior zoológico urbano dos EUA e acolhe mais de 4 mil animais de 500 espécies, vivendo em áreas que reproduzem seus hábitats naturais. É pioneiro na perpetuação de espécies em extinção, como o rinoceronte-indiano e o leopardo-da-neve.

Seus 107ha de bosques, riachos e gramados contam com zoo para crianças, passeios de camelos, bondinho SkyFari (sazonal) e um trenzinho circular que leva os visitantes pelo vasto parque.

Ao atravessar a rua na frente da entrada principal do zoo, pode-se visitar os 101ha cheios de belezas e curiosidades do **New York Botanical Garden**. Um dos mais antigos e maiores jardins botânicos do mundo, esse dispõe de 48 jardins e coleções de plantas especializados, 20ha de floresta virgem e o amplo Children's Adventure Garden. A estufa Enid A. Haupt, que possui galerias envidraçadas e interligadas, exibe a adorável exposição "A World of Plants", com florestas tropicais e desertos.

🦁 Bronx Zoo
Fordham Rd /Bronx River Pkwy. **Tel** (718) 367-1010. ⏰ abr-out: 10h-17h diariam (17h30 sáb e dom); nov-mar: 10h-16h30 diariam. 💲 doação. ♿ 🚻 📷 Zoo infantil: 🌐 bronxzoo.com; 🌐 nybg.org

㊹ Brooklyn

Mapa F5. Ⓜ Prospect Pk (Brooklyn Bot. Gardens); 2, 3 para Eastern Pkwy (Brooklyn Mus); C, 3 para Kingston (Brooklyn Children's Mus); D, F, N, Q para Stillwell Ave (Coney Is).

O Brooklyn é um dos distritos com grande diversidade étnica de Nova York. Se fosse uma cidade independente, seria a quarta maior do país. Muitas celebridades, como Mel Brooks, Phil Silvers, Woody Allen e Neil Simon, festejam com afeto e humor o local onde nasceram. Entre suas áreas estão os históricos distritos residenciais de Park Slope e Brooklyn Heights,

Ataúde de Íbis (332-330 a.C.), no Brooklyn Museum of Art

muito arborizados, onde se passa por casas e cafés vitorianos. Um portal oval na Grand Army Plaza, desenhado por Frederick Law Olmsted e Calvert Vaux, leva ao verdejante Prospect Park.

Ao lado, os **Brooklyn Botanic Gardens** exibem um jardim de ervas ao estilo elizabetano, uma das maiores coleções de bonsais e rosas do país, e algumas árvores raras das florestas tropicais.

A sudeste, fica o **Brooklyn Museum of Art** (1897), projetado por McKim, Mead & White. Com apenas um quinto terminado, o museu é uma das instituições culturais mais impressionantes dos EUA, com um acervo de 1 milhão de objetos instalados numa edificação grandiosa de cinco andares que ocupa 41.805m². Os pontos altos incluem: arte da África, da Oceania e do Novo Mundo; uma coleção de objetos antigos do Egito e do Oriente Médio; e obras contemporâneas dos EUA e da Europa.

Mais ao norte, na Brooklyn Avenue está o criativo **Brooklyn Children's Museum**, o primeiro no mundo a ser projetado especialmente para os pequenos. Os programas e as mostras se baseiam no extraordinário acervo de 20 mil objetos culturais e espécimes de história natural, plantas e animais e exposições interativas.

Walt Whitman, poeta do Brooklyn, compôs muitas de suas obras em **Coney Island**, o ponto mais afastado desse distrito, declarado "O Maior Parque de Diversões do Mundo", na década de 1920, com uma combinação de brinquedos e lindas praias. Agora Coney Island está meio deteriorada, mas mantém sua memória histórica. Uma visita ao **New York Aquarium** é obrigatória.

🏛 Brooklyn Museum of Art
200 Eastern Pkwy, Brooklyn. **Tel** (718) 638-5000. ⏰ 10h-17h qua-sex, 11h-18h sáb, 11h-23h no 1º sáb do mês, 11h-18h dom. ⏸ 1º jan, Ação de Graças, 25 dez. 💲 espera-se contribuição. ♿ 🚻 📷 Concertos, palestras. 🌐 brooklynmuseum.org

Informações Úteis

Os que visitam Nova York são tratados do mesmo modo que qualquer pessoa e desde que siga algumas orientações quanto à segurança pessoal, será capaz de explorar a cidade com tanta liberdade quanto os moradores. Ônibus e metrô são confiáveis e baratos. Além disso, graças à ampla variedade de preços oferecidos pelos diversos hotéis, restaurantes e locais de diversão, sua viagem a Nova York será divertida e econômica.

Informação Turística

Indicações sobre qualquer aspecto da vida de Nova York podem ser obtidas no **New York Convention and Visitors' Bureau (NYC and Co.)**. Seu telefone 24 horas oferece ajuda fora do horário comercial. Também se podem encontrar folhetos e quiosques de informações no escritório do **Times Square Visitors Bureau**.

Segurança Pessoal

Embora seja considerada uma das cidades mais seguras dos EUA, com rondas policiais dia e noite, tropa montada, patrulhas de bicicleta e de carro em áreas turísticas, é sempre bom tomar cuidado. À noite, se não puder ir de táxi, ande em grupo. Ande como se soubesse aonde está indo. Procure não olhar ninguém nos olhos ou discutir por bobagens. Se alguém lhe pedir dinheiro, não fique conversando. Tenha sempre dinheiro trocado para pagar um ônibus; leve o Metrocard no bolso. Nunca ande com muito dinheiro vivo e guarde seus valores no cofre do hotel. Nunca deixe ninguém carregar sua bagagem, a não ser o pessoal do hotel e do aeroporto.

Os banheiros públicos nas rodoviárias devem ser evitados. Se precisar usar o toalete, é melhor procurar um hotel ou loja. Como os parques também costumam ser usados para tráfico de drogas, eles são mais seguros quando há muita gente para um evento ou concerto. Se quiser caminhar em um parque, fuja das áreas ou caminhos desertos e siga um mapa com rotas seguras.

Como Circular

Os horários de pico vão das 8h às 10h, das 11h30 às 13h30 e das 16h30 às 18h30, de segunda a sexta. Nesses períodos, os transportes públicos são lotados. Um jeito confortável de circular é de ônibus, mas eles são lentos. O metrô é rápido, confiável e barato, e tem estações por toda Manhattan. O sistema se estende por mais de 370km, e a maioria dos trajetos funciona o ano todo. Pode-se comprar um Metrocard de US$2,50 para metrô e ônibus simples. Há cartões no valor de US$2,75 até US$80, conforme o número de viagens que se pretende fazer. Se você carregar o cartão com US$5 ou mais, obterá 5% de bônus; os descontos aumentam conforme o valor carregado. Outra opção é pagar US$30 por um passe ilimitado para sete dias. Os táxis são melhores para serviço porta a porta, mas podem ficar presos no trânsito. Se o letreiro no teto estiver aceso, eles estão livres. Chame apenas os táxis amarelos, os únicos licenciados.

Dirigir em Nova York pode ser frustrante por causa do trânsito complicado e das locações caras. O limite de velocidade é 48km/h. Estacionar em Manhattan é difícil e caro. Muitos hotéis incluem o estacionamento na diária. Na cidade há uma equipe para guinchar carros, e um terço dos carros guinchados é danificado. Se não encontrar seu carro onde estacionou, ligue primeiro para o departamento de trânsito que guincha veículos. Para mais detalhes, ligue para o **Department of Transportation** (tel 311). Se for multado por estacionamento proibido, você tem sete dias para pagar a pesada tarifa. Se o carro foi roubado, procure a polícia.

Etiqueta

É ilegal fumar em qualquer local público ou prédio de Nova York. Bares por toda a cidade também proíbem o fumo. A gorjeta faz parte da vida da cidade. Em geral, bastam 10% a 15% da conta, ou 20% por um serviço impecável. No bar e na chapelaria deixe US$1-2.

Diversão

Nova York dispõe de diversão contínua o ano todo. Seja qual for sua preferência, saiba que a cidade vai satisfazê-la numa escala grandiosa ou modesta.

A cidade é famosa por seus musicais extravagantes e seus críticos mordazes. Na área de Times Square são exibidas as famosas produções da Broadway – grandes dramas, musicais e novas montagens, sucessos de bilheteria estrelados por diversos famosos de Hollywood, em teatros como o **Ambassador** e o **Lyceum** (1903), o teatro mais antigo ainda em funcionamento. Os palcos Off-Broadway e Off-Off-Broadway, como **Actors' Playhouse**, acolhem o teatro experimental, que vai de grandes montagens a improvisações, em lofts, igrejas e até no **Delacorte Theater**, ao ar livre, no Central Park.

A cidade é um grande centro do balé tradicional e da dança moderna. O New York City Ballet, inaugurado pelo lendário coreógrafo George Balanchine, se apresenta no **New York State Theater**. O **Dance Theater of Harlem** tem fama mundial por suas produções modernas e étnicas, assim como o **Alvin Ailey American Dance Theater**.

Em Nova York se fazem todos os tipos de música, do rock aos sons da década de 1960, do jazz de Dixieland ou country, blues, soul e world music até música de rua. A cena musical da cidade se modifica rapidamente, por isso, não há como prever o que você pode encontrar ao chegar. Artistas de peso, como Elton John, Bruce Springsteen e os Stones, se apresentam em locais enormes, como Shea Stadium e **Madison Square Garden**. A **Webster Hall** tem música ao vivo do punk ao rock.

A vida noturna e as boates de Nova York são lendárias. Se você gosta de discoteca, shows de comédia ou melodias suaves de um Harry Connick Jr., ficará impressionado com a variedade. Os nova-iorquinos adoram dançar, e há casas por toda a cidade, desde o popular **SOB's** – para dançar reggae, soul, jazz e salsa – até imensos espaços como **Roseland**. O histórico **Copacabana** alterna bandas ao vivo com discoteca. O **Cielo** é um bar e casa noturna muito concorrido, assim como o **Culture Club**, com ambientação dos anos 1980.

A cidade também é um paraíso para os fãs de cinema. Além dos lançamentos dos EUA, que são exibidos bem antes de ir para outros países, muitos filmes clássicos e estrangeiros são passados nesse terreno fértil para talentos novos e criativos.

Os nova-iorquinos são loucos por esportes e há atividades para atender a todos os gostos. O visitante pode escolher desde academias até jogar tênis ou correr. Entre os esportes coletivos estão o beisebol profissional (**Yankee Stadium**), hóquei no gelo e basquetebol (**Madison Square Garden**) e rúgbi (Giants Stadium). Para os fãs de tênis há os torneios US Open e Virginia Slims.

Compras

Capital mundial das compras, Nova York é o paraíso dos consumistas, com vitrines maravilhosas e uma variedade estonteante de mercadorias. Nela se encontra de tudo, de alta-costura a livros raros, eletrônicos moderníssimos e uma combinação exótica de comidas. Não se esqueça de que o imposto sobre vendas na cidade soma 8,625%.

Conhecida como a capital da moda dos EUA, Nova York exibe nomes como **Polo/Ralph Lauren** e Calvin Klein. Há lojas de moda como **Brooks Brothers** (roupas masculinas) e **Ann Taylor** (roupas femininas), e lojas de grifes internacionais, a exemplo de **Yves St. Laurent** e **Giorgio Armani**. Manhattan é famosa por suas joalherias finas, como a **Cartier** e a **Tiffany's**. Mas a cidade também é o sonho de quem procura pechinchas, com descontos para utensílios domésticos até roupas de estilistas.

Como centro editorial do país, a cidade possui as melhores livrarias americanas. Não perca as lojas da **Barnes & Noble**, a **Strand** para livros raros e usados, e a Shakespeare & Co.

Dezenas de lojinhas pela cidade se especializaram em mercadorias incomuns, de borboletas e ossos a brinquedos de combate e poções secretas. Não deixe de ir à lendária **FAO Schwarz** que tem brinquedos de todos os tipos. Alguns dos melhores suvenires da cidade podem ser encontrados nas lojas de museus, como o **Museum of Modern Art** e o **American Museum of Natural History**.

AGENDA

Informação Turística

NYC & Co.
W nycgo.com

Times Square Visitors' Bureau
W timessquarenyc.org

Como Circular

Department of Transportation
55 Water St, 9º andar.
Tel 311.

Diversão

Actors' Playhouse
100 Seventh Ave S.
Tel (212) 463-0060.

Alvin Ailey American Dance Theater
405 W 55th St.
Tel (212) 405-9000.

Ambassador
219 W 49th St.
Tel (212) 239-6200.

Dance Theater of Harlem
466 W 152nd St.
Tel (212) 690-2800.

Delacorte Theater
Central Park, 81st St.
Tel (212) 535-4284
(apenas no verão).

Lyceum
149 W 45th St,
Nova York.
Tel (212) 239-6200.

Madison Square Garden
7th Ave com 33rd St.
Tel (212) 465-6741.
W thegarden.com

New York State Theater
Lincoln Center,
Broadway com 65th St.
Tel (212) 870-5570.

Webster Hall
125 E 11th St.
Tel (212) 353-1600.

Yankee Stadium
1 E 161st St, Bronx.
Tel (718) 293-4300.

Bares e Clubes

Cielo
18 Little W 12th St.
Tel (212) 645-5700.

Copacabana
560 W 34th St.
Tel (212) 239-2672.

Culture Club
20 W 39th St.
Tel (212) 921-1999.

Roseland Ballroom
239 W 52nd St.
Tel (212) 247-0200.

**SOB's
(Sounds of Brazil)**
204 Varick St.
Tel (212) 243-4940.

Compras

American Museum of Natural History
W 79th St.
Central Park W.
Tel (212) 769-5100.

Ann Taylor
645 Madison Ave.
Tel (212) 832-2010.

Barnes & Noble
105 5th Ave.
Tel (212) 807-0099.

Brooks Brothers
346 Madison Ave.
Tel (212) 682-8800.

Cartier
653 5th Ave.
Tel (212) 753-0111.

FAO Schwarz
767 5th Ave.
Tel (212) 644-9400.

Giorgio Armani
760 Madison Ave.
Tel (212) 988-9191.

Museum of Modern Art
11 W 53rd St.
Tel (212) 708-9400.

Polo/Ralph Lauren
Madison Ave com 72nd St.
Tel (212) 606-2100.

Shakespeare & Co.
716 Broadway.
Tel (212) 529-1330.

Strand Book Store
828 Broadway.
Tel (212) 473-1452.

Tiffany & Co.
5th Ave com 57th St.
Tel (212) 755-8000.

Yves St. Laurent
3 E 57th St.
Tel (212) 980-2970.

Estado de Nova York

Estendendo-se para o norte por mais de 322km até a fronteira canadense, e para oeste até os Grandes Lagos, o "Empire State" é bem diferente da cidade de Nova York. A leste de Manhattan, Long Island é a maior ilha costeira dos EUA, com quilômetros de subúrbios, fazendas e praias voltadas para o oceano Atlântico. Para o norte, o rio Hudson é uma área de mansões suntuosas e cidadezinhas. A capital do estado, Albany, marca o início do vasto interior, que compreende as montanhas Adirondack, a região rural e cidades vibrantes.

O Montauk Point Lighthouse, octogonal, terminado em 1796

❷ Jones Beach State Park

Wantagh. Long Island Railroad da Penn Station até Jones Beach. Funciona jun-Labor Day, (718) 217-5477. (516) 785-1600. jun-Labor Day: amanhecer-24h. Jones Beach Theater. jonesbeach.com

Localizado em Long Island, o Jones Beach State Park fica a apenas 53km do centro de Manhattan. Destino muito procurado desde que foi criado, em 1929, esse resort em ilha-barreira dispõe de mais de 970ha de área, com praias e grande variedade de atividades culturais e ao ar livre.

As praias oceânicas do parque, onde se pratica o surfe, são complementadas por uma baía de águas calmas e diversas piscinas naturais para nadar, mergulhar e brincar. Entre outras opções, há campos de golfe, restaurantes, embarcadouro de pesca e uma calçada de 3km, feita de madeira.

O **Jones Beach Theater** tem 11.200 lugares e é um conhecido local de concertos de rock e música pop, no verão. Outro marco é a **Jones Beach Tower**, uma estrutura de tijolo e pedra, com 61m de altura, inspirada no campanário da Catedral de São Marcos, em Veneza.

❸ Hamptons e Montauk

15.000. (877) 386-6654. hamptonstravelguide.com

Na nascente do rio, Long Island se divide em duas penínsulas – North Fork, mais rural, e South Fork, mais urbana. Grande parte das praias e atrações culturais de South Fork se concentra nos amplos e elegantes refúgios de verão de Hamptons e Montauk.

A maioria dos nova-iorquinos associa os Hamptons (de oeste para leste: Westhampton Beach, Hampton Bays, Southampton, Bridgehampton, East Hampton e Amagansett) a seus moradores famosos e fashionistas, que migram de Manhattan para lá durante o verão. Porém a área também tem um rico legado histórico. No século XIX, na comunidade baleeira de Sag Harbor, a norte de Bridgehampton, a **Old Custom House**, construída em 1789, homenageia o auge da cidade, no pós-Revolução Americana, como um dos primeiros portos oficiais de entrada para o jovem país. Em Village Green, em East Hampton, o **Home Sweet Home Museum** dispõe de diversas estruturas de madeira rústica do início da colônia, a exemplo de um sobrado clássico, erguido em 1750, e do Old Hook Mill, que ainda funciona, construído em 1806.

Montauk, a comunidade mais oriental de Long Island, é um movimentado balneário de verão e serve como ponto inicial para passeios pelas trilhas e praias.

Entre outras atividades há golfe, cavalgadas, ciclismo, surfe e pescarias. O Montauk State Park contém o **Montauk Point Lighthouse**, encomendado por George Washington, em 1792, e ainda em operação. A estrutura octogonal de pedra é um farol importante para os navios oceânicos.

Custom House
Main St. e Garden Sq, Sag Harbor. Tel (631) 692-4664. horários variam, ligue antes. feriados. splia.org/hist_custom.htm

Home Sweet Home Museum
14 James Lane, East Hampton. Tel (631) 324-0713. mai-set: 10h-16h seg-sáb, 14h-16h dom; out e nov: somente fins de semana; dez-abr: somente com hora marcada. feriados. easthampton.com/homesweethome

Uma das muitas piscinas do Jones Beach State Park

Veja hotéis e restaurantes dessa região nas pp. 122-7

❹ Hudson River Valley

🅿 🏨 🍴 ℹ 3 Neptune Rd, Poughkeepsie. **Tel** (845) 463-4000.
🌐 **dutchesstourism.com**

Desde a nascente no alto das montanhas Adirondack, o rio Hudson serpenteia por cidades ribeirinhas e pelos montes Catskill e Taconic, percorrendo mais de 500km até a foz, no porto de Nova York. Muito bonito e com localização estratégica, o vale teve papel importante na história militar, econômica e cultural da América do Norte.

Ocupado pelos holandeses na década de 1620 *(p. 53)*, logo ficou pontilhado de postos comerciais que se desenvolveram graças ao florescente comércio de peles com as tribos iaroquesas locais. O legado holandês na área sobrevive no nome de lugares como Catskill, Kinderhook e Claverack, e também na ficção de Washington Irving (1783-1859), que no início do século XIX escreveu *Rip van Winkle* e *The Legend of Sleepy Hollow*, que o transformaram no primeiro autor americano de fama internacional. **Sunnyside**, a casa de Irving no Hudson, era modesta, mas estranhamente eclética. Agora é atração turística.

As vantagens econômicas e de transporte do Hudson também o tornaram um objetivo estratégico tanto para as forças britânicas quanto para as americanas, durante a Revolução Americana, o que resultou em batalhas intensas. Fort Putnam, uma das defesas erguidas ao longo do rio, em 1778, para proteger as colônias dos ataques britânicos, foi restaurado e atualmente faz parte da **United States Military Academy**, em West Point. Fundada em 1802, a academia formou líderes militares do país, como os oponentes da Guerra Civil, os generais Ulysses S. Grant e Robert E. Lee, e Douglas MacArthur e Dwight D. Eisenhower, comandantes da Segunda Guerra Mundial. O Military Academy Museum oferece uma boa introdução para um passeio pela área com aspecto de fortaleza.

No século XIX, boa parte da elite emergente de Nova York construiu casas de campo ao longo do Hudson. A maior é a **Vanderbilt Mansion**, em Hyde Park. Terminada em 1899, esse palácio ao estilo do Renascimento italiano foi erguido pela empresa de arquitetura McKim, Mead & White, para o magnata das ferrovias Frederick W. Vanderbilt. Essa casa magnífica tem vista espetacular do rio e está cheia de móveis, utensílios domésticos, objetos artísticos, tapeçarias e detalhes arquitetônicos vindos de um castelo parisiense que foi ocupado por Napoleão. Uma mansão mais antiga e menos suntuosa é Springwood, onde morou Franklin D. Roosevelt, 32º presidente americano *(p. 59)*. Roosevelt nasceu em 1882 no local, que foi usado como a Casa Branca de verão durante seus mandatos de 1933 a 1945. Agora a casa faz parte do **Home of Franklin D. Roosevelt National Historic Site**, que também tem amplo museu e biblioteca que detalha a liderança de Roosevelt durante a Grande Depressão e a Segunda Guerra Mundial. Ele e sua esposa Eleanor foram enterrados no local. Nas proximidades, o Eleanor Roosevelt National Historic Site preserva o Val-Kill, o chalé em que a primeira-dama passava fins de semana e feriados.

A Vanderbilt Mansion, de exterior imponente, tem móveis suntuosos

Estátua de George Washington na US Military Academy

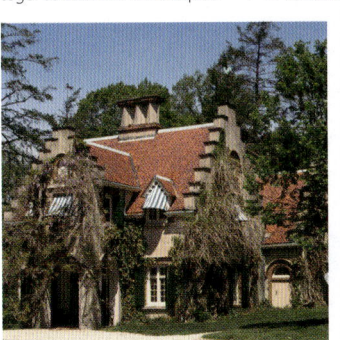

Sunnyside, casa do escritor Washington Irving

🏛 Sunnyside
W Sunnyside Lane, saída Rte 9, Tarrytown. **Tel** (914) 591-8763. ⭘ abr-out: só para visitas agendadas às 10h30, 12h, 13h30, 15h qua-dom (também 15h30 sáb e dom). ⬤ Ação de Graças, 25 dez. 🌐 **hudsonvalley.org**

🏛 US Military Academy
W Sunnyside Lane, Rte 9 W, West Point. **Tel** (845) 938-2638. ⭘ só visitas guiadas: 9h45-15h30 seg-sáb, a cada meia hora, exige documento com foto; dez-fev: só duas visitas ao dia. 🎫 (só visitas). ⬤ 1º jan, Ação de Graças, 25 dez. 🌐 **usma.edu**

🏛 Home of Franklin D. Roosevelt National Historic Site
4.097 Albany Post Rd, Rte 9, Hyde Park. **Tel** (845) 229-5320. ⭘ 9h-17h diariam. ⬤ 1º jan, Ação de Graças, 25 dez. 🌿 jardins grátis. 🌐 **nps.gov/hofr**

O New York State Capitol, em Albany, mistura de estilos arquitetônicos

❺ Albany

🏠 101.000. ✈ 🚂 🚌 ℹ️ 25 Quackenbush Square, (518) 434-1217. 🌐 **albany.org**

Albany representa a força central do estado de Nova York desde 1614, quando o pioneiro Henry Hudson *(p. 70)* abriu um posto para o comércio de peles, chamado Fort Orange, no ponto mais ao norte da parte navegável do rio Hudson. Quando os britânicos ocuparam o assentamento, em 1664, mudaram seu nome para Albany. Em 1797 foi nomeada capital do estado de Nova York, e o futuro político da cidade estava assegurado. Albany cresceu muito na década de 1830, com o término do Erie Canal, ligando o rio Hudson aos Grandes Lagos. Na década de 1850, quando o trânsito pelo canal diminuiu, Albany manteve seu domínio comercial, desenvolvendo-se rapidamente como terminal da ferrovia New York Central e como centro fabril.

Embora o transporte e a indústria ainda sejam componentes importantes da economia local, o governo constitui o principal interesse da atual Albany. A construção do majestoso **New York State Capitol** levou 30 anos para terminar (1898) e ocupa um local perto do centro da cidade. A maciça construção de pedra é uma curiosa mescla do Renascimento italiano e francês com o estilo românico, e está repleta de ornamentos, escadarias, arcos elevados e uma câmara do Senado embelezada com granito vermelho e mármore amarelo e rosa, vitrais, ônix e mogno.

O **New York State Museum** faz a crônica do rico legado do estado, que começa com os primeiros ocupantes indígenas e incorpora as histórias de muitos imigrantes, dos primeiros colonizadores e da elite dos negócios. Entre os destaques do museu estão a reprodução de uma cabana iroquesa e um vagão restaurado do metrô de Nova York, pertencente ao lendário A-train, da década de 1940.

🏛️ **New York State Capitol**
Empire State Plaza. **Tel** (518) 474-2418. ⏰ passeios seg-sáb; ligue antes para saber os horários. 🚫 1º jan, Páscoa, Ação de Graças, 25 dez, feriados. ♿ 🏛️

🏛️ **New York State Museum**
Empire State Plaza. **Tel** (518) 474-5877. ⏰ 9h30-17h ter-dom. 🚫 1º jan, Ação de Graças, 25 dez. ♿ 📷 🏛️ 🌐 **nysm.nysed.gov**

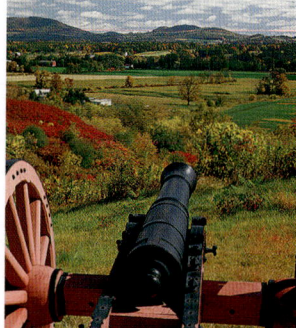

Saratoga Race Track

O vasto Saratoga National Historical Park

❻ Saratoga Springs

🏠 25.000. 🚂 🚌 ℹ️ 297 Broadway, (518) 587-3241. 🌐 **saratoga.org**

Essa cidade é conhecida pelas corridas de cavalo, pelo jogo e pela alta sociedade, desde que surgiu como estância hidromineral, no século XIX. Suas águas terapêuticas das fontes do **Saratoga Spa State Park** incentivaram um fluxo anual de turistas ricos que procuravam alívio para seus males. Entre outras diversões agradáveis estavam os cassinos suntuosos e as instalações para corridas de cavalo. Um dos estabelecimentos para jogos mais originais de Saratoga, o elegante Canfield Casino, agora faz parte do **Congress Park**. A tribuna principal, com frontões, da Saratoga Race Track, construída durante a Guerra Civil, ainda está em uso e atrai multidões na temporada de corridas, em agosto. Dê uma espiada no passado mais agitado da Revolução Americana, visitando o **Saratoga National Historical Park**, 24km a sudeste, que foi palco em 1777 da batalha de Saratoga, na qual o comandante americano Horatio Gates liderou as forças coloniais numa vitória decisiva sobre 9 mil soldados ingleses, mercenários e indígenas comandados pelo general John Burgoyne. A vitória garantiu aos americanos o controle da navegação no rio Hudson e motivou o rei francês Luís XVI a enviar tropas para ajudar os colonos, ainda naquele ano.

🏛️ **Saratoga Spa State Park**
I-87, saída 13N. **Tel** (518) 584-2535. ⏰ 8h-anoitecer diariam. 📷 ♿ 🌐 **saratogaspastatepark.org**

🏛️ **Saratoga National Historical Park**
Rte 4, 13km S de Schuylerville. **Tel** (518) 664-9821. ⏰ 9h-17h diariam. 🚫 1º jan, Ação de Graças, 25 dez. 📷 ♿ 🏛️ 🌐 **nps.gov/sara**

Veja hotéis e restaurantes dessa região nas pp. 122-7

ESTADO DE NOVA YORK | 103

As águas tranquilas do lago Otsego, em Cooperstown

❼ Adirondack Mountains

216 Main St, Lake Placid **Tel** (518) 523-2445.

Ocupando quase um quarto do estado, as montanhas Adirondack englobam diversos ecossistemas e centenas de lagos e rios, com apenas 1.770km de estradas. Picos escarpados, como o monte Marcy, com 1.629m de altitude, se destacam no panorama. Dois centros de visitantes servem de portal para o **Adirondack Park** e fornecem informações sobre o movimento conservacionista que levou à criação do parque, em 1894, parte do primeiro trabalho de preservação florestal do país.

O pitoresco vilarejo de **Lake Placid** estende-se sobre o lago Mirror e o lago Placid, na porção centro-norte do parque. Sede dos Jogos Olímpicos de Inverno de 1932 e 1980, é um balneário de verão e um centro de treinamento e competição de esportes de inverno.

Adirondack Park
1,6km N da Rte 86/Rte 30, e 22km E de Long Lake, Rte 28N. **Tel** (518) 327-3000. 9h-17h diariam. Ação de Graças, 25 dez.

❽ Cooperstown

2.200. 31 Chestnut St. **Tel** (607) 547-9983.

Voltado para o lago Otsego, esse vilarejo é o berço lendário do beisebol e sede do **National Baseball Hall of Fame**. O simpático santuário e museu homenageia os grandes do beisebol dos últimos 150 anos, com uma colorida mostra de petrechos, uniformes, fotografias, apresentações de áudio e vídeo e exposições especiais. Fundado em 1786, Cooperstown também possui uma fantástica coleção de objetos indígenas, arte popular e pinturas da Hudson River School, no **Fenimore Art Museum**.

Ao lado, o Farmer's Museum mostra a vida rural do século XIX. Glimmerglass Opera, nas praias do lago Otsego, é famosa no país.

National Baseball Hall of Fame
25 Main St. **Tel** (888) 425-5633. Memorial Day-Labor Day: 9h-21h diariam; Labor Day-Memorial Day: 9h-17h diariam. 1º jan, Ação de Graças, 25 dez.
w baseballhalloffame.org

Beisebol

O "passatempo americano", principal esporte nacional, desenvolveu-se a partir dos jogos britânicos de críquete e do *rounders*, e também do *town ball*, uma variação da Nova Inglaterra. O primeiro jogo amador registrado ocorreu em 1845, na cidade de Nova York. Desde a década de 1870, quando o jogo profissional amadureceu, o beisebol teve muitos *superstars*, como Babe Ruth, Ty Cobb e Ted Williams.

Babe Ruth

❾ Finger Lakes

904 E Shore Dr, Ithaca. **Tel** (607) 272-1313.
w visitithaca.com

Segundo as tribos iroquesas do centro-oeste de Nova York, os lagos Finger foram criados quando o Grande Espírito pôs a mão sobre a região, deixando uma série de lagos estreitos. O lago Seneca é o mais profundo deles, com 192m, enquanto o lago Cayuga é o mais comprido, estendendo-se por 64km, entre a animada cidade de **Ithaca** – que conta com o pitoresco *campus* da Cornell University – e a histórica **Seneca Falls**.

No centro de Ithaca, que tem um conjunto variado de galerias de arte, livrarias e restaurantes excelentes, fica um lugar agradável para começar um passeio pela região dos lagos Finger. O **Taughannock Falls State Park**, ao norte de Ithaca, é um oásis arborizado, com uma cachoeira de 65m que cai lindamente num poço frio e verde, onde é permitido nadar na temporada. No topo do lago Cayuga, na calma Seneca Falls, Elizabeth Cady Stanton e Susan B. Anthony, feministas do século XIX, realizaram a primeira convenção americana dos direitos das mulheres, em 1848, lançando as bases para o Movimento Sufragista, quase 70 anos depois.

Taughannock Falls State Park
16km N de Ithaca, Rte 89. **Tel** (607) 387-6739. 8h-anoitecer diariam (algumas trilhas fecham no inverno).
w nysparks.state.ny.us/parks

Taughannock Falls State Park, na região dos lagos Finger

⑩ Syracuse

🏠 163.900. ✈ 🚌 🚏 🚆 572 S Salina St, (315) 470-1910.
🌐 visitsyracuse.org

Como outras cidades interioranas de Nova York, Syracuse progrediu após a chegada do Erie Canal, na década de 1820. O **Erie Canal Museum**, instalado numa construção restaurada ao lado do canal, a leste do centro, possui uma réplica em tamanho natural de um barco do canal e oferece uma visão multimídia do papel do canal na história da cidade. O bairro histórico e de diversões de Armory Square preserva muitas edificações de tijolo e ferro fundido, que serviam como lojas e armazéns, do período de expansão de Syracuse, no final do século XIX, além do **Landmark Theatre**, erguido em 1928 e dotado de 3 mil lugares. A surpresa do centro é o **Everson Museum of Arts**, com notável acervo permanente de mais de 11 mil itens, de porcelanas da dinastia Ming a obras de pintores americanos, de Gilbert Stuart a Jackson Pollock e Andrew Wyeth, além de paisagens do estado de Nova York feitas por artistas locais. O edifício é o primeiro museu projetado pelo arquiteto I. M. Pei.

🏛 Erie Canal Museum
318 Erie Blvd E. **Tel** (315) 471-0593.
⏰ 10h-17h seg-sáb, 10h-15h dom.
⛔ feriados. ♿ 📷
🌐 eriecanalmuseum.org

🏛 Everson Museum of Arts
401 Harrison St. **Tel** (315) 474-6064.
⏰ 12h-17h qua-dom (até 20h qui).
♿ 📷 🎥 🌐 everson.org

Litografia antiga que mostra a inauguração do Erie Canal

Prédio dos escritórios da Kodak Company, em Rochester

⑪ Rochester

🏠 231.600. ✈ 🚌 🚏
ℹ 45 East Ave, (800) 677-7282.
🌐 visitrochester.com

Essa linda cidade, muito arborizada e com ótimos museus, evoluiu de um passado fabril originário nas indústrias mineradoras que se desenvolveram em torno de Genesee River's High Falls. O centro de High Falls conta com uma ponte de pedestres com vista panorâmica das cachoeiras, uma galeria de arte, uma exposição histórica local e um passeio numa fábrica de 1816, que fica três andares abaixo do nível da rua. Uma das principais atrações da cidade é o **Strong National Museum of Play**, um centro interativo dedicado ao estudo da brincadeira, particularmente relacionada à cultura norte-americana. A **George Eastman House** é onde o excêntrico fundador da Eastman Kodak Co. morou até sua morte, em 1932. Agora o local abriga o esplêndido International Museum of Photography and Film, com grande quantidade de fotografias, filmes e vídeos, além de câmeras e livros sobre fotografia.

🏛 Strong National Museum of Play
1 Manhattan Square. **Tel** (585) 263-2700. ⏰ 10h-17h seg-qui, 10h-20h sex e sáb, 12h-17h dom. ⛔ 1º jan, Ação de Graças, 25 dez. 🎥 ♿ 📷
🌐 museumofplay.org

🏛 George Eastman House
900 East Ave. **Tel** (585) 271-3361.
⏰ 10h-17h ter-sáb (até 20h qui), 13h-17h dom. ⛔ seg, 1º jan, Ação de Graças, 25 dez. 🎥 ♿ 📷 🎥
🌐 eastmanhouse.org

⑫ Chautauqua

🏠 4.600. 🚏
ℹ Chautauqua Institution, Chautauqua, (800) 836-2787.

Comunidade isolada, situada no lago Chautauqua, no oeste do estado de Nova York, essa cidadezinha dobra de população no verão, quando seus chalés vitorianos e suas ruas arborizadas se enchem de gente que frequenta a famosa **Chautauqua Institution**. Fundada em 1874, como centro educacional para professores de escola dominical metodista, ela criou o Chautauqua Movement, que patrocina cursos por correspondência e palestras, a fim de tornar as ciências humanas mais acessíveis. Hoje a cidade é um dos principais locais do país para teatro, música clássica e ópera. No anfiteatro ao ar livre do *campus* de Chautauqua, intocado pelo tempo, são realizados serviços religiosos, palestras e apresentações, do final de junho ao final de agosto.

Nu, de Renoir, na Albright-Knox Art Gallery, em Buffalo

⑬ Buffalo

🏠 328.100. ✈ 🚌 🚏
ℹ 617 Main St, (800) 283-3256.
🌐 buffalocvb.org

Incendiada pelos britânicos na guerra de 1812, a prosperidade de Buffalo, posto avançado de fronteira, ressurgiu treze anos depois, quando se tornou o terminal ocidental do Erie Canal. Isso garantiu seu futuro econômico como portal para o próspero comércio dos Grandes Lagos. A **Buffalo and Erie County Histo-**

ESTADO DE NOVA YORK | 105

Cidade de Buffalo vista do porto, em manhã ensolarada

rical **Society** foi instalada no que originalmente era o New York State Pavilion, única construção que sobreviveu à Pan-American Exposition, de 1901. Suas mostras se concentram na rica herança étnica e industrial da cidade. Nas proximidades, a **Albright-Knox Art Gallery** está voltada para o Delaware Park, projetado por Frederick Law Olmsted *(p. 88)*. Nela estão expostas obras de Picasso e de Kooning, e uma grande coleção de quadros norte-americanos de Jackson Pollock, Frida Kahlo e outros. Vale a pena fazer uma pequena viagem até LeRoy e ver o **Jell-O Museum**, na Main Street, com exposições e trivialidades sobre "a sobremesa preferida dos americanos".

Albright-Knox Art Gallery
Elmwood Ave, saindo da Rte 198. **Tel** (716) 882-8700. 10h-17h ter-dom (até 22h 1ª sex do mês). 1º jan, Ação de Graças, 25 dez. **albrightknox.org**

⓮ Niagara Falls

61.800. Prospect St, (716) 282-8992. **niagara-usa.com**

Louis Hennepin, padre francês, um dos primeiros europeus a se encantar com Niagara Falls, em 1678, escreveu: "Não tem nada igual no universo". Até hoje as três quedas de Niagara Falls, que mergulham 61m numa garganta de pedra, provocam a mesma admiração de mais de 300 anos atrás. Apesar do florescente desenvolvimento dos lados americano e canadense do rio Niagara (que separa a província de Ontário, no Canadá, do estado de Nova York), o espetáculo continua maravilhoso, com sua névoa e seus encantos, que atraem mais de 10 milhões de turistas por ano.

Os visitantes do lado americano costumam iniciar o passeio com uma visita ao **Niagara Falls State Park**, onde a torre de observação de Prospect Point, de 73m, oferece uma visão panorâmica das cataratas. Para conhecer mais, há diversas excursões pagas, como o **Cave of the Winds**, um passeio de elevador até a base das cataratas, e o **Maid of the Mist**, passeio de barco, que sai de Prospect Park e passa na frente das quedas e entra na Horseshoe Basin do rio, para se observar as Canadian Falls, mais espetaculares.

Rainbow Bridge, uma passarela de pedestres, permite que se passe rapidamente do centro de Niagara Falls para o lado canadense, onde fica a maioria das atrações comerciais da área. À noite, as cataratas recebem uma iluminação teatral, com eletricidade gerada pelo **Niagara Power Project**. Seu centro de visitantes retrata o desenvolvimento da hidreletricidade na região e apresenta um modelo operacional de uma turbina hidrelétrica.

Niagara Falls State Park
Prospect St. **Tel** (716) 278-1796. amanhecer-anoitecer diariam. Centro de Visitantes: 8h-22h verão, 8h-18h inverno. **niagarafallsstatepark.com**
Cave of the Winds: Goat Island. 1º mai-23 jun: 9h-17h dom-qui, 9h-21h sex e sáb; 24 jun-4 set: 9h-21h dom-qui, 9h-22h sex e sáb; 5 set-9 out: 9h-19h dom-qui, 9h-21h sex e sáb, 10 out-23 out: 9h-17h diariam. Maid of the Mist Ride: Prospect Park. 9h-19h45 durante o verão. Verifique os detalhes no escritório.

As majestosas Niagara Falls, um dos espetáculos mais fantásticos que o país oferece

New Jersey

Apesar da imagem industrial das cidades manufatureiras e ferroviárias de New Jersey, a exemplo de Newark e Hoboken, o "Estado Jardim" faz jus ao apelido. Fora do corredor urbano e industrial que atravessa o rio Hudson, que sai de Nova York e vai até a Filadélfia, New Jersey é uma região verdejante e agradável, com cidadezinhas pacíficas, fazendas de gado, colinas arredondadas, florestas de pinheiros e quilômetros de praias ao longo do oceano Atlântico.

Caminhada pelo tranquilo *campus* da Princeton University

⑮ Princeton

12.000. Princeton Chamber of Commerce, 216 Rockingham Row, Princeton Forrestal Village, (609) 924-1776.
w visitprinceton.org

O vilarejo de Princeton, no centro de New Jersey, conheceu intensa atividade na Revolução Americana, mudando de mãos, ora com as forças britânicas, comandadas pelo general Charles Cornwallis, ora com o Exército Continental, liderado pelo general George Washington. A ex-cidadezinha agrícola hoje é um pequeno centro urbano agradável e arborizado, que mistura lojas sofisticadas, alojamentos de estudantes e diversos restaurantes, com uma das universidades de maior prestígio dos EUA.

A área de lojas e restaurantes no centro de Princeton é a Nassau Street. Nela fica a Bainbridge House, construída em 1766, que agora acomoda **The Historical Society of Princeton**, que faz exposições sobre a história local e passeios a pé gratuitos, para dar ênfase à excelente arquitetura do século XVIII. Na concorrida Palmer Square, na Nassau Street, fica o Nassau Inn, principal hotel da cidade desde 1756.

Uma das primeiras catorze faculdades coloniais, a College of New Jersey mudou-se para Princeton em 1756 e recebeu o nome de **Princeton University**, em 1896. Foi no Nassau Hall, edificação que é uma referência no *campus*, que ocorreu o encontro inicial da New Jersey State Legislature, em 1776. O célebre físico Albert Einstein passou o final da vida no local, no Institute for Advanced Study. Atualmente o *campus* cobre 6,5km² e a universidade matricula 6 mil alunos por ano.

Em seus domínios há esculturas de Picasso, Henry Moore, Louise Nevelson e Alexander Calder. O Art Museum, no McCormick Hall, exibe pinturas e esculturas que vão da arte pré-colombiana, asiática e africana às obras modernas. A capela universitária é uma das maiores do mundo e tem arquitetura gótica, vitrais e um soberbo púlpito francês do século XVI. Cerca de 30 gárgulas de estilos diferentes decoram os prédios do *campus*, como a Firestone Library. No prédio, a Cotsen Children's Library tem um pequeno museu com obras de Beatrix Potter, dos Brothers Grimm e de Hans Christian Andersen.

Mascote de Princeton

Princeton University Visitors' Center
Welcome Desk, First Campus Center.
Tel (609) 258-1766. diariam. 11h15, 13h, 15h30 seg-sáb, 13h, 15h30 dom. feriados.
w princeton.edu

⑯ Atlantic City

38.000. Greater Atlantic City Convention & Visitors Bureau, 2314 Pacific Ave, (609) 449-7130. **w** atlanticcitynj.com

Chamada de "Rainha do Litoral" por gerações de pessoas que vão à praia, Atlantic City se tornou um concorrido destino de férias desde meados da década de 1800. O primeiro cassino foi aberto no deque de madeira, em 1978, e desde então a cidade se tornou uma das mais procuradas da Costa Leste.

Todos os jogos são realizados em hotéis-cassinos enormes, pomposos, que se localizam em um quarteirão entre o deque e

Turistas numa "rolling chair" no deque de madeira de Atlantic City

Veja hotéis e restaurantes dessa região nas pp. 122-7

NEW JERSEY | 107

Lucy, The Margate Elephant, perto de Atlantic City

a praia. Apesar de os cassinos serem famosos pela vida noturna, as famílias encontrarão muita diversão durante o dia.

O deque de madeira de Atlantic City, ladeado de lojas e fliperamas, está sempre movimentado, cheio de pessoas que gostam de caminhar a qualquer hora do dia ou da noite. Outro modo de ver o deque é numa "**rolling chair**", uma cadeira de vime, como a de um riquixá, sobre rodas que acomoda até três pessoas. Do outro lado do deque, as praias de areia branca atraem banhistas e nadadores.

De 1928 até 2006 Atlantic City abrigou o concurso de Miss America. Nas proximidades, em Margate City, **Lucy, the Margate Elephant** celebra a engenhosidade do marketing americano. Construída por um incorporador imobiliário para atrair possíveis clientes para seus negócios, "Lucy" serviu de residência e taberna durante anos. Agora visitas guiadas levam o visitante a uma estrutura de 90 toneladas, reconhecida instantaneamente como parte de Jersey Shore e Atlantic City.

Rolling Chair
Atlantic City Famous Rolling Chair Co, 1.605 Boardwalk. **Tel** (609) 347-7148.

Lucy, the Margate Elephant
9.200 Atlantic Ave, Margate City. **Tel** (609) 823-6473. ○ meados jun-Labor Day: 10h-20h seg-sáb, 10h-17h dom; abr-meados jun e após Labor Day-últ. semana out: 11h-16h seg-sex, 10h-17h sáb e dom; nov-mar: horário varia.

⑰ Cape May
🚗 4.400. 🚆 🚌 ℹ️ Cape May Welcome Center, Lafayette e Elmira Sts, Cape May, (609) 884-9562.
🌐 capemaychamber.com

Cornelius Mey foi o pioneiro na exploração de Cape May para a Companhia Holandesa das Índias Ocidentais, em 1621. Um dos mais antigos balneários da costa atlântica, frequentado por diversos presidentes do país, era muito procurado pelas *socialites* de Nova York e Filadélfia no final do século XIX. Desde então esse balneário no ponto mais ao sul de New Jersey continuou na preferência de quem gosta de praia. Do pequeno deque de madeira e da praia tem-se uma bela vista do amanhecer no mar.

Atualmente Cape May se caracteriza pelas edificações vitorianas que proliferaram no século XIX. O centro é formado pelos chamados *cottages*, construções de dois ou três andares que serviam de casas de veraneio para famílias grandes. Foram erguidas na virada do século XX, em estilos populares na época, como o rendilhado Queen Anne e o italiano. A restauração da maioria das casas históricas teve a preocupação de manter as características desse período. Algumas estão abertas à visitação e outras viraram hospedagem do tipo *bed-and-breakfast*. Há muitos passeios a casas vitorianas e uma caminhada especial.

A **Historic Cold Spring Village** é um museu histórico vivo, que consiste em 25 construções muito bem restauradas, dispostas numa área de 8ha. Atores caracterizados retratam o estilo de vida do século XIX, comum nas comunidades rurais no sul de New Jersey. Há também demonstrações de comércio, de artesanato, a exemplo de cerâmica, encadernação de livros e ofício de ferreiro.

Próximo, o **Cape May County Park and Zoo** abriga 200 espécies de animais. Alguns, como o mico-leão-dourado brasileiro, são raros ou estão ameaçados de extinção. O parque tem 14ha de um hábitat elaborado para se assemelhar à savana africana, acessado por uma passarela de 244m de extensão. Entrada grátis.

Historic Cold Spring Village
720 US 9, Cape May. **Tel** (609) 898-2300. ○ fim jun-Labor Day: 10h-16h30 ter-dom; após Labor Day-30 set e Memorial Day-fim jun: 10h-16h30 seg-sex.
🌐 hcsv.org

Um dos charmosos *bed-and-breakfasts* de Cape May

⓲ Filadélfia, PA

Maior cidade da Pensilvânia, Filadélfia, ou a "Cidade do Amor Fraterno", foi o berço da nação. Em 1776, representantes das treze colônias britânicas assinaram a Declaração de Independência ali, e a cidade se tornou a primeira capital dos Estados Unidos. Desde a fundação da cidade pelo quacre inglês William Penn, no final do século XVII, o porto de Filadélfia, no rio Delaware, recebeu milhares de imigrantes do mundo todo, cujo trabalho fortaleceu a cidade em expansão, em dois séculos de crescimento industrial, guerras e adversidades econômicas. Até hoje, os bairros e os restaurantes da cidade refletem essa mistura étnica. Filadélfia, com sua rica história, coleções de arte excelentes, museus de interesses especiais, ótimos restaurantes e hotéis, e o maior parque público ajardinado do país, criou uma combinação que transformou a cidade num dos destinos mais procurados dos EUA.

Estátua de William Penn no topo do Philadelphia City Hall

Legenda
- Local de interesse
- Rodovia

Legenda dos símbolos *na orelha da contracapa*

Como Circular

O excelente sistema de trânsito de Filadélfia (SEPTA) controla os ônibus de toda a Grande Filadélfia, além de duas linhas de metrô: a linha Market-Frankford (leste-oeste, sob a Market St) e a linha Broadway Street (norte-sul). Os ônibus "Philly Phlash", pintados de púrpura e voltados para o turismo, fazem uma viagem circular pelo centro, cobrindo as principais atrações (mai-dez; a partir de set apenas fins de semana). Há muitos táxis, a preços moderados.

FILADÉLFIA, PA | 109

Principais Atrações
① Independence Hall
② Second Bank of the United States
③ US Mint
④ Independence Seaport Museum
⑤ Reading Terminal Market
⑥ Masonic Temple
⑦ Pennsylvania Academy of Fine Arts
⑧ College of Physicians of Philadelphia/Mütter Museum

Grande Filadélfia
(veja detalhe)
⑨ Eastern State Penitentiary
⑩ Philadelphia Zoo
⑪ Fairmount Park
⑫ Philadelphia Museum of Art
⑬ The Barnes Foundation

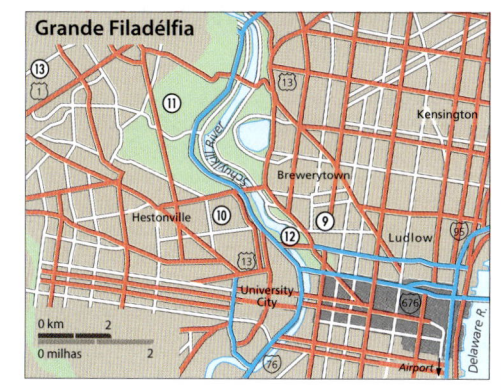

Legenda
- Área do mapa principal
- Rodovia
- Estrada principal
- Outra rodovia

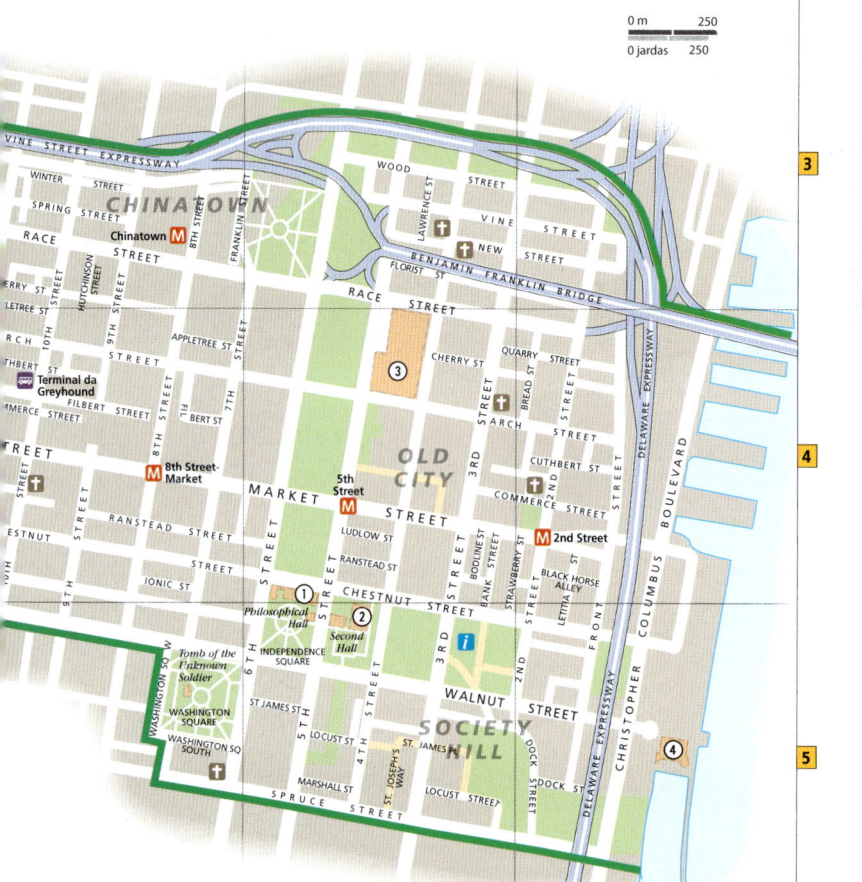

Independence National Historic Park

Conhecido localmente como Independence Mall, esse parque urbano de 18ha abrange diversas construções do século XVIII, bem conservadas e associadas à Revolução Americana. A Declaração de Independência, que anunciou o nascimento da nova nação, foi assinada nesse local histórico. Dominado pela alta torre de tijolos do Independence Hall, o parque conta com a rua mais antiga de Filadélfia, a US Mint, e muitos museus de interesse especial, que exploram o passado colonial e portuário da cidade, além de seu legado étnico. Das construções, vinte estão abertas à visitação.

Placa comemorativa no Independence Hall

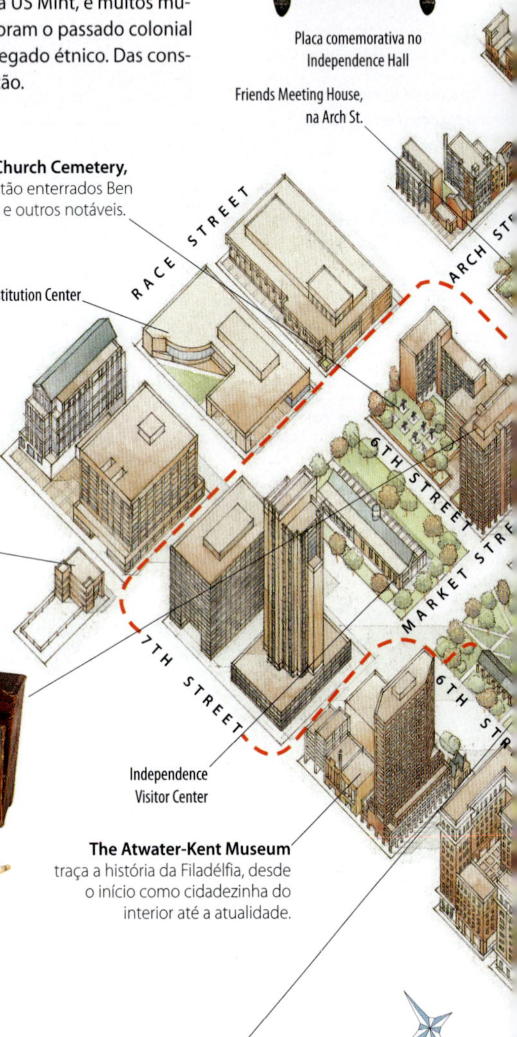

Friends Meeting House, na Arch St.

Christ Church Cemetery, onde estão enterrados Ben Franklin e outros notáveis.

Constitution Center

African American Museum
Histórias inspiradoras de famosos cidadãos afro-americanos de Filadélfia são mostradas ao lado da exposição de obras contemporâneas.

★ National Museum of American Jewish History
Esse museu singular homenageia a história dos judeus nos EUA por meio de objetos como esse rolo da Torá e essa arca (meados do século XVIII), do acervo da Congregation Mikveh Israel.

Independence Visitor Center

The Atwater-Kent Museum traça a história da Filadélfia, desde o início como cidadezinha do interior até a atualidade.

Legenda
— Percurso sugerido

The Liberty Bell
Com a inscrição "Proclame a Liberdade por Toda a Terra", o Liberty Bell soou quando foi adotada a Declaração de Independência. Agora está localizado no novo Liberty Bell Center (p. 112).

0 m — 500
0 jardas — 500

Veja hotéis e restaurantes dessa região nas pp. 122-7

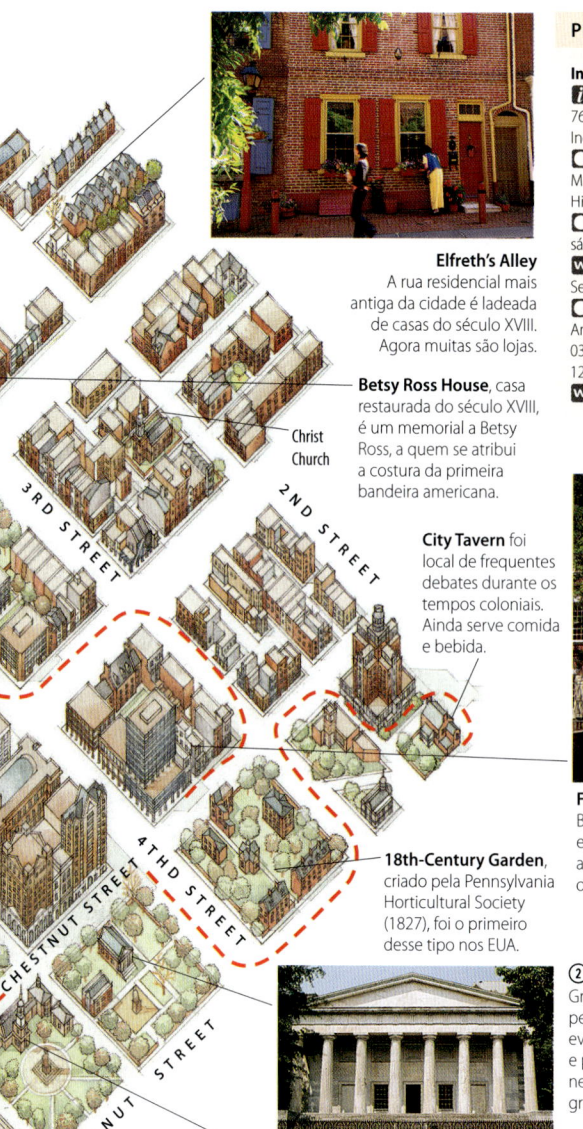

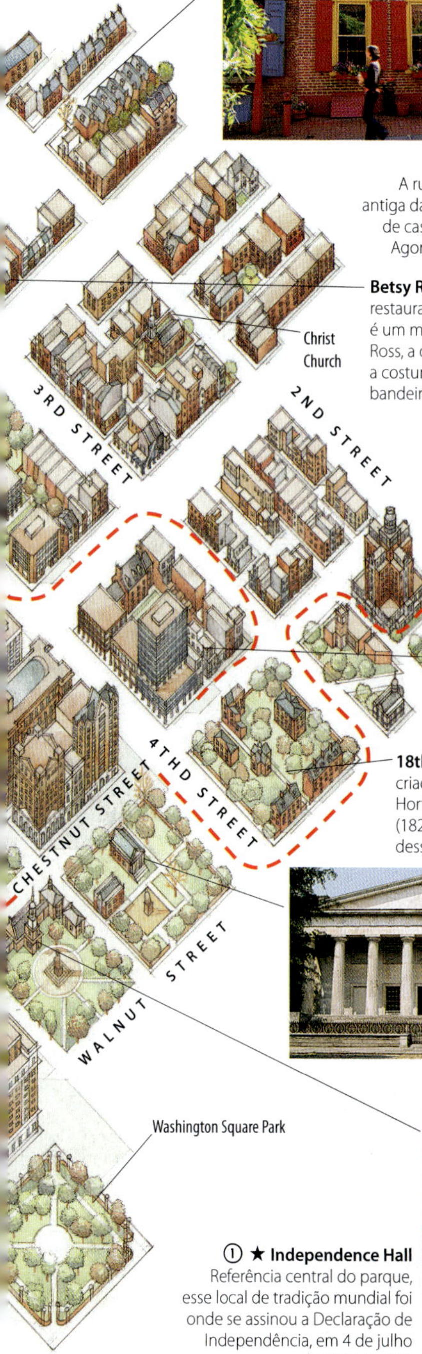

FILADÉLFIA, PA | 111

Elfreth's Alley
A rua residencial mais antiga da cidade é ladeada de casas do século XVIII. Agora muitas são lojas.

Betsy Ross House
casa restaurada do século XVIII, é um memorial a Betsy Ross, a quem se atribui a costura da primeira bandeira americana.

Christ Church

3RD STREET
2ND STREET

City Tavern
foi local de frequentes debates durante os tempos coloniais. Ainda serve comida e bebida.

18th-Century Garden
criado pela Pennsylvania Horticultural Society (1827), foi o primeiro desse tipo nos EUA.

4THD STREET
CHESTNUT STREET
WALNUT STREET

Franklin Court
Benjamin Franklin morava e trabalhava nessa casa, que abriga o posto de correio e o museu B. Free Franklin.

② ★ Second Bank of the US
Grande coleção de retratos de personagens envolvidos em eventos militares, diplomáticos e políticos de 1776 está exposta nessa construção de estilo grego (p. 112).

Washington Square Park

① ★ Independence Hall
Referência central do parque, esse local de tradição mundial foi onde se assinou a Declaração de Independência, em 4 de julho de 1776 (p. 112).

PREPARE-SE

Informações Práticas
🛈 6th e Market St, (800) 537-7676. ⏱ 8h30-17h diariam.
Independence Hall, Liberty Bell:
⏱ 9h-17h diariam. National Museum of American Jewish History: **Tel** (215) 923-3811.
⏱ 10h-17h ter-sex, 10h-17h30 sáb e dom. 🚫 feriados judaicos.
🌐 nmajh.org
Second Bank of the US:
⏱ 9h-17h diariam. African American Museum: **Tel** (215) 574-0380. ⏱ 10h-17h qui-sáb, 12h-17h dom.
🌐 aampmuseum.org

① Independence Hall

Chestnut St entre 5th e 6th Sts.
Tel (800) 967-2283 para marcar hora mar-dez. 5th St. Philly Phlash. 9h-17h seg-sex, 9h-18h sáb e dom.
nps.gov/inde

Antes denominada State House of Pennsylvania, a oeste do rio Delaware, essa construção de tijolos à vista sem enfeites é a mais importante do Independence Hall National Park. Nela foi escrita a Declaração de Independência, o documento em que os americanos declararam estar livres do Império Britânico.

O Independence Hall, terminado em 1748, foi projetado pelo mestre-carpinteiro Edmund Woolley e pelo advogado Andrew Hamilton. As salas de reunião foram mobiliadas com simplicidade, como se fazia no final do século XVIII. Agora o pessoal do parque reconta a história, apontando as cadeiras estilo Windsor nas quais os líderes coloniais debatiam o conteúdo da Declaração. Embora o Continental Congress tenha rejeitado duas passagens do primeiro esboço – uma referência desagradável ao povo inglês e uma acusação mordaz sobre o comércio de escravos –, o documento foi adotado sem mudanças significativas e aprovado pelo Congresso em 4 de julho de 1776. O projeto da Constituição dos EUA foi feito na mesma sala, em 1787.

O grande **Liberty Bell**, de bronze, que ficava na torre, agora foi colocado no novo Liberty Bell Center, perto do Independence Hall. Em 1846 surgiu uma fenda e o sino parou de soar. Mas ele continua sendo o símbolo mais conhecido da luta colonial pela emancipação. Esse centro destaca a importância do Liberty Bell para a história da independência americana.

Liberty Bell, exposto perto do Independence Hall

② Second Bank of the United States

420 Chestnut St. **Tel** (215) 965-2305. ligue para saber os horários.
nps.gov/inde/second-bank.htm

Construído entre 1819 e 1824, esse é um dos melhores exemplos da arquitetura neoclássica americana. Essa antiga instituição, que concedia crédito para o governo federal e para negócios particulares, agora abriga uma coleção de retratos do final do século XVIII e início do século XIX. Há em exposição 185 pinturas de líderes coloniais e federais, militares graduados, exploradores e cientistas.

Muitos dos retratos são de Charles Willson Peale (1741-1827), de seu irmão James e dos respectivos filhos e filhas, que, juntos, formaram uma notável família de artistas americanos. Depois da Revolução Americana, Peale começou a colecionar retratos e, hoje, 94 de suas pinturas originais, entre as quais imagens dos ditos fundadores dos EUA George Washington e Alexander Hamilton, e do aliado francês Marquês de Lafayette, estão expostas ao lado de obras de outros artistas.

③ US Mint

5th e Arch Sts. **Tel** (215) 408-0114. 5th St. verão: 9h-16h30 seg-sáb; inverno: horários reduzidos, ligue antes. feriados.
usmint.gov

Casa da moeda mais antiga dos EUA, fabrica a maior parte das moedas americanas, e também moedas e medalhas de ouro de lei. As primeiras moedas do país, de 1793, eram de cobre e se destinavam apenas ao comércio nas colônias. Hoje, 24 horas por dia, cinco dias por semana, centenas de máquinas e operadores, num salão do tamanho de um campo de futebol, fundem, esperam enriquecer, contam e ensacam milhões de dólares, na forma de *quarters*, *dimes* e *pennies*. Moedas comemorativas estão à venda na loja de presentes.

④ Independence Seaport Museum

211 S Columbus Blvd. **Tel** (215) 925-5439. 2nd St. Philly Phlash. 10h-17h diariam. 1º jan, Ação de Graças, 25 dez. grátis 10h-12h dom.
phillyseaport.org

Instalado em um moderno prédio à beira-mar, esse museu de 9.290m² tem o propósito de preservar a história e as tradições navais dos EUA, com destaque para a Chesapeake Bay, o rio Delaware e seus afluentes. As exposições combinam arte e objetos com jogos eletrônicos interativos, modelos em larga escala e audiovisuais. A Ben Franklin Bridge, que liga Pensilvânia a New

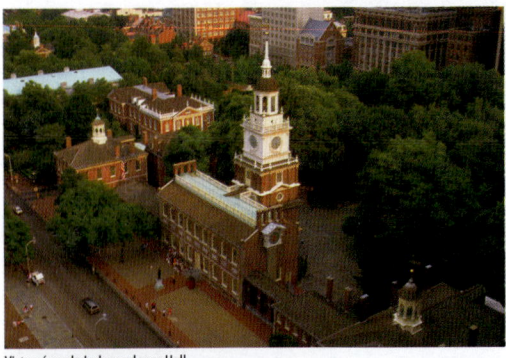

Vista aérea do Independence Hall

Veja hotéis e restaurantes dessa região nas pp. 122-7

FILADÉLFIA, PA | 113

Jersey, foi recriada no museu como réplica de três andares e meio, que fica montada num modelo em funcionamento no rio Delaware.

Entre outras atrações estão "Divers of the Deep", que apresenta a tecnologia subaquática através dos tempos, e "Workshop on the Water", uma loja de barcos e galeria, em que o visitante pode observar a construção de um barco de madeira, como era feito, do modo tradicional, por artesãos do século XIX. O submarino da Segunda Guerra Mundial USS *Becuna*, encomendado em 1943, e o USS *Olympia*, navio do almirante George Dewey, na batalha de Manila (1898), estão atracados perto do museu.

Cafeteria no Reading Terminal Market de Filadélfia

⑤ Reading Terminal Market

12th e Filbert Sts. **Tel** (215) 922-2317. City Hall, 13th St, Juniper St. Philly Phlash, SPREE. 8h-18h seg-sáb, 9h-17h dom. 1º jan, 25 dez. readingterminalmarket.org

Esse mercado foi criado sob um galpão ferroviário, depois que dois mercados hortifrutícolas foram demolidos para dar espaço a um novo terminal, em 1892. O mercado era tão moderno que vinha gente até do litoral para comprar produtos frescos do condado de Lancaster. Com o tempo, entrou em decadência e quase acabou na década de 1970. Mas foi revitalizado e peixeiros, açougueiros, padeiros, floristas e verdureiros disputam espaço com barracas de laticínios, geridas por senhoras amish.

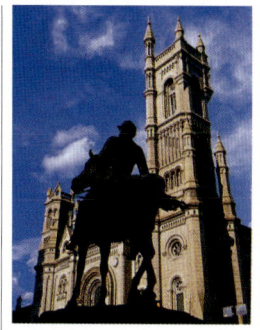

Estátua equestre no pátio do Masonic Temple

⑥ Masonic Temple

1 N Broad St. **Tel** (215) 988-1917. City Hall. Philly Phlash. visitas 10h, 11h, 13h, 14h, 15h ter-sex; 10h, 11h, 12h sáb. jul-ago: sáb, 1º jan, Páscoa, Ação de Graças, 25 dez. pagrandlodge.org

Joia da arquitetura, consagrada, em 1873, como Grand Lodge of Free and Accepted Masons of Pennsylvania, essa construção notável contém diversos salões em estilos decorativos variados. Entre eles, o Oriental Hall (1896) tem cores e ornamentos copiados do Alhambra de Granada, na Espanha; o Renaissance Hall (1908) segue o estilo renascentista italiano; e o Egyptian Hall (1889) inspirou-se nos templos de Luxor, Carnac e Filae. Arcos altos, pináculos e agulhas formam o Gothic Hall, e a insígnia dos cavaleiros com cruz e coroa – com o lema "Com esse emblema vós conquistareis" – pende sobre uma réplica do trono do arcebispo da catedral de Canterbury. Os salões, ainda em uso, foram criados para homenagear o ofício de construtor, e boa parte das pedras e dos azulejos tem um falso acabamento imperceptível, testemunha da habilidade dos profissionais que os fizeram.

O presidente George Washington usava seu avental de maçom no lançamento da pedra fundamental do edifício do Capitólio, em Washington, DC. Esse avental está exposto no primeiro andar.

⑦ Pennsylvania Academy of Fine Arts

118 N Broad S esq. Cherry St. **Tel** (215) 972-7600. 15th St, Rocelvine. Philly Phlash. 10h-17h ter-sáb, 11h-17h dom. feriados. pafa.org

O acervo desse museu e escola, de 1805, é dedicado à história da pintura americana. As galerias exibem obras de alguns de seus mais famosos habitantes, conhecidos na arte mundial.

Um deles, o clássico Benjamin West (1738-1820), um quacre de Filadélfia, ajudou a organizar a British Royal Academy, em 1768, e quatro anos depois foi nomeado Pintor Histórico para o Rei. Também estão presentes, entre outros, Mary Cassatt (1844-1926), impressionista e ex-aluna da Academy of Fine Arts, e Richard Diebenkorn (1922-93), abstracionista moderno. Esse prédio inconfundível é considerado um dos melhores exemplos da arquitetura gótico--vitoriana nos EUA.

The Foxhunt, de Winslow Homer, na Pennsylvania Academy of Fine Arts

Mostra de curiosidades médicas, no Mütter Museum

⑧ College of Physicians of Philadelphia/ Mütter Museum

19 S 22nd St. **Tel** (215) 563-3737. 22nd St. 17, 21. 10h-17h diariam (21h sex). 1º jan, Ação de Graças, 25 dez.
w collphyphil.org

Fundado em 1787 para o "progresso da ciência da medicina", essa faculdade é uma fonte importante de informações médicas. Elas são fornecidas pelo C. Everett Koop Community Health Information Center, por meio da biblioteca, de vídeos e de um sistema de busca por computador.

No primeiro andar de um dos prédios, o Mütter Museum tem uma coleção fascinante de espécimes conservados, estruturas esqueléticas e peças de cera. Esses itens eram usados para fins educacionais, em meados do século XIX, quando as doenças e os defeitos genéticos eram identificáveis apenas por suas manifestações físicas. Alguns males eram bem grotescos, e não se recomenda que sejam vistos por crianças pequenas ou por quem tem tendência para enjoar.

O museu também conta com instrumentos médicos, mostras sobre história da medicina nos últimos cem anos, uma recriação de um consultório médico do início do século XX e um jardim de plantas medicinais.

Além disso, também exibe arte contemporânea, fotografias e outros itens.

⑨ Eastern State Penitentiary

Fairmount Ave com 22nd St. **Tel** (215) 236-3300. 7, 32, 33, 43, 48. 10h-17h diariam. 1º jan, Ação de Graças, 25 dez.
w easternstate.org

Chamada de "casa" por presos e guardas, a Eastern State Penitentiary, inaugurada em 1829, foi um conceito revolucionário na justiça criminal. Antes dela, os criminosos eram amontoados em condições subumanas e punidos com violência física. Os quacres da Filadélfia propuseram uma alternativa – um lugar em que o criminoso pudesse ficar sozinho para refletir e se penitenciar por suas ações. Durante o encarceramento, com sentenças quase nunca menores que cinco anos, os prisioneiros, literalmente, nunca ouviam ou viam outro ser humano durante toda a sua pena. A prisão tinha apenas uma entrada e era cercada por muralhas de 9m de altura. Cada cela solitária tinha uma área para exercício, cercada por um muro de 3m. Entre os "hóspedes" de Eastern State houve contrabandistas de bebidas (na Lei Seca) e o rei do crime Al Capone. A prisão foi fechada oficialmente em 1971.

Corredor interno da Eastern State Penitentiary

⑩ Philadelphia Zoo

3.400 W Girard Ave. **Tel** (215) 243-1100. Philly Phlash. mar-out: 9h30-17h diariam; nov-fev: 9h30-16h diariam. 1º jan, Ação de Graças, 24, 25 e 31 dez.
w philadelphiazoo.org

Esse é o zoo mais antigo dos EUA, aberto em 1859. Em terreno arborizado, abriga mais de 2 mil animais, entre os quais espécies raras, como o rato-toupeira-pelado e o lêmure comedor de bambu. O imenso hábitat da lontra, por onde se passeia, mostra os animais brincando. Os grandes felinos – leões, leopardos-manchados, tigres (como os raros tigres brancos) e onças – são mantidos em hábitats quase naturais ou dentro da Carnivora House, em jaulas protegidas contra o clima, o que permite a observação próxima. Outras atrações são o viveiro de aves aberto, com tentilhões e beija-flores soltos; um espaço para répteis, onde os aligátores se aquecem ao sol num paraíso tropical; e uma reserva de 1ha para onze espécies de primatas, como os únicos lêmures de olhos azuis do país. Um grande balão do zoo leva passageiros num voo panorâmico pela cidade.

⑪ Fairmount Park

John F. Kennedy Blvd e N 16th St, (215) 683-0200. Philly Phlash. linha Market-Frankford. diariam.
w fairmontpark.org

Projetado por Frederick Law Olmsted (1822-1903), arquiteto e paisagista famoso nos EUA, que projetou também o Central Park; Fairmount Park é uma área verde de 36km². Abrange sete mansões históricas com decoração da época, dezenas de esculturas, centro hortícola, casa e

Veja hotéis e restaurantes dessa região nas pp. 122-7

FILADÉLFIA, PA | 115

O centro de Filadélfia desponta acima do Fairmount Park

jardins japoneses, entre outras atrações. Um sistema hidráulico, inovador em 1840, foi projetado e construído para bombear água do rio Schuylkill, que divide o parque em leste e oeste. O terreno é entremeado de estradas, trilhas para caminhadas, bicicletas e cavalos. O visitante também pode alugar barco a remo e canoa.

Alguns clubes de remo ocupam casas de barco vitorianas ao longo do rio. Essas casas têm pequenas torres, frontões e brasões. À noite, quando se observa da praia West Fairmount Park, os contornos das casas são iluminados por pequenas luzes e se refletem lindamente no rio.

Em 1894, o rico industrial Richard Smith doou o Smith Playground para as crianças de Filadélfia, em memória de seu filho. Entre as atrações, há carrossel manual, um escorregador gigante e uma mansão que tem jogos. Em Fairmount Park também está o **Laurel Hill Cemetery**, de 40ha. Esse "parque dentro do parque" possui obeliscos, estátuas e clássicos mausoléus gregos. Era uma área de passeio e piquenique tão concorrida durante o período vitoriano tardio que a entrada só era permitida com ingresso.

⑫ Philadelphia Museum of Art

26th St e Benjamin Franklin Pkwy. **Tel** (215) 763-8100. Philly Phlash, 7, 32, 38, 43, 48. 10h-17h ter-dom; algumas galerias abrem nas noites de quarta e sexta-feira. seg, feriados. dom donativos. philamuseum.org

Esse museu atrai exposições importantes para suplementar seu excelente acervo permanente, que vai de manuscritos com iluminuras do século XV a esculturas modernas de Constantin Brancusi. No segundo andar, o pátio com fonte de um mosteiro medieval, em escala natural, é muito apreciado, assim como a capela em estilo gótico francês e o templo com pilares de Madurai, na Índia. Espalhadas pelo museu há estações computadorizadas com informações sobre as mostras. Uma coleção de arte decorativa holandesa e americana da Pensilvânia fica ao lado de galerias com quadros de pintores americanos.

Díptico medieval, no Philadelphia Museum of Art

⑬ The Barnes Foundation

Philadelphia Campus, 2.025 Benjamin Franklin Parkway. **Tel** (610) 667-0290. 44. apenas com reserva: set-jun: 9h30-17h sex-dom; jul-ago: 9h30-17h qua-sex. feriados. barnesfoundation.org

Fundado em 1922 para dividir com "pessoas de todos os níveis socioeconômicos" a coleção particular de Albert C. Barnes, magnata da indústria farmacêutica, esse museu possui uma das exposições mais importantes do mundo de pinturas francesas modernas e pós-impressionistas. Entre as mais de 800 obras expostas, há 180 de Auguste Renoir, 69 de Paul Cézanne, 60 de Henri Matisse, além de obras de Van Gogh, Picasso, Seurat, Modigliani, Rousseau e outros artistas desse período. Também são exibidos objetos da antiguidade grega e egípcia, manuscritos medievais, esculturas africanas, mobiliário americano, cerâmicas e trabalhos de ferro batido feitos à mão. As peças estão dispostas de modo a ressaltar as afinidades artísticas das obras. Por exemplo: a Barnes Collection está exposta segundo as especificações do Dr. Barnes – pinturas, esculturas e peças artesanais estão agrupadas em 96 conjuntos diferentes, sem etiquetas e com pouca preocupação cronológica.

Contornos iluminados das casas de barco vitorianas ao longo do rio Schuylkill, em Fairmount Park

Pensilvânia

A Pensilvânia tem de tudo – história, cenários belíssimos, boa recreação, hospedagem e restaurantes, do refinado ao simples. Das duas cidades principais, Filadélfia *(pp. 108-15)*, berço dos EUA, é um núcleo urbano complexo e agitado, ao passo que Pittsburgh recriou a si mesma a partir de um centro industrial encardido e virou um centro efervescente, na confluência do rio Ohio. Mas a maior parte do estado é rural e bucólica, uma colcha de retalhos feita de fazendas de gado e produtos agrícolas, entremeada de florestas e rios, campos e cidadezinhas.

Memorial no Gettysburg National Military Park

⓳ Gettysburg

7.000. 102 Carlisle St, (800) 337-5015. **gettysburg.org**

Um confronto muito importante da Guerra Civil *(p. 57)* ocorreu perto da pequena comunidade agrícola de Gettysburg, no início de julho de 1863. Quase 100 mil soldados da União enfrentaram 75 mil confederados, liderados por Robert E. Lee. Após três dias de lutas, 50 mil soldados estavam mortos ou feridos, e os confederados recuaram. Embora a guerra tenha durado mais dois anos, Gettysburg ficou conhecida como ponto crítico. O local é rememorado com um cemitério, e o presidente Lincoln mencionou o **Gettysburg National Cemetery** em seu Discurso de Gettysburg. Diversos monumentos foram dispostos em terrenos e florestas dos campos de batalha, agora o **Gettysburg National Military Park**.

O Cyclorama, gigantesco mural circular, pintado em 1884, dramatiza uma cena de batalha crucial – o ataque a Picket, em que mais de 6 mil soldados da Confederação morreram ou foram feridos.

Gettysburg National Military Park
Tel (717) 334-1124. Parque: nov-mar: 6h-19h diariam; abr-out: 6h-22h diariam. Centro de visitantes: 8h-17h diariam (18h verão). 1º jan, Ação de Graças, 25 dez. **nps.gov/gett**

⓴ Lancaster

55.600. 501 Greenfield Rd, Lancaster, (800) 723-8824. **padutch.com; cityoflancasterpa.com**

Essa cidade no coração do distrito holandês da Pensilvânia *(p. 69)* é cercada por quase 5 mil fazendolas. A região é famosa pelos imigrantes alemães cristãos da "Old Order Amish", que vivem e trabalham sem nenhum dos recursos modernos, como a eletricidade. O grande acervo ao ar livre do **Landis Valley Museum** está voltado para as tradições rurais alemãs do estado. Destacam-se um vilarejo numa encruzilhada e uma fazenda anexa, com a criação de animais e o cultivo de plantas tradicionais. O visitante pode presenciar demonstrações como a tosa de carneiros. O **Ephrata Cloister**, a nordeste da cidade, no vilarejo de Ephrata, é um conjunto de construções no estilo medieval, fundado em 1732. Abrigava uma das comunidades mais antigas dos EUA, de costumes semimonásticos, que tinha um estilo de vida austero, com ênfase na espiritualidade e no uso artístico da música e da palavra escrita. Em 1745 a colônia instalou uma das primeiras prensas gráficas do país. A tradição permanece até hoje; Ephrata é a sede da famosa Rodale Press.

Landis Valley Museum
2.451 Kissel Hill Rd. **Tel** (717) 569-0401. ligue antes, pois os horários variam. **landisvalleymuseum.org**

㉑ Hershey

7.400. 1.255A Harrisburg Pike, Harrisburg, (800) 995-0969. **hersheypa.com**

Cidade industrial, agora um concorrido destino turístico, Hershey gira em torno do chocolate, a ponto de até as luzes das ruas terem o formato dos bombons Hershey Kisses, com embalagem prateada. A maior atração da cidade é o **Chocolate World**, que oferece um passeio de 15 minutos por uma série de quadros vivos que mostram o processo de fabricação dos chocolates Hershey. No final há distribuição de amostras grátis, e uma série de lojas vende lembranças e todos os produtos da Hershey. Perto fica o **Hershey Park**, um parque de diversões de 36ha, que oferece 80 brinquedos, incluindo cinco escorregadores de água, qua-

"Sisters House" e "Meeting House" no Ephrata Cloister

Veja hotéis e restaurantes dessa região nas pp. 122-7

PENSILVÂNIA | 117

tro montanhas-russas e um dos melhores carrosséis de quatro fileiras da Philadelphia Toboggan Company.

Chocolate World
SR 743 & US 422, Hershey. **Tel** (717) 534-4900. 9h-17h diariam. Ligue antes, pois os horários variam.
w hersheyschocolateworld.com

❷ York

42.200. 1425 Eden Rd, York, (717) 852-9675. **w** yorkpa.org

Primeiro povoado a oeste do rio Susquehanna, York foi fundada em 1741. Naquele tempo, a maioria dos habitantes era de donos de tabernas e artesãos, que forneciam suprimentos aos pioneiros que rumavam para oeste. Depois a manufatura se tornou a principal força econômica. Entre os muitos mercados públicos cobertos está o **Central Market**, de 1888, melhor local da cidade para produtos frescos, flores, carnes e pães, além de restaurantes baratos. A leste da York histórica, na **Harley-Davidson Vehicle Operations Plant**, gigantescas prensas moldam para-lamas em chapas de aço e surgem cintilantes motocicletas. Um pequeno museu mostra a história da Harley-Davidson dos tempos em que era uma firma de bicicletas motorizadas, em 1903, até agora.

Harley-Davidson Final Assembly Plant
1.425 Eden Rd. **Tel** (877) 883-1450. de hora em hora 9h-14h seg-sex, só com reserva; menores de 12 anos não são admitidos na fábrica. feriados.
w harley-davidson.com

Última vistoria na Harley-Davidson Vehicle Operations Plant, em York

Estufa verdejante nos Longwood Gardens

❸ Reading

78.400. 352 Penn St, Reading, (800) 443-6610.
w readingberkspa.com

Reading, antes um centro industrial, reinventou a si mesma como capital das lojas de fábrica com desconto, em grupos de prédios que contêm mais de 80 lojas de grife, desde Brooks Brothers até Mikasa e Wedgwood. O **Reading Pagoda**, num subúrbio da cidade, foi inspirado num castelo dos xoguns, construído como parte de um resort do início do século XX. Agora cerejeiras circundam o prédio, e há trilhas para caminhar por todo o parque adjacente.

❹ Longwood Gardens

US 1, Kennett Square. **Tel** (610) 388-1000. 9h-17h diariam; horário estendido no verão.
w longwoodgardens.org

Pierre Du Pont, financista e industrial milionário, adquiriu os Longwood Gardens, de 405ha, no belo e arborizado Brandywine Valley, em 1906. Seu objetivo consistia em preservar as árvores incomuns da propriedade e oferecer um local agradável para a família e os amigos.

Mais de 11 mil variedades de plantas, que incluem espetaculares arranjos o ano todo, topiarias e um jardim para crianças estão abertos à visitação. A enorme estufa principal é uma bela obra de engenharia. Mas o grande destaque de Longwood são as magníficas fontes, cujos jatos coreografados sobem acima da copa das árvores e à noite são iluminadas por luzes coloridas, numa bonita apresentação que costuma servir de fundo a eventos musicais. Dentre os espetáculos e festivais do local estão o anual Wine & Jazz Festival, que ocorre no mês de maio, e os concertos do Longwood Carillon, nos quais os músicos tocam 62 sinos. Há também espaço para eventos infantis, como fins de semana com pipas coloridas, programas de acampamento de verão, encontros para se contar história, e divertidas brincadeiras em casas em árvores.

Harley-Davidson

O que começou como projeto improvisado de William Harley, de 21 anos, e Arthur Davidson, de 20 anos, virou uma empresa que domina as corridas desde 1914. Após a Primeira Guerra Mundial, o primeiro americano a entrar na Alemanha estava numa Harley-Davidson. Em 1956 Elvis Presley posou no modelo KH. Hoje o Harley Owners Group (HOG) tem mais de 900 mil sócios.

Modelo Fat Boy

Golden Triangle de Pittsburgh, com os arranha-céus do centro

❷ Pittsburgh

369.900. 425 6th Ave, 30º andar, (800) 359-0758.
w visitpittsburgh.com

Situada no ponto em que os rios Allegheny e Monongahela se juntam para formar o rio Ohio, Pittsburgh é uma história de sucesso americana. Cresceu a partir de um posto avançado de fronteira e se tornou um gigante industrial, sede de enormes usinas dos conglomerados do US Steel e também de indústrias alimentícias, como a Heinz, e da empresa Westinghouse. Da Guerra Civil até a Segunda Guerra Mundial, Pittsburgh foi uma metrópole pujante, mas nas décadas de 1950 e 1960 sua boa sorte desapareceu. Agora a cidade se refez e se tornou uma das áreas urbanas mais agradáveis do país.

Doado pelo magnata do aço Andrew Carnegie, o **Carnegie Museum of Art** oferece um bem iluminado conjunto de galerias com coleções que vão de esculturas do antigo Egito até obras de impressionistas, pós-impressionistas e de artistas modernos americanos, como Roy Lichtenstein e Alexander Calder. O Hall of Sculpture é um salão com colunas e altura de dois andares que imita o interior do Templo de Atena, em Atenas. É adornado com moldes do período clássico grego. Ao lado, o Hall of Architecture está cheio de reproduções de alguns dos melhores exemplos de detalhes arquitetônicos clássicos, medievais e renascentistas. O Carnegie Museum of Natural History, no mesmo complexo, abre-se para uma galeria central e se vale da luz natural, como parte de seu encanto arquitetônico. Periodicamente, as exposições mudam, mas a maioria das mostras consiste em dioramas que apresentam espécimes empalhados.

No **Carnegie Science Center**, na Allegheny Avenue, a ideia foi tornar a ciência acessível por meio de jogos. Mais de 3.700m^2 dos 17.280m^2 do centro são dedicados a diversas exposições interativas. A Miniature Railroad and Village mostra a rica herança histórica, arquitetônica e cultural do oeste da Pensilvânia. No Rangos Omnimax® Theater, a plateia reclina enquanto imagens são projetadas no teto abobadado de 24m.

A **Cathedral of Learning** de 42 andares abriga as Nationality Classrooms da University of Pittsburgh, que buscam refletir os diferentes grupos étnicos que contribuíram para as tradições da cidade. Iniciadas na década de 1930, cada uma das 26 salas (a última foi terminada em 2000) possui decoração e mobiliário autênticos, que retratam um momento e um local únicos, desde a Grécia do século V a.C. até a Polônia do século XVI.

No lado norte da cidade, o exterior azulejado do **Andy Warhol Museum** reflete o caráter comum da vizinhança. Mas as aparências enganam, pois esse antigo armazém esconde um interior ultramoderno. O museu homenageia o fundador da Pop Art americana, Andy Warhol (1928-87), com uma seleção de obras de seus arquivos, entre elas pinturas, videoclipes e filmes. Obras de artistas afins também estão expostas.

Estudantes descansam, na University of Pittsburgh

A 8km a sudeste de Pittsburgh fica o **Kennywood Amusement Park**. Construído em 1905, como um dos Luna Park – concorridos parques de diversões que apresentavam a novidade da lâmpada elétrica.

O parque dispõe de brinquedos emocionantes, um show de acrobacias e um carrossel de 1926, elaborado pela Dentzel Company, empresa pioneira na manufatura de animais de carrossel feitos à mão.

🏛 **Carnegie Museum of Art**
4.400 Forbes Ave. **Tel** (412) 622-3131.
⬤ jul-ago: 10h-17h seg-sáb (até 20h qui); 12h-17h dom; set-jun: 10h-17h ter-sáb (até 20h qui); 12h-17h dom.
⬤ feriados.
w cmoa.org; **w** carnegiemnh.org

🏛 **Andy Warhol Museum**
117 Sandusky St. **Tel** (412) 237-8300.
⬤ 10h-17h ter-dom. ⬤ feriados.
w warhol.org

Hall of Sculpture do Carnegie Museum of Art, em Pittsburgh

Veja hotéis e restaurantes dessa região nas pp. 122-7

㉖ Laurel Highlands

ℹ 120 E Main St Ligonier, (800) 333-5661. **W** laurelhighlands.org

Ao sul de Pittsburgh, as serras se agrupam, os vales se transformam em gargantas e o louro-da-montanha cobre as encostas, o que dá nome à região. A fantástica garganta de Youghiogheny, com 518m de profundidade, corta as panorâmicas Laurel Ridge Mountains, onde uma área de aproximadamente 77km² forma o **Ohiopyle State Park**. O parque engloba mais de 45km do rio Youghiogheny. O rafting de corredeiras é muito concorrido no local, assim como as caminhadas, as corridas, o ciclismo e o esqui *cross-country* nos 69km da Youghiogheny River Trail.

A **Fallingwater**, obra-prima do consagrado arquiteto Frank Lloyd Wright, fica ao norte do parque. Construída em 1936, a casa reflete o interesse de Wright por estruturas que passam a fazer parte da paisagem.

O **Laurel Ridge State Park** se estende do vilarejo de Ohiopyle a oeste até o rio Conemaugh River a leste. A Laurel Highlands Hiking Trail, de 113km, fica aberta o ano todo. O Johnstown Flood Museum narra o desastre do rio Conemaugh, que matou mais de 2 mil pessoas e destruiu Johnstown, em 1889.

Ohiopyle State Park
7 Sheridan St, Ohiopyle. **Tel** (724) 329-8591. ⭕ diariam.

Os Amish

Todos os amish têm suas raízes no movimento anabatista suíço de 1525, um ramo da Reforma Protestante, cujas crenças rejeitavam a estrutura das igrejas estabelecidas. Agora a antiga ordem dos amish é a mais conservadora da seita, desprezando quaisquer dispositivos que possam ligá-los ao restante do mundo, como eletricidade, telefones e carros. Eles chamam a atenção por seus trajes simples e escuros – com toucas brancas para as mulheres e chapéus de palha para os homens – e seu transporte puxado por cavalos. Esse grupo pouco mudou em relação a seus ancestrais do século XVII, que vieram em busca de liberdade religiosa.

Charrete amish em estrada rural

Fallingwater
SR 381, Mill Run. **Tel** (724) 329-8501. ⭕ meados mar-fim nov: 10h-16h qui-ter (11h-15h sex-dom no inverno). ⭕ jan, fev, Páscoa, Ação de Graças, 25 dez.
W paconserve.org

㉗ Western Amish Country

ℹ 229 S Jefferson St, New Castle, (888) 284-7599.

As terras panorâmicas em volta de New Castle, a 145km de Pittsburgh, formam uma colcha de retalhos composta de campos cultivados, parques e vilarejos. Como os moradores do distrito holandês da Pensilvânia, perto de Lancaster *(p. 116)*, uma grande população da antiga ordem dos amish e menonitas lavrou e cultivou a terra de fazendas no Enon Valley, perto de New Castle. **Montgomery Locks and Dam**, terminados em 1936, são uma das vinte enormes barragens e eclusas do rio Ohio, de Pittsburgh até Cairo, em Illinois. A barragem cria um reservatório de mais de 29km de extensão para uso comercial e recreativo.

O **McConnell's Mill State Park** contém um antigo moinho movido à água, agora um museu. A beleza selvagem da garganta de Slippery Rock é muito procurada por alpinistas e praticantes de rapel. O **Moraine State Park**, a quase 8km a leste do McConnell's Park, é um paraíso que renasceu de uma terra deteriorada pela indústria, onde floresceu a mineração subterrânea e de superfície até a década de 1950. As minas foram lacradas, os poços de gás e petróleo fechados e os 13km² do lago Arthur construídos.

McConnell's Mill State Park
Portersville. **Tel** (724) 368-8091. ⭕ amanhecer-anoitecer diariam.

O rio Youghiogheny serpenteia pelo Ohiopyle State Park, em Laurel Highlands

Informações Úteis

Uma boa viagem por Nova York, New Jersey e Pensilvânia pede planejamento prévio, pois há muita coisa para ver e fazer numa área muito concentrada. As grandes cidades estão cheias de atrações, hotéis e restaurantes, enquanto as extensas áreas diversificadas entre elas também servem de resort, atendendo aos moradores das cidades que precisam alterar seu ritmo. Conforme o tempo disponível, pode-se explorar atrações históricas significativas, apreciar cenários deslumbrantes, assistir a uma festa local ou apenas descansar no litoral.

Informação Turística

Nova york, New Jersey e Pensilvânia têm várias publicações de viagem bastante informativas e muito bem ilustradas. Todas essas informações também podem ser solicitadas por telefone ou acessadas pela internet. Mais informes estão à disposição em diversos escritórios de turismo espalhados pelos três estados. As abundantes informações abrangem dados sobre clima, transportes, atrações, hospedagem, restaurantes, diversões, festivais, história regional e muito mais.

Perigos Naturais

É muito frequente a ocorrência de tempestades em toda a Região Meio-Atlântica. Se for pego por um temporal repentino, o visitante precisa tomar uma precaução básica: nunca ficar embaixo de árvores, que são alvos perfeitos para os raios. E também há o perigo de a árvore tombar por causa dos ventos fortes. O oeste dos estados de Nova York e da Pensilvânia tem invernos severos. As Adironcack enfrentam tempestades graves no inverno e temperaturas abaixo de zero, e pesadas nevascas súbitas costumam causar o caos na cidade de Nova York. O visitante deve escutar as previsões do tempo no rádio e na TV.

Como Circular

Ao contrário de boa parte dos EUA, na Região Meio-Atlântica é possível circular sem carro. Alguns dos serviços de trem mais rápidos dos EUA ligam Nova York e Washington, DC, a Filadélfia, numa distância coberta em uma hora. Outras linhas percorrem a Pensilvânia, subindo o vale do Hudson entre as cidades de Nova York e de Albany, e depois cruzando para Buffalo e Niagara Falls, e entre Filadélfia e Atlantic City. Nos carros, motoristas e passageiros do banco da frente são obrigados a usar cinto em toda a Região Meio-Atlântica. A maioria dos estados também exige cinto para os passageiros do banco de trás, além de cadeirinhas para crianças menores de 4 anos. Os limites de velocidade variam, mas costumam girar em torno de 110 a 120km/h, nas rodovias interestaduais, fora das áreas urbanas densamente povoadas, se o clima permitir.

Fique atento: dirigir e falar ao celular é perigoso e ilegal.

Eventos e Festivais

A cidade de Nova York e os estados da Região Meio-Atlântica apresentam grande variedade de festivais anuais municipais, regionais e nacionais. Um dos eventos mais incomuns do país ocorre no centro da Pensilvânia, todo dia 2 de fevereiro, quando uma marmota macho chamada de "Punxsutawney Phil" desperta de seu sono hibernal no **Groundhog Day**. "Phil" prevê a chegada da primavera, que pelo folclore dos EUA depende de ele ver ou não sua própria sombra. Em março, numa manifestação da forte tradição irlandesa de Nova York, os políticos e outras personalidades marcham pelas ruas como parte da animada comemoração do **St. Patrick's Day**. O verão inunda a cidade de eventos ao ar livre, fogos e concertos em parques. Festivais de rua são comuns na celebração do feriado do Dia da Independência, em 4 de julho. Feiras estaduais e municipais são organizadas no interior Meio-Atlântico em julho e agosto, assim como festivais de música, como o **Glimmerglass Opera Festival**, em Cooperstown.

A temporada de compras de Natal exibe imensas figuras infláveis no desfile de **Macy's Thanksgiving Day**, na cidade de Nova York.

Esportes

Em Nova York e na Região Meio-Atlântica existem times profissionais de qualidade em todos os esportes populares. Esse é um ótimo lugar para assistir

---

Clima da Região Meio-Atlântica

O clima da vasta Região Meio-Atlântica varia tanto quanto a paisagem. As montanhas Adirondack de Nova York são famosas pelos extremos do clima, enquanto em Long Island e nas áreas litorâneas de New Jersey é mais ameno. O oeste de Nova York e a Pensilvânia têm uma das nevascas mais pesadas do país. No fim da primavera a neve derrete e a folhagem rebrota. No verão a temperatura sobe e a umidade aumenta, quando tempestades podem acabar com um dia agradável. No final do verão e no outono o tempo é bem estável.

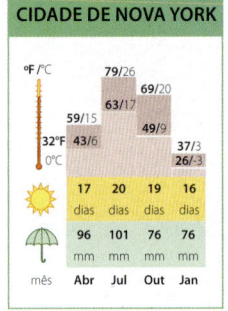

CIDADE DE NOVA YORK

	Abr	Jul	Out	Jan
°F/°C (max)	59/15	79/26	63/17	37/3
°F/°C (min)	43/6	69/20	49/9	26/-3
dias de sol	17	20	19	16
mm chuva	96	101	76	76

ao desempenho de alguns dos maiores atletas mundiais. As cidades dessa área recebem diversos times profissionais e amadores, com importantes franquias profissionais de beisebol, futebol e basquetebol, que operam em New Jersey, na cidade de Nova York, em Filadélfia e em Pittsburgh. Outro esporte popular é o hóquei no gelo.

Há também muitos times de ligas menores em cidades pequenas e centenas de times de alta qualidade mantidos por diversas universidades públicas e privadas da região.

A temporada de beisebol vai de abril a setembro; a de futebol, de setembro a janeiro; e a de basquetebol, do inverno até meados da primavera.

Outro evento esportivo extremamente concorrido é o **US Open Tennis Championships**, realizado anualmente no bairro do Queens, em agosto. A corrida de cavalos **Belmont Stakes**, no começo de junho, é a última de três do campeonato "Triple Crown", embora nos meses de julho e agosto as corridas continuem na histórica Saratoga Springs. Os esportes coletivos também são importantes, e um dos eventos mais concorridos é a Maratona de Nova York, em novembro.

Atividades ao Ar Livre

O estado de Nova York tem uma das melhores estações de esportes de inverno do país: Lake Placid, nas montanhas Adirondack, onde se realizaram as Olimpíadas de Inverno de 1932 e 1980. Há também áreas de esqui nas Pocono Mountains da Pensilvânia e de New Jersey, além de Camelback Mountain e Hidden Valley, no oeste da Pensilvânia, e Hunter Mountain e Catamount, em Catskills, no estado de Nova York. Contudo, os esquiadores preferem as estações de inverno de Vermont e de New Hampshire.

Diversão

Capital mundial da indústria do entretenimento, a cidade de Nova York é uma espécie de vitrine de quase todas as formas de espetáculo. Uma leitura rápida dos muitos jornais locais, como The New York Times ou Village Voice, e de revistas, como Time Out New York, New York Magazine e New Yorker, indica centenas de eventos e atividades. No **Lincoln Center** e no **Carnegie Hall** se apresentam balés, óperas e orquestras. Filadélfia, Pittsburgh e Newark, outras grandes cidades da região, também apresentam diversos eventos culturais e de entretenimento. O **New Jersey Performing Arts Center**, em Newark, oferece uma enorme gama de eventos de música e arte.

Compras

A cidade de Nova York pode sem sombra de dúvida ser considerada um dos maiores mercados do mundo. Diz-se que, se você não conseguir comprar determinada coisa lá, é provável que ela não exista. Tudo, de butiques da moda a computadores em oferta, pode ser encontrado em Manhattan. E alguns bairros de Nova York atendem principalmente aos interesses de consumistas e de quem procura pechinchas. Não deixe de dar uma passada em pelo menos uma das sensacionais lojas de departamentos, como **Bloomingdale's**, **Macy's**, **Tiffany & Co.** ou **Barney's**.

AGENDA

Informação Turística

New Jersey
Tel (800) 847-4865.
🌐 visitnj.org

Cidade de Nova York
Tel (212) 484-1200.
🌐 nycgo.com

Estado de Nova York
Tel (518) 474-4116.
🌐 iloveny.com

Pensilvânia
Tel (800) 847-4872.
🌐 visitpa.com

Festivais

Glimmerglass Opera Festival
Cooperstown,
Nova York.
Tel (607) 547-2255/0700.
🌐 glimmerglass.org

Beisebol

New York Mets
Tel (718) 507-8499.
🌐 mets.mlb.com

New York Yankees
Tel (718) 293-4300.
🌐 yankees.mlb.com

Philadelphia Phillies
Tel (215) 463-1000.
🌐 phillies.mlb.com

Basquetebol

New York Knicks
Tel (212) 465-6000.

Philadelphia 76ers
Tel (215) 339-7600.

Futebol

Buffalo Bills
Tel (716) 649-0015.
🌐 buffalobills.com

New York Giants
Tel (201) 935-8222.
🌐 giants.com

Pittsburgh Steelers
Tel (412) 323-1200.
🌐 steelers.com

Outros Esportes

Belmont Stakes
Tel (718) 641-4700.
🌐 nyra.com/belmont

Esqui
🌐 skiandride.com

US Open Tennis Championships
Queens, Nova York.
🌐 usopen.org

Diversão

Carnegie Hall
881 7th Ave, Nova York.
Tel (212) 247-7800.
🌐 carnegiehall.org

Lincoln Center
Tel (212) 875-5030.
🌐 lincolncenter.org

New Jersey Performing Arts Center
Newark, NJ.
Tel (888) 466-5722.
🌐 njpac.org

Compras

Barney's
660 Madison Ave, NY.
Tel (212) 826-8900.

Bloomingdale's
Lexington e 59th St, NY.
Tel (212) 705-2000.

Macy's
Broadway e 34th, NY.
Tel (212) 695-4400.

Tiffany & Co.
727 5th Ave, Nova York.
Tel (212) 755-8000.

Onde Ficar

Nova York

Destaque

DOWNTOWN: East Village Bed & Coffee $
B&B Mapa D4
110 Ave C, 10009
Tel *(917) 816-0071*
🌐 bedandcoffee.com
Os quartos apresentam temas que vão do estilo zen ao mexicano vibrante e à decoração praiana em tons terrosos. Cada andar tem banheiros partilhados e cozinha completa. Há base para iPod nos quartos.

DOWNTOWN: Off Soho Suites $
Econômico Mapa C5
11 Rivington St, 10002
Tel *(212) 979-9808*
🌐 offsoho.com
Oferece suítes boas e baratas com cozinha privativa ou partilhada e academia.

DOWNTOWN: Marriott New York City Financial Center $$
Para negócios Mapa C5
85 W St, 10006
Tel *(212) 385-4900*
🌐 marriott.com
Esse hotel grande e moderno tem uma piscina coberta e vistas da Estátua da Liberdade.

DOWNTOWN: Crosby Street Hotel $$$
Hotel-butique Mapa D4
79 Crosby St, 10012
Tel *(212) 226-6400*
🌐 firmdalehotels.com
Hotel elegante com atmosfera londrina, quartos alegres, chá da tarde e um restaurante fino.

DOWNTOWN: Inn at Irving Place $$$
B&B Mapa D4
56 Irving Place, 10003
Tel *(212) 533-4600*
🌐 innatirving.com
Essa pousada exclusiva ocupa duas casas geminadas magníficas e oferece quartos elegantes com instalações de alto padrão.

DOWNTOWN: The James $$$
Hotel-butique Mapa C4
27 Grand St, 10013
Tel *(212) 465-2000*
🌐 jameshotels.com
Elegantes, os quartos têm duchas potentes e roupas de cama e banho de tecidos naturais. O bar na cobertura revela o skyline da cidade.

DOWNTOWN: SoHo Grand Hotel $$$
Hotel-butique Mapa C4
301 W Broadway, 10013
Tel *(212) 965-3000*
🌐 sohogrand.com
Hotel sofisticado com belos quartos, um bar animado e vistas do centro de Manhattan.

MIDTOWN: Chelsea Star Hotel $
Econômico Mapa D3
300 W 30th St, 10011
Tel *(212) 244-7827*
🌐 starhotelny.com
Uma estátua grande de Betty Boop recebe os hóspedes nesse hotel. Há dormitórios e quartos.

MIDTOWN: La Quinta Manhattan $
Econômico Mapa D3
17 W 32nd St, 10001
Tel *(212) 736-1600*
🌐 lq.com
Oferece quartos confortáveis, um bar agradável na cobertura e café da manhã de cortesia.

Destaque

MIDTOWN: POD 51 $
Econômico Mapa E3
230 E 51st St, 10022
Tel *(212) 355-0300*
🌐 podhotel.com
Um dos melhores hotéis econômicos da cidade, tem quartos pequenos como casulos, porém bem decorados, com móveis coloridos, camas confortáveis e TVs de tela plana. O saguão apresenta murais interessantes, mesas comunitárias, um porteiro gentil e um café-bar com happy-hour diariamente. Relaxe na cobertura com as vistas dos arranha-céus de Midtown.

MIDTOWN: Ace Hotel $$
Hotel-butique Mapa D3
20 W 29th St, 10001
Tel *(212) 679-2222*
🌐 acehotel.com
Hotel rock 'n' roll chique, com mais de 200 quartos, dos quais a maioria apresenta obras de artistas locais e internacionais.

MIDTOWN: Andaz 5th Avenue $$
Hotel-butique Mapa D3
485 5th Ave, 10017
Tel *(212) 601-1234*
🌐 newyork.5thavenue.andaz.hyatt.com
Esse hotel tem quartos grandes e hipoalergênicos, graças a sistemas de purificação do ar.

Categorias de Preço
Diária de um quarto padrão para duas pessoas, na alta temporada, com taxas de serviço e impostos.
$ até US$150
$$ US$150-US$300
$$$ acima de US$300

MIDTOWN: Library Hotel $$
Hotel-butique Mapa D3
299 Madison Ave, 10017
Tel *(212) 983-4500*
🌐 libraryhotel.com
Biblioteca é o tema da elegante decoração desse hotel charmoso. Há livros em todos os quartos e um jardim de poesia.

MIDTOWN: The London NYC $$$
Luxuoso Mapa E2
151 W 54th St, 10019
Tel *(212) 307-5000*
🌐 thelondonnyc.com
Um mural do Hyde Park de Londres define esse hotel de luxo. O restaurante interno é do famoso Gordon Ramsay.

MIDTOWN: The Standard $$$
Hotel-butique Mapa C3
848 Washington St, 10014
Tel *(212) 645-4646*
🌐 standardhotels.com
Esse hotel no alto do Meatpacking District tem vistas do rio e da cidade. O bar na cobertura atrai celebridades.

UPPER EAST SIDE: Bentley Hotel $$
Hotel-butique Mapa E3
500 E 62nd St, 10065
Tel *(212) 644-6000*
🌐 bentleyhotelnyc.com
Edifício alto com lindas vistas do rio East. Os quartos, amplos, ostentam peças de design e banheiros de mármore.

O suntuoso London NYC, o hotel mais alto de Manhattan

ONDE FICAR | 123

Quarto com decoração asiática no Mandarin Oriental

UPPER EAST SIDE:
The Pierre $$$
Luxuoso Mapa E2
2 E 61st St, 10021
Tel *(212) 838-8000*
W *tajhotels.com*
O saguão é grandioso, e alguns dos impecáveis quartos descortinam vista para o Central Park. Toques sofisticados, como um menu para animais de estimação.

UPPER EAST SIDE:
Sherry-Netherland $$$
Luxuoso Mapa E3
781 5th Ave, 10022
Tel *(212) 355-2800*
W *sherrynetherland.com*
Esse hotel com suítes bonitas e enormes oferece luxo e serviço praticamente imbatíveis.

UPPER WEST SIDE: Hostelling
International New York $
Econômico
891 Amsterdam Ave, 10025
Tel *(212) 932-2300*
W *hinewyork.org*
Albergue que lembra um dormitório de universidade. Tem cafeteria, sala de jogos e mesa de piquenique.

UPPER WEST SIDE:
Mandarin Oriental $$$
Luxuoso
80 Columbus Circle, 10023
Tel *(212) 805-8800*
W *mandarinoriental.com*
Opulência asiática em mais de 200 quartos. Bar elegante e spa maravilhoso.

Estado de Nova York

ALBANY: Morgan State House $$
B&B
393 State St, 12210
Tel *(518) 427-6063*
W *statehouse.com*
Essa pousada elegante em estilo europeu, com um jardim inglês, situa-se em um bairro histórico.

Amplos, os quartos têm roupas de cama e instalações luxuosas. Só recebe maiores de 16 anos.

BUFFALO: Hyatt Regency $$
Hotel-butique
2 Fountain Plaza, 14202
Tel *(716) 856-1234*
W *buffalo.hyatt.com*
Localizado no coração dos distritos financeiro e de teatros, esse hotel oferece quartos espaçosos e vistas panorâmicas.

Destaque
EAST HAMPTON:
The Maidstone $$$
Luxuoso
207 Main St, 11937
Tel *(631) 324-5006*
W *themaidstone.com*
Esse B&B de luxo no East End de Long Island começou a receber hóspedes nos anos 1870. A decoração elegante é complementada pela atmosfera cálida e pelo serviço atencioso. Os quartos são bonitos e repletos de comodidades modernas. Há também jardins belíssimos e um saguão requintado.

LAKE GEORGE:
The Georgian Resort $$
Econômico
384 Canada St, 12845
Tel *(518) 668-5401*
W *georgianresort.com*
Resort junto ao lago, com quartos confortáveis, praia privativa relaxante, restaurante interno e piscina aquecida ao ar livre.

LAKE PLACID:
Lake Placid Lodge $$$
Luxuoso
144 Lodge Way, 12946
Tel *(518) 523-2700*
W *lakeplacidlodge.com*
Nessa propriedade lendária no lago Placid há suítes, chalés e quartos. Só aceita maiores de 12 anos.

NIAGARA FALLS: The Red
Coach Inn $$$
Histórico
2 Buffalo Ave, 14303
Tel *(716) 282-1459*
W *redcoach.com*
Propriedade em estilo Tudor inglês, a poucos minutos das cataratas. Confortáveis, os quartos são decorados com antiguidades. Café da manhã cortesia da casa.

ROCHESTER:
Strathallan Hotel $$
Hotel-butique
550 E Ave, 14607
Tel *(585) 461-5010*
W *strathallan.com*
Propriedade com decoração charmosa à europeia, quartos confortáveis e instalação de primeira. O serviço é cordial e eficiente.

SARATOGA SPRINGS:
Saratoga Arms $$$
Luxuoso
497 Broadway, 12866
Tel *(518) 584-1775*
W *saratogaarms.com*
Charme histórico e instalações modernas em hotel elegante. Românticos, os quartos têm lareira. Café da manhã incluso na tarifa.

SOUTHAMPTON: 1708 House $$
B&B
126 Main St, 11968
Tel *(631) 287-1708*
W *1708house.com*
Pousada histórica perto do centro, com quartos aconchegantes, recepção com lareira e sala de leitura revestida de painéis de madeira. Garante passe livre para estacionar nas praias locais.

SYRACUSE: Jefferson
Clinton Hotel $$
Histórico
416 South Clinton St, 13202
Tel *(315) 425-0500*
W *jeffersonclintonhotel.com*
Os quartos são confortáveis e bem decorados nesse hotel de 1927 na Armory Square. Bufê de café da manhã de cortesia.

New Jersey

ATLANTIC CITY: Borgata Hotel
Casino & Spa $$$
Luxuoso
1 Borgata Way, 08401
Tel *(609) 317-1000*
W *theborgata.com*
Perto do animado Boardwalk, esse hotel tem bela arquitetura, piscina ótima, jardins, dois spas e alta gastronomia. Os quartos, amplos, dispõem de janelões e instalações luxuosas.

Mais informações sobre hotéis *nas pp. 26-7*

Destaque

CAPE MAY: The Queen Victoria Bed and Breakfast $$
B&B
102 Ocean St, 08204
Tel *(609) 884-8702*
w queenvictoria.com
Essa propriedade vitoriana restaurada é o melhor B&B em Cape May. No meio do bairro histórico, fica perto da praia e das atrações da cidade. Cada um dos amplos e confortáveis quartos tem estilo único, que mescla peças modernas e antigas. Relaxe em salas e varandas ou explore a área com uma bicicleta cedida pelo B&B.

HOBOKEN: W Hoboken $$$
Hotel-butique
225 River St, 07030
Tel *(201) 253-2400*
w whoboken.com
Hotel chique com decoração primorosa, vistas do skyline de Nova York, um bar refinado e um spa luxuoso.

NEWARK: Courtyard Newark Downtown $
Econômico
858 Broad St, 07102
Tel *(973) 848-0070*
w marriott.com
Esse hotel moderno oferece quartos amplos e serviço cordial. O saguão e as áreas comuns são confortáveis e ótimos para trabalhar ou relaxar.

PRINCETON: Inn at Glencairn $$
B&B
3301 Lawrenceville Rd, 08540
Tel *(609) 497-1737*
w innatglencairn.com
Solar georgiano reformado em meio a um terreno verdejante. Os quartos têm confortáveis camas com dossel e móveis antigos.

Pensilvânia

FILADÉLFIA: Four Points by Sheraton Philadelphia City Center $$
Hotel de rede
1201 Race St, 19107
Tel *(215) 496-2700*
w fourpointsphiladelphiacitycenter.com
Os confortáveis quartos desse hotel bem localizado têm mimos como água mineral, Wi-Fi e café de cortesia. Boa estrutura para executivos.

FILADÉLFIA: Rittenhouse 1715 $$
Luxuoso
1715 Rittenhouse Square St, 19103
Tel *(215) 546-6500*
w rittenhouse1715.com
O Rittenhouse 1715 se destaca pelo serviço impecável, pela atmosfera tranquila em localização cosmopolita e pelos quartos elegantes e confortáveis.

FILADÉLFIA: Spruce Hill Manor $$
B&B
3709 Baring St, 19104
Tel *(215) 472-2213*
w sprucehillmanor.com
Mansão vitoriana cercada de lindos jardins em uma área residencial tranquila. Os quartos abrigam móveis antigos e cozinha básica.

GETTYSBURG: The Inn at Herr Ridge $$
B&B
900 Chambersburg Rd, 17325
Tel *(717) 334-4332*
w innatherrridge.com
Outrora um hospital dos confederados, essa pousada só para adultos têm quartos aconchegantes com decoração extravagante. Fica próximo a campos de batalha históricos.

Destaque

HERSHEY: The Hotel Hershey $$$
Luxuoso
100 Hotel Rd, 17033
Tel *(717) 533-2171*
w thehotelhershey.com
Esse retiro é ideal para famílias, pois tem muito espaço, piscinas grandes, fontes e belos jardins. O delicioso chocolate da marca Hershey é onipresente, desde um mimo posto sobre cada travesseiro até um banho de chocolate no spa. Os quartos e chalés elegantes descortinam vistas panorâmicas do terreno e do Hershey Valley. Entre as atividades disponíveis há golfe, basquete, vôlei, tênis e caminhadas.

LANCASTER: Fulton Steamboat Inn $$
Histórico
Routes 30 e 896, 17602
Tel *(717) 299-9999*
w fultonsteamboatinn.com
Essa propriedade charmosa evoca um vapor do século XIX, e os quartos têm temas náuticos e vitorianos. O agradável pátio tem um lago de carpas. Há atividades para crianças.

LANCASTER: Lancaster Arts Hotel $$
Hotel-butique
300 Harrisburg Ave, 17602
Tel *(717) 299-3000*
w lancasterartshotel.com
Opção de luxo no centro da cidade, ostenta obras de arte originais em todos os ambientes. Os quartos apresentam comodidades modernas e tijolos e vigas de madeira aparentes.

PITTSBURGH: DoubleTree by Hilton Pittsburgh Downtown $$
Econômico
1 Bigelow Sq, 15219
Tel *(412) 281-5800*
w doubletree3.hilton.com
Hotel moderno de rede, com estrutura variada e completa, quartos confortáveis e serviço grátis de traslado.

PITTSBURGH: The Priory $$
Hotel-butique
614 Pressley St, 15212
Tel *(412) 231-3338*
w thepriory.com
The Priory é uma charmosa propriedade em estilo europeu que foi residência de monges beneditinos. Tem quartos bonitos e confortáveis. A sala de estar e o pátio são muito agradáveis.

O belo complexo do Hotel Hershey

Categorias de Preço *na p. 122*

Onde Comer e Beber

Nova York

DOWNTOWN: Corner Bistro $
Americana　　　　Mapa C3
331 W 4th St, 10014
Tel *(212) 242-9502*
Os hambúrgueres excelentes tornam esse bar um favorito na cidade. Há uma carta extensa de cervejas locais.

**DOWNTOWN:
Katz's Delicatessen** $
Delicatéssen　　Mapa D4
205 E Houston St, 10002
Tel *(212) 254-2246*
Essa *deli* judaica serve sanduíches com pastrame ou carne em salmoura e outras iguarias locais. Vegetarianos podem pedir os knishes (bolinhos de batata e repolho) e sopa com bolas de matzá.

DOWNTOWN: Shake Shack $
Americana　　　　Mapa D4
Esq. do Madison Square Park, perto da Madison Ave e da E 23rd St, 10010
Tel *(212) 889-6600*
Sente-se sob a sombra de uma árvore e saboreie hambúrgueres suculentos e batats fritas crocantes nesse lugar simples, barato e famoso. Há também deliciosos milk-shakes.

DOWNTOWN: Balthazar $$
Francesa　　　　Mapa D4
80 Spring St, 10012
Tel *(212) 965-1414*
O charmoso bistrô do *restaurateur* Keith McNally tem janelões voltados para a Spring Street e serve os clássicos franceses – steak-frites, ostras e vinhos de Bordeaux.

DOWNTOWN: Blue Hill $$
Americana moderna　Mapa D4
75 Washington Place, 10011
Tel *(212) 539-1776*
O Blue Hill usa os ingredientes sazonais mais frescos de fazendas locais. O elaborado menu-degustação "Farmer's Feast", com cinco pratos, é baseado na colheita da semana.

**DOWNTOWN: Momofuku
Noodle Bar** $$
Asiática　　　　Mapa D4
171 1st Ave, 10003
Tel *(212) 475-7899*
O famoso chef coreano-americano David Chang oferece lamen inovador e outros clássicos japoneses. Prove o pãozinho com carne de porco ou o frango frito acompanhado de panquecas. Há sobremesas deliciosas.

O Pure Food and Wine serve comida vegana saudável

DOWNTOWN: Otto $$
Italiana　　　　Mapa D4
15th Ave, 10003
Tel *(212) 995-9559*
Pizzaria elegante do chef Mario Batali. A pizza com toucinho é divina, e a carta de vinhos tem safras excelentes da Itália.

**DOWNTOWN:
Pure Food and Wine** $$
Vegana　　　　Mapa D4
54 Irving Place, 10003
Tel *(212) 477-1010*
Restaurante refinado de culinária vegana crua, que rejeita ingredientes industrializados. Peça o talharim de coco e a lasanha com abobrinha.

**DOWNTOWN:
The Spotted Pig** $$
Britânica　　　　Mapa C3
314 W 11th St, 10014
Tel *(212) 620-0393*
Britânicos se sentem em casa nesse pub. Carta de vinhos excelente, várias stouts e ales, e opção vegetariana com cinco pratos.

**DOWNTOWN: Eleven
Madison Park** $$$
Americana/Francesa　Mapa C3
11 Madison Ave, 10010
Tel *(212) 889-0905*　**Fecha** *dom*
Restaurante art déco de cozinha contemporânea refinada, porém cara. Pagamento com cartão de crédito.

**MIDTOWN: Burger Joint at
Le Parker Meridien** $
Americana　　　　Mapa E2
119 W 57th St, 10019
Tel *(212) 708-7414*
Hambúrgueres gostosos, milk-shakes e cervejas são servidos no saguão do Le Parker Meridien.

Categorias de Preço
Por pessoa, para uma refeição composta de três pratos e uma taça de vinho da casa, mais taxas.

$	até US$30
$$	US$30-US$60
$$$	acima de US$60

MIDTOWN: Carnegie Deli $
Delicatéssen　　Mapa E2
854 7th Ave, 10019
Tel *800-334-5606*
Há ótimos sanduíches com pastrame ou carne em salmoura nessa delicatéssen famosa na cidade. Vale a pena provar os deliciosos knishes (bolinhos).

MIDTOWN: Empire Diner $$
Americana　　　　Mapa C3
210 10th Ave, 10011
Tel *(212) 596-7523*
Esse *diner* art déco faz comfort food maravilhosa, incluindo sopa com bolas de matzá e tutano, e hambúrguer suculento com brioche. O lugar é ideal para dar uma parada e se reanimar na área do High Line.

**MIDTOWN: Grand Central
Oyster Bar** $$
Frutos do mar　　Mapa E3
Grand Central, piso inferior, 42nd St, 10017
Tel *(212) 490-6650*
Peça ostras frescas nesse templo de frutos do mar. O método simples – uma pitada de limão ou uma guarnição básica – permite que os deliciosos peixes e mariscos brilhem por mérito próprio.

MIDTOWN: Le Bernardin $$$
Francesa　　　　Mapa E2
155 W 51st St, 10019
Tel *(212) 554-1515*
O chef Eric Ripert faz obras-primas nesse restaurante chique. Entre os criativos pratos há caranho-vermelho com tomates verdes tostados. Excelente para fãs de frutos do mar.

Destaque

UPPER EAST SIDE: Daniel $$$
Francesa　　　　Mapa E2
60 E 65th St, 10021
Tel *(212) 288-0033*　**Fecha** *dom*
O restaurante opulento do famoso chef Daniel Boulud oferece uma grande experiência sensorial, desde a entrada no salão grandioso e a primeira garfada de foie gras à colherada final na pecaminosa musse de chocolate. Carta de vinhos excelente e serviço perfeito.

Mais informações sobre restaurantes *nas pp. 28-9*

UPPER WEST SIDE: Per Se $$$
Americana Mapa E2
10 Columbus Circle, 10019
Tel *(212) 823-9335*
O famoso chef Thomas Keller traz o melhor da culinária da Califórnia para Nova York em menus-degustação com nove pratos. Excelente seleção de vinhos e vistas do Central Park.

ARREDORES: Sripraphai $
Tailandesa
64-13 39th Ave, Queens, 11377
Tel *(718) 899-9599* **Fecha** *qua*
Os moradores locais juram que esse estabelecimento simples é o melhor tailandês da cidade. Há um elaborado menu só de opções vegetarianas. Peça o talharim salteado com tofu, legumes, chili e folhas de manjericão.

Destaque

ARREDORES: Peter Luger Steak House $$$
Americana
178 Broadway, Brooklyn, 11211
Tel *(718) 387-7400*
Há mais de 125 anos essa instituição de Nova York atrai carnívoros com delícias suculentas como bife de lombinho, chuleta e assado de panela. O molho delicioso servido com as carnes também está à venda.

Estado de Nova York

ALBANY: Scrimshaw $$
Frutos do mar/Churrascaria
660 Albany Shaker Rd, 12211
Tel *(518) 869-8100* **Fecha** *dom-ter*
Esse restaurante no Desmond Hotel prima pela variedade. Opte entre clássicos como espadarte selado e itens mais inovadores como salmão-do-atlântico glaceado com tangerina e gengibre. Faça reserva.

BINGHAMTON: Number 5 $$$
Churrascaria
33 S Washington St, 13903
Tel *(607) 723-0555*
Em um prédio do corpo de bombeiros de 1897, o Number 5 é ótimo para uma refeição a dois ou com um grupo grande. Entre os pratos mais pedidos estão salmão selado e filé-mignon.

BUFFALO: Anchor Bar $
Americana
1047 Main St, 14209
Tel *(716) 886-8920*
Moradores locais e turistas vão a esse local antigo em busca das famosas asas de frango ao molho apimentado. Há também hambúrgueres, sanduíches e outros petiscos de bar.

COOPERSTOWN: Nicoletta's Italian Café $
Italiana
96 Main St, 13326
Tel *(607) 547-7499*
Esse restaurante de gerência familiar oferece especialidades italianas tradicionais como linguiça com pimentões assados e linguine com moluscos. Faça reserva durante o verão.

Destaque
EAST HAMPTON: The 1770 House Restaurant & Inn $$$
Americana moderna
143 Main St, 11937
Tel *(631) 324-1770* **Fecha** *dom*
Esse estabelecimento chique nos Hamptons é decorado com mobiliário antigo e relíquias históricas. O menu sazonal tem pratos inovadores à base de ingredientes frescos. A premiada carta de vinhos e o menu de sobremesas complementam a experiência. A taverna no térreo oferece comida de pub.

ITHACA: Moosewood $$
Vegetariana
215 N Cayuga St, 14850
Tel *(607) 273-9610*
No cenário histórico de uma escola, o Moosewood serve comida vegetariana orgânica desde 1973. O cardápio varia conforme os produtos mais frescos do dia. Os clientes podem comprar os livros de culinária do restaurante.

LAKE GEORGE: The Log Jam Restaurant $$
Americana
1484 State Route 9, Site 1, 12845
Tel *(518) 798-1155*
Cabana de madeira com vistas e aquecida por lareiras e um fogão antigo. Frutos do mar, chuleta e costeletas de carneiro divinos.

LAKE PLACID: Paradox Lodge $$$
Francesa
2169 Saranac Ave, 12946
Tel *(518) 523-9078* **Fecha** *seg-qua*
O excelente Paradox Lodge pertence a uma família e se destaca pela atmosfera aconchegante. Oferece várias carnes e frutos do mar frescos. Serviço cordial. Faça reserva.

NIAGARA FALLS: Donatello's Restaurant $
Americana
466 3rd St, 14301
Tel *(716) 282-2069* **Fecha** *dom*
Perto das cataratas do Niágara, o Donatello's oferece pizzas, sanduíches quentes e asas de frango picantes a preços razoáveis. Serviço cordial. Ótimo para crianças.

ROCHESTER: Nick Tahou Hots $
Americana
320 W Main St, 14608
Tel *(585) 436-0184* **Fecha** *dom*
Essa instituição local criou o Garbage Plate original, uma mescla de vários clássicos de *diner* reunidos em um só prato. Graças à invenção, tornou-se um destino turístico.

New Jersey

Destaque
ATLANTIC CITY: Atlantic City Bar and Grill $$
Frutos do mar
1219 Pacific Ave, 08401
Tel *(609) 348-8080*
Esse restaurante familiar é um favorito local, assim como de turistas e celebridades. Filés, caranguejos, coquetéis de camarão, lagostas, mexilhões, massas caseiras, hambúrgueres, sanduíches e pizzas são servidos com cordialidade. Há relíquias de esportes nas paredes.

Filé da Peter Luger Steak House, no Brooklyn

Categorias de Preço *na p. 125*

CAPE MAY: Cabanas Beach Bar & Grill $
Americana
429 Beach Ave, 08204
Tel *(609) 884-4800* **Fecha** *seg-qua*
De frente para o mar, muito variado e bom para famílias. Opte entre ostras, camarão, mariscos, frango, chuleta, hambúrgueres e outros sanduíches. Há mesas de sinuca, TVs de tela grande e música ao vivo.

HOBOKEN: Amanda's $$
Americana moderna
908 Washington St, 07030
Tel *(201) 798-0101*
Casa antiga belamente restaurada, com um salão elegante e confortável. O sofisticado cardápio apresenta carnes assadas, peixe selado e legumes frescos. Boa opção para o brunch.

NEWARK: Hobby's Delicatessen & Restaurant $
Delicatéssen
32 Branford Pl, 07102
Tel *(973) 623-0410* **Fecha** *dom*
Essa *deli* de uma família judaica é conhecida no centro por servir ótima carne em salmoura, sopas substanciosas, pastrame macio, picles caseiros e outras iguarias do Leste Europeu. O serviço cordial e a atmosfera fidelizam a clientela.

TRENTON: Delorenzo's Pizza $
Pizzaria
147 Sloan Ave, 08619
Tel *(609) 393-2952* **Fecha** *seg*
Esse restaurante de gestão familiar atrai fãs da Trenton Tomato Pie. O menu apresenta pizzas de massa fina com várias coberturas, saladas e sopas.

Pensilvânia

FILADÉLFIA: Jim's Steaks $
Churrascaria
400 South St, 19147
Tel *(215) 928-1911*
Há sempre filas longas diante dessa *steakhouse* com fachada art déco. O tradicional sanduíche Philly, com carne moída, muita cebola e queijo derretido quente é uma atração que resiste à passagem do tempo.

FILADÉLFIA: Monk's Café $
Belga
264 S 16th St, 19146
Tel *(215) 545-7005*
Nesse gastropub com uma seleção formidável de cervejas finas, a cozinha prepara mexilhões de várias maneiras, assim como hambúrgueres, sanduíches, filés e frutos do mar. Não deixe de experimentar as deliciosas pommes frites.

> **Destaque**
>
> **FILADÉLFIA: City Tavern** $$
> Americana
> *138 S 2nd St, 19106*
> **Tel** *(215) 413-1443*
> Esse restaurante é uma reconstituição acurada da taverna histórica original de 1773. A cozinha prepara receitas coloniais do século XVIII, como pastelão de peru e coelho cozido no bafo. Ales feitas com receitas originais dos tempos de George Washington e Thomas Jefferson também são servidas. A decoração colonial é complementada pelos trajes de época usados pela equipe.

Decoração colonial e garçonete com traje de época na City Tavern, Filadélfia

FILADÉLFIA: Zahav $$
Médio-oriental
237 St James Pl, 19106
Tel *(215) 625-8800*
Esse restaurante eclético em Society Hill oferece refeições refinadas em uma atmosfera informal. A culinária tradicional de Israel é preparada com técnicas modernas. Peça homus e pão laffa de entrada e depois escolha algo do cardápio elaborado.

GETTYSBURG: Dobbin House Tavern/Alexander Dobbin Dining Room $$
Americana
89 Steinwehr Ave, 17325
Tel *(717) 334-2100*
Em um edifício datado de 1776, esse restaurante intimista oferece opções criativas em um cenário histórico com as lareiras originais. Há pratos coloniais como pato assado e lombo de porco com framboesa. É melhor fazer reserva com bastante antecedência.

HERSHEY: Hershey Pantry $
Americana
801 E Chocolate Ave, 17033
Tel *(717) 533-7505* **Fecha** *dom*
Moradores locais e turistas consideram o café da manhã da Hershey Pantry o melhor da região. Itens caseiros de forno, rabanada e porções substanciosas agradam todos os paladares. O menu de almoço e jantar tem frutos do mar, massa, saladas, sanduíches, filés e sobremesas caseiras.

LANCASTER: Silver Spring Family Restaurant $
Americana
3653 Marietta Ave, 17601
Tel *(717) 285-5974*
Esse restaurante em estilo familiar informal serve café da manhã, almoço e jantar. O extenso menu sugere saladas, hambúrgueres, bolo de carne e massa com almôndegas. O serviço cordial ajuda a manter a clientela fiel.

LANCASTER: The Greenfield Restaurant $$
Americana
595 Greenfield Rd, 17601
Tel *(717) 393-0668*
Em uma casa de fazenda restaurada, o Greenfield tem menu clássico com costeletas de carneiro, filé-mignon e bolinho de caranguejo. Tome um drinque na adega ou no lounge. Jazz ao vivo.

PITTSBURGH: Primanti Brothers $
Sanduíche
46 18th St, 15222
Tel *(412) 263-2142*
Esse lugar aberto 24 horas tem várias filiais e clientela fiel. Os sanduíches, enormes, saciam a fome, sobretudo o recheado com queijo, bife e tomate, acompanhado de salada de repolho cru e batatas fritas. Serviço cordial e atmosfera festiva.

Mais informações sobre restaurantes *nas pp. 28-9*

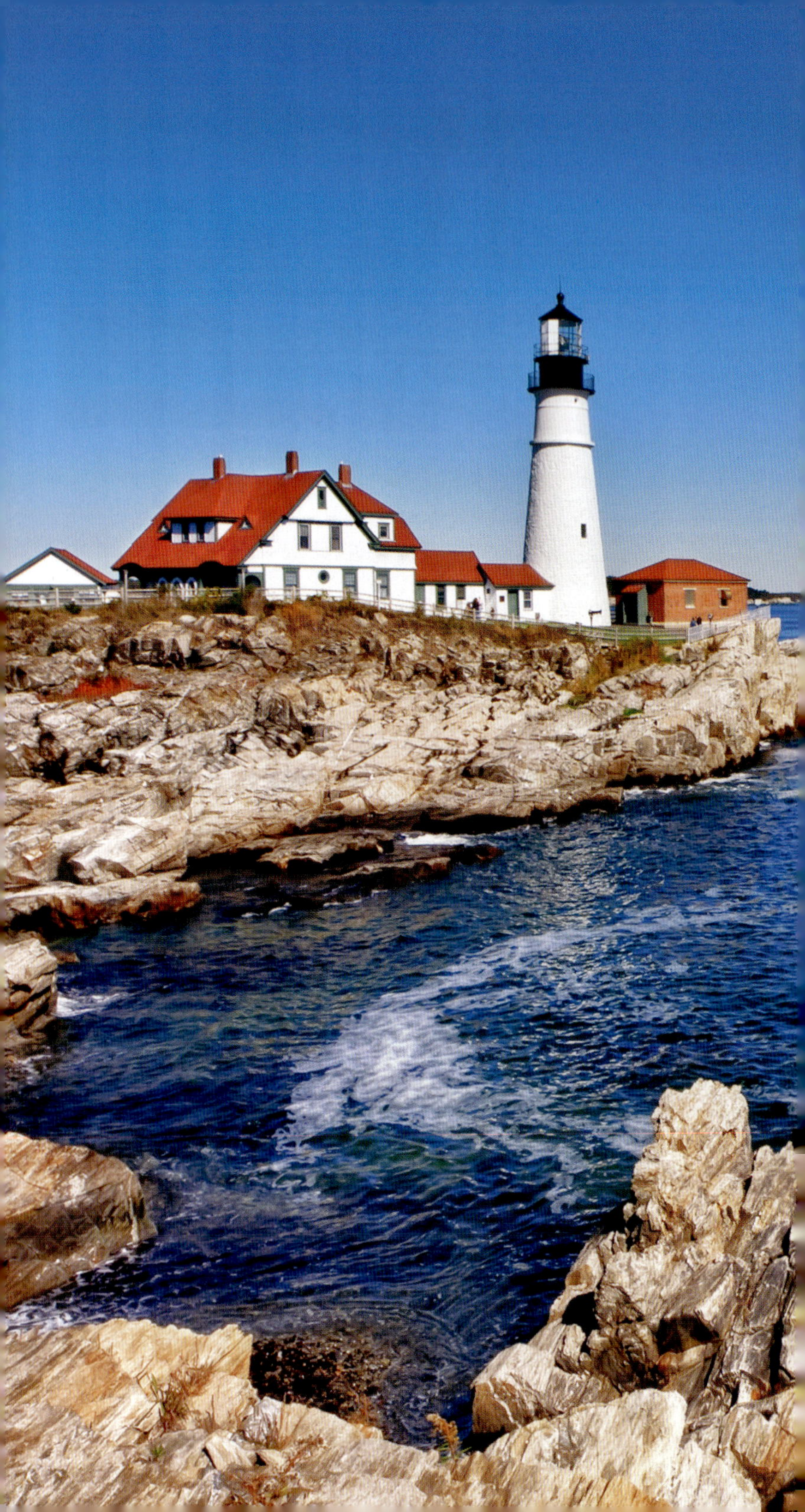

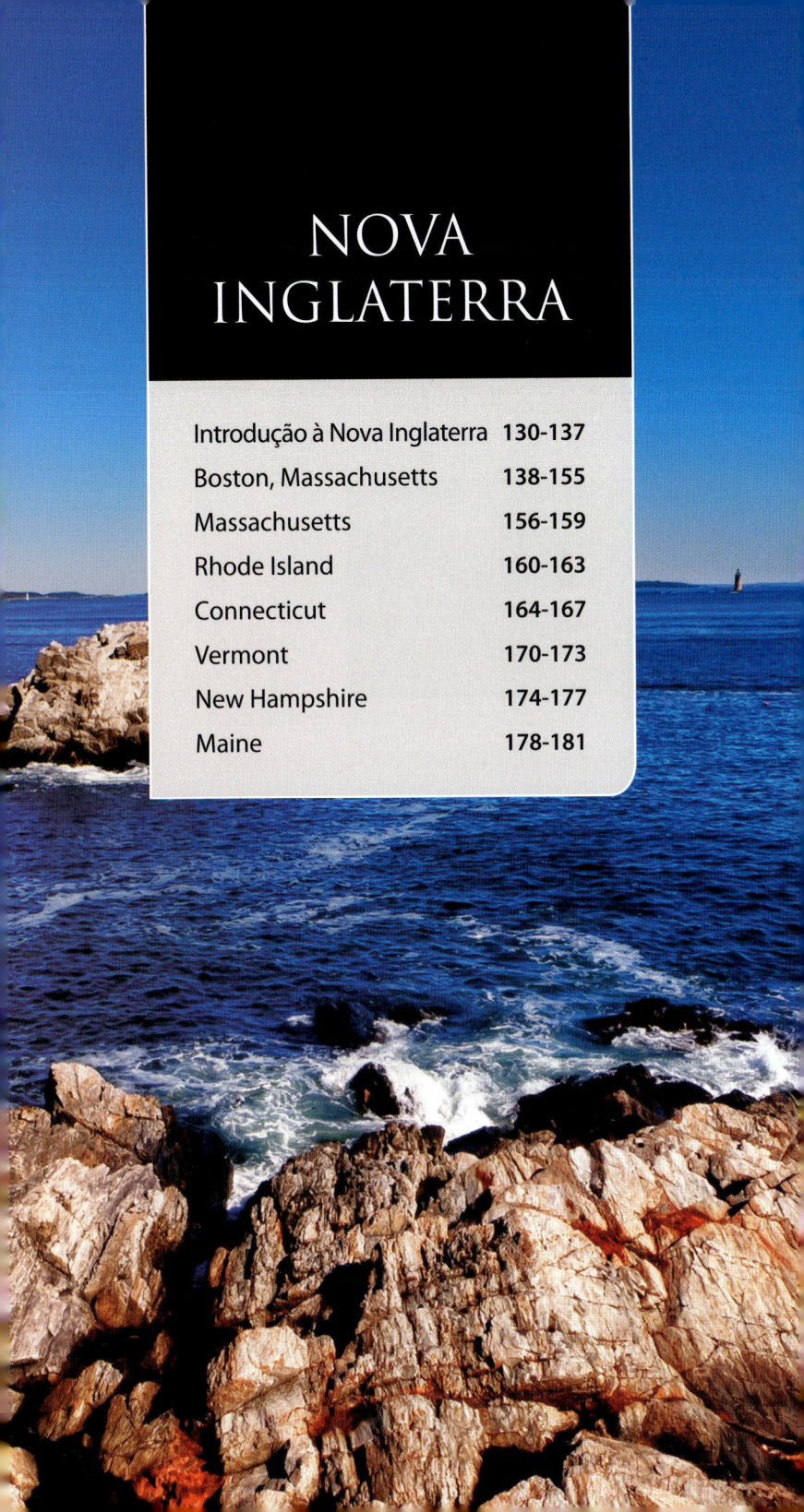

NOVA INGLATERRA

Introdução à Nova Inglaterra	130-137
Boston, Massachusetts	138-155
Massachusetts	156-159
Rhode Island	160-163
Connecticut	164-167
Vermont	170-173
New Hampshire	174-177
Maine	178-181

Nova Inglaterra em Destaque

Concentrados no extremo nordeste dos Estados Unidos, os seis estados da Nova Inglaterra têm história e cultura ricas, além de grande beleza natural. Muitos dos primeiros assentamentos do país foram instalados na região, assim como os primeiros centros de educação superior. Por isso, ela possui muitas edificações históricas, museus magníficos e universidades consagradas. Na topografia da Nova Inglaterra há terras cultivadas, bosques densos, lagos imaculados e uma linha costeira irregular, que se mostra rochosa e recortada em certos trechos e serena e arenosa em outros. Também abriga os picos escarpados dos Montes Apalaches, White e Green.

Em **Vermont** a natureza não foi destruída. O melhor momento para visitá-lo é no outono, quando o estado da Green Mountain muda seu manto verdejante para uma rica variação de amarelo, laranja e vermelho.

Canterbury Shaker Village *(p. 176)*, situada em New Hampshire, foi fundada em 1792. Esse é um dos muitos vilarejos históricos e pitorescos espalhados pelos campos cultivados do estado.

Connecticut resume o essencial da Nova Inglaterra. Igrejas com campanários, em meio à vegetação de vilas imaculadas, são exemplos típicos de sua paisagem serena.

Block Island *(p. 163)*, em Rhode Island, é um dos muitos refúgios tranquilos ao longo do litoral primitivo desse estado minúsculo. Great Salt Pond tem três marinas e um local excelente para pescar e andar de caiaque.

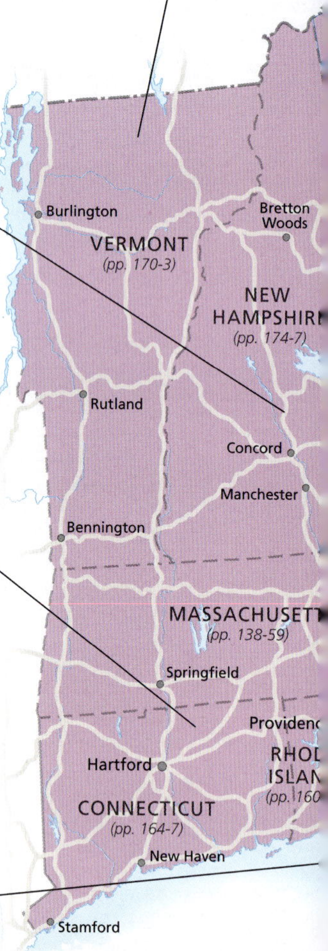

◄ Portland Head Lighthouse em Cape Elizabeth, Fort Williams Park, Maine

INTRODUÇÃO À NOVA INGLATERRA | 131

Localize-se

O **Maine** possui mais de 6.000km de estuários, baías e portos. Espalhados pela costa existem diversos faróis que há séculos orientam os marinheiros.

Boston *(pp. 138-55)*, a maior e mais vibrante cidade da Nova Inglaterra, é a capital de Massachusetts. Ali, edificações históricas e reluzentes prédios modernos são encontrados lado a lado.

Cape Cod *(pp. 158-9)*, em Massachusetts, é mais conhecido pelas largas praias de areia, excursões para observar baleias e fantásticas vilas coloniais.

Veja hotéis e restaurantes dessa região nas pp. 184-9

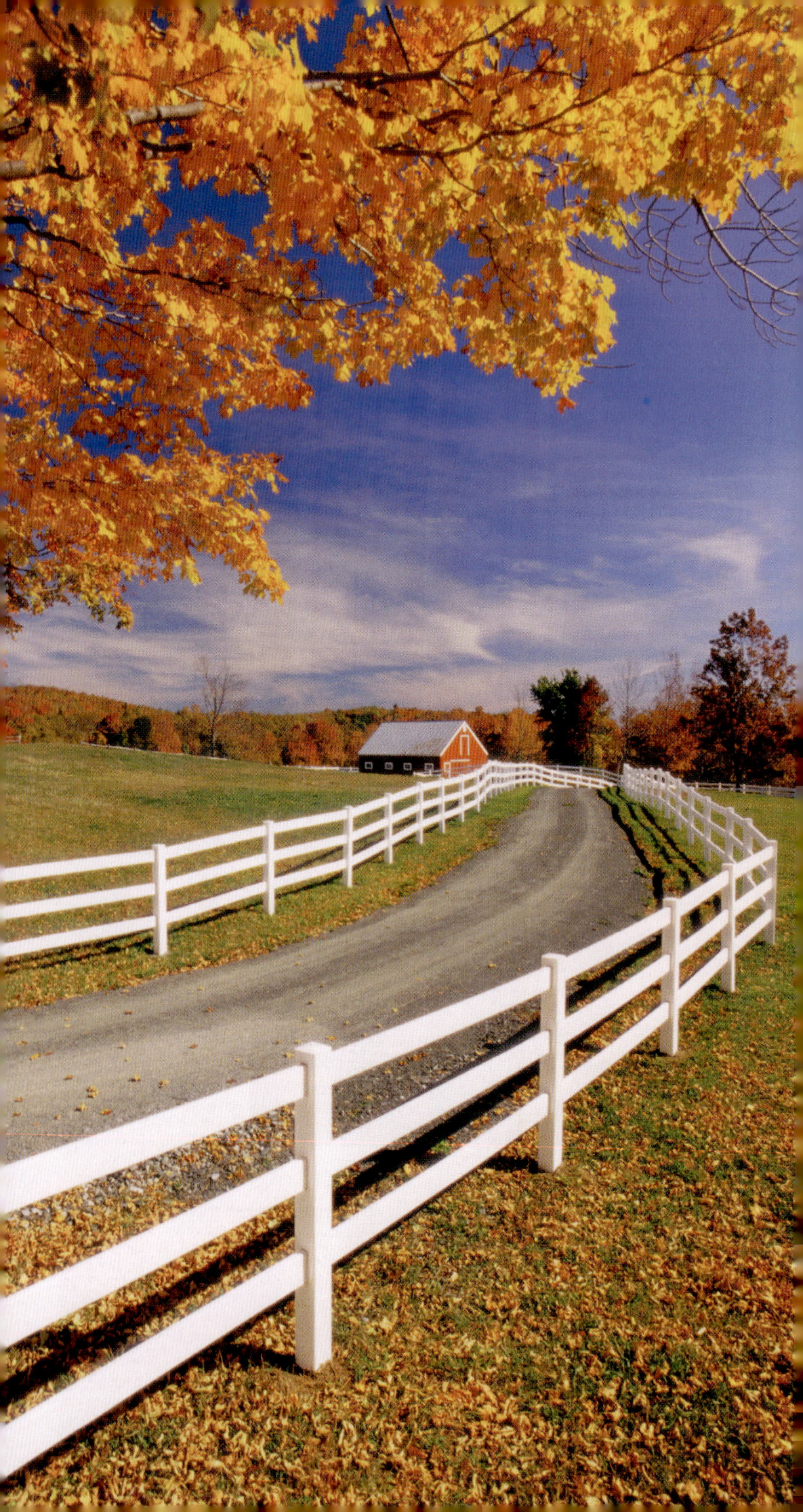

NOVA INGLATERRA

Para muitas pessoas, Nova Inglaterra significa igrejinhas com campanários, litoral escarpado, vilarejos históricos e eternas paisagens com tranquilos campos cultivados e estradinhas, com a sofisticada cidade de Boston como centro cultural e comercial. Muitos também a veem como o berço dos Estados Unidos, pois a história do início da Nova Inglaterra é a própria história americana.

Essa região foi delineada pela geografia e pelo clima. Os primeiros exploradores mapearam a costa, e logo as comunidades se espalharam pelo litoral, onde pessoas e mercadorias da Europa podiam aportar com mais facilidade no Novo Mundo. No início, o comércio dependia do mar para quase tudo, desde a navegação e a caça às baleias até a pesca e a construção de navios.

O tempo ruim e imprevisível, o solo pobre, o terreno acidentado e as densas florestas influíram na formação do caráter do povo. Para sobreviver ali era preciso ter obstinação, engenhosidade e espírito de independência – traços que se incorporaram à psique da Nova Inglaterra. O lema "Viver livre ou morrer", nas placas dos carros de New Hampshire, é um lembrete de que esse mesmo espírito continua vivo. De fato, a Nova Inglaterra de hoje é tanto um estado de espírito quanto um espaço físico. Além disso, a região também abriga a opulência de Newport, em Rhode Island, as lindas comunidades dos subúrbios de Connecticut e a assumida sofisticação de Boston.

A História

Os acontecimentos históricos da Nova Inglaterra são mais ricos do que os de qualquer outra área dos EUA, pois foi na região que se desenvolveu boa parte dos episódios que formaram o país. Em 1614, o explorador inglês John Smith navegou pela costa de Massachusetts e a denominou Nova Inglaterra, declarando que esse era o melhor lugar para estabelecer uma nova colônia. Em 26 de dezembro de 1620, um grupo de 102 puritanos, que deixaram a Inglaterra para escapar das perseguições religiosas, aportou em Plymouth Rock, após uma cansativa viagem de 66 dias no *Mayflower,* e fundou um dos primeiros assentamentos ingleses na América. Logo também surgi-

Stonington, cidadezinha panorâmica em Deer Isle, na Penobscot Bay, no Maine

◀ Fazenda coberta pela folhagem de outono na pitoresca Woodstock, Vermont

ram grandes núcleos em Boston, Rhode Island, Connecticut, New Hampshire e Maine.

À medida que os colonos se tornavam mais prósperos e autossuficientes, crescia sua indignação em relação ao controle e aos impostos britânicos. A gota d'água ocorreu com a "Boston Tea Party", em 1773, quando três navios britânicos chegaram ao porto de Boston carregados de chá. Cerca de 60 líderes locais, disfarçardos de índios, subiram a bordo e lançaram ao mar 342 caixotes de chá, no valor atual de US$1,7 milhão, como desafio contra o regime opressor.

Foi a partir de então que os moradores começaram a estocar armas. Em 1775, quando soldados britânicos foram enviados a Concord para destruir essas armas, os patriotas americanos (conhecidos como *Minutemen* pela capacidade de se aprontarem para lutar a qualquer momento) os expulsaram de Concord e da vizinha Lexington. Eles foram avisados por Paul Revere, que saiu de Boston e fez a dramática "cavalgada da meia-noite". A Revolução Americana começara, com a primeira grande batalha em Bunker Hill, em Boston, em 17 de junho de 1775. A Declaração de Independência, assinada pelos líderes da colônia, em Filadélfia, em 4 de julho de 1776, anunciava o nascimento do país.

Estátua de *Minute Man*, em Concord

No século XIX, o comércio marítimo da Nova Inglaterra ficou mais lucrativo, já que os navios navegavam entre os portos da região e as Índias Ocidentais, a Europa e o Oriente. A indústria baleeira chegou ao auge, e a manufatura de algodão e lã também floresceu.

O papel da Nova Inglaterra nos EUA do século XIX não foi apenas o de fomentar a economia – era também o coração cultural da nação. Boston se tornou o centro dos protestos contra a escravidão. Instigado pelo jornal *The Liberator*, o movimento abolicionista criou o que seria conhecido como Ferrovia Subterrânea, que fornecia rotas de escape para escravos em fuga.

Povos e Culturas

A Nova Inglaterra sempre desempenhou papel importante na vida da nação. Foi essa região que produziu o primeiro florescimento da cultura americana, com gigantes da literatura no século XIX, como Henry David Thoreau, Herman Melville, Nathaniel Haw-

PRINCIPAIS DATAS HISTÓRICAS

1614 John Smith explora a costa do Nordeste
1620 Os peregrinos desembarcam em Plymouth
1630 Grupo de puritanos se fixa em Boston
1636 Fundação da primeira universidade, Harvard
1692 Início do julgamento das feiticeiras de Salem
1770 Britânicos matam 5 no Massacre de Boston
1773 Novos impostos provocam a Tea Party
1775 Batalhas em Concord e Lexington marcam início da Revolução Americana
1776 Congresso Continental ratifica a Declaração de Independência
1783 Tratado de Paris termina Revolução Americana
1820 Maine se separa de Massachusetts e se torna o 20º estado
1831 O abolicionista William Lloyd Garrison publica o primeiro jornal antiescravista
1851 Herman Melville publica *Moby Dick*
1884 Mark Twain publica *As Aventuras de Huckleberry Finn*
1897 Primeiro metrô do país inaugurado em Boston
1961 John F. Kennedy é eleito presidente
2004 Massachusetts torna-se o primeiro estado a legalizar o casamento gay
2012 Centenário do mais antigo campo da Major League Baseball, o Fenway Park
2013 Ataque terrorista durante a Maratona de Boston

Biblioteca Widener da Harvard University, a terceira maior dos Estados Unidos

A costa da Nova Inglaterra é ótima para prática de vela

thorne e Mark Twain. E esses escritores ganharam reconhecimento e aplauso internacionais. A tradição literária ainda vive na Nova Inglaterra, comandada por notáveis talentos contemporâneos, como Anita Shreve, John Irving e Stephen King, todos moradores da região. A beleza e a grandiosidade da paisagem, que inspiraram alguns dos mais conhecidos espíritos criativos dos EUA, a exemplo do poeta Robert Frost e dos pintores Winslow Homer e Grandma Moses, continuam a exercer seu encanto nos artistas atuais, como Sabra Field e Abelardo Morell.

Em 1636, o Harvard College foi fundado em Boston, que se tornou o berço da educação universitária nos EUA. Hoje a concentração de instituições de ensino na região, entre as quais as famosas universidades da "Ivy League", como Yale e a Brown, atrai algumas das melhores e mais brilhantes cabeças do país.

Em meados do século XIX, a população da Nova Inglaterra, que até então fora bem homogênea, mudou drasticamente com a vinda de levas de imigrantes irlandeses, que fugiam da terra natal por causa da fome provocada pela escassez de batatas, na década de 1840. Também chegaram imigrantes da Itália, de Portugal e do Leste Europeu, sendo arrebanhados pela indústria têxtil, que crescera muito na Nova Inglaterra logo depois da Revolução Industrial. Eles provocaram um impacto duradouro na vida social e na política da região, e muitos deles chegaram ao topo da hierarquia social da Nova Inglaterra – um fato que ficou evidente com a eleição, em 1960, do democrata John F. Kennedy, nascido em Boston, o primeiro presidente católico dos EUA. Ainda hoje existe uma espécie de "distintivo" especial na sociedade da Nova Inglaterra para as pessoas chamadas de "brâmanes de Boston", popularmente conhecidas como WASPs (White Anglo-Saxon Protestants) – descendentes dos primeiros colonizadores britânicos.

Embora a industrialização e a urbanização tenham desfigurado parte da região, suas belezas físicas ainda sobrevivem. O escarpado litoral do Maine, as lindas praias de Cape Cod, os vilarejos pitorescos de Vermont, as montanhas e florestas magníficas de New Hampshire e os pontos de interesse histórico espalhados pela região atraem milhares de visitantes. Em anos recentes, o aumento de indústrias de alta tecnologia na área trouxe novo dinamismo e prosperidade à Nova Inglaterra. E isso faz sentido, pois foi sua beleza natural que convenceu os primeiros colonizadores quanto ao futuro viável da Nova Inglaterra.

National Monument of Forefathers, em Plymouth

Como Explorar a Nova Inglaterra

Os seis estados da Nova Inglaterra oferecem atrações variadas. Vermont é famoso por suas estações de esqui e pelos campos cultivados. New Hampshire tem densas florestas e desfiladeiros espetaculares nas White Mountains. Maine exibe litoral escarpado e grandes áreas despovoadas. Mais ao sul, Massachusetts é rico em história e cultura e em praias panorâmicas; Connecticut, em vilarejos de cartão-postal; e Rhode Island, em mansões suntuosas. Toda a região se orgulha do espetáculo deslumbrante da folhagem do outono.

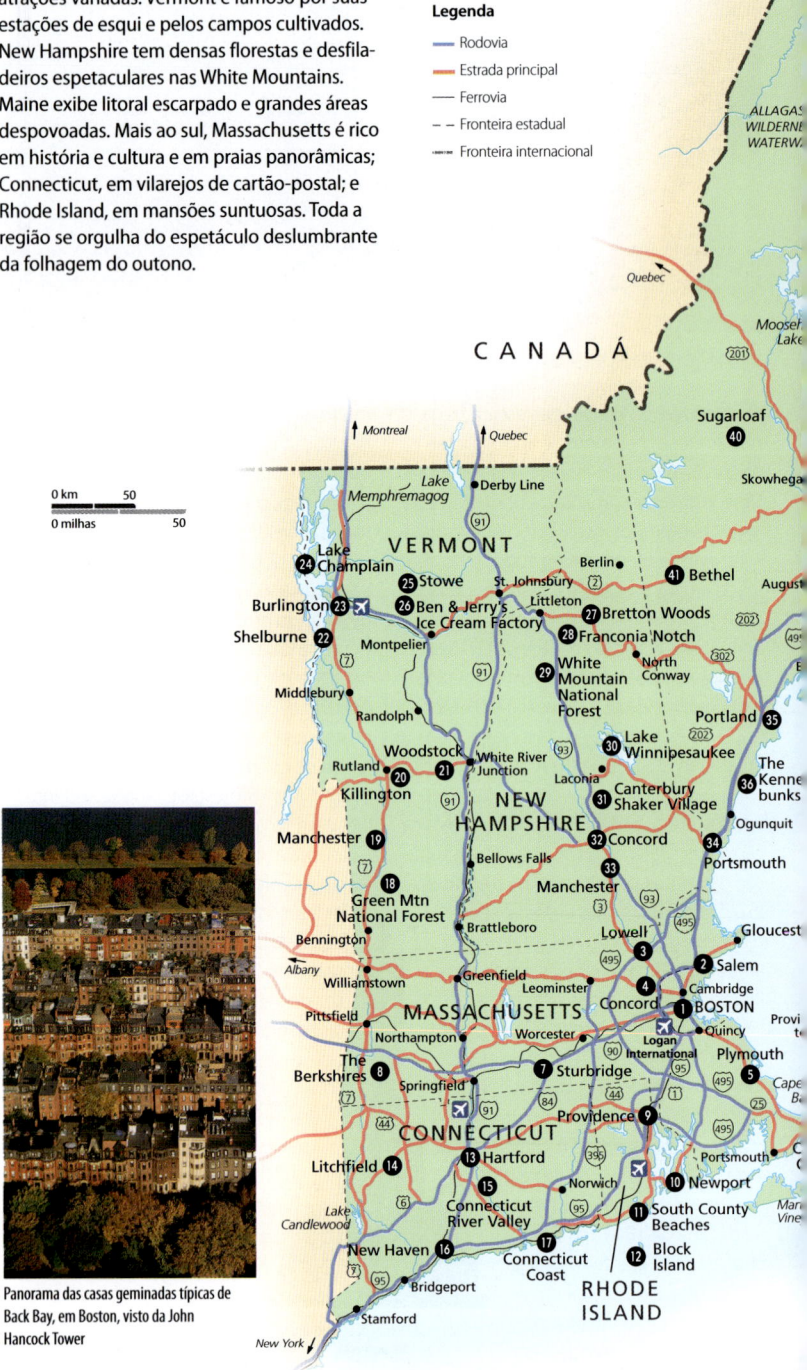

Legenda
- Rodovia
- Estrada principal
- Ferrovia
- Fronteira estadual
- Fronteira internacional

Panorama das casas geminadas típicas de Back Bay, em Boston, visto da John Hancock Tower

Legenda dos símbolos *na orelha da contracapa*

INTRODUÇÃO À NOVA INGLATERRA | 137

Tabela de Distâncias

Boston, MA

40								
64	Plymouth, MA			**10 = Distância em milhas**				
51	54			10 = Distância em quilômetros				
82	87	Providence, RI						
101	134	86						
163	216	138	Hartford, CT					
137	162	103	39					
220	261	166	63	New Haven, CT				
216	255	276	235	273				
348	410	444	378	439	Burlington, VT			
68	106	127	157	193	151			
109	171	204	253	311	243	Concord, NH		
107	147	156	203	239	208	96		
172	237	251	327	384	335	154	Portland, ME	
171	211	237	264	302	151	158	73	
275	340	381	425	486	243	254	117	Bethel, ME

No verão, rua movimentada de Provincetown, em Cape Cod

Principais Atrações

❶ *Boston, Massachusetts pp. 138-55*

Massachusetts

❷ Salem
❸ Lowell
❹ Concord
❺ *Plymouth p. 157*
❻ Cape Cod
❼ Sturbridge
❽ The Berkshires

Rhode Island

❾ *Providence pp. 160-1*
❿ *Newport pp. 162-3*
⓫ South County Beaches
⓬ Block Island

Connecticut

⓭ *Hartford pp. 164-5*
⓮ Litchfield
⓯ Connecticut River Valley
⓰ New Haven
⓱ Connecticut Coast

Vermont

⓲ Green Mountain National Forest
⓳ Manchester
⓴ Killington
㉑ Woodstock
㉒ Shelburne Museum & Farms
㉓ Burlington
㉔ Lake Champlain
㉕ Stowe
㉖ Ben & Jerry's Ice Cream Factory

New Hampshire

㉗ Bretton Woods
㉘ Franconia Notch
㉙ White Mountain National Forest
㉚ Lake Winnipesaukee
㉛ *Canterbury Shaker Village p. 176*
㉜ Concord
㉝ Manchester
㉞ Portsmouth

Maine

㉟ *Portland p. 178*
㊱ The Kennebunks
㊲ Penobscot Bay
㊳ Acadia National Park
㊴ Campobello Island
㊵ Sugarloaf
㊶ Bethel

Boston, Massachusetts

Boston se localiza a nordeste, no litoral da baía de Massachusetts. Fundada no início do século XVII, ao redor de um amplo porto natural na foz do rio Charles, hoje a capital de Massachusetts ocupa uma área de 127km² e tem uma população de 630 mil habitantes. É um centro importante da história, da cultura e do saber americanos. O centro da cidade se concentra em volta do porto, na península Shawmut, ao passo que a Grande Boston abrange a área circundante.

A Massachusetts State House, com cúpula dourada, projetada por Charles Bulfinch

Principais Atrações

① *Beacon Hill pp. 140-1*
② Black Heritage Trail
③ Boston Common & Public Garden
④ Boston Athenaeum
⑤ *The Freedom Trail pp. 142-3*
⑥ *Massachusetts State House pp. 144-5*
⑦ Park Street Church
⑧ Downtown Crossing
⑨ Theater District
⑩ Chinatown
⑪ Post Office Square
⑫ Old South Meeting House
⑬ King's Chapel & Burying Ground
⑭ *Old State House p. 147*
⑮ Quincy Market
⑯ Copp's Hill Burying Ground
⑰ Old North Church
⑱ Paul Revere Mall
⑲ Paul Revere House
⑳ Waterfront
㉑ *Trinity Church p. 150*
㉒ Copley Square
㉓ Newbury Street
㉔ Commonwealth Avenue

Grande Boston
(veja detalhe)
㉕ John F. Kennedy Library & Museum
㉖ Isabella Stewart Gardner Museum
㉗ Museum of Fine Arts
㉘ Cambridge
㉙ Charlestown

Legenda dos símbolos *na orelha da contracapa*

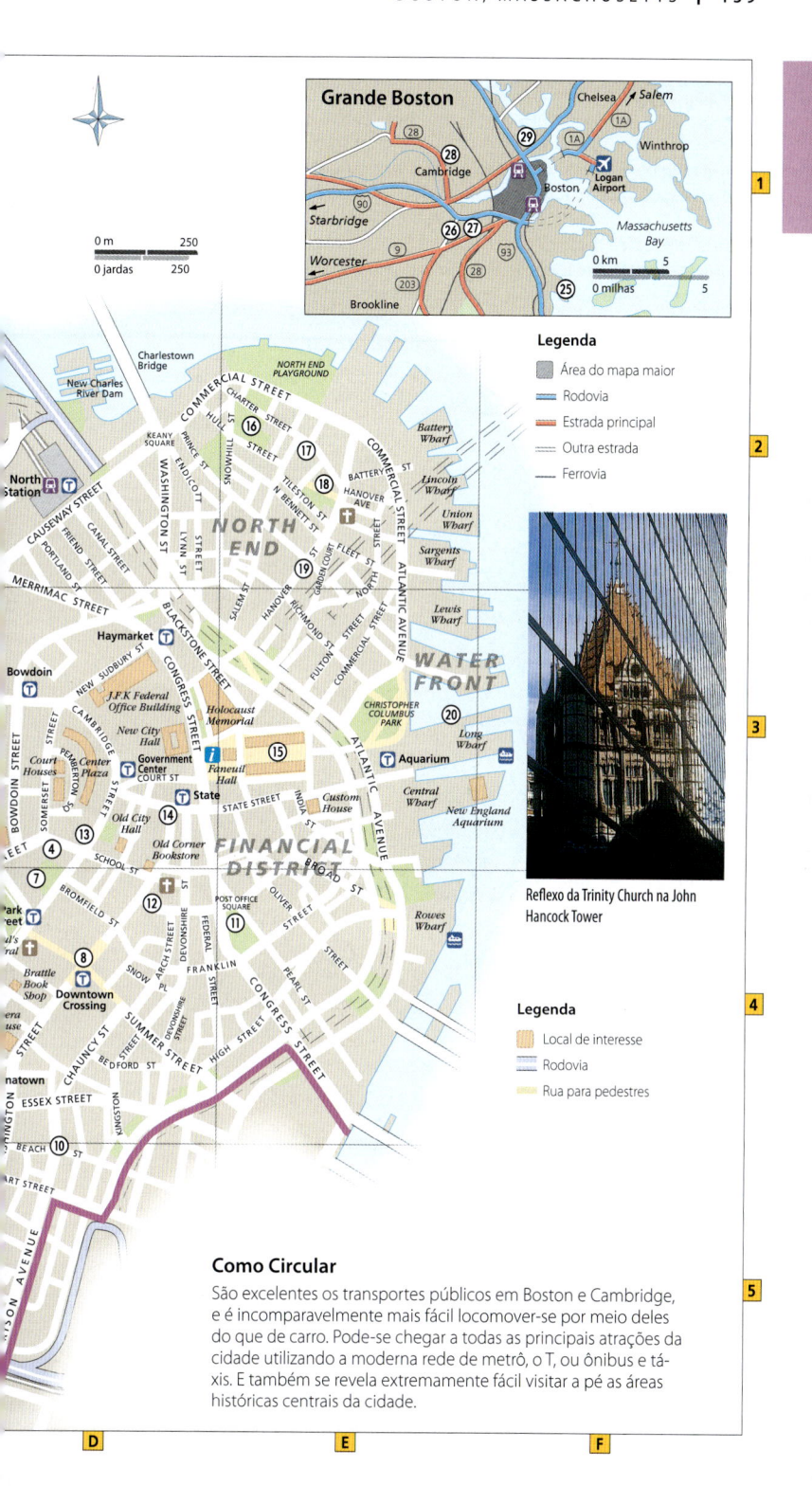

BOSTON, MASSACHUSETTS | 139

Grande Boston

Legenda

- Área do mapa maior
- Rodovia
- Estrada principal
- Outra estrada
- Ferrovia

Reflexo da Trinity Church na John Hancock Tower

Legenda

- Local de interesse
- Rodovia
- Rua para pedestres

Como Circular

São excelentes os transportes públicos em Boston e Cambridge, e é incomparavelmente mais fácil locomover-se por meio deles do que de carro. Pode-se chegar a todas as principais atrações da cidade utilizando a moderna rede de metrô, o T, ou ônibus e táxis. E também se revela extremamente fácil visitar a pé as áreas históricas centrais da cidade.

① Beacon Hill

As encostas no lado sul de Beacon Hill constituíam, entre as décadas de 1790 e 1870, a área mais procurada de Boston, até a elite abastada se transferir para Back Bay, mais exclusiva. Diversas casas do bairro foram projetadas pelo consagrado arquiteto Charles Bulfinch (1763-1844) e seus discípulos, e a encosta sul cresceu como modelo da arquitetura de estilo federal (neoclássica). As casas mais bonitas ficam em Boston Common ou no alto da colina, de onde se têm lindas vistas. Embora as primeiras casas fossem construídas bem afastadas da rua, a crise econômica de 1807-12 produziu uma série de casas geminadas à beira da calçada.

Beacon Street
As belas mansões em estilo neoclássico dessa rua, algumas com altos-relevos, estão voltadas para o verde de Boston Common.

Louisburg Square
Destaque do bairro de Beacon Hill, essa praça cresceu na década de 1830. Hoje ainda é o endereço mais cobiçado de Boston.

A **Charles Street Meeting House** foi construída no início do século XIX para acolher uma paróquia de batistas.

Mount Vernon Street, com suas mansões elegantes, foi descrita pelo romancista Henry James, na década de 1890, como "a rua mais civilizada dos EUA".

Back Bay e South End

Legenda
— Percurso sugerido

0 m — 50
0 jardas — 50

★ **Charles Street**
Essa rua refinada tem antiquários, ótimos restaurantes e mercearias finas. Na extremidade mais alta ficam dois grupos de casas geminadas, no estilo neoclássico.

Veja hotéis e restaurantes dessa região nas pp. 184-9

BOSTON, MASSACHUSETTS | 141

★ Nichols House Museum
Esse pequeno museu dá uma ideia da vida e da época de Rose Nichols, que morou em Beacon Hill de 1885 a 1960.

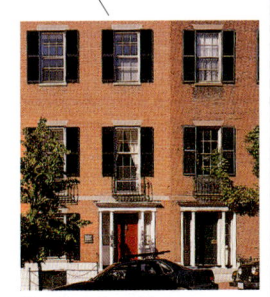

→ Massachusetts State House

Hepzibah Swan Houses
Charles Bulfinch projetou essas três casas para as filhas de uma rica proprietária de Beacon Hill.

② Black Heritage Trail

Mapa C3. passeios com os National Park Service Rangers, (617) 742-5415. nps.gov/boaf

No primeiro censo dos EUA, em 1790, Massachusetts era o único estado que não tinha escravos. Na década de 1800, a grande comunidade de afro-americanos livres vivia principalmente na encosta norte de Beacon Hill e no West End, ao lado. Passeios a pé gratuitos ligados pela Black Heritage Trail são realizados entre a primavera e o inverno pelos National Park Service Rangers, partindo do Robert Gould Shaw Memorial, em Boston Common. Entre as atrações estão esconderijos de escravos fugitivos e o **Museum of African American History**, que conta a história dos negros em Boston e é sede da African Meeting House, a igreja negra mais antiga do país. Consagrada em 1806, com interior restaurado, recebeu oradores abolicionistas inflamados. No local também funciona a Abiel Smith School, a primeira escola exclusiva para crianças afro-americanas.

Museum of African American History
46 Joy St. **Tel** (617) 720-2991.
10h-16h seg-sáb. feriados.
afroammuseum.org

③ Boston Common & Public Garden

Mapa C4. Park St, Boylston St, Arlington. 24h. Visitor Center: 139 Tremont St, (617) 426-3115. 8h30-17h seg-sex, 9h-17h sáb-dom (horários variam no inverno).
bostonusa.com

A área verde mais bonita da cidade é o Boston Common, inaugurado em 1634. Durante dois séculos, serviu de pasto, local para enforcamento e campo militar para treinamento. No século XIX já se tornara um centro para atividades cívicas ao ar livre, e assim permanece até hoje.
No lado nordeste do Boston Common fica o **Robert Shaw Memorial**, com um belíssimo alto-relevo que retrata o primeiro regimento de negros livres do Exército da União, durante a Guerra Civil, e seu coronel branco, Robert Shaw.
No canto sudeste está o Central Burying Ground, que data de 1756, cemitério onde estão os túmulos dos mortos britânicos e americanos da histórica batalha de Bunker Hill, em 1775 (p. 155).
A sudoeste do Common fica o Public Garden de 10ha, mais formal, criado no estilo inglês, em 1869. Em meio aos lindos gramados e aos canteiros de flores está a estátua equestre de George Washington. Uma calçada vai da estátua até uma lagoa serena, que se estende pela Lagoon Bridge, ornamental, em miniatura. Pode-se passear pela lagoa em pedalinhos: os Swan Boats.

Estátua de bronze de George Washington no Public Garden

④ Boston Athenaeum

Mapa D3. 10½ Beacon St.
Tel (617) 227-0270. Park St.
9h-20h seg-qua, 9h-17h30 qui-sex, 9h-16h sáb.
bostonathenaeum.org

Instalada em elegante prédio no estilo paladiano, essa biblioteca contém tesouros como os livros pessoais de George Washington e os livros teológicos doados pelo rei Guilherme III da Inglaterra para a King's Chapel (p. 146). O acervo do Athenaeum, organizado em 1807, incluía muitos quadros maravilhosos, que mais tarde foram cedidos ao Museum of Fine Arts (pp. 152-3), ao ser inaugurado.

⑤ The Freedom Trail

Boston possui mais locais relacionados à Revolução Americana do que qualquer outra cidade. Os mais importantes, assim como alguns ligados à história da cidade, foram reunidos em "The Freedom Trail" (Trilha da Liberdade). Esse percurso a pé, de 4km, com faixas vermelhas nas calçadas, começa no Boston Common, serpenteia pelo centro da cidade e pela Old Boston, e termina em Bunker Hill, em Charlestown.

O Centro da Cidade

A Freedom Trail tem início no Visitor Information Center, em Boston Common ① (p. 141). Era nesse local que os colonizadores indignados faziam comícios contra os senhores britânicos e que as forças britânicas acamparam durante a ocupação militar de 1775-76. Ali, os oradores políticos ainda discursam em cima de caixotes. A caminhada do pela Tremont Street, chega-se à King's Chapel e ao Burying Ground ⑤ (p. 146). O minúsculo cemitério é o mais antigo de Boston, e a King's Chapel foi a principal igreja anglicana da Boston puritana. O banco da direita, ao lado da entrada da frente, era reservado para prisioneiros condenados que ali ouviam o último sermão antes de irem para o patíbulo no Boston Common.

O Coração da Velha Boston

Volte pela Tremont Street, vire e desça pela School Street, onde um mosaico, que parece

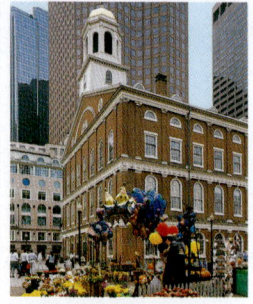

Faneuil Hall, conhecido popularmente como "Cradle of Liberty"

Agulha da Park Street Church

rumo ao canto noroeste do Common oferece uma bela vista da Massachusetts State House ② (pp. 144-5), localizada na Beacon Street. Foi construída como novo centro do governo do estado, após a Revolução. Ao longo da Park Street, no final do Common, fica a Park Street Church ③ (p. 145), erguida em 1810 e um baluarte do movimento abolicionista. Ao lado, o Granary Burying Ground ④ é o repouso eterno dos patriotas John Hancock e Paul Revere. Continuan-

um jogo de amarelinha incrustado na calçada, marca o local da primeira escola pública ⑥, fundada em 1635. No fim da rua fica a Old Corner Bookstore ⑦, um marco mais associado ao florescimento literário de Boston do que à Revolução. Ao sul, na Washington Street, está a Old South Meeting House ⑧ (p. 146), uma igreja branca, singela, inspirada nas igrejas campestres inglesas de Sir Christopher Wren. Alguns quarteirões adiante, a Old State House ⑨ (p. 147) se destaca na State Street. O prédio do governo colonial também serviu à primeira legislatura do estado e à bolsa de mercadorias, no subsolo, onde surgiram as fortunas ligadas à navegação colonial de Boston. A praça em frente é o Boston Massacre Site ⑩, onde soldados britânicos abriram fogo contra a multidão, em 1770, matando cinco pessoas. Desça a State Street até a Congress Street e vire à esquerda para chegar ao Faneuil Hall ⑪, com seu inconfundível cata-vento de cigarra. Construído para ser o mercado central de Boston, ficou conhecido como "Cradle of Liberty". A faixa vermelha da Freedom Trail aponta para o North End e para a Paul Revere House ⑫. Trata-se da casa mais antiga de Boston, lar do homem conhecido por ter feito a "cavalgada da meia-noite" (p. 148).

O North End

Ao percorrer a Freedom Trail até o North End, gaste algum tempo e pare em um dos cafés e padarias italianos da Hanover Street. Atravesse o Paul Revere Mall para chegar à Old North Church ⑬ (p. 148), cuja agulha logo se vê sobre o ombro da estátua equestre de Paul Revere. Em 1775, duas

Legendas dos símbolos *na orelha da contracapa*

BOSTON, MASSACHUSETTS | 143

lanternas penduradas no campanário assinalavam o avanço das tropas britânicas sobre Lexington e Concord. O cume de Copp's Hill fica perto de Hull Street. Alguns dos primeiros patíbulos de Boston ocupavam o local. As pessoas se reuniam embaixo para assistir aos enforcamentos de hereges e piratas. O alto da colina é ocupado pelo Copp's Hill Burying Ground ⑭ aberto em 1660 *(p. 148)*.

Charlestown

Atravesse a ponte de ferro sobre o rio Charles, que liga o North End, em Boston, à City Square, em Charlestown. Vire à direita e siga a Freedom Trail ao longo da Water Street até Charlestown Navy Yard ⑮. Ancorado no Pier 1 está o navio USS *Constitution (p. 155)*. Na guerra de 1812, ele ganhou o apelido de "Old Ironsides" em razão da resistência do casco de carvalho contra os tiros de canhão. O obelisco de granito que se eleva acima da orla de Charlestown é o Bunker Hill Monument ⑯ *(p. 155)*. Esse marco celebra a batalha de 17 de junho de 1775, que terminou com uma vitória dolorosa para as forças britânicas. Suas perdas foram pesadas e essa batalha foi o presságio do futuro sucesso das forças coloniais. Como monumento à primeira grande batalha da Revolução, o obelisco, inspirado nos do Egito antigo, tornou-se modelo para outros nos EUA.

Legenda

···· Percurso sugerido

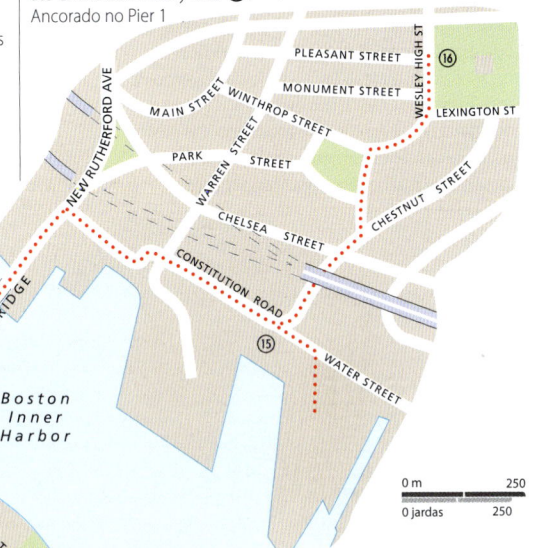

Passeio a Pé

① Boston Common
② Massachusetts State House
③ Park Street Church
④ Old Granary Burying Ground
⑤ King's Chapel & Burying Ground
⑥ Primeira escola pública
⑦ Old Corner Bookstore
⑧ Old South Meeting House
⑨ Old State House
⑩ Boston Massacre Site
⑪ Faneuil Hall
⑫ Paul Revere House
⑬ Old North Church
⑭ Copp's Hill Burying Ground
⑮ Charlestown Navy Yard e USS *Constitution*
⑯ Bunker Hill Monument

Dicas para o Passeio

Mapa C4. **Saída:** Boston Common Visitor Center. Passeios guiados gratuitos partem de Faneuil Hall. **Extensão:** 4km. **Como chegar:** Park Street Station (Ⓣ linhas Green e Red) para começar. State (linhas Orange e Blue) e Haymarket (linhas Orange e Green). Ⓣ há estações na rota. O visitante deve seguir a faixa vermelha na calçada para a rota completa.

Vista do Bunker Hill Monument a partir do porto de Charlestown

Massachusetts State House

A pedra fundamental da Massachusetts State House foi lançada em 1795 por Paul Revere e Samuel Adams. Terminada em 1798, a sede do governo do estado, com projeto de Charles Bulfinch, serviu de modelo para o edifício do Capitólio em Washington, DC, e de inspiração para a sede do governo de outros estados. Foram feitos acréscimos, mas o prédio original continua sendo o arquétipo das edificações governamentais americanas. Sua cúpula dourada serve de marco zero para Massachusetts.

★ Nurses Hall
Essa estátua de uma enfermeira do exército homenageia todas as enfermeiras que participaram da Guerra Civil. O salão de mármore tem murais que retratam eventos importantes para a Revolução Americana.

Escadaria
Belo vitral, com o primeiro brasão estadual de Massachusetts, decora a escadaria principal.

Entrada

★ House of Representatives
Essa elegante câmara oval data de 1895, mas o "Sacred Cod" (Bacalhau Sagrado) da galeria veio para a State House em sua inauguração, em 1798.

Legenda

① Recinto do Senado

② **A cúpula** foi revestida de ouro 23 quilates em 1872.

③ **Salão das Bandeiras**

④ **O Grande Hall**, construído em 1990, é usado em cerimônias e tem um domo de vidro.

⑤ **As Alas**, acrescentadas em 1917, são consideradas por muitos como algo incompatível com o resto da estrutura.

Veja hotéis e restaurantes dessa região nas pp. 184-9

BOSTON, MASSACHUSETTS | 145

PREPARE-SE

Mapa D3. Beacon Hill.
Tel (617) 727-3676.
🕙 10h-15h30 seg-sex.
Reserve. ♿ 📷
🌐 sec.state.ma.us/trs

Transporte
Ⓣ Park St.

Recinto do Senado
Situada exatamente sob a cúpula, essa câmara apresenta uma bela iluminação.

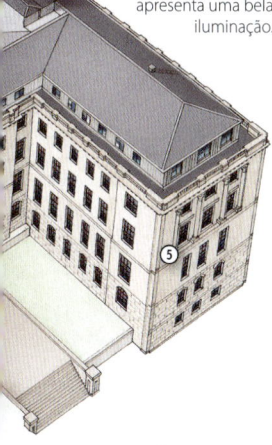

Salão das Bandeiras
Bandeiras carregadas em batalha por regimentos de Massachusetts estão expostas no local, sob a luz que atravessa um vitral com os brasões das primeiras treze colônias.

⑦ Park Street Church

Mapa D4.1 Park St. **Tel** (617) 523-3383. Ⓣ Park St. 🕙 jul-ago: 9h-16h ter-sex, 9h-15h sáb; set-jun: ligue antes. ♿ 🌐 parkstreet.org

Desde sua consagração em 1810, a Park Street Church foi uma das paróquias mais importantes de Boston. Em 1829 o ativo abolicionista William Lloyd Garrison nela proferiu o seu primeiro discurso contra a escravidão. E em 1893 o hino *America the Beautiful* foi cantado pela primeira vez numa cerimônia dominical. A igreja, com seu campanário de 65m de altura, foi projetada por Peter Banner, arquiteto inglês, que na realidade adaptou o projeto de outro arquiteto inglês, Christopher Wren.

O cemitério anexo à igreja, o **Old Granary Burying Ground**, de meados do século XVII, fica na Tremont Street, onde antes só havia instalações para o armazenamento de grãos. Entre os enterrados ali figuram três importantes signatários da Declaração de Independência: Samuel Adams, John Hancock e Robert Paine, e um dos mais famosos filhos da cidade, o patriota Paul Revere.

🪦 **Old Granary Burying Ground**
Tremont St. 🕙 9h-17h diariam.

⑧ Downtown Crossing

Mapa D4. Washington, Winter e Summer Sts. Ⓣ Downtown Crossing.

Área de compras para pedestres, Downtown Crossing está repleta de vendedores ambulantes e carrinhos de comida. A maior loja de departamentos ali é uma filial da Macy's. Mais adiante na Washington Street concentram-se lojas de joias, enquanto estabelecimentos mais originais encontram-se nas ruas laterais – a Brattle Book Shop, por exemplo, foi fundada em 1825 e reúne mais de 250 mil livros e revistas usados, com edição esgotada.

⑨ Theater District

Mapa C4. Ⓣ Boylston, Tufts Medical Center.

O primeiro teatro de Boston foi inaugurado em 1793, na Federal Street. Com o patrocínio da elite local, 50 anos mais tarde Boston tinha se tornado uma cidade de estreias e se orgulhava de seus teatros. Ali foram feitos importantes lançamentos, a exemplo do *Messias*, de Handel, e de *Uma rua chamada desejo*, de Tennessee Williams. Entre os imponentes teatros estão o suntuoso **Colonial Theater**, decorado com afrescos e frisos; o **Shubert Theater**, com 1.650 lugares; e o **Wang Theater**, cujo auditório tem altura de sete andares.

🎭 **Colonial Theater**
106 Boylston St.
Tel (617) 482-9393. 🕙 ligar antes.
♿ 🌐 colonial-theater.com

⑩ Chinatown

Mapa D5. Limitada pelas ruas Kingston, Kneeland, Washington e Essex. Ⓣ Chinatown.

Essa é a terceira maior Chinatown dos EUA, depois das de São Francisco e Nova York. Cabines telefônicas com teto de pagode dão o tom dessa área, cheia de restaurantes e lojas, que vendem roupas e remédios chineses. A colônia chinesa de Boston já estava bem estruturada na virada do século XIX, e, desde então, a população da área aumentou com imigrantes vindos da Coreia, do Vietnã e do Camboja.

Fachadas típicas de lojas e restaurantes na Chinatown de Boston

Fonte escultural no Post Office Square, em Boston

⑪ Post Office Square

Mapa E4. Esquina de Congress e Milk Sts. Ⓣ State, Downtown.

Cercada na parte oeste pelo belíssimo prédio art déco do antigo correio, o Post Office Square é o centro nervoso do distrito financeiro de Boston. O lado leste do largo faz divisa com o prédio renascentista que sediou o Federal Reserve Bank, e hoje abriga o Langham Boston Hotel *(p. 184)*. A elegante estrutura Arte Moderna de 1947, no lado sul, foi a sede da New England Telephone Company, e o laboratório do pioneiro da telefonia Alexander Graham Bell ficava na vizinha Court Street. Um parque público oferece um oásis verde entre os arranha-céus da cidade. Moradores e turistas relaxam nos gramados, ao som da água da fonte escultural. No verão, um quiosque vende lanches.

⑫ Old South Meeting House

Mapa D4. 310 Washington St. **Tel** (617) 482-6439. Ⓣ Park St, State, Government Center (fechado até 2016). ◐ abr-out: 9h30-17h diariam; nov-mar: 10h-16h diariam.
Ⓦ oldsouthmeetinghouse.org

Construída para os serviços religiosos dos puritanos em 1719, essa edificação, com alto campanário octogonal, tinha o maior espaço para reunir pessoas na Boston colonial. A partir de 1765, tornou-se ponto de encontro de grandes multidões lideradas por um grupo de comerciantes chamados "os Filhos da Liberdade", que se reuniam para protestar contra os impostos britânicos e a odiada Lei do Selo (Stamp Act). Durante um protesto, em 16 de dezembro de 1773, o inflamado orador Samuel Adams disparou o sinal que levou à Boston Tea Party *(p. 149)*, em Griffin's Wharf, horas depois. Os britânicos retaliaram, transformando Old South em taberna de oficiais e estábulo para cavalos do exército. Hoje apresenta palestras e exibições, e um show multimídia, que revive aqueles dias agitados. A loja vende chá "Boston Tea Party" e livros sobre a história de Boston e da Nova Inglaterra.

Alexander Graham Bell

⑬ King's Chapel & Burying Ground

Mapa D3. 58 Tremont St. **Tel** (617) 227-2155. Ⓣ Park St, State, Government Center (fechado até 2016). ◐ fim mai-meados set: 10h-17h seg, qui, sex, sáb; 10h-11h15, 13h30-17h ter e qua; 13h30-17h dom; meados set-fim mai: ligar antes para obter horários. Recitais de música: 12h15 ter. Ⓦ kings-chapel.org

Nesse local foi construída a primeira capela em 1689. Mas quando o governador da Nova Inglaterra decidiu que era preciso uma igreja maior, o atual prédio de granito começou a ser erguido, em 1749.

Foi feito em volta da capela original de madeira, então demolida e retirada pelas janelas da nova igreja. Tetos altos e arcos abertos aumentam a sensação de espaço e luminosidade internos. Entre suas características notáveis estão um púlpito que tem o formato de taça de vinho, esculpido em 1717, e um sino enorme que foi refundido pela forja do herói revolucionário Paul Revere *(p. 148)*. No cemitério adjacente, o mais antigo de Boston, estão os túmulos de John Winthrop, governador colonial por doze vezes, e de Mary Chilton, primeira mulher a desembarcar do *Mayflower*.

Interior com decoração discreta da King's Chapel, na Tremont Street

Veja hotéis e restaurantes dessa região nas pp. 184-9

BOSTON, MASSACHUSETTS | 147

⑭ Old State House

Mapa D3. Washington e State Sts. **Tel** (617) 720-1713. Ⓣ State. ⏲ 9h-17h diariam (até 18h jun-ago). 🅿️ ♿ 📷
🌐 bostonhistory.org

Hoje apequenada pelas torres do Distrito Financeiro, a Old State House foi sede do governo colonial britânico entre 1713 e 1776. O leão real e o unicórnio ainda decoram a fachada leste. Após a independência, o Poder Legislativo de Massachusetts tomou posse do prédio, e, desde então, ele teve diversos usos, como mercado, loja maçônica e prefeitura de Boston. Suas adegas agora funcionam como estação de metrô.

Em 1776 a Declaração de Independência foi lida de um balcão da fachada leste. Um círculo de pedras arredondadas marca o local do que ficou conhecido como Massacre de Boston. Em 5 de março de 1770 guardas britânicos abriram fogo contra colonos que os insultavam, matando cinco. Depois da Boston Tea Party, esse foi um dos acontecimentos mais inflamados que levaram à Revolução Americana *(p. 54)*. No interior do prédio há atrações como uma apresentação multimídia sobre o Massacre de Boston e a Royal Council Chamber, onde os visitantes podem sentar na cadeira do governador.

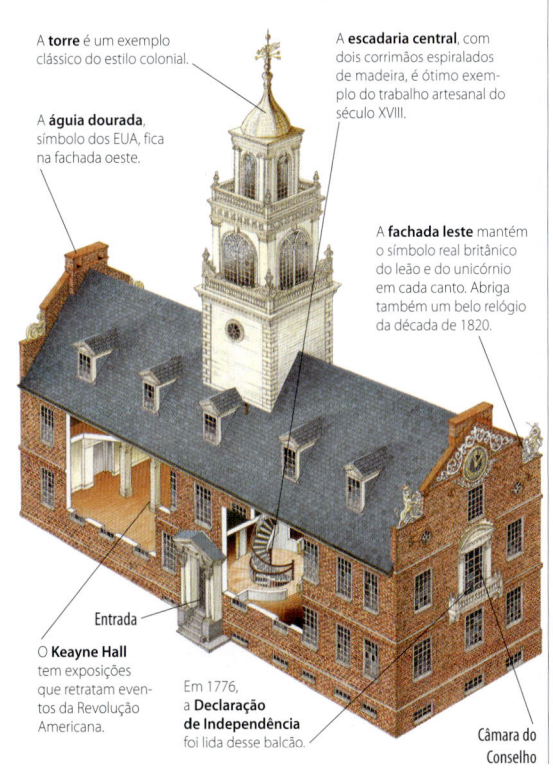

Old State House em meio aos edifícios do Distrito Financeiro

Torre neoclássica da Custom House, interessante atração de Boston

⑮ Quincy Market

Mapa E3. Entre Chatham e Clinton Sts. **Tel** (617) 523-1300. Ⓣ Haymarket State. ⏲ 10h-21h seg-sáb, 12h-18h dom. ♿
🌐 faneuilhallmarketplace.com

Esse concorrido complexo de lojas e restaurantes atrai aproximadamente 14 milhões de pessoas por ano. Ele surgiu de antigas construções, que eram mercados de carne, peixe e outros produtos e que foram muito bem restauradas na década de 1970. O grande salão com colunas, no estilo neoclássico, tem 163m de comprimento e agora está cheio de barracas de fast-food. Há mesas abaixo da belíssima rotunda central. Completam o conjunto os prédios gêmeos do North e do South Market, restaurados para abrigar butiques, restaurantes e escritórios.

Perto, a sudeste do Quincy Market, fica a **Custom House** com sua torre neoclássica. A torre de 150m, com um relógio de quatro faces, foi feita em 1915 e, durante boa parte do século XX, era o único arranha-céu de Boston, até a construção da Prudential Tower. Há uma exposição da história local na rotunda. Telefone para agendar passeios à torre, de onde se tem lindas vistas da cidade e do porto.

🏛️ **Custom House**
3 McKinley Square.
Tel (617) 310-6300. Torre: 📷
🌐 marriott.com/vacationclub

A **torre** é um exemplo clássico do estilo colonial.

A **águia dourada**, símbolo dos EUA, fica na fachada oeste.

A **escadaria central**, com dois corrimãos espiralados de madeira, é ótimo exemplo do trabalho artesanal do século XVIII.

A **fachada leste** mantém o símbolo real britânico do leão e do unicórnio em cada canto. Abriga também um belo relógio da década de 1820.

Entrada

O **Keayne Hall** tem exposições que retratam eventos da Revolução Americana.

Em 1776, a **Declaração de Independência** foi lida desse balcão.

Câmara do Conselho

Lápides dos primeiros moradores, no Copp's Hill Burying Ground

⑯ Copp's Hill Burying Ground

Mapa E2. Entradas nas Charter e Hull Sts. **Tel** (617) 635-4505. Ⓣ Government Center, N Station. ◯ 9h-17h diariam.

Depois do cemitério da King's Chapel *(p. 146)*, esse é o segundo mais antigo de Boston – funciona desde 1659. Entre os enterrados no local está Robert Newman, o sacristão que colocou sinais de lanternas para Paul Revere no campanário da Old North Church (influente congregação puritana no período colonial), assim como centenas de escravos e libertos negros.

Durante a ocupação britânica de Boston, diz-se que as tropas do rei Jorge III usavam as lápides de ardósia para treinar pontaria, e os furos dos mosquetes ainda são visíveis. Copp's Hill Terrace, atravessando a Charter Street, é o lugar onde, em 1919, explodiu um tanque de melaço de 8,74 milhões de litros, afogando 21 pessoas numa onda adocicada.

⑰ Old North Church

Mapa E2.193 Salem St. **Tel** (617) 523-6676. Ⓣ Haymarket, Aquarium, N Station. ◯ 9h-17h diariam (jan, fev: horários reduzidos; jun-out: horários estendidos). 9h, 11h dom (e 17h jul-ago). doações. mar-dez: "Behind the Scenes Tour" (taxa extra). **w** oldnorth.com

Com o nome oficial de Christ Episcopal Church, a Old North Church data de 1723 e é a edificação religiosa mais antiga das que restaram em Boston. Foi feita de tijolo, no estilo georgiano, semelhante à St. Andrew's-by-the-Wardrobe, de Blackfriars, em Londres, projetada por Sir Christopher Wren. A igreja ficou famosa em 18 de abril de 1775, quando o sacristão Newman, para ajudar Paul Revere, pendurou duas lanternas no campanário. Esse foi o aviso para os patriotas de Charlestown de que as tropas britânicas se deslocavam para oeste, a fim de barrar os revolucionários. Um imponente busto de mármore de George Washington, de 1815, adorna o interior da igreja, que possui bancos com altura incomum, desenhados para conter aquecedores para os pés, que eram cheios de carvão ou tijolos aquecidos, durante o inverno rigoroso.

A torre contém o primeiro conjunto de sinos fabricados na América do Norte, fundidos em 1745. Um dos primeiros sineiros foi o adolescente Paul Revere.

⑱ Paul Revere Mall

Mapa E2. Hanover St. Ⓣ Haymarket, Aquarium.

Essa esplanada pavimentada com tijolos, entre as Hanover e Unity Streets, fornece um bom trecho de espaço aberto na movimentada área de North End, habitada principalmente por descendentes de italianos. Traçada em 1933, sua grande atração é a estátua equestre de Paul Revere (1735-1818). Bancos, uma fonte e uma carreira dupla de tílias conferem ao local, muito frequentado pelos moradores, um ar bem europeu.

Ao sul do Mall fica a agitada Hanover Street, ladeada de restaurantes italianos.

⑲ Paul Revere House

Mapa E2.19 N Square. **Tel** (617) 523-2338. Ⓣ Haymarket, Aquarium. ◯ meados abr-out: 9h30-17h15 diariam; nov-meados abr: 9h30-16h15 diariam. ⬤ jan-mar: seg. **w** paulreverehouse.org

A mais antiga casa com estrutura de tábuas que restou em Boston tem um significado histórico, pois foi nela que, em 1775, Paul Revere iniciou a lendária cavalgada para avisar os compatriotas em Lexington *(p. 155)* da iminente chegada das tropas britânicas. Mais tarde, o evento foi imortalizado por Henry Wadsworth Longfellow *(p. 154)* num poema épico que começa assim: "Escutem com atenção, meus filhos, e ouvirão a cavalgada da meia-noite de Paul Revere".

Versátil ourives de ouro e prata, e forjador de sinos e canhões, Revere viveu no local de 1770 a 1800. Janelas com caixilho de chumbo, andar superior saliente e porta da frente com cravos de ferro fazem dessa casa um ótimo exemplo da primeira arquitetura americana do século XVIII. Dois cômodos da casa contêm artefatos e móveis da família Revere. No pátio há um grande sino de bronze fundido por ele, que se tornou conhecido por fazer os sinos de quase 200 igrejas.

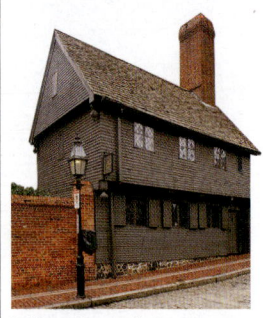

Paul Revere House, onde ele começou sua cavalgada da meia-noite

Veja hotéis e restaurantes dessa região nas pp. 184-9

⑳ Waterfront

Mapa E3. Atlantic Ave. New England Aquarium: Central Wharf. **Tel** (617) 973-5200. Ⓣ Aquarium. ⚪ jul-ago: 9h-18h dom-qui, 9h-19h sex e sáb; set-jun: 9h-17h seg-sex, 9h-18h sáb e dom. 🅦 **neaq.org**
Boston Tea Party Ships and Museum: Congress St Bridge. **Tel** (617) 338-1773. Ⓣ South Station. ⚪ ligue para obter horários.
🅦 **bostonteapartyship.com**
Institute of Contemporary Art: 100 Northern Ave. **Tel** (617) 478-3100. Ⓣ Courthouse. ⚪ 10h-17h ter, qua, sáb, dom, 10h-21h qui, sex. 🅦 **icaboston.org**
Children's Museum: 300 Congress St. **Tel** (617) 426-6500. Ⓣ S Station. ⚪ 10h-17h diariam (até 21h sex). 🅦 **bostonkids.org**

O Waterfront de Boston é uma das áreas mais fascinantes da cidade. A orla margeada por desembarcadouros e armazéns – um lembrete do passado da cidade como grande porto comercial – conta com atrações como o famoso aquário e dois museus ótimos.

Um dos maiores desembarcadouros é o **Long Wharf**, de 1710. Ele se estendia por 610m no porto de Boston e tinha muitas lojas e armazéns, oferecendo atracação segura para os maiores navios da época.

Harbor Walk liga Long Wharf a outros desembarcadouros, que datam do início da década de 1800. Agora a maioria deles foi transformada em elegantes apartamentos à beira do porto. O **Rowes Wharf**, no sul do Waterfront, é um típico exemplo dessa revitalização. Esse empreendimento moderno, de tijolo aparente, com suntuosos condomínios, um hotel e escritórios, dispõe de uma arcada que liga a cidade ao porto.

A principal atração da orla é o **New England Aquarium**, que domina o Central Wharf. Elaborado em 1969, o núcleo do aquário contém um enorme tanque oceânico com altura de quatro andares, que abriga um recife de coral do Caribe e exibe uma grande variedade de criaturas marinhas, como tubarões, moreias, barracudas e tartarugas marinhas, além de peixes tropicais exóticos e bem coloridos. Existe uma calçada curva em volta do tanque, de cima até embaixo, que oferece diferentes pontos de vista do interior, em várias alturas. Uma seção muito procurada é o tanque dos pinguins, que gira em torno da base do tanque oceânico, enquanto a ala oeste possui um tanque externo com uma animada colônia de focas. Em 2001 foi inaugurado no ancoradouro o Simons IMAX® Theater, que apresenta programas variados de filmes em 3-D, numa tela gigante. Um destaque dos programas do aquário são os passeios de barco que saem do porto de Boston e levam o visitante às áreas de alimentação das baleias. O

Peixe exótico, no New England Aquarium

aquário também tem uma loja e um café com bela vista do porto. O Griffin's Wharf, onde ocorreu a Boston Tea Party, em 16 de dezembro de 1773, foi aterrado há anos. Nas proximidades, ao sul do local original, no Fort Point Channel, estão ancoradas réplicas dos **Boston Tea Party Ship**, os três navios britânicos da Companhia das Índias Orientais envolvidos no protesto da Tea Party (p. 54). No Fan Pier, galerias ligeiramente afundadas, espaços performáticos com vista para o porto e um centro midiático de ponta realçam o prédio do **Institute of Contemporary Art** que abriga exposições com ênfase em mídia eletrônica e artes performáticas.

Voltado para o Fort Point Channel está um armazém de lã restaurado, do século XIX, que abriga o **Children's Museum**, um dos melhores do país. Entre as diversas atrações e exposições interativas estão uma parede de escalada, um estúdio de arte e uma "zona de construção", com caminhões e blocos em escala infantil. As crianças também podem explorar um labirinto gigante ou atuar em peças teatrais.

Acrescenta-se um toque internacional na visita à casa de comércio de seda, trasladada de Kyoto, no Japão.

Vista do Long Wharf na direção do Waterfront e da Custom House

㉑ Trinity Church

Essa obra-prima de Henry Hobson Richardson, considerada uma das melhores edificações dos EUA, data de 1877. A igreja é uma belíssima estrutura românica de granito e pedra calcária, apoiada sobre estacas de madeira que atravessam a terra até um leito de rocha, encimadas por pirâmides de granito. John LaFarge projetou o interior, enquanto algumas janelas foram desenhadas por Edward Burne-Jones e executadas por William Morris.

PREPARE-SE

Informações Práticas
Mapa B5. Copley Sq. **Tel** (617) 536-0944. Ⓣ Copley. ⬜ diariam.
✝ 7h45, 9h, 11h15, 18h dom. Concertos: set-jun: 12h15 sex.
🎵 ligue para horários.
w trinitychurchboston.org

★ **Vitrais do Transepto Norte**
Desenhados por Burne-Jones e executados por William Morris, os três vitrais acima do coro contam a história do Natal.

No coro, sete belos vitrais mostram a vida de Cristo.

A parede do coro, atrás do altar, tem uma série de baixos-relevos de ouro que retratam cenas da Bíblia.

O campanário foi inspirado no da catedral renascentista de Salamanca, no centro da Espanha.

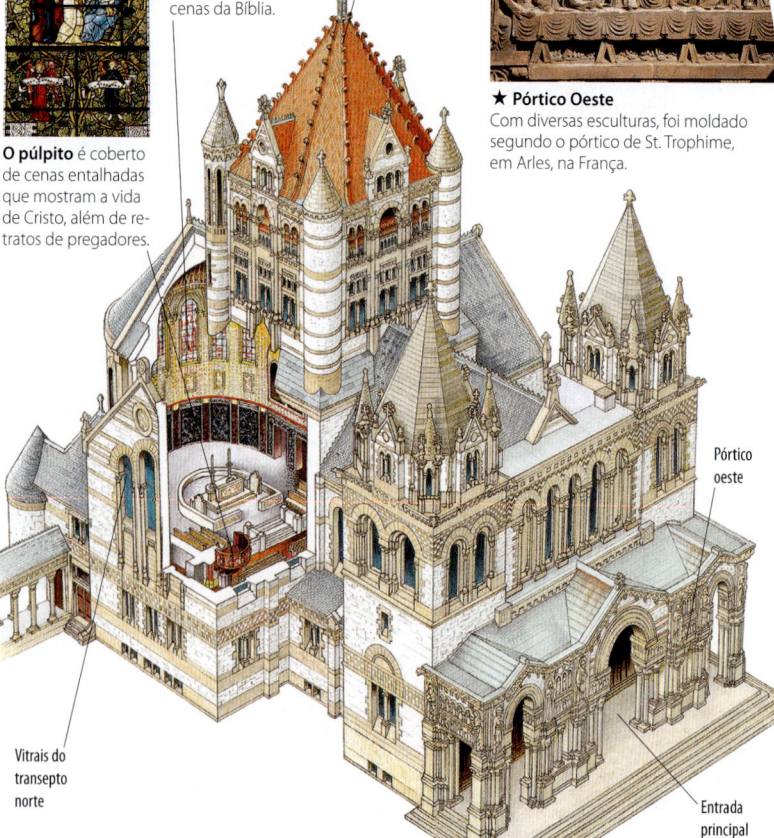

★ **Pórtico Oeste**
Com diversas esculturas, foi moldado segundo o pórtico de St. Trophime, em Arles, na França.

O púlpito é coberto de cenas entalhadas que mostram a vida de Cristo, além de retratos de pregadores.

Pórtico oeste

Vitrais do transepto norte

Entrada principal

Veja hotéis e restaurantes dessa região nas pp. 184-9

BOSTON, MASSACHUSETTS | 151

Vista da Back Bay e do rio Charles de cima da John Hancock Tower

㉒ Copley Square

Mapa B5. Ⓣ Copley.

A Copley Square, cujo nome homenageia o pintor John Singleton Copley (p. 153), era um pântano até 1870 e assumiu a forma atual apenas no final do século XX. Agora essa praça convidativa é um espaço entre árvores e fontes e um centro de atividades comunitárias, com mercados de produtores e concertos no verão. Ela é rodeada pela arquitetura mais admirável de Boston.

A **John Hancock Tower**, construída em 1975, marca o lado sudeste da praça. A fachada espelhada do edifício mais alto da Nova Inglaterra, com 226m, reflete a bonita Trinity Church e o original Hancock Building (1947), cujo farol no topo faz a previsão do tempo. O vermelho piscando indica chuva – ou que o jogo do Boston Red Sox foi adiado.

A oeste da Hancock Tower, cruzando a Copley Square, fica a **Boston Public Library**, ao estilo de um palácio italiano, construída em 1887-95. Uma maravilha de madeira e mármore, a biblioteca tem enormes portas de bronze e murais de John Singer Sargent numa galeria do terceiro andar. O imenso Bates Hall, no segundo andar dessa biblioteca, é notável pelo elevado teto abobadado.

Nas proximidades, na esquina das Boylston e Dartmouth Streets, fica a fantástica **New Old South Church**, no estilo gótico italiano, construída em 1874-75.

John Hancock Tower
200 Clarendon St. ⬤ ao público.

Boston Public Library
Copley Square. **Tel** (617) 536-5400.
9h-21h seg-qui, 9h-17h sex e sáb; out-maio: 13h-17h dom. ⬤ feriados.
14h30 seg; 18h ter e qui; 11h qua, sex e sáb. **W** bpl.org

㉓ Newbury Street

Mapa B5. Ⓣ Arlington, Copley, Hynes Convention Center/ ICA.

Newbury Street é sinônimo de estilo em Boston. Ladeada de lojas de alta moda, galerias de arte e restaurantes chiques, esse é um ótimo ponto para observar as pessoas. A Lower Newbury, na região do Public Garden, é refinada e elegante, enquanto a Upper Newbury fervilha com lojas e serviços voltados para jovens.

As igrejas oferecem indícios de uma época cheia de decoro. A mais notável é a **Church of the Covenant**, que guarda a maior coleção mundial de vitrais de Louis Comfort Tiffany e uma elaborada lanterna Tiffany.

Church of the Covenant
67 Newbury St. **Tel** (617) 266-7480.
10h30 dom.
W cotcbos.org

㉔ Commonwealth Avenue

Mapa B4. Ⓣ Arlington, Copley, Hynes Convention Center/ ICA.

Idealizada para ser os Champs Elysées de Boston, essa avenida com 61m de largura é ladeada de belas mansões. Na segunda metade do século XIX, tornou-se palco para os principais arquitetos americanos, e uma caminhada por ela é como folhear um catálogo de estilos arquitetônicos. Estátuas de bronze de figuras históricas alinham-se pelo passeio central. Dizem que a estátua do abolicionista William Lloyd Garrison, entre as ruas Exeter e Dartmouth, foi capaz de captar sua superioridade moral. O memorial mais admirado é o do marinheiro e historiador Samuel Eliot Morison, cuja estátua, que fica entre as ruas Exeter e Fairfield, exibe Morison em pose informal, balançando o pé sobre uma rocha.

A **First Baptist Church**, românica, fica na esquina da Commonwealth Avenue com a Clarendon Street e é uma das construções mais diferentes na silhueta da cidade. Terminado em 1872, seu campanário quadrado, isolado, foi copiado dos italianos. No topo possui um friso decorativo de Bartholdi, o escultor da Estátua da Liberdade. Os rostos desse friso, que retrata os sacramentos, são semelhantes aos de bostonianos célebres na época, a exemplo de Henry Wadsworth Longfellow e Ralph Waldo Emerson.

First Baptist Church
110 Commonwealth Ave.
Tel (617) 267-3148. para o culto dominical.

Grande Boston

A sudoeste do centro de Boston, onde ficavam os pântanos de Fenway, hoje estão dois excelentes museus de arte: o Museum of Fine Arts e o Isabella Stewart Gardner Museum. A oeste da cidade, cruzando o rio Charles, encontra-se a cidade universitária de Cambridge, dominada pela Harvard University. Para leste, situa-se a histórica Charlestown, parte importante do Boston's Freedom Trail *(pp. 142-3)*.

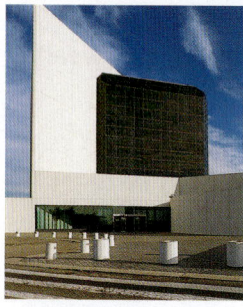

Moderna estrutura da John F. Kennedy Library & Museum

㉕ John F. Kennedy Library & Museum

Columbia Point, Dorchester. **Tel** (617) 514-1600. Ⓣ JFK/U Mass. 9h-17h diariam. 1º jan, Ação de Graças, 25 dez. **w** jfklibrary.org

Instalado numa edificação de concreto branco com vidros pretos, projetado pelo arquiteto I. M. Pei, esse museu registra os mil dias da presidência de Kennedy. A combinação de vídeos e filmes, documentos e recordações evoca a euforia de "Camelot", assim como o estarrecedor assassinato, com uma proximidade temporal incomum em museus históricos. Alguns ambientes importantes da Casa Branca, como o Salão Oval, estão recriados no local.

A casa em 83 Beals Street, em Brookline, onde o presidente nasceu em 1917, tornou-se agora o **John F. Kennedy National Historic Site**. A família Kennedy se mudou para uma residência maior em 1921. Em 1966, eles recompraram essa casa e a restauraram para ficar com o aspecto que teria em 1917. Abre no verão e no outono.

㉖ Isabella Stewart Gardner Museum

280 The Fenway. **Tel** (617) 566-1401. Ⓣ MFA. 11h-17h qua-seg (até 21h qui). 1º jan, Ação de Graças, 25 dez. ligar para saber horários. **w** gardnermuseum.org

Esse *palazzo* em estilo veneziano, de 1903, abriga um fantástico acervo de mais de 2.500 obras de arte, que incluem os velhos mestres e peças do Renascimento italiano. Aconselhada por Bernard Berenson, estudioso de arte, a rica e determinada Isabella Stewart Gardner começou a colecionar arte no fim do século XIX e adquiriu obras-primas de Ticiano, Rembrandt e Matisse, além das de pintores americanos como James McNeill Whistler e John Singer Sargent. As pinturas, esculturas e tapeçarias estão dispostas conforme a sra. Gardner as arrumou, em galerias ao redor de um jardim repleto de flores. Uma nova ala modernís-sima, projetada pelo arquiteto Renzo Piano e inaugurada em 2012, adicionou outras salas de exposição, um café e um espaço para a realização dos concertos organizados pelo museu.

㉗ Museum of Fine Arts

Avenue of the Arts, 465 Huntington Ave. **Tel** (617) 267-9300. Ⓣ MFA. 10h-16h45 sáb-ter, 10h-21h45 qua-sex (algumas coleções qui, sex). 1º jan, 3ª seg de abril, 4 jul, Ação de Graças, 25 dez. Palestras, concertos e filmes. **w** mfa.org

Maior museu de arte da Nova Inglaterra e um dos cinco maiores dos EUA, o Museum of Fine Arts (MFA) possui um acervo permanente de aproxi-

Pátio central do *palazzo* do Isabella Stewart Gardner Museum

Veja hotéis e restaurantes dessa região nas pp. 184-9

BOSTON, MASSACHUSETTS | 153

Japanese Temple Room, no Museum of Fine Arts

madamente 450 mil objetos, que vão de peças egípcias à moderna pintura americana. Embora fundado em 1876, o prédio original do Museum of Fine Arts, em estilo beaux-arts, data de 1909. Foi ampliado em 2010 com as 53 galerias da ala Art of Americas. Em 2011, o museu transformou a ala voltada para o oeste, projetada em 1981 por I. M. Pei, na Linde Family Wing de arte contemporânea.

O excelente acervo do MFA de **arte do Egito e da Núbia** não tem paralelo fora da África e provém, principalmente, das escavações feitas pelo MFA e pela Harvard University ao longo do rio Nilo, a partir de 1905. O museu também conta com uma maravilhosa coleção de múmias, exposta no primeiro andar. Ao lado, a galeria de arte antiga do Oriente Médio exibe relevos da Babilônia, da Assíria e da Suméria. No segundo andar ficam diversas esculturas monumentais de reis núbios, que datam do século VII até o século VI a.C.

O museu se orgulha de uma das maiores coleções de **arte clássica** dos EUA. Entre os destaques dessas coleções estão vasos com figuras gregas, sarcófagos etruscos e bustos romanos. Também está exposta uma série de painéis pintados nas paredes de Pompeia, escavados em 1901. Diz-se que o acervo de **arte asiática** é o maior sob um mesmo teto, no mundo todo. Ele inclui esculturas e pinturas narrativas indianas e uma exposição de pinturas islâmicas em miniatura, que sempre muda.

Uma bela escadaria, com leões entalhados, leva às galerias da China e do Japão no segundo andar, onde se destacam pinturas em telas e em rolos. Um dos pontos altos do museu é o sereno **Japanese Temple Room**, no primeiro andar, conhecido pelos exemplos requintados de arte budista.

A coleção de **arte europeia** data do século XVII ao século XX e começa com pinturas holandesas, entre as quais diversos retratos de Rembrandt. A Koch Gallery, com magnífico teto de madeira trabalhada, apresenta obras-primas de El Greco, Ticiano e Rubens.

Sarcófagos egípcios

No século XIX, os colecionadores de Boston enriqueceram o MFA com a maravilhosa arte francesa: o museu apresenta diversas pinturas de Jean-François Millet, além de artistas franceses do século XIX, como Edouard Manet, Pierre-Auguste Renoir e Edgar Degas. Também exibe muitos quadros de Van Gogh e possui a mais importante coleção de Monet fora de Paris.

Uma das galerias mais concorridas exibe *A japonesa*, de Monet, e *Dança em Bougival*, de Renoir.

A coleção **American Painting** conta com mais de 1.600 obras. Entre os destaques estão retratos do artista John Singleton Copley, de Boston, talvez o mais talentoso pintor americano do século XVIII, e os suntuosos retratos feitos por John Singer Sargent (1856-1925), que também pintou murais na rotunda do museu. Entre outras obras estão paisagens do século XIX do pintor iluminista Fitz Henry Lane, e marinhas de Winslow Homer. Entre os artistas americanos do século XX estão nomes como Stuart Davis, Jackson Pollock e Georgia O'Keeffe. As mostras de **Artes Decorativas** exibem aparelhos de chá de prata feitos por Paul Revere *(p. 148)*; relógios do século XVIII ao estilo de Boston; diversas maquetes de navios; e exemplos notáveis de artesanato contemporâneo. Salas de época apresentam artes decorativas num contexto histórico. Ali estão móveis e decorações de três salas de cerca de 1800, vindos de uma mansão Peabody, com projeto de Samuel McIntire, arquiteto do período Federal. Além disso, o Museum of Fine Arts também tem importante material antigo das variadas artes da África, da Oceania e das Américas, e coleções de instrumentos musicais e manuscritos. Pioneiro em acervo fotográfico, o MFA guarda obras arquivadas de Yousuf Karsh e Bradford Washburn.

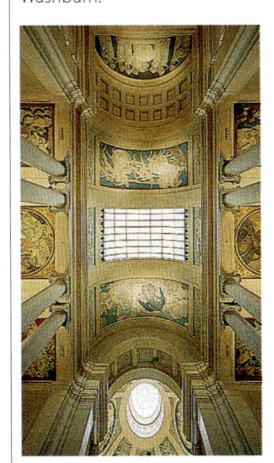

Murais de John Singer Sargent na rotunda com domo, no MFA

Interior simples da Christ Church, em Cambridge

㉘ Cambridge

Ⓣ Harvard. 🚌 1, 69. 🛈 Harvard Square Information Booth: (617) 441-2884, Cambridge Office of Tourism: (800) 862-5678, (617) 441-2884. 🗓 dom. 🎪 River Festival (fim jun).
Ⓦ **harvard.edu**,
Ⓦ **cambridge-usa.org**

Embora faça parte da região metropolitana de Boston, Cambridge é uma cidade independente, dominada por duas universidades de fama mundial: o **Massachusetts Institute of Technology** (MIT) e **Harvard**. Também possui diversas atrações ligadas à Revolução Americana. Entre elas está a casa histórica de Brattle Street, agora conhecida como **Longfellow House – Washington's Headquarters**. Construída no período colonial por um comerciante leal à Coroa britânica, durante a Revolução foi cercada por revolucionários americanos e serviu de quartel-general para George Washington durante o Cerco de Boston. De 1843 até sua morte, em 1888, foi a casa do poeta Henry Wadsworth Longfellow, que nela escreveu seus trabalhos mais famosos, como *A canção de Hiawatha*.

A **Harvard Square** é a principal área de compras e diversões, cheia de cafés, restaurantes baratos, butiques da moda e artistas de rua. A grande população de alunos de Harvard está sempre por ali, contribuindo para a animação característica da praça.

O **Cambridge Common**, ao norte da Harvard Square, foi tratado como pastagem comum e campo de treinamento militar na década de 1630. Depois serviu de centro para atividades sociais, religiosas e políticas. O Common foi usado como acampamento do exército de 1775 a 1776, e uma pedra marca o local onde George Washington assumiu o comando do Exército Continental, em 3 de julho de 1775, abaixo de Washington Elm. Hoje seus gramados e playgrounds sombreados são procurados por famílias e estudantes.

A **Christ Church**, a pouca distância ao sul do Common, foi projetada, em 1761, por Peter Harrison, o arquiteto da King's Chapel *(p. 146)* de Boston. Em 1775 ela serviu de quartel para as tropas do Exército Continental, que derreteu os tubos do órgão para forjar balas de mosquetes.

A igreja foi restaurada para os serviços religiosos no Ano-Novo de 1775, quando George Washington e sua esposa estiveram entre os fiéis.

O *campus* de 55ha do Massachusetts Institute of Technology (MIT), uma das principais universidades do mundo para engenharia e ciências, se estende ao longo do rio Charles. Entre as obras-primas da arquitetura moderna que se espalham pelo *campus* estão o Kresge Auditorium e a Kresge Chapel, de Eero Saarinen, e o Wiesner Building, projetado por I. M. Pei, que contém uma notável coleção de arte de vanguarda, no List Visual Art Center.

Arte e ciência se misturam no MIT Museum, com exposições como as das fotografias com flash estroboscópico de Harold Edgerton e a da recente arte holográfica.

Um ar europeu predomina no *campus* de Harvard, com suas paredes de tijolo aparente cobertas de hera. Fundada em 1636, Harvard é a universidade mais antiga dos EUA e um dos centros acadêmicos mais prestigiados do mundo.

No coração do *campus*, que abrange mais de 400 prédios, fica o arborizado **Old Harvard Yard**, cheio de alojamentos de estudantes. Sua maior atração é a estátua do mais famoso benfeitor da escola, o clérigo John Harvard. À direita fica a imponente Widener Library, com mais de 3 milhões de volumes, o que a torna a terceira maior do país. Outro prédio impressionante no Yard é a Memorial Church, construída em 1931, cujo campanário teve por modelo o da Old North Church *(p. 148)*.

Em meio às edificações de estilo georgiano de Harvard está o Carpenter Center for Visual Arts, projetado pelo arquiteto vanguardista francês Le Corbusier.

Os **Harvard Art Museums** são um grande atrativo para os visitantes. Em novembro de 2014, o museu principal da universidade, cuja construção inicial datava de 1927, foi reaberto após um processo de renovação

Alunos caminham pelo Harvard Yard

Veja hotéis e restaurantes dessa região nas pp. 184-9

e expansão comandado pelo arquiteto Renzo Piano que durou seis anos. A nova sede reúne as coleções dos três principais museus de arte da universidade. O pátio de inspiração italiana, um dos destaques da construção de 1927, permanece no coração do museu, e logo ao lado há um café – o teto de vidro ilumina o espaço. O acervo abrange a história de todos os continentes.

O **Fogg Art Museum** concentra-se na arte europeia do final da Idade Média até a atualidade, com destaque particular para as pinturas pré-renascentistas e renascentistas, além da Wertheim Collection, de arte impressionista e pós-impressionista.

O **Busch-Reisinger Museum** concentra arte germânica (particularmente a do século XX), com trabalhos de mestres como Wassily Kandinsky, Paul Klee, Emil Nolde e Oskar Kokoschka. Há também esculturas do fim da Idade Média e do século XVIII.

O **Sackler Museum** contém um rico acervo de artes grega, romana, asiática, indiana e do Oriente Médio, e algumas das mais belas obras chinesas em bronze exibidas no Ocidente.

O **Harvard Museum of Natural History** é o cartão de visita de três instituições de Harvard: o Botanical Museum, o Museum of Comparative Zoology e o Mineralogical and Geological Museum. Dentre os destaques estão as fascinantes exibições de dinossauros, baleias e formigas, além da coleção de "flores de vidro" – 3 mil modelos botanicamente corretos e delicados de 850 espécies de plantas feitas de vidro soprado, criados entre 1887 e 1936 pelos artesãos Leopold e Rudolph Blaschka, pai e filho. Não perca as espetaculares geodes e a coleção de misteriosos meteoritos.

O **Peabody Museum of Archaeology and Ethnology,** que fica do lado oposto do Natural History Museum, no mesmo prédio, dispõe de um acervo impressionante de peças egípcias, indígenas norte-americanos e da América Central, assim como de objetos das ilhas do

Estátuas chinesas do acervo do Sackler Museum

sul do Pacífico. As mostras contam com totens entalhados por tribos do nordeste do Pacífico, tecidos navajos, artefatos da expedição de Lewis & Clark e moldes de objetos escavados em Chichén Itzá, no México e Copán, em Honduras.

Harvard Art Museums
32 Quincy St. Tel (617) 495-9400.
10h-17h ter-sáb, 13h-17h dom.
feriados.
w harvardartmuseums.org

Peabody Museum of Archaeology & Ethnology
11 Divinity Ave. Tel (617) 496-1027.
9h-17h diariam. 1º jan, 4 jul, Ação de Graças, 24-25 dez.
w peabody.harvard.edu

Harvard Museum of Natural History
26 Oxford St. Tel (617) 495-3045.
9h-17h diariam. 4 jul, Ação de Graças, 24-25 dez.
w hmnh.harvard.edu

㉙ Charlestown

Community College. 93. de Long Wharf. qua. 24 jun.

A histórica Charlestown, com suas ruas pitorescas ladeadas de casas coloniais, é o local da principal batalha de Bunker Hill, ocorrida em 17 de junho de 1775. Essa foi a primeira batalha intensa da Revolução entre as tropas britânicas e coloniais. Embora essas últimas tenham sido derrotadas, fizeram uma corajosa defesa e infligiram enormes perdas às forças britânicas, bem mais numerosas. O **Bunker Hill Monument**, um obelisco de granito de 67m de altura, inaugurado em 1843, ce-

lebra esse evento. O monumento não tem elevador, e atinge-se o topo pela escadaria de 294 degraus (fecha às 16h30). Aprecie vistas espetaculares do porto de Boston e da Zakim Bridge, a nova entrada norte de Boston. As exibições alojadas no térreo contam a história e o significado da batalha, que permitiu à Armada Continental reunir forças enquanto as tropas britânicas estavam ocupadas na península de Boston.

O **Charlestown Navy Yard**, aberto em 1800, abriga o mais famoso navio de guerra americano, o USS *Constitution*. Construído em 1797 e apelidado de "Old Ironsides" *(p. 143)*, é o mais antigo navio de guerra ainda flutuante e veterano de 42 batalhas vitoriosas no mar. Totalmente revisado para o bicentenário, em 1997, é retirado do porto no dia 4 de julho para inverter sua posição no píer. Os visitantes passam por um esquema de segurança.

Arredores
A cidade colonial de **Lexington**, 26km a noroeste de Boston, é o local do primeiro conflito sangrento entre os colonos armados, chamados "Minutemen", e as tropas britânicas. A batalha, em 19 de abril de 1775, funcionou como um catalisador para a Revolução *(p. 54)*. O Lexington Battle Green, com a estátua do Minuteman, é o centro das atrações da cidade. Três edificações históricas, associadas à batalha e mantidas pela Historical Society local, eventualmente se abrem à visitação.

Obelisco de granito no Bunker Hill Monument, em Charlestown

Massachusetts

Dos estados da Nova Inglaterra, Massachusetts talvez tenha a mistura mais variada de atrações naturais e feitas pelo homem. Vistas panorâmicas e vilas pitorescas surgem ao longo do litoral leste e de Cape Cod. Avançando para o interior, o visitante encontra cidades históricas, onde a arquitetura colonial foi preservada. A oeste, montanhas e vales verdes mais uma cultura rica caracterizam Berkshire Hills.

Old Manse, de Concord, abrigou grandes escritores do século XIX

❷ Salem

38.000. Saída do Long Wharf de Boston. 2 New Liberty St, (978) 740-1650. Haunted Halloween (out). salem.org

Essa cidade litorânea, fundada em 1626, é mais conhecida pelos julgamentos de feiticeiras, em 1692, que resultaram na execução de vinte pessoas inocentes. O **Salem Witch Museum** conta a história da bruxaria e do desenvolvimento das percepções das feiticeiras até a atualidade.

Nos séculos XVIII e XIX Salem era um dos portos mais movimentados da Nova Inglaterra, cheio de navios que carregavam tesouros do mundo todo. O **Peabody Essex Museum** contém um rico acervo de arte e objetos asiáticos. Boa parte das mostras do museu, como as de joalheria, estatuetas de porcelana, roupas e entalhes em osso ou marfim, foi trazida de terras distantes pelos comandantes de Salem. A orla histórica da cidade foi preservada como **Salem Maritime National Historic Site**. Oferece passeios e abriga a Custom House de 1819 e a reconstrução de uma embarcação da East Indiaman, de 1797, o *Friendship*, que está ancorado em um cais antigo.

Peabody Essex Museum
East India Sq. **Tel** (978) 745-9500, (866) 745-1876. 10h-17h ter-dom. **pem.org**

Arredores
Marblehead, a apenas 6km de Salem, é um vilarejo com porto histórico e pitoresco. Suas alamedas onduladas são ladeadas de prédios históricos, mansões e chalés, sendo os mais notáveis o Abbot Hall e a Jeremiah Lee Mansion.

❸ Lowell

103.000. 40 French St, 2nd andar (978) 459-6150.

Lowell foi a primeira cidade industrial do país. No início do século XIX, sediou a primeira tecelagem equipada com um tear mecânico e logo ganhou diversos complexos têxteis gigantescos. Mas, depois da Grande Depressão *(p. 59)*, as tecelagens fecharam e Lowell virou uma cidade-fantasma. A partir de 1978, diversas construções centrais foram restauradas, e o Lowell National Historical Park conta a história da indústria têxtil da cidade. Além disso, o **New England Quilt Museum** dispõe de uma variada coleção de lindas *quilts* (colchas) antigas e atuais.

❹ Concord

17.750. 58 Main St, (978) 369-3120. Representação da batalha de Concord (abr). concordmachamberofcommerce.org

Pacata e próspera, essa cidade tem um passado memorável. Foi nela que ocorreu a batalha de Concord, em 19 de abril de 1775, que, junto com a batalha da vizinha Lexington *(p. 155)*, marcou o início da Revolução Americana.

O **Minute Man National Historical Park**, de 400ha, preserva o local da batalha, onde um grupo de cidadãos comuns e fazendeiros da colônia, conhecidos como "Minutemen" *(p. 54)*, lutou contra as tropas britânicas, fazendo-as retroceder pela North Bridge e perseguindo-as até Boston.

No século XIX Concord floresceu como foco literário do país, quando muitos escritores foram morar ali. Ralph Waldo Emerson e Nathaniel Hawthorne moraram algum tempo em **The Old Manse**; e Emerson viveu quase 50 anos, até sua morte em 1882, na **Emerson House**, onde estão expostos seus livros, seus móveis e recordações dele.

Há também a **Walden Pond**, imortalizada nos textos do ensaísta Henry David Thoreau (1817-1862). Em seu inspirado trabalho *Walden; ou A vida nos bosques*, Thoreau pede o retorno à simplicidade da vida do dia a dia e o respeito pela natureza. Ele é considerado o ponto de origem do movimento conservacionista. A lagoa e os 135ha

As Bruxas de Salem

Em 1692, Salem foi varrida por uma onda de histeria em que 200 cidadãos foram acusados de praticar bruxaria. No total, 150 pessoas foram presas e dezenove enforcadas como feiticeiras, enquanto um homem foi apedrejado até a morte. Ninguém estava a salvo: dois cachorros foram executados em patíbulos por serem bruxos. E não é de admirar que, quando a esposa do governador se tornou suspeita, os julgamentos chegaram oficialmente ao fim.

Primeira ré: Rebecca Nurse

Veja hotéis e restaurantes dessa região nas pp. 184-9

Walden Pond State Reservation
915 Walden St. **Tel** (978) 369-3254. ligar para saber horário.

❺ Plymouth
52.000. para Provincetown (sazonal). 130 Water St, (508) 747-7525, (800) USA-1620.
w seeplymouth.com

O navio *Mayflower* entrou no porto de Plymouth, em 1620, com 102 peregrinos a bordo, os quais estabeleceram o primeiro assentamento europeu permanente na Nova Inglaterra. Hoje as cidades fervilham de visitantes que exploram os sítios históricos dos primeiros dias, entre os quais a **Plimoth Plantation**. A própria Plymouth é um balneário concorrido, com praia de 6km, e oferece cruzeiros no porto e pescarias. No outono, os pântanos em volta ficam avermelhados, pois é a época do amadurecimento do oxicoco (*cranberry*).

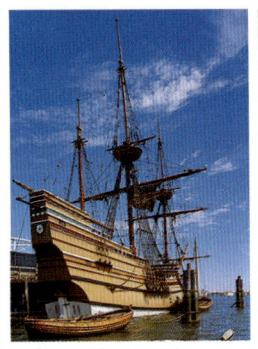

Mayflower II, réplica do navio dos peregrinos, em Plymouth

Na maior parte das atrações históricas pode-se chegar a pé, pelo Pilgrim Path, que se estende ao longo da orla e das áreas centrais. Um carrinho turístico também liga os pontos de interesse. No porto fica a **Plymouth Rock**, uma pedra que marca o local onde, diz-se, os peregrinos desembarcaram. Ancorado ali está o *Mayflower II*, uma réplica do veleiro do século XVII que trouxe os peregrinos da Inglaterra. Muitos dos que sobreviveram à terrível travessia nesse navio pequeno e apertado sucumbiram às doenças e à desnutrição durante o primeiro inverno em Plymouth. Foram enterrados em **Coles Hill**, onde há uma estátua do chefe índio Massasoit, que se aliou aos sobreviventes. Dali tem-se uma bela vista do porto.

O **Pilgrim Hall Museum**, inaugurado em 1824, possui a maior coleção de móveis da época dos peregrinos, armaduras e artes decorativas. Há também diversas casas históricas, como a **Harlow Old Fort House**, de 1677, uma das poucas construções do século XVII que ainda existem na cidade. Essas casas são administradas pela Antiquarian Society, que oferece passeios e eventos especiais, entre eles o café da manhã peregrino, uma vez por ano.

Plimoth Plantation
Rte 3A. 137 Warren Ave, (508) 746-1622. fim mar-nov: 9h-17h diariam. acesso limitado em certas áreas; pedir cadeira de rodas.
w plimoth.org

Plimoth Plantation
Cercada por uma paliçada, a Plimoth Plantation é uma recriação da vila de peregrinos de 1627, completa, com atores caracterizados como verdadeiros colonos, cheios de histórias para contar. O Wampanoag Village ilustra a vida dos nativos antes da chegada dos colonos.

Hopkins House
A esposa de Stephen Hopkins deu à luz o filho Oceanus no *Mayflower*.

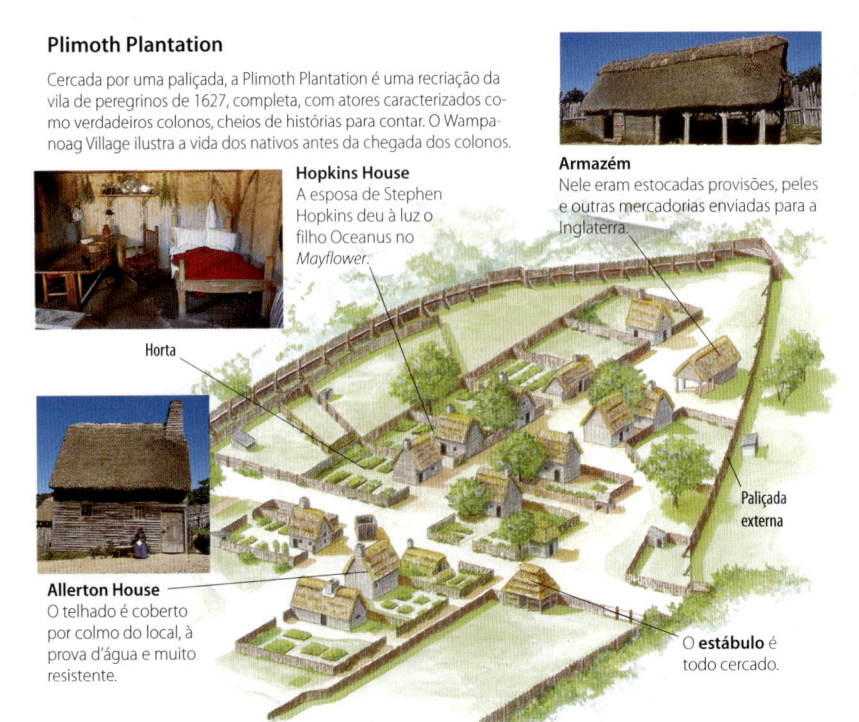

Armazém
Nele eram estocadas provisões, peles e outras mercadorias enviadas para a Inglaterra.

Horta

Paliçada externa

Allerton House
O telhado é coberto por colmo do local, à prova d'água e muito resistente.

O **estábulo** é todo cercado.

Old Harbor Life-Saving Station, de Cape Cod, construída em 1897

❻ Cape Cod

✈ 🚌 215 Iyannough Rd, Hyannis. ⛴ Ocean St, Hyannis; Railroad Ave, Woods Hole. 🛈 Jct Rtes 132 e 6, Hyannis, Rte 3, Plymouth, (508) 362-3225. 🎉 Cape Cod Maritime Week (mai), Annual Bourne Scallop Festival (set).

Mais de 13 milhões de pessoas chegam a cada verão para aproveitar as praias, a beleza natural e as singulares vilas coloniais de Cape Cod e das ilhas vizinhas de Martha's Vineyard e Nantucket. As grandes atrações são os passeios para observar baleias, de abril a meados de outubro. O cabo, com formato de braço levantado e dobrado no cotovelo, estende-se por mais de 100km mar adentro.

O **Cape Cod National Seashore** se estende por mais de 60km ao longo da parte norte do cabo, de Provincetown a Chatham, e é famoso pelas dunas em ferradura, praias de areia branca, charcos salobros, rochedos frios e bosques. Edificações históricas, como a **Old Harbor Life-Saving Station** e a **Atwood Higgins House**, do século XVIII, estão espalhadas pelas belezas naturais da área.

Um dos destinos mais procurados é **Provincetown**. Essa cidade pitoresca tem um passado histórico – os peregrinos desembarcaram nela em 1620 e permaneceram por cinco semanas, até passarem para o continente. O **Pilgrim Monument**, de 77m de altura (a maior estrutura de granito dos EUA), homenageia esse evento. Hoje Provincetown é animada nos meses de verão, quando a população cresce muito, e atrai um grande público gay. O movimentado MacMillan Wharf é o ponto de partida para passeios de observação de baleias. Desde o início do século XX, a cidade também teve uma agitada colônia de artistas, cujos residentes mais famosos foram os pintores Mark Rothko e Jackson Pollock, e os escritores Eugene O'Neill e Tennessee Williams. A obra de artistas locais também está exposta no Provincetown Art Association and Museum. **Chatham**, uma atraente comunidade abastada, oferece hospedarias ótimas, lojas simpáticas e um concorrido teatro de verão. Os barcos de pesca atracam e descarregam no píer, onde o mar oferece boas oportunidades para quem pesca com vara. O Railroad Museum, instalado numa estação vitoriana de 1887, tem fotos, recordações e vagões antigos da ferrovia.

Pilgrim Monument

Hyannis, o maior vilarejo de Cape Cod, é um centro de compras movimentado, além de ser o principal centro de transportes da região. Também é conhecido como sede de veraneio da famosa família Kennedy, cuja propriedade, totalmente protegida, pode ser mais bem observada do mar, num cruzeiro turístico. No centro fica o "chalé" que o multimilionário Joseph Kennedy (1888-1969) comprou em 1926, ampliando a construção para se tornar o refúgio de férias para seus nove filhos e as famílias deles. O John F. Kennedy Hyannis Museum relembra esses tempos felizes. Após o assassinato de John F. Kennedy, em 1963, um memorial simples foi erguido na cidade em sua homenagem. Trata-se de um laguinho com fonte e uma parede circular com o perfil do presidente.

Uma das formas de transporte mais concorrida de Hyannis é a **Cape Cod Central Railroad**, que oferece um passeio panorâmico de duas horas (ida e volta) até o canal de Cape Cod.

Trilhas para caminhar, charcos salobros, piscinas que se enchem com a maré e, principalmente, 19km de praias atraem o visitante para **Falmouth**, com sua pitoresca vila verdejante. Há também a Shining Sea Bike Path, de 5km, com vistas da praia, do porto e dos bosques. Esse caminho leva ao maior centro mundial independente de pesquisa científica sobre o mar: o Woods Hole Oceanographic Institute.

Sandwich, a cidade mais antiga de Cape Cod, parece saída de um cartão-postal: uma igreja voltada para uma lagoa, alimentada por um riacho, que gira a roda-d'água de um moinho colonial. Diz-se que o sino da igreja, que data de 1675, é o mais antigo dos EUA. A atração mais diferente da cidade é o **Heritage Museums and Gardens**, um jardim de 30ha, com museu que contém um acervo eclético de Josiah K. Lilly Jr. (1893-1966), magnata da indústria farmacêutica. Entre as peças expostas estão 37 carros antigos, relíquias de índios americanos e um carrossel de 1912. O jardim é famoso pelos belos rododendros.

Saindo do continente, a apenas 45 minutos de barco, fica **Martha's Vineyard**. Essa ilha de 280km² combina belíssimos pa-

Concorrida viagem turística na Cape Cod Central Railroad

Veja hotéis e restaurantes dessa região nas pp. 184-9

Barco de pesca ancorado em cabana de pesca, em Martha's Vineyard

noramas com o charme de um balneário e muitas atividades ao ar livre. Cada cidade possui identidade e estilo arquitetônico próprios.

A maioria dos visitantes chega de ferryboat ao centro comercial da ilha, o Vineyard Haven. Na praia a leste fica Edgartown, com graciosas casas do século XIX, que pertenciam a ricos capitães do mar e comerciantes. O **Martha's Vineyard Museum** ocupa uma delas – a Thomas Cooke House (c. 1730), com objetos de família e outros artefatos. Dali, um ferryboat leva à Chappaquiddick Island, onde o carro dirigido pelo senador Edward Kennedy (1932-2009) caiu da ponte, em 1969, matando uma passageira. Ao norte de Edgartown está Oak Bluff, com chalés ornamentais. O litoral oeste é tranquilo e rural, com praias desertas.

A **Nantucket Island**, um reduto calmo de 22km de comprimento, com apenas uma cidade, permanece quase que um mundo indomado, com lagoas formadas em depressões, praias calmas, brejos com oxicoco (cranberry) e campos com uva silvestre e mirtilo. Aqui e ali, surgem algumas casas. Nantucket foi um próspero centro da indústria baleeira no início do século XIX, e as mansões dos capitães do mar e comerciantes refletem a glória daqueles tempos. A **Nantucket Historical Association** (NHA) administra onze edificações históricas da cidade, numa das quais funciona o Whaling Museum. Um lugar muito procurado, a 13km da cidade, é a vila de Siasconset, famosa pelos costões rosados e alamedas com chalés minúsculos.

Cape Cod National Seashore
Rte 6, Cape Cod. Salt Pond Visitor Center, Rte 6, Eastham, (508) 255-3421. o ano todo. apenas fim jun-início set. **w** nps.gov/caco

John F. Kennedy Hyannis Museum
397 Main St, Hyannis. **Tel** (508) 970-3077. meados abr-mai, nov: 10h-16h seg-sáb, 12h-16h dom; jun-out: 9h-17h seg-sáb, 12h-17h dom. **w** jfkhyannismuseum.org

Heritage Museums & Gardens
67 Grove St, Sandwich. **Tel** (508) 888-3300. meados abr-out: 10h-17h diariam. **w** heritagemuseumsandgardens.org

Martha's Vineyard Museum
59 School St, Edgartown. **Tel** (508) 627-4441. meados mai-meados out: 10h-17h seg-sáb, 12h-17h dom.

Nantucket Historical Association (NHA)
15 Broad St, Nantucket Island. **Tel** (508) 228-1894. Edifícios históricos: ligar para saber horário. apenas museu. **w** nha.org

❼ Sturbridge

Old Sturbridge Village: Rte 20, Sturbridge. **Tel** (508) 347-3362. início abr-fim out: 9h30-17h diariam; fim out-início abr: 9h30-16h ter-dom. dez. **w** osv.org

Essa cidadezinha sedia o **Old Sturbridge Village**, um museu ao ar livre, na forma de um vilarejo do início do século XIX. No centro estão cerca de 40 edificações da época, que foram restauradas e transferidas por toda a Nova Inglaterra. Entre elas estão a Towne House, em estilo federal, uma igreja, uma taberna e uma loja.

❽ The Berkshires

Pittsfield. 66 Allen St, Pittsfield, (413) 743-4500, **w** berkshires.org

Faz tempo que colinas arborizadas, vales verdejantes, rios com corredeiras e cachoeiras atraem visitantes para esse canto de Massachusetts, rico em oportunidades para atividades ao ar livre e em atrações culturais. A área conta com pequenas cidades e vilas pitorescas. **Pittsfield**, ao lado do Mount Greylock, é famosa como cidade de Herman Melville (1819-91), onde ele escreveu sua obra-prima: *Moby Dick*. **Lenox** possui grandiosas propriedades de famílias importantes, como os Carnegies. No verão, também acolhe o prestigiado Tanglewood Musical Festival, com shows de vários gêneros musicais. A rua principal de **Stockbridge** foi imortalizada nas pinturas de um dos mais apreciados ilustradores dos EUA, Norman Rockwell (1894-1978), que morou 25 anos na cidade. Suas obras podem ser vistas no **Norman Rockwell Museum**.

Para quem gosta da natureza, há duas grandes atrações nessa região: a **Mount Washington State Forest** e a **Bash Bish State Park**, bem perto.

Norman Rockwell Museum
Rte 183. **Tel** (413) 298-4100. mai-out: 10h-17h diariam; nov-abr: 10h-16h seg-sex, 10h-17h sáb-dom. 1º jan, Ação de Graças, 25 dez. **w** nrm.org

Bash Bish Falls, perto de Mount Washington State Forest, nos Berkshires

Rhode Island

Menor estado americano, Rhode Island não é ilha, mas possui um litoral cheio de ilhotas e praias lindas. Embora seja conhecido como estado oceânico, metade de Rhode Island é coberta de matas, ideais para caminhadas e acampamentos. As duas maiores cidades são Providence, a ativa capital, e Newport, que tem algumas das mansões mais suntuosas da Nova Inglaterra.

Construções imponentes na Benefit Street's Mile of History, em Providence

❾ Providence

174.000. Providence Station, 100 Gaspee St. Kennedy Plaza. Point St (para Newport). 1 Sabin St, (401) 751-1177 ou (800) 233-1636. Festival of Historic Houses (jun-dez); International Film Festival (ago).
goprovidence.com

No alto de sete colinas, à margem da Narragansett Bay, Providence é uma mistura interessante do antigo e do moderno. No início, era uma comunidade agrícola, fundada em 1636 pelo clérigo Roger Williams, que saiu da colônia de Massachusetts Bay por sua crença sincera na liberdade religiosa. Logo se tornou um porto florescente e, depois, um centro industrial no século XIX, com levas de imigrantes europeus trabalhando em suas fábricas de tecidos.

Providence é dividida ao meio pelo rio Providence. Na margem oeste fica o centro do distrito, com muitos restaurantes e diversões, e uma orla revitalizada, em boa parte, graças às instalações de arte e às fogueiras de Waterfire Providence®. A leste fica o *campus* da Brown University e diversas ruas históricas. A mais notável é a **Benefit Street's Mile of History**. Essa linda rua arborizada tem mais de cem casas que vão do estilo colonial e federal ao neoclássico e vitoriano. Entre as preciosidades arquitetônicas está o **Providence Athenaeum**, uma biblioteca no estilo neoclássico, cujo acervo data de 1753, e a **First Unitarian Church**. Seu sino de 1.130kg foi um dos maiores moldados pela fundição de Paul Revere. Na Benefit Street também fica o **RISD Museum of Art**, da Rhode Island School of Design, cujo amplo acervo vai de peças do Egito Antigo à arte americana contemporânea. Rumo ao norte, na Main Street, está a **First Baptist Church in America**. Erguida em 1774-5, ela é decorada com intricadas talhas de madeira e um candelabro de cristal Waterford.

Fundada em 1764, a **Brown University** foi a sétima faculdade criada nos EUA e uma das escolas prestigiadas da "Ivy League". Seu bonito *campus*, com uma rica mistura dos estilos gótico e beaux-arts, vale uma espiada. Entre os prédios que se destacam estão a John Hay Library, com uma coleção de documentos e recordações relacionados ao presidente Abraham Lincoln; a John Carter Brown Library, com um fascinante acervo de itens americanos; e o List Art Center, edifício projetado por Philip Johnson, que apresenta arte clássica e contemporânea.

A **John Brown House**, mansão georgiana, construída em 1786 para um rico comerciante e armador, teve restauração impecável. O interior dispõe de tetos com ornamentos de gesso, de uma escadaria grandiosa com balaustrada torcida, e de papéis de parede da França. Seus doze quartos receberam alguns dos móveis e antiguidades mais finos daquele período.

Nas proximidades, outra casa com bela mobília do século XVIII é a **Governor Stephen Hopkins House**, de 1707.

Uma das mais inteligentes inovações do centro de Providence é a **Waterplace Park and Riverwalk**, uma área de 1,6ha, localizada na junção de três rios: o Moshassuck, o Providence e o Woonasquatucket. O visitante também pode passear pelos caminhos pavimentados com pedras arredondadas, flutuar sob as pontes em canoas ou gôndolas e apreciar

Roger Williams Park and Zoo, uma atração no centro de Providence

Veja hotéis e restaurantes dessa região nas pp. 184-9

concertos gratuitos no anfiteatro durante o verão.

Conhecido como "Temple of Trade", **The Arcade**, uma construção neoclássica de 1828, ocupa um quarteirão inteiro do antigo distrito financeiro da cidade. Primeiro shopping center coberto dos EUA, esse maciço complexo de pedra, com três andares e altas colunas jônicas de granito, possui uma clarabóia que percorre todo o seu comprimento e fornece luz, mesmo nos dias chuvosos. Reformado em 2013, o prédio tem lojas e restaurantes no primeiro piso e apartamentos nos andares superiores.

O centro de Providence é dominado pela imponente **Rhode Island State House**, construída em 1904. Sua magnífica cúpula de mármore branco tem no topo uma estátua de bronze denominada *Independent Man*, um símbolo do espírito libertário de Rhode Island. Dentro, entre as peças expostas, estão o original da Carta do Estado, de 1663, e um retrato em tamanho natural do presidente George Washington, pintado por Gilbert Stuart.

A maior área verde da cidade é o **Roger Williams Park and Zoo**. Antiga gleba agrícola, esse parque de 171ha agora contém jardins, estufas e tanques, um lago com pedalinhos e barcos a remo, além de pistas de corrida e ciclismo. Conta também com um centro de tênis. As crianças adoram os passeios de carrossel e de trenzinho, o planetário e o Museum of Natural History. Contudo o destaque do parque é o zoo, com mais de 900 animais. Uma janela subaquática permite que o visitante observe pinguins e ursos-polares enquanto eles brincam dentro da água.

Rhode Island State House, com sua cúpula de mármore

RISD Museum of Art
224 Benefit St. **Tel** (401) 454-6500.
10h-17h ter-dom, 10h-21h qui.
feriados. **w** risd.edu

John Brown House
52 Power St. **Tel** (401) 273-7507.
abr-nov: 13h30-15h ter-sex; 10h30-15h sáb; dez-mar: 10h30-15h sex e sáb. seg e feriados.

Rhode Island State House
82 Smith St. **Tel** (401) 222-3983.
8h30-16h30 seg-sex. feriados.
9h, 10h, 11h, 13h, 14h.

Centro de Providence

① Benefit Street's Mile of History
② Providence Athenaeum
③ RISD Museum of Art
④ First Baptist Church in America
⑤ Brown University
⑥ John Brown House
⑦ Governor Stephen Hopkins House
⑧ Waterplace Park and Riverwalk
⑨ The Arcade
⑩ Rhode Island State House

Legenda dos símbolos *na orelha da contracapa*

Grande número de iates ancorados em Newport

⑩ Newport

🚇 28.000. ✈ 🚌 Gateway Center, 23 America's Cup Ave. 🚌 Perrotti Park (para Providence). ℹ 23 America's Cup Ave, (401) 845-9123, (800) 326-6030. 🎾 Newport Tennis Week (jul), JVC Jazz Festival (ago). 🌐 discovernewport.org

Centro de comércio, cultura, riqueza e atividade militar por mais de 300 anos, Newport é um verdadeiro centro de turismo. As principais atrações da cidade são as mansões, a maioria das quais fica na Bellevue Avenue, no lado sudeste da cidade. Construídos entre 1748 e 1902, quando os ricos e famosos se reuniam ali no verão para vencer o calor de Nova York, esses "chalés" de veraneio das famílias mais ricas do país, como os Astor e os Vanderbilt, são algumas das casas americanas mais grandiosas. Inspiradas em palácios europeus e decoradas com finas obras de arte, essas mansões eram usadas por apenas dez semanas a cada ano. **The Breakers** é um dos melhores exemplos.

Em Newport foi erguida a mais antiga sinagoga dos EUA. Construída em 1763, por judeus sefardis, que fugiram da Espanha e Portugal em busca de tolerância religiosa, a **Touro Synagogue** é um ótimo exemplo da arquitetura do século XVIII. Está localizada a leste da Washington Square, onde muitas construções coloniais foram preservadas. Entre elas está o sazonal Brick Market Museum and Shop, que fica no mercado e foi o centro do comércio nos tempos coloniais. Na praça também fica a White Horse Tavern (p. 188), que afirma ser a taberna mais antiga em funcionamento no país. Sua licença para vender bebidas alcoólicas é de 1673.

Além de mansões e sítios históricos, Newport tem diversas atrações ao ar livre. Ao sul da Washington Square fica o **Fort Adams State Park**, com o forte

---

The Breakers

A arquitetura e a ostentação da Idade de Ouro do final do século XIX atingiram o auge com The Breakers, casa de veraneio do magnata das estradas de ferro Cornelius Vanderbilt II (1843-99). Terminada em 1895, a mansão de pedra calcária tem quatro andares, 70 quartos e foi inspirada em palácios do século XVI de Turim e Gênova. O interior é decorado com mármore, vitrais, dourados e cristais.

O quarto de Mrs. Vanderbilt tem suntuosa decoração no estilo Luís XVI.

A sala de música foi palco de recitais e bailes grandiosos.

A sala de jantar, com altura de dois andares, tem um belo teto em arco e dois enormes candelabros de cristal.

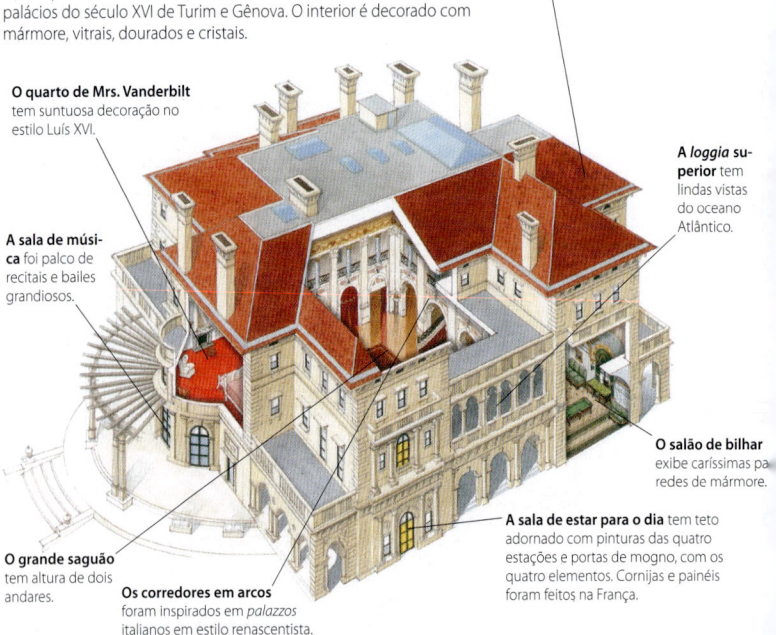

A *loggia* superior tem lindas vistas do oceano Atlântico.

O salão de bilhar exibe caríssimas paredes de mármore.

A sala de estar para o dia tem teto adornado com pinturas das quatro estações e portas de mogno, com os quatro elementos. Cornijas e painéis foram feitos na França.

O grande saguão tem altura de dois andares.

Os corredores em arcos foram inspirados em *palazzos* italianos em estilo renascentista.

Veja hotéis e restaurantes dessa região nas pp. 184-9

O belíssimo Cliff Walk, muito procurado pelos visitantes de Newport

Adams, de 1853, como peça central. Não mais usado como guarnição, o forte está cheio de instalações esportivas. Todo ano, o Jazz Festival da cidade ocorre no local. O parque também tem o Museum of Yachting, além de uma coleção de iates de luxo.

Outro local concorrido é o **Cliff Walk**, de 5,5km, a sudoeste do centro. A trilha, ao longo de rochedos escarpados, oferece algumas belas vistas das mansões da Idade de Ouro e foi considerada uma National Recreation Trail. Os Forty Steps (40 degraus), cada um com o nome de alguém que se perdeu no mar, levam até a praia.

The Breakers
Ochre Point Ave. **Tel** (401) 847-1000. abr-nov: 9h-17h diariam. Ligar para saber horário no inverno. Ação de Graças, 24 e 25 dez. a cada 15min. **w** newportmansions.org

Touro Synagogue
85 Touro St. **Tel** (401) 847-4794. ligar para saber horário. a cada 30min.

Fort Adams State Park
Harrison Ave. **Tel** (401) 847-2400. amanhecer-anoitecer diariam. Museum of Yachting: **Tel** (401) 847-1018. jun-out: 11h-16h30 qua-seg; nov-mai: marcar hora.

⓫ South County Beaches

Narragansett: 36 Ocean Rd, (401) 783-7121. Charlestown: 4945 Old Post Rd, (401) 364-3878.

A sudoeste de Newport, entre **Narragansett** e Watch Hill, encontram-se mais de 160km de praias de areia branca e uma série de poços ou depressões que se enchem com a maré. Os poços atraem ornitófilos que observam garçotas, garças e maçaricos, que nadam e chapinham nos charcos salobros. Muitas praias são abertas ao público, exceto os estacionamentos. A **Scarborough State Beach** é excelente para pegar jacaré e fazer surfe, enquanto a **Roger Wheeler State Beach** é preferida pelas famílias. A **East Matunuck State Beach** é procurada por surfistas em dias de vento. A bela faixa de areia da **Charlestown Town Beach** tem uma rampa de barcos com acesso para os poços costeiros do Ninigret National Wildlife Refuge.

Mais para o oeste, ao longo da costa, fica a **Misquamicut State Beach**. Maior praia do estado, com poucas ondas, tem um parque de diversões antigo, com muitos brinquedos para as crianças.

⓬ Block Island

State Pier, Galilee. Ferryboats levam o carro mediante reserva, (401) 783-7996.

A apenas 21km da costa, a Block Island é um ótimo destino para atividades ao ar livre, como nadar, pescar, velejar, observar pássaros, fazer canoagem e cavalgar. Quase 50km de trilhas naturais levam quem caminha ou anda de bicicleta a apreciar as belezas naturais da ilha. A vila de **Old Harbor** é o principal centro de atividades da ilha. Casas vitorianas, hotéis e lojas ladeiam as ruas, e pode-se alugar barcos para pescar perca-listrada, anchova, linguado e bacalhau. Ao sul da vila ficam os impressionantes costões rosados de **Mohegan Bluffs**, com 61m de altura, e o Southeast Lighthouse, que já foi o farol mais potente da Nova Inglaterra.

Procurada por quem aprecia caminhadas, a **Rodman's Hollow Natural Area** é uma depressão glacial, bem marcada com trilhas naturais. Trata-se de um refúgio para falcões e veados-galheiros.

No litoral noroeste de Block Island fica o **Great Salt Pond**, totalmente protegido do mar. Esse é um ótimo lugar para andar de caiaque e pescar. Perto, New Harbor é excelente marina e centro de barcos. **Clayhead**, na costa nordeste da ilha, oferece vistas fantásticas do oceano e é o ponto de partida de uma trilha natural que vai até **Settler's Rock**, onde uma placa homenageia dezesseis ingleses que desembarcaram no local em 1661. A pedra fica na ponta do Sachem Pond, procurado por quem deseja nadar ou andar de caiaque. Um passeio de carro de 29km em Block Island é um jeito confortável de apreciar esses locais.

Placa para os pioneiros ingleses, em Settler's Rock, na Block Island

Escarpados costões rosados em Mohegan Bluffs, na Block Island

Connecticut

Tão compacto que se pode atravessá-lo em algumas horas, Connecticut dispõe de preciosidades que motivam o visitante a prolongar a visita. Ao longo do litoral, há praias, marinas e um notável museu marítimo em Mystic Seaport. No interior, o vale do rio Connecticut e Litchfield Hills exibem vilarejos históricos e panorâmicos. As cidades principais são Hartford, a movimentada capital, e New Haven, sede da Yale University.

⓭ Hartford

139.000. ✈ 🚌 🚆 1 Union Place. 🛈 1 Constitution Plaza, (888) 288-4748. 🎭 Mark Twain Days (verão). 🌐 ctvisit.com

Fundada em 1636 por um grupo de pioneiros ingleses vindos da colônia de Massachusetts Bay, Hartford chegou ao auge no século XIX, quando se tornou centro das companhias de seguros. Também se transformou num vibrante centro cultural, graças a escritores que ali residiram, como Mark Twain. Há poucos anos, um ambicioso programa de revitalização deu nova vida à cidade.

Na silhueta de Hartford se distingue a brilhante cúpula dourada do **State Capitol**, construção gótico-vitoriana, situada no topo de uma colina. Dali, pode-se ir a pé a diversas atrações da cidade. O capitólio está voltado para o **Bushnell Park**, de 16ha, uma criação de Frederick Law Olmsted (1822-1903), nascido em Hartford, que também projetou o Central Park de Nova York. No local existem cem variedades de árvores e um carrossel de 1914, com 48 cavalos esculpidos em madeira.

A **Old State House**, de 1796, projetada por Charles Bulfinch *(p. 140)*, é o capitólio mais antigo do país. Dispõe de grandioso saguão central, com escadaria, e de uma cúpula ornamentada. Esse é um ótimo exemplo de arquitetura no estilo federal.

Perto, a **Center Church** exibe cinco vitrais desenhados pelo artista americano Louis Comfort Tiffany (1848-1933). Mais ao sul fica o **Wadsworth Atheneum**, o mais antigo museu de arte do país em funcionamento. No acervo estão peças do Renascimento, do Barroco e do Impressionismo, além de obras americanas.

A **Mark Twain House and Museum**, de 1874, uma obra-prima do estilo neogótico, tem frontões pontiagudos, amplos balcões e torreões. Construído no auge da carreira de Twain, a casa de dezenove aposentos foi

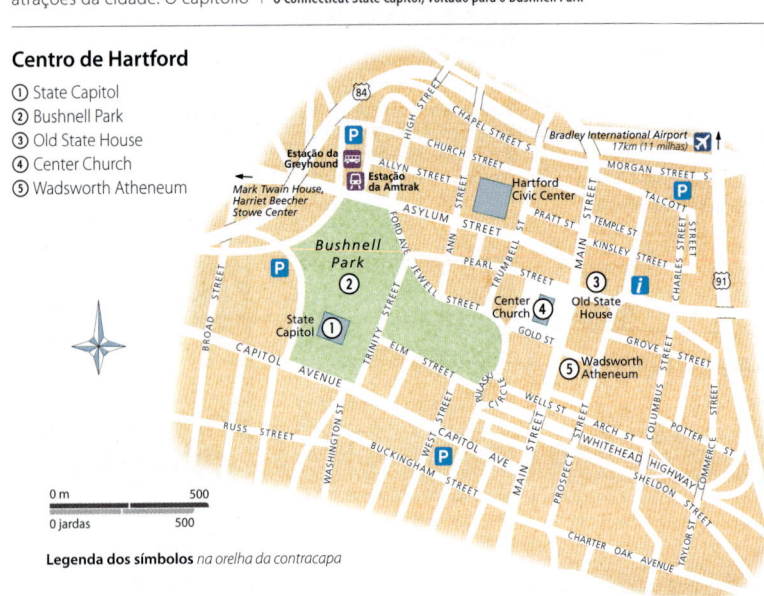

O Connecticut State Capitol, voltado para o Bushnell Park

Centro de Hartford

① State Capitol
② Bushnell Park
③ Old State House
④ Center Church
⑤ Wadsworth Atheneum

Legenda dos símbolos na orelha da contracapa

Veja hotéis e restaurantes dessa região nas pp. 184-9

CONNECTICUT | 165

Salão de bilhar, Mark Twain House, em Hartford

construída sobre uma base plana, projetada por sua mulher, Olivia. Chamam a atenção a biblioteca, com console de lareira de madeira entalhada; o tranquilo salão de bilhar, onde Twain escreveu suas obras mais conhecidas, entre as quais *As aventuras de Tom Sawyer*; e o quarto de casal, com uma bela cama entalhada. Um funcional centro de visitantes mostra a vida e a obra de Twain.

Ao lado fica a **Harriet Beecher Stowe Center**, onde a famosa autora do romance *A cabana do Pai Tomás* (1852) morou até a morte, em 1896. A casa tem uma ornamentação exagerada, típica dos projetos vitorianos do final do século XIX, ao passo que a elegância interior expõe um talento menos conhecido de Harriet: o de decoradora.

Mark Twain House and Museum
351 Farmington Ave. **Tel** (860) 247-0998. 9h30-17h30 seg-sáb; 12h-17h30 dom. ter (jan-mar), feriados. obrigatório. apenas 1º andar. **marktwainhouse.org**

⓮ Litchfield
8.850. Litchfield Hills Visitors' Bureau, PO Box 968, (860) 567-4506. **northwestct.com**

Cidade histórica e pitoresca, situa-se no centro da região de Litchfield Hills, no noroeste de Connecticut, que muita gente considera a parte mais panorâmica do estado. À beira do rio Housatonic, a paisagem bucólica de lindos bosques, vales, lagos e vida silvestre oferece boas oportunidades para esportes, como andar de canoa e caiaque, fazer rafting, passear em botes infláveis, pescar e caminhar.

No outono, a bela folhagem ao longo das estradas da região maravilha os viajantes. Entre as casas históricas de Litchfield estão a **Tapping Reeve House**, de 1784, e a Law School, primeira faculdade de direito do país. Nos arredores da cidade, na Route 202, o **Mount Tom State Park** tem trilhas que levam ao topo, a 404m de altitude. No lago pode-se mergulhar, nadar, pescar e andar de barco.

⓯ Connecticut River Valley
Windsor: 27.800. (860) 787-9640. Old Lyme: 6.800. 27 Greenmanville Ave, Mystic, (860) 536-8822, (860) 701-9113. **mystic.org**

O vale do rio Connecticut é pontilhado de pequenas cidades e vilarejos. **Windsor**, assentada no início da década de 1630 por peregrinos que vieram de Plymouth (p. 157), tem casas históricas abertas à visitação, como a John and Sarah Strong House, de 1758 (em reforma até o fim de 2015). Perto dali fica Palisado Green, onde colonos assustados ergueram uma paliçada para os confrontos com índios *pequots*, em 1637.

Wethersfield, fundada em 1634, é um exemplo da arquitetura americana do século XVIII ao século XX. Vale a pena visitar o Webb-Deane-Stevens Museum, que se constitui de três habitações que mostram os estilos de vida de três americanos diferentes, do século XVIII: um diplomata, um comerciante rico e um curtidor de peles. O **Dinosaur State Park**, ao sul, preserva cerca de 500 pegadas de dinossauros, sob uma cúpula geodésica. Também expõe um modelo, em tamanho natural, de um dilofossauro de 2m de altura.

Ao lado da cidade de East Haddam fica o bizarro e suntuoso **Gillette Castle**, construído em 1919 pelo ator William Gillette. Essa mansão de granito, com 24 quartos, parece um castelo medieval, com muralhas e torreões. Está recheada de excentricidades, como cadeados com segredo de fabricação doméstica e móveis sobre rodas e trilhos.

A pitoresca Old Lyme se orgulha das casas dos séculos XVIII e XIX, erguidas para os capitães do mar. Também é famosa pelo **Florence Griswold Museum**, que ocupa uma mansão de 1817. Pinturas de artistas americanos, como Childe Hassam e Clark Voorhees, decoram as paredes do museu, junto a obras de outros artistas que moraram na casa da mecenas Florence Griswold e fizeram painéis nas paredes para retribuir a generosidade dela.

Wethersfield
Greater Hartford Tourism District, 1 Constitution Plaza, Hartford, (888) 288-4748. **ctvisit.com**

Gillette Castle
67 River Rd saindo da Rte 82, Hadlyme. **Tel** (860) 526-2336. fim mai-12 out: 10h-17h diariam.

Florence Griswold Museum
96 Lyme St, Old Lyme. **Tel** (860) 434-5542. 10h-17h ter-sáb, 13h-17h dom. **flogris.org**

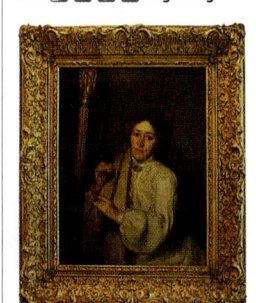

A harpista, de Alphonse Jongers, no Florence Griswold Museum

⓰ New Haven

🏠 123.626. 🚂 ℹ️ 195 Church St, (203) 777-8550. 🌐 visitnewhaven.com Yale University: ℹ️ 149 Elm St, (203) 432-2300. 🚗 ♿ 🎫 International Festival of Arts and Ideas (jun). 🌐 yale.edu

Fundada em 1638, New Haven está situada no litoral, onde três rios desembocam em Long Island Sound. Apesar de isso ter ajudado a torná-la um importante centro industrial, a cidade é mais conhecida pela **Yale University**, uma das instituições de ensino superior mais prestigiadas do mundo. Entre seus alunos estão quatro presidentes americanos, como os Bush, pai e filho, e Bill Clinton. Yale, inaugurada em 1701, fez de New Haven um importante centro educacional, de pesquisa e de tecnologia, e também enriqueceu muito sua vida cultural.

A principal área verde da cidade é o **New Haven Green**, de 6ha, que serve de palco para atividades ao ar livre e festivais. Três belas igrejas do início do século XIX estão localizadas em Green, das quais a **First Church of Christ** possui um vitral de Tiffany, considerado uma obra-prima do estilo georgiano americano. Boa parte do centro de New Haven é tomada pelo *campus* da Yale University, salpicado de construções georgianas e neogóticas, assim como de estruturas modernas projetadas por Eero Saarinen e Philip Johnson. No local há importantes marcos, como o belo Memorial Quadrangle em estilo neogótico e a Harkness Tower, cujo carrilhão soa a intervalos, o dia todo.

Os notáveis museus de Yale constituem uma grande atração para o visitante. O **Yale Center for British Art**, cujo acervo foi doado pelo filantropo Paul Mellon (1907-99), exibe a maior coleção de arte britânica fora do Reino Unido e conta com quadros de Gainsborough, Hogarth e Turner. Entre as preciosidades encontradas nas **Beinecke Rare Book and Manuscript Libraries** está uma das poucas Bíblias de Gutenberg que ainda restam no mundo.

A **Yale University Art Gallery**, que reflete a generosidade e o bom gosto dos alunos da Yale, contém obras de artistas como Picasso, Van Gogh, Manet e Monet, enquanto o **Peabody Museum of Natural History** é famoso por seus dinossauros.

Para quem gosta de música, a **Yale Collection of Musical Instruments** é uma atração obrigatória. Sua exposição fantástica conta com violinos e espinetas que datam de muitos séculos atrás. Tais instrumentos históricos ainda são tocados em concertos.

O parque mais procurado de New Haven é o Lighthouse Point Park, de 34ha, em Long Island Sound. Tem trilhas naturais, santuário de pássaros e um farol de 1840.

Vitral de Tiffany, na First Church of Christ

Entrada do Peabody Museum of Natural History, na Yale University

🏛 **Yale Center for British Art**
1.080 Chapel St. **Tel** (203) 432-2800.
🕐 10h-17h ter-sáb, 12h-17h dom.
⬤ feriados. 🚗 ♿ 🎫

🏛 **Beinecke Rare Book & Manuscript Libraries**
121 Wall St. **Tel** (203) 432-2977.
🕐 9h-19h seg-qui, 9h-17h sex, 12h-17h sáb. ⬤ sáb em ago e feriados.

🏛 **Yale University Art Gallery**
1.111 Chapel St. **Tel** (203) 432-0600.
🕐 10h-17h ter-sex (até 20h na qui), 11h-17h sáb e dom.
⬤ feriados. 🚗 ♿ 🎫
🌐 artgallery.yale.edu

Campanários de igrejas em New Haven Green, o ponto principal da cidade

Veja hotéis e restaurantes dessa região nas pp. 184-9

O *Charles W. Morgan*, último baleeiro de madeira, em Mystic Seaport

⓱ Connecticut Coast

Mystic: 2.600. 27 Greenmanville Ave, (860) 536-8822. Madison: 16.000. 1 Constitution Plaza, Hartford, (888) 288-4748. Stamford: Fairfield County. 117.083. 297 West Ave, Norwalk, (203) 853-7770.
w visitwesternct.com

A bela costa de Connecticut, com 170km de extensão, é bordejada por angras, enseadas e portos, cheios de praias, marinas e parques estaduais. Há também pequenas cidades e vilas ao longo do litoral.

Um dos destinos mais procurados nessa costa é **Mystic Seaport**. Esse vilarejo recriado, dedicado à navegação dos séculos XVIII e XIX, onde praticamente todas as casas ostentam algum tema náutico, tem também o maior museu marítimo do mundo. A principal atração é seu estaleiro de manutenção e sua frota de navios antigos, entre os quais está o *Charles W. Morgan*, um baleeiro restaurado. Outro destaque é o Mystic River Scale Model, com mais de 250 maquetes detalhadas de construções. Já o Mystic Aquarium tem pinguins, raias e tubarões, enquanto focas e leões-marinhos podem ser vistos na Seal Island.

A pouca distância de Mystic Seaport fica **New London**. Essa cidade histórica foi incendiada pelas forças britânicas na Revolução Americana, mas, por incrível que pareça, muitas ficaram incólumes. Entre elas está a Joshua Hempsted House, construída em 1678, que tem isolamento de algas marinhas. No século XIX, New London havia se recuperado e se tornou um centro próspero da indústria baleeira – o conjunto das mansões neoclássicas em Whale Oil Row atesta a opulência do período.

A cidade balneária de **Madison**, cheia de antiquários e butiques, também possui casas históricas abertas à visitação. Entre as fascinantes peças expostas na **Deacon John Grave House** está o livro de escrituração da família, com registros de 1678 a 1895. Em Madison há também o **Hammonasset Beach State Park**, o maior parque litorâneo do estado, com praia de 3km que atrai gente que vai tomar sol, nadar e mergulhar. A vizinha **Guilford** tem um forte de granito no estilo tudor-gótico. Fortaleza de três andares, erguida em 1640 por um grupo de colonos puritanos para se proteger dos ataques de índios, é a obra de pedra mais antiga na Nova Inglaterra.

Saindo da Stony Creek Dock de Guilford, o viajante pode atravessar para as **Thimble Islands** em barcos de passeio que operam na área, observando focas ou apreciando as belíssimas cores do outono. Muitas das 365 ilhas não passam de grandes rochas, mas algumas ilhas particulares possuem pequenas comunidades. Diz a lenda que o corsário Capitão Kidd (1645-1701) escondeu seu tesouro de pilhagens na Money Island ao ser perseguido pela frota britânica.

Coastal Fairfield County, na parte meridional do estado, tem atrações para todos os gostos. A costa dispõe de praias que oferecem diversões de veraneio, enquanto as pessoas ligadas ao ecoturismo são atraídas para as reservas naturais e para o zoo. A região também conta com galerias de arte e museus.

Bridgeport abriga o Beardsley Zoo, o Barnum Museum e o Discovery Museum. Atualmente, o Barnum Museum está fechado para reforma.

A charmosa cidade de **Westport**, à margem do rio Saugatuck, conta com o Sherwood Island State Park. **Norwalk** também possui construções históricas, lojas e cafés ao longo da orla, além do Maritime Aquarium. **New Canaan**, situada numa paisagem formada de bosques, riachos e campos ondulantes, fica espetacular no outono. **Stamford** dispõe de uma exclusiva First Presbyterian Church, com formato de peixe, e a cidade conta ainda com um animado centro.

Greenwich, abençoada com um litoral muito bonito, possui uma colônia de arte, o Bush-Holley Historic Site.

Um passeio de carro de 70km por Fairfield County dá uma visão geral do que é a costa de Connecticut.

Mystic Seaport
75 Greenmanville Ave (Rte 7). **Tel** (860) 572-0711. Navios e exposições: abr-out: 9h-17h; nov-mar: ligue para saber horários. 24-25 dez.
w mysticseaport.org

Deacon John Grave House
Madison, 581 Boston Post Rd. **Tel** (203) 245-4798. mai-set: ligue para agendar visita.

Hammonasset Beach State Park
I-95, saída 62. Park: **Tel** (203) 245-2785. 8h-anoitecer diariam. Áreas de camping: **Tel** (877) 668-2267.

Ilhas Thimble, local de focas, baleias e lendas pitorescas

Casas geminadas em estilo federal, no histórico bairro de Beacon Hill, Boston ▶

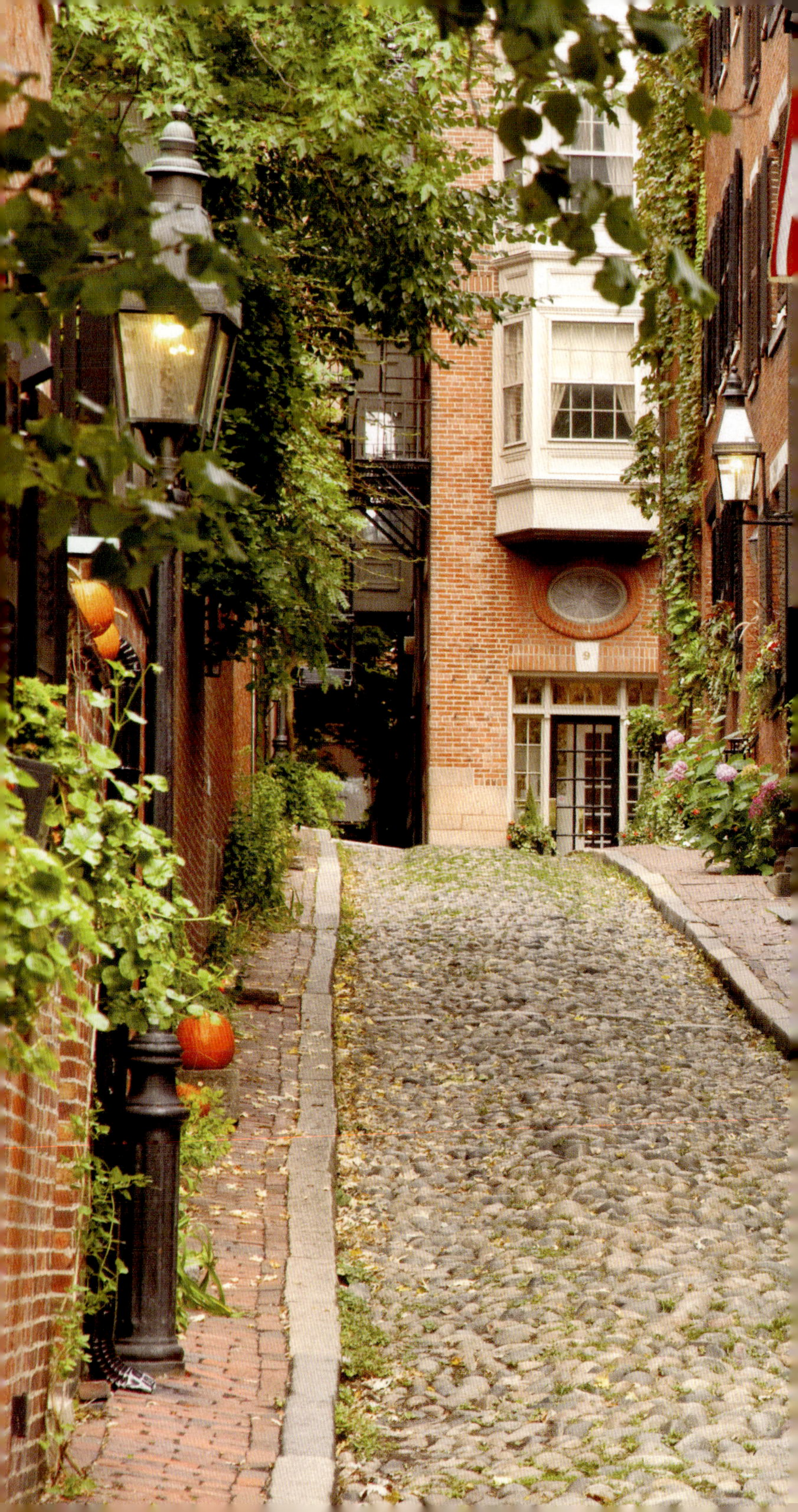
9

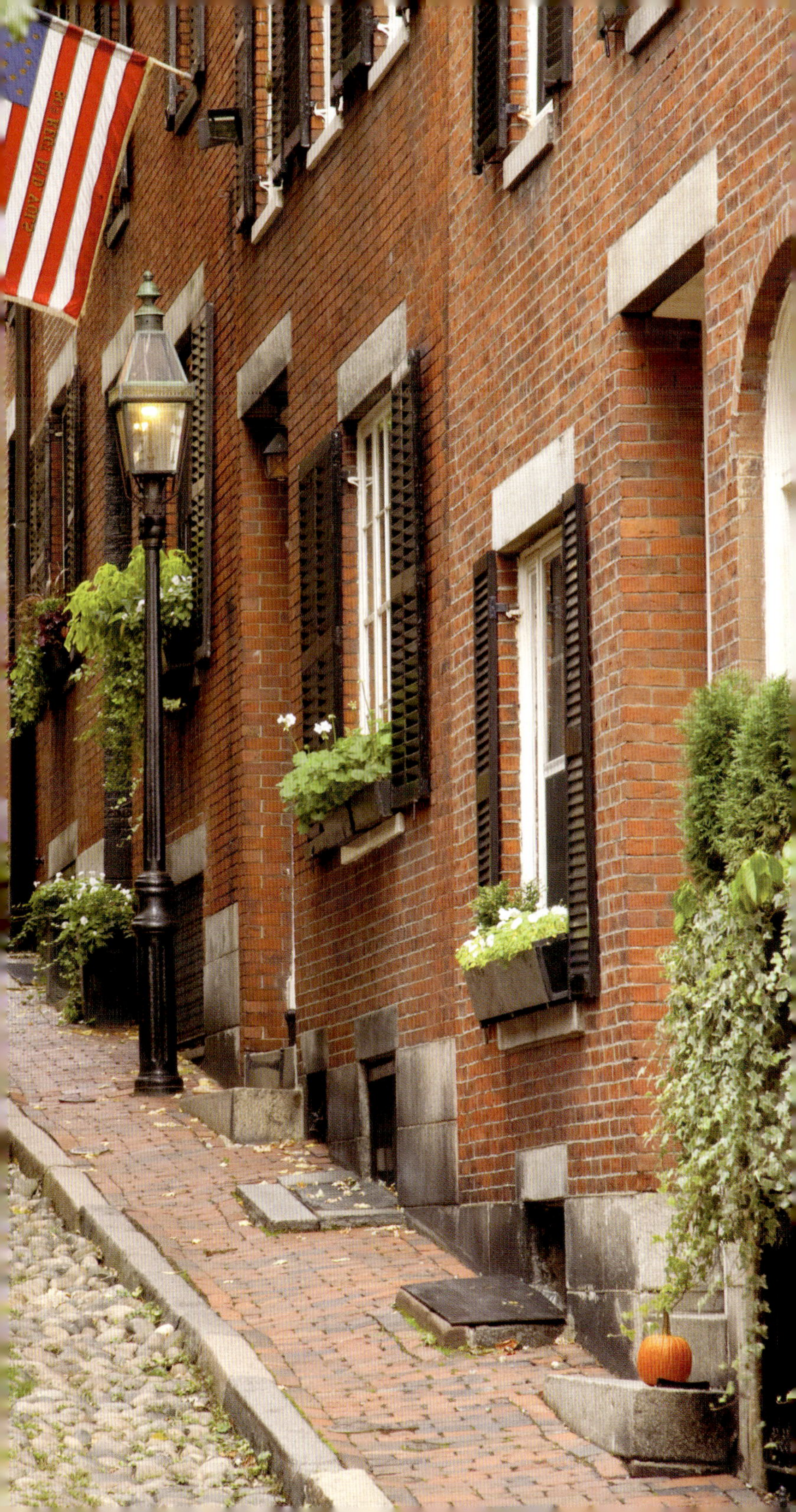

Vermont

Vermont possui atrações espalhadas por todo o estado. Vilarejos históricos e belezas da Green Mountain National Forest enfeitam o sul, enquanto no noroeste o lago Champlain fornece o pano de fundo para a animada cidade universitária de Burlington. Estações de esqui famosas, como Stowe, se elevam nas montanhas que ocupam toda a extensão do estado. No outono, Vermont dá um espetáculo com a folhagem colorida.

Woodward Reservoir, na Green Mountain National Forest

⓲ Green Mountain National Forest

i Forest Supervisor, Green Mountain National Forest, 231 N Main St, Rutland. **Tel** (802) 747-6700.
w fs.usda.gov/greenmountain

Essa enorme formação de árvores e montanhas ocupa 142.850ha (quase toda a extensão de Vermont), ao longo de dois terços da Green Mountain Range. As montanhas, algumas com mais de 1.200m de altitude, possuem diversas das melhores estações de esqui dos EUA, como Sugarbush e Mount Snow.

A National Forest é dividida nos setores norte e sul, e abrange seis áreas despovoadas, muitas sem estradas, eletricidade ou trilhas bem marcadas. No entanto, áreas menos primitivas da floresta têm locais para piquenique, camping e mais de 800km de trilhas para caminhadas, entre as quais estão as famosas Long e Appalachian Trails. Nos lagos, rios e reservatórios da área pode-se andar de barco e pescar, e existem caminhos indicados para cavalgar e andar de bicicleta.

No canto mais ao sul da Green Mountain National Forest fica **Bennington**, terceira cidade de Vermont. Importante centro manufatureiro, Bennington também conta com a pequena, mas prestigiada, Bennington College. Três pontes cobertas, feitas de madeira no século XIX (na saída da Route 67), anunciam a proximidade da cidade, que foi fundada em 1749. Algumas décadas depois, Ethan Allen chegou ao local para liderar os Green Mountain Boys, uma milícia de cidadãos que conseguiu diversas vitórias decisivas contra as forças inglesas na Revolução Americana.

O principal marco da cidade é o **Bennington Battle Monument**, um obelisco de granito de 93m de altura que comemora uma batalha de 1777, na qual as forças coloniais derrotaram os britânicos. O monumento se destaca no Old Bennington Historic District, que possui uma área verde rodeada por construções de tijolo aparente, no estilo federal. A First Congregational Church, de 1806, é muito interessante, com seus tetos abobadados, decorados com gesso e madeira. Ao lado fica o Old Burying Ground, onde está enterrado um dos poetas americanos mais apreciados: Robert Frost. Grandes atrações para o visitante são **Bennington Museum and Grandma Moses Gallery**. Além de impressionante acervo de peças americanas, o museu tem uma galeria dedicada à famosa pintora folclórica Anna Mary "Grandma" Moses, que vivia na área de Bennington. Esposa de fazendeiro e sem nenhuma iniciação artística, Grandma Moses (1860-1961) começou a pintar paisagens como hobby quando tinha mais de 70 anos. "Descoberta" por críticos em 1940, seus quadros primitivos ganharam fama internacional.

Bennington Battle Monument, de 1891

🏛 Bennington Museum & Grandma Moses Gallery
75 Main St. **Tel** (802) 447-1571. 10h-17h qui-ter (diariam jul-out). jan, Ação de Graças, 25 dez.
w benningtonmuseum.org

⓳ Manchester

3.860. 39 Bonnet St, (802) 362-2100.

Cidade pitoresca, rodeada de montanhas, é um destino procurado por compradores e esquiadores. Manchester Depot e Manchester Center são dois pontos de venda importantes na Nova Inglaterra, que oferecem mercadorias de marca nas lojas dos estilistas ou em lojas de fábrica. O visitante também se diverte na Equinox Skyline Drive, com suas vistas panorâmicas da crista do Mount Equinox.

A cidade dispõe de duas importantes áreas de esqui: **Stratton**, com mais de 90 trilhas e uma vila na encosta, com lojas e restaurantes, e **Bromley**, estação de esqui movimentada, voltada para famílias.

Manchester é um resort desde o século XIX, e suas mansões evocam esse período. Uma delas é **Hildene**, solar georgiano de 24 quartos, construído por Robert Todd Lincoln, filho do presidente Abraham Lincoln. Seu ponto alto é um órgão de mil tubos.

🎼 Hildene
Rte 7A. **Tel** (802) 362-1788. 9h30-16h30 diariam. a cada 30min.
w hildene.org

Veja hotéis e restaurantes dessa região nas pp. 184-9

⓴ Killington

🏔 1.000. 🚻 *i* Rte 4, West Killington, (802) 422-3333 ou (800) 621-6867.

Tipos esportivos, que gostam de aventuras ao ar livre e de vida social animada, procuram esse resort o ano todo. Em Killington funciona uma das maiores estações de esqui do leste, com 191 pistas de esqui alpino e *snowboarding* espalhadas pelos sete cumes, como o Pico Mountain. Há também áreas de esqui *cross-country* em Mountain Top Inn e Mountain Meadows.

A própria Killington fica no segundo cume mais alto de Vermont, a 1.295m de altitude. Ali a estação de esqui dura oito meses, mais do que em qualquer outro lugar do estado.

No verão e no outono, bondinhos levam o visitante até os cumes, de onde, em dias claros, se têm lindas vistas de cinco estados e até do Canadá.

㉑ Woodstock

🏔 1.000. 🚻 🍴 🏛 Mechanic St, (802) 432-1100, (888) 496-6378.
🌐 **woodstockvt.com**

Mesmo em Vermont, onde os vilarejos históricos são comuns, Woodstock se destaca. Fundada em 1761, a cidade é um aglomerado de casas georgianas de tijolo aparente e de madeira, algumas restauradas com esmero, graças à generosidade de filantropos como a família Rockefeller e o magnata das ferrovias Frederick Billings (1823-90), que até financiou o plantio de 10 mil árvores no local. O **Billings Farm and Museum** ainda funciona. A casa de fazenda de 1890 foi restaurada, e o visitante pode assistir a eventos sazonais, como a fabricação de sidra e competições de arado na primavera. Entre as peças do museu há implementos agrícolas, batedeiras de manteiga e cortadores de gelo.

Próxima, Quechee sedia o **Vermont Institute of Natural Science**, uma reserva em que aves de rapina feridas são tratadas até serem devolvidas à natureza.

🏛 **Billings Farm & Museum**
River Rd. **Tel** (802) 457-2355. 🕐 mai-out: 10h-17h diariam. Ligar para horário de inverno. 🅿 ♿ 📷

🏛 **Vermont Institute of Natural Science**
Woodstock Rd, Quechee. **Tel** (802) 359-5000. 🕐 meados abr-out: 10h-17h diariam; nov-abr: ligue antes. 🅿 ♿ 🌐 **vinsweb.org**

Arredores

A 10km a leste da cidade fica o deslumbrante **Quechee Gorge**. A melhor vista dessa garganta é a que se tem da Route 4, que a corta por uma ponte de ferro. Uma trilha curta para caminhada leva do estacionamento no lado leste até o rio Ottauquechee, que corre abaixo.

O Ticonderoga, no Shelburne Museum

㉒ Shelburne Museum & Farms

Rte 7, 11km (7 milhas) S de Burlington. **Tel** (802) 985-3346.
🕐 mai-fim out: 10h-17h diariam (Pizzagalli Center: ano todo).
📅 fim out-mai, Ação de Graças, 25 dez. 🅿 ♿ 📷 🛍
🌐 **shelburnemuseum.org**

Fundado em 1947 pelo colecionador Electra Webb, o Shelburne Museum tem 39 prédios, que, com seu conteúdo, constituem um dos ótimos museus americanos. O acervo eclético, que exalta três séculos da engenhosidade americana, conta com arte folclórica, ferramentas antigas e peças de circos, junto com entalhes de marfim e pinturas de artistas como Winslow Homer e Grandma Moses.

Entre os prédios históricos reassentados ou copiados estão o **Circus Building**, em formato de ferradura, que abriga uma miniatura de parada circense de 152m de comprimento, e a **Railroad Station**, de 1890. Os visitantes podem explorar também um farol do lago Champlain, de 1871, e o *Ticonderoga*, um antigo navio a vapor do lago Champlain. O Pizzagalli Center for Art and Education fica aberto o ano todo para atividades, palestras, exibição de filmes e apresentações musicais.

Shelburne conta com uma propriedade histórica de 566ha, a Shelburne Farms, com belos pastos ondulantes e bosques. Há passeios à fábrica de laticínios e áreas especiais, onde as crianças podem acariciar e brincar com os animais.

Uma das lindas casas na vila de Woodstock

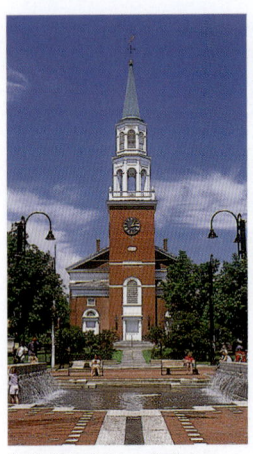

First Unitarian Church, em Burlington

㉓ Burlington

39.000. ✈ 🚌 1200 Airport Dr. ⛴ King St Dock. 🛈 Suite 100, 60 Main St, (802) 863-3489, (877) 686-5253. 🎷 Discover Jazz Festival (jun). 🌐 **vermont.org**

Maior cidade de Vermont, Burlington é um dos destinos mais concorridos do estado. Metade da população dessa cidade animada é composta de alunos da University of Vermont e de quatro faculdades locais. Cheia de lojas e restaurantes interessantes e de antigas mansões e marcos históricos, Burlington também é o centro comercial e industrial de Vermont, e conta com uma localização panorâmica à beira do lago Champlain.

O centro da cidade é compacto e fácil de explorar a pé. Conta com bairro histórico, em cujo núcleo fica uma área de quatro quarteirões conhecida como **Church Street Marketplace**.

Essa parte foi transformada em calçadão, com butiques da moda, restaurantes com pátio e lojas de artesanato. Alguns estão instalados em construções no estilo rainha Anne, do final do século XIX. Entre as atrações históricas desse trecho estão a **First Unitarian Church**, de 1861, a mais antiga igreja de Burlington, e a **City Hall**, que marca o limite sul do mercado. Esse prédio gracioso, construído com tijolo, mármore e granito, data de 1928. O City Hall Park é um local concorrido para concertos ao ar livre, e no verão artistas e músicos de rua enchem a área de cores e atividades.

Na orla fica o **Battery Park**, local de uma batalha entre soldados americanos e da Marinha Real Britânica, em 1812. Desse parque tranquilo têm-se lindas vistas da baía de Burlington, tendo ao fundo as montanhas Adirondack, do outro lado do lago.

Ao sul do parque está a **Burlington Boat House**. Dali, o *Spirit of Ethan Allen III*, um navio de cruzeiro de três deques, leva o turista a um passeio de 90 minutos, dando uma boa visão histórica, pois o capitão narra histórias da Revolução Americana.

O **Robert Hull Fleming Museum**, no *campus* da University of Vermont, fica numa colina que domina a cidade. Os objetos dessa elegante edificação neocolonial, erguida em 1931, vão desde peças da antiga Mesopotâmia até esculturas e quadros europeus, além de artesanato indígena americano. Os visitantes podem tomar um café enquanto exploram as opções da livraria.

🏛 **Robert Hull Fleming Museum**
61 Colchester Ave. **Tel** (802) 656-0750. ⏰ 10h-16h ter-sex (até 19h qua), 12h-16h sáb e dom. ⚫ feriados. ♿ 🌐 **uvm.edu/~fleming**

㉔ Lake Champlain

Limite de Vermont e Nova York, de Whitehall a Alburg. ✈ 🚌 🛈 60 Main St, Burlington, (802) 863-3489, (877) 686-5253.

Às vezes chamado de "sexto Grande Lago" por causa do tamanho, o lago Champlain tem 190km de comprimento e 19km de largura, e 800km de margem. Consta que aí vive "Champ", uma serpente aquática que seria prima distante do monstro do lago Ness. Cerca de 70 ilhas se espalham pelo Champlain. Em sua ponta setentrional fica a **Isle La Motte**, que tem uma estátua de Samuel de Champlain, explorador francês que descobriu e percorreu boa parte da região vizinha.

Na **Grand Isle**, perto, fica a mais antiga cabana de madeira dos EUA (1783).

A margem oeste do lago fica no estado de Nova York, e passeios sazonais em balsas de uma hora são feitos entre Burlington e Port Kent, em Nova York.

Algumas das preciosidades do lago Champlain são subaquáticas, preservadas num parque onde mergulhadores

Estátua no Battery Park de Burlington

Pode-se velejar e andar de barco no bonito lago Champlain

Veja hotéis e restaurantes dessa região nas pp. 184-9

podem explorar navios naufragados que repousam em bancos de areia e no leito desse lago de águas claras.

O **Lake Champlain Maritime Museum** de Basin Harbor dá uma visão geral da história marítima da região, com exibição de maquetes de navios, antigas roupas de mergulho e fotografias da época dos vapores do lago.

Lake Champlain Maritime Museum
4.472 Basin Harbor Rd, Vergennes. **Tel** (802) 475-2022. fim mai-meados out: 10h-17h. lcmm.org

Stowe

3.500. 51 Main St, (802) 253-7321, (877) 467-8693. gostowe.com

Rodeado de montanhas, esse vilarejo é a capital da prática de esqui da Nova Inglaterra e atrai levas de visitantes no inverno.

A Mountain Road, que começa no vilarejo e é ladeada de chalés, motéis, restaurantes e *pubs*, leva ao cume mais alto da área, o **Mount Mansfield** (1.339m).

Também no verão há muitas atividades ao ar livre. O visitante pode caminhar, escalar as rochas, pescar, andar de canoa e bicicleta ou de patins ao longo da **Stowe Recreational Path** (8,5km). Essa trilha serpenteia desde a igreja, atravessa o rio West Branch e entra nos bosques.

Outra fama de Stowe é ter abrigado a família musical Von Trapp, que serviu de inspiração para o filme *A noviça rebelde*, de 1965. Depois da ousada fuga da Áustria, durante a Segunda Guerra Mundial, eles escolheram Stowe para viver.

A **Trapp Family Lodge** fica em meio a uma propriedade de 11km². Agora esse enorme chalé de madeira é um dos hotéis mais procurados na área *(p. 186)*.

Trapp Family Lodge, em estilo austríaco, em Stowe

Ben & Jerry's Ice Cream Factory

Rte 100, Waterbury. **Tel** (866) BJTOURS. jul-meados ago: 9h-21h diariam; meados ago-out: 9h-19h diariam; nov-jun: 10h-18h diariam.

Embora Ben Cohen e Jerry Greenfield sejam de Long Island, em Nova York, eles fizeram tudo o que podiam para dar destaque à indústria de laticínios de Vermont.

Em 1978, esses amigos de infância pagaram US$5 por um curso por correspondência sobre o preparo de sorvetes. Logo depois empregaram seu aprendizado no que se tornou uma franquia de sorvetes muito bem-sucedida.

Agora a fábrica não pertence apenas a eles, mas usa os melhores produtos para elaborar seus sorvetes e *frozen yogurts*. A marca registrada de Ben & Jerry é a vaca holandesa Holstein, preta e branca, que enfeita tudo o que se vende na loja de presentes.

Passeios à fábrica partem a cada 15 minutos e duram meia hora. O visitante aprende tudo o que se pode saber sobre a fabricação de sorvete. Tem-se uma visão geral do dia a dia da fábrica e, no final, o visitante pode provar os produtos e, às vezes, até novos sabores.

Ônibus da Ben & Jerry, decorado com vacas leiteiras

Esquiar na Nova Inglaterra

Há excelentes rampas e trilhas de esqui *cross-country*. Os melhores lugares se concentram nos três estados setentrionais. Vermont possui os cumes mais propícios e os resorts de Killington e Stowe, de fama mundial. Para esquiadores e quem caminha com sapatos de neve existem duas ótimas trilhas em Vermont: a Catamount Trail e a Trapp Family Lodge Ski Center. As White Mountains de New Hampshire têm algumas das melhores trilhas de esqui alpino e *cross-country* no Nordeste. No Maine, Sugarloaf/USA e o rio Sunday são consideradas as melhores encostas do estado. Trilhas de descida para esqui são classificadas por código-padrão: mais fácil=círculo verde; mais difícil=quadrado azul; muito difícil=losango preto; e especialistas=losango duplo. Nos resorts existem equipamentos e aulas para todos os níveis.

Teleférico em Vermont, ótima área para esquiar nos EUA

New Hampshire

As belezas naturais de New Hampshire se espalham por todo o estado. A parte norte é marcada pela saliência dos cumes altos da White Mountain Range e pela fenda espetacular de Franconia Notch. Lagoas e lagos, como o imaculado lago Winnipesaukee, pontilham o centro do estado. As cidades principais – a histórica Concord e a animada Portsmouth, com belo litoral – estão aninhadas em meio aos tranquilos campos cultivados do sul.

Visão impressionante do Omni Mount Washington Hotel

❷⓻ Bretton Woods

550. (800) 346-3687.
visitwhitemountains.com

Esse minúsculo lugar em Mount Washington Valley tem um destaque singular. Em 1944, com a necessidade de estabilidade da moeda, após os distúrbios econômicos da Segunda Guerra Mundial, Bretton Woods acolheu a conferência das Nações Unidas que levou à criação do Fundo Monetário Internacional e, depois, do Banco Mundial. O cenário desse encontro histórico foi o magnífico **Omni Mount Washington Hotel** (p. 186). Inaugurado em 1902, o impressionante exterior branco do hotel e o teto vermelho contrastam com o Mount Washington, que aparece por trás. O hotel hospedou celebridades, a exemplo do primeiro-ministro britânico Winston Churchill e presidentes americanos. Cercado por 70km² de bosques, tem campo de golfe de 27 buracos. Nas proximidades, a área de esqui oferece esqui alpino e 100km de trilhas de *cross-country*.

Omni Mount Washington Hotel
Rte 302, Bretton Woods. **Tel** (603) 278-1000, (800) 314-1752.

Arredores
O Mount Washington Valley é dominado pelo cume de 1.917m do **Mount Washington**, o mais alto do Nordeste dos EUA. Esse pico tem a estranha honra de ter o pior tempo do mundo, e em abril de 1934 foi medido o segundo vento mais forte até então registrado na Terra: 370km/h. Em dias claros têm-se vistas panorâmicas do topo. Existem trilhas para caminhadas e uma estrada de carro para o cume, mas o meio mais emocionante é pela **Mount Washington Cog Railway**. Esse trem a vapor resfolega pelos 5,6km até o topo, ao longo de uma rota abrupta. Algumas das melhores pistas para a prática de esqui alpino ficam em Tuckerman Ravine, no Mount Washington.

❷⓼ Franconia Notch

I-93, Franconia Notch Pkwy. (603) 823-8800. Parque: diariam. Flume Gorge Visitor Center: **Tel** (603) 745-8391. mai-out: 9h-17h diariam. para Flume Gorge, Visitor Center e campings. nh.stateparks.org

Esse espetacular desfiladeiro estreito, entalhado entre as montanhas de Kinsman e Franconia, e designado como Franconia Notch State Park, possui algumas das mais impressionantes maravilhas naturais do estado. A principal era a **Old Man of the Mountain**, um afloramento rochoso ao lado de um penhasco que se parecia com o perfil de um homem, até que o nariz e a testa ruíram em maio de 2003. Outras atrações compensam essa perda. O **Profile Lake**, repleto de trutas, reflete as cores brilhantes da folhagem de outono nas encostas da **Cannon Mountain**. Uma calçada de madeira e uma escada levam o visitante pelo **Flume Gorge**, uma fenda estreita, cujas paredes de granito sobem a mais de 27m acima

---

As Cores do Outono na Nova Inglaterra

Milhares de visitantes vão à Nova Inglaterra no outono, a fim de se maravilharem com a mudança anual das cores da folhagem. Essa mudança não é apenas um capricho da natureza. À medida que as horas de sol diminuem, as folhas de árvores caducas param de produzir pigmento verde da clorofila, e aparecem outros pigmentos escondidos por trás da cor da clorofila. Mais pigmentos são produzidos por açúcares que permanecem nas folhas. O resultado é um exuberante espetáculo de tons de amarelo, laranja, escarlate e castanho. O auge do período para observar as folhas varia do início de outubro, no norte da Nova Inglaterra, ao fim de outubro, na parte sul. Mas pode variar, dependendo do clima [ver Fall Foliage Hotlines (p. 183) e www.yankeemagazine.com].

O belo colorido das folhagens de outono na Nova Inglaterra

Veja hotéis e restaurantes dessa região nas pp. 180-1 e 185

NEW HAMPSHIRE | 175

O estreito Flume Gorge no Franconia Notch State Park

da calçada, enquanto um bondinho leva os passageiros em apenas oito minutos ao cume da **Cannon Mountain**, com 1.254m de altitude.

Robert Frost (1874-1963), um dos poetas americanos mais apreciados, mudou-se para a região de Franconia Notch em 1915. O cenário o inspirou a escrever suas maiores obras.

㉙ White Mountain National Forest

71 White Mountain Dr, Campton (603) 536-6100. Camping: **Tel** (877) 444-6777. Ligue para saber sobre vagas e reservas.

A área despovoada mais bonita de New Hampshire é a White Mountain National Forest, que se espalha por 3.116km². Nessa área há considerável variedade de animais silvestres, como uma grande população de alces, que costumam ser vistos da própria estrada.

As atividades ao ar livre vão de observação de pássaros e alpinismo até a prática de esqui e passeios de caiaque. Mas mesmo os viajantes menos esportivos se divertem no cenário espetacular que veem do carro: vales ladeados por florestas de pinheiros altos, cachoeiras que caem sobre rochas escarpadas e mais de vinte cumes que se elevam a mais de 1.200m.

Um trecho da estrada muito bonito é a **White Mountains Trail** de 161km de extensão, que cruza o Mount Washington Valley para Crawford Notch e Franconia Notch. No outono, o brilhante colorido da folhagem transforma o escarpado interior numa paleta de flamejantes bordos vermelhos, bétulas douradas e carvalhos acastanhados, entremeados de verde.

Outro trajeto concorrido é a **Kancamagus Highway**, elogiada por muitos como a mais bela estrada da Nova Inglaterra. Em 55km de extensão, a estrada atravessa a White Mountain National Forest entre Lincoln e Conway, e oferece vistas excepcionais conforme sobe a 914m, pelo Kancamagus Pass. Depois desce para Saco Valley e chega ao rio Swift, rico em trutas. Para os pescadores, é fácil ir da estrada até o rio, e existem campings e áreas de piquenique ao longo de toda a extensão da rodovia. Trilhas bem marcadas permitem que os motoristas estiquem as pernas num belo cenário – uma trilha concorrida vence um trecho curto que leva às bonitas Sabbaday Falls.

Kancamagus Hwy
Rte 112 entre Lincoln e Conway.
Saco District Ranger Station, 33 Kancamagus Hwy, (603) 447-5448.

Arredores
Perto das White Mountains fica a região de **Lincoln/Woodstock**, cuja principal atração é **Clark's Trading Post**. Essa combinação de atos circenses, brinquedos de parque de diversões e museu oferece uma mudança bem-vinda para as crianças, após observarem tantas folhagens. Lincoln serve de base para quem se aventura pelo mato e para quem prefere as estradas. Nas proximidades, **Loon Mountain** é uma das melhores estações de esqui do estado. No verão oferece caminhadas pela natureza, passeios a cavernas, mountain bike e cavalgadas.

Loon Mountain
E da I-93, perto de Lincoln. **Tel** (603) 745-8111, (800) 229-5666.

㉚ Lake Winnipesaukee

Lakes Region Association, (800) 605-2537. **w** lakesregion.org

Com meandros que desenham 386km e uma superfície de 187km², esse bonito lago possui o maior trecho de orla de New Hampshire. Rodeado de montanhas e com 274 ilhas espalhadas, o lago Winnipesaukee dispõe de baías protegidas, portos e cidadezinhas balneárias em volta da margem. A maior e mais bonita é **Wolfeboro**.

Saindo de Weirs Beach o navio a motor *Mount Washington* oferece o melhor cruzeiro panorâmico da Nova Inglaterra. Para o norte, fica a chique **Meredith**, com lindas casas à beira do lago.

Ao norte de Meredith fica **Squam Lake**, ideal para andar de barco e pescar, e onde foi filmado *Num lago dourado* (1981). A cidade de **Center Sandwich** fica na margem norte do lago Winnipesaukee. Cercada de bosques, é um destino muito procurado pela folhagem de outono. Na margem leste, a mansão Castle in the Clouds enfeita o topo de uma colina que se eleva a 229m acima do lago. Uma estrada de 113km contorna Winnipesaukee, passando por essas atrações.

Um dos belos cenários da White Mountain National Forest

⓷ Canterbury Shaker Village

288 Shaker Rd, Canterbury. **Tel** (603) 783-9511, (866) 783-9511. ☐ fim mai-out: 10h-17h diariam. No inverno ligue para saber os horários. shakers.org

Fundado em 1792, esse vilarejo foi ocupado pelos shakers durante 200 anos. Eles constituíam uma seita dissidente dos quacres, que fugiu para os EUA a fim de escapar da perseguição religiosa na Grã-Bretanha, no século XVIII. Sua crença no celibato e na separação rigorosa do resto do mundo levou a seita ao desaparecimento. O local, com 280ha, tem diversas construções abertas à visitação, moinhos d'água, trilhas naturais e jardins tradicionais. Podem-se ver artesãos habilidosos recriando artesanatos shaker, conhecidos por suas linhas simples e belo acabamento.

Construções pitorescas na Canterbury Shaker Village

O sino do **campanário** foi feito pelo herói patriota Paul Revere.

Os **quartos no sótão** eram usados para dormir no verão e para guardar roupas.

Quarto de retiro dos irmãos

Quartos de retiro das irmãs, onde as mulheres tinham aposentos separados para dormir, todos com mobiliário simples.

Na **sala de refeições** cabiam cerca de 60 shakers de cada vez.

Old Library and Archives: contêm 1.500 livros e documentos shakers, abre com hora marcada.

⓷ Concord

🚗 37.500. 🛫 🚌 ℹ️ 49 S Main St, (603) 224-2508.

Uma cidadezinha calma é a capital de New Hampshire, dominada por uma imponente **State House**. Erguida em 1819, com granito e mármore, é uma das assembleias mais antigas dos EUA. Outro marco é a gigantesca pirâmide de vidro do **McAuliffe-Shepard Discovery Center**. Professora primária de Concord, Christa McAuliffe (1948-86) morreu tragicamente quando o ônibus espacial *Challenger* (p. 302), lançado pela Nasa em 28 de janeiro de 1986, explodiu 73 segundos após o lançamento. Suas mostras de astronomia e exploração espacial também contam com shows multimídia, como *Destination Mars*.

🏛 McAuliffe-Shepard Discovery Center
2 Institute Dr. **Tel** (603) 271-7827. ☐ 10h-17h qui-sáb, 11h30-17h dom. starhop.com

⓷ Manchester

🚗 105.250. 🛫 🚌 ℹ️ 54 Hanover St, (603) 666-6600. 📞 (603) 622-7531.

Antigo centro importante da indústria têxtil, com fábricas movidas pela força das águas do rio Merrimack, hoje Manchester é famosa como sede do principal museu de arte de New Hampshire, a **Currier Museum of Art**. Em 2008, a galeria inaugurou uma grande ampliação para expor melhor seu acervo, que inclui obras de mestres europeus como Claude Monet e Henri Matisse, além de pintores americanos do século XX, tais como Andrew Wyeth (1917-2009) e Georgia

A Currier Museum of Art de Manchester

Veja hotéis e restaurantes dessa região nas pp. 184-9

NEW HAMPSHIRE | 177

Market Street, em Portsmouth, muito procurada por turistas

O'Keeffe (1887-1986). A Zimmerman House também faz parte do museu. Casa térrea, com fachada elegante, foi construída em 1950 pelo arquiteto americano Frank Lloyd Wright. Ele também projetou os móveis que estão espalhados pela casa.

O único shopping center coberto do estado é o Mall of New Hampshire, em Manchester.

Currier Museum of Art
150 Ash St. **Tel** (603) 669-6144.
11h-17h seg, qua-sex e dom, 10h-17h sáb.
w currier.org

❹ Portsmouth

26.000. 10 Ladd St.
500 Market St ou Market Sq, (603) 436-1118. meados mai-out: 8h30-13h diariam. Market Square Day (jun), Prescott Park Arts Festival (jul-ago diariam).
w portsmouthchamber.org

Rodeada pelo rio Piscataqua e pelas lagoas North e South Mill, Portsmouth é uma cidade histórica tão compacta que pode ser visitada a pé. Fundada em 1623, tornou-se próspero centro de comércio marítimo no século XVIII. Foi também um centro de fervor revolucionário e o local onde John Paul Jones (1747-92), herói naval da colônia, assumiu o comando do navio de guerra *Ranger*. Durante a Revolução Americana, Jones liderou diversos ataques à costa britânica, pelo que foi condecorado com uma medalha de ouro do Congresso.

Diversas construções históricas de Portsmouth, muitas transformadas em butiques e restaurantes, ficam bem no centro, ao longo da **Market Street**. Também se encontram casas históricas e jardins na **Portsmouth Harbor Trail**, um passeio a pé no Historic District. Vale a pena visitar a elegante Moffatt-Ladd House, de 1763, na Market Street, um dos primeiros exemplares de arquitetura no estilo federal. A Wentworth-Gardner House, na Mechanic Street, é considerada um dos melhores modelos de arquitetura georgiana do país. As duas casas possuem interior muito bonito e estão abertas para visitação no verão e outono.

Um destino concorrido no verão é Water Country, que tem uma enorme piscina com ondas, um navio pirata e uma lagoa artificial. Exposições interativas são o destaque do **Children's Museum of New Hampshire**, onde as crianças podem fazer experiências com sons e comandar um submarino. No Albacore Park, o visitante tem a chance de explorar um submarino de verdade, o USS *Albacore*, exposto no local. Quando foi construído, em 1953, ele era a nave subaquática mais rápida de sua classe.

A atração mais procurada de Portsmouth é **Strawbery Banke**, um terreno de 4ha perto da orla, localizado exatamente no lugar em que Portsmouth foi fundada. O museu ao ar livre contém mais de 40 construções que retratam a vida de 1695 a 1954. Muitas delas estão em meio a jardins cultivados segundo sua época – de jardins de ervas dos pioneiros até os formais canteiros de flores vitorianos. As casas abertas ao público contam com decoração de época e contêm interessantes coleções de artes decorativas e de cerâmicas.

A **Jones House**, uma edificação de 1790, tem atividades para crianças. A elegante Chase House, da década de 1760, é decorada com peças suntuosas de diversos períodos, enquanto a Sherburne House, erguida em 1695, agora serve de mostra do projeto e da construção de uma casa do século XVII. Na Dinsmore Shop, construída em 1800, o visitante observa um tanoeiro fazendo barris e tonéis.

Strawbery Banke também dispõe de um jardim neocolonial, o Aldrich Garden, plantado com flores mencionadas pelo poeta Thomas Bailey Aldrich, nascido em Portsmouth. Aos domingos, de junho até outubro, ocorre uma feira livre em Puddle Dock.

Children's Museum of New Hampshire
6 Washington St, Dover. **Tel** (603) 742-2002. 10h-17h ter-sáb (também dom no verão), 12h-17h dom.
w childrens-museum.org

Strawbery Banke
Marcy St. **Tel** (603) 433-1100.
ligar antes. restrito a alguns prédios.
w strawberybanke.org

Fina decoração da Chase House, no Strawbery Banke, em Portsmouth

Maine

Maior estado da Nova Inglaterra, o Maine tem ótimas atividades ao ar livre. As melhores atrações são encontradas ao longo do litoral, a começar pelo sudeste, onde está Portland, a maior e mais movimentada cidade, e as cidades balneárias de Kennebunks. Mais ao norte, iates e veleiros enchem as águas de Penobscot Bay, enquanto o Acadia National Park se destaca na costa do estado. No interior há excelentes locais para esquiar, caminhar e andar de barco, em Bethel e Sugarloaf.

⓭ Portland

65.000. 950 Congress St e 100 Thompson's Point Rd. Commercial e Franklin Sts. 14 Ocean Gateway Pier, (207) 772-5800. qua-sáb. Old Port Festival (4 jun), Victorian Holiday (24 nov-23 dez).
w visitportland.com

Essa cidade histórica está localizada na crista de uma península, com ampla vista de Casco Bay e das Calendar Islands. Antigo porto movimentado, Portland foi arrasada por nada menos que quatro grandes incêndios, o último deles ocorrido em 1866. Mesmo assim a cidade ainda tem diversas construções de pedra, no estilo vitoriano.

O West End possui lindas mansões e uma excelente calçada voltada para a água. A área mais animada da cidade fica em volta de Old Port, próximo do porto. As ruas estreitas desse bairro restaurado estão cheias de lojas, restaurantes e galerias de arte. A área é dominada pela **United States Custom House**, com tetos dourados, escadarias de mármore e candelabros. Foi construída depois da Guerra Civil (1861-5). Com saída das docas, navios oferecem cruzeiros às Calendar Islands, passeios pelo porto e pescarias em alto-mar. A oeste de Old Port, o **Portland Museum of Art** exibe obras do mais famoso artista da região, Winslow Homer (1836-1910), além de mestres europeus, como Gauguin e Picasso. O **Children's Museum and Theatre of Maine** possui três andares de mostras interativas, além de roupas para as crianças se fantasiarem e atividades artísticas. O **Maine Narrow Gauge Railroad Co. & Museum** apresenta locomotivas antigas e oferece passeios panorâmicos pela orla.

Muitas casas históricas de Portland estão abertas à visitação. Entre elas está a **Wadsworth-Longfellow House** (1785), onde cresceu o poeta Henry Wadsworth Longfellow, e a **Victoria Mansion** com paredes pintadas com *trompe l'oeil*.

O grande marco da cidade é o Portland Head Light, em Fort Williams Park. Inaugurado em 1791, o farol é rodeado de praias e áreas de piquenique, e a casa do faroleiro virou museu.

Placa do Children's Museum

🏛 Portland Museum of Art
7 Congress Sq. **Tel** (207) 775-6148.
out-início mai: 10h-17h diariam (até 21h sex); out-fim mai: 10h-17h ter-dom (até 21h sex).
w portlandmuseum.org

🏛 Children's Museum and Theatre of Maine
142 Free St. **Tel** (207) 828-1234.
ano todo: 10h-17h ter-sáb, 12h-17h dom. feriados.
w kitetails.org

Centro de Portland

① United States Custom House
② Portland Museum of Art
③ Children's Museum and Theatre of Maine
④ Wadsworth-Longfellow House
⑤ Victoria Mansion

0 m 400
0 jardas 400

Legenda dos símbolos *na orelha da contracapa*

MAINE | 179

㊱ The Kennebunks

🚻 🛈 16 Water St, Kennebunk, (207) 967-0857. 🌐 visitthe
kennebunks.com

Antigo centro portuário próspero onde se construíam navios, depois refúgio de veraneio para os ricos, os Kennebunks são formados de duas vilas: Kennebunk e Kennebunkport. Histórica, Kennebunkport dispõe de edificações nos estilos federal e neoclássico e da notável **South Congregational Church**, de 1824, com alto campanário branco. Encontra-se uma história diferente no **Seashore Trolley Museum**, onde há 200 bondes antigos, entre os quais um chamado "Desire". Podem ser feitos passeios pelo campo em um dos bondes restaurados. O trajeto panorâmico ao longo da Route 9 oferece vistas da arrebentação no escarpado Cape Arundel. Em **Cape Porpoise**, os passageiros podem provar lagosta fresca. Kennebunk é famosa pelas praias, em especial a **Kennebunk Beach**, e por uma das casas mais românticas da Nova Inglaterra, a **Wedding Cake House**, de 1826. Segundo a tradição local, George Bourne foi chamado inesperadamente para o mar, antes de se casar. Embora tenha sido realizada uma cerimônia apressada, não deu tempo para fazer o tradicional bolo. Então o armador jurou para a noiva que, na volta, reformaria a casa para se parecer com um bolo de casamento. Hoje o trabalho de treliça ornamentada comprova que Bourne era homem de palavra. Caminhadas ocasionais para conhecer a arquitetura são oferecidas pelo **Brick Store Museum**, instalado em quatro construções restauradas do século XIX.

🏛 Seashore Trolley Museum
195 Log Cabin Rd, Kennebunkport.
Tel (207) 967-2712. ☐ ligar antes.
🅿 ♿ 🌐 trolleymuseum.org

🏛 Brick Store Museum
117 Main St, Kennebunk. **Tel** (207) 985-4802. ☐ 10h-16h30 ter-sex, 10h-13h sáb. ⬤ dom, feriados. ♿
🌐 brickstoremuseum.org

Barcos nas águas de Penobscot Bay na vila de Stonington, em Deer Isle

㊲ Penobscot Bay

🚗 Rockland: 🛈 1 Park Dr, (207) 596-0376. Camden: 🛈 2 Public Landing, (207) 236-4404. Searsport: 🛈 Main e Steamboat, (207) 548-6510. Castine: 🛈 Emerson Hall, Court St, (207) 326-4502. Deer Isle: 🛈 Rte 15 em Eggemoggin Rd, (207) 348-6124.

Penobscot Bay é um álbum ilustrado do Maine, com encostas que vão até o mar, penhascos desenhados pelas ondas, portos protegidos e cheios de barcos e gaiolas de lagostas empilhadas nas docas. A baía é famosa pelas ilhas, que podem ser visitadas em passeios que saem do continente. O centro comercial de Penobscot Bay é a cidade pesqueira de **Rockland**, com um festival de lagosta no primeiro fim de semana de agosto.

Grande atração é o Farnsworth Art Museum, que expõe obras de grandes pintores americanos, como Edward Hopper e Andrew Wyeth.

O destino preferido por muitos turistas é **Camden**, com igrejas com agulhas, casas elegantes e lojas ao longo da orla.

Veleiros ancorados no Camden Harbor de Penobscot Bay

Nas proximidades fica o Camden Hills State Park, de onde se têm vistas deslumbrantes da baía, do topo do Mount Battie, onde a poetisa Edna St. Vincent Millay (1892-1950) se inspirou para escrever seu primeiro volume de poemas. A vizinha **Searsport** é considerada a capital das antiguidades do Maine e tem mercados de pulgas amplos e movimentados nos fins de semana do verão.

A mais remota praia do leste conduz a vilas calmas e preservadas, como **Castine** e Blue Hill. Na primeira fica o histórico Fort George, construído pelos britânicos em 1799, que testemunhou a pior derrota da marinha americana durante a Revolução Americana. Blue Hill é um cartão-postal, cercado de campos de *blueberry* e com várias edificações de madeira tombadas pelo National Historic Register.

Chega-se a **Deer Isle** atravessando uma graciosa ponte pênsil. Trata-se, na realidade, de uma série de ilhotas ligadas por passadiços. Entre os destaques estão as cidades panorâmicas de Stonington e Deer Isle. Num trajeto de 13km, que sai de Stonington, chega-se à Isle au Haut, densamente arborizada; boa parte dela pertence ao Acadia National Park *(p. 180)*. Monhegan Island, com rochedos impressionantes e trilhas para caminhar, é uma colônia de artistas. A North Haven Island é uma colônia de verão, coberta de campinas e flores. Vinalhaven, com litoral de granito e interior pantanoso, é o local perfeito para nadar ou caminhar.

Veja hotéis e restaurantes dessa região nas pp. 184-9

Bass Harbor Head é um exemplo da linha costeira rochosa do Maine

38 Acadia National Park

Hulls Cove Visitor Center, saída Rte 3 em Hulls Cove, (207) 288-3338. meados abr-out: diariam. Bangor-Bar Harbor. em Hulls Cove. **nps.gov/acad**

Paraíso intocado, muito procurado no verão, o Acadia National Park, com 14.164ha, cobre boa parte da Mount Desert Island, no litoral sudeste do Maine.

A panorâmica Loop Road, um percurso de 43km (fechado de dezembro a meados de abril), sobe e desce pelas recortadas serras de granito da costa leste da ilha e oferece as principais atrações. Entre elas está a **Cadillac Mountain**, com 465m de altitude, o ponto mais alto da costa atlântica. Trilhas para caminhadas e uma estrada levam ao topo, de onde se avistam panoramas espetaculares. A estrada continua para o sul, até a bucólica **Sand Beach**, porém as águas geladas desencorajam muitos banhistas. Mais para o sul existe um fenômeno natural ímpar, conhecido como **Thunder Hole** – quando a maré sobe durante ventos fortes, o ar preso nessa fissura é comprimido e depois expelido com um estrondo, lembrando um trovão. A Loop Road continua terra adentro, serpenteando por Jordan Pond, Bubble Pond e Eagle Lake.

Na costa meridional do parque fica a singular vila de **Bass Harbor**, onde um farol de 1858 está incrustado no litoral rochoso, oferecendo lindas vistas do mar. No parque vivem muitos animais, como marmotas, veados-galheiros e raposas-vermelhas. O visitante que quiser examinar mais de perto a flora e a fauna do parque pode fazê-lo a pé, de bicicleta ou a cavalo, ao longo de 72km de antigas estradas pavimentadas de pedra que atravessam o parque.

Cortando pelo centro da Mount Desert Island, chega-se a **Somes Sound**, um fiorde em forma de dedo que penetra 8km terra adentro. Ele separa o calmo vilarejo de Southwest Harbor do de Northeast Harbor, que é o centro da vida social da ilha, com lojas caras e belas mansões.

A elegante cidade balneária de **Bar Harbor** é um centro turístico animado e uma boa base para explorar o Acadia National Park. Anualmente, mais de 5 milhões de visitantes passam por Bar Harbor a caminho do parque. Localizada na costa nordeste de Mount Desert Island, no século XIX era o refúgio de algumas das pessoas mais ricas dos EUA, a exemplo dos Astor e dos Vanderbilt. Em 1947 um incêndio destruiu um terço das casas elegantes da cidade, pondo fim a seu reinado como núcleo da alta sociedade. Entre as atrações está o **Abbe Museum**, que celebra a herança indígena do Maine, exibindo ferramentas, artesanatos, artes, objetos e peças arqueológicas. Um setor sazonal do museu fica em Sieur de Monts Spring, no Acadia National Park, perto do Wild Gardens of Acadia, que tem cerca de 300 espécies de plantas locais. O museu patrocina o Native American Festival and Basketmakers Market todo verão.

O **Mount Desert Oceanarium**, situado 14km a noroeste da cidade, é um local acolhedor para famílias, no qual se pode caminhar por charcos salobros e aprender sobre a vida marinha. Entre as atrações está o tanque interativo Discovery Pool, o Maine Lobster Museum e um viveiro de lagostas onde os ovos crescem até que as lagostas estejam grandes o suficiente para sair deles. Além disso, pescadores aposentados contam sobre o corajoso trabalho de retirada de crustáceos no Maine.

Bar Harbor
1.201 Barharbor Rd, Trenton, (207) 288-5103.

Cadillac Mountain, ponto mais alto da costa atlântica, tem lindas vistas do cume

Veja hotéis e restaurantes dessa região nas pp. 184-9

MAINE | **181**

Roosevelt Cottage, construído em 1897, em Campobello Island

㊴ Campobello Island

Roosevelt Campobello International Park: ℹ️ (506) 752-2922. 🕒 Ilha: amanhecer ao anoitecer; Parque: fim mai-meados out. 🚗 a cada 15min (documento exigido para cruzar a fronteira internacional). ♿
🌐 fdr.net

Situado na Campobello Island, o **Roosevelt Campobello International Park** foi criado em 1964 como memorial do presidente Franklin D. Roosevelt *(p. 59)*. O principal assentamento da ilha é Welshpool, onde o futuro presidente passava a maioria dos verões até 1921, quando contraiu pólio. Apesar de sua deficiência, Roosevelt foi eleito para quatro mandatos, governando os EUA durante a Grande Depressão e a Segunda Guerra Mundial.

O destaque do parque de 113km² – que na realidade fica no Canadá e é o único parque internacional do mundo – é o **Roosevelt Cottage**. Construída em 1897, a casa de veraneio, com estrutura de madeira e 34 aposentos, guarda mobiliário e lembranças que pertenceram a Roosevelt e sua família. Na ponta sul da ilha está **Liberty Point**, onde deques de observação presos aos rochedos escarpados oferecem vistas de longo alcance sobre o mar. Bem perto, terra adentro, fica **Lower Duck Pond Bog**, hábitat da grande garça-azul, do maçarico e do marreco-preto-americano. No litoral oeste da ilha está **Mulholland Point**, com um farol de 1885 e uma área para piquenique de onde se vê a FDR Memorial Bridge. Há outras áreas para piquenique na Raccoon Beach, localizada no litoral leste.

㊵ Sugarloaf

ℹ️ (207) 237-2000, (800) 843-5623.

Para esquiar, a montanha mais alta do Maine é a Sugarloaf, cujo centro turístico está cheio de hotéis, restaurantes e condomínios.

Os esquiadores são atraídos pelo **Sugarloaf/USA**, centro da prática de esqui, que conta com mais de 130 trilhas e uma rampa vertical de 860m. O centro também oferece esqui *cross-country*, patinação no gelo e caminhadas com sapatos de neve.

No verão, a ênfase muda para o campo de golfe com dezoito buracos, passeios de barco em lagos e rios, e caminhadas no Carrabassett Valley, bem próximo. O resort também é famoso pela rede de mais de 80km de trilhas de mountain bike que atravessam terrenos planos e íngremes. Canoagem, caiaque e stand up paddle também são oferecidos.

🎿 Sugarloaf/USA
Carrabassett Valley. **Tel** (207) 237-2000, (800) 843-5623. 🕒 diariam. 🅿️ 🍽️ ♿ no chalé.
🌐 sugarloaf.com

㊶ Bethel

🏔️ 2.500. ✈️ ℹ️ 8 Station Place; (207) 824-2282, (800) 442-5826.
🌐 bethelmaine.com

Distrito histórico pitoresco e estação de esqui importante pela proximidade das White Mountains, Bethel tem atrações o ano todo. Fundada em 1769, foi um centro agrícola e madeireiro até a chegada da ferrovia, em 1851, que a transformou em resort concorrido. A fileira de clássicas mansões de madeira na área verde da cidade conta com a **Moses Mason House** (c.1813), no estilo federal, restaurada e decorada com peças da época.

Há passeios panorâmicos em todas as direções, que passam por aldeias coloniais, como Waterford, ao sul, e por belas áreas montanhosas, ao norte. O **Sunday River Ski Resort**, 10km ao norte da cidade, em Newry, possui mais de 130 pistas de esqui. **Grafton Notch State Park** tem cenário espetacular ao longo de estradas e de trilhas para caminhadas. Entre os locais especiais estão cachoeiras e vistas que englobam os arredores a partir de Table Rock e Old Speck Mountain.

🏛️ Moses Mason House
10-14 Broad St. **Tel** (207) 824-2908. 🕒 jul-ago: 13h-16h ter-dom; set-jun: marcar hora. 🅿️ 🍽️ ♿

🎿 Sunday River Ski Resort
Sair da Rte 2 em Newry. **Tel** (800) 543-2754. 🕒 diariam.
🅿️ 🌐 sundayriver.com

🌲 Grafton Notch State Park
Rte 26 NW de Newry. **Tel** (207) 824-2912. 🕒 diariam. 🅿️

Auger Falls, no Grafton Notch State Park, em Bethel

Informações Úteis

Embora seja mais procurada no verão e no outono, a Nova Inglaterra é destino de férias o ano todo. A excelente infraestrutura para a prática de esqui atrai turistas durante o inverno, que vai de meados de novembro a abril. A região oferece ampla variedade de atividades numa área relativamente pequena. Nos fins de semana, os viajantes caminham nas White Mountains de New Hampshire, nadam na Ogunquit Beach do Maine e assistem à Boston Symphony Orchestra. Fora de Boston (com ótimos transportes públicos), você precisa de um carro para viajar.

Informação Turística

Os centros de informação turística do estado são boas fontes e gostam de enviar, gratuitamente, mapas, folhetos e listas de atrações, acomodações e eventos. Alguns lugares também oferecem vales para hotéis, restaurantes e ingressos. Muitas cidades dispõem de centros de visitantes que dão informações sobre onde ficar, eventos e restaurantes.

Segurança Pessoal

Com taxa de criminalidade comparativamente baixa, a Nova Inglaterra é um destino seguro. Mas é bom se precaver. Já que os trombadinhas costumam frequentar as atrações turísticas movimentadas, use bolsa de cintura para dinheiro e documentos, e disfarce as câmeras. Evite usar joias e guarde seus valores no cofre do hotel.

Perigos Naturais

Os riscos envolvidos em atividades ao ar livre podem ser minimizados com algumas precauções. Esteja preparado para súbitas mudanças no tempo, principalmente em altitudes elevadas. Use equipamento de proteção para esportes de aventura e nunca interfira na natureza. Ao caminhar ao ar livre, aplique repelente de insetos para evitar mordidas de mosquitos que podem transmitir doenças.

Como Circular

Muitas empresas de ônibus servem partes específicas da Nova Inglaterra, simplificando a ida de um estado para outro. Em Boston e Cambridge é mais fácil circular de transporte público. Fora da cidade, você precisará de um carro. Na realidade, boa parte do charme da região está nos passeios panorâmicos pelo litoral e pelas estradas, no outono, quando a folhagem cai. Diversos livros indicam os melhores passeios de carro nessa área. A revista Yankee (www.yankeemagazine.com) descreve detalhes das rotas recomendadas, paradas históricas e locais para comer e ficar.

Segurança na Estrada

Grandes áreas da Nova Inglaterra são agrestes; por isso, prepare-se para eventualidades, principalmente no inverno, quando nevascas súbitas e os *whiteouts* (falta de visibilidade e nitidez) podem deixar o motorista desorientado. Leve sal, escova de neve, raspador de gelo e uma pá pequena. Se encalhar num lugar ermo, fique no carro. Deixe o motor ligado para se aquecer e mantenha o escapamento limpo, mas abra uma fresta de janela para evitar o acúmulo de monóxido de carbono. A **American Automobile Association (AAA)** oferece socorro na estrada.

Leis

Só maiores de 21 anos têm permissão para beber na Nova Inglaterra, e a identidade pode ser pedida para comprovar a idade na hora de comprar bebida alcoólica ou entrar num bar. Você pode perder a carteira se for pego dirigindo sob a influência de álcool ou drogas. Cigarros são vendidos apenas para maiores de 18 anos. Fumar e beber em espaços públicos é ilegal. Alguns restaurantes têm áreas para fumantes.

Esportes e Atividades ao Ar Livre

Com quilômetros de litoral, montanhas e rios, a região tem muito a oferecer aos que gostam de esportes. As opções de camping em florestas nacionais vão de locais primitivos aos que têm toda a infraestrutura. Trilhas para caminhadas cortam quase toda a região. As mais procuradas são a Appalachian Trail no trecho da Nova Inglaterra e a Long Trail em Vermont. A **Appalachian Trail Conservancy** oferece informações e programas educativos sobre a Appalachian Trail. Quilômetros de estradas vi-

O Clima da Nova Inglaterra

Nessa região, o clima pode variar muito a cada ano. Em geral, a primavera curta é nublada e úmida, com chuva e neve derretendo. O verão pode ser imprevisível, mas costuma ser seco – quase sempre, julho e agosto são os meses mais ensolarados. Os dias claros do outono ajudam a colorir a folhagem – o auge da queda das folhas dura de meados de setembro ao final de outubro. A neve começar em dezembro; no inverno, a temperatura pode ir aos -18 °C ou menos. Em geral, é mais quente no litoral e no sul da Nova Inglaterra.

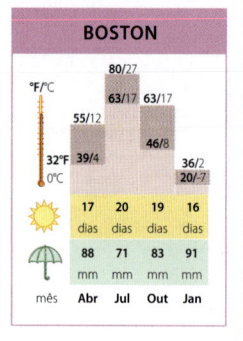

BOSTON

°F/°C	Abr	Jul	Out	Jan
máx	55/12	80/27	63/17	36/2
mín	39/4	63/17	46/8	20/-7
dias de sol	17	20	19	16
chuva (mm)	88	71	83	91

INFORMAÇÕES ÚTEIS | 183

cinais da região são o paraíso dos ciclistas. Os que andam de mountain bike têm também boas opções. No verão, certas áreas de esqui permitem subir com a bicicleta nos teleféricos. As Green e White Mountains da Nova Inglaterra oferecem locais para escaladas, voos de asa-delta e paragliding.

Quem pesca com vara adora a Nova Inglaterra. As melhores pescarias em alto-mar saem de Point Judith, em Rhode Island. Há muitas trutas e percas de água-doce em rios e lagos, principalmente no Maine. A rede de rios do estado é ideal para andar de canoa e de caiaque e fazer rafting.

Penobscot Bay, no Maine, e Newport, em Rhode Island, são ótimas para velejar. Para quem deseja algo mais calmo do que o mar, a Nova Inglaterra dispõe de inúmeros lagos, e podem-se alugar barcos em muitos resorts litorâneos ou à beira de lagos. Cruzeiros para observar baleias se tornaram uma atividade muito concorrida. Faça o cruzeiro num dia calmo, pois o mar agitado pode provocar enjoo.

A parte setentrional da região, com um espesso manto de neve, oferece ótimas oportunidades para esquiar, patinar e andar de snowmobile. Stowe, em Vermont, merece o título de capital do esqui da Nova Inglaterra. Famoso mundialmente, o **Stowe Mountain Resort** oferece trilhas excelentes para esquiadores de todos os níveis.

Diversão

Grande variedade de atrações é oferecida aos que viajam para a Nova Inglaterra. Ocorrem muitos concertos e festivals gratuitos no outono, na primavera e no verão. A Harvard Square de Boston é famosa pelos artistas de rua que atraem as pessoas no verão e no outono. Salões com jazz suave e bares com blues dispõem de uma clientela devota, assim como night-clubs.

Faz tempo que a música erudita, o teatro e o balé permeiam a identidade cultural da região. Cidades grandes e pequenas têm excelentes orquestras sinfônicas e companhias de balé e teatro. Mas o centro dessas artes é Boston. A **Boston Symphony Orchestra (BSO)** e sua extensão de música popular, a Boston Pops, são instituições muito queridas na cidade. De outubro a abril, a BSO cumpre uma programação extensa de concertos, no Symphony Hall. A Pops faz apresentações em maio e junho.

O teatro é uma arte que está muito presente nos seis estados da Nova Inglaterra, porém o centro mais movimentado é, novamente, Boston. O teatro contemporâneo de vanguarda da cidade encontra-se no **American Repertory Theater (ART)**.

Compras

As bem conhecidas lojas de fábrica da Nova Inglaterra oferecem roupas de grife com descontos enormes. O Maine, como zona franca, possui a famosa loja **L. L. Bean**, de equipamentos para atividades ao ar livre. O **Copley Place** e o **Shops at Prudential Center** são os shoppings mais refinados de Boston. A região é um sonho para quem quer antiguidades, com lojas que têm grande variedade de objetos do passado. O trecho da Charles Street do Beacon Hill de Boston é uma das melhores áreas de antiguidades. Procure lojas de artesãos de New Hampshire, de produtos de Vermont e de artesanato do Maine. O turista que busca presentes com toque regional pode levar xarope de bordo e açúcar-cândi de bordo.

AGENDA

Informação Turística

Connecticut
🌐 ctvisit.com

Grande Boston
🌐 bostonusa.com

Maine
🌐 visitmaine.com

Massachusetts
🌐 massvacation.com

New Hampshire
🌐 visitnh.gov

Rhode Island
🌐 visitrhodeisland.com

Vermont
🌐 1-800-vermont.com

Folhagem de Outono

Connecticut
Tel (888) 288-4748.

Maine
Tel (800) 777-0317.

Massachusetts
Tel (800) 227-6277.

New Hampshire
Tel (800) 258-3608.

Rhode Island
Tel (800) 556-2484.

Vermont
Tel (800) 837-6668.

Emergência na Estrada

American Automobile Assn. (AAA)
Tel (800) 222-4357.

Caminhadas

Appalachian Trail Conservancy
799 Washington St, Harpers Ferry, WV 25425-0807. Tel (304) 535-6331.
🌐 appalachiantrail.org

Esqui

Stowe Mountain Resort
5781 Mountain Rd, Stowe, VT 05672. Tel (800) 253-3000. 🌐 stowe.com

Diversão

American Repertory Theater
64 Brattle St, Cambridge, MA. Tel (617) 547-8300.
🌐 amrep.org

Boston Symphony Orchestra

301 Massachusetts Ave, Boston, MA.
Tel (617) 266-1492.
🌐 bso.org

Compras

Copley Place
100 Huntington Ave, Boston, MA. Tel (617) 262-6600. 🌐 simon.com

L. L. Bean
95 Main Street, Freeport, ME. Tel (877) 755-2326.
🌐 llbean.com

Shops at Prudential Center
800 Boylston St, Boston, MA. Tel (800) 746-7778.
🌐 prudentialcenter.com

Onde Ficar

Boston

BACK BAY E SOUTH END:
Midtown Hotel $
Econômico
220 Huntington Ave, 02115
Tel *(617) 262-1000*
w midtownhotel.com
Esse motel em estilo dos anos 1960 tem quartos interligados ideais para famílias e piscina.

BACK BAY E SOUTH END:
Hotel 140 $$
Econômico **Mapa** 5B
140 Clarendon St, 02116
Tel *(617) 585-5600*
w hotel140.com
Apesar de pequenos, esses quartos perto da Copley Square são bons.

BACK BAY E SOUTH END:
Newbury Guest House $$
B&B **Mapa** 5B
261 Newbury St, 02116
Tel *(617) 670-6000*
w newburyguesthouse.com
Quartos aconchegantes com decoração eclética na rua de comércio mais famosa da cidade.

BACK BAY E SOUTH END:
Mandarin Oriental $$$
Luxuoso **Mapa** 5B
776 Boylston St, 2199
Tel *(617) 535-8888*
w mandarinoriental.com
Roupas de cama requintadas e eletrônicos modernos nos quartos. Spa e alta gastronomia.

Destaque
BACK BAY E SOUTH END:
Taj Boston $$$
Luxuoso **Mapa** 4C
15 Arlington St, 02116
Tel *(617) 536-5700*
w tajhotels.com/boston
Inaugurado em 1927 como o Ritz-Carlton original, o Taj Boston é um dos melhores hotéis da Nova Inglaterra – reflete a opulência da Old Boston. Tem localização cênica perto da maioria das atrações locais. O bar no saguão é lendário.

BEACON HILL E THEATER DISTRICT:
Boston Park Plaza $$
Histórico **Mapa** 5C
50 Park Plaza, 02116
Tel *(617) 426-2000*
w bostonparkplaza.com
Datado de 1927, esse hotel elegante atrai executivos e participantes de convenções.

BEACON HILL E THEATER DISTRICT:
John Jeffries House $$
B&B **Mapa** 3C
14 David G Mugar Way, 02114
Tel *(617) 367-1866*
w johnjeffrieshouse.com
Em um ex-alojamento de enfermeiras perto do rio, tem quartos bons, em sua maioria com cozinha. Áreas comuns sóbrias.

BEACON HILL E THEATER DISTRICT:
Liberty Hotel $$$
Luxuoso **Mapa** 3C
215 Charles St, 02114
Tel *(617) 224-4000*
w libertyhotel.com
Antiga prisão na Charles Street, esse hotel tem bela arquitetura e várias comodidades, como aluguel de bicicletas, aulas de ioga e caminhadas guiadas.

GRANDE BOSTON:
The Charles Hotel $$
Luxuoso
1 Bennett St, Cambridge, 02138
Tel *(617) 864-1200*
w charleshotel.com
Esse hotel moderno tem quartos bem decorados, o excelente clube de jazz Regattabar e o restaurante Rialto.

GRANDE BOSTON:
Constitution Inn $$
B&B
150 3rd Ave, Charlestown Navy Yard, Charlestown, 02129
Tel *(617) 241-8400*
w constitutioninn.org
Essa pousada atrai muitos militares, mas recebe hóspedes em geral. Os quartos são modernos e dão direito a frequentar a academia, a piscina e a sauna.

A histórica e opulenta Omni Parker House, em Boston

Categorias de Preço
Diária de um quarto padrão para duas pessoas, na alta temporada, com taxas de serviço e impostos.
$	até US$150
$$	US$150-US$300
$$$	acima de US$ 300

GRANDE BOSTON:
Royal Sonesta $$
Para negócios
5 Cambridge Pkwy, Cambridge, 02142
Tel *(617) 806-4200*
w sonesta.com
Uma ótima coleção de arte e vistas para a cidade da maioria dos quartos fazem desse hotel famoso uma boa escolha. Com frequência há pacotes especiais para famílias no verão.

NORTH END E WATERFRONT:
The Langham Boston $$$
Luxuoso **Mapa** 4E
250 Franklin St, 02110
Tel *(617) 451-1900*
w boston.langhamhotels.com
Em um edifício art nouveau no meio do Financial District, o sofisticado Langham oferece quartos amplos com decoração em estilo Segundo Império.

OLD BOSTON E FINANCIAL DISTRICT:
Omni Parker House $$
Histórico **Mapa** 3D
60 School St, 02108
Tel *(617) 227-8600*
w omniparkerhouse.com
Hotel mais antigo dos EUA, uma preciosidade de 1856. A cream pie de Boston foi inventada no local.

OLD BOSTON E FINANCIAL DISTRICT:
XV Beacon $$$
Luxuoso **Mapa** 3D
15 Beacon St, 02108
Tel *(617) 670-1500*
w xvbeacon.com
Hotel-butique aconchegante, o XV Beacon atrai executivos. Os quartos abrigam muitos equipamentos high-tech.

Massachusetts

AMHERST: Allen House Inn $$
B&B
599 Main St, 01002
Tel *(413) 253-5000*
w allenhouse.com
Essa propriedade vitoriana apresenta decoração inspirada no movimento Arts and Crafts dos EUA e da Inglaterra.

Destaque

CONCORD: Colonial Inn $$
Histórico
48 Monument Sq, 01742
Tel *(978) 369-9200*
🅦 concordscolonialinn.com
Uma das melhores opções de hospedagem histórica do estado, essa pousada marcante situa-se em um edifício de 1716 que se tornou um hotel em 1889. Peça um dos quinze quartos na ala original. Atmosfera agradável com traços neocoloniais e decoração de época.

GREAT BARRINGTON: Monument Mountain Motel $
Econômico
247 Stockbridge Rd, 02130
Tel *(413) 528-3272*
🅦 monumentmountainmotel.com
É ideal para atividades ao ar livre, próximo a trilhas de caminhada. Há unidades interligadas excelentes para famílias.

LENOX: Canyon Ranch $$$
Luxuoso
165 Kemble St, 01240
Tel *(413) 637-4100*
🅦 canyonranch.com
Spa e resort dos mais caros da Nova Inglaterra, oferece pacotes com tudo incluso e acesso a ampla estrutura de bem-estar.

NANTUCKET: Century House $$$
Luxuoso
10 Cliff Rd, 02554
Tel *(508) 228-0530*
🅦 centuryhouse.com
Aberto em 1833, o hotel de gestão familiar mais antigo da ilha tem ambiente do século XIX.

Rhode Island

BLOCK ISLAND: 1661 Inn and Hotel Manisses $$
B&B
5 Spring St, 02807
Tel *(401) 466-2421*
🅦 blockislandresorts.com
Quartos aconchegantes ocupam dois edifícios. A parte hoteleira fecha de meados de outubro a março.

NEWPORT: Castle Hill Inn and Resort $$$
Luxuoso
590 Ocean Dr, 02840
Tel *(401) 849-3800*
🅦 castlehillinn.com
Diante das águas, o Castle Hill tem belos chalés privativos e sofisticadas opções gastronômicas.

1661 Inn and Hotel Manisses em Block Island, Rhode Island

PROVIDENCE: Courtyard Providence Downtown $$
Para negócios
32 Exchange Terrace, 02903
Tel *(401) 272-1191*
🅦 marriott.com
Nesse hotel ligado por uma passarela ao shopping Providence Place e ao R. I. Convention, a maioria dos quartos tem vistas da cidade.

Destaque

PROVIDENCE: Hotel Providence $$
Luxuoso
311 Westminster St, 02903
Tel *(401) 861-8000*
🅦 hotelprovidence.com
Melhor hotel-butique do estado, o Providence combina design moderno com elegância europeia clássica. As dezesseis suítes são inspiradas em autores importantes da Nova Inglaterra. Situado na área de artes e teatros da cidade, tem um restaurante interno com atendimento impecável.

Connecticut

HARTFORD: Hilton $$
Para negócios
315 Trumbull St, 06103
Tel *(860) 728-5151*
🅦 hilton.com
Esse hotel grande no centro fica próximo a tudo o que interessa. Tem academia e piscina coberta.

MASHANTUCKET: Foxwoods Resort Casino $$
Luxuoso
350 Trolley Line Blvd, 06338
Tel *(860) 312-3000*
🅦 foxwoods.com
Um dos maiores resorts com cassino do mundo, tem 25 restaurantes e opções de compras.

MONTVILLE: Mohegan Sun $$
Luxuoso
1 Mohegan Sun Blvd, 06382
Tel *(888) 226-7711*
🅦 mohegansun.com
Garante muita diversão com três cassinos, artistas famosos, gastronomia e compras.

MYSTIC: Whaler's Inn $$
B&B
20 East Main St, 06355
Tel *(860) 536-1506*
🅦 whalersinnmystic.com
Essa pousada central exige estada mínima de duas noites nos fins de semana e feriados, exceto no inverno.

Destaque

NEW HAVEN: Study at Yale $$
Luxuoso
1157 Chapel St, 06511
Tel *(203) 503-3900*
🅦 studyhotels.com
Hotel contemporâneo diante da Escola de Arte de Yale, o Study at Yale é uma base privilegiada para explorar as diversas atrações culturais e culinárias da cidade. Os luxuosos quartos contam com TV grande de tela plana, poltrona de couro para leitura, roupões de algodão e base para iPod. Um restaurante que usa ingredientes frescos completa o ambiente moderno.

Vermont

BRATTLEBORO: Latchis Hotel $
Histórico
50 Main St, 05301
Tel *(802) 254-6300*
🅦 latchis.com
Hotel art déco com um cinema e auditório para shows. Quartos modestos e café da manhã padrão incluso.

Mais informações sobre hotéis *nas pp. 26-7*

NOVA INGLATERRA

O Omni Mount Washington Hotel em Bretton Woods, New Hampshire

BURLINGTON: Sheraton Burlington Hotel $$
Para negócios
870 Williston Rd, 05403
Tel *(802) 865-6600*
 sheratonburlington.com
Maior hotel do estado, fica perto da Universidade de Vermont e é perfeito para executivos.

**MANCHESTER:
The Equinox Resort** $$$
Luxuoso
3567 Main St, 05254
Tel *(802) 362-4700*
 equinoxresort.com
Esse resort histórico do século XVIII tem belas áreas comuns e quartos amplos. Há atividades como pesca, passeios de barco, golfe, falcoaria e tiro ao alvo.

MONTPELIER: The Inn at Montpelier $$
B&B
147 Main St, 05602
Tel *(802) 223-2727*
 innatmontpelier.com
Dois casarões do período Federal com quartos dotados de lareiras. O farto café da manhã padrão está incluso na tarifa.

Destaque

STOWE: Trapp Family Lodge $$
Resort
700 Trapp Hill Rd, 05672
Tel *(802) 253-8512*
 trappfamily.com
Esse resort de fama mundial é dirigido pela família que inspirou *A noviça rebelde*. Há 96 quartos, um lodge em estilo austríaco e chalés aconchegantes. Oferece diversão noturna ao vivo, trenós, esqui e culinária fina harmonizada com cervejas feitas no local.

New Hampshire

Destaque

BRETTON WOODS: Omni Mount Washington Hotel $$
Luxuoso
310 Mt Washington Hotel Rd, 03585
Tel *(603) 278-1000*
 omnihotels.com
Favorito de dignitários desde 1902, esse hotel elegante tem arquitetura renascentista espanhola. Oferece várias áreas comuns, restaurantes, spa, arvorismo e um campo de golfe projetado por Donald Ross. Os hóspedes desfrutam dos serviços de alto padrão em um belo cenário natural.

CONCORD: The Centennial Inn $$
B&B
96 Pleasant St, 03301
Tel *(603) 227-9000*
 thecentennialhotel.com
Mansão vitoriana de 1892 restaurada, abriga quartos e suítes decorados com antiguidades.

KEENE: Lane Hotel $
Histórico
30 Main St, 03441
Tel *(603) 357-7070*
 thelanehotel.com
Em sua origem uma loja de departamentos de 1891, esse hotel sofisticado tem móveis sóbrios.

**MANCHESTER:
Hilton Garden Inn** $
Para negócios
101 S Commercial St, 03101
Tel *(603) 669-2222*
 hgi-manchester.com
Com localização ideal para lazer e trabalho, oferece quartos bem planejados.

PORTSMOUTH: Sheraton Harborside Portsmouth $$
Para negócios
250 Market St, 03801
Tel *(603) 431-2300*
 sheratonportsmouth.com
Hotel moderno com sauna, aparelhos de ginástica e piscina grande.

Maine

**KENNEBUNKPORT:
The Colony Hotel** $$
B&B
140 Ocean Ave, 04046
Tel *(207) 967-3331*
 thecolonyhotel.com
Voltado para o oceano, tem piscina aquecida, praia e jardins amplos. Fecha do fim de outubro até meados de maio.

Destaque

**KENNEBUNKPORT:
White Barn Inn** $$$
Histórico
37 Beach Ave, 04043
Tel *(207) 967-2321*
 whitebarninn.com
Datado de 1820, esse complexo restaurado oferece várias opções de hospedagem. Quartos, suítes e chalés são abastecidos com flores e frutas e tem instalações modernas. Uma piscina natural aquecida com pedras e o spa proporcionam relaxamento. O elogiado restaurante interno, que aparece em programas de TV, serve excelente cozinha sazonal local.

OGUNQUIT: The Cliff House Resort & Spa $$
Histórico
591 Shore Rd, 03907
Tel *(207) 361-1000*
 cliffhousemaine.com
Resort e spa que oferece quartos com sacada. Fecha de meados de dezembro até março.

PORTLAND: The Inn at St. John $
B&B
939 Congress St, 04102
Tel *(800) 636-9127*
 innatstjohn.com
Quartos de bom gosto; alguns partilham banheiros. Aceita cães.

PORTLAND: Portland Regency Hotel $$
Para negócios
20 Milk St, 04101
Tel *(207) 774-4200*
 theregency.com
Esse hotel atraente no meio do antigo porto tem quartos com móveis em estilo colonial.

Onde Comer e Beber

Boston

BACK BAY E SOUTH END:
Flour Bakery $
Americana
1595 Washington St, 02118
Tel *(617) 267-4300*
Moradores e turistas vão em peso a esse ponto de encontro no bairro para saborear sanduíches e opções saídas do forno com café.

BACK BAY E SOUTH END:
Mike's City Diner $
Americana
1714 Washington St, 02118
Tel *(617) 267-9393*
Esse *diner* típico para café da manhã e almoço está sempre lotado e com uma fila de espera na calçada. O cardápio apresenta clássicos como picadinho de carne em conserva e fritas caseiras.

BACK BAY E SOUTH END:
Joe's American Bar & Grill $$
Americana   Mapa 5B
181 Newbury St, 02116
Tel *(617) 536-4200*
O Joe's tem um menu extenso de favoritos que inclui saladas fartas e ótimos hambúrgueres. O pátio é ideal para observar o movimento. Equipe gentil com crianças.

BACK BAY E SOUTH END:
Parish Café $$
Americana   Mapa 4B
361 Boylston St, 02116
Tel *(617) 247-4777*
O Parish Café é renomado pelos sanduíches criados por alguns dos melhores chefs de Boston. No verão, o pátio externo tem vistas fantásticas da rua.

BACK BAY E SOUTH END:
Grill 23 $$$
Churrascaria   Mapa 5B
161 Berkeley St, 02117
Tel *(617) 542-2255*
Essa *steakhouse* cara evoca os restaurantes exclusivos da época da Lei Seca. Carnes maturadas com um toque inventivo são servidas em um ambiente clássico suntuoso.

BACK BAY E SOUTH END:
Island Creek Oyster Bar $$$
Frutos do mar
500 Commonwealth Ave, 02215
Tel *(617) 532-5300*
Bem mais do que um bar de ostras, esse restaurante grande serve diversos frutos do mar extremamente frescos e deliciosos em um ambiente agradável.

Destaque

BACK BAY E SOUTH END:
L'Espalier $$$
Francesa
776 Boylston St, 02199
Tel *(617) 262-3023*
O romântico L'Espalier oferece cozinha francesa contemporânea altamente elogiada, servida por garçons impecáveis. O chef e dono Frank McClelland cria entradas vegetarianas com produtos de sua fazenda, que são tão sofisticadas quanto os pratos com carne. Sobremesas inventivas, queijos imbatíveis e uma carta de vinhos divina completam a experiência gourmet.

BACK BAY E SOUTH END:
Toro $$$
Espanhola
1704 Washington St, 02118
Tel *(617) 536-4300*
Faça reserva com bastante antecedência no Toro, o melhor lugar de comida espanhola refinada da cidade. O menu apresenta pratos tradicionais e modernos feitos com ingredientes locais.

BEACON HILL E THEATER DISTRICT:
Anna's Taqueria $
Mexicana   Mapa 3C
242 Cambridge St, 02114
Tel *(617) 227-8822*
Parte de uma conhecida rede, serve delícias mexicanas simples como burritos, tacos e quesadillas. É frequentado por estudantes e pela comunidade médica do bairro.

O interior elegante do restaurante L'Espalier, em Boston

Categorias de Preço
Por pessoa, para uma refeição composta por três pratos e meia garrafa de vinho da casa, mais taxas.

$	até US$35
$$	US$35-US$60
$$$	acima de US$60

BEACON HILL E THEATER DISTRICT:
No. 9 Park $$$
Americana moderno   Mapa 4D
9 Park St, 02108
Tel *(617) 742-9991*
Esse bistrô com vista para o Boston Common serve pratos gourmets harmonizados com carta de vinhos criteriosa.

GRANDE BOSTON:
Craigie on Main $$$
Americana moderna
853 Main St, 02138
Tel *(617) 497-5511*   Fecha *seg*
Dirigido por Tony Maws, um dos melhores chefs de Boston, esse gastropub animado em Cambridge tem menu sazonal. Os rabos de porco fritos são ótimos.

NORTH END E WATERFRONT:
James Hook & Co. $
Frutos do mar   Mapa 4E
15 Northern Ave, 02110
Tel *(617) 423-5501*
Esse lugar no Fort Point Channel prepara lagosta, moluscos, caranguejo e peixes para viagem.

NORTH END E WATERFRONT:
Pizzeria Regina $
Pizzaria   Mapa 2E
11 1/2 Thacher St, 02113
Tel *(617) 227-0765*
A melhor pizzaria da cidade mudou pouco desde 1926. Há vinho a preço justo e pizzas assadas em forno de alvenaria.

NORTH END E WATERFRONT:
Legal Sea Foods $$$
Frutos do mar   Mapa 3E
255 State St, 02109
Tel *(617) 742-5300*
De uma rede local famosa, serve peixes frescos em um salão refinado. A sopa de mariscos é imbatível, e os moluscos e ostras cruas se revelam impecáveis.

OLD BOSTON E FINANCIAL DISTRICT:
O Ya $$$
Japonesa
9 East St, 02111
Tel *(617) 654-9900*   Fecha *dom e seg*
Muito elogiado, porém difícil de encontrar, o O Ya serve comida japonesa deliciosa.

Mais informações sobre restaurantes *nas pp. 28-9*

Massachusetts

ESSEX: Woodman's of Essex $
Frutos do mar
121 Main St, 01929
Tel *(978) 768-6057*
Restaurante simples, mas afamado por moluscos fritos, lagosta ao vapor e bolinhos de mariscos.

LENOX: Bistro Zinc $$
Francesa
56 Church St, 01240
Tel *(413) 637-8800*
Esse bistrô com balcão de zinco prepara pratos modernos e clássicos franceses.

MARTHA'S VINEYARD:
Net Result $
Frutos do mar
79 Beach Rd, 02554
Tel *(508) 693-6071*
Fecha *ter (exceto no verão)*
Peixaria e café do maior distribuidor de frutos do mar da ilha. Serve sushi e lagosta excelentes.

PLYMOUTH: Lobster Hut $$
Frutos do mar
25 Town Wharf, 02360
Tel *(508) 746-2270*
Self-service diante do mar, perto do *Mayflower II*, oferece pratos clássicos com frutos do mar.

Destaque
WALTHAM: La Campania $$$
Italiana **Fecha** *dom*
504 Main St, 02452
Tel *(781) 894-4280*
Muito respeitado, o La Campania serve camida italiana fina em uma casa de fazenda agradável. O cardápio apresenta pratos napolitanos feitos em forno a lenha, incluindo massas à base de ingredientes frescos. Boa carta de vinhos.

Rhode Island

BLOCK ISLAND:
Manisses Dining Room $$$
Americana
5 Spring St, 02807
Tel *(401) 466-2836* **Fecha** *out-mai*
Formal, o Manisses se destaca por frutos do mar frescos, massas caseiras e sobremesas elaboradas.

NEWPORT: Crazy Dough's Pizza $
Pizzaria
446 Thames St, 02840
Tel *(401) 619-3343* **Fecha** *seg*
Boa escolha para uma refeição rápida e barata, com pizzas e calzones gostosos.

NEWPORT:
White Horse Tavern $$$
Americana
26 Marlborough St, 02840
Tel *(401) 849-3600*
Uma das tavernas mais antigas do país, a White Horse serve alta-cozinha à luz de velas. A decoração colonial apresenta fornalhas e vigas aparentes no teto.

PROVIDENCE:
East Side Pockets $
Médio-oriental
278 Thayer St, 02906
Tel *(401) 453-1100*
Esse estabelecimento de gerência familiar atrai estudantes da Brown University. Serve wraps e porções saborosas, além de boas opções vegetarianas.

Destaque
PROVIDENCE: Al Forno $$$
Italiana
577 S Main St, 02903
Tel *(401) 273-9760*
Fecha *dom e seg*
A clientela se desloca de longe para saborear a renomada comida italiana do Al Forno. O cardápio apresenta pratos deliciosos, incluindo massas, carnes grelhadas na brasa e pizzas de massa fina assadas em forno de pedra, tudo à base de ingredientes sazonais. A carta de vinhos é abrangente. Os talentos na cozinha já lançaram vários livros de culinária.

Connecticut

HARTFORD: Max Downtown $$$
Americana moderna
185 Asylum St, 06103
Tel *(860) 522-2530*
Restaurante-âncora de uma rede local, o Max Downtown serve comida americana contemporânea em ambiente elegante. O menu e a carta de vinhos são extensos.

MONTVILLE:
Bobby Flay's Bar Americain $$$
Americana moderna
1 Mohegan Sun Blvd, 06382
Tel *(860) 862-8000*
O famoso chef da TV atrai o pessoal local e turistas com suas interpretações de clássicos americanos e frutos do mar. O salão em estilo de *brasserie* francesa às vezes fica muito ruidoso.

MYSTIC:
Flood Tide Restaurant $$$
Americana
3 Williams Ave, 06355
Tel *(860) 536-8140* **Fecha** *ter*
Esse restaurante tem frutos do mar locais saborosos e comida tradicional. O ambiente informal e o ótimo menu infantil o tornam ideal para famílias.

NEW HAVEN:
Frank Pepe's Pizzeria $
Pizzaria
157 Wooster St, 06511
Tel *(203) 865-5762*
Aberta em 1925, essa pizzaria simples se notabiliza pelas redondas de massa fina. Não deixe de pedir a ótima pizza branca com moluscos.

Destaque
NEW HAVEN: Louis' Lunch $
Americana
263 Crown St, 06511
Tel *(203) 562-5507*
Fecha *dom e seg*
Muita gente acredita na lenda de que esse famoso estabelecimento foi a origem do hambúrguer. O Louis' Lunch foi o primeiro restaurante a servir um bolinho de carne moída sobre pão tostado em 1895, ano de sua abertura. Desde então, pouca coisa mudou, e seu ambiente antiquado combina bem com o menu enxuto e os preços baixos. Os hambúrgueres deliciosos são preparados em grelhas antigas.

O elogiado restaurante italiano Al Forno, em Providence, Rhode Island

Categorias de Preço *na p. 187*

Vermont

BURLINGTON: Leunig's Bistro $$$
Francesa
115 Church St, 05401
Tel *(802) 863-3759*
Em um edifício art déco dos anos 1920, esse premiado grill e bistrô tem um menu variado de clássicos franceses e pratos americanos com influências mediterrâneas.

**MIDDLEBURY:
American Flatbread** $
Pizzaria
137 Maple St, 05753
Tel *(802) 388-3300* **Fecha** *dom e seg*
Essa instituição local usa produtos orgânicos e assa as pizzas em fornos de barro a lenha. Há ótimas cervejas artesanais.

MONTPELIER: Neci on Main $$
Americana moderna
118 Main St, 05602
Tel *(802) 223-3188* **Fecha** *seg*
Emprega estudantes do New England Culinary Institute, que preparam pratos com toques franceses e ingredientes locais.

Destaque
**QUECHEE: Simon Pearce
Restaurant** $$$
Americana moderna
1760 Quechee Main St, 05059
Tel *(802) 295-1470*
Em um moinho restaurado com vista para o rio Ottauquechee, o Simon Pearce merece uma visita. Após conhecer o estúdio homônimo que produz as peças de vidro soprado usadas no restaurante, os clientes vão para o salão romântico saborear cozinha americana refinada e explorar a carta de vinhos premiada.

STOWE: Pie in the Sky $
Italiana
492 Mountain Rd, 05672
Tel *(802) 253-5100*
Esquiadores se revigoram com pizzas gostosas, massas ao forno e calzones. O almoço de consumo à vontade em dias de semana vale a pena.

New Hampshire

CONCORD: The Common Man $$
Americana
25 Water St, 03301
Tel *(603) 228-3463*
Comfort food americana servida em ambiente agradável. Os clientes podem se sentar no salão amplo ou no pub aconchegante.

A White Horse Tavern em estilo colonial, em Newport, Massachusetts

HANOVER: Lou's $
Americana
30 South Main St, 03755
Tel *(603) 643-3321*
O Lou's tem servido comfort food no café da manhã e no almoço para muitas gerações de estudantes do Dartmouth College.

**MANCHESTER: Red
Arrow Diner** $
Americana
61 Lowell St, 03101
Tel *(603) 626-1118*
Aberto em 1922, esse *diner* 24 horas serve pratos americanos clássicos. Serviço cordial.

Destaque
**MEREDITH: Hart's Turkey
Farm Restaurant** $
Americana
233 Daniel Webster Hwy, 03253
Tel *(603) 279-6212*
Restaurante de gestão familiar especializado em jantares à moda campestre, nos quais o peru é o carro-chefe, em forma de torta e até de tempura. Mas há também alternativas sem essa carne, feitas com chuleta ou frutos do mar.

**PORTSMOUTH:
The Oar House** $$$
Americana moderna
55 Ceres St, 03801
Tel *(603) 436-4025*
Perto do porto, serve cozinha refinada, inclusive frutos do mar locais, em um armazém de 1803 com decoração marinha.

Maine

**BAR HARBOR:
West Street Café** $$
Americana
76 West St, 04609
Tel *(207) 288-5242* **Fecha** *dez-mai*
Esse restaurante acolhedor localizado à beira do oceano serve frutos do mar frescos, além de bons pratos de carne, massas e tortas caseiras.

**KENNEBUNKPORT:
The Clam Shack** $
Frutos do mar
2 Western St, 04046
Tel *(207) 967-2560* **Fecha** *nov-abr*
Barraca na praia que prepara frutos do mar fritos e no vapor para viagem. Anéis de cebola são um bom acompanhamento.

OGUNQUIT: Barnacle Billy's $$
Frutos do mar
70 Perkins Cove Rd, 03907
Tel *(207) 646-5575* **Fecha** *nov-mar*
Casa típica do Maine com cardápio básico de frutos do mar, principalmente lagosta. Saboreie sua refeição em um ambiente informal litorâneo.

PORTLAND: Fore Street $$$
Americana moderna
288 Fore St, 04101
Tel *(207) 775-2717*
O menu do Fore Street apresenta ingredientes frescos fornecidos por agricultores, pescadores, comunidades coletoras e queijeiros do Maine. O ambiente com pé-direito alto e lareira se torna muito acolhedor.

Destaque
**ROCKLAND:
Primo Restaurant** $$$
Americana moderna
2 South Main St, 04841
Tel *(207) 596-0770*
Fecha *seg-qua; jan-mar*
O restaurante Primo tem renome em todo o país e é comandado pela talentosa chef Melissa Kelly, que cultiva seus produtos e cria porcos. A cozinha altamente inovadora apresenta frutos do mar locais sazonais e legumes frescos da fazenda de Kelly. A carta de vinhos internacional é extensa, e há várias sobremesas.

Mais informações sobre restaurantes *nas pp. 28-9*

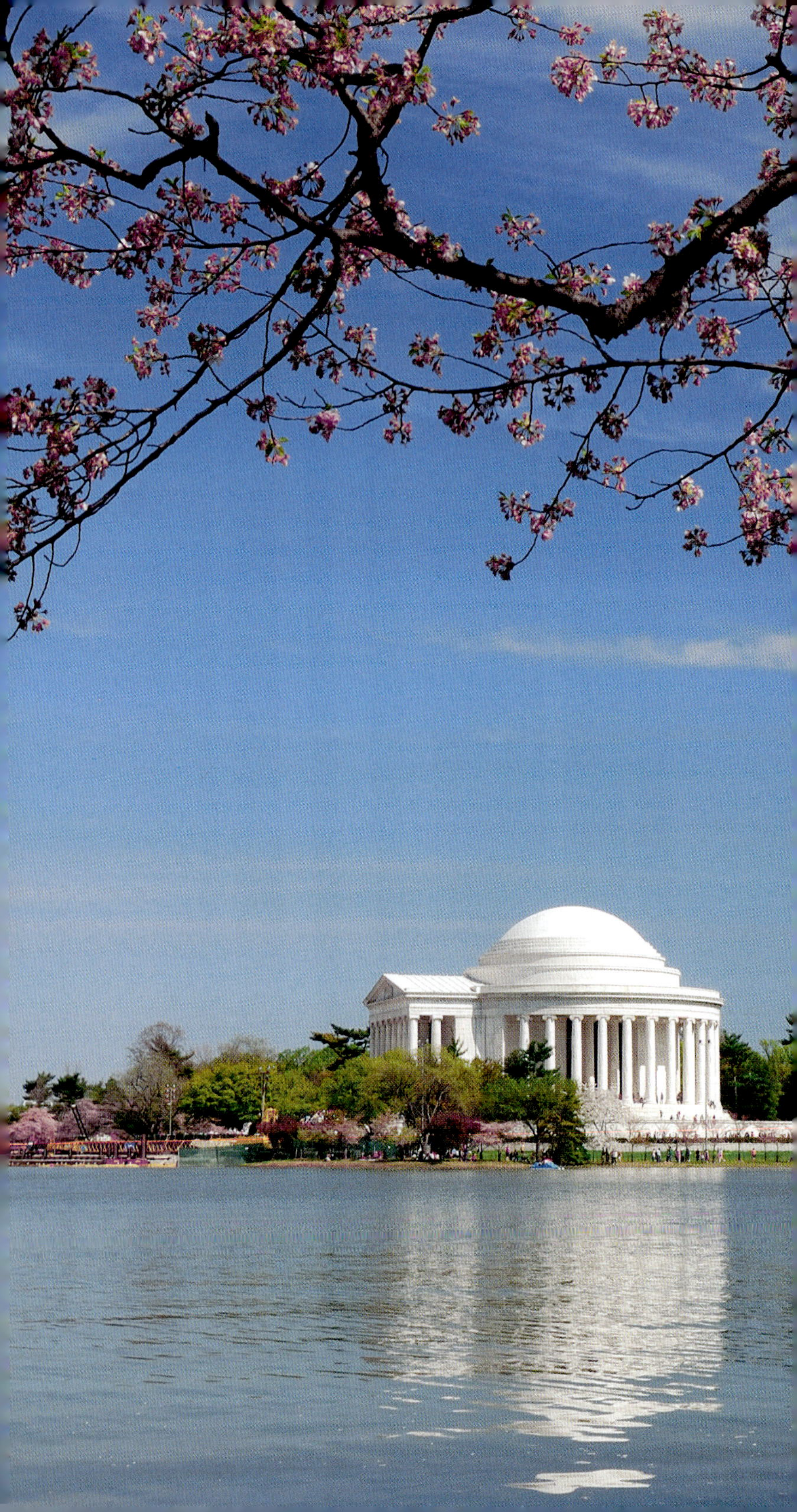

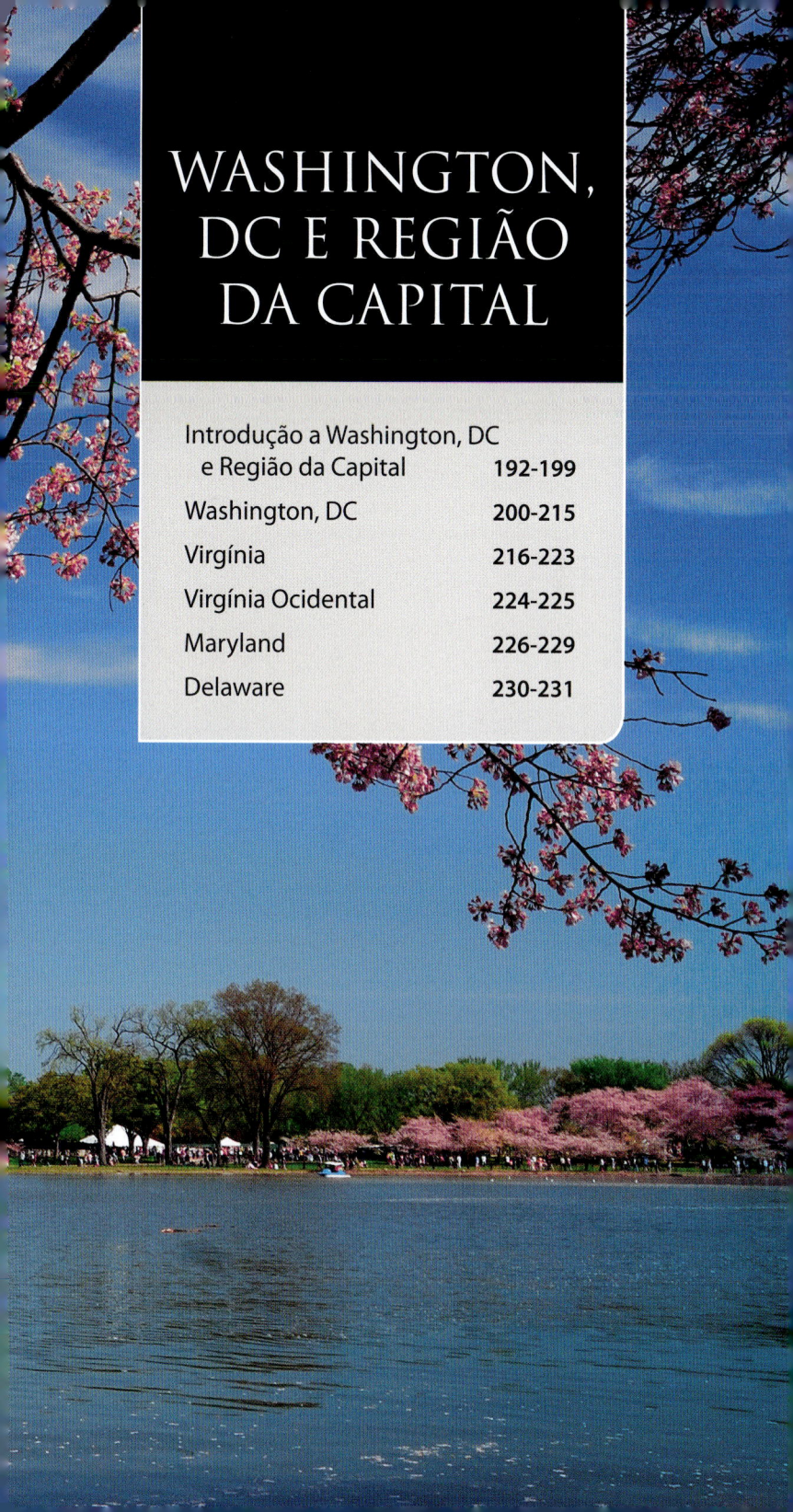

WASHINGTON, DC E REGIÃO DA CAPITAL

Introdução a Washington, DC e Região da Capital	192-199
Washington, DC	200-215
Virgínia	216-223
Virgínia Ocidental	224-225
Maryland	226-229
Delaware	230-231

Washington, DC e Região da Capital em Destaque

Washington, DC e os quatro estados que compõem a região da capital ficam no Nordeste dos EUA. Essa área teve papel importante na história do país – nela se estabeleceram as primeiras colônias e foram disputadas diversas batalhas da Revolução Americana e da Guerra Civil. Por isso, a região conta com magníficos sítios históricos. Washington, DC é uma das cidades americanas mais visitadas e oferece muitas atrações culturais. A rica variedade de paisagens das regiões vizinhas conta com a verdejante área campestre da Virgínia, os montes escarpados da Virgínia Ocidental, as pitorescas baías e enseadas de Maryland e os parques, as praias e as suntuosas mansões interioranas de Delaware.

O New River Gorge National River (p. 224), na Virgínia Ocidental, percorre florestas densas. O desfiladeiro é o destino perfeito para o rafting em corredeiras.

A Blue Ridge Parkway (p. 222) se estende por 346km pela Virgínia, serpenteando ao longo da crista das Appalachian Mountains em direção à Carolina do Norte. Esse trajeto fica mais bonito na primavera e no outono.

◄ O Jefferson Memorial, em estilo neoclássico, às margens da Tidal Basin, em Washington, DC

INTRODUÇÃO A WASHINGTON, DC E REGIÃO DA CAPITAL | 193

Baltimore *(p. 226)* resume a rica tradição marítima de Maryland. A orla reformulada dessa agradável cidade portuária dispõe de muitas lojas e restaurantes, além do ótimo National Aquarium.

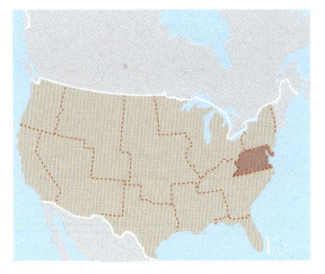

Localize-se

Rehoboth Beach *(p. 231)*, ao longo da costa oceânica de Delaware, é um dos balneários mais animados do estado, com restaurantes e shopping centers, e também uma série de opções de diversão.

Washington, DC *(pp. 200-15)*, a imponente capital do país, é dominada pela Casa Branca, residência oficial do presidente desde a década de 1820. Todo ano, 1,5 milhões de visitantes fazem um passeio por essa mansão decorada com elegância, uma referência na cidade.

Veja hotéis e restaurantes dessa região nas pp. 234-9

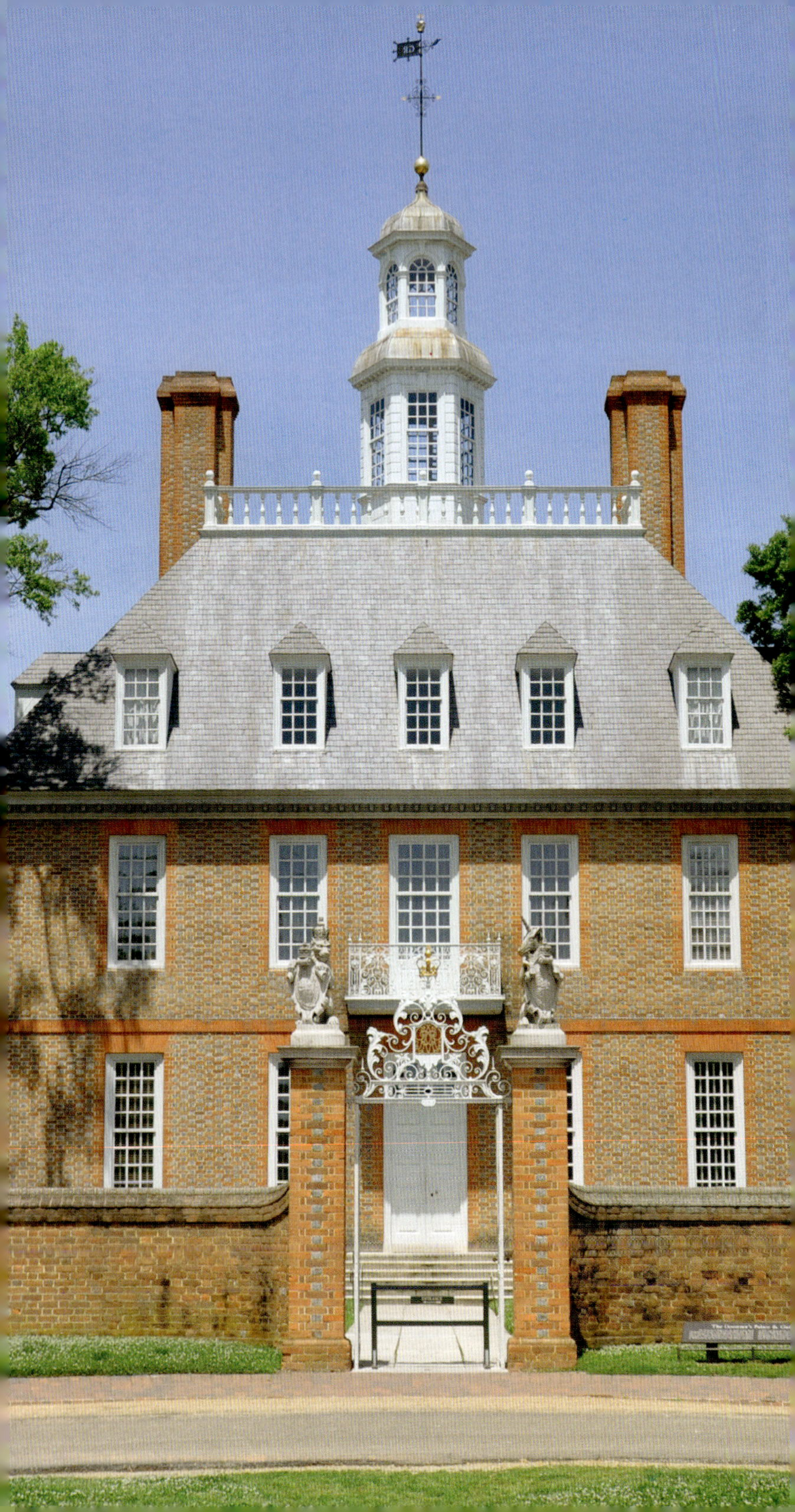

WASHINGTON, DC E REGIÃO DA CAPITAL

Sede governamental da nação mais poderosa do mundo, Washington, DC é uma cidade imponente, neoclássica, com avenidas largas e prédios públicos monumentais, que refletem o orgulho e as ambições dos corredores do poder. A região à sua volta preserva locais importantes onde a jovem nação evoluiu de posto avançado colonial a país independente.

Localizada a meio caminho da Costa Atlântica, a capital da nação foi implantada no coração da Costa Leste. Ela também foi o coração do cenário colonial, quando o país teve início e onde ocorreram muitos dos eventos mais significativos. Além da riqueza de acontecimentos históricos, a região também possui algumas das paisagens mais bonitas e diferentes do país.

A 48km a leste da Casa Branca fica Chesapeake Bay, o maior e mais produtivo estuário dos EUA, enquanto para oeste estão as viçosas florestas de madeira de lei dos Apalaches. Ao lado dessa ampla variedade topográfica e ambiental existe a igualmente ampla variedade de eventos sociais e econômicos. Dentro da área da capital e ao redor dela moram alguns dos cidadãos mais ricos e também dos mais carentes dos Estados Unidos.

A História

Os primeiros europeus a atingirem essa área foram alguns poucos exploradores espanhóis e padres jesuítas, que tentaram sem êxito estabelecer uma colônia em Chesapeake Bay, em 1570. Depois vieram os ingleses, que, para homenagear a "rainha virgem" Elizabeth I, chamaram de "Virgínia" toda a região entre a Flórida espanhola e o Canadá francês. Mas só em 1607, sob o reinado de Jaime I, é que foi fundada Jamestown, primeiro núcleo inglês que deu certo na Virgínia, a alguns quilômetros subindo o rio James, em Chesapeake Bay. Apesar das dificuldades iniciais, as perspectivas dos colonizadores melhoraram após aprenderem a cultivar tabaco e milho. Na década de 1630, a Virgínia se tornara líder mundial na produção de tabaco. O consequente sucesso de Jamestown levou à criação da colônia católi-

Formações naturais em forma de chaminés, no Shenandoah Valley de Front Royal, na Virgínia

◀ Palácio do governo em Williamsburg Colonial, Virgínia

Vista noturna do Lincoln Memorial e do Washington Monument, com o Capitólio ao fundo

ca de Maryland, cujo nome homenageava a rainha Mary. Governada por lorde Baltimore, a colônia atraiu católicos da Inglaterra, além de puritanos e quacres da Virgínia. Todos os anos, milhares de imigrantes ingleses chegavam às novas colônias em busca de oportunidades inexistentes na terra natal. Em meados da década de 1660, Virgínia e Maryland haviam se tornado as colônias inglesas mais rentáveis no Novo Mundo. Em 1664, os ingleses assumiram o controle de Delaware, fundada por holandeses e suecos, no início do século XVII. A Virgínia Ocidental só se separaria da Virgínia na Guerra Civil.

Por volta da década de 1670, o aumento de impostos e a rápida queda nos preços do tabaco provocaram muito sofrimento e uma rebelião que durou pouco. A situação se estabilizou no início do século XVIII, quando alguns plantadores de tabaco começaram a amealhar grandes fortunas. Boa parte de seu sucesso ocorreu graças à mudança do trabalho servil para o de escravos africanos, cujo número cresceu de algumas centenas em 1650 para mais de 150 mil em 1750, quando os negros representavam quase a metade da população.

Independência e Guerra Civil

A revolta contra o domínio britânico levou ao clamor por independência. Embora a Revolução tenha terminado em Yorktown, na Virgínia, em 1781, foi apenas depois do Tratado de Paris que a independência americana se tornou realidade. A Virgínia, a maior e mais rica das colônias, foi o berço de muitos dos "Founding Fathers" (fundadores), entre os quais George Washington, líder militar e primeiro presidente, Thomas Jefferson, autor da Declaração de Independência e terceiro presidente, e James Madison, autor da Constituição e presidente por dois mandatos.

Em 1791, Washington, empossado por uma lei do Congresso, escolheu o local para a capital da nação, numa terra que reunia Maryland e Virgínia, por sua localização a

PRINCIPAIS DATAS HISTÓRICAS

1607 Assentamento da colônia inglesa de Jamestown, na Virgínia

1624 A Virgínia se torna colônia real

1632 O rei Carlos I cria Maryland

1664 Delaware passa ao domínio britânico

1699 Williamsburg se torna capital da Virgínia

1774 Peyton Randolph, da Virgínia, lidera 1º Congresso Continental que discute liberdade

1775-81 Revolução Americana

1791 George Washington obtém terra para instalar a capital

1830 A Baltimore and Ohio Railroad (B&O) é a primeira ferrovia de longa distância do país

1846 É fundada a Smithsonian Institution

1865 O general confederado Robert E. Lee se rende à União em Appomattox

1932 Na Grande Depressão, veteranos da Primeira Guerra Mundial acampam em volta do Capitólio e pedem ajuda do governo

1935 Terminado o prédio da Suprema Corte

1963 Martin Luther King Jr. pronuncia o discurso "I Have a Dream" no Lincoln Memorial

1989 L. Douglas Wilder é eleito governador da Virgínia, o primeiro negro a alcançar esse posto

11 set 2001 Ataque terrorista ao Pentágono

2009 Barack Obama se tornou o primeiro presidente afro-americano a ser eleito

meio caminho entre o Norte e o Sul. Esse território federal independente, denominado Distrito de Colúmbia (DC), foi absorvido pela cidade de Washington, em 1878. Quando o governo mudou para a cidade em 1800, o Capitólio e a casa do presidente (mais tarde renomeada como "Casa Branca") ainda estavam em construção. Ambos foram incendiados pelos britânicos na guerra de 1812.

Na história da região, nada provocou mais divisão do que a questão da escravidão. Muitos residentes eram senhores de escravos; outros viraram abolicionistas ardentes. As tensões raciais aumentaram e a guerra entre o Norte e o Sul foi inevitável. No decorrer dos quatro anos da Guerra Civil (1861-5), diversas batalhas importantes ocorreram ali, incluindo a rendição do general Robert E. Lee, na Appomattox Court House. A área também abrigava duas capitais rivais: Washington, DC e Richmond, na Virgínia.

Entre as décadas de 1880 e 1930, Washington, DC se tornou uma grande cidade, como haviam planejado seus idealizadores. Foram abertas avenidas largas, estradas de ferro foram removidas do National Mall e muitos prédios grandiosos foram construídos para receber a burocracia que aumentava. Mesmo assim, foi só em meados do século XX, quando surgiram os aparelhos de ar-condicionado, que a capital se tornou uma cidade de nível mundial o ano todo.

Bicicleta: meio agradável de conhecer Washington

Povos e Culturas

Washington e seu entorno refletem aspectos menos estereotipados dos EUA atual. Os moradores vão desde os de "sangue azul", cujas raízes remontam à chegada do *Mayflower* a Plymouth Rock, até imigrantes mais recentes e descendentes de escravos afro-americanos. Essa diversidade é surpreendente. Algumas das comunidades mais aristocráticas ficam no anglófilo Hunt Country, no norte da Virgínia e entre os milionários de Annapolis. Lado a lado estão grupos da indústria do colarinho azul e muitas comunidades anacrônicas, como as tradicionais vilas de pescadores ("watermen"), em Chesapeake, e orgulhosos núcleos da cultura apalachiana, ainda perceptíveis na Virgínia Ocidental.

Washington fornece imagens de classe e particularidades bem reveladoras, com muitas minorias pobres que parecem estar a quilômetros de distância da riqueza, principalmente do núcleo branco de Georgetown. Vários bairros desfavorecidos, antes exclusivamente negros, como Shaw, Eckington, Petworth, Ledroit Park e Columbia Heights, passam por um intenso processo de gentrificação e têm atraído jovens bem-sucedidos.

Dessas diferentes camadas sociais surgiram muitas pessoas notáveis. Francis Scott Key compôs o hino *The Star-Spangled Banner* em Baltimore, e Thurgood Marshall lutou pelos direitos civis, primeiro como ativista e, depois, como juiz da Suprema Corte. Entre os escritores estão Edgar Allan Poe, poeta e autor de contos de terror, H. L. Mencken, acadêmico, editor e jornalista, e Anne Tyler, romancista contemporânea. E há cantores, a exemplo de Patsy Cline e Ella Fitzgerald, da Virgínia, Billie Holliday, de Baltimore, e Duke Ellington, nascido em DC, que transformou o jazz e o swing nos sons típicos do país.

Rendição de Lee na Appomattox Court House

Como Explorar Washington, DC e Região da Capital

Washington, DC, a capital do país, com belos monumentos, excelentes museus e um toque cosmopolita, é um destino muito procurado pelos visitantes. De fácil acesso desde a capital, os estados de Virgínia, Virgínia Ocidental, Maryland e Delaware também valem uma visita, pois oferecem áreas de montanha, planícies, praias e cidades históricas. Entre as atrações mais concorridas da região estão a cidade colonial de Williamsburg, as belezas panorâmicas do Shenandoah Valley e do Blue Ridge Parkway, além das terras não devastadas da Virgínia Ocidental. A cidade portuária de Baltimore e as praias calmas de Delaware também conquistam os turistas.

Velas coloridas e enroladas, no litoral de Maryland

Legenda
- Rodovia
- Estrada principal
- Ferrovia
- - - Fronteira estadual

Forte John Brown, no Harpers Ferry National Park, na Virgínia Ocidental

Legenda dos símbolos *na orelha da contracapa*

INTRODUÇÃO A WASHINGTON, DC E REGIÃO DA CAPITAL | 199

Interior do Salão Oval da Casa Branca, em Washington, DC

Principais Atrações

1. *Washington, DC pp. 200-15*

Virgínia

2. Alexandria
3. *Mount Vernon pp. 216-7*
4. Fredericksburg
5. *Williamsburg Colonial pp. 218-9*
6. Jamestown e Yorktown
7. Norfolk
8. Richmond
9. Chincoteague
10. *Charlottesville p. 221*
11. Appomattox Court House National Historical Park
12. Blue Ridge Parkway
13. *Skyline Drive p. 223*

Virgínia Ocidental

14. Monongahela National Forest
15. New River Gorge National River
16. Harpers Ferry

Maryland

17. Antietam National Battlefield
18. Frederick
19. Baltimore
20. Annapolis
21. North Bay
22. St. Michaels
23. Easton
24. Crisfield
25. Salisbury
26. Ocean City

Delaware

27. Wilmington
28. Winterthur
29. Hagley Museum/Eleutherian Mills
30. Nemours Mansion & Gardens
31. New Castle
32. Lewes
33. Rehoboth Beach

Tabela de Distâncias

Washington, DC

10 = Distância em milhas
10 = Distância em quilômetros

7 / 11	Alexandria, VA						
105 / 169	102 / 164	Richmond, VA					
69 / 111	73 / 118	167 / 269	Harpers Ferry, WV				
45 / 72	51 / 82	150 / 241	67 / 108	Baltimore, MD			
32 / 51	41 / 66	137 / 220	89 / 143	31 / 50	Annapolis, MD		
107 / 172	114 / 183	224 / 360	141 / 227	70 / 113	97 / 156	Wilmington, DE	
106 / 170	113 / 182	222 / 357	138 / 222	69 / 111	96 / 154	6 / 10	New Castle, DE

❶ Washington, DC

Washington, DC ocupa uma área de 158km² e conta com uma população de aproximadamente 600 mil pessoas. Como capital do país e sede do governo federal, é rica em monumentos. Tem uma vida cultural vibrante, com excelentes museus (quase todos gratuitos) e muita diversão. A cidade se compõe de quatro quadrantes, e o Capitólio é o ponto central. O quadrante noroeste contém boa parte das atrações turísticas, mas existem outros locais de interesse localizados em volta do Capitólio e ao sul do Mall, que ficam no quadrante sudoeste.

Visitantes verificam percursos num quiosque de informação turística

Como Circular

É mais conveniente utilizar o excelente sistema de transportes públicos de Washington do que andar de carro, pois quase sempre o trânsito é pesado e os locais de estacionamento são limitados. Todas as principais atrações turísticas podem ser visitadas a pé, de metrô, ônibus ou táxi.

Legenda
- Local de interesse
- Rua para pedestres

Legenda dos símbolos *na orelha da contracapa*

WASHINGTON, DC | 201

Principais Atrações
① *Capitólio dos EUA pp. 202-3*
② Biblioteca do Congresso
③ Suprema Corte dos EUA
④ National Air & Space Museum
⑤ National Gallery of Art
⑥ National Museum of Natural History
⑦ National Museum of African Art
⑧ National Museum of American History
⑨ Smithsonian American Art Museum & National Portrait Gallery
⑩ Washington Monument
⑪ National World War II Memorial
⑫ United States Holocaust Memorial Museum
⑬ Jefferson Memorial
⑭ Franklin D. Roosevelt Memorial
⑮ Martin Luther King, Jr. Memorial
⑯ Lincoln Memorial
⑰ Vietnam Veterans Memorial
⑱ *Casa Branca pp. 210-1*
⑲ Renwick Gallery
⑳ Corcoran Gallery of Art
㉑ The Kennedy Center
㉒ Watergate Complex
㉓ Georgetown

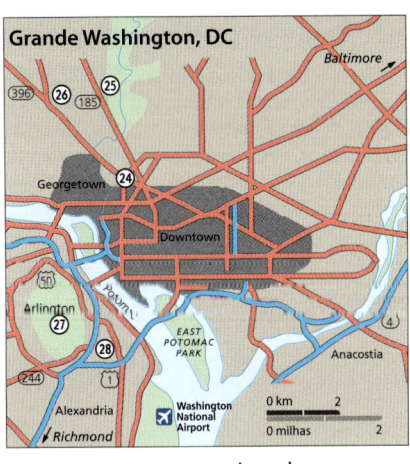

Grande Washington, DC *(veja detalhe)*
㉔ Phillips Collection
㉕ National Zoological Park
㉖ Washington National Cathedral
㉗ Arlington National Cemetery
㉘ Pentágono

Legenda
- Área do mapa maior
- Rodovia
- Estrada principal

① Capitólio dos Estados Unidos

Um dos símbolos da democracia mais conhecidos do mundo, o Capitólio dos EUA é o centro legislativo do país há mais de 200 anos. A pedra fundamental desse grandioso edifício neoclássico foi colocada por George Washington, em 1793, e por volta de 1800 ele foi ocupado, apesar de inacabado. Os britânicos incendiaram o Capitólio na guerra de 1812, e em 1815 começaram as obras de restauração. Muitos detalhes arquitetônicos e artísticos vieram depois, como os murais de Constantino Brumidi e a Estátua da Liberdade.

LEGENDA

① Câmara dos Representantes

② **O Salão das Colunas** é ladeado de estátuas de americanos ilustres.

③ **Cripta e "centro geográfico de Washington"**

④ **A cúpula**, feita de aço fundido e pintado para parecer mármore, é uma das maiores do mundo.

⑤ **As Portas de Colombo** são de bronze e retratam a vida e as descobertas de Cristóvão Colombo.

⑥ **Recinto do Senado** terminado em 1859.

⑦ **Os Corredores de Brumidi** são ladeados de afrescos, bronzes e pinturas do artista italiano Constantino Brumidi (1805-80).

★ **Salão Nacional das Estátuas**
Estátuas de alguns cidadãos importantes de cada estado estão nesse salão.

② Biblioteca do Congresso

Mapa F4. 10 1st St, SE. **Tel** (202) 707-5000. **Tel** (202) 707-8000. Capitol S. 32, 34, 36, 96. 10h-17h30 seg-sáb. feriados. Para entrar nas salas de leitura, o visitante precisa do cartão de usuário, obtido no Room LM140 do Madison Building. É necessário documento de identidade com foto. loc.gov

A Biblioteca do Congresso reúne o maior acervo mundial de livros, manuscritos, microfilmes, mapas e músicas. Instalada inicialmente no Capitólio, em 1800, ela foi destruída em 1814, quando o prédio foi incendiado. Então Thomas Jefferson vendeu sua coleção pessoal para repor a perda, e a partir daí o acervo não parou de crescer. Desde 1897 a biblioteca está instalada num grandioso edifício em estilo renascentista, agora conhecido como Thomas Jefferson Building. Na frente fica uma fonte com uma bela estátua de bronze de Netuno, deus romano do mar.

Um dos destaques desse prédio é o **Grande Salão**, com magníficos arcos e colunas de mármore, escadarias majestosas, estátuas de bronze, belos murais e clarabóia de vitrais. Também impressiona o **Salão Principal de Leitura**, onde oito enormes colunas de mármore e figuras femininas com 3m de altura, personificando os aspectos da determinação humana, fazem as mesas de leitura parecerem minúsculas. O teto abobadado atinge 49m. Há outras dez salas de leitura no prédio, como as Salas de Leitura Africana e a Asiática.

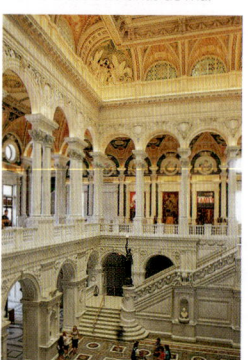

A escadaria que acaba na Galeria dos Visitantes, voltada para o Salão Principal de Leitura, é dominada por uma linda figura de Minerva, feita de mosaico de mármore.

Entre as preciosidades da biblioteca está uma das três únicas cópias em pergaminho da Bíblia de Gutenberg, do século XV – o primeiro livro impresso com tipos móveis de metal.

O Grande Salão, com magníficos arcos e colunas de mármore

Veja hotéis e restaurantes dessa região nas pp. 234-9

WASHINGTON, DC | 203

PREPARE-SE

Informações Práticas
Mapa E4. Independence Mall, entre 1st e 3rd Streets, Independence e Constitution Aves (entre pelo Capitol Visitor Center). **Tel** (202) 224-3121; informação gravada: (202) 225-6827. ◯ 8h30-16h30 seg-sáb. ● feriados. 🎟 exceto dom. ♿ 🏛 w visitthecapitol.gov

Transporte
Ⓜ Capitol S, Union Station
🚌 32, 34, 36, 96.

★ **A Rotunda**
Terminada em 1824, a rotunda de 55m é rematada pela *Apoteose de Washington*, afresco de Brumidi.

★ **Antigo Recinto do Senado**
Esse salão suntuoso foi ocupado pelo Senado até 1859 e, depois, pela Suprema Corte por 75 anos. Agora é usado mais como espaço de museu.

Capitólio dos EUA
O Capitólio também marca o centro da cidade. Os quadrantes se irradiam do meio do prédio.

③ Suprema Corte dos EUA

Mapa F4. 1st St entre E Capitol St e Maryland Ave NE. **Tel** (202) 479-3211.
Ⓜ Capitol S. ◯ 9h-16h30 seg-sex.
● feriados. ♿ Palestras.
w **supremecourtus.gov**

Poder Judiciário do governo americano e a mais alta corte do país, a Suprema Corte é o último recurso para as disputas legais e as questões de constitucionalidade da nação. Entre os casos clássicos resolvidos no local estão *Brown v. Board of Education*, que aboliu a segregação racial nas escolas, e *Miranda v. Arizona*, que garantiu aos suspeitos de crime o direito a um advogado antes de serem interrogados.

Até 1929 a Suprema Corte ainda se reunia em diversas seções do Capitólio. Depois, por insistência do juiz presidente William Howard Taft, o Congresso autorizou a construção de um prédio independente. O resultado foi um magnífico edifício neoclássico, projetado por Cass Gilbert e inaugurado em 1935. Esculturas alegóricas que retratam a Contemplação da Justiça e a Autoridade da Lei ficam ao lado da escadaria.

O Grande Salão que leva à sala de julgamento é um grande espaço de mármore ladeado por colunas e bustos de antigos juízes presidentes. A elegante sala de julgamento possui teto de gesso decorado com folhas de ouro e um friso que percorre todas as paredes e retrata figuras reais e alegóricas ligadas às leis. Há um salão de exposições que mostra os sistemas legais do mundo todo e uma série de trajes de juízes.

De outubro a abril, o visitante pode assistir às sessões da corte – verifique o calendário no site. A entrada é de quem chegar primeiro. Quando a corte não está reunida, ocorrem palestras ao público na Suprema Corte, a cada hora (na meia hora), na sala do tribunal.

Grandiosa fachada neoclássica da Suprema Corte dos EUA

O Mall

Essa alameda, entre o Capitólio e o Washington Monument, se estende por 1,6km e é o coração cultural da cidade; os diversos e ótimos museus da Smithsonian Institution estão localizados ao longo dessa faixa verde. No canto nordeste do Mall fica a National Gallery of Art. Do outro lado está um dos museus mais concorridos do mundo – o National Air and Space Museum –, uma edificação alta de aço e vidro. Tanto o National Museum of American History como o National Museum of Natural History, no lado norte do Mall, atraem um número enorme de visitantes.

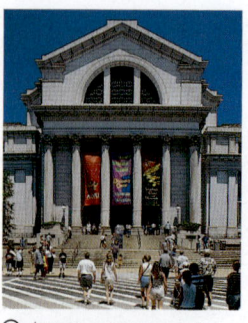

⑥ ★ **National Museum of Natural History**
A Rotunda central teve projeto em estilo neoclássico e foi aberta ao público em 1910.

⑧ ★ **National Museum of American History**
Desde o uniforme de George Washington até essa bandeira, içada após a vitória na Guerra de 1812, a história americana está documentada no museu.

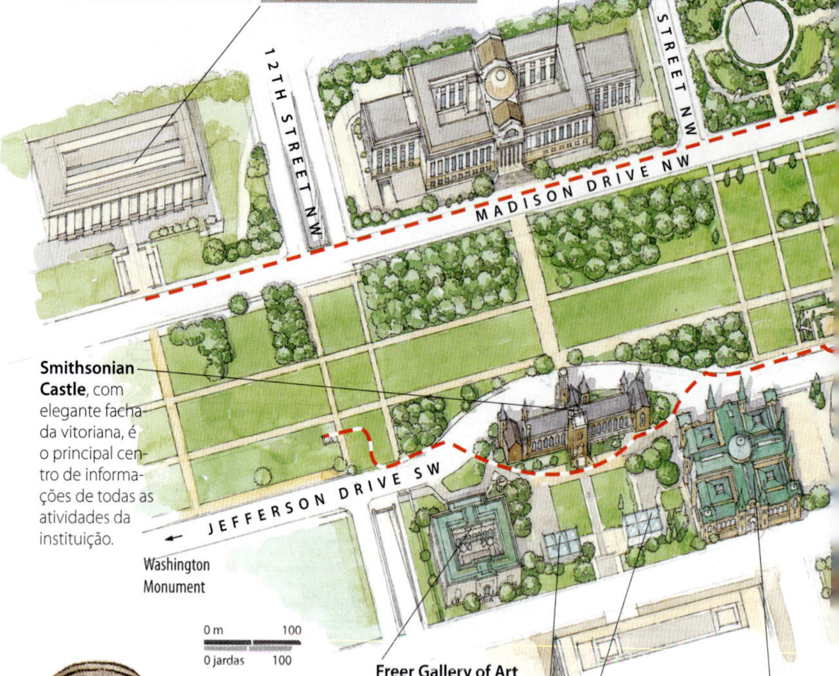

Jardim de Esculturas

Smithsonian Castle, com elegante fachada vitoriana, é o principal centro de informações de todas as atividades da instituição.

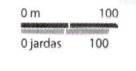

Washington Monument

⑦ **National Museum of African Art**
Fundado em 1965 e localizado no subsolo, esse museu abriga um amplo acervo de arte africana antiga e moderna.

Freer Gallery of Art expõe obras-primas da arte americana e asiática.

Arthur M. Sackler Gallery conta com uma coleção de arte asiática doada ao país pelo nova-iorquino Arthur Sackler.

National Museum of African Art

Arts & Industries Building, obra-prima da arquitetura vitoriana, foi construído em 1881. Atualmente encontra-se fechado para reforma.

Veja hotéis e restaurantes dessa região nas pp. 234-9

⑤ ★ National Gallery of Art

A bela coleção de preciosidades dessa galeria, como *A Madona Alba* (c. 1510), de Rafael, narra a história da arte desde a Idade Média até o século XX.

Localize-se

Legenda

— Percurso sugerido

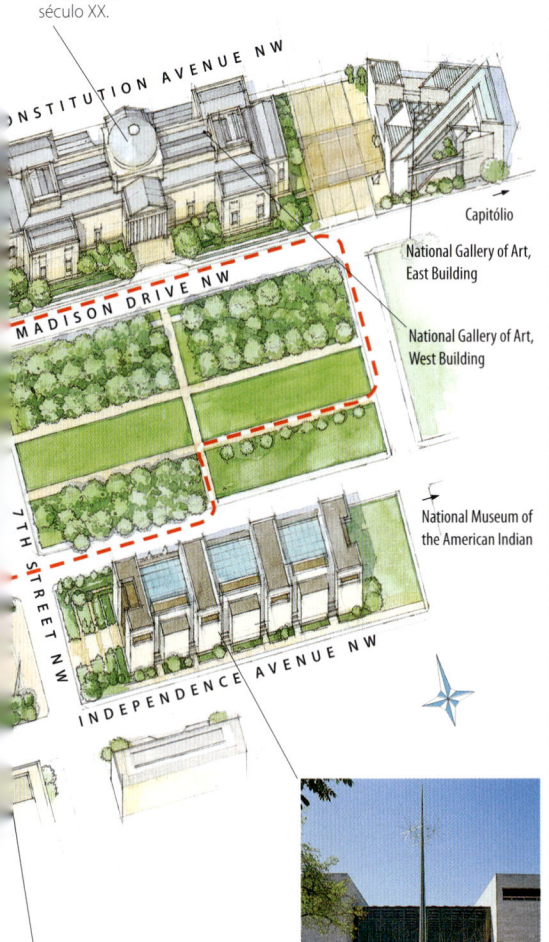

Capitólio

National Gallery of Art, East Building

National Gallery of Art, West Building

National Museum of the American Indian

Hirshhorn Museum, um acréscimo incomum ao Mall, com formato cilíndrico, acolhe arte contemporânea. Apenas uma pequena seleção das 18 mil obras que possui fica exposta a cada vez.

④ ★ **National Air & Space Museum**
O projeto moderno e despojado do National Air & Space Museum revela as maravilhas tecnológicas que há lá dentro.

④ National Air & Space Museum

Mapa D5. 601 Independence Ave, SW. **Tel** (202) 633-1000. Ⓜ Smithsonian. 🚌 32, 34, 36, 52. 🕐 10h-17h30 diariam. ⬤ 25 dez. 🕐 10h15, 13h. ♿ 📷 ✏ 🌐 nasm.si.edu

Inaugurado para o Bicentenário dos EUA, em 1º de julho de 1976, atualmente o Air & Space Museum é o lugar mais visitado de Washington. A entrada do museu leva até a galeria **Milestones of Flight**, que mostra muitas das primeiras máquinas que fizeram viagens pelo ar e pelo espaço. Entre elas estão o *Flyer*, de 1903, construído pelos irmãos Wright, primeira máquina a motor mais pesada do que o ar a realizar um voo regular e controlado; o *Spirit of St. Louis*, no qual Charles Lindbergh fez seu primeiro voo solo transatlântico, em 1927; e o módulo de comando da *Apollo 11*, que levou os astronautas Buzz Aldrin, Neil Armstrong e Michael Collins na histórica missão à Lua, em julho de 1969. Outra galeria que atrai multidões é o **Race**, onde estão expostos trajes espaciais, uma miniatura (que funciona) do ônibus espacial *Columbia* e o Skylab, um módulo de trabalho para três tripulantes.

Na galeria **Pioneers of Flight** está exposto o Vega vermelho, da Lockheed, com o qual Amelia Earhart se tornou a primeira mulher a realizar um voo solo transatlântico, em 1932. A concorrida galeria **World War II Aviation** exibe aeronaves de caça das forças aéreas americana, britânica, alemã e japonesa.

Galeria Milestones of Flight, no National Air & Space Museum

Fachada da National Gallery of Art

⑤ National Gallery of Art

Mapa E4. West Building: Constitution Ave entre 4th e 7th Sts, NW. East Building: 4th St entre Madison Drive e Constitution Ave, NW. **Tel** (202) 737-4215. Ⓜ Arquivos/Navy Memorial, Judiciary Square, Penn Quarter, Smithsonian. 🚌 32, 34, 36, 70. 🕐 10h-17h seg-sáb, 11h-18h dom. ⬤ 1º jan, 25 dez. 📞 ligue (202) 842-6690. 🎧 ligue (202) 842-6176. ♿ 📷 🍴 **w** nga.gov

Uma das grandes atrações de Washington, DC, esse excelente museu foi fundado quando o financista americano Andrew Mellon legou seu acervo de arte europeia para formar a base de uma Galeria Nacional de Arte. Incentivados pelo exemplo dele, outros colecionadores também doaram suas obras de arte a esse núcleo inicial.

Dos dois prédios principais, o majestoso West Building, em estilo neoclássico e inaugurado em 1941, apresenta arte europeia do século XIII ao século XIX. As galerias do modernoso East Building estão fechadas até o fim de 2016, mas o átrio permanece disponível. Um salão no subsolo, com cafeteria e lojas, liga os dois prédios.

Alas iguais saem da rotunda central no **West Building**. A oeste da rotunda ficam as galerias que exibem artes italiana, holandesa, flamenga e espanhola. Entre os quadros italianos há obras de Giotto, Botticelli, Rafael e Leonardo da Vinci; e outras obras-primas expostas incluem trabalhos de Rubens, Rembrandt, Van Dyck, Goya, Velázquez e El Greco. Os salões de esculturas exibem artes decorativas da Idade Média ao século XX. As galerias a leste da rotunda abrigam uma coleção de arte francesa impressionista e pós-impressionista, destacando-se: *Mulher com guarda-sol*, de Monet, *Quatro bailarinas*, de Degas, e *Quadrilha no Moulin Rouge*, de Toulouse-Lautrec. Retratos pintados por John Singer Sargent e James McNeill Whistler fazem parte do acervo de quadros americanos importantes. Ao lado do West Building fica o Jardim de Esculturas, que se transforma no rinque de patinação no inverno.

O enorme **East Building** teve projeto dimensionado para acomodar peças grandes da arte moderna. No centro do pátio há um móbile gigante, vermelho, azul e preto, de Alexander Calder, terminado em 1976. Perto da entrada fica uma escultura de Henry Moore; o átrio exibe uma tapeçaria de Joan Miró, de 1977.

⑥ National Museum of Natural History

Mapa D4. Constitution Ave e 10th St, NW. **Tel** (202) 633-1000 (mensagem gravada após horário de expediente). Ⓜ Smithsonian. 🚌 32, 34, 36. 🕐 10h-17h30 diariam (até mais tarde em algumas datas no verão e na primavera; verificar). ⬤ 25 dez. 📞 10h30 e 13h30 seg-sex. 🎧 ♿ 📷 🍴 **w** nmnh.si.edu

Museu aberto em 1910, conta com um acervo que soma 120 milhões de objetos de diferentes culturas do mundo todo, além de fósseis e criaturas vivas da terra e das águas.

A entrada do museu leva a uma rotunda alta, onde o visitante avista um impressionante elefante dos campos africanos. À direita da rotunda, fica uma das áreas mais populares do museu, o **Dinosaur Hall**, que está em reforma e deve reabrir em 2019. Ainda no térreo fica o Ocean Hall, com magníficas exibições sobre o oceano, e a relação do homem com ele. À esquerda da rotunda, há um IMAX® Theater e o Hall of Mammals, com 25 mil m² de espetaculares objetos.

No segundo andar fica a coleção de **Gems and Minerals**, cujo ponto alto é o diamante Hope, de 45,52 quilates. O maior diamante azul do mundo, famoso por seu colorido impressionante e sua transparência, já pertenceu a Luís XVI da França. Também no segundo andar está o concorridíssimo **Insect Zoo**, com gigantescas baratas sibilantes e uma colônia das grandes formigas-cortadeiras (saúvas).

Elefante exposto na rotunda do National Museum of Natural History

⑦ National Museum of African Art

Mapa D5. 950 Independence Ave, SW. **Tel** (202) 633-1000. Ⓜ Smithsonian. 🕐 10h-17h30 diariam. ⬤ 25 dez. 📷 ♿ 🍴 📞 **w** si.edu/nmafa

Esse museu sossegado passa despercebido por muitos visitantes, talvez porque boa parte de seu espaço de exposição fique no subsolo.

O pequeno pavilhão de entrada, no térreo, leva a três andares subterrâneos, onde são realizadas as exposições. O acervo permanente de 7 mil peças conta com arte antiga e moderna da África, embora a maioria das peças date dos séculos XIX e XX. Há mostras de bronzes e de diferentes tipos de cerâmica, além de belíssimos objetos de marfim e ouro, tecidos *kente*, muito coloridos, provenientes de Gana. E também existem fotografias expostas.

⑧ National Museum of American History

Mapa D4. 14th St e Constitution Ave. **Tel** (202) 633-1000 (mensagem gravada após horário de expediente). Ⓜ Smithsonian-Federal Triangle. 32, 34, 36. 10h-17h30 diariam. 25 dez.
w americanhistory.si.edu

Esse museu exibe o passado americano. Algumas peças no belíssimo átrio central dão uma prévia do que está exposto no museu. Uma grande variedade de exibições conta a história norte-americana do ponto de vista cultural, social, tecnológico e político.

O primeiro andar da ala leste é dedicado à história do transporte e da tecnologia nos EUA. Os objetos expostos vão desde locomotivas a vapor até antigas moedas de ouro. Outra exibição concorrida é a do *Ford Model T*, um marco da engenharia que deu início à era automobilística.

Outras mostras incluem a cozinha que a famosa chef americana Julia Child (1912-2004) usava em sua casa de Cambridge, Massachusetts. Ela ensinou as donas de casa americanas a preparar e a degustar a culinária francesa.

A coleção **First Ladies** reúne os vestidos de noite usados pelas primeiras-damas nos bailes de posse dos presidentes. Os vestidos longos de alta-costura de Jackie Kennedy e Nancy Reagan fazem parte desse acervo, junto com o *prêt-à-porter* de Rosalynn Carter.

De importante significado histórico e cultural é a exposição **Star-Splangled Banner**, que conta com a bandeira (a Star-Spangled Banner) que tremulou sobre o forte McHenry, em 1814, e inspirou o poema de Francis Scott Key que depois se tornou o hino nacional. A frágil bandeira está exposta em um ambiente controlado, no segundo andar.

O Ford Model T, no National Museum of American History

O acervo do museu é enorme e guarda artefatos científicos e objetos representativos da vida e do trabalho dos presidentes, além de interessantes amostras da cultura popular americana, como os sapatinhos vermelhos usados por Judy Garland em *O mágico de Oz*.

⑨ Smithsonian American Art Museum & National Portrait Gallery

Mapa D4. Smithsonian American Art Museum: 8th e G Sts NW. **Tel** (202) 633-1000. 11h30-19h diariam
w americanart.si.edu
National Portrait Gallery: 8th e F Sts NW. **Tel** (202) 633-1000. Ⓜ Gallery Place-Chinatown. 25 dez. **w** npg.si.edu

Em nenhum outro lugar de Washington existe uma propensão tão óbvia para copiar a arquitetura grega e romana do que nessa edificação que abrigava o US Patent Office e onde agora está instalado o Smithsonian American Art Museum e a National Portrait Gallery. Em 1968 o Patent Office foi transformado em dois museus. O museu de arte contém obras de artistas americanos que refletem a história e a cultura do país. O destaque da coleção de arte popular americana é uma incrível peça de arte visionária, chamada *Throne of the Third Heaven of the Nations' Millenium* (c. 1950-64), com lâmpadas, placas douradas e prateadas, além de móveis velhos, criada por um faxineiro de Washington chamado James Hampton.

Entre as obras dos séculos XIX e XX, destacam-se as paisagens do Oeste de Albert Bierstadt. Especialmente notável é seu quadro *Among the Sierra Nevada, California*, pintado em 1868, que capta a vastidão do Oeste. Outra obra importante desse período é *Achelous and Hercules*, de Thomas Hart Benton (1889-1975). Nessa analogia mitológica com os primeiros tempos do país, Hércules simboliza o homem domando a natureza e, depois, aproveitando o fruto de seu trabalho. Obras dos modernistas Jasper Johns, Andy Warhol e Robert Rauschenberg figuram entre as preciosidades do museu.

A National Portrait Gallery forma um álbum de família dos EUA, com quadros, esculturas, gravuras e fotografias de milhares de americanos famosos. Nela estão reunidas obras tão variadas como o famoso retrato que Gilbert Stuart fez de George Washington (que aparece na nota de 1 dólar), bustos de Martin Luther King Jr. e do poeta T. S. Eliot, e algumas fotografias da atriz Marilyn Monroe.

George Washington, do pintor Gilbert Stuart

O Washington Monument domina a silhueta da cidade

⑩ Washington Monument

Mapa C4. Independence Ave com 17th St, SW. **Tel** (202) 426-6841. Ⓜ Smithsonian. 🚌 13, 52. ⏰ 9h-16h45 diariam. ⊘ 25 dez e 4 jul. ♿ 📷
Palestras explicativas.
🌐 **nps.gov/wamo**

Construído com 36 mil pedaços de mármore e granito, o Washington Monument atinge 170m de altura. É uma das referências mais conhecidas da capital, claramente visível de quase toda a cidade. Idealizado como tributo ao primeiro presidente dos EUA, sua construção teve início em 1848, mas parou em 1858, quando a verba acabou. Os trabalhos foram retomados em 1876 – uma pequena mudança na cor da pedra indica o ponto em que a construção parou e recomeçou. O projeto inicial propunha uma série de colunas em volta do monumento, mas a falta de fundos impediu a construção.

O monumento, que passou por processo de limpeza até que retomasse o branco original, possui no topo uma pedra de 2 toneladas e, por cima, uma pirâmide de alumínio. Ao redor, há 50 mastros para bandeiras.

Após três anos de reparos devido a um terremoto, o obelisco foi reaberto em 2014. Hoje abriga mostras sobre George Washington, a engenharia do monumento e o que acontece em caso de raios. Do topo, têm-se vistas deslumbrantes da cidade; é cobrado ingresso para o elevador (escadas indisponíveis).

⑪ National World War II Memorial

Mapa C4. 17th St, NW, entre Constitution Ave e Independence Ave. **Tel** (202) 426-6841. Ⓜ Smithsonian ou Federal Triangle. ⏰ 24h diariam. ⊘ sob consulta. ♿
🌐 **nps.gov/nwwm**

Esse memorial de 3 hectares foi construído em homenagem aos veteranos norte-americanos da Segunda Guerra Mundial. Conta com dois pavilhões de 13m, painéis simbólicos de baixo relevo e 56 pilares de granito, que representam os estados e territórios do país, adornados com coroas de bronze em forma de trigo e aveia, que simbolizam a força industrial e agrícola do país. O memorial foi aberto para o público oficialmente em 2004.

⑫ United States Holocaust Memorial Museum

Mapa C5. 100 Raoul Wallenberg Place, SW. **Tel** (202) 488-0400. Ⓜ Smithsonian. 🚌 13 (Circular Pentagon). ⏰ 10h-17h30 diariam (horários estendidos de mar-jun: 10h-16h30 seg-sex). ⊘ 25 dez e Yom Kippur. Exige-se passe para exposição permanente. Reserva de passes: pelo site do museu. ♿ 🌐 **ushmm.org**

Inaugurado em 1993, o US Holocaust Memorial Museum dá um testemunho da perseguição sistemática e da aniquilação de 6 milhões de judeus ou outros considerados indesejáveis pelo Terceiro Reich alemão. O propósito do museu é ser vivenciado, e não apenas visto. Dentro do espaço de exposição, que varia de ambientes propositadamente claustrofóbicos a outros, de amplitude majestosa, existem milhares de fotografias e objetos, 53 telas de vídeo e 30 estações interativas, que contêm gráficos e imagens de violência emocionalmente fortes, que forçam o visitante a enfrentar o horror do holocausto.

Estátua de Jefferson

A começar por cima, o quarto andar documenta os primeiros anos do regime nazista, com mostras que expõem sua implacável perseguição aos judeus. O terceiro andar é dedicado à "Solução Final", o extermínio de 6 milhões de pessoas "indesejáveis". Entre os itens expostos está um vagão fechado que levava os prisioneiros para os campos de concentração.

No segundo andar fica o **Hall of Remembrance** e no primeiro o **Hall of Witness**, que apresenta exposições temporárias.

No saguão fica a **Children's Tile Wall**. Mais de 3 mil azulejos, pintados por crianças, constituem esse comovente memorial para 1,5 milhão de crianças mortas no holocausto.

⑬ Jefferson Memorial

Mapa C5. Margem sul de Tidal Basin. **Tel** (202) 426-6841. Ⓜ Smithsonian. ⏰ 9h30-23h30. ⊘ 25 dez. Palestras explicativas. ♿ 📷
🌐 **nps.gov/thje**

Ao ser terminado, em 1943, esse memorial no estilo neoclássico em homenagem ao terceiro presidente americano, Thomas Jefferson (1743-1826), ganhou o irônico apelido de "Jefferson's Muffin". Foi considerado extremamente "feminino" para um homem tão corajoso e influente, que desempenhara um papel tão significativo na redação da Declaração de Independência, em 1776. A abóbada da construção redonda, com colunas, cobre uma majestosa estátua de Jefferson de 6m de altura. O subsolo do edifício abriga um museu.

O Jefferson Memorial está situado na margem da panorâmica **Tidal Basin**. Na década de 1920, centenas de cerejeiras-japonesas foram plantadas nas margens, e o espetáculo das árvores floridas é um dos mais fotografados da cidade. O auge da floração vai de meados de março até meados de abril. Existem pedalinhos para alugar em Tidal Basin.

Veja hotéis e restaurantes dessa região nas pp. 234-9

O Jefferson Memorial, com abóbada e colunas, guarda a estátua de bronze

⑭ Franklin D. Roosevelt Memorial

Mapa C5. W Basin Dr, SW. **Tel** (202) 426-6841. Ⓜ Smithsonian. 🚌 13. 🕐 8h-24h diariam. ⬤ 25 dez. ♿ 📅 Programas e palestras explicativas. 🌐 nps.gov/fdrm

O memorial ao presidente Franklin D. Roosevelt compõe-se de quatro espaços de granito ao ar livre, um para cada mandato de Roosevelt (p. 59). O primeiro espaço contém o centro do visitante e um baixo-relevo do desfile da primeira posse do presidente. No segundo está uma escultura intitulada Hunger, uma lembrança dos tempos difíceis da Grande Depressão.

Uma estátua controversa de Roosevelt no terceiro espaço mostra o presidente, que não podia andar, sentado numa cadeira de rodas oculta por sua capa da Marinha.

O quarto espaço conta com um belo jogo de cascatas e também tem uma estátua da esposa de Roosevelt, Eleanor, e um relevo do cortejo funerário dele, talhado na parede de granito. A água simboliza a paz que Roosevelt tanto queria antes de morrer.

⑮ Martin Luther King, Jr. Memorial

Mapa B5. 1.964 Independence Ave SW. **Tel** (888) 484-3373. Ⓜ Smithsonian. 🚌 13. 🕐 24 horas. Guardas-florestais atendem 9h30-23h30 diariam. ♿ 🌐 mlkmemorial.org

O Martin Luther King, Jr. Memorial localiza-se no canto noroeste da Tidal Basin, muito perto de onde o personagem que lhe dá nome fez o discurso "I Have a Dream". Está alinhado com o eixo do Jefferson Memorial e do Lincoln Memorial. Seu alto-relevo central, com 91m de altura, fica entre duas peças trabalhadas em granito e inspira-se em uma parte do afamado discurso: "Tirar da montanha do desespero uma pedra de esperança". O memorial situa-se num espaço calmo e contemplativo, rodeado por cerejeiras de Yoshino. Uma parede de 140m contém citações de diversos sermões e discursos proclamados por Luther King, louvando aqueles que perderam a vida durante o Movimento dos Direitos Civis e inspirando o mundo moderno.

⑯ Lincoln Memorial

Mapa B4. Constitution Ave, entre French e Bacon Drs. **Tel** (202) 426-6841. Ⓜ Smithsonian, Foggy Bottom. 🕐 9h30-23h30 diariam. 📅 agendar. ♿ 📋 🌐 nps.gov/linc

O Lincoln Memorial é um dos locais mais respeitados de Washington, com a figura sentada do presidente Abraham Lincoln em seu "templo" neoclássico sendo refletida no espelho-d'água. O local escolhido para o monumento era um brejo, que teve de ser drenado para que a construção tivesse início, em 1914. Pilares de concreto foram enterrados para os alicerces, de modo que o prédio pudesse apoiar-se no leito de rocha. Quando o memorial estava quase pronto, o arquiteto Henry Bacon percebeu que a estátua de Lincoln ficaria minúscula, se comparada ao enorme edifício. A estátua original de 3m de altura, feita por Daniel Chester French, teve de dobrar de tamanho e foi esculpida em 28 blocos de mármore branco. Na parede estão as palavras do famoso Discurso de Gettysburg, proferido por Lincoln (p. 116).

⑰ Vietnam Veterans Memorial

Mapa B4. 21st St e Constitution Ave, NW. **Tel** (202) 426-6841. Ⓜ Foggy Bottom. 🕐 Guardas-florestais atendem 9h30-23h30 diariam. 📅 agendar. ♿ 🌐 nps.gov/vive

Poderoso no simbolismo e impressionante na simplicidade, esse memorial consiste em duas paredes pretas triangulares, inseridas no solo num ângulo de 125 graus, com uma extremidade apontada para o Lincoln Memorial e a outra para o Washington Monument.

Nas paredes estão os nomes dos americanos que morreram na Guerra do Vietnã, em ordem cronológica, de 1959 até 1975. O lugar se enche de lembranças colocadas pelos veteranos e suas famílias – poemas, desenhos, brinquedos e flores –, o que faz desse memorial o mais comovente do Mall.

Uma homenagem mais convencional foi acrescentada em 1984: a estátua de três soldados.

Lincoln Memorial: um dos monumentos mais visitados de Washington

⑱ Casa Branca

Residência oficial do presidente, a Casa Branca teve projeto do arquiteto James Hoban, nascido na Irlanda. Conhecida como Mansão do Executivo, foi ocupada pela primeira vez em 1800, pelo presidente John Adams. Incendiada em 1814 pelos britânicos, o edifício parcialmente reconstruído foi ocupado de novo em 1817. Em 1901 o presidente Theodore Roosevelt renomeou o prédio e ordenou a construção da Ala Oeste. A Ala Leste foi acrescentada em 1942, deixando a construção como é hoje. Com decoração de bom gosto, que mostra móveis de época, antiguidades valiosas e pinturas, a Casa Branca atrai mais de 1,5 milhão de visitantes por ano.

A Casa Branca
Residência oficial do presidente dos EUA por 200 anos, a fachada da Casa Branca é conhecida por milhões de pessoas do mundo todo.

★ **Salão de Jantar**
Com capacidade para acomodar 140 pessoas, o Salão de Jantar foi ampliado em 1902. Um retrato do presidente Abraham Lincoln, de George P. A. Healy, está sobre a lareira.

LEGENDA

① **A construção de pedra** foi pintada inúmeras vezes para manter a fachada branca do prédio.

② **A Esplanada Oeste** conduz à Ala Oeste e ao Salão Oval, escritório oficial do presidente.

③ **A Esplanada Leste** leva à Ala Leste.

④ **O Salão Leste** é usado para grandes ocasiões, como bailes e concertos.

⑤ **Salão do Tratado**

⑥ **O Salão Verde** era usado como quarto de hóspedes até que Thomas Jefferson o transformou em sala de almoço.

⑦ **Salão Azul**

★ **Salão Vermelho**
Um dos quatro salões de recepção, esse tem decoração no estilo império (1810-30). Os tecidos foram fabricados nos EUA a partir de desenhos franceses.

Veja hotéis e restaurantes dessa região nas pp. 234-9

WASHINGTON, DC | 211

Quarto de Lincoln
O presidente Lincoln usava esse aposento como seu gabinete de trabalho, depois o transformou em quarto, com mobília da época. Agora ele é usado como quarto de hóspedes.

PREPARE-SE

Informações Práticas
Mapa C4. 1.600 Pennsylvania Ave, NW. 7h30-12h30 ter-sáb, apenas para grupos com compromisso no Congresso ou embaixadas. Contatar Centro de Visitantes para informações. feriados e atividades oficiais. obrigatório. **nps.gov**
Centro de Visitantes da Casa Branca: 1.450 Pennsylvania Ave, NW. **Tel** (202) 208-1631. 7h30 16h diariam. 1º jan, Ação de Graças, 15 dez.
nps.gov/whho

Transporte
Federal Triangle.

★ **Salão Vermeil**
Esse salão marfim contém sete quadros de primeiras-damas, como esse retrato de Eleanor Roosevelt, de Douglas Chandor.

Salão Diplomático
Esse salão é usado para recepcionar amigos e embaixadores. Sua elegante decoração acompanha o estilo federal (1790-1820).

Centro de Visitantes da Casa Branca

O Centro de Visitantes dispõe de informações sobre a história da Casa Branca e expõe presentes régios. Há palestras sazonais de oradores famosos sobre aspectos da história, dentro e fora da Casa Branca. O centro tem um programa mensal de História Viva, com atores representando figuras históricas. A loja de presentes oferece muitas opções, como o enfeite anual de Natal da Casa Branca. As visitas guiadas à residência oficial do presidente são muito limitadas – só podem ser agendadas por um membro do Congresso ou de uma embaixada.

Fachada do Centro de Visitantes

A Renwick Gallery é um magnífico exemplo do estilo império francês

⑲ Renwick Gallery

Mapa C3. Pennsylvania Ave com 17th St, NW. **Tel** (202) 633-1000. Ⓜ Farragut W. ⬤ até 2016 para reforma. **w** **americanart.si.edu**

Essa magnífica construção de tijolo à vista foi projetada por James Renwick, em 1859, para acolher o acervo artístico de William Wilson Corcoran, até a coleção ser transferida para a atual Corcoran Gallery of Art, em 1897.

Depois dos esforços da primeira-dama Jacqueline Kennedy para salvar o prédio da destruição, ele foi comprado pelo Smithsonian. Restaurada e renomeada, a Renwick Gallery foi inaugurada em 1972. Ela é dedicada principalmente às artes americanas do século XX e contém peças notáveis de materiais como barro, vidro e metal. Ainda que a galeria esteja fechada para reforma até 2016, seu exterior em estilo império francês vale a pena ser visto.

⑳ Corcoran Gallery of Art

Mapa C4. 500 17th St, NW. **Tel** (202) 639-1700. Ⓜ Farragut W, Farragut N. ⬤ verifique no site os horários de funcionamento. ⬤ 25 dez. ♿ 📷 📱 **w** **corcoran.edu**

Preciosidade das belas-artes, esse acervo particular foi iniciado pelo banqueiro William Wilson Corcoran. Sua coleção logo se tornou grande demais para ficar na Renwick Gallery e foi transferida para o atual edifício em 1897. Muitas das obras europeias foram acrescentadas em 1925 pelo colecionador e senador William A. Clark. Agora, entre as obras-primas da galeria, estão pinturas do século XVI, telas de Rembrandt, do século XVII, e quadros impressionistas de Monet e Renoir, do século XIX. Conta também com a maior coleção de quadros de Jean-Baptist Camille Corot fora da França e excelentes exemplares de arte afro-americana.

Entre as telas do século XX estão expostas obras de artistas como Picasso, John Singer Sargent e De Kooning.

Concertos musicais tomam conta do átrio aos domingos às 16h. Ligue para saber a programação.

Estátua de leão guarda a Corcoran Gallery

㉑ The Kennedy Center

Mapa B4. New Hampshire Ave e Rock Creek Pkwy, NW. **Tel** (202) 467-4600. Ⓜ Foggy Bottom. 🚌 80. ⬤ 10h-21h diariam; 10h-21h seg-sáb, 12h-21h dom e feriados (bilheteria). 🍴 10h-17h seg-sex, 10h-13h sáb-dom (ligar 416-8340). ♿ **w** **kennedy-center.org**

Em 1958 o presidente Eisenhower assinou uma lei para angariar fundos para um centro cultural nacional que atrairia as melhores companhias de ópera, música e balé do mundo para a capital americana. Seu sucessor, John F. Kennedy, também foi um ardente defensor da obra e angariador de fundos para esse projeto, mas morreu assassinado antes do término do centro, que foi nomeado em sua homenagem.

Com projeto de Edward Durrell Stone, o centro foi inaugurado em 1971. O **Grand Foyer**, adornado com um notável busto de Kennedy, do escultor Robert Berks, se estende por 192m e confere um visual impressionante da entrada para os três teatros desse enorme complexo de artes. Na frente do *foyer* fica o **JFK Terrace**, que ocupa toda a extensão do prédio e permite vistas encantadoras do rio Potomac.

Dos três teatros enormes, o **Eisenhower Theater**, com um busto de bronze desse presidente, fica numa ponta do *foyer*. Na outra extremidade está o **Concert Hall**, com mais de 2.400 lugares, onde a National Symphony Orchestra tem sua sede. Entre os dois, a suntuosa **Opera House** acomoda mais de 2.300 pessoas e exibe um enorme candelabro de cristal. A Opera House é ladeada pelo **Hall of States**, com a bandeira dos 50 estados americanos, e pelo **Hall of Nations**, com a bandeira de todos os países com os quais os EUA mantêm relações diplomáticas.

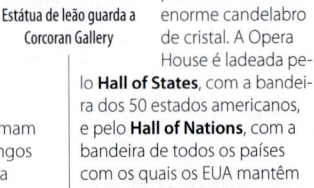

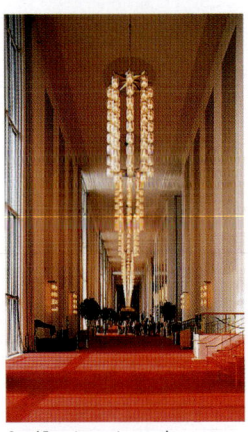

Grand Foyer impressionante do Kennedy Center

Veja hotéis e restaurantes dessa região nas pp. 234-9

㉒ Watergate Complex

Mapa B3. Virginia Ave entre Rock Creek Pkwy e New Hampshire Ave, NW. Ⓜ Foggy Bottom-GWU. ♿

Localizados ao lado do Kennedy Center, à margem do rio Potomac, os quatro edifícios arredondados que formam o Watergate Complex foram terminados em 1971, projetados para abrigar apartamentos, escritórios e lojas (as quais hoje não existem mais). Logo Watergate se tornou um dos endereços mais cobiçados de Washington. No entanto, em 1972, o complexo virou centro do noticiário internacional. Arrombadores ligados ao presidente Nixon invadiram os escritórios da sede do Partido Democrata no complexo para grampear os telefones de lá, o que provocou grande escândalo político. As investigações de Bob Woodward e Carl Bernstein, repórteres do jornal *Washington Post*, revelaram a extensão do envolvimento do presidente por meio de fitas e subornos comprovados. Isso levou a uma audiência de *impeachment*, mas antes de ser condenado Nixon renunciou. Em seu lugar assumiu o vice-presidente Gerald Ford.

㉓ Georgetown

Mapa A3. Old Stone House: 3.051 M St, NW. **Tel** (202) 895-6070. ligar. 30, 32, 34, 36, 38. ♿ **nps.gov/olst**
Georgetown University: 37th e O Sts, NW. **Tel** (202) 687-0100.
varia. ligar 687-3600. ♿ **georgetown.edu**
Dumbarton Oaks: 1.703 32nd St, NW. **Tel** (202) 339-6401. 14h-17h qui-dom. principais feriados, 24 dez. apenas na casa. **doaks.org**

Georgetown se desenvolveu bem antes de Washington, DC. Os indígenas tinham um assentamento no local, e em meados do século XVIII Georgetown possuía uma população considerável de imigrantes da Escócia. Com a construção do porto de Washington e do canal dos rios Chesapeake e Ohio, em 1828, a cidade logo se tornou um porto rico. Atualmente um dos arredores mais interessantes de Washington, DC, Georgetown dispõe de mansões elegantes, muitas delas transformadas em bares, restaurantes e butiques. As duas principais ruas comerciais são a Wisconsin Avenue e a M Street. Nessa última fica a histórica **Old Stone House** (erguida em 1765), que talvez seja a única construção de Washington anterior à Revolução Americana. Já a N Street, ladeada de edificações históricas, possui uma série de mansões em estilo federal, do século XVIII, além de algumas belas casas vitorianas. Jackie Kennedy morou na Thomas **Beall House** (casa de 1794, no número 3.017) por um ano, após a morte de JFK.

É possível ver mais casas no estilo federal às margens do **Canal do Chesapeake e Ohio**, construído em 1828, que percorre 296km desde Georgetown até Cumberland, em Maryland. O canal, com engenhoso sistema de eclusas, aquedutos e túneis, caiu em desuso com a chegada das ferrovias no século XIX.

Pitoresca Old Stone House, em Georgetown, construída em 1765

Agora tornou-se parque nacional protegido, que oferece muitos recursos para recreação. Os guardas do parque, com uniformes de época, guiam passeios pelo canal em barcaças puxadas por mulas, e os barcos também são procurados, principalmente entre Georgetown e a eclusa de Violette – os primeiros 35km do canal. O caminho por onde as mulas puxavam os barcos é ótimo para caminhadas e passeios de bicicleta.

Um importante centro de atividades é a **Georgetown University**, fundada em 1789. Entre seus prédios históricos está o Healy Building, neogótico, coroado por uma agulha.

A propriedade histórica de **Dumbarton Oaks** ocupa 9ha de terras em Georgetown. Lindos jardins com paisagismo rodeiam uma grandiosa mansão de tijolo aparente, em estilo federal, que abriga um inestimável acervo artístico reunido pelos herdeiros de uma indústria farmacêutica, Robert e Mildred Bliss.

A histórica Conferência de Dumbarton Oaks, com a presença do presidente Franklin Roosevelt e do primeiro-ministro britânico Winston Churchill, realizou-se na sala de música dessa casa, em 1944, estabelecendo as bases para a criação das Nações Unidas.

Os Bliss doaram a casa para a Harvard University, e agora ela conta com uma biblioteca, um centro de pesquisas e um museu, cujo destaque é a deslumbrante coleção de arte bizantina. Numa ala nova da casa, projetada por Philip Johnson, estão máscaras pré-colombianas, joias de ouro da América Central, afrescos e esculturas astecas.

O Riggs National Bank, na Wisconsin Avenue de Georgetown

O almoço dos remadores (1881), obra-prima de Auguste Renoir

㉔ Phillips Collection

1.600 21st St em Q St, NW. **Tel** (202) 387-2151. Ⓜ Dupont Circle. ⏱ 10h-17h ter-qua e sex-sáb, 10h-20h30 qui, 11h-18h dom. ⬤ seg, 1º jan, 4 jul, Ação de Graças, 25 dez. 🎫 11h sex e sáb. ♿ **w** phillipscollection.org

Esse é um dos melhores acervos de arte impressionista do mundo e o primeiro museu dos EUA dedicado à arte dos séculos XIX e XX. Instalado numa bela mansão neogeorgiana, de 1897, que pertenceu aos fundadores da coleção, Marjorie e Duncan Phillips, esse museu possui um espaço mais íntimo e pessoal do que os museus de arte maiores do Smithsonian.

Entre a belíssima mostra de obras impressionistas e pós-impressionistas estão *Bailarinas na barra*, de Degas, *Autorretrato*, de Cézanne, *Entrada do jardim público em Arles*, de Van Gogh, e a obra-prima de Renoir *O almoço dos remadores* (1881).

Outras grandes telas do acervo incluem *O arrependimento de São Pedro* (1600), de El Greco, *O quarto azul* (1901), de Picasso, *Composição no III* (1921-5), de Piet Mondrian, e *Ocre sobre vermelho* (1954), de Mark Rothko.

O museu patrocina diversos eventos especiais, como palestras, retrospectivas de filmes e concertos de jazz ao vivo. Muitos concorridos são os concertos que acontecem nas tardes de domingo, realizados no Salão de Música, com a apresentação de artistas clássicos de renome mundial.

Tais concertos são gratuitos para quem adquiriu ingresso para a galeria nesse dia.

㉕ National Zoological Park

3.001 Connecticut Ave, NW. **Tel** (202) 673-4800. Ⓜ Cleveland Park, Woodley Park-Zoo. ⏱ abr-out: 10h-18h diariam (prédios), 6h-20h diariam (área externa); out-abr: 10h-16h30 diariam (prédios), 6h-18h diariam (área externa). ⬤ 25 dez. 🎫 ligar (202) 673-4671. ♿ **w** natzoo.si.edu/

Localizado num amplo parque de 66ha, projetado por Frederick Law Olmsted (o mesmo paisagista do Central Park de Nova York), o National Zoo foi criado em 1887. Desde 1964 passou a fazer parte da Smithsonian Institution, que o transformou num dinâmico "bioparque", onde os animais são estudados em ambientes que imitam seus hábitats naturais.

Os moradores mais famosos do zoo são os pandas-gigantes,

O dragão-de-komodo, uma espécie de lagarto grande no National Zoological Park

Mei Xiang, Tian Tian e o bebê Bao Bao, que podem ser observados perambulando pelas árvores, tanques e grutas externas com ar-condicionado na **Giant Panda Exhibit**.

A **Great Ape House** também é procurada pelos visitantes. Ela abriga os gorilas das planícies, cada um pesando por volta de 180kg, e os orangotangos arborícolas.

O **Reptile Discovery Center** apresenta os raros dragões-de-komodo, lagartos que podem atingir 3m de comprimento e pesar até 90kg.

Na **Amazonia**, que recria o verdejante hábitat amazônico, o visitante pode ver sapos venenosos e o peixe-sapo gigante, enquanto a **Asia Trail** conta com pandas-vermelho e ursos-preguiça.

Entre outras criaturas raras estão o mico-leão-dourado e os lobos-vermelhos.

㉖ Washington National Cathedral

Massachusetts e Wisconsin Aves, NW. **Tel** (202) 537-6200. 🚌 32, 34, 36. ⏱ 10h-15h30 seg-sáb, 12h45-16h dom. 🎫 grátis para jardins. 🎫 ligar para reservas de grupos. ♿ 🕑 12h seg-sáb, a cada hora 8h-11h e 16h e 18h30 dom, 17h30 seg-sex, 16h sáb e dom. **w** nationalcathedral.org

A construção da Igreja de São Pedro e São Paulo (seu nome oficial) foi totalmente financiada por doações. Essa é a sexta maior catedral do mundo, que mede 158m de comprimento e 95m do chão até o topo da torre central. O projeto usou técnicas de construção da arquitetura gótica, evidente nos arcos em ogiva, abóbada com nervuras e arcobotantes externos. No interior há esculturas, bordaduras, trabalhos de ferro batido e de talha em madeira que retratam a história do país e cenas bíblicas.

Acima da entrada oeste fica o belo relevo *A criação*, de Frederick Hart, que representa a espécie humana sendo formada a partir do caos. As agulhas nas torres da catedral têm enfeites

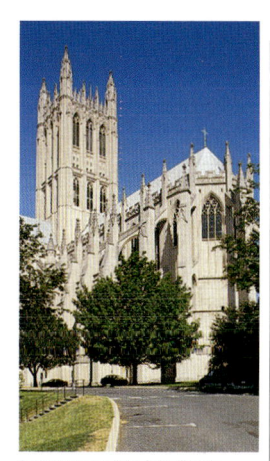

Arquitetura neogótica da Washington National Cathedral

em forma de folhas. Acima da entrada sul foi colocada uma linda **rosácea**, enquanto na nave outro vitral comemora o voo espacial da *Apollo 11* e contém uma lasca de pedra lunar. O **altar-mor** possui entalhes de 110 figuras que rodeiam a imagem central de Cristo. O chão na frente do altar tem uma pedra do monte Sinai. Ao lado da **Children's Chapel**, construída numa escala para seis anos de idade, fica uma imagem do Menino Jesus.

A Criação, na National Cathedral

㉗ Arlington National Cemetery

Arlington, VA. **Tel** (877) 907-8585. Ⓜ Arlington National Cemetery. ⦿ out-mar: 8h-17h diariam; abr-set: 8h-19h diariam. ⬤ 25 dez. 🎫 ♿

Uma imensidade de lápides despojadas cobre o Arlington National Cemetery, marcando os túmulos de aproximadamente 300 mil americanos mortos em conflitos importantes para a nação – desde a Revolução Americana até os dias atuais. O que mais chama a atenção no cemitério, que se espalha por 252ha colina acima, é o **Túmulo do Soldado Desconhecido**, que homenageia os milhares de mortos nunca encontrados ou identificados. Suas quatro criptas são para soldados da Primeira e da Segunda Guerras Mundiais e guerras da Coreia e do Vietnã. Cada cripta encerrava um soldado sem identificação até 1998, quando o soldado do Vietnã foi identificado pelo exame de DNA e enterrado novamente em sua cidade natal. Nas proximidades fica o **Memorial Amphitheater**, local de funerais com pompa e cerimônias no Memorial Day.

A norte do Túmulo do Soldado Desconhecido, brilha uma chama eterna na **Sepultura de John F. Kennedy**, acesa pela esposa Jacqueline, no dia do funeral, em 1963. Ela, o filho Patrick e uma recém-nascida que não chegou a receber nome foram enterrados ao lado do ex-presidente. O irmão dele, Robert F. Kennedy, fica ao lado. Perto da Arlington House está a **Sepultura de Pierre L'Enfant**, arquiteto francês que planejou Washington. Ali também ficam as tocantes memoriais das vítimas do desastre de Lockerbie e do ônibus espacial *Challenger*, que explodiu segundos após decolar, em janeiro de 1986.

A grandiosa mansão neogeorgiana no topo da colina, acima dos túmulos dos Kennedy, é a **Arlington House**, onde morou o general confederado Robert E. Lee (1807-70). Quando Lee saiu de casa, em 1861, para comandar as forças armadas da Virgínia na Guerra Civil, a União confiscou sua propriedade para transformá-la em cemitério militar. Aberta à visitação, a casa é agora um memorial ao general.

㉘ Pentágono

1.000 Defense Pentagon, Hwy 1-395, Arlington, VA. **Tel** (703) 697-1776. Ⓜ Pentagon. ⦿ visitas só com hora marcada; agende pelo site em
🌐 **pentagontours.osd.mil**,
🌐 **pentagon.afis.osd.mil**

Maior prédio de escritórios do mundo, o Pentágono é quase uma cidade. Esse imenso edifício acomoda 23 mil pessoas que trabalham no Departamento de Defesa dos EUA, o que inclui o exército, a marinha e a força aérea, além de catorze outras agências de defesa. Apesar do tamanho – tem 28km de corredores, e todo o Capitólio caberia em apenas uma de suas cinco seções em cunha –, o desenho eficiente do prédio permite que não se levem mais que sete minutos para caminhar entre dois pontos quaisquer do Pentágono. Projetado por engenheiros do exército, sua construção usou areia e cascalho dragados do rio Potomac para a concretagem. A edificação começou em setembro de 1941 e terminou em janeiro de 1943, ao custo de US$83 milhões.

Quartel-general das forças militares dos EUA e símbolo máximo do poderio militar americano, o Pentágono foi um dos alvos dos terroristas que lançaram um avião sequestrado da American Airlines em um dos lados do edifício, em 11 de setembro, matando 189 pessoas. Agora ele está totalmente restaurado.

Fileiras uniformes de lápides no Arlington National Cemetery

Virgínia

Há locais históricos e belezas naturais na Virgínia para satisfazer qualquer visitante. Mount Vernon, propriedade onde morou o presidente George Washington, perfeitamente conservada, fica perto de Washington, DC. No leste da Virgínia está a antiga capital, Williamsburg, um museu vivo do período colonial. A oeste dela, a Skyline Drive revela a beleza espetacular do Shenandoah National Park e das Blue Ridge Mountains. Richmond, capital do estado, preserva a aura de charme do velho Sul.

❷ Alexandria

128.000. Union Station, 110 Callahan St. King Street.
Ramsay House Visitor Center, 221 King St (703) 746-3301.
w visitalexandriava.com

A velha cidade de Alexandria conservou um sabor histórico especial, que remonta à sua fundação em 1749. Acessada por metrô que vem de Washington, Alexandria ainda é um porto movimentado, com a animada Market Square. Suas ruas arborizadas estão cheias de construções históricas e elegantes, a exemplo da **Carlyle House**, na Fairfax Street, uma mansão que mistura os estilos georgiano e paladiano. A visita guiada pela casa, agora restaurada, oferece detalhes sobre o cotidiano no século XVIII. Na mesma rua fica a **Stabler Leadbeater Apothecary Shop**, inaugurada em 1792. Quando ela fechou, em 1933, as portas foram trancadas, mantendo intacto tudo o que havia dentro. Reabriu como museu, e entre os 8 mil objetos originais da loja estão almofarizes e pilões enormes e potes de ervas medicinais.

A **Boyhood Home of Robert E. Lee**, mansão em estilo federal, onde o general Lee (p. 197) morou dos 11 anos até entrar na West Point Military Academy, agora é uma casa particular fechada à visitação. Perto, o **Lee-Fendall House Museum** tem muitos objetos desde a Revolução até o Movimento Trabalhista da década de 1930. Mais ao sul fica a **Christ Church**, de 1773, em estilo georgiano, onde o banco de George Washington é mantido com a placa com seu nome, assim como o de Robert E. Lee. O **Torpedo Factory Art Center**, na Union Street, exibe as obras de artistas do local.

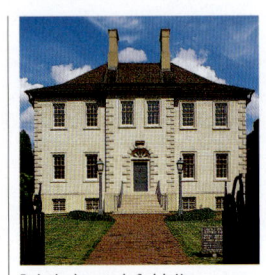

Fachada elegante da Carlyle House, de 1752, em Alexandria

❸ Mount Vernon

Essa propriedade rural, ao lado do rio Potomac, foi o lar de George Washington durante 45 anos. A casa é decorada como se vivêssemos em pleno mandato de Washington (1789-97), e as terras de 202ha ainda mantêm o aspecto da fazenda original. O Donald W. Reynolds Museum and Education Center tem vinte galerias e três teatros exibindo filmes sobre a vida do presidente.

A **cozinha**, um pouco distante da casa, foi totalmente restaurada.

A **visita à mansão** mostra ao visitante o escritório e a sala de jantar, o quarto de Washington e a cama onde ele morreu.

Casa do Capataz

Jardim de Cima
As plantas desse jardim colorido se inspiram nas cultivadas no tempo de Washington.

Esse **alojamento** abriga os escravos da propriedade. Em seu testamento, Washington libertou todos os seus escravos.

Veja hotéis e restaurantes dessa região nas pp. 234-9

VIRGÍNIA | 217

Nas proximidades, saem da orla passeios de barco pelo rio Potomac.

No centro, o **Farmers Market** data de 1753. George Washington sempre enviava produtos de sua fazenda em Mount Vernon para serem vendidos ali. Hoje os clientes encontram verduras e frutas frescas, flores, diversos produtos de padaria, conservas e artesanato do local.

Carlyle House
121 N Fairfax St. **Tel** (703) 549-2997. 10h-16h ter-sáb, 12h-17h dom; nov-mar: última visita 16h. seg, 1º jan, Ação de Graças, 25 dez.

Lee-Fendall House Museum
614 Oronoco St. **Tel** (703) 548-1789. 10h-15h ter-dom. 25 dez-31 jan (exceto 3º dom, comemoração do aniversário de Lee). **w** leefendallhouse.org

Torpedo Factory Art Center
105 N Union St. **Tel** (703) 838-4565. 10h-18h diariam (21h qui). 1º jan, Páscoa, 4 jul, Ação de Graças, 25 dez. **w** torpedofactory.org

Sofisticada sala de jantar da Kenmore House, em Fredericksburg

⓪ Fredericksburg

22.600. 706 Caroline St, (800) 678-4748. 9h-17h diariam (Memorial Day e Labor Day até 19h). 25 dez. **w** visitfred.com

As atrações de Fredericksburg são seu bairro central histórico e quatro campos de batalha da Guerra Civil, como o de Chancellorsville e Wilderness. A Rising Sun Tavern e a Hugh Mercer Apothecary Shop, no centro velho, dão uma noção de como era a vida numa cidade que começou como porto de 20ha no rio Rappahannock. **Kenmore Plantation and Gardens**, também no coração da cidade, possui lindos jardins. O centro de visitantes oferece passeios de carrinho ou de carruagem. Os campos de batalha evocam o longo esforço em direção a Richmond na Guerra Civil *(p. 56)*.

Kenmore Plantation & Gardens
1.201 Washington Ave. **Tel** (540) 373-3381. mar-out: 11h-17h seg-sáb, 12h-17h dom; nov-dez: 10h-17h seg-sáb, 12h-17h dom. jan-fev, Ação de Graças, 24, 25 e 31 dez. **w** kenmore.org

---

Estábulo

Cocheira

Fazenda Pioneira

O **desembarcadouro** está no mesmo lugar que ocupava no tempo de Washington. Agora o visitante que chega em passeio de barco, vindo de Washington, DC, desembarca nesse ponto. Os barcos de cruzeiro pelo Potomac também param ali.

A **sepultura de Washington** só foi terminada em 1831, embora ele tenha morrido em 1799.

O **jardim de baixo** reunia horta e pomar, onde se cultivavam verduras e algumas frutas silvestres.

O **gramado para jogar críquete** foi acrescentado à propriedade por Washington.

PREPARE-SE

Informações Práticas
Lado S da George Washington Memorial Pkwy, Fairfax County, VA. **Tel** (703) 780-2000. mar e set-out: 9h-17h diariam; abr-ago: 8h-17h diariam; nov-fev: 9h-16h diariam. 1º andar. **w** mountvernon.org

Transporte
Linha amarela para Huntington Station. ônibus Fairfax Connector 101 para Mount Vernon: ligar (703) 339-7200. Serviços de passeios de ônibus e cruzeiros de barco.

Fazenda Pioneira
Esse local mostra as técnicas agrícolas pioneiras de Washington. Há também uma cópia de seu exclusivo celeiro de dezesseis lados, elaborado com ferramentas autênticas.

⑤ Williamsburg Colonial

Como capital da Virgínia de 1699 a 1780, Williamsburg era o centro da leal colônia britânica. Depois de 1780 a cidade entrou em declínio. Mas, em 1926, John D. Rockefeller deu início a um grandioso projeto de restauração. Atualmente, em meio à cidade moderna, foi recriado o vilarejo do século XVIII. Pessoas em trajes coloniais retratam o estilo de vida dos antigos habitantes: ferreiros, prateiros, marceneiros e padeiros exibem suas habilidades. E carruagens puxadas por cavalos passam pelas ruas, dando ao visitante uma visão fascinante do passado americano.

Courthouse
Erguida em 1770-1, essa foi a sede da justiça distrital por mais de 150 anos.

★ **Palácio do Governo**
Construído em 1720 pelo governador Alexander Spotswood, o palácio foi reconstruído para readquirir toda a glória pré-revolucionária.

Viveiro
Atores fantasiados com trajes de época trabalham a terra de Williamsburg colonial usando cópias de ferramentas e as mesmas técnicas dos colonos.

Moinho de Robertson
O moinho é uma reprodução e fica no mesmo local do original, de 1723. A carroça era um meio tradicional de transportar mercadorias. Os colonos demonstram suas ferramentas nos arredores.

Veja hotéis e restaurantes dessa região nas pp. 234-9

VIRGÍNIA | 219

★ Gráfica
Essa loja armazena produtos autênticos do século XVIII, como vinho, presunto da Virgínia e amendoim.

PREPARE-SE

Informações Práticas
1800-HISTORY.
w colonialwilliamsburg.com

Transporte
421 N Boundary St.

Modista
Propriedade de Margaret Hunter, a loja de modas guarda uma série de itens. Roupas femininas e infantis importadas, joalheria e brinquedos, tudo podia ser comprado no local.

Raleigh Tavern
A Raleigh era um importante centro de reuniões sociais, políticas e comerciais. Um incêndio a destruiu em 1859, mas essa reprodução evoca o espírito original.

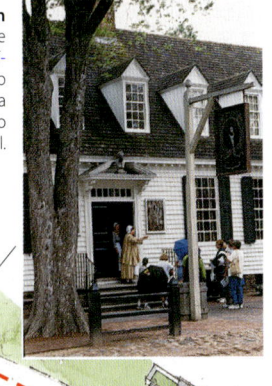

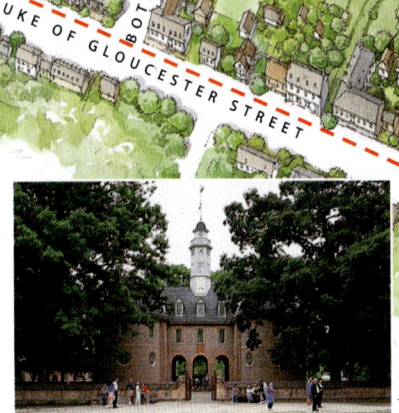

★ Capitólio
Essa é uma reconstrução de 1945 do prédio original de 1705. O governo ocupava a Ala Oeste, enquanto a Assembleia Legislativa ficava na Ala Leste.

Legenda
— Percurso sugerido

Jamestown Settlement: recriação do forte James colonial

❻ Jamestown e Yorktown

i Jamestown Settlement e Yorktown Victory Center, (757) 887-1776. **w** historyisfun.org

Jamestown, fundada em 1607 à margem do rio James, foi o primeiro assentamento inglês permanente nos EUA. Um dos pioneiros foi John Rolfe, que se casou com Pocahontas, filha do chefe indígena Powhatan. Mas a colônia durou pouco – doenças, fome e ataques dos índios algonquianos provocaram muitas mortes e, em 1699, a área foi abandonada.

A atual Jamestown Island contém 607ha de pântanos e florestas. O **Jamestown Settlement** é uma recriação da colônia original, com atores caracterizados e cópias do forte James, de uma aldeia indígena e dos navios que trouxeram os primeiros colonizadores bem-sucedidos para a Virgínia. Do outro lado da península, a 24km, Yorktown foi o local da batalha decisiva da Revolução Americana, em 1781. Passeios ao campo de batalha, no **Colonial National Historical Park**, explicam o cerco de Yorktown, que terminou na rendição das forças britânicas.

Jamestown Settlement
Tel (757) 856-1200, (888) 593-4682. 9h-17h diariam (até 18h 15 jun-15 ago). 1º jan, 25 dez.
w historicjamestowne.org

Colonial National Historical Park
Tel (757) 898-3400 9h-17h diariam. 25 dez, 1º jan, Ação de Graças. **w** nps.gov/colo

❼ Norfolk

262.000. 232 E Main St, (800) 368-3097, (757) 664-6620. **w** visitnorfolktoday.com

Porto colonial histórico, localizado no ponto em que a Chesapeake Bay se encontra com o Atlântico, Norfolk é um movimentado centro marítimo com a maior base naval do mundo. O símbolo da cidade (uma sereia) é tema de esculturas e emblemas por toda Norfolk. A orla central está voltada para o navio de guerra USS *Wisconsin*, parte do **Nauticus, The National Maritime Center**, que oferece apresentações multimídia sobre batalhas navais, navios e criaturas das profundezas do mar.

Outra atração é o **Chrysler Museum of Art**, que exibe a eclética coleção pessoal do magnata dos automóveis Walter Chrysler Jr. Entre as obras de arte há quadros de Velázquez, Rubens, Degas, Renoir e de mestres modernos, como Roy Lichtenstein.

Nas adjacências de Virginia Beach fica o farol de Cape Henry, do século XVIII, onde os ingleses desembarcaram pela primeira vez em 1607. Na orla está o Virginia Aquarium e Marine Science Museum.

Nauticus, The National Maritime Center
1 Waterside Dr. **Tel** (757) 664-1000. 10h-17h ter-sáb, 12h-17h dom; 1º jun-1º set: 10h-17h diariam. seg, Ação de Graças, 24 e 25 dez, 1º jan. **w** nauticus.org

❽ Richmond

198.300. 401 N Third St, (804) 783-7450. **w** visitrichmondva.com

Antiga capital da Confederação (*p. 57*), Richmond ainda mantém a aura da aristocracia do Sul. Estátuas de bronze de generais e de outros heróis da Guerra Civil ladeiam a Monument Avenue, enquanto mansões vitorianas e de arenito acastanhado testemunham a prosperidade pós-guerra dessa área.

Objetos da Guerra Civil, como o casaco e a espada do general Robert E. Lee, estão entre as peças do **Museum of the Confederacy**. Ao lado, a White House of the Confederacy é uma preciosidade dos tempos vitorianos.

O gracioso **State Capitol** neoclássico, que domina o centro, abriga uma escultura em tamanho natural que Jean Antoine Houdon fez de George Washington. A oeste fica o tranquilo **Hollywood Cemetery**, onde repousam os presidentes John Tyler e James Monroe, além de 18 mil soldados confederados que foram sepultados sob uma pirâmide comum. A Palmer Chapel oferece belas vistas do rio James e de Belle Isle. Mais adiante estão dois ótimos museus, o fascinante **Science Museum of Virginia** e o **Virginia Museum of Fine Arts**, cujo acervo abrange desde arte do Egito antigo, da Índia e do Himalaia até os impressionistas franceses e obras-primas de americanos modernos. Porém, o destaque do museu é a inestimável Pratt Collection of Imperial Russian Art, que inclui cinco fabulosos ovos de Páscoa feitos para o czar pelo joalheiro Peter Carl Fabergé.

Estátua de Robert E. Lee em Richmond

Virginia Museum of Fine Arts
200 North Blvd. **Tel** (804) 340-1400. 10h-17h qua-dom. seg-ter, 1º jan, 4 jul, Ação de Graças, 25 dez. apenas exposições.
w vmfa.museum

Veja hotéis e restaurantes dessa região nas pp. 234-9

VIRGÍNIA | 221

❾ Chincoteague

🏠 4.300. 🛈 6.150 Community Drive, (757) 336-6161.
🌐 chincoteagueva.gov

Maior atração turística do litoral leste, pouco desenvolvido, da Virgínia, Chincoteague atrai pescadores, ornitófilos e banhistas. A cidade é basicamente um centro de serviços, com hotéis, motéis e restaurantes que atendem os visitantes que se destinam ao **Chincoteague National Wildlife Refuge**, que protege diversas ilhas e manguezais, e mais uma faixa de 16km de praias do Atlântico.

Um passeio de carro faz um giro de 4,8km pela reserva de vida selvagem, mas a melhor maneira de ver parte das numerosas aves encontradas no local, como gansos-da-neve, garças, garçotas, falcões, é caminhando ou de canoa.

✈ Chincoteague National Wildlife Refuge
Tel (757) 336-6122. ⏱ 6h-18h diariam. 🐕 ♿ restrito.

❿ Charlottesville

🏠 45.000. 🚆 🚌 🛈 610 E Main St, (434) 293-6789, (877) 386-1103.
🌐 visitcharlottesville.org

Charlottesville é a cidade natal de Thomas Jefferson, dominada pela University of Virginia, que ele planejou e fundou, e também por sua casa, **Monticello**.

Jefferson levou 40 anos para terminar Monticello, que ele começou a construir em 1769. Agora essa é uma das casas mais famosas do país. O hall de entrada, com pé-direito duplo, possui um museu privativo, e a biblioteca contém uma coleção de aproximadamente 6.700 livros.

O terreno de mais de 2.000ha inclui uma estufa onde Jefferson cultivava verduras e fazia experimentos com variedades. Ainda existem os remanescentes dos alojamentos de escravos; cerca de 200 escravos trabalhavam nas plantações da propriedade. Indícios recentes sugerem que uma escrava, Sally Hemmings, teve um filho de Jefferson.

O obelisco sobre a sepultura de Jefferson, no cemitério da família, o enaltece como "Pai da University of Virginia". As construções neoclássicas da universidade e o *campus* estão abertos à visitação. Vinhedos e vinícolas rodeiam Charlottesville. A Michie Tavern *(p. 238)*, junto ao Virginia Wine Museum, foi restaurada de modo a readquirir a aparência que tinha do século XVIII; serve a típica culinária sulista. A 40km ao norte, Montpelier é a cidade onde nasceu o quarto presidente americano, James Madison.

Obelisco no túmulo de Jefferson

🏛 Monticello
Route 53, 4,8km SE de Charlottesville.
Tel (434) 984-9822. ⏱ mar-out: 8h-17h; nov-fev: 9h-16h30.
⛔ 25 dez. 🎥 🐕 ♿ 🏛
🌐 monticello.org

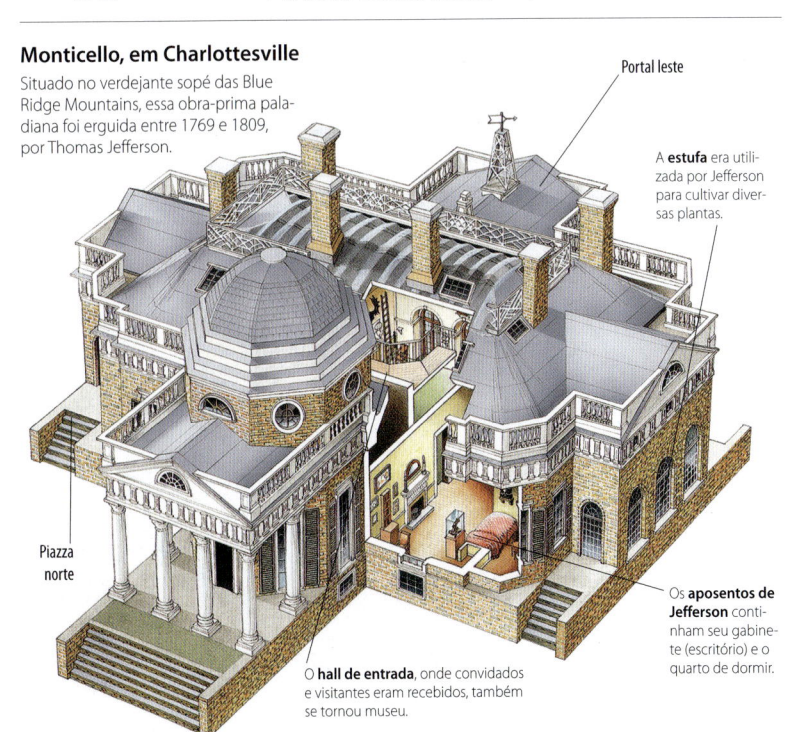

Monticello, em Charlottesville

Situado no verdejante sopé das Blue Ridge Mountains, essa obra-prima paladiana foi erguida entre 1769 e 1809, por Thomas Jefferson.

Portal leste

A **estufa** era utilizada por Jefferson para cultivar diversas plantas.

Piazza norte

Os **aposentos de Jefferson** continham seu gabinete (escritório) e o quarto de dormir.

O **hall de entrada**, onde convidados e visitantes eram recebidos, também se tornou museu.

Appomattox Court House National Historical Park, uma edificação reconstruída

⓫ Appomattox Court House e National Historical Park

📞 (877) AT BLUE GREY, (434) 352-8987. 🕗 8h30-17h diariam. ⊙ 1º jan, Martin Luther King Day, Presidents Day, Ação de Graças, 25 dez. 🅿 ♿
🌐 nps.gov/apco

Esse histórico parque nacional, localizado a 4,8km ao nordeste da cidade de Appomattox, recria o local onde o general confederado Robert E. Lee se rendeu ao general dos EUA Ulysses S. Grant, terminando a Guerra Civil (p. 197). Atualmente marcadores destacam os locais dos últimos conflitos, e 27 prédios reconstruídos ou restaurados reproduzem a cena em que, em 9 de abril de 1865, os dois comandantes e seus exércitos colocaram um ponto final naquela guerra prolongada e destruidora. Nos últimos meses de lutas, o general Grant conseguira capturar a fortaleza de Petersburg, enquanto a "Marcha para o Mar" do general Sherman, pela Geórgia, cercava as forças confederadas pelo sul. Com a queda da capital confederada em Richmond em 2 de abril, o general Lee percebeu que a vitória era impossível. Os termos da rendição foram generosos, já que os líderes da União esperavam promover a reconciliação. Quando os confederados depuseram as armas, os soldados nortistas saudaram seus oponentes. Boa parte do cenário original foi destruído na luta ou, mais tarde, por caçadores de suvenires. Hoje a maioria do que resta foi reconstruída pelo National Park Service, na década de 1940.

⓬ Blue Ridge Parkway

Tel (828) 271-4779.
🌐 nps.gov/blri

Percorrendo 755km ao longo da crista das Appalachian Mountains, a Blue Ridge Parkway (p. 51) se estende desde o limite sul do Shenandoah National Park, em direção à Carolina do Norte, e termina no Great Smoky Mountains National Park (p. 264). Criada como projeto de obras públicas durante o "New Deal", nos tempos da Grande Depressão da década de 1930, essa estrada panorâmica foi iniciada em 1935 e só terminou em 1987. Marcos ao longo do trajeto, medidos de norte a sul, ajudam o viajante a descobrir os pontos de interesse pelo caminho. Entre os destaques ao longo de parte dos 348km da Blue Ridge Parkway na Virgínia estão a travessia do rio James no marco 63 e o chalé à beira do lago, na seção dos Peaks of Otter, perto do marco 86. O histórico **Mabry Mill**, no marco 176, foi usado como serraria e oficina de ferreiro até 1935.

Essa rodovia passa por Asheville, na Carolina do Norte, e por Roanoke, na Virgínia, e é basicamente rural e panorâmica, não se permitindo a colocação de anúncios comerciais. Aberta o ano todo, seu maior trânsito ocorre no outono.

O pitoresco Mabry Mill, no marco 176 da Blue Ridge Parkway

Veja hotéis e restaurantes dessa região nas pp. 234-9

⓭ Skyline Drive

A Skyline Drive corre pelas Blue Ridge Mountains, no Shenandoah National Park. Originalmente uma área agrícola, foi designada pelo governo para ser parque nacional em 1926. Veados, perus selvagens, ursos e linces vivem ali, e são abundantes as flores do campo, azaleias e ericáceas. As diversas trilhas para caminhadas e seus 75 mirantes expõem um deslumbrante cenário natural.

Entrada norte

② Whiteoak Canyon
A Whiteoak Canyon Trail passa por seis cachoeiras em seu percurso.

① Pinnacles Overlook
É espetacular a vista da Old Rag Mountain, com seus afloramentos de granito.

⑤ Bearfence Mountain
Embora seja uma bela escalada, subir essa montanha, em terreno rochoso, não é difícil, e a recompensa é uma vista de 360 graus da paisagem que a cerca.

③ Big Meadows
Perto do centro de visitantes, essa campina foi mantida como era há séculos. É provável que não tenha sofrido queimadas ou incêndios por raios. Ali veem-se manadas de veados.

Legenda
- - - Percurso sugerido
— Estrada

0 km   10
0 milhas   10

④ Rapidan Camp
No final da Mill Prong Trail, esse resort de 66ha foi o refúgio de fim de semana do presidente Hoover até 1932, quando ele o doou ao parque.

⑥ Lewis Mountain
Chalés singulares, campings, áreas para piquenique, loja, lavanderia e chuveiros estão disponíveis para os campistas.

Dicas para o Passeio

Saída: Ao norte em Front Royal, no centro em Thornton Gap ou Swift Run Gap, ao sul em Rockfish Gap.
Extensão: 168km, duração de 4 a 8 horas, conforme o número de paradas.
Quando ir: Meados de outubro, pelas cores do outono; primavera e verão pelas flores do campo.
Quanto custa: sem taxa extra para ir ao Blue Ridge Parkway.

Outono no Shenandoah National Park

Virgínia Ocidental

Chamada de "estado montanhoso", a Virgínia Ocidental fica nas Appalachian Mountains e continua coberta de florestas, apesar de séculos de extrativismo. O estado fez parte da Virgínia até a Guerra Civil e seus colonizadores eram menos ricos e quase sempre diferentes dos plantadores aristocráticos da Virgínia do leste. Conforme crescia a ideia de secessão, a Virgínia do oeste se ligou à União. Quatro anos depois que o abolicionista John Brown invadiu um arsenal federal, na fracassada tentativa de estimular uma rebelião de escravos em 1859, a Virgínia Ocidental foi declarada estado separado. Hoje é conhecida pelos objetos de madeira, colchas artesanais, cestaria e pela música e dança tradicionais dos Apalaches.

Blackwater Falls State Park, na Monongahela National Forest

⓮ Monongahela National Forest

200 Sycamore St, Elkins. **Tel** (304) 636-1800. 8h-16h45 seg-sex.
w fs.udsa.gov/mnf

A metade oriental do estado fica dentro das Allegheny Mountains, seção mais longa da Appalachian Range. Boa parte dessas terras escarpadas é protegida pela vasta Monongahela National Forest, que abrange cinco áreas destinadas pelo governo federal à proteção da vida selvagem. Ali estão as nascentes de seis importantes sistemas fluviais. Suas paisagens, com rododendros, cerejeiras-pretas, mirtilo e rochas nuas, constituem o hábitat de espécies como o urso-negro, o veado-galheiro, o lince, a lontra e a marta. As trilhas florestais atraem quem gosta de caminhar, andar de mountain bike e cavalgar. No inverno, a área é procurada para esquiar e fazer *cross-country*.

A cidadezinha de **Elkins**, sede da floresta nacional, é uma boa base para explorar a área. No Augusta Heritage Center ocorrem programas de verão sobre a vida rural tradicional e as artes populares, além de concertos e danças com músicas de raiz.

A nordeste de Elkins, um trecho de 13km, de um total de 200km da Allegheny Trail, liga dois parques estaduais: o **Canaan Valley Resort State Park**, uma estação de esqui, e o **Blackwater Falls State Park**, bom lugar para esquiar em região rural. Os dois parques possuem restaurantes e oferecem alojamento ou camping. Mais ao sul, no inverno, Snowshoe Mountain Resort é a maior estação de esqui do estado e, da primavera até o outono, um grande centro de mountain bike, com aluguel de equipamento e passeios com guia. Nas proximidades, o **Cass Scenic Railroad State Park** organiza passeios em trens a vapor antigos pelas montanhas, com vistas panorâmicas.

Os passeios para ver a queda da folhagem são os mais concorridos. A sudeste de Elkins, a **Spruce Knob-Seneca Rocks National Recreation Area** atrai alpinistas para a escalada das Seneca Rocks, que ficam a uma hora de carro. A Greenbrier River Trail, de 121km, que corre paralela à fronteira com a Virgínia, desde White Sulphur Springs, no sul, até atingir o Cass Scenic Railroad State Park, no norte, é uma antiga ferrovia transformada em trilha, muito procurada por ciclistas.

Spruce Knob-Seneca Rocks National Rec. Area

i (304) 567-2827. mai-set: 9h-16h30 qua-dom; nov-abr: 9h-16h30 sáb-dom.

Cass Scenic Railroad

Route 66/Main St, Cass. **Tel** (304) 456-4300. fim mai-out.
w cassrailroad.com

⓯ New River Gorge National River

Canyon Rim Visitor Center: US Hwy 19, Lansing. **Tel** (304) 465-0508. 8h-16h30 diariam. 1º jan, Ação de Graças, 25 dez.
w nps.gov/neri

O rio New corre por um desfiladeiro profundo, no canto sudeste do estado, atraindo os *rafters* para uma das mais emocionantes aventuras em corredeiras no leste dos EUA. Do National Park Service, localizado entre Fayetteville e Hinton, avista-se um trecho de 80km que cai 225m, com um conjunto compacto de corredeiras

Alpinista acima do New River Gorge National River

Veja hotéis e restaurantes dessa região nas pp. 234-9

VIRGÍNIA OCIDENTAL | 225

Vista do Hawk's Nest State Park, no New River Gorge National River

classe 5. O moderno Canyon Rim Visitor Center e a ponte sobre a garganta oferecem fácil acesso às vistas panorâmicas e às trilhas que a rodeiam. O centro de visitantes também distribui ampla lista de locais com equipamentos de rafting, enquanto o **Hawk's Nest State Park**, nos arredores, dispõe de alojamentos modestos e opera um bondinho suspenso que desce até o rio. Ex-cidade mineira, Fayetteville também é uma base procurada por *rafters* e fornecedores de equipamento, enquanto a velha cidade industrial de Hinton apela para os corajosos e pode ser acessada por ferrovia pela Amtrak.

Hawk's Nest State Park
Hwy 60, Ansted. **Tel** (304) 658-5212.
Passeios de bondinho e de barco: ligar para saber dias e horários.
hawksnestsp.com

⓰ Harpers Ferry

300. NPS Visitor Center, (304) 535-6029.

Bem na confluência dos rios Potomac e Shenandoah, onde a Virgínia Ocidental faz divisa com a Virgínia e Maryland, fica o pequeno povoado de Harpers Ferry. Seu nome homenageia Robert Harper, o construtor de Filadélfia, que instalou no local um embarcadouro em 1781.

A maior parte da área histórica central é agora o **Harpers Ferry National Historic Park**. Foi ali que, em 1859, John Brown, abolicionista de Maryland, liderou um ataque malogrado a um arsenal federal. Embora sua tentativa tenha fracassado, essa ocorrência provocou a Guerra Civil, dois anos depois.

A cidade está com a mesma aparência que tinha no século XIX, com lojas dotadas de calçadas de tábuas que descem colina abaixo quase até os rios caudalosos. Diversas construções históricas, como o forte de John Brown e o arsenal, ficam abertas à visitação.

A famosa Appalachian Trail *(p. 182-3)*, que passa pela cidade, tem sua sede na **Appalachian Trail Conservancy**. A trilha de 3.220km se estende pelo espinhaço das Appalachian Mountains, da Geórgia até o Maine.

Com uma estação de trem Amtrak, Harpers Ferry fica a uma hora de Washington, DC, o que torna essa região remota facilmente acessível ao visitante sem carro.

Appalachian Trail Conservancy
799 Washington St. **Tel** (304) 535-6331. 9h-17h diariam.
appalachiantrail.org

Vista aérea de Harpers Ferry, situada na confluência dos rios Potomac e Shenandoah

Maryland

Maryland dispõe de muitas atrações naturais e sítios históricos. As terras agrícolas em volta de Antietam, no oeste de Maryland, são ricas em legados da Guerra Civil. O turismo ligado à água é a grande atração do sul da Chesapeake Bay de Maryland, a mais longa linha costeira interior dos EUA, que atrai marinheiros, pescadores e os amantes dos frutos do mar, que podem se dar ao luxo de provar a deliciosa especialidade local: o siri-mole. A Eastern Shore na Delmarva Peninsula, salpicada de vilarejos pitorescos, tem ainda a beleza agreste das ilhas Assateague e Chincoteague.

⓱ Antietam National Battlefield

Rte 65, 16km S de Hagerstown. **Tel** (301) 432-5124. ⓿ jun-set: 8h-19h diariam; out-mai: 8h30-17h. ⬤ 1º jan, Ação de Graças, 25 dez. **w** nps.gov/anti

Uma das piores batalhas da Guerra Civil foi travada nesse local, em 17 de setembro de 1862, e terminou com 23 mil mortos entre os exércitos da Confederação e da União.

De uma torre de observação têm-se vistas panorâmicas desse campo de batalha. O ribeirão Antietam corre tranquilamente sob a ponte Burnside, onde a luta foi difícil e por onde correu muito sangue. O lugar todo tem um ar meio assombrado até hoje. Apesar de a batalha não ter terminado numa vitória decisiva, o terrível derramamento de sangue em Antietam inspirou o presidente Lincoln a assinar a Proclamação de Emancipação. Não se pode perder, no centro de visitantes, o filme que recria a batalha.

⓲ Frederick

50.000. 19 E Church St, (800) 999-3613, (301) 600-4046. 9h-17h diariam. **w** visitfrederick.org

O centro histórico de Frederick, que data de meados do século XVIII, foi restaurado na década de 1970 e agora é uma atração turística muito procurada. Essa cidade charmosa é um importante centro de antiguidades e acolhe centenas de antiquários. As lojas, as galerias e os restaurantes ficam todos em construções dos séculos XVIII e XIX, e diversas casas históricas da cidade, muito bem restauradas e decoradas com objetos de época, estão abertas à visitação. Francis Scott Key, autor do hino *The Star Spangled Banner*, foi enterrado no Mt. Olivet Cemetery. O centro de visitantes oferece informação turística além de realizar concorridas caminhadas nos fins de semana.

⓳ Baltimore

675.500. 401 Light St, (410) 837-4636, 877-BALTIMORE. **w** baltimore.org

Há muito para ver e fazer nessa agradável cidade portuária, com restaurantes, antiguidades, artes, barcos e monumentos. Um bom lugar para começar é o Inner Harbor, orla replanejada da cidade, com seu complexo de lojas e restaurantes. A peça central, e uma das atrações de maior sucesso em Baltimore, é o magnífico **National Aquarium**, que dispõe de diversas exposições, um tanque de focas e um show de golfinhos.

No Inner Harbor também está o **Maryland Science Center**, onde se pode tocar em tudo. Apresenta diversas mostras interativas, e o Planetarium e o IMAX® Theater emocionam, com imagens da Terra e do espaço.

O **American Visionary Art Museum**, também na orla, dispõe de um acervo de obras extraordinárias de artistas autodidatas, cujo material vai de peças de palitos de fósforo a pérolas artificiais.

Mais para o centro fica o **Baltimore Museum of Art**, com famosa coleção de arte moderna, entre as quais figuram obras de Matisse, Picasso, Degas e Van Gogh. Também possui grande acervo de peças de Andy Warhol e dois jardins de esculturas com obras de Rodin e Calder.

Arquitetura fora do comum do National Aquarium, em Baltimore

Veja hotéis e restaurantes dessa região nas pp. 234-9

MARYLAND | 227

A impressionante **Walters Art Gallery** fica na elegante Mount Vernon Square, cercada de mansões coloniais de tijolo aparente. No seu acervo há peças da arte clássica grega e romana, objetos do Sudeste Asiático e da China, prataria bizantina, entalhes pré-colombianos e objetos preciosos de Fabergé. Também existem pinturas de Rubens, Monet, Manet, e do artista vitoriano sir Lawrence Alma-Tadema, do qual não se pode perder o belo *Safo e Alceu* (1881).

A animada área de Little Italy vale uma visita, não só pelos restaurantes italianos sensacionais, mas também pelo jogo de bocha, praticado nos arredores das Pratt ou Stiles Street, em tardes quentes.

National Aquarium
501 E Pratt St, Pier 3. **Tel** (410) 576-3800. mar-jun e set-out: 9h-17h diariam (até 20h sex); jul-ago: 9h-19h30 dom-qui, 9h-21h30 sex-sáb; nov-fev: 10h-16h seg-qui, 10h-20h sex, 10h-17h sáb-dom. seg, Ação de Graças, 24, 25 dez. **aqua.org**

Maryland Science Center
601 Light St. **Tel** (410) 685-5225. 10h-17h ter-qui, 10h-20h sex, 10h-18h sáb, 11h-17h dom. seg, Ação de Graças, 25 dez. **mdsci.org**

Baltimore Museum of Art
N Charles St e 31st St. **Tel** (443) 573-1700. 11h-17h qua-sex, 11h-18h sáb-dom. seg, ter, 1º jan, 4 jul, Ação de Graças, 25 dez. **artbma.org**

Walters Art Museum
600 N Charles St. **Tel** (410) 547-9000. 10h-17h qua-dom. 24, 25 dez, 1º jan, 4 jul, Ação de Graças. sáb, dom. **thewalters.org**

❷⓿ Annapolis

35.800. Annapolis e Anne Arundel County Visitors Bureau, 26 West St, (410) 280-0445. 9h-17h diariam. **visitannapolis.org**

Annapolis, capital de Maryland, é considerada a joia de Chesapeake Bay. Seu caráter basicamente náutico advém dos 27km de linha costeira e da presença antiga da **United States Naval Academy**. Uma caminhada pela Main Street leva à Maryland Inn (de 200 anos), a lojas e a maravilhosos restaurantes de frutos do mar, que servem produtos do local, até chegar à City Dock, ladeada de barcos. Mais alguns passos e se chega à US Naval Academy, de 150 anos. Seu centro de visitantes é a cápsula espacial *Freedom 7*, que levou Alan Shepard na primeira viagem espacial americana. Vale a pena visitar o US Naval Academy Museum, em Preble Hall, principalmente para ver a galeria de maquetes detalhadas de navios.

A **Maryland State House**, terminada em 1779, é o mais antigo capitólio estadual ainda em uso. O Antigo Recinto do Senado é onde o Congresso Continental reunia os delegados das colônias americanas, quando Annapolis foi, por pouco tempo, capital dos EUA, em 1783-84. Também ali foi ratificado o Tratado de Paris, em 1784, terminando formalmente a Revolução Americana.

Annapolis está cheia de construções coloniais, a maioria ainda em uso. A **William Paca House**, de 1765, casa do governador Paca, que assinou a Declaração de Independência, é uma bela construção georgiana com jardim encantador, ambos recentemente restaurados com esmero. Outra mansão restaurada que vale uma visita é a magnífica **Hammond Harwood House**, de tijolo aparente, que ostenta finíssimo trabalho de talha na madeira. Construída em 1774, essa obra-prima do estilo georgiano, situada a oeste da State House, na Maryland Avenue, leva esse nome em homenagem às famílias Hammond e Harwood. É interessante explorar as Cornhill e Duke of Gloucester Streets, que são exemplos de ruas residenciais históricas.

Há muitos passeios para se fazer em Annapolis, como os de ônibus, de barco e a pé. Para o turista é muito agradável observar a cidade em passeios de barco, escuna ou caiaque.

Lindo jardim formal da William Paca House, em Annapolis

Janela Tiffany da Naval Academy, em Annapolis

US Naval Academy
Esquina da King George, E com Randall St. **Tel** (410) 293-8687. 9h-17h diariam (é exigido documento com foto). 1º jan, Ação de Graças, 25 dez.

Maryland State House
State Circle. **Tel** (410) 974-3400. 9h-17h seg-sex, 10h-16h sáb-dom (ligar antes, é exigido documento com foto). 25 dez. 11h e 15h.

William Paca House
186 Prince George St. **Tel** (410) 267-7619. mar-dez: 10h-17h diariam (12h-17h dom). Ação de Graças, 24, 25 dez.

㉑ North Bay

🚌 ℹ️ 121 N Union St, Ste. B, Havre de Grace, (410) 939-2100.

Na ponta norte de Chesapeake Bay, a encantadora cidade de Havre de Grace exibe o Concord Point Lighthouse, em operação desde meados do século XIX. O **Havre de Grace Decoy Museum** conta com uma ótima coleção de chamarizes que funcionam e explica como tais peças evoluíram de um mero engodo para chamar aves até uma forma sofisticada de arte popular americana.

Do outro lado da baía, para o leste, a viçosa floresta do **Elk Neck State Park** cobre a ponta de uma península coroada pelo Turkey Point Lighthouse, um dos mais antigos da baía. O parque oferece uma praia arenosa para banhos, aluguel de barcos, golfe em miniatura e trilhas para caminhadas.

A nordeste do parque, cruzando o rio Elk, fica a cidade de Chesapeake, onde os telhados têm quase o mesmo aspecto de há cem anos, quando o vilarejo cresceu para prestar serviço a Chesapeake e ao Delaware Canal. Atualmente esse vilarejo é uma "cidade-butique", com lojas e restaurantes ótimos. O **C and D Canal Museum** foi instalado na casa de bombas original do canal. Nela estão expostas maquetes que funcionam e reproduzem as comportas do canal, uma usina de força original movida a vapor e uma roda-d'água.

🏛 Havre de Grace Decoy Museum
215 Giles St. **Tel** (410) 939-3739.
🕙 10h30-16h30 seg-sáb, 12h-16h dom. ⬤ feriados.
W decoymuseum.com

🏞 Elk Neck State Park
Fim da Route 272. **Tel** (410) 287-5333.

🏛 C&D Canal Museum
Fim da 2nd St. **Tel** (410) 885-5622.
🕙 8h-16h seg-sex. ⬤ feriados.

㉒ St. Michaels

🚩 1.900. 🚌 ℹ️ (800) 808-7622.
W stmichaelsmd.org

Fundada em 1677, St. Michaels foi ancoradouro para armadores, corsários e navios que furavam bloqueios. Agora a cidade é um destino para barcos e iates de recreação de bandeiras internacionais. Há muitos *bed-and-breakfasts*, lojas e bons restaurantes. O **Chesapeake Bay Maritime Museum** é uma grande atração cultural de Maryland, com exposições interativas sobre construção de barcos, história das embarcações, chamarizes e outros aspectos da vida em Chesapeake Bay. Naves exclusivas da área estão ancoradas no local. De 1879 e todo restaurado, o **Hooper Strait Lighthouse** é uma estrutura de madeira chumbada no solo; está aberto à visitação.

🏛 Chesapeake Bay Maritime Museum
213 North Talbot St. **Tel** (410) 745-2916. 🕙 10h-17h (até 18h no verão e 16h no inverno). ♿
W cbmm.org

Baía do Blackwater National Wildlife Refuge, em Easton

㉓ Easton

🚩 11.700. 🚌 ℹ️ 11 S Harrison St, (410) 770-8000. **W** eastonmd.org

A cidadezinha de Easton é uma combinação interessante de lojas exclusivas e casas históricas. O prédio de uma escola da década de 1820 acolhe a **Academy of the Arts.** Embora enfatize artistas do Eastern Shore, o acervo permanente da galeria inclui obras de pintores famosos, como James Whistler e Grant Wood.

Antiga fazenda usada por caçadores do rato-almiscarado para o comércio de peles, o **Blackwater National Wildlife Refuge** foi criado em 1933 como reserva para as aves aquáticas em migração. Os gansos chegam a 35 mil e os patos passam de 15 mil, no auge da migração do outono. O melhor momento para observar aves migratórias é de outubro a março; mas muitos pássaros e outros animais são vistos o ano todo.

Hooper Strait Lighthouse em Chesapeake Bay, com pôr de sol rosa e violeta

Veja hotéis e restaurantes dessa região nas pp. 234-9

MARYLAND | 229

Academy Museum of the Arts
106 South St. **Tel** (410) 822-2787.
10h-20h ter-qui, 10h-16h seg, sex, sáb. dom.
w academyartmuseum.org

Blackwater National Wildlife Refuge
2.145 Key Wallace Dr, Cambridge. **Tel** (410) 228-2677. 8h-16h seg-sex, 9h-17h sáb-dom. Ação de Graças, 25 dez.

Roda-gigante de Trimper's Rides, em Ocean City

㉔ Crisfield

2.900. 906 W Main St, Crisfield, (800) 782-3913.
w cityofcrisfield-md.gov

Embora o turismo seja sua principal atividade econômica, esse porto comercial de frutos do mar sustenta também uma indústria de pesca esportiva. De meados de maio até outubro há pescarias. O **J. Millard Tawes Museum** homenageia um morador que se tornou o 54º governador de Maryland. O museu abrange a história local e a vida marinha. E oferece passeios a pé por uma marina e por uma fábrica de processamento de frutos do mar, além de visitas de bondinho pela área histórica e pela oficina Ward Brothers Waterfowl de madeira entalhada e os locais de processamento de caranguejo de Jenkins Creek.

Capitão John Smith (1580-1631)

J. Millard Tawes Museum
3 North 9th St, Somers Cove Marina.
Tel (410) 968-2501. 9h-17h seg-sáb; inverno: 10h-16h seg-sex. dom, semanas anterior e posterior ao Natal.

Arredores
Acessível apenas de barco, a **Smith Island**, a 16km para oeste, foi mapeada em 1608 pelo capitão John Smith, fundador do assentamento de Jamestown *(p. 195)*. Em Ewell, no norte da ilha, mora a maioria da população. Há quem diga que seu modo de falar provém do dialeto elisabetano da Cornualha, levado para lá na década de 1770.

㉕ Salisbury

29.000. 8.480 Ocean Hwy, (800) 332-8687.

Maior cidade da Eastern Shore, Salisbury é conhecida pelos ótimos antiquários. Desenvolveu-se como comunidade de moinhos em 1732 e logo se tornou ponto de encontro de estradas do sul da Delmarva Peninsula. O **Ward Museum of Wildfowl Art** contém a maior coleção do mundo de arte ligada a aves de caça. Ali, a madeira é entalhada e pintada de modo a parecer uma ave em seu ambiente natural. O museu traça a história dessa arte, desde obras antigas de animais chamarizes até entalhes atuais. No **Pemberton Historical Park** fica o Pemberton Hall, erguido em 1741 para Isaac Handy, coronel do exército britânico. A área é cortada por trilhas naturais, e o solar dispõe de um pequeno museu mantido pela sociedade histórica local.

Ward Museum of Wildfowl Art
909 S Schumaker Dr. **Tel** (410) 742-4988. 10h-17h seg-sáb, 12h-17h dom. **w** wardmuseum.org

Obra de especialista no entalhe do chamariz de pato, em Crisfield

㉖ Ocean City

7.100. 4.001 Coastal Hwy, 1-800-OC-OCEAN. **w** ococean.com

Uma faixa de areia branca se estende ao longo da península de Ocean City, salpicada de hotéis. No verão, guarda-sóis coloridos dão sombra e, à noite, o deque de madeira ao longo da praia, que vai desde a enseada ao norte até a 27th Street, fica cheio de casais, grupos e famílias passeando. Na enseada, no limite sul de Ocean City, o **Ocean City Life-Saving State Museum**, instalado numa antiga estação de salva-vidas, conta a história de Ocean City e do US Life-saving Service. Ao norte fica **Trimper's Rides**, que começou a funcionar em 1902, com um carrossel de 45 animais movido a vapor. Atualmente esse parque de diversões conta com outro carrossel, um Herschel-Spellman de 1905, brilhando com pedras "preciosas" e animais fantásticos, rodas-gigantes, carrinhos bate-bate, adivinhos mecanizados e muitos outros divertimentos.

Ocean City também tem diversos campos de golfe em miniatura: o visitante pode jogar abaixo de ursos-polares de gesso, expor-se ao sol dos trópicos ou brincar cercado de tubarões de borracha.

Ocean City Life-Saving Station Museum
813 South Atlantic Ave. **Tel** (410) 289-4991. mai e out: 10h-16h diariam; jun-set: 10h-22h diariam; nov-abr: ligar antes. **w** ocmuseum.org

Trimper's Rides
Baltimore S. 1st St no deque de madeira. **Tel** (410) 289-8617. meados mai-meados set: 13h-24h seg-sex, 12h-24h sáb-dom; meados set-meados mai: horário limitado.

Delaware

Apesar de Delaware ser o segundo menor estado do país, maior apenas que o minúsculo Rhode Island, sua importância na indústria, nos bancos e na tecnologia sobrepuja seu tamanho. Isso se deve principalmente às leis de livre mercado corporativas e de tributação, que atraíram para lá a sede de diversas empresas grandes. Além dos aspectos históricos, das casas de campo grandiosas e de alguns dos melhores museus dos EUA, a área de 500 mil hectares de Delaware também se orgulha dos mais de 30km de praias.

Detalhe de *Washington cruzando o Delaware*, no Delaware Art Museum

㉗ Wilmington

71.500.
100 W 10th St, (800) 489-6664.
w visitwilmingtonde.com

Essa ex-colônia sueca dispõe de um dos melhores museus de arte do país, o **Delaware Art Museum**. Seu notável acervo inclui obras de ilustradores americanos, como Howard Pyle e seus discípulos N. C. Wyeth e Maxfield Parrish. Há também telas e esculturas de outros artistas americanos dos séculos XIX e XX, como Winslow Homer. Suas galerias apresentam pinturas e artes decorativas do movimento inglês pré-rafaelita, liderado por Dante Gabriel Rossetti. As obras românticas, que perdem apenas para as do London's Victoria e Albert Museum no Reino Unido, de Londres, foram doadas ao museu, em 1935, por Samuel Bancroft Jr., rico industrial de Wilmington.

Delaware Art Museum
2.301 Kentmere Parkway.
Tel (302) 571-9590. 10h-16h quasáb, 12h-16h dom.
w delart.org

㉘ Winterthur

SR 52. **Tel** (800) 448-3883. 10h-17h ter-dom. Ação de Graças, 25 dez.
w winterthur.org

Terra natal de Evelina du Pont e James Biderman, Winterthur recebeu esse nome em homenagem à terra dos antepassados de Biderman na Suíça. Henry Francis du Pont herdou a casa em 1927. Du Pont foi um dos colecionadores do pós-Segunda Guerra Mundial cujos sentimentos nacionalistas os fizeram ter uma visão diferente dos objetos decorativos americanos. Seu acervo de móveis é uma das coleções dos primórdios da arte decorativa americana mais importantes do mundo. Winterthur demonstra o fascínio dos Du Pont pela arte decorativa americana e pela horticultura.

Os 397ha de campos que a cercam receberam tratamento paisagístico, com quilômetros de caminhos aplainados e trilhas panorâmicas nos bosques. A parte do museu aberta ao público é constituída por duas construções, 175 salões de época e dois andares de galerias de exposição.

㉙ Hagley Museum/ Eleutherian Mills

Rte 141. **Tel** (302) 658-2400. 9h30-16h30 diariam; jan-meados mar: 13h30 (visita única) seg-sex; 9h30-16h30 sáb-dom. Ação de Graças, 25 dez. w hagley.org

Com localização pitoresca à margem do rio Brandywine, Hagley Yard deu origem à fortuna do clã Du Pont nos EUA. O cenário se enche de cores na primavera, quando as margens do rio são invadidas por rododendros e azaleias rosadas e avermelhadas.

Eleuthere du Pont adquiriu a propriedade e fundou ali uma fábrica de pólvora negra (explosivos), em 1884. Prédios da fábrica, armazéns, mesas de secagem e a vila operária estão abertos à visitação. Voltadas para o rio estão as "salas de mistura" do Eagle Roll Mill, com paredes de 1,5m de espessura, onde os estouros da pólvora – ocorreram 299 explosões em vinte anos – provocavam um mínimo de danos. O Hagley Museum, na entrada da propriedade, explora a história dos locais com exposições e dioramas. A modesta casa da família Du Pont, **Eleutherian Mills**, data de 1803. Ela está voltada para as oficinas de pólvora, no extremo da propriedade, e contém muitos móveis originais. Esse jardim verdejante contém diversas árvores e plantas nativas.

Vagão fechado exposto em Hagley, à margem do rio Brandywine

Veja hotéis e restaurantes dessa região nas pp. 234-9

DELAWARE | 231

Nemours Mansion, erguida por Alfred I. du Pont em elegante estilo francês

ⓧ Nemours Mansion e Gardens

850 Alapocas Dr.
Tel (302) 651-6912.
mai-dez: ter-sáb. 9h, 11h, 13h, 15h; ligue para reservar.
w nemoursmansion.org

O nome desse palacete no estilo Luís XVI, construído por Alfred I. du Pont em 1909-10, homenageia uma cidade no centro-norte da França, que Pierre Samuel du Pont de Nemours, trisavô de Alfred, representou como membro dos Estados-Gerais da França, em 1789. Os 102 cômodos da mansão receberam decoração suntuosa, com tapetes orientais, tapeçarias e pinturas do século XV. Os jardins de 12ha foram projetados no estilo francês clássico.

ⓧ New Castle

4.800. 220 Delaware St, (302) 322-9801. **w** newcastlecity.delaware.gov

Hoje a ex-capital de Delaware é um sítio histórico bem preservado, com restaurantes, lojas e áreas residenciais. A **New Castle Courthouse** exibe objetos que explicam a origem multinacional da cidade. Suécia, Holanda e Grã-Bretanha afirmaram ter direitos sobre ela. Diversas casas históricas ficam muito próximas. Numa delas, a **Amstel House**, morava o governador Van Dyke. Essa era a casa mais elegante, em 1738, quando nela esteve George Washington, seu hóspede mais famoso.

New Castle Courthouse
211 Delaware St. **Tel** (302) 323-4453.
10h-15h30 ter-sáb, 13h30-16h30 dom. seg, feriados.

ⓧ Lewes

3.000. 114 E Third Street, (302) 645-7777.
w leweschamber.com

Local do Zwaanendael ("Vale dos Cisnes"), núcleo holandês que deu origem a Delaware, em 1631, Lewes é uma cidade pacata, com uma praia pequena, restaurantes sofisticados, residências e lojas. O **Zwaanendael Museum**, criado em 1931, é uma réplica exata da prefeitura de Hoorn, terra natal da maioria dos colonizadores. Suas mostras se concentram no primeiro assentamento e em outros aspectos históricos da área.

Em 1682 a Coroa britânica outorgou a colônia de Delaware ao inglês William Penn (p. 108), que fundou uma das primeiras terras públicas do país, separando o cabo Henlopen para os cidadãos de Lewes.

Ao lado da baía e das praias, o **Cape Henlopen State Park** contém a Gordon's Pond Wildlife Area e a Great Dune, que se eleva a 24m acima do nível do mar. Os variados hábitats do parque abrigam muitos pássaros, répteis e mamíferos, incluindo as saracuras ameaçadas. Entre as atrações há natação, trilhas para caminhadas, mostradores explicativos, píer e camping.

Zwaanendael Museum
Kings Hwy e Savannah Rd. **Tel** (302) 645-1148. 10h-16h30 ter-sáb, 13h30-16h30 dom. seg, alguns feriados.

Cape Henlopen State Park
42 Cape Henlopen Dr.
Tel (302) 645-8983.

ⓧ Rehoboth Beach

1.200. 229 Rehoboth Ave, (302) 227-6181.
w cityofrehoboth.com

No início, Rehoboth Beach era um acampamento de verão metodista. Uma faixa comercial de restaurantes e lojas se estende ao longo da Rehoboth Avenue, até as praias de Funland, pelo deque. The Outlets, entre Lewes e Rehoboth Beach, apresentam importantes lojas de fábrica, que aproveitam o fato de não se cobrar imposto sobre vendas em Delaware.

A 5km ao sul da praia, o **Delaware Seashore State Park**, de 1.093ha, cobre o trecho de terra entre o mar e a Rehoboth Bay. Em **Millsboro**, a oeste dessa baía, vive a tribo nanticoke. Em meados de setembro, a tribo realiza uma reunião para preservar suas tradições e explicar suas crenças. Ao sul do parque, o Fenwick Island Lighthouse, com 27m de altura, marca a fronteira entre Delaware e Maryland. Erguido em 1852, foi desativado durante a Segunda Guerra Mundial.

Delaware Seashore State Park
Inlet 850. **Tel** (302) 227-2800.
1º mar-30 nov.

Índio nanticoke em reunião indígena anual, em Rehoboth Beach

Informações Úteis

Washington, DC e a região da capital são muito ricas em museus, eventos culturais e diversões, além de disporem de locais panorâmicos e atividades ao ar livre em praias, rios e montanhas. Essa região oferece excelentes recursos para o grande número de turistas que a frequentam. A primavera e o outono são os melhores momentos para visitá-la, pois o verão é quente e úmido em quase toda a área, e o inverno é frio e também úmido. Contudo, verão, primavera e outono recebem mais visitantes, por isso é melhor fazer reservas.

Informação Turística

A região da capital está bem equipada para atender ao visitante. Os balcões de informação turística nos aeroportos e nas cidades oferecem guias e mapas, informações sobre passeios guiados, eventos e festivais. Os principais hotéis têm balcão de serviço para hóspedes. A linha e o site **Smithsonian Information** são ótimos recursos para descobrir eventos especiais em museus. Os escritórios estaduais de turismo são outras fontes confiáveis de informações gerais.

Segurança Pessoal

Há poucos anos, Washington fez um grande esforço para limpar as ruas e diminuir os crimes. Se você se restringir às áreas turísticas e evitar os bairros mais distantes, não deverá ter problemas. Ao visitar locais fora dos trajetos mais conhecidos, fique atento e estude bem o mapa antes de se aventurar. Se quiser caminhar sozinho, leve sempre um celular e, antes de sair, informe a alguém sobre o seu itinerário.

Como Circular

Deslocar-se pelo DC e pela região da capital é fácil. Washington possui um sistema de transporte público abrangente e todas as grandes atrações na capital são acessíveis a pé ou por **Metrorail, Metrobus, Circulator** ou táxi. Se quiser dirigir, prepare-se para congestionamentos e mudanças de trajeto inesperadas. Evite guiar à noite se não conhecer bem a área.

Diversas companhias de turismo com sede no DC oferecem passeios que incluem Mount Vernon, Williamsburg e Monticello, na Virgínia. Baltimore e Annapolis, as maiores cidades de Maryland, estão ligadas ao DC por trem e ônibus. Pode-se alugar um carro, mas costuma ser caro. Tanto os trens **Amtrak** como os ônibus **Greyhound** são opções mais baratas, mas a escolha do destino pode ser mais limitada. Para explorar muitas das áreas panorâmicas da região da capital, o melhor é ir de carro. O visitante deve evitar atalhos e estradas secundárias, permanecendo nas estradas movimentadas.

Etiqueta

É proibido fumar em prédios públicos, restaurantes e lojas da região. Os cigarros só podem ser comprados por maiores de 18 anos; talvez seja exigido um comprovante de idade. Em Washington, a idade mínima por lei para consumir álcool é 21 anos, e pode ser que lhe peçam identificação com foto, como prova de idade para adquirir bebida alcoólica e frequentar bares. É ilegal tomar bebida alcoólica em parques públicos ou transportar uma embalagem aberta de álcool no carro, ao guiar. As penalidades por dirigir embriagado são muito severas e podem até resultar em prisão.

Atividades ao Ar Livre

Maryland, Chesapeake Bay e Eastern Shore oferecem ótimas oportunidades para andar de barco, velejar e pescar. Para os entusiastas da vida ao ar livre, entre os outros destaques da região da capital estão as caminhadas na **Appalachian Trail**, na Virgínia e Virgínia Ocidental, rafting de corredeiras na Virgínia Ocidental e ciclismo ao longo do pitoresco caminho que margeia o canal do Chesapeake e Ohio, que corre de Washington a Maryland. Há também uma ciclovia de 26km de Washington a Mount Vernon. A Rehoboth Beach e o Seashore State Park, em Delaware, atraem quem busca mar e praias. Entre os esportes de equipe, vale a pena assistir aos jogos de rúgbi do **Washington Redskins**, de beisebol do **Washington Nationals** e do **Baltimore Orioles**. Se os ingressos estiverem esgotados, é divertido assistir ao jogo junto com torcedores num bar.

O Clima do DC e da Região da Capital

O clima da região da capital varia muito. No inverno as temperaturas podem cair abaixo de zero. Nesse período, as Appalachian Mountains da Virgínia se cobrem de neve, atraindo os praticantes de esqui e snowboard. O verão pode ser muito quente e úmido, com sol quase o tempo todo, mas também é a temporada das chuvas mais pesadas, principalmente entre maio e agosto, quando as águas são bem-vindas para refrescar. As chuvas param em setembro e outubro, quando o tempo fica muito agradável. A região é melhor na primavera e no outono.

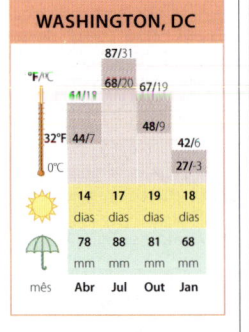

WASHINGTON, DC

	Abr	Jul	Out	Jan
°F/°C (máx)	68/20	87/31	67/19	44/7
°F/°C (mín)	44/7	68/20	48/9	27/-3
dias de sol	14	17	19	18
mm chuva	78	88	81	68

Diversão

Para quem visita essa região nunca faltam diversões e eventos culturais. Há mais atividades gratuitas no DC do que em qualquer outra cidade americana. A seção de fim de semana da edição de sexta-feira do *Washington Post* fornece uma lista de concertos, palestras em galerias, filmes, lançamentos de livros, leitura de poesias, peças e concertos, tudo gratuito.

O **Kennedy Center** em Washington é a sede da **Washington Opera Company** e da **National Symphony Orchestra**, dois grandes destaques. Eles também apresentam uma temporada magnífica de dança e balé, apresentadas pelas melhores companhias do mundo, a exemplo do Bolshoi, do American Ballet Theater e do Dance Theater of Harlem. O centro também recebe companhias itinerantes de teatro e muitos intérpretes famosos de jazz. Outros ótimos locais de jazz e blues são **Blues Alley**, em Georgetown, **Merriweather Post Pavilion**, de Colúmbia, em Maryland, e o **Nissan Pavilion**, em Manassas, na Virgínia. Filmes clássicos e estreias são apresentados no American Film Institute, em Silver Spring (MD), e documentários, na Biblioteca do Congresso. Muitos museus da capital apresentam mostras de cinema, palestras e concertos.

Washington conta com muitas temporadas de eventos culturais. Em todas as noites de junho há apresentações do **Shakespeare Theatre Free for All**, no Harmon Hall. As comemorações do Dia da Independência são espetaculares ao longo do Mall, com fogos da base do Washington Monument. Em setembro, o fim de semana do Labor Day é marcado pelo concerto gratuito da National Symphony Orchestra, na colina do Capitólio. Atualmente as visitas à Casa Branca estão limitadas. Obtenha mais informações no White House Visitor Center ou pelo site *(p. 211)*.

Compras

Washington, DC e também Maryland e Virgínia são famosos por seus antiquários. Frederick, em Maryland, tem o **Emporium at Creekside Antiques**, onde funcionam mais de cem lojas de antiguidades. Um ótimo local de compras são as lojas de museus no DC, que dispõem de grande variedade de produtos, desde tecidos africanos e reproduções de peças até artesanato americano contemporâneo. As lojas de departamentos mais concorridas são a **Macy's**, no DC, e a Nordstrom em Arlington, na Virgínia. Há grandes shopping centers em subúrbios de Virgínia e Maryland, e no Fashion Center, em Pentagon City. As pechinchas estão nos 230 outlets de Potomac Mills, 48km ao sul do DC, na I-95, ou em Rehoboth Beach, em Delaware, com enorme concentração de outlets. Muitas lojas na área de Washington, DC fecham nos feriados principais.

AGENDA

Informação Turística

Delaware
99 King's Hwy, Dover, DE 19901. **Tel** (866) 284-7483.
W visitdelaware.com

Maryland
401 E Pratt St, Baltimore, MD 21202.
Tel (866) 639-3526.
W visitmaryland.org

Smithsonian Information
1000 Jefferson Dr, SO Washington, DC.
Tel (202) 633-1000.
W si.edu

Virginia
901 E Byrd St, Richmond, VA 23219.
Tel 800-VISITVA.
W virginia.org

Washington, DC
901 Seventh St NW, Suite 400, Washington, DC 20001. **Tel** (202) 789-7000.
W washington.org

West Virginia
Tel (800)-225-5982.
W wvtourism.com

Viagem

Amtrak
Tel 800-USA-RAIL.
W amtrak.com

Greyhound
Tel (800) 231-2222.
W greyhound.com

Metrorail & Metrobus
600 Fifth St, NO, Washington, DC 20001. **Tel** (202) 637-7000, (202) 638-3780 (para deficientes auditivos).
W wmata.com

Esportes e Atividades ao Ar Livre

Baltimore Orioles
Oriole Park com Camden Yards, 333 W Camden St, Baltimore, MD 21201.
Tel (888) 848-2473.
W baltimore-orioles.mlb.com

Washington Nationals
Nationals Stadium, 1500 S Capitol St, SE.
Tel (202) 675-6287.
W nationals.com

Washington Redskins
FedExField 1600, FedEx Way, Landover, MD 20785.
Tel (301) 276-6050 (bilheteria), (301) 276-6000.
W redskins.com

Diversão

Blues Alley
1073 Wisconsin Ave, NO.
Tel (202) 337-4141.
W bluesalley.com

Kennedy Center
New Hampshire Ave e Rock Creek Pkwy, NO.
Tel (202) 467-4600.
W kennedy-center.org

Merriweather Post Pavilion
Columbia, MD.
Tel (410) 715-5550.
W merriweathermusic.com

National Symphony Orchestra
Tel (202) 467-4600.
W kennedy-center.org

Jiffy Lube Pavilion
7800 Cellar Door Dr, Haymarket, VA.
Tel (703) 754-6400.
W livenation.com

Shakespeare Theatre Free for All
Harmon Hall,
610 F St NO.
Tel (202) 334-4790.
W shakespearetheatre.org

Compras

Emporium at Creekside Antiques
112 E Patrick St, Frederick, MD. **Tel** (301) 662-7099.
W emporiumantiques.com

Macy's Department Store
12th e G St, NO.
Tel (202) 628-6661.
W macys.com

Onde Ficar

Washington, DC

ADAMS MORGAN: Adam's Inn $
B&B
1746 Lanier Place NW, 20009
Tel *(202) 745-3600*
W adamsinn.com
Boa opção para economizar, próximo ao zoológico. Alguns quartos compartilham banheiros.

CAPITOL HILL: Courtyard Washington Capitol Hill/ Navy Yard $$
Para famílias
140 L St SE, 20002
Tel *(202) 479-0027*
W marriott.com
Hotel vibrante com quartos confortáveis e bem decorados. Informe-se sobre promoções.

CAPITOL HILL: Phoenix Park Hotel $$
Hotel-butique **Mapa** 4E
520 North Capitol St NW, 20001
Tel *(800) 824-5419*
W phoenixparkhotel.com
Esse hotel histórico reformado ganhou tema irlandês e abriga o famoso restaurante Dubliner.

> ### Destaque
> **CAPITOL HILL:**
> **Hotel George** $$$
> Hotel-butique **Mapa** 4E
> *15 E St NW, 20001*
> **Tel** *(202) 347-4200*
> W hotelgeorge.com
> Chique, o Hotel George tem tema político, quartos maravilhosos, spa exemplar, o excelente restaurante Bistro Bis e um dos melhores bares da cidade. É também ecológico e aceita animais de estimação. Há uma confraternização diária com vinho.

DUPONT CIRCLE:
The Swann House $$
B&B
1808 New Hampshire Ave NW, 20009
Tel *(202) 265-4414*
W swannhouse.com
Bela mansão histórica com Wi-Fi, piscina e banheira de hidromassagem em alguns quartos.

DUPONT CIRCLE:
Mansion on O Street $$$
Luxuoso **Mapa** 3B
2020 O St NW, 20036
Tel *(202) 496-2020*
W omansion.com
Decoração extravagante e salas e passagens ocultas para explorar em mansão do século XIX.

EMBASSY ROW: The Fairfax at Embassy Row $$$
Luxuoso
2100 Massachusetts Ave NW, 20008
Tel *(202) 293-2100*
W fairfaxhoteldc.com
Favorito da elite política, esse hotel em estilo georgiano tem quartos lindos com ar histórico.

GEORGETOWN: Holiday Inn Washington-Georgetown $$
Para famílias
2101 Wisconsin Ave NW, 20007
Tel *(202) 338-4600*
W holidayinn.com
Hotel padrão com academia, piscina e ótima localização. Oferece traslado para o metrô.

GEORGETOWN:
Four Seasons $$$
Para negócios **Mapa** 3A
2800 Pennsylvania Ave NW, 20007
Tel *(202) 342-0444*
W fourseasons.com
Esse hotel fino na orla de Georgetown tem quartos grandes, bar ótimo e serviço eficiente.

LOGANS CIRCLE: Helix Hotel $$
Hotel-butique
1430 Rhode Island Ave NW, 20005
Tel *(202) 462-9001*
W hotelhelix.com
Chique, em um bairro agradável, o Helix tem serviço excelente e confraternização com vinhos.

THE MALL: Holiday Inn Washington-Capitol $$
Para famílias **Mapa** 5D
550 C St SW, 20024
Tel *(877) 859-5095*
W holidayinn.com
Esse hotel-padrão repaginado oferece os serviços básicos. Prático para ir às atrações locais.

> ### Categorias de Preço
> Diária de um quarto padrão para duas pessoas, na alta temporada, com taxas de serviço e impostos.
> $ até US$150
> $$ US$150-US$300
> $$$ acima de US$300

THE MALL:
Mandarin Oriental $$$
Para negócios **Mapa** 5D
1330 Maryland Ave SW, 20024
Tel *(202) 554-8588*
W mandarinoriental.com
Hotel luxuoso com muitas mordomias e um dos melhores restaurantes da cidade.

PENN QUARTER: Hosteling International $
Albergue **Mapa** 3D
1009 11th St NW, 20001
Tel *(202) 737-2333*
W hiwashingtondc.org
Oferece mais de 200 quartos que compartilham banheiros. Perto dos museus Smithsonian.

PENN QUARTER:
Hotel Monaco $$$
Hotel-butique **Mapa** 4D
700 F St NW, 20004
Tel *(202) 628-7277*
W monaco-dc.com
Um National Historic Landmark transformado em hotel moderno, com um bar chique e um restaurante conhecido.

PENN QUARTER: The Willard $$$
Luxuoso **Mapa** 4C
1401 Pennsylvania Ave NW, 20004
Tel *(202) 628-9100*
W washington.intercontinental.com
Esse hotel histórico imponente já hospedou muitos presidentes, assim como Martin Luther King Jr. e Charles Dickens.

Saguão do Sleep Inn & Suites, em Ocean City, Maryland

CASA BRANCA E FOGGY BOTTOM: The Hay-Adams $$$
Luxuoso **Mapa** 3C
800 16th St NW, 20006
Tel *(202) 638-6600*
W hayadams.com
Esse hotel histórico refinado perto da Casa Branca oferece quartos elegantes e silenciosos.

CASA BRANCA E FOGGY BOTTOM: The Mayflower Renaissance Washington, DC Hotel $$$
Para negócios
1127 Connecticut Ave NW, 20036
Tel *(202) 347-3000*
W marrlotthotels.com
Hotel com charme histórico e um saguão estupendo. Serve chá da tarde com todos os requintes.

Maryland

ANNAPOLIS: Maryland Inn $$
Histórico
16 Church Circle, 21401
Tel *(410) 263-2641*
W históricoinnsofannapolis.com
Esse hotel dos anos 1760 tem quartos confortáveis em estilo vitoriano e um bom restaurante.

ANNAPOLIS: Annapolis Marriott Waterfront $$$
Luxuoso
80 Compromise St, 21401
Tel *(410) 268-7555*
W annapolismarriott.com
Hotel com lindas vistas da Chesapeake Bay e do porto. Os quartos são amplos.

BALTIMORE: Wyndham Peabody Court $
Econômico
612 Cathedral St, 21201
Tel *(410) 727-7101*
W peabodycourthotel.com
Essa propriedade com fachada renascentista fica próxima à Walters Art Gallery.

BALTIMORE: Homewood Suites by Hilton $$
Para negócios
625 S President St, 21202
Tel *(410) 234-0999*
W homewoodsuites3.hilton.com
Todas as suítes têm cozinha e direito ao bufê de café da manhã.

BALTIMORE: Inn at the Black Olive $$
B&B
803 S Caroline St, 21231
Tel *(443) 681-6316*
W theblackolive.com
Essa pousada ecológica abriga um restaurante orgânico e suítes com banheiros excelentes.

Quarto do ecológico Inn at the Black Olive, em Baltimore, Maryland

> ### Destaque
> **BALTIMORE:**
> **Four Seasons** $$$
> Luxuoso
> *200 International Dr, 21202*
> **Tel** *(410) 576-5800*
> W fourseasons.com
> O Four Seasons fica em um edifício alto de vidro diante das águas; oferece serviço de alto padrão e vistas espetaculares do histórico Inner Harbor. Sua estrutura conta com academia completa, piscina aquecida de borda infinita, tratamentos no luxuoso spa e várias opções gastronômicas.

OCEAN CITY: Sleep Inn & Suites $
Econômico
11 N Baltimore Ave, 21842
Tel *(443) 664-4020*
W sleepinn.com
Hotel agradável perto da praia e do calçadão, com opções de compras, gastronomia e diversão nos arredores.

OCEAN CITY: Princess Royale Oceanfront Hotel $$
Luxuoso
9100 Coastal Hwy, 21842
Tel *(410) 524-7777*
W princessroyale.com
Bons para famílias, esses apartamentos e suítes com cozinha ficam em praias de areia. Há uma piscina aquecida coberta.

Virgínia

ALEXANDRIA: Hotel Monaco $$
Para negócios
480 King St, 22314
Tel *(703) 549-6080*
W monaco-alexandria.com
Na histórica Old Town, o Hotel Monaco tem quartos e suítes estilosos. Traslado para o aeroporto.

CHARLOTTESVILLE: Omni Hotel $$
Luxuoso
212 Ridge McIntire Rd, 22903
Tel *(434) 971-5500*
W omnihotels.com
Esse hotel luxuoso apresenta um estupendo átrio envidraçado de sete andares e um belo saguão com plantas.

CHINCOTEAGUE: Refuge Inn $$
B&B
7058 Maddox Blvd, 23336
Tel *(757) 336-5511*
W refugeinn.com
Pousada boa para famílias perto do National Wildlife Refuge. Café da manhã de cortesia.

FREDERICKSBURG: Dunning Mills Inn $
Econômico
2305-C Jefferson Davis Hwy, 22401
Tel *(540) 373-1256*
W dunningmills.com
Nas matas perto de campos de batalha e cemitérios da Guerra Civil, tem suítes com cozinha e área para refeições.

NORFOLK: Courtyard Norfolk Downtown $
Para negócios
520 Plume St, 23510
Tel *(757) 963-6000*
W marriott.com
Esse hotel é próximo às atrações do centro e a muitas opções de diversão, compras e gastronomia. Tem piscina coberta e uma banheira de hidromassagem.

RICHMOND: The Berkeley Hotel $$
Para negócios
1200 E Cary St, 23219
Tel *(804) 780-1300*
W berkeleyhotel.com
Hotel charmoso no centro, o Berkeley tem bela decoração tradicional. Solicite um quarto que tenha sacada.

Mais informações sobre hotéis *nas pp. 26-7*

RICHMOND: Maury Place at Monument $$
B&B
3101 West Franklin St, 23221
Tel *(804) 353-2717*
w mauryplace.com
B&B acolhedor e elegante em um edifício histórico. Café da manhã gourmet, vinho, bebidas e lanches de cortesia.

Destaque
RICHMOND:
Jefferson Hotel $$$
Histórico
101 West Franklin St, 23219
Tel *(800) 424-8014*
w jeffersonhotel.com
Esse hotel histórico refinado foi inaugurado em 1895 e ainda é um marco na área central da cidade. Sua decoração elegante apresenta antiguidades sulistas e uma claraboia com vitral na cúpula. A equipe cordial atende os hóspedes com eficiência. Oferece transporte de cortesia.

VIRGINIA BEACH: Residence Inn Virginia Beach Oceanfront $$
Econômico
3217 Atlantic Ave, 23451
Tel *(757) 425-1141*
w marriott.com
Esse hotel confortável tem vistas estupendas, suítes amplas com cozinha e acesso à praia.

WILLIAMSBURG: Holiday Inn Hotel & Suites Williamsburg--Historic Gateway $
Econômico
515 Bypass Rd, 23185
Tel *(757) 229-9990*
w ihg.com
Crianças comem de graça no bistrô desse hotel bom para famílias.

WILLIAMSBURG:
Williamsburg Inn $$$
Luxuoso
136 E Francis St, 23185
Tel *(877) 741-6852*
w colonialwilliamsburg.com
Hotel campestre com decoração opulenta, móveis em estilo regência e banheiros de mármore.

Virgínia Ocidental

CHARLESTON: Marriott Charleston Town Center $
Para negócios
200 Lee St E, 25301
Tel *(304) 345-6500*
w marriott.com
Hotel conveniente para a prática de rafting.

Sala de estar do opulento Jefferson Hotel, em Richmond, Virgínia

HARPERS FERRY: The Jackson Rose Bed & Breakfast $$
B&B
1167 W Washington St, 25425
Tel *(304) 535-1528*
w thejacksonrose.com
Confortáveis, os quartos têm piso original de pinho e pé-direito alto nesse B&B em uma mansão tranquila em estilo Federal.

MORGANTOWN: Waterfront Place Hotel $
Para negócios
2 Waterfront Pl, 26501
Tel *(304) 296-1700*
w waterfrontplacehotel.com
Esse hotel diante das águas atrai quem visita a universidade. Oferece instalações modernas como TVs de alta definição.

WHEELING:
Oglebay Family Resort $$
Econômico
465 Lodge Dr, Oglebay Park, 26003
Tel *(304) 243-4000*
w oglebay-resort.com
Resort histórico ideal para famílias, com golfe, tênis, nado e atividades para crianças.

Destaque
WHITE SULPHUR SPRINGS:
The Greenbrier $$
Luxuoso
300 W Main St, 24986
Tel *(855) 453-4858*
w greenbrier.com
Um National Historic Landmark datado de 1778, esse resort de fama mundial se espalha por 4.047ha nas belas montanhas Allegheny. Oferece diversas opções de hospedagem com decoração refinada, incluindo quartos individuais e casas com quatro quartos. Golfe, refeições sofisticadas e um spa mineral complementam a experiência.

Delaware

DOVER: Dover Downs Hotel & Casino $
Econômico
1131 N DuPont Hwy, 19901
Tel *(800) 711-5882*
w doverdowns.com
Esse vasto complexo com cassino e spa luxuoso proporciona hospedagem com todos os serviços e acesso a muita diversão.

NEW CASTLE: Sheraton Wilmington South $$
Para negócios
365 Airport Dr, 19720
Tel *(302) 328-6200*
w sheraton.com
As acomodações do Sheraton têm quarto e sala de estar separados, além de todas as comodidades modernas.

REHOBOTH BEACH:
Boardwalk Plaza Hotel $$
Luxuoso
2 Olive St, 19971
Tel *(302) 227-7169*
w boardwalkplaza.com
Hotel em estilo vitoriano com piscina aquecida, vistas do oceano e suítes com hidromassagem.

Destaque
WILMINGTON:
Hotel Du Pont $$
Luxuoso
11th St and Market, 19801
Tel *(302) 594-3100*
w dupont.com/hotel
O Hotel Du Pont oferece hospedagem elegante desde 1913, inclusive para John F. Kennedy e Katharine Hepburn. Os quartos têm roupas de cama e banho importadas e móveis de mogno. O restaurante Green Room serve cozinha francesa fina.

Categorias de Preço na p. 234

Onde Comer e Beber

Washington, DC

CAPITOL HILL: Dubliner $$
Irlandesa Mapa 4E
4 F St NW, 20001
Tel *(202) 737-3773*
Favorito da comunidade irlandesa pela comida de pub, como peixe e fritas, cozido e sanduíches.

CAPITOL HILL: Tunnicliffs $$
Americana
222 7th St SE, 20003
Tel *(202) 544-5680*
Disputado desde os anos 1980, serve comida de pub como hambúrgueres, quesadillas e pizzas.

GEORGETOWN: Das Ethiopian Cuisine $$
Etíope
1201 28th St NW, 20007
Tel *(202) 333-4710*
O Das conquistou a crítica com deliciosa comida etíope e serviço cortês. Oferece amostras dos pratos para os não iniciados.

GEORGETOWN: Pizzeria Paradiso $$
Italiana
3282 M St NW, 20007
Tel *(202) 337-1245*
Esse estabelecimento serve pizzas de massa fina com diversas coberturas e cervejas variadas.

GEORGETOWN: 1789 $$$
Americana
1226 36th St NW, 20007
Tel *(202) 965-1789*
Culinária tradicional e serviço impecável definem esse restaurante fino com carta de vinhos extensa e sobremesas deliciosas.

Destaque

THE MALL: Mitsitam Café $$
Nativa americana Mapa 5F
4th & Independence SW, 20565
Tel *(866) 868-7774*
Um dos melhores restaurantes e talvez o mais incomum da cidade, o Mitsitam fica no National Museum of the American Indian. Serve somente culinária nativa americana, de várias tribos. O menu é sazonal, mas sempre inclui bisão e salmão.

THE MALL: CityZen $$$
Americano Mapa 5D
1330 Maryland Ave SW, 20024
Tel *(202) 787-6006* Fecha *dom e seg*
Elegante, serve menu-degustação de seis pratos, com peixe e cordeiro. Há opções vegetarianas.

PENN QUARTER: Full Kee $
Chinesa Mapa 3D
509 H St NW, 20001
Tel *(202) 371-2233*
Um dos raros restaurantes chineses no Penn Quarter, o Full Kee serve comida de Hong Kong.

PENN QUARTER: Jaleo $$
Espanhola Mapa 4D
480 7th St NW, 20004
Tel *(202) 628-7949*
Tapas, paella e sangrias tornam o Jaleo ideal para ir com os amigos.

PENN QUARTER: Zaytinya $$
Mediterrânea Mapa 3D
701 9th St NW, 20001
Tel *(202) 638-0800*
Dirigido pelo chef José Andrés, esse restaurante oferece pratos turcos, gregos e libaneses.

PENN QUARTER: Acadiana $$
Sulista Mapa 3D
901 New York Ave NW, 20004
Tel *(202) 408-8848*
Versões finas de comida de New Orleans, como ostras e sopas de quiabo e tartaruga. Ótimo brunch.

PENN QUARTER: Old Ebbitt Grill $$$
Americana Mapa 4C
675 15th St NW, 20005
Tel *(202) 347-4800*
O restaurante local mais antigo abriu em 1856 e é famoso pela comida americana clássica e pelos frutos do mar excelentes. Prove o bolinho de caranguejo.

CASA BRANCA E FOGGY BOTTOM: Blue Duck Tavern $$$
Americana Mapa 3B
1201 24th St NW, 20037
Tel *(202) 419-6755*
Sempre citado como um dos melhores restaurantes da cidade, serve comida saída de fornos a lenha. Pato é uma especialidade.

Faixas de preço
Por pessoa, para uma refeição composta por três pratos e meia garrafa de vinho da casa, mais taxas.

$	até US$35
$$	US$35–US$70
$$$	acima de US$70

CASA BRANCA E FOGGY BOTTOM: Founding Farmers $$$
Americana Mapa 3B
1924 Pennsylvania Ave NW, 20006
Tel *(202) 822-8783*
Tudo nesse restaurante é orgânico e feito na hora. O cardápio inclui assado de panela ianque, camarão com canjica e pastelão de frango. Vegetarianos também são clientes.

ARREDORES: Ben's Chili Bowl $
Americana
1213 U St NW, 20009
Tel *(202) 667-0909*
Todos adoram comer no Ben's Chili Bowl, inclusive Bill Cosby e Barack Obama. O lugar é elogiado por seu cachorro-quente picante, pelos hambúrgueres e pelas carnes semidefumadas.

ARREDORES: Cactus Cantina $
Mexicana
3300 Wisconsin Ave NW, 20016
Tel *(202) 686-7222*
Essa cantina serve porções fartas de comida tex-mex. Grande, o salão é ideal para famílias, e o pátio, perfeito em dias de sol.

ARREDORES: 2Amys $$
Italiana
3715 Macomb St NW, 20016
Tel *(202) 885-5700*
Vá ao 2Amys para comer uma pizza italiana com porções deliciosas, como ovos à la diable, queijo italiano burrata e confit de berinjela e azeitonas.

O colorido interior hispânico do Jaleo, em Washington, DC

Mais informações sobre restaurantes *nas pp. 28-9*

Maryland

ANNAPOLIS: Dock Street Bar & Grill $$
Americana
136 Dock S, 21401
Tel *(410) 268-7278*
Balada com opções para comer, vista das águas e música a cargo de DJs e bandas locais. Peça o bolinho de caranguejo regional.

Destaque
ANNAPOLIS: Middleton Tavern Oyster Bar & Restaurant $$$
Frutos do mar
2 Market Space, 21401
Tel *(410) 263-3323*
Essa taverna histórica de 1750 situa-se na rua diante do porto. George Washington, Thomas Jefferson e Benjamin Franklin já estiveram no local. Entre as especialidades da casa há ostras frescas em meia casca, bolinho de caranguejo e pratos de massa substanciosos.

BALTIMORE: Isabella's Brick Oven Pizza & Panini $
Pizzaria
221 S High St, 21202
Tel *(410) 962-8888*
Entusiastas gourmet vão a essa pizzaria de gestão familiar em Little Italy em busca das famosas redondas, dos sanduíches com pão fresco e das criativas saladas.

BALTIMORE: Slainte Irish Pub and Restaurant $
Irlandesa/Americana
1700 Thames St, 21231
Tel *(410) 563-6600*
Pub irlandês frequentado por fãs de esportes e grupos de jovens que apreciam os chopes, as fritas ao curry e os hambúrgueres.

BALTIMORE: LP Steamers $$
Frutos do mar
1100 E Fort Ave, 21230
Tel *(410) 576-9294*
Esse restaurante com ambiente informal proporciona uma experiência típica da região. Garçonetes gentis e martelinhos de madeira ajudam a quebrar a carapaça dos caranguejos.

BALTIMORE: Mama's On the Half Shell $$
Frutos do mar/Americana
2901 O'Donnell St, 21224
Tel *(410) 276-3160*
O menu de frutos do mar enfoca receitas de Chesapeake tradicionais. Cozido de ostra e bolinho de caranguejo são emblemáticos.

Middleton Tavern Oyster Bar & Restaurant, em Annapolis, Maryland

BETHESDA: Mon Ami Gabi $$
Francesa
7239 Woodmont Ave, 20814
Tel *(301) 654-1234*
Steak-frites, bouillabaisse, crepes e quiches de sabor refinado são servidos nesse restaurante famoso de ambiente informal, porém romântico. Há jazz ao vivo com bastante frequência.

BETHESDA: Jaleo $$$
Espanhola
7271 Woodmont Ave, 20814
Tel *(301) 913-0003*
A filial em Bethesda do popular bar de tapas de José André prima pela variedade de pratos. Peça sangria e reserve espaço para o flã.

HAGERSTOWN: Schmankerl Stube Bavarian Restaurant $$
Alemã
58 S Potomac St, 21740
Tel *(301) 797-3354* **Fecha** *seg*
Em uma atmosfera aconchegante, garçons com trajes bávaros servem cervejas importadas e porções fartas de comida alemã, como assados, bolinhos e sobremesas caseiras.

OCEAN CITY: The Shark on the Harbor $$
Frutos do mar
12924 Sunset Ave, 21842
Tel *(410) 213-0924*
Frutos do mar vindos das docas e produtos orgânicos frescos são usados em pratos com influências locais e sulistas nesse restaurante no porto pesqueiro.

Virgínia

ALEXANDRIA: Gadsby's Tavern $$
Americana
138 N Royal St, 22314
Tel *(703) 548-1288*
Taverna histórica de 1770, a Gadsby's foi frequentada pelos ex-presidentes Washington e Jefferson. O museu interno mostra sua história. Garçons servem chuleta e tortas que seguem receitas antigas.

ALEXANDRIA: Le Refuge $$
Francesa
127 N Washington St, 22314
Tel *(703) 548-4661* **Fecha** *dom*
Lugar charmoso diante da histórica Christ Church. Serve cozinha francesa campestre. Bouillabaisse e caranguejo de carapaça macia são as especialidades da casa.

CHARLOTTESVILLE: Citizen Burger Bar $
Hamburgueria/Americana
212 E Main St, 22902
Tel *(434) 979-9944*
Esse restaurante acolhedor com tijolos expostos é muito afamado por seus hambúrgueres gourmets feitos com carne orgânica e frango caipira. A carta extensa do bar inclui cervejas artesanais locais e coquetéis inventivos. Atendimento cortês.

CHARLOTTESVILLE: Michie Tavern $
Americana
683 Thomas Jefferson Pkwy, 22902
Tel *(434) 977-1234*
No ambiente informal com toque colonial da Michie Tavern há bufê de almoço e equipe que usa trajes de época. A cozinha prepara comida sulista baseada em receitas do século XVIII.

RICHMOND: HogsHead Café $
Churrasco
9503 West Broad St, 23220
Tel *(804) 308-0281* **Fecha** *dom*
Esse estabelecimento pequeno de gestão familiar atrai carnívoros com seu churrasco defumado. A atmosfera é informal, e os simpáticos garçons servem favoritos do público, como sanduíches com carne de porco desfiada, costelas macias e cachorros-quentes com bacon.

RICHMOND: Stella's $$
Grega/Mediterrânea
1012 Lafayette St, 23221
Tel *(804) 358-2011*
Restaurante agradável, o Stella's prepara comida deliciosa feita com ingredientes muito frescos. Os garçons explicam com prontidão as opções do menu, que em geral são para compartilhar.

RICHMOND: Tarrant's Café $$
Americana
1 W Broad St, 23220
Tel *(804) 225-0035*
Ambientado como uma farmácia do século XIX, essa cafeteria de bairro serve ostras fritas, costelas de novilho e camarão com canjica a bons preços.

VIRGINIA BEACH:
Route 58 Delicatessen $
Delicatéssen
4000 Virginia Beach Blvd, 23462
Tel *(757) 227-5868*
Deli que serve sanduíches com recheio farto de pastrame e carne em salmoura. Muitos itens, como peixe defumado e knishes, vêm de Nova York.

Destaque
WILLIAMSBURG: Christiana Campbell's Tavern $$
Americana
Waller St, 23187
Tel *(757) 229-2141*
Essa taverna histórica, agora dirigida pelo órgão de patrimônio municipal, era uma das favoritas de George Washington. Quem a visita pode provar especialidades antigas como cozido de caranguejo ao xerez, espetos de camarão e vieiras, e bolinho de caranguejo servido com broa ou muffin de batata-doce.

WILLIAMSBURG: The Trellis $$
Americana moderna
403 Duke of Gloucester St, 23187
Tel *(757) 229-8610*
O menu do Trellis oferece delícias sazonais como patês e terrines caseiros, além de sopa de pimentão vermelho com carne de caranguejo. A carta de vinhos tem vários exemplares da Virgínia.

Virgínia Ocidental

CHARLESTON:
The Chop House $$$
Churrascaria
1003 Charleston Town Ctr, 25389
Tel *(888) 456-3463*
Frequentada sobretudo por executivos e casais, a Chop House se destaca pelos cortes gourmets de carne certificada, frutos do mar ótimos e acompanhamentos saborosos. Serviço atencioso, charutos finos e extensa carta de vinhos complementam a experiência.

Destaque
HARPERS FERRY:
Canal House $$
Americana moderna
1226 W Washington St, 25425
Tel *(304) 535-2880*
Fecha *seg-qua*
Na Canal House serve-se culinária premiada em uma casa charmosa de pedra dos anos 1820 que anteriormente abrigou um hospital, um quartel militar, um estúdio de vitrais e uma escola da linha Montessori. A cozinha utiliza ingredientes locais em pratos criativos como sopa de abóbora e batata-doce e legumes asiáticos com talharim.

HUNTINGTON: Jim's Steak and Spaghetti House $$
Americana
920 5th Ave, 25701
Tel *(304) 696-9788*   **Fecha** *dom*
À moda antiga e bom para famílias, o Jim's sempre foi um ponto de encontro no centro. O cardápio tem opções como espaguete, sanduíches com peixe e tortas caseiras que mudaram pouco ao longo dos anos.

WHEELING: Later Alligator $$
Internacional
2145 Market St, 26003
Tel *(304) 233-1606*   **Fecha** *dom*
Esse café pitoresco instalado em um antigo *saloon* é frequentado por clientes fiéis de manhã devido ao café gourmet. Entre as boas pedidas no menu há crepes feitos na hora, sanduíches criativos e sopas caseiras.

Delaware

DOVER: Doc Magrogan's Oyster House $$
Frutos do mar
1131 N Dupont Hwy, 19901
Tel *(302) 857-3223*
O Doc Magrogan's atrai os frequentadores dos cassinos com frutos do mar muito frescos e ampla variedade de cervejas artesanais. No balcão de crus há moluscos, mexilhões, caranguejo e ostras frescas entregues diariamente. O ambiente informal evoca um bar da virada do século XX.

Destaque
NEW CASTLE:
Jessop's Tavern $$
Americana
114 Delaware St, 19720
Tel *(302) 322-6111*   **Fecha** *dom*
Os clientes se acomodam em mesas de madeira cercados pela decoração colonial para comer comida caseira saborosa. O cardápio consiste em pratos americanos antigos à base de receitas inglesas, holandesas e suecas que eram comuns na região. Entre os favoritos da casa estão pastelões de forno e mexilhões frescos ao vapor de cerveja belga, alho ou temperos das Antilhas. Atendimento simpático.

REHOBOTH BEACH: The Back Porch Café $$$
Americana moderna
59 Rehoboth Ave, 19971
Tel *(302) 227-3674*   **Fecha** *nov-abr*
Esse café acolhedor em uma casa antiga de praia atrai multidões desde 1974. A carta de vinhos extensa, o menu tentador de frutos do mar e a música ao vivo contribuem para a animação. Brunch ótimo aos domingos.

WILMINGTON: Harry's Seafood Grill $$$
Frutos do mar/
Americana moderna
101 S Market St, 19801
Tel *(302) 777-1500*
A culinária inovadora do Harry's se baseia em ingredientes frescos e é servida em ambiente charmoso. O balcão de crus tem ótimas opções, e o premiado bolinho de caranguejo é sempre boa pedida. Há também um bar animado e um deque no pátio.

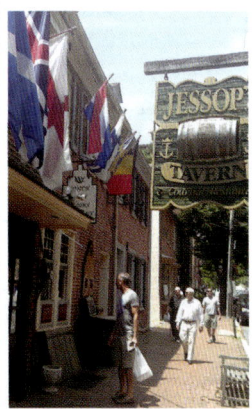

O estilo colonial da Jessop's Tavern, em New Castle, Delaware

Mais informações sobre restaurantes nas pp. 28-9

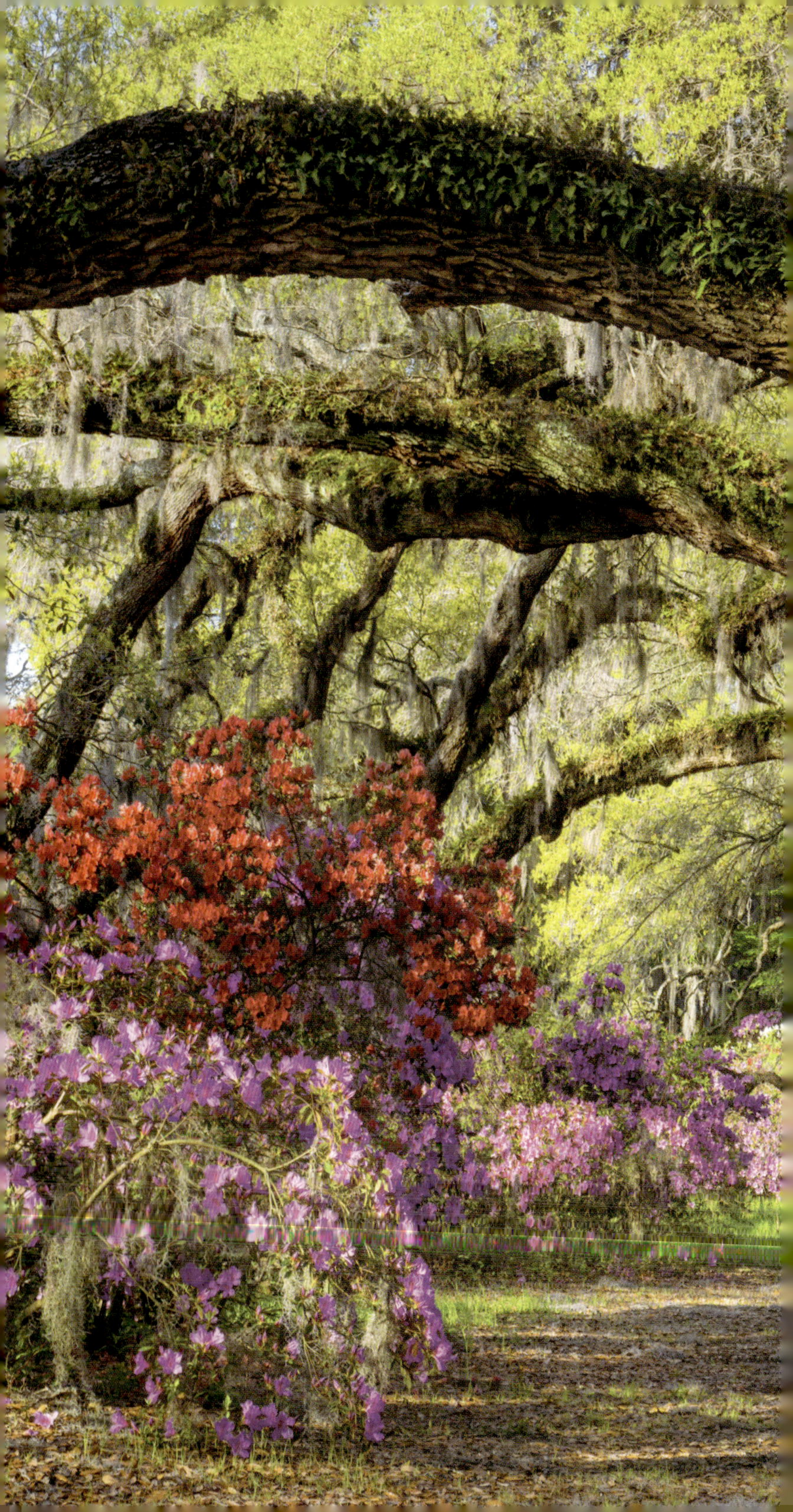

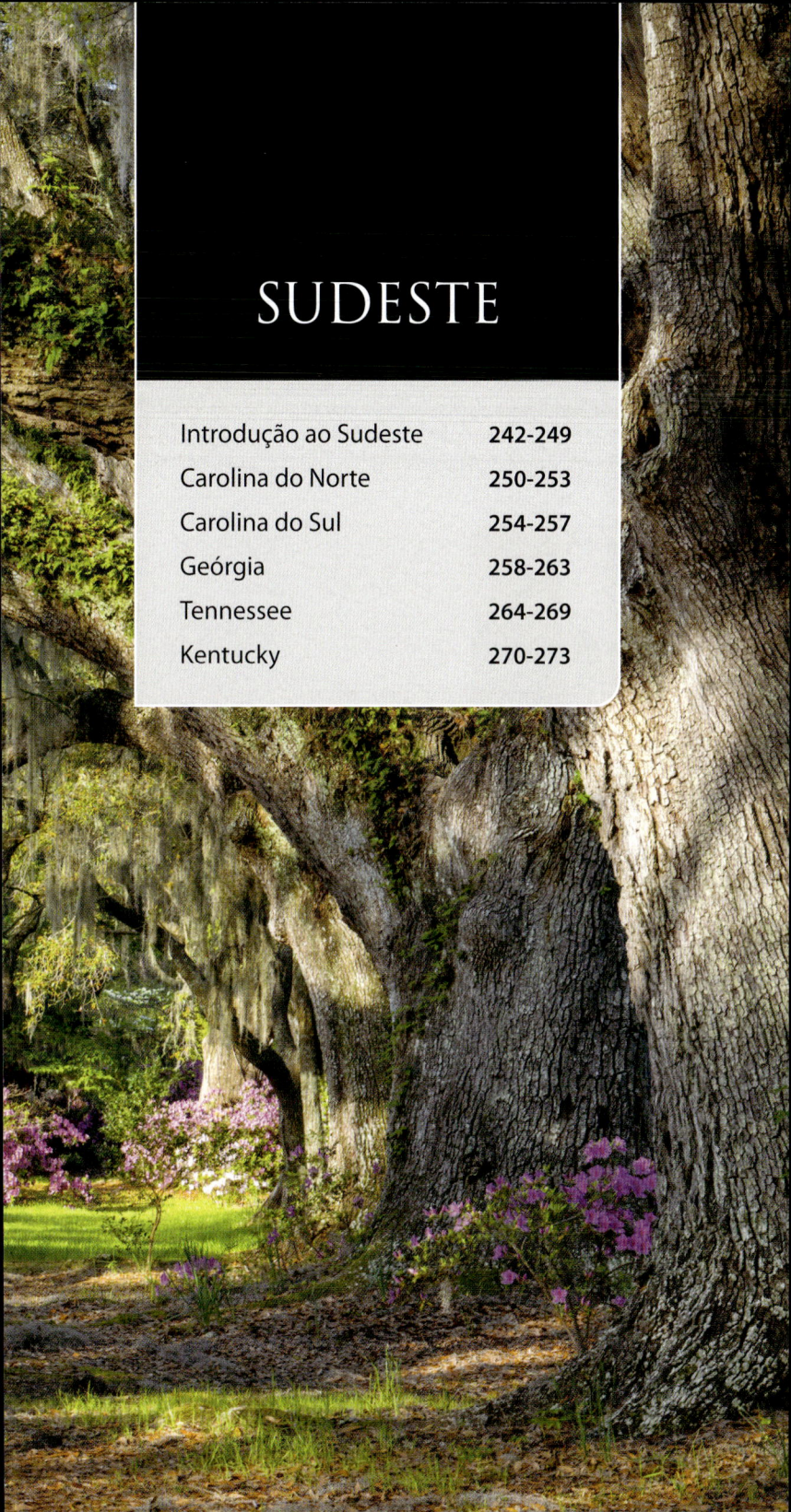

SUDESTE

Introdução ao Sudeste	242-249
Carolina do Norte	250-253
Carolina do Sul	254-257
Geórgia	258-263
Tennessee	264-269
Kentucky	270-273

Sudeste em Destaque

Apesar de os cinco estados do Sudeste – Carolina do Norte e do Sul, Kentucky, Tennessee e Geórgia – terem a mesma história e a mesma cultura, eles são bem diferentes. A região cobre três áreas topográficas diferentes. A leste, nas planícies costeiras ao longo do Atlântico, estão as cidades históricas de Savannah, na Geórgia, e Charleston, na Carolina do Sul, cheias de praias intocadas. As Blue Ridge e as Appalachian Mountains, no centro, exibem muitos quilômetros de áreas panorâmicas belíssimas, enquanto nos sopés desse interior, ligado ao golfo do México pelo rio Mississippi e outros rios largos, ficam cidades como Louisville, no Kentucky, e as duas capitais da música do Tennessee, Nashville e Memphis. Atlanta é o principal centro comercial.

Lexington *(p. 272)* é o principal centro de criação de cavalos do Kentucky. O visitante tem permissão para entrar na maioria dos haras que rodeiam a cidade.

Nashville *(pp. 266-7)*, além de ser a capital do Tennessee, é a capital da música country do país. O centro revitalizado da cidade, com animados restaurantes, cafés e boates, permanece em movimento dia e noite.

Atlanta *(pp. 262-3)*, capital da Geórgia, é o local onde nasceu a Coca-Cola, na década de 1880. A partir de então, o refrigerante se tornou um sucesso internacional. A CNN, poderosa emissora de notícias da TV, também está sediada em Atlanta.

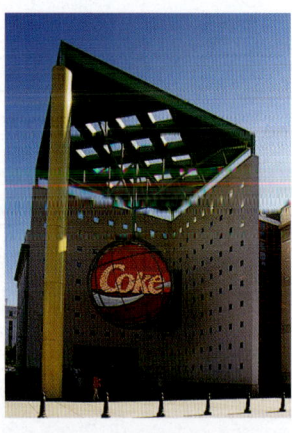

◀ Azaleias coloridas entre as árvores de um dos jardins em *plantations* de Charleston

INTRODUÇÃO AO SUDESTE | 243

Localize-se

Os **Outer Banks** *(p. 252)* constituem uma longa linha de ilhas-barreiras que se localizam ao longo da costa da Carolina do Norte. Além de praias intocadas, há outras atrações, como faróis históricos e o local onde os irmãos Wright fizeram seu primeiro voo bem-sucedido.

Pikeville
Kingsport
Winston-Salem   Greensboro
Asheville   Durham   Rocky Mount
CAROLINA DO NORTE   Raleigh   Beaufort
(pp. 250-3)
Charlotte   New Bern
                    Fayetteville
Greenville   Laurinburg   Jacksonville
CAROLINA DO SUL   Wilmington
(pp. 254-7)
Greenwood   Florence
Athens   Columbia
                                Myrtle Beach
              Orangeburg
GEÓRGIA   Augusta
(pp. 258-63)
Macon
Dublin   Statesboro   Charleston
         Savannah
Jesup
Waycross   Brunswick
Valdosta

Myrtle Beach *(p. 256)*, importante balneário da Carolina do Sul, é a sede de Grand Strand, uma longa área costeira do Atlântico. A praia e seus arredores oferecem ampla variedade de diversões aquáticas.

Veja hotéis e restaurantes dessa região nas pp. 276-8 e 279-81

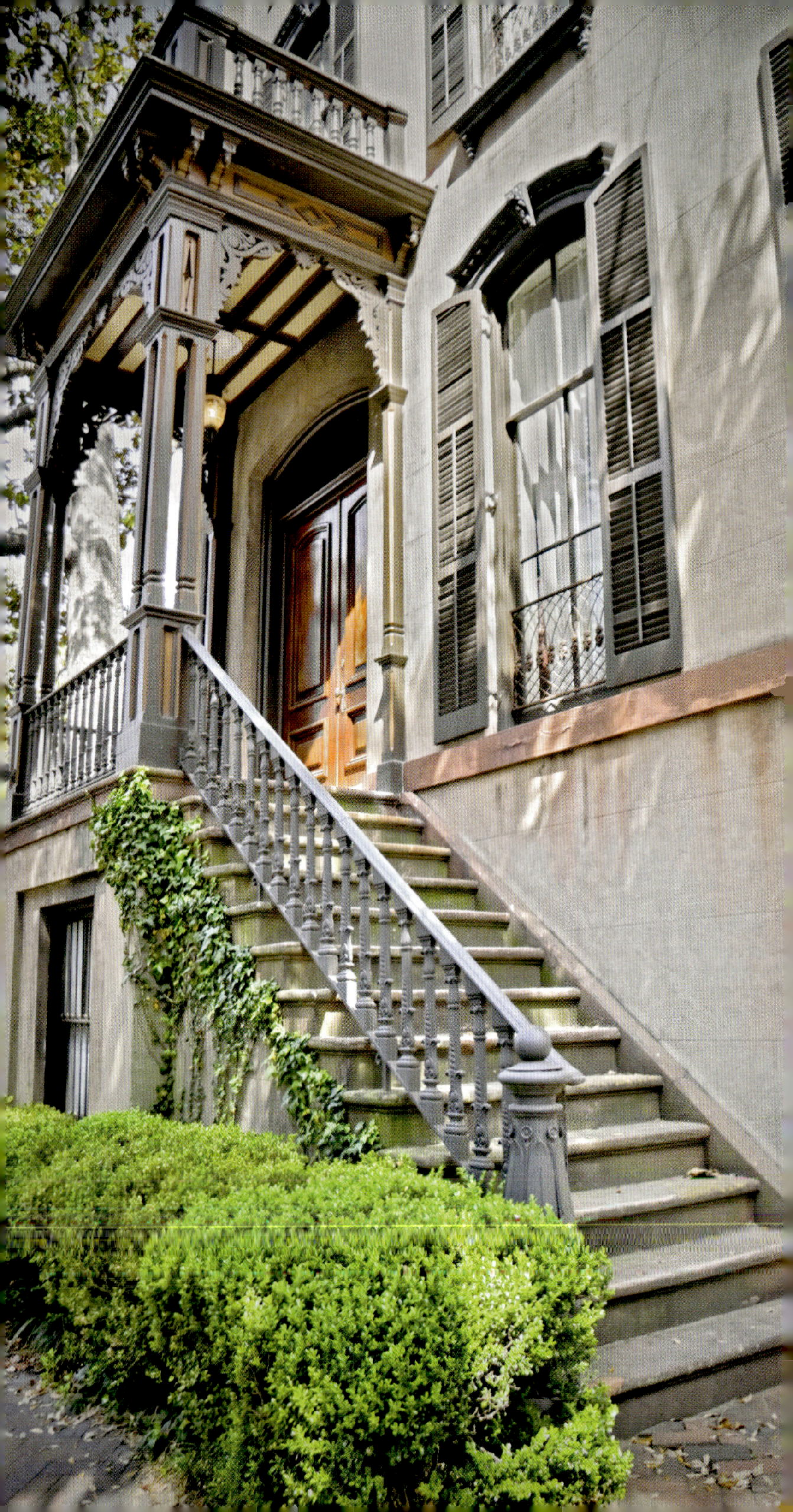

SUDESTE

Uma das regiões mais fascinantes do país, o Sudeste conta com duas das cidades mais bonitas dos EUA – Charleston e Savannah –, além de algumas praias intocadas e áreas de florestas centenárias. Em termos de cultura, a região ficou famosa pelas tradições musicais de ritmos como o country e os blues, que se originaram em Nashville e Memphis.

As cidades do Sudeste refletem o orgulho pelos legados culturais da região. Elogiadas pela beleza e sofisticação, Charleston e Savannah são duas preciosidades urbanas, com casas graciosas e parques dotados de belo paisagismo. Ambas preservam ativamente sua arquitetura imponente e também dão apoio a uma série de hotéis, restaurantes e instituições culturais. As outras cidades variam muito. Durham, na Carolina do Norte, pacata cidade universitária, considerada a "cidade mais educada dos EUA", contrasta com os centros comerciais florescentes, como Atlanta, na Geórgia, a capital econômica do "Novo Sul". Também atraentes são Nashville, capital da música country, e Memphis, berço do blues.

A paisagem natural da região também impressiona. Mais de 1.600km de litoral atlântico são formados por uma longa linha de ilhas-barreiras, que se estende desde o cabo Hatteras até a ilha de Cumberland, na fronteira com a Flórida. No interior, e ligado ao oceano por rios caudalosos, fica o núcleo da região das *plantations* do período colonial. E mais para o interior estão as fazendas da Carolina do Norte, que deram origem às primeiras indústrias de tabaco, e os ondulantes campos do verdejante Horse Country, no Kentucky. Ao centro se encontra o inesquecível cenário montanhoso.

A História

Bem antes da chegada dos primeiros europeus, a região tinha uma cultura indígena altamente desenvolvida, conhecida como *Moundbuilders* (construtores de montículos sepulcrais). Vestígios de suas grandes cidades podem ser vistos no Ocmulgee National Monument, na Geórgia. Índios posteriores, especialmente os cheroquis, que viviam no oeste da Carolina do Norte e no norte da Geórgia, estavam entre as tribos mais desenvolvidas da América do Norte. E havia outras tribos: creek,

Kentucky Derby, corrida de cavalos anual realizada em Churchill Downs, em Louisville

◀ Entrada de uma casa elegante do Sudeste

Exposição do Civil War Museum, em Bardstown, no Kentucky

tuscarora, yamasee e catawba. Mas, no início do século XIX, a maioria havia sido dizimada pela guerra e por doenças ou coagida a ir para oeste. Atualmente, além da notável comunidade cheroqui, no distante canto ocidental da Carolina do Norte, poucos indígenas sobrevivem na região.

No início do século XVI, exploradores das colônias espanholas da Flórida se aventuraram por ali, seduzidos por histórias indígenas de grandes tesouros. Depois dos espanhóis vieram os franceses e, em seguida, os ingleses. Mas foi apenas em 1670, no reinado de Carlos II, que a primeira colônia bem-sucedida, a Carolina, foi criada perto da atual Charleston. Seus colonizadores vieram da colônia inglesa de Barbados, e foram suas habilidades agrícolas que transformaram esses donos de terras nos mais ricos fazendeiros das colônias americanas. Tal riqueza se baseava no trabalho escravo, e milhares deles vieram da África para drenar pântanos, abrir canais e cuidar das plantações. Ao longo do litoral, onde estavam os principais cultivos (arroz e plantas para extração de anil), os colonos brancos eram minoria, suplantados por uma população quatro vezes maior de escravos.

Em 1732, as fortunas da Carolina inspiraram a criação da Geórgia, mais ao sul, fundada pelo governo com propósitos sociais, e não por interesses particulares e comerciais. Pela primeira vez nas Américas, a escravidão foi proibida, assim como a ingestão de bebidas alcoólicas e a presença de advogados. A nova colônia, porém, fracassou e foi dominada pela Carolina, que introduziu práticas escravagistas. Em dezembro de 1860, o estado da Carolina do Sul se declarou independente. Embora a Geórgia a tenha seguido logo depois, os demais estados do Sudeste permaneceram com a União. Foi só depois que as forças da Carolina do Sul atacaram o forte Sumter, perto de Charleston, em 12 de abril de 1861, que o Tennessee e a Carolina do Norte se juntaram aos rebeldes. Por ironia, apenas o Kentucky, berço do presidente Abraham Lincoln e do presidente confederado Jefferson Davis, ficou dividido: um verdadeiro estado de fronteira.

O impacto dos quatro anos da Guerra Civil perdurou por mais cem anos, pois a batalha contra as injustiças da escravidão ganhou força, do mesmo modo que o movimento pelos direitos civis. Apesar de, no início, esse ter sido um esforço do povo, muitos enfrentamentos foram liderados pelo ministro batista, nascido em Atlanta, Martin Luther King Jr., que pregava a não violência para a população negra conquistar a igualdade. Embora Luther King tenha sido assassinado ao participar de uma greve de trabalhadores negros do

PRINCIPAIS DATAS HISTÓRICAS

1587 Sir Walter Raleigh patrocina a fundação da malfadada colônia de Roanoke, na atual Carolina do Norte

1670 O primeiro assentamento inglês permanente na colônia da Carolina ocorre em Charleston

1729 A Carolina se divide em Norte e Sul

1763 O tratado anglo-espanhol fixa o rio Mississippi como limite oeste das colônias do Sudeste

1792 Kentucky se torna o 15º estado americano

1795 É inaugurada em Chapel Hill a University of North Carolina, primeira mantida pelo Estado

1838 O governo força a ida dos cheroquis para oeste, pela "Trilha das Lágrimas"

1861 Os confederados atacam o forte Sumter

1864 O general Sherman poupa Savannah, no final da "Marcha para o Mar"

1903 Os irmãos Wright fazem seu primeiro voo de avião em Kitty Hawk, na Carolina do Norte

1976 O governador da Geórgia Jimmy Carter é eleito 39º presidente dos EUA

1996 Atlanta realiza a 100ª Olimpíada

2002 Jimmy Carter recebe o Prêmio Nobel da Paz

Sepultura de Martin Luther King Jr., em Atlanta, local de peregrinação de pessoas de todo o mundo

saneamento de Memphis, em 1968, o movimento dos direitos civis viu seu colega Andrew Young ser eleito congressista por Atlanta. Mais tarde, em 1981, Young foi eleito prefeito de Atlanta.

Sociedade, Cultura e Artes

O Sudeste foi e continua sendo uma grande fonte para a cultura americana. Atlanta deu ao mundo a Coca-Cola e a CNN, enquanto o Kentucky, principalmente por causa do coronel Sanders e de seu Kentucky Fried Chicken, espalhou a moda da fast-food. Kentucky também é conhecido mundialmente pela produção de *bourbon* de alta qualidade e pelos cavalos de corrida.

Embora as cidades da região sejam importantes, elas também são os canais pelos quais o mundo exterior descobre o interior. A música country de Nashville, por exemplo, tem raízes profundas no folclore dos Apalaches, enquanto o blues e o rock de Memphis surgem de diferentes culturas étnicas e históricas do amplo delta do Mississippi. Uma lista de artistas nascidos e criados ali revela todos os gêneros musicais: os Everly Brothers, Bill Monroe e Loretta Lynn são do Kentucky; John Coltrane, Doc Watson, Thelonous Monk e Nina Simone vêm da Carolina do Norte; os Allman Brothers, James Brown, Otis Redding e Gladys Knight saíram da Geórgia; enquanto o Tennessee é responsável por Chet Atkins, Tina Turner e Carl Perkins, e de seu filho adotivo favorito Elvis Presley (1935-77).

Isso também vale para a literatura, que difunde a criatividade de diversos escritores, a exemplo de Alice Walker, Thomas Wolfe, Carson McCullers e James Agee, e personagens e ambientações como "God's Little Acre" e "Catfish Row", da ópera *Porgy and Bess*, de George Gershwin. Música, literatura e artes continuam dominando a cultura do Sudeste. Diversos eventos e festivais ocorrem por toda a região.

Turismo

As Appalachian Mountains e as formações montanhosas que lhes dão origem (a Blue Ridge e as Great Smoky Mountains) oferecem quilômetros de panoramas espetaculares, num meio ambiente quase intocado. Boa parte da paisagem montanhosa está agora preservada por uma série de parques e florestas municipais, estaduais e nacionais.

O Great Smoky Mountains National Park, em especial, é um dos mais procurados do país, atraindo milhões de visitantes todos os anos. Entre outras atrações estão os balneários litorâneos, que se espalham ao longo dos Outer Banks, e o Kentucky Derby de Louisville, considerado como a corrida de cavalos mais importante do país.

Banda local se apresenta numa das boates do centro de Nashville, no Tennessee

Como Explorar o Sudeste

Apesar da diversidade paisagística e topográfica do Sudeste, a região é compacta o suficiente para ser visitada em, praticamente, uma semana. As cidades costeiras de Charleston e Savannah, assim como as metrópoles interiores de Atlanta, Nashville e Memphis, têm boas conexões por estradas e por voos curtos. A larga crista de montanhas que se eleva no centro dispõe de atrações excelentes, como a panorâmica Blue Ridge Parkway e o Great Smoky Mountains National Park. Entre os outros destaques da região estão as lindas ilhas Golden da Geórgia e as espetaculares paisagens montanhosas e os campos gramados do Kentucky, famosos pelas fazendas de criação de cavalos.

Principais Atrações

Carolina do Norte
1. Research Triangle Region
2. Winston-Salem
3. Blue Ridge Parkway
4. Asheville
5. Outer Banks
6. Roanoke Island
7. Beaufort

Carolina do Sul
8. *Charleston pp. 254-5*
9. Colúmbia
10. Myrtle Beach
11. Georgetown
12. Coastal Islands

Geórgia
13. Savannah
14. Golden Isles
15. Okefenokee Swamp National Wildlife Refuge
16. Americus
17. Macon
18. Athens
19. Dahlonega
20. Stone Mountain Park
21. *Atlanta pp. 262-3*

Tennessee
22. Great Smoky Mountains National Park
23. Chattanooga
24. *Nashville pp. 266-7*
25. *Memphis pp. 268-9*

Kentucky
26. Cumberland Gap National Historic Park
27. Mammoth Cave National Park
28. Berea
29. Daniel Boone National Forest
30. Lexington
31. Harrodsburg
32. Hodgenville
33. Bardstown
34. Louisville

Legenda dos símbolos *na orelha da contracapa*

INTRODUÇÃO AO SUDESTE | 249

Legenda

— Rodovia
— Estrada principal
— Ferrovia
--- Fronteira estadual

Tabela de Distâncias

Atlanta, GA

248 / 399	Savannah, GA					10 = Distância em milhas	
207 / 333	**310** / 499	Asheville, NC				10 = Distância em quilômetros	
324 / 522	**115** / 185	**268** / 432	Charleston, SC				
250 / 402	**497** / 800	**294** / 473	**551** / 887	Nashville, TN			
460 / 740	**711** / 1143	**506** / 814	**787** / 1266	**213** / 343	Memphis, TN		
379 / 609	**583** / 938	**283** / 455	**540** / 869	**213** / 343	**423** / 681	Lexington, KY	
422 / 678	**658** / 1058	**358** / 576	**616** / 991	**175** / 281	**385** / 619	**79** / 127	Louisville, KY

0 km — 100
0 milhas — 100

Vista das nuvens sobre Clingman's Dome, no Great Smoky Mountains National Park

Veja hotéis e restaurantes dessa região nas pp. 276-81

Carolina do Norte

Local do primeiro entreposto inglês na América, em 1585, a Carolina do Norte se tornou o 12º dos treze estados originais de 1789, e também foi uma das primeiras treze colônias do país. Embora a população tenha se concentrado nas cidades, a maior parte do estado permanece coberta de campos de tabaco, o que é fonte de discussão local e nacional. Contudo, a vista de campos verdes salpicados de barracões de secagem com teto de zinco e pranchas de madeira continua a evocar a imagem clássica da Carolina do Norte. Apesar de o cultivo do tabaco dominar o centro do estado, o leste é marcado por quilômetros de praias quase intocadas, e as montanhas a oeste estão entre as mais majestosas a leste das Rochosas.

North Carolina Museum of History
5 E Edenton St, Raleigh. **Tel** (919) 807-7900. 9h-17h seg-sáb, 12h-17h dom. seg. ncmuseumofhistory.org

North Carolina Museum of Art
2.110 Blue Ridge Rd, Raleigh. **Tel** (919) 839-6262. 10h-17h ter-sex (até 21h sex), 10h-17h sáb e dom. ncdcr.gov/ncmoh

UNC Visitor Center
250 E Franklin St, Chapel Hill. **Tel** (919) 962-1630. 9h-17h seg-sex. sáb-dom, feriados. unc.edu

Fachada do North Carolina Museum of History, em Raleigh

❶ Research Triangle Region

2.000.000. Durham Convention and Visitors' Bureau, 101 E Morgan St, Durham, (919) 687-0288, (800) 446-8604.

Raleigh, capital do estado, forma um triângulo regional com as duas cidades universitárias mais importantes: Durham e Chapel Hill. A região é o núcleo intelectual do estado e gerou o Research Triangle Park de alta tecnologia, um *campus* corporativo localizado entre as três cidades. Basicamente uma região e um portal de negócios, o Triangle oferece diversos recursos urbanos e algumas vistas interessantes.

Raleigh é conhecida como "Cidade dos Carvalhos" devido às muitas árvores de carvalho em suas ruas. O calmo centro local tem diversos museus estaduais modernos, localizados do outro lado do Capitólio estatual neoclássico, de 1840, como o Sports Hall of Fame, o Museum of Natural Sciences e o **North Carolina Museum of History**. Esse último é famoso por uma exposição da Guerra Civil com a divisão das lealdades no estado. Outras exposições de piratas, americanos nativos e veículos. Poucos quilômetros ao norte, na direção do aeroporto, o **North Carolina Museum of Art** dispõe de três andares de pinturas e esculturas, como a *Madona e Menino em uma paisagem* do pintor Lucas Cranach, o Velho, que foi roubada pelos nazistas. Quando o fato foi revelado, o museu devolveu o quadro ao verdadeiro dono que o doou ao museu.

Das duas cidades universitárias, a menor, Chapel Hill, é a mais singular das duas, com o *campus* arborizado da **University of North Carolina (UNC)**, o Morehead Planetarium, o museu de arte e a aristocrática Carolina Inn, cuja clientela é da alta sociedade. O centro de Durham, incrustado entre as três partes do *campus* da **Duke University**, sedia o Durham Bulls, time de beisebol da segunda divisão. Ali também se realiza o September Blues Festival, todos os anos. Uma importante referência no West Campus é a magnífica Duke Chapel, um imponente edifício neogótico com vasto espaço interno. Os ex-alunos e os atuais estudantes das duas universidades adoram a animada rivalidade entre seus times esportivos: o Blue Devils, da Duke, e o Tar Heels, da UNC.

❷ Winston-Salem

234.000. 200 Brookstown Ave 27101, (336) 728-4200. visitwinstonsalem.com

Os fortes laços da Carolina do Norte com a indústria do tabaco ficam evidentes no fato de as duas marcas de cigarro mais importantes dos EUA terem recebido os nomes dessas cidades. Imigrantes morávios se instalaram no local em 1766. Seus descendentes festejam essas raízes na **Old Salem**, interessante restauração de um vilarejo colonial, onde os guias com trajes de época desmonstram os ofícios tradicionais. Eles também relatam a história dessa seita protestante que veio da Morávia para essa região. Lojas de presentes oferecem artigos morávios, como rendas feitas à mão e enfeites de estanho. O complexo foi instalado numa colina e se pode percorrê-lo em uma ou duas horas. Ao lado do vilarejo fica o **Museum of Early Southern Decorative Arts**.

Atores com trajes de época, no vilarejo colonial de Old Salem

Veja hotéis e restaurantes dessa região nas pp. 276-81

CAROLINA DO NORTE | 251

Vista panorâmica da densa vegetação e das montanhas da Blue Ridge Parkway

Guias conduzem o visitante pelos 24 salões que exibem produtos de antes da guerra e objetos da região. Há um museu para crianças no térreo.

Old Salem
900 Old Salem Rd. **Tel** (336) 721-7300. 9h30-16h30 ter-sáb, 13h-16h30 dom. Páscoa, Ação de Graças, 24, 25 dez. museu.
oldsalem.org

❸ Blue Ridge Parkway

(828) 298-0398. **nps.gov/blri**

Rodovia panorâmica de duas pistas, a Blue Ridge Parkway *(pp. 50-1)* percorre 755km no sul, a partir da Virgínia, ao longo da crista da Blue Ridge Mountain, onde a estrada serpenteia por 402km, passando por picos, cachoeiras e pelo topo do Mount Mitchell, a 2.037m de altitude.

Destino mais procurado no National Park Service, com mais de 23 milhões de visitantes por ano, a estrada tem um limite máximo de velocidade de 72km/h, que é obrigatório. A paisagem é mais bonita na primavera e no outono.

Alguns trechos fecham no inverno. É possível desviar para trilhas próximas e cidades de montanha, como Boone e Blowing Rock.

A rodovia termina na entrada do **Great Smoky Mountains National Park**, ao norte de Cherokee *(p. 264)*. Nesse local, na reserva de Eastern Band dos índios cheroquis, um museu narra a história desse povo, concentrando-se na remoção forçada da tribo, em 1838, para Oklahoma, pela "Trilha das Lágrimas". Na própria cidade de Cherokee existe um grande cassino administrado por esses índios.

❹ Asheville

85.700.
36 Montford Ave, (828) 258-6129.
exploreasheville.com

Cercado por montanhas, o bairro comercial dessa cidade conserva muitos prédios art déco do início do século XX. O centro de Asheville faz lembrar a época do escritor local Thomas Wolfe (1900-38), que falou de sua cidade natal em *Look Homeward Angel*. Agora a modesta pensão "Dixieland" descrita no romance está preservada como **Thomas Wolfe State Historic Site**. Diz-se que Asheville está entre as cidades mais saudáveis do país. Tem muitas lojas de produtos naturais, restaurantes orgânicos, cafés, livrarias e vibrante cenário artístico e musical, patrocinados por uma multidão de inconformistas e sofisticada população. Provavelmente, é mais conhecida pela **Biltmore Estate**, com 250 cômodos, no sul da cidade. Essa mansão em estilo renascentista francês possui um acervo de quadros e esculturas dos séculos XVIII e XIX, e também é a maior residência dos EUA. Além da casa principal, a magnífica propriedade dispõe de uma vinícola, de uma hospedaria de luxo *(p. 276)* e de jardins projetados por Frederick Law Olmsted, que desenhou o Central Park de Nova York. É provável que o visitante encontre longas filas, pois a propriedade atrai muita gente, o que a coloca entre as casas mais visitadas do país, junto com a Casa Branca e "Graceland", de Elvis Presley *(p. 269)*. Asheville também constitui uma ótima base para explorar a região montanhosa que a cerca.

Thomas Wolfe State Historic Site
52 N Market St. **Tel** (828) 253-8304. 9h-17h ter-sáb.
wolfememorial.com

Biltmore Estate
1 Lodge St, (Hwy 25).
Tel (828) 225-1333. 8h30-18h30 diariam. **biltmore.com**

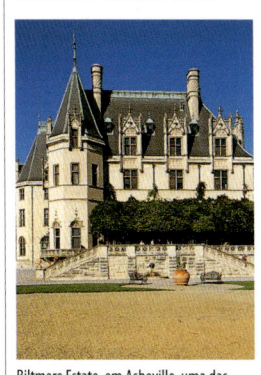

Biltmore Estate, em Asheville, uma das casas mais visitadas em passeios nos EUA

A Cape Hatteras National Seashore protege a costa norte dos Outer Banks

❺ Outer Banks

57.800. 1 Visitors Center Rd, Manteo, (877) 629-4386.
w outerbanks.org

A linha costeira da Carolina do Norte é formada por uma longa linha de ilhas-barreiras conhecidas como Outer Banks. Boa parte da costa norte é protegida, como parte do **Cape Hatteras National Seashore**, onde longos trechos de praias intocadas, dunas e mangues abrigam tartarugas marinhas e diversas espécies de aves aquáticas. No mar, duas correntes de ar se encontram e formam outras correntes mais fortes, tempestades e furacões, que conferiram à costa da Carolina do Norte a fama de "Cemitério do Atlântico". No litoral, os diversos faróis históricos, as estações salva-vidas e as histórias de piratas são uma parte tão importante dos legados marítimos dos Outer Banks quanto sua indústria de frutos do mar.

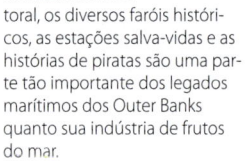

No início do século XX, pontes construídas a partir da terra firme trouxeram o negócio do turismo. Agora hotéis e resorts marcam o litoral mais ao norte, desde Corolla até Nags Head. Além de oferecer sol, surfe e areia, essa região turística dispõe de atrações históricas e diversões para famílias, na cidade de **Kill Devil Hills**. O lema "First in Flight" encontrado em moedas e placas dos carros é uma homenagem ao primeiro voo histórico dos irmãos Wright, que ocorreu no local. O **Wright Brothers National Memorial** se localiza exatamente onde Orville e Wilbur Wright lançaram o *Flyer*, seu primeiro experimento bem-sucedido de voo, em 1903.

A poucos minutos de carro para o sul, no **Jockey's Ridge State Park**, praticantes de asa-delta participam de uma versão moderna das aventuras dos irmãos Wright, e "surfistas de areia" brincam nas maiores dunas da Costa Leste. O "surfe de areia" *(sandboarding)*, descida veloz pela encosta abrupta de uma duna com 34m de altura, é uma tradição respeitada no local. As dunas também são ótimos locais para se observar o pôr do sol. Poucas pessoas se aventuram pelo lado da ilha voltado para terra firme, onde um lento passeio de caiaque pelos mangues ou uma caminhada na panorâmica floresta marítima da **Nags Head Woods Preserve** encantam os mais pacatos. Típicas das ilhas-barreiras, essas florestas marítimas, no rústico litoral atlântico, são marcadas pela "parede" formada por robustos carvalhos, que protegem a vegetação viçosa dos ataques da água e do vento. Siga as placas para a reserva a oeste, saindo da Hwy 158 perto do Wright Brothers Memorial.

O passeio de carro ao longo da National Seashore é um dos percursos mais bonitos do país, durante o qual se pode visitar faróis e caminhar pelas dunas e por calçadas de madeira nos mangues. Entre as dezenas de faróis, o Bodie Island Lighthouse, de 1847, é o único que ainda funciona. Um ferryboat gratuito transporta carros e passageiros entre **Hatteras Island e Ocracoke Island**. O **Cape Hatteras Lighthouse**, de 1870 e identificado pela espiral preta e branca, é o farol de tijolo mais alto do mundo (59m). Na linda vila de Ocracoke há hospedarias, restaurantes e lojas, o que torna esse porto remoto um destino convidativo para um pernoite. O visitante pode utilizar os ferryboats pagos para sair dali (convém fazer reserva).

Placa comemorativa dos irmãos Wright

🏛 Wright Brothers National Memorial
US Hwy 158, marco 8, Kill Devil Hills.
Tel (252) 441-7430. ⬜ 9h-17h diariam. ⬤ 24 e 25 dez.
w nps.gov/wrbr

🌲 Nags Head Woods Preserve
701 W Ocean Acres Dr, Kill Devil Hills.
Tel (252) 441-2525. ⬜ amanhecer-anoitecer diariam.

🗼 Cape Hatteras Lighthouse
Hatteras Is, saída Hwy 12, 1,6km SE de Buxton. **Tel** (252) 995-4474. ⬜ meados abr-meados out: 9h-16h30 diariam (até 17h30 jul-ago).

🏝 Ocracoke Island
Balsa de carros de Ocracoke para Cedar Island ou Swan Quarter. **Tel** (800) 293-3779 para tarifas e horários.

Cape Hatteras Lighthouse, maior farol feito de tijolo no mundo

Veja hotéis e restaurantes dessa região nas pp. 276-81

Os paisagísticos Elizabethan Gardens, na Roanoke Island

❻ Roanoke Island

🛈 1 Visitors Center Rd, Manteo. (877) 629-4386. 🌐 **outerbanks.org**

Uma ilha cheia de mangues, entre a terra firme e os Outer Banks, Roanoke Island foi o local do primeiro assentamento inglês na América do Norte. A primeira expedição a essas praias, patrocinada por Sir Walter Raleigh, aconteceu em 1584. Em 1587, outro navio trouxe mais de cem colonos, que desembarcaram na ilha para criar um núcleo permanente. Porém, após três anos, quando o grupo seguinte chegou, todos os colonos anteriores, entre os quais estavam as primeiras mulheres e crianças inglesas a pisarem no atual EUA, haviam desaparecido sem deixar vestígios. Agora o **Fort Raleigh National Historic Site**, os **Elizabethan Gardens** e o vizinho parque temático com uma réplica de um veleiro do século XVI como peça central estão todos relacionados à história misteriosa dessa lendária "Colônia Perdida". Na ponta norte da ilha, o forte Raleigh preserva as ruínas do ponto de desembarque dos colonos, e passeios guiados por guardas-florestais revelam o quão pouco se sabe a respeito delas. Os Elizabethan Gardens são ótimos para uma caminhada pelas calçadas e pelos gramados paisagísticos. A pouca distância de carro para o sul, no porto de Manteo, o **Roanoke Island Festival Park** conta a história do primeiro navio de exploradores, num passeio em uma réplica do *Elizabeth II*. A ilha, que abrigou antigos assentamentos indígenas, também tem um museu que relata o passado de nativos e europeus na região.

🏛 Fort Raleigh National Historic Site
US Hwy 64/264, Manteo. **Tel** (252) 473-5772. ⏰ 9h-17h diariam. ⬤ 25 dez. 🎫 apenas Elizabethan Gardens. 🌐 **nps.gov/fora**

🏛 Roanoke Island Festival Park
Port of Manteo. **Tel** (252) 475-1500. ⏰ 9h-16h ou 18h diariam (sazonal, ligar antes). ⬤ 1º jan, Ação de Graças, 24-25 dez. 🎫 ♿

🌐 **roanokeisland.com**

❼ Beaufort

🚗 4.000. 🛈 (252) 726-8148 (Morehead City).

O grande charme de Beaufort está em seus *bed-and-breakfasts* históricos, mercados de frutos do mar e restaurantes. O destaque da pequena orla desse balneário é o **North Carolina Maritime Museum**, que divulga a história da navegação, da pesca e dos piratas dessa costa. Um robô fanfarrão de Edward "Barba Negra" Teach, famoso pirata que foi capturado e morto fora dos Outer Banks, em novembro de 1718, saúda o visitante.

O Dia do Pirata é um evento educativo realizado para as famílias, dedicado às histórias de piratas, com trajes de época, hasteamento de bandeiras e caça ao tesouro. Entre outras atividades estão aulas de como construir barcos e fazer redes e excursões de caiaque. No cais, ferryboats particulares levam passageiros para as praias desertas de Lookout Island, protegida do desenvolvimento pela **Cape Lookout National Seashore**. O ecossistema de Lookout Island é semelhante ao de Cape Hatteras, com praias virgens, mangues e dunas, cheio de pássaros. Mas o acesso limitado a torna menos visitada. A cidade na ponta norte da ilha foi abandonada na década de 1970.

🏛 North Carolina Maritime Museum
315 Front St. **Tel** (252) 728-7317. ⏰ 9h-17h seg-sex, 10h-17h sáb, 13h-17h dom. ⬤ 1º jan, Ação de Graças, 25 dez. ♿ 🌐 **ncmaritimemuseums.com**

🏞 Cape Lookout National Seashore
3.601 Bridge St, Morehead City. **Tel** (252) 728-2250. ⏰ 9h-17h diariam. ⬤ 1º jan, 25 dez. 🌐 **nps.gov/calo**

A orla de Salt Marsh e Newport River, em Beaufort

Carolina do Sul

Depois de se separar da irmã do norte, em 1729, a colônia da Carolina do Sul se espalhou pelo interior, onde imigrantes galeses, irlandeses e escoceses criaram pequenas fazendas cultivadas pelos proprietários, em nítido contraste com os aristocratas do litoral. Por volta da década de 1860, porém, as diferenças entre as duas áreas diminuíram, e a Carolina do Sul se tornou o primeiro estado sulista a se declarar independente da União. Logo depois, o primeiro tiro da Guerra Civil foi dado no forte Sumter. Agora os "dias de glória" de resistência e de revolução são recriados em *plantations*, museus e monumentos. Mas muitos visitantes só se interessam pelas praias.

❽ Charleston

125.500. 375 Meeting St, (843) 853-8000. Spoleto Festival (fim mai-início jun).
w charlestoncvb.com

Uma das mais bonitas cidades do sul e primeira capital do estado, Charleston se localiza na ponta de uma península, entre os rios Ashley e Cooper. Com nome em homenagem ao rei Carlos II da Inglaterra, a cidade foi fundada em 1670 e logo se tornou uma rica colônia com *plantations* de fumo, arroz e anileiras. O primeiro tiro da Guerra Civil foi dado bem na saída do porto, onde as pessoas se reuniram para ver os confederados sitiarem o forte Sumter. Agora Charleston conserva boa parte da arquitetura desse período e é procurada para visitas a casas e jardins de antes da guerra, passeios de carruagem, pela culinária sulista e pelos refúgios em *plantations*.

A arquitetura bem preservada do bairro histórico evoca o passado colonial da cidade e os primeiros americanos. Os prédios variam de estilo e há construções coloniais, georgianas, neoclássicas, neogóticas, italianas e vitorianas. Entre os destaques estão as inconfundíveis residências de Charleston, perpendiculares à rua, com lindas varandas ao redor. As únicas construções altas são os campanários das igrejas. Passeios de carruagem por ruas arborizadas permitem uma visão geral agradável.

Numa excursão que sai do **Old City Market** e vai até Battery dá para ver muitas atra-

A charmosa Heyward-Washington House, de 1772

ções ao longo da Church Street, a exemplo da loja antiga, da igreja huguenote em estilo gótico francês e a **Heyward-Washington House**. Essa casa, de 1772, foi construída por um plantador de arroz, Daniel Heyward. Ela dispõe de uma excelente coleção de móveis feitos em Charleston. Meio quarteirão adiante, virando para leste em Chalmers, chega-se ao Old Slave Mart, um dos mercados mais movimentados das colônias americanas. Em Battery, a **Edmondston-Alston House** é uma suntuosa mansão de 1825, voltada para o porto. O White Point Gardens Park fica ao sul, enquanto o Waterfront Park está ao norte, com fontes por onde se passeia, na frente de uma série de restaurantes concorridos. Pode-se explorar as alamedas calçadas com pedras e procurar jardins escondidos, gárgulas e vistas do porto. A oeste do Waterfront Park, o **Gibbes Museum of Art** narra a história local por meio de quadros com paisagens e retratos de famosos moradores da Carolina do Sul.

Heyward-Washington House
87 Church St. **Tel** (843) 722-2996.
10h-17h seg-sáb, 13h-17h dom.
principais feriados.

Edmondston-Alston House
21 E Battery. **Tel** (843) 722-7171.
10h-16h30 ter-sáb, 13h-16h30 dom-seg. principais feriados.

Gibbes Museum of Art
135 Meeting St. **Tel** (843) 722-2706.
10h-17h ter-sáb, 13h-17h dom.
principais feriados.

South Carolina Aquarium
100 Aquarium Wharf. **Tel** (843) 720-1990. mar-ago: 9h-17h diariam; set-fev: 9h-16h diariam. feriados.
w scaquarium.org

Com localização pitoresca, voltada para o porto, o aquário de Charleston oferece uma ótima apresentação das criaturas nativas encontradas nos hábitats aquáticos do estado, que vão dos rios e pântanos de água preta dos Apalaches até os mangues e recifes de coral. Ao lado há um IMAX® Theater.

Fort Sumter Visitor Center
340 Concord St. **Tel** (843) 883-3123.
8h30-17h diariam. 1º jan, 25 dez. passeios de barco.
w nps.gov/fosu

No ponto de embarque dos passeios de barco para o forte Sumter, o centro de visitantes conta a história da primeira ba-

Canhões da Guerra Civil preservados no forte Sumter

Veja hotéis e restaurantes dessa região nas pp. 276-81

talha da Guerra Civil americana. O forte, que fica numa ilha na entrada do porto de Charleston, era controlado por tropas da União. Em abril de 1861 o exército confederado cercou o forte. Quando as tropas da União tentaram pedir suprimentos, os confederados, que tinham ocupado o vizinho forte Johnson, desencadearam um bombardeio de 34 horas. Por fim, as forças da União se renderam em 14 de abril de 1861, e o forte ficou sob domínio confederado até 1865. Ironicamente, o general Beauregard, líder confederado, foi aluno do comandante que defendia a União, o major Robert Anderson, na US Military Academy de West Point, no estado de Nova York (p. 101). O forte Sumter, preservado, é National Monument.

Florada nos Audubon Swamp Gardens, em Magnolia Plantation

🏛 Charleston Museum

360 Meeting St. **Tel** (843) 722-2996. ⏱ 9h-17h seg-sáb, 13h-17h dom. ⏺ feriados.
w charlestonmuseum.org

Esse museu mostra uma visão geral da história da cidade desde os tempos pré-coloniais. Suas peças mais interessantes estão nas galerias dos índios americanos e de história natural; o primeiro possui canoas de tronco e manequins trajados a caráter; o segundo tem diversos esqueletos de animais pré-históricos, como o do *Thescelosaurus neglectus*, dinossauro do Cretáceo.

🏛 Ashley River Plantations

Middleton Place 3.550 Ashley River Rd. **Tel** (843) 556-6020. ⏱ 9h-17h diariam. ⏺ 25 dez. Drayton Hall 3.380 Ashley River Rd. **Tel** (843) 769-2600. ⏱ 9h30-15h ou 16h (sazonal). ⏺ 1º jan, 1ª semana fev, Ação de Graças, 24-25 dez, 31 dez. Magnolia Plantation Rte 4/Hwy 61. **Tel** (843) 571-1266. ⏱ 9h-16h30 diariam.

Subindo o rio, três propriedades permitem observar o estilo de vida campestre de Charleston. Delas, a mais grandiosa é **Middleton Place**, com sua mansão de 1755 localizada num costão de onde se veem os jardins paisagísticos mais antigos dos EUA. Perto, fica um dos melhores exemplos de arquitetura colonial do país: **Drayton Hall**. Construída em 1738, essa mansão georgiana-paladiana foi preservada em seu estado original sem eletricidade nem encanamentos. Nela ocorre um programa diário sobre o legado afro-americano. **Magnolia Plantation** possui casa mais modesta, com zoo. Dispõe de um trenzinho motorizado que passeia pela propriedade. E há amplos jardins informais, ao lado do rio, com caminhos que levam até uma profusão de flores e aos **Audubon Swamp Gardens**, um santuário de árvores dos pântanos.

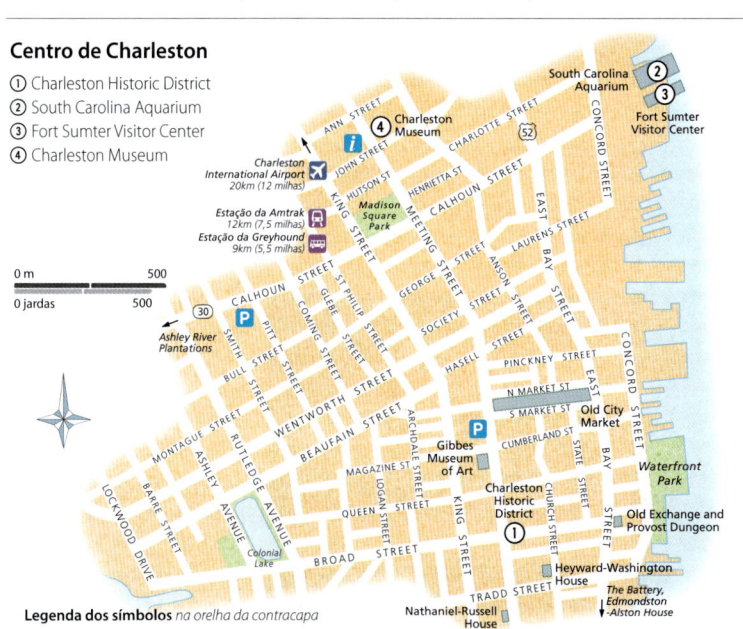

Centro de Charleston

① Charleston Historic District
② South Carolina Aquarium
③ Fort Sumter Visitor Center
④ Charleston Museum

Legenda dos símbolos *na orelha da contracapa*

❾ Colúmbia

🚌 131.600. 🚊 🚐 ℹ️ 900 Assembly St, (803) 545-0000.
🌐 **columbiacvb.com**

Situada na linha de desnível do rio Congaree – área que marca o limite da navegação para o interior –, essa cidade se tornou capital em 1786, superando Charleston. Embora o general William T. Sherman tenha quase destruído Colúmbia na Guerra Civil, a **State House** ficou intacta. Agora seis estrelas de bronze marcam onde as balas de canhão da União atingiram o prédio de 1855, com cúpula de cobre, localizado na Gervais Street, no centro.

À margem do rio, o **South Carolina State Museum** foi instalado numa fábrica de tecidos de 1894, artisticamente restaurada com exibições informativas sobre a história natural, cultural e industrial do estado. Ao lado, o **South Carolina Confederate Relic Room and Museum** mantém uma enorme coleção de objetos que traçam a história da participação da Carolina do Sul nas guerras dos EUA, da Guerra Civil em diante. Há uma exibição sobre a história e os significados, às vezes controversos, da bandeira confederada. Enquanto os sulistas tradicionalistas proclamam que a bandeira é símbolo de orgulho regional, outros a veem como emblema da supremacia dos brancos, que deveria ser abolido. Num passeio de carro de 20 minutos ao sul da cidade, o **Congaree Swamp National Park** oferece ao visitante um olhar mais de perto sobre a biodiversidade do ecossistema do pântano de ciprestes, que fica mais bonito do fim do outono até o início da primavera.

Vista do Grand Strand, em Myrtle Beach

🏛 **South Carolina State Museum**
301 Gervais St. **Tel** (803) 898-4921. 🕐 10h-17h ter-sáb, 13h-17h 1º dom do mês. ⬤ seg, Páscoa, Ação de Graças, 25 dez. ♿ 🌐 **crr.sc.gov**

🏛 **South Carolina Confederate Relic Room & Museum**
301 Gervais St. **Tel** (803) 737-8095.
🕐 10h-17h ter-sáb. ⬤ feriados. ♿
🌐 **state.sc.us/crr** 🌐 **crr.sc.gov**

❿ Myrtle Beach

🚌 23.000. 🚊 🚐 ℹ️ 1200 N Oak St, (843) 626-7444.
🌐 **visitmyrtlebeach.com**

Essa praia é o centro do Grand Strand, uma longa linha de costa ao sul da fronteira da Carolina do Norte, cheia de hotéis, campos de golfe, parques de diversões e fliperamas.

Ela esteve no auge na década de 1950, quando era destino das férias de primavera, e estudantes universitários vinham para essa cidade praiana para festas de fim de semana. "The Shag", dança oficial da Carolina do Sul, foi inventada ali e virou moda no país inteiro. A elite passa férias em resorts exclusivos, mas todo mundo quer ir até a vila de pesca de **Murrell's Inlet** pelos frutos do mar.

Ao sul de Myrtle Beach, duas atrações merecem um desvio. No lado da terra firme, pela Hwy 17, a 26km ao sul da praia, fica **Brookgreen Gardens**, que exibe 550 esculturas de 250 artistas. No lado do mar, o **Huntington Beach State Park** dá acesso a uma praia quase intocada e a uma passarela de madeira em cima do mangue. O parque possui um estúdio de arte que pertenceu a Anna Huntington, escultora que criou os Brookgreen Gardens na década de 1930.

🌿 **Brookgreen Gardens**
US Hwy 17. **Tel** (843) 235-6000.
🕐 9h30-17h diariam. ⬤ 25 dez.
♿ 🌐 **brookgreen.org**

⓫ Georgetown

🚌 10.000. ℹ️ 1.001 Front St, (843) 546-8436. 🌐 **visitgeorge.com**

Às margens do rio Sampit, Georgetown era o centro do lucrativo comércio estadual de arroz, produzindo quase a metade da colheita cultivada nos EUA na década de 1840. O **Rice Museum**, no centro, ocupa o prédio do Old Market de 1842 e conta como a indústria do arroz influenciou praticamente todos os aspectos da vida local. A galeria marítima apresenta exemplos de embarcações históricas locais. O museu leva a um parque da orla onde uma passarela de

Armas da Guerra Civil no South Carolina State Museum, em Colúmbia

Veja hotéis e restaurantes dessa região nas pp. 276-81

madeira facilita a caminhada por cima do mangue.

O bairro comercial é a reminiscência de uma cidadezinha sulista do início a meados do século XX, em contraste com o Grand Strand e a alvoroçada Charleston. A cerca de 24km ao sul de Georgetown, o **Hampton Plantation State Park** é uma propriedade georgiana de 1750. O visitante pode explorar a mansão, que oferece uma bela vista do que sobrou das plantações de arroz. Os campos são muito bem cuidados, e possuem enormes carvalhos e lindos jardins de camélias.

Hampton Plantation State Park, em Georgetown

Rice Museum
Front e Screven Sts. **Tel** (843) 546-7423. 10h-16h30 seg-sáb, 11h30-15h30 dom. feriados.
w ricemuseum.org

Hampton Plantation State Park
US Hwy 17. **Tel** (843) 546-9361. 9h-17h diariam (campos), 9h-17h sáb-ter (casa). casa.
w southcarolinaparks.com

⑫ Coastal Islands

Lowcountry Visitors Center & Museum, I95 saída 33 e US17. **Tel** (843) 717-3090.
w southcarolinalowcountry.com

As remotas ilhas da costa se estendem do sul de Georgetown e vão além de Savannah, na Geórgia, ocupando uma região semitropical, com uma rica história cultural e natural. Dunas móveis, florestas marítimas de carvalhos americanos enfeitados com barba-de-velho e videiras muscadínias, e diversos mangues e lagoas dão proteção à vida selvagem, que inclui tartarugas marinhas, pássaros, aligátores, águias-pescadoras e golfinhos.

A história afro-americana exclusiva dessa área surgiu em torno do legado dos escravos, levados para lá das regiões de plantio de arroz na África Ocidental, a fim de fazerem o mesmo cultivo nas terras alagadiças. Isolados nessas ilhas, os africanos do litoral conseguiram perpetuar suas tradições culturais por gerações. Agora o legado *gullah* permanece reconhecível no linguajar local, em sua música, culinária e em seus hábitos. A leste de Beaufort, duas ilhas preservam a história cultural e natural. Ambas são acessadas de carro pela Hwy 21, que oferece uma vista panorâmica dos mangues de Port Royal Sound.

Na St. Helena Island, o famoso **Penn Center** permite avaliar a cultura *gullah*. Ex-escola fundada em 1862 pelos abolicionistas da Pensilvânia durante a Guerra Civil, o centro exibe uma história diferente da época dos direitos civis. Líderes nacionais como Martin Luther King e grupos como a Southern Christian Leadership Conference se encontraram no local para fomentar o Movimento pelos Direitos Civis. Um museu modesto, situado na velha escola, relata os muitos eventos do passado, por meio de fotografias e outras exibições. O centro também patrocina programas de narração de histórias e um festival anual que celebra a cultura *gullah*.

Canoagem no Hilton Head Island Resort, em Coastal Islands

Depois de St. Helena, o **Hunting Island State Park**, na Hunting Island, preserva o ambiente de uma ilha-barreira. Entre suas atrações estão uma agradável praia quase deserta, um camping à beira-mar e um farol do século XIX.

A **Hilton Head Island**, cujo nome homenageia o capitão do mar William Hilton, que explorou a ilha em 1664, é o principal balneário da Carolina do Sul. Conta com diversos complexos hoteleiros de luxo, como Westin Resort, Hyatt Regency, Crowne Plaza, Disney e Hilton, que dispõem de golfe, tênis e spa. Entre outras oportunidades de recreação, pode-se cavalgar, pescar, andar de barco, velejar ou optar por outros esportes aquáticos.

Penn Center
16 Penn Center Circle W, St. Helena. **Tel** (843) 838-2432. 11h-16h seg-sáb. feriados.
w penncenter.com

Hunting Island State Park
Hwy 21. **Tel** (843) 838-2011. abr-out: 6h-21h diariam; nov-mar: 6h-18h diariam.

Anoitecer no mangue de Port Royal Sound, nas Coastal Islands

Geórgia

Última das treze colônias originais, a Geórgia foi fundada pelo general britânico James Oglethorpe para barrar o avanço espanhol vindo da Flórida. Embora inicialmente o estado tenha proibido a escravidão, pressões econômicas das concorrentes colônias escravistas levaram à sua adoção. Em consequência, a Geórgia enriqueceu com o trabalho escravo nas *plantations* de arroz, anileira e algodão. O estado foi devastado na Guerra Civil com a "Marcha para o Mar" do general Sherman, que arrasou uma faixa de terra que cruzava a Geórgia. Liderado por Atlanta *(pp. 262-3)*, o estado conseguiu superar os problemas do passado e estava bem localizado para se beneficiar do *boom* econômico do fim do século XX.

Colorido arranjo de Halloween, na River Street, em Savannah

⓭ Savannah

142.000. 301 Martin Luther King Jr. Blvd, (912) 944-0455. **w** visitsavannah.com

Considerada a "mais bela cidade americana" pelo jornal parisiense *Le Monde*, os verdejantes parques ajardinados e as casas graciosas de Savannah lhe conferiram essa fama pela beleza panorâmica e pela sofisticação. Foi fundada em 1733, às margens do rio Savannah, a 26km do Atlântico.

James Oglethorpe, seu criador, projetou uma grade urbana salpicada de pequenas praças destinadas a deter os invasores. Atualmente, mesmo depois dos tumultos da Revolução e da Guerra Civil, o projeto dele continua intacto, só que agora as praças servem como jardins panorâmicos cheios de estátuas e fontes. A cidade possui um dos maiores, e talvez mais bonitos, bairros históricos dos EUA, que floresceu como núcleo comercial do centro. Passeios de carruagem permitem que se tenha uma noção histórica de Savannah, mas a pé é melhor para explorar a área.

River Street é uma das áreas de diversão do centro da cidade, cheia de restaurantes de frutos do mar, tabernas barulhentas e lojas de presentes instaladas em armazéns feitos de pedra de lastro. Táxis aquáticos levam e trazem os passageiros até o moderno Convention Center, cruzando o rio até Hutchinson Island. Morro acima, a **Factors Walk** é uma imponente calçada no topo do costão. A alguns quarteirões do rio, o **City Market** é outro ponto animado de artes e diversões em prédios históricos.

Museus em casas históricas por toda Savannah ajudam a compreender a história, a arquitetura e a cultura da cidade. Há centros religiosos e casas abertas à visitação o ano todo. A **Davenport House**, na Columbia Square, é tida como um dos melhores exemplos de arquitetura no estilo federal, enquanto a **Owens-Thomas House**, na Oglethorpe Square, está entre os mais belos prédios no estilo regência, erguido pelo arquiteto inglês William Jay, em 1816. Outras casas podem ser vistas no concorrido **Tour of Homes and Gardens**, que se realiza na primavera. Alguns museus também realçam diferentes aspectos da história da cidade. A **Telfair Academy of Arts**, no centro do bairro histórico, apresenta excelente acervo de pinturas impressionistas e artes decorativas, numa mansão em estilo regência, de 1818. Na ponta oeste do bairro, o **Ships of the Sea Maritime Museum** exibe miniaturas de navios de todos os formatos e tamanhos, na suntuosa Scarborough House, de 1819. Situado logo depois do bairro histórico, o **Ralph Mark Gilbert Civil Rights Museum** expõe peças relacionadas à história da cidade. Os passeios que revelam o legado afro-americano também começam no museu.

Muitas outras atrações se espalham pelas baixadas em volta – região do litoral com mangues na Geórgia e na Carolina do Sul *(pp. 257)*. Num passeio de carro pela Hwy 80, a leste do balneário de **Tybee Island** (29km a leste do centro), passa-se pelo **Bonaventure Cemetery**, onde estão enterrados o cantor Johnny Mercer e o escritor Conrad Aitken. Nesse caminho também fica o enorme **Fort Pulaski National Monument**, de tijolo, que se ergue como uma fortaleza medieval na foz do rio Savannah.

Davenport House
324 E State St. **Tel** (912) 236-8097.
10h-16h seg-sáb, 13h-16h dom.
1º jan, 17 mar, Páscoa, 4 jul, Ação de Graças, 25 dez.
w davenporthousemuseum.org

Fort Pulaski National Monument, em Savannah

Veja hotéis e restaurantes dessa região nas pp. 276-81

Jekyll Island Club Hotel, um dos muitos prédios históricos das Golden Isles

⑭ Golden Isles

68.000 (Glynn County). 4 Glynn Ave, (912) 265-0620. **w** bgicvb.com

Os espanhóis chamaram as ilhas-barreiras da costa sul da Geórgia de "Golden Isles", talvez por algum tesouro escondido ou pelos tons dourados dos mangues no outono. As ilhas servem basicamente de balneário, mas conservam diversos pontos históricos. O **Fort Frederica National Monument**, localizado em **St. Simons**, numa faixa panorâmica do rio Frederica ao lado de Christ Church, contém as ruínas de uma vila fortificada construída por James Oglethorpe, em 1736. Outro local significativo é a calma extensão de mangue na saída da Demere Road, ao sul do forte Frederica, onde houve a batalha de Bloody Marsh, em 1742. Esse combate decisivo entre as forças inglesas e espanholas determinou que a autoridade colonial controlaria essa parte do continente americano. Perto da ponta sul da ilha, o Neptune Park do centro de St. Simons possui o histórico **St. Simons Lighthouse**, de 1872, no qual o visitante pode subir. Do outro lado de Bloody Marsh, vindo de St. Simons, a Sea Island abriga o luxuoso Cloister Hotel.

Na virada do século XX, a **Jekyll Island** era o refúgio exclusivo dos grandes industriais do país, a exemplo dos Vanderbilt, dos Goodyear e dos Rockefeller. No entanto, com a Segunda Guerra Mundial, essa ilha costeira vulnerável foi considerada insegura e essas famílias se mudaram para outros lugares. Agora o bairro histórico da ilha contém os "chalés" (como eram conhecidas as mansões dos milionários) e o elegante Jekyll Island Club. Os chalés foram restaurados e reabriram como museus ou hotéis. Entre eles está o Indian Mound Cottage, de 1892, que passou às mãos de William Rockefeller em 1904, e Crane Cottage, que agora faz parte do **Jekyll Island Club Hotel** e tem um ótimo restaurante. Outros destaques são o antigo estábulo, agora um pequeno museu, e a Faith Chapel, com vitrais de Tiffany. O histórico Jekyll River Wharf, ao lado do Jekyll Island Club Hotel, dispõe de um concorrido restaurante de frutos do mar servidos crus, principalmente as ostras frescas. Junto ao mar, uma série de motéis e restaurantes de franquias oferece hospedagem e refeições para famílias. Há também um camping na ponta norte da ilha, perto de "Boneyard Beach" (praia do cemitério), onde madeiras flutuantes esbranquiçadas pelo sol deram à praia seu nome.

St. Simons Lighthouse

Fort Frederica National Monument
Frederica Rd, St. Simons Island. **Tel** (912) 638-3639. 9h-17h. **w** nps.gov/fofr

⑮ Okefenokee Swamp National Wildlife Refuge

Hwy 121, Folkston. (912) 496-7836. amanhecer-17h30 (19h30 no verão). 25 dez. exposições.

No longínquo canto sudeste do estado, o Okefenokee Swamp é um ambiente exótico e primitivo com pântanos turfosos e ciprestes, onde vivem aligatores, tartarugas de casco mole, lontras e muitas aves. O nome "Okefenokee", da língua dos índios seminoles, pode ser traduzido como "terra que treme", indicando os montículos de turfa que borbulham na água como parte natural da ecologia dos pântanos. Passeios de barco oferecem uma visão mais de perto de três seções do pântano, incluindo o **Okefenokee Swamp Park**, perto de Waycross, e a sede de uma reserva de vida selvagem em **Folkston**, que fornece detalhes sobre excursões a remo pelo pântano, com pernoite. Fargo, perto da entrada oeste do pântano, é a cidade mais próxima do **Stephen C. Foster State Park**, a 29km para nordeste. Essa seção fica numa península, onde há uma reentrância profunda do pântano. Ali existem campings e cabanas.

Okefenokee Swamp Park
Hwy 177, Waycross. **Tel** (912) 283-0583. 9h-17h30 diariam. Ação de Graças, 25 dez. exposições. **w** okeswamp.com

Suwanee Canal Recreation Area, no Okefenokee Swamp Refuge

⑯ Americus

16.400. Windsor Hotel Visitor Center, 123 W Lamar St, (229) 928-6059.

Fora dos circuitos mais conhecidos do sul da Geórgia, a cidade de Americus fica numa região com muitas atrações. Ela é a sede da **Habitat for Humanity**, organização de alcance mundial que oferece habitações "autoconstruídas" para os pobres. Ali também se localiza o Global Village and Discovery Centre, que abriga um mercado internacional e até 40 exemplos de casas erguidas ao redor do mundo, em países como Papua-Nova Guiné, Botsuana e Gana.

Situada a 16km do norte da cidade, Andersonville é o **National Prisoner of War (POW) Museum**. Ele marca o local que foi um conhecido campo de prisioneiros na Guerra Civil, que depois se tornou cemitério de veteranos. Quase 13 mil presos morreram por causa das terríveis condições em que eram mantidos. Instalado numa estrutura construída para se parecer com um campo de concentração, suas exibições perturbadoras homenageiam os prisioneiros de guerra americanos desde a Guerra Civil até as guerras do Vietnã, do Golfo e do Iraque.

A escola de ensino médio de Plains, 16km a oeste de Americus, faz parte do **Jimmy Carter National Historic Site**. Ali, uma professora previu que seu aluno seria presidente. Carter provou que ela estava certa e agora a escola se dedica à vida do filho do fazendeiro de amendoim da área que se tornou o 39º presidente em 1976, após a renúncia de Nixon (p. 213). O ex-presidente, ganhador do Prêmio Nobel da Paz em 2002, mora no local e dá aula na escola dominical da Maranatha Baptist Church quando está na cidade. Um passeio de trem sai de Cordele, passa por Plains e vai até a fazenda da infância de Carter, em Archery.

Habitat for Humanity
121 Habitat St com W Lamar St. **Tel** (229) 924-6935. 9h-17h seg-sex. sáb e dom.

⑰ Macon

91.200. 450 Martin Luther King Jr. Blvd, (478) 743-3401.
maconga.org

Instalada na margem sul do rio Ocmulgee, em 1823, Macon ganhou uma grade de avenidas, que ainda existem no centro histórico. Subindo a colina está um dos destaques da cidade, o Intown Historic District. Essa área tem algumas das casas mais bonitas da cidade, e poucas são abertas à visitação. O **Hay House Museum**, construído em 1855 no estilo renascentista italiano, apresenta características de época como *trompe l'oeil* no mármore, salão de baile e passagens secretas. De 1842, a House Inn também se localiza ali. Passeios arquitetônicos com guia começam no centro de visitantes. A cidade também tem uma história musical vibrante e abrigou nomes famosos, como Little Richard e Otis Redding. O **Big House Museum**, localizado na Vineville Avenue, abriga o **Allman Brothers Band Museum**, um tributo aos primeiros anos da banda de rock que dá nome ao museu. O **Georgia Sports Hall of Fame** homenageia atletas da Geórgia, como Hank Aaron e Ty Cobb. Saindo do centro e cruzando o rio, encontra-se o **Ocmulgee National Monument** que marca um aglomerado de montículos históricos, construído por volta de 1100, como capital da Confederação Creek.

Exterior do Hay House Museum, no estilo italiano, em Macon

Hay House Museum
934 Georgia Ave. **Tel** (478) 742-8155. 10h-16h ter-sáb, 13h-16h dom. seg (ano todo), dom (jan, fev, jul, ago), feriados.

⑱ Athens

118.000. 280 E Dougherty St, (706) 353-1820.

Cidade da **University of Georgia** (UGA), Athens é conhecida como o centro intelectual e literário do estado. Também ganhou a reputação de geradora de música alternativa. Bandas locais, como REM, B-52s e Widespread Panic, a tornaram famosa, e o 40-Watt Club, na West Washington Street, e o Athfest, em junho, deram continuidade à tradição. A cidade fica quase deserta no verão, enquanto no outono ela se enche de torcedores do Georgia Bulldog para os jogos de futebol. O centro de visitantes fornece detalhes sobre os passeios para ver casas e jardins, como a construção de 1856 que abriga o Lyndon House Arts Center e o Founders Memorial Garden, no North Campus. O centro de visitantes da universidade indica às pessoas o museu de arte, com obras dos séculos XIX e XX, e dá detalhes sobre eventos esportivos e apresentações no *campus*.

Mascote da UGA

Lápides no cemitério de Andersonville, perto de Americus

Veja hotéis e restaurantes dessa região nas pp. 276-81

Vista das Amicalola Falls, no Amicalola State Park

⑲ Dahlonega

i 13 S Park St, (706) 864-3711.
w dahlonega.org

O lendário percurso da Blue Ridge Mountain cruza o estado no canto nordeste. Com muitas cachoeiras e florestas floridas, a região ficou conhecida por sua herança cultural de artes populares, como a elaboração de *quilts* (colchas), talha de madeira e a música *bluegrass*. A descoberta de ouro na cidade de Dahlonega, em 1828, precipitou a primeira corrida do ouro do país, duas décadas antes da Califórnia. O **Gold Museum** do estado, instalado no fórum de 1836, no centro da atraente praça de Dahlonega, exibe equipamentos de mineração, pepitas e histórias sobre minas. A cidade também oferece passeios para conhecer a mineração de bateia e nas minas, e um conjunto de moedas cunhadas na US Mint (Casa da Moeda), que operou no local de 1838 a 1861.

Gold Museum
1 Public Square. **Tel** (706) 864-2257.
◯ 9h-17h seg-sáb, 10h-17h dom. ●
1º jan, Ação de Graças, 25 dez.
w gastateparks.org

Arredores
A 29km de Dahlonega, o **Amicalola Falls State Park** é o portal para o trecho final sul do Appalachian Trail, de 3.450km, um percurso para caminhada que vai do topo de Springer Mountain, na Geórgia, em direção ao norte até Mount Katahdin, no Maine. Os menos arrojados podem ir até a Len Foote Hike Inn no parque, que oferece acomodações rústicas, mas confortáveis e ecologicamente corretas. O parque também tem um hotel no topo da montanha, restaurante, camping e as Amicalola Falls. A leste de Dahlonega, ao longo da Hwy 441, na divisa da Geórgia com a Carolina do Sul, o rio Chatooga, chamado pelos confederados de "selvagem e panorâmico", é considerado um dos mais arriscados para navegar, no leste dos EUA. O livro e o filme *Amargo pesadelo* se basearam nessa região (mas os moradores não apreciam esse tipo de notoriedade). O Tallulah Gorge, visível do rio, dispõe de uma ponte suspensa.

Amicalola Falls State Park & Lodge
Hwy 52. **Tel** (706) 265-4703.
◯ 7h-22h diariam. ● 1º jan, Ação de Graças, 25 dez.
w gastateparks.org

⑳ Stone Mountain Park

US Hwy 78. *i* (770) 498-5690.
◯ 6h-24h (horário varia; ligar antes).
● 24-25 dez. restrito.
w stonemountainpark.com

A grande atração desse parque famoso, localizado a uns 30 minutos de carro a leste do centro de Atlanta, é um baixo-relevo esculpido na lateral de uma montanha de granito maciço. A escultura retrata três heróis confederados: Jefferson Davis, presidente da Confederação, e os generais Robert E. Lee e Stonewall Jackson. O escultor Gutzon Borglum começou a trabalhar ali em 1924; mais tarde, esculpiu o rosto de quatro presidentes americanos no monte Rushmore (p. 443).

Um teleférico leva o visitante ao topo, e a descida oferece uma visão mais próxima do hábitat incomum dessa chapada, que abriga muitas espécies de plantas mais habitualmente associadas ao deserto do que ao clima úmido do Sudeste. No enorme gramado que há entre a parede de granito e a Stone Mountain Park Inn ocorrem diversos eventos, como os fogos de artifício no 4 de julho.

Entre outras atrações do local estão as Geyser Towers, em que os visitantes percorrem túneis de rede e pontes de corda ao redor e através de um gêiser; há também uma vila anterior à Guerra Civil, um rinque de patinação no gelo e passeios num navio com roda de pá pelo lago, além de opções de hotéis e restaurantes.

Escultura em baixo-relevo no Stone Mountain Park

Atlanta

444.000. Underground Atlanta, (404) 523-2311. atlanta.net

Criada em 1837, como terminal de duas rotas ferroviárias, Atlanta adquiriu importância como núcleo de transporte, o que fez dela um alvo na Guerra Civil. Após o cerco de 75 dias, o general William T. Sherman rompeu as defesas confederadas e incendiou quase toda a cidade, um episódio romanceado no livro *E o vento levou*, de Margaret Mitchell. Atualmente a cidade se diz a "capital do novo sul" e é considerada mais ousada e rápida do que suas vizinhas sulistas.

Como Explorar Atlanta

Nessa cidade cosmopolita estão as sedes de muitas multinacionais, como a Coca-Cola. Seu espírito empreendedor levou a um *boom* econômico que durou duas décadas, superado pelo fato de ter sediado os Jogos Olímpicos de 1996. Uma das referências da cidade, o **Centennial Olympic Park**, no centro, recorda esse evento. Outro destaque é o **Turner Field**, onde o ex-boxeador Muhammad Ali acendeu a pira olímpica no estádio. Todas as atrações do centro, como **Georgia Aquarium**, **World of Coca-Cola** e o **Martin Luther King Jr. National Historic Site**, estão a pouco mais de 1 quilômetro desses locais olímpicos. Uma curta viagem de metrô para o norte leva ao excepcional **High Museum**. A leste ficam os bairros residenciais de Virginia Highlands e Little Five Points, com ótimos restaurantes.

World of Coca-Cola

121 Baker St. **Tel** (404) 676-5151. 9h-17h30 diariam (última admissão 16h). Horário pode variar; ligue ou cheque on-line. Ação de graças e 25 dez. worldofcoca-cola.com

A World of Coca-Cola exibe a maior coleção sobre a história da Coca-Cola do mundo. Os visitantes podem assistir a uma apresentação 4D, observar a linha de produção em atividade

O Centennial Olympic Park, no centro de Atlanta

e provar uma variedade de cerca de 60 produtos.

Georgia Aquarium

225 Baker St. **Tel** (404) 581-4000. 10h-17h dom-sex, 9h-18h sáb. georgiaaquarium.org

Um dos maiores aquários do mundo, com 500 espécies marinhas divididas em cinco hábitats. Um deles, o Ocean Voyageur, é o maior tanque já construído, com 22 milhões de litros habitados por raias-jamantas, tubarões-baleia e milhares de espécies. Outros tanques exibem um belo arco-íris de peixes tropicais.

CNN Studio

Marietta St com Techwood Dr. **Tel** (404) 827-2300. 9h-17h diariam. Páscoa, Ação de graças e 25 dez. ligar antes.

A visita guiada de 55 minutos pela CNN mostra as operações internas da primeira emissora a transmitir notícias 24 horas, instalada em um quartel-general global com átrio de catorze andares. Faça reserva bem antes.
A loja de presentes no saguão vende desde itens ligados a times de beisebol a vídeos da cobertura da Guerra do Golfo.

Margaret Mitchell

Martin Luther King Jr. National Historic Site

450 Auburn Ave. **Tel** (404) 331-5190. 9h-17h ou 18h. 25 dez. nps.gov/malu

Situada num longo espelho-d'água, ao lado de uma chama eterna, a cripta do ganhador do Prêmio Nobel da Paz Martin Luther King Jr. é local de peregrinação de pessoas do mundo todo.

O espelho-d'água fica no complexo do Center for Non-Violent Social Change, com uma galeria que exibe retratos e recordações. Nas proximidades está a **Ebenezer Baptist Church** original, que Martin Luther King Jr., seu pai e seu avô presidiram. O local de nascimento dele encontra-se rua abaixo, para leste, enquanto o **National Park Service Visitor Center**, que abriga retratos e mostras relacionados ao papel da região no movimento dos direitos civis, situa-se do outro lado da rua.

A área preserva o coração do bairro de **Sweet Auburn**, que foi o centro da vida afro-americana no início do século XX.

Margaret Mitchell House and Museum

990 Peachtree St. **Tel** (404) 249-7015. 10h-17h30 seg-sáb, 12h-17h30 dom. 1º jan, Ação de Graças, 24-25 dez. atlantahistorycenter.com/mmh

Margaret Mitchell (1900-49) escreveu sua obra-prima *E o vento levou* nesse edifício, num apartamento no subsolo, que ela chamava afetuosamente de "espelunca". A casa de três andares no estilo Tudor renovado teve uma história dramática. Foi abandonada, ameaçada pela renovação urbana e, depois, quei-

Espelho-d'água, chama eterna e cripta em Dr. Martin Luther King Jr. National Historic Site

Veja hotéis e restaurantes dessa região nas pp. 275-6 e 279-80

GEÓRGIA | 263

O High Museum de arte em Atlanta

mada muitas vezes por incendiários, uma delas na véspera da abertura dos Jogos Olímpicos. O acervo conta a história da escritora, nascida na Geórgia, e revela a extensão da restauração da casa. Estão expostas lembranças do filme famoso, como o chapéu usado por Scarlett O'Hara.

High Museum of Art
1.280 Peachtree St NE. **Tel** (404) 733-4444. 10h-17h seg-sáb, 12h-17h dom. feriados.
w high.org

Um dos mais importantes museus do país, o High Museum of Art fica num dos melhores bairros de arte da cidade, instalado atrás de uma escultura colorida de Alexander Calder, numa construção moderna de Richard Meier. O museu dobrou de tamanho com os prédios esculturais de Renzo Piano e a praça central. Seu grande acervo permanente dispõe de arte popular regional e arte americana do século XIX a cerâmicas asiáticas do século XVIII e objetos subsaarianos. Do calendário lotado do museu fazem parte exposições itinerantes de sucesso, filmes de arte e palestras.

Atlanta History Center
130 W Paces Ferry Rd. **Tel** (404) 814-4000. 10h-17h30 seg-sáb, 12h-17h30 dom.
w atlantahistorycenter.com

Esse centro tem um museu e duas casas históricas, nas quais são apresentados exemplos contrastantes das vidas urbana e rural. A Tullie Smith Farm, com alguns animais e ofícios tradicionais, é uma casa de fazenda típica do século XIX, enquanto a elegante Swan House, de 1928, possui interior suntuoso, todo decorado com cisnes. Mostras como **Shaping Traditions: Folk Arts in a Changing South** traçam o caráter evolutivo da Southern Folk Art.

Fernbank Natural History Museum
767 Clifton Rd NE. **Tel** (404) 929-6300. 10h-17h seg-sáb, 12h-17h dom. Ação de Graças, 25 dez.

Esse museu foi instalado num prédio ultramoderno, com um átrio da altura de quatro andares, com clarabóia. As exposições de história natural vão de placas tectônicas ao estudo das bolhas. De interesse local, cobre os diferentes ecossistemas da Geórgia, como a floresta dos Apalaches, a planície costeira e o exótico hábitat do Okefenokee Swamp (p. 259). O IMAX® Theater do museu apresenta noites de "IMAX® and Martinis". O local conta com um café e diversas trilhas naturais.

Jimmy Carter Library & Museum
441 Freedom Pkwy. **Tel** (404) 865-7100. 9h-16h45 seg-sáb, 12h-16h45 dom. 1º jan, Ação de Graças, 25 dez.
w jimmycarterlibrary.gov

Localizada no topo de uma colina, a 3km do centro de Atlanta, a biblioteca destaca os sucessos humanitários da administração Carter (p. 260). Entre eles estão os acordos de Camp David, os tratados do canal do Panamá, os direitos humanos e as políticas de energia. Uma atração popular é uma réplica exata do Salão Oval da Casa Branca, de quando ele foi utilizado por Jimmy Carter, de 1977 a 1981.

Centro de Atlanta

① World of Coca-Cola
② Georgia Aquarium
③ CNN Studio
④ Martin Luther King Jr. National Historic Site

Legenda dos símbolos *na orelha da contracapa*

Tennessee

O Tennessee se compõe de três regiões diferentes. Memphis domina a baixada oeste, ao longo do rio Mississippi; Nashville, capital do estado, controla o planalto central; e no leste reinam as Appalachian Mountains, e Knoxville é sua base urbana. Os rios Cumberland e Tennessee são afluentes do Ohio, que por sua vez é afluente do Mississippi. Assim, o estado estava bem localizado para prosperar com o comércio nos barcos a vapor e, depois, com as ferrovias. Durante a Guerra Civil, Chattanooga presenciou batalhas, ao passo que Memphis e Nashville foram ocupadas por tropas da União. Agora o Tennessee é famoso por sua grande contribuição para a música americana de raiz, do *bluegrass*, country, gospel e blues até o *rockabilly*, rock e soul.

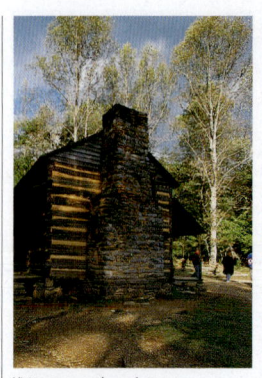

Visitantes em cabana de troncos preservada, em Cades Cove

㉒ Great Smoky Mountains National Park

US Hwy 441, Gatlinburg, (865) 436-1200. diariam.
nps.gov/grsm

As "Smokies" (esfumaçadas), que ganharam esse nome por causa do nevoeiro que parece fumaça e se prende ao cume, possuem alguns dos picos mais altos do leste dos EUA e abrigam flora diversa. Com mais de 10 milhões de visitantes por ano, esse é um dos parques mais visitados do país. Criado como parque nacional em 1934, metade dele está no Tennessee e a outra metade na Carolina do Norte. A entrada do Tennessee é por Gatlinburg e pela Hwy 441, que divide esse amplo parque pela Newfound Gap Road e se encontra com a Blue Ridge Parkway *(p. 251)* no lado da Carolina do Norte. Dos 1.287km de trilhas, a mais procurada é a **Appalachian Trail**, que se escarrancha na fronteira do estado, pelo parque. Também são concorridas suas muitas cachoeiras panorâmicas. A caminhada até o **Mount LeConte** oferece vistas deslumbrantes, e há uma hospedaria que fornece acomodações rústicas para o pernoite, para as quais é preciso fazer reserva. O **Clingman's Dome**, de 2.025m de altitude, é o pico mais alto do Tennessee e tem uma torre de observação que fornece ótimas vistas da paisagem. Na extremidade oeste do parque, o **Cades Cove** ainda conserva os prédios históricos de uma fazenda, que foram erguidos na década de 1820. Entre eles estão cabanas de troncos, celeiros e um moinho de grãos que ainda funciona. Andar de bicicleta, cavalgar, pescar e fazer rafting em corredeiras são algumas das atividades disponíveis para turistas aventureiros nesse belo parque e na região vizinha.

Vista espetacular de Clingman's Dome

Flora das Great Smoky Mountains

Famosas pela incrível biodiversidade, as Great Smoky Mountains abrigam mais de 1.500 espécies de plantas floríferas e 140 espécies de árvores. As florestas de madeira dura são formadas por bordos, bétulas e álamos, enquanto as florestas de abetos são dominadas pelos pinheiros vermelhos e pelos abetos Frasier. Embaixo das copas há muitas moitas de rododendros e louros-da-montanha. Influenciando a cultura dos Apalaches, a floresta produz trepadeiras de madressilva para cestaria e diversas madeiras duras para trabalhos de talha e para fazer instrumentos musicais, além de oferecer frutas, plantas medicinais (como o ginseng) e de ser refúgio de caça.

Bordo
Magnólia
Louro-da-montanha
Rododendro

Veja hotéis e restaurantes dessa região nas pp. 276-81

㉓ Chattanooga

🚇 171.000. 🚇 🚌 ℹ️ 215 Broad St, (800) 322-3344.
🌐 chattanoogafun.com

À margem do rio Tennessee, na divisa com a Geórgia, Chattanooga tem à volta grandes maciços, como os platôs de Lookout Mountain, Signal Mountain e Missionary Ridge. Fundada como porto de barcos de travessia pelo chefe cheroqui John Ross, em 1815, mais tarde Chattanooga foi ocupada por colonos brancos, depois que os cheroquis foram expulsos para Oklahoma, pela trágica "Trilha das Lágrimas", em 1838 *(p. 56)*. A estrada de ferro até Atlanta forneceu um alvo natural para o exército da União, na Guerra Civil, e muitas batalhas foram travadas nessas terras.

Atualmente o centro de Chattanooga é uma área revitalizada, que cerca o local original do porto, conhecido como Ross's Landing. Nessa área compacta estão diversas das atrações mais procuradas da cidade, a exemplo do Chattanooga Regional History Museum, voltado para a história local dos índios, da Guerra Civil e da cultura; do **Tennessee Aquarium**; da atraente Riverwalk ao longo do rio; e da Walnut Street Bridge, só para pedestres, que cruza o rio de Coolidge Park a Carousel. No Tennessee Aquarium, o visitante pode acompanhar o caminho de uma única gota d'água desde sua origem nas Smoky Mountains, passando por rios, reservatórios e deltas, até desaguar no golfo do México. Mais de 9 mil espécies de peixes, anfíbios, répteis, mamíferos e pássaros ilustram a variedade de hábitats e ecossistemas do estado. Ao lado, existe um IMAX® Theater.

Campo de batalha de Chickamauga, com canhões, estátuas e memórias

A uma curta distância de carro do centro, pela East Brow Road, chega-se ao **Battles for Chattanooga Electric Map**, originalmente conhecido como "Confederama", que conta a história das batalhas locais na Guerra Civil, com 5 mil soldados em miniatura e uma série de luzes minúsculas em grandes pranchas, usadas para representar o avanço das tropas confederadas e da União. No sopé da Lookout Mountain, a estação na St. Elmo Avenue é o ponto inicial da **Lookout Mountain Incline Railway**, com mais de 1,5km. O trem sobe um aclive de 72,7% pela Lookout Mountain, de onde se conseguem vistas panorâmicas. Foi construída na década de 1890 para levar os turistas até os hotéis que existiam no topo.

O **Chickamauga and Chattanooga National Military Park**, do Point Park, fica a uma distância de três quarteirões. A outra seção do parque militar é o campo de batalha de Chickamauga, perto do forte Oglethorpe, atravessando a fronteira para o noroeste da Geórgia. O local, no Point Parque, homenageia todos os soldados da Confederação e da União que lutaram nas encostas íngremes desses montes, na chamada "batalha acima das nuvens", em 1863. Essa batalha ocorreu depois que as tropas da União conseguiram reverter uma vitória anterior da Confederação e fixaram a bandeira dos EUA no topo da Lookout Mountain. Em **Ruby Falls**, a 5km, o visitante desce de elevador até uma caverna, depois caminha próximo a estalactites e estalagmites até uma cachoeira com altura de 44m. Um show de luzes transforma o belíssimo ambiente natural da cachoeira em algo bem espalhafatoso.

Lookout Mountain Incline Railway

Na seção da Geórgia da Lookout Mountain, os **Rock City Gardens** possuem formações de pedra calcária embelezadas pela Enchanted Trail, pelo Lover's Leap e por pequenos gnomos que espreitam pelas fendas.

O Tennessee Aquarium, em Chattanooga

Tennessee Aquarium
1 Broad St. **Tel** (423) 265-0695. ⏰ 10h-18h diariam. 🚫 Ação de Graças, 25 dez. 🌐 tnaqua.org

Chickamauga & Chattanooga National Military Park
110 Point Park Rd. **Tel** (423) 821-7786. ⏰ 8h30-17h diariam. 🚫 25 dez.
🌐 nps.gov/chch

Ruby Falls
Tel (423) 821-2544. ⏰ 8h-20h diariam. 🚫 25 dez.
🌐 rubyfalls.com

㉔ Nashville

609.600.
Broadway com Fifth St, (615) 259-4747.
visitmusiccity.com

Mais conhecida atualmente como capital da música country, Nashville é um lugar simpático e divertido para visitar. Sua história musical remonta a 1927, quando uma emissora de rádio mudou um programa de ópera para outro, mais popular, de *barn dance* (música country), chamando a seleção apresentada de "Grand Ole Opry". Nascia, assim, uma lenda musical que desde então só cresceu. Mas a cidade não tem só música. Ela foi fundada como forte Nashborough, à margem do rio Cumberland, em 1779, sendo elevada a capital do estado em 1843. É também o centro financeiro da região e sede da Vanderbilt University, uma das instituições de maior prestígio do país.

Como Explorar Nashville

A agitada área central de Nashville gira em torno do Country Music Hall of Fame. A maior parte das grandes atrações da cidade fica a curtas distâncias a pé, como o imponente **State Capitol**, no alto de uma colina; o Ryman Auditorium, na Fifth Avenue, prédio histórico; e a panorâmica beira-rio, onde está a reconstrução do forte original.

Há diversos restaurantes, cafés e boates nessa área, conhecida como "the District".

Vista da colorida beira-rio de Nashville

Os fãs de música country talvez queiram se deslocar 16km para leste a fim de ver a Grand Ole Opry House. Um passeio semelhante, de 2,4km a oeste do centro, até Music Row, o coração da indústria fonográfica de Nashville, pode interessar aos fãs e aos compositores iniciantes.

Country Music Hall of Fame & Museum
222 Fifth Ave S.
Tel (615) 416-2001. 9h-17h diariam. ter jan-fev, 1º jan, Ação de Graças, 25 dez.
countrymusichalloffame.org

O Country Music Hall of Fame, "ao espalhar os preceitos da música country", homenageia grande número de músicos notáveis, como Patsy Cline, Merle Haggard e Hank Williams, numa enorme abóbada, no centro. Para não desmerecer o que exibe, o prédio foi projetado para se assemelhar às teclas de um imenso piano. Dentro há uma venerada coleção de guitarras antigas, trajes, gravatas estreitas, botas de caubói, letras de músicas consagradas, compostas em guardanapos de bar, e o famoso Cadillac dourado de Elvis. Um libreto sobre a música country explica as distinções acadêmicas que existem entre subgêneros como *bluegrass*, *Cajun*, *honky-tonk* e *rockabilly*.

O lendário Hank Williams

Ryman Auditorium
116 Fifth Ave N. **Tel** (615) 889-3060.
9h-16h. Ação de Graças, 25 dez. ryman.com

Esse auditorium continua sendo um cenário evocativo para espetáculos ao vivo. O Grand Ole Opry foi transmitido do local durante 31 anos, de 1943 a 1974, quando se mudou para a nova Opry House. É possível fazer visitas diurnas à Mother Church of Country Music, mas a melhor maneira de ver o teatro de 2 mil lugares é assistindo a um show. Artistas como as Dixie Chicks e Sheryl Crow costumam se apresentar. A poucos quarteirões do Ryman Auditorium, o moderno **Nashville Convention Center**, o **Bridgestone Arena** e boates também apresentam todos os tipos de música, como country, *bluegrass* e blues.

Musicians Hall of Fame at Nashville Municipal Auditorium
417 Fourth Ave N. **Tel** (615) 244-3263. 10h-17h seg-sáb. 1º jan, Páscoa, 4 jul, Ação de Graças, 25 dez.
musicianshalloffame.com

Aprenda tudo sobre os grandes nomes da música de todos os tempos e suas obras no Musicians Hall of Fame. Os visitantes podem apreciar guitarras, baterias e outros instrumentos utilizados por estrelas como Jimi Hendrix, ou por artistas menos conhecidos, como o baterista Hal Blaine.

Tennessee State Museum
505 Deaderick St. **Tel** (615) 741-2692.
10h-17h ter-sáb, 13h-17h dom. feriados. tnmuseum.org

Embora o foco do museu seja a Guerra Civil, ele também cobre outros aspectos do passado do estado. Começando com uma canoa de tronco, a exposição apresenta a história local dos índios, a vida dos primeiros colonos, à escravidão, o movimento pelos direitos civis, o comércio pelo rio e a trilha Natchez Trace. Há também um grande acervo de artes decorativas do século XIX, como móveis antigos europeus e americanos.

Fachada do Ryman Auditorium, uma referência em Nashville

Veja hotéis e restaurantes dessa região nas pp. 276-81

TENNESSEE | 267

Exterior da Grand Ole Opry House, em Nashville

🏛 Grand Ole Opry House
2.804 Opryland Dr.
Tel (615) 871-6779. ⭘ algumas noites, ligue para obter informações.
📷 ♿ **w** opry.com

A 16km a leste do centro, em terreno ocupado pelo empreendimento denominado Music Valley, a moderna Opry House, com 4.400 lugares, ainda transmite o "programa de rádio há mais tempo no ar, no mundo" (75 anos). O *Quem é quem* da música country exalta o palco dessa instituição lendária (transmissão ao vivo em 650 WSM-AM). O Grand Ole Opry Museum conta a história de Opry com imagens de cera. O Opryland Hotel faz parte do complexo e apresenta jardins internos espetaculares.

🏛 Belle Meade Plantation
110 Leake Ave. **Tel** (615) 356-0501.
⭘ 9h-17h seg-sáb, 11h-17h dom.
⬤ 1º jan, Ação de Graças, 25 dez. 📷 ♿ restrito.
w bellemeadeplantation.com

De carro, a 20 minutos a sudoeste do centro, chega-se a Belle Meade, uma propriedade bem conservada de antes da guerra. A mansão neoclássica de 1853 era o centro de uma fazenda de mais de 2.100ha, restaurada para retomar o antigo esplendor. Guias caracterizados mostram a mansão e outras construções, como uma cabana de escravos de 1832. No verão, uma série de concertos de domingo, ao vivo, ocorre no terreno espaçoso.

🏛 The Hermitage
4.580 Rachel's Lane. **Tel** (615) 889-2941. ⭘ meados out-mar: 9h-16h30; abr-meados out: 8h30-17h. ⬤ 3ª sem jan, Ação de Graças, 25 dez. 📷
w thehermitage.com

Andrew Jackson, principal herói político e militar do Tennessee, morou nessa propriedade que fica a 20 minutos de carro a leste do centro. Além de se distinguir como líder militar na guerra de 1812, Jackson foi o primeiro congressista da região, tão logo o Tennessee se tornou estado. Foi eleito o sétimo presidente dos Estados Unidos em 1828 e reeleito em 1832, completando dois mandatos. Quase todo o conteúdo da casa está como era no tempo de Jackson. Ele está enterrado no jardim.

🏛 Natchez Trace Parkway
De início a Natchez Trace Parkway se compunha de uma série de trilhas indígenas que ligavam Nashville a Natchez, no Mississippi; agora é uma estrada nacional histórica *(p. 362)*. Sua parte final fica 24km a sudoeste da cidade. Ali, o traçado da rodovia é mais ondulado e muito mais arborizado do que no trecho do Mississippi.

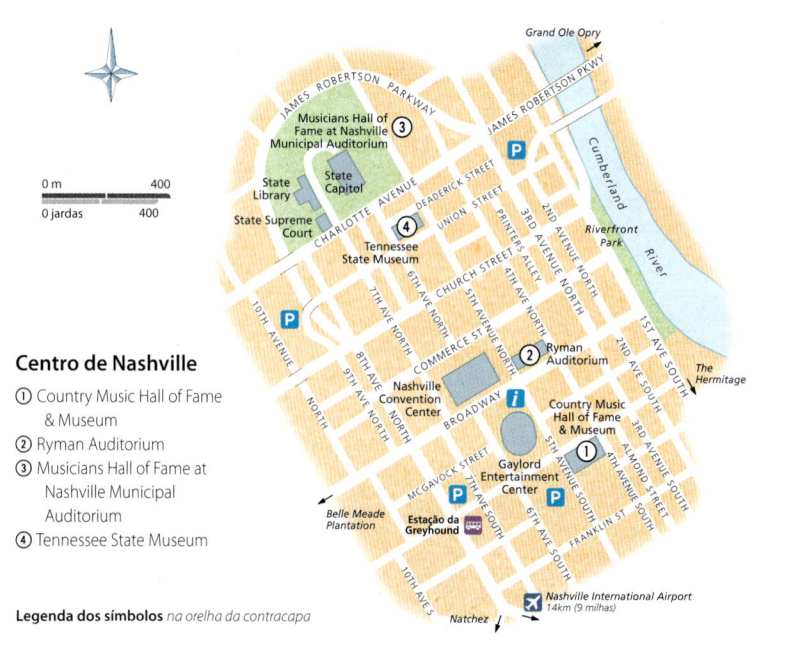

Centro de Nashville

① Country Music Hall of Fame & Museum
② Ryman Auditorium
③ Musicians Hall of Fame at Nashville Municipal Auditorium
④ Tennessee State Museum

Legenda dos símbolos *na orelha da contracapa*

Letreiro de néon do B. B. King's Blues Club, na Beale Street

❸ Memphis

655.000. 119 N Riverside Dr, (901) 543-5333.
memphistravel.com

Memphis se localiza à margem do rio Mississippi, no canto sudoeste do Tennessee, onde ele encontra os estados de Arkansas e Mississippi. A cidade está associada a dois ídolos americanos bem diferentes: o líder dos direitos humanos Martin Luther King Jr. e o cantor Elvis Presley.

Desde o início do século XX, Memphis se tornou sinônimo de música. Como berço do rock'n'roll, que se originou do blues (p. 361), a cidade festeja esse legado nas diversas boates, nos *saloons* e nas ruas. Até seus festivais giram em torno de música. Entre as atrações estão o aniversário de Elvis, em 8 de janeiro; "Memphis in May", uma série de concertos que duram um mês, junto com churrascos ao ar livre (*cookouts*); o W. C. Handy Awards, versão de blues para o Grammy, também em maio; a Elvis Week ou "Tribute Week" por volta de 16 de agosto; e no fim de semana do Labor Day, o Music and Heritage Festival.

B. B. King, Rock' N'Soul Museum

Beale Street

Centro comercial florescente para a comunidade afro-americana da cidade, a Beale Street teve seu auge na primeira metade do século XX. Após um período de declínio, agora essa rua histórica ressurgiu como o coração de um animado bairro de diversões, rivalizando em popularidade com a Bourbon Street (p. 348) de New Orleans.

Restaurantes, boates, *saloons* e lojas se alinham num trecho de quatro quarteirões. Muitas estátuas foram colocadas ao longo desse trajeto. Há uma de Elvis Presley em frente ao Orpheum Theatre, e uma de W. C. Handy está na entrada de uma praça onde se realizam festivais ao ar livre. Um quarteirão depois, a **W. C. Handy's Home**, onde morou Handy, foi transformada num museu para esse que costuma ser chamado de "pai do blues".

No centro desse trecho fica a **A. Schwab's Dry Goods Store**, no nº 163 da rua. Essa loja funciona desde 1876. Muitas noites a Beale Street é fechada ao trânsito e as pessoas vão escutar a música ao vivo que sai de cada porta.

Bem perto dessa rua fica o **AutoZone Park**, o estádio vermelho e verde, uma franquia do time de beisebol Memphis Redbirds. Ele se localiza na frente do **Peabody Hotel**, na Union Avenue nº 149, onde seus famosos patos caminham duas vezes por dia do saguão até a fonte, onde podem ser vistos brincando o dia todo (p. 270).

National Civil Rights Museum

450 Mulberry St.
Tel (901) 521-9699. 9h-17h seg-sáb, 13h-17h dom. ter.
civilrightsmuseum.org

Esse museu era o Lorraine Motel, onde Martin Luther King Jr. foi assassinado em 4 de abril de 1968. O quarto 306 foi preservado como era no dia do crime, e uma coroa de flores em sua memória é colocada do lado de fora da janela. Do outro lado da rua, a cena do assassinato é recriada no banheiro de onde James Earl Ray aparentemente deu o tiro fatal.

Memphis Rock-N-Soul Museum

Fedex Forum, 191 Beale. **Tel** (901) 205-2533. 10h-19h diariam. 25 dez, Ação de Graças, 1º jan.
memphisrocknsoul.org

O produto da mistura de história e raça, e sua expressão nas canções, é explicada com incrível acompanhamento musical nesse museu. Ele fica em frente à fábrica de guitarras Gibson e oferece uma visita fascinante. A exposição é patrocinada pela Smithsonian Institution e examina o blues e a música country como raízes do rock, com um filme e a exibição de instrumentos antigos, além de *jukeboxes*, trajes de palco e perfil de artistas. Uma visita com áudio digital apresenta mais de seis horas de músicas fabulosas. Os fãs de música podem viajar dez minutos para o sul, até o Stax Museum of American Soul Music, no antigo estúdio da Stax Records.

Mud Island

Via Front e Main Sts. **Tel** (901) 576-7241. início abr-out: 10h-17h ter-dom.
mudisland.com

Vai-se de monotrilho até Mud Island, onde o **Mississippi River Museum** conta a história do rio Mississippi, com objetos como uma cópia de navio a vapor de 1870. O museu também tem muitas peças dos indígenas da região e galerias sobre as origens do blues como influente gênero musical. Porém, a atração mais empolgante fica ao ar livre, onde um curso d'água que imita o traçado do Mississippi, com o comprimento de cinco quarteirões, termina numa piscina com o formato do golfo do México.

Veja hotéis e restaurantes dessa região nas pp. 276-81

TENNESSEE | 269

Túmulo de Elvis Presley em sua suntuosa propriedade de Graceland

Center for Southern Folklore
119 S Main St. **Tel** (901) 525-3655. 11h-17h seg-sex, 11h-18h sáb. Ação de Graças, 25 dez. de hora em hora. shows.
w southernfolklore.com

Referência para tudo o que é sulista, o centro tem café, galeria de arte popular, loja de presentes e palco para shows, que vão de *jug bands* a teatro de marionetes, com muito soul, blues, folk, rock e gospel no meio. O centro patrocina o Music and Heritage Festival.

Sun Studio
706 Union Ave. **Tel** (901) 521-0664. 10h-18h diariam. Ação de Graças, 25 dez.
w sunstudio.com

Músicos famosos do mundo todo vão gravar no lendário estúdio que lançou Elvis, B. B. King, Johnny Cash, Jerry Lee Lewis, Roy Orbison, entre outros. Fundado em 1954 por Sam Philips, as exposições do estúdio contam com a bateria e o microfone originais de Elvis. Estão à venda lembranças que têm o conhecido logotipo do galo amarelo, e o visitante também pode fazer sua própria gravação para levar de suvenir.

Graceland
3.734 Elvis Presley Blvd. **Tel** (901) 332-3322. 9h-17h seg-sáb, 10h-16h dom (horários podem variar). ter (dez-fev) 1º jan, Ação de Graças, 25 dez. **w** elvis.com

A dez minutos de carro do centro, Graceland atrai mais de 700 mil visitantes por ano para a propriedade que Elvis Presley comprou quando era um superstar de 22 anos e onde morou até sua morte, em 1977. Saindo do grandioso complexo de visitantes, os convidados são levados de van e entram por portões de metal num caminho que sobe até a casa para verem os quartos, o famoso Jungle Room, a galeria, a quadra de raquetebol e os Memorial Gardens, onde Elvis foi enterrado. Do outro lado da rua, é preciso pagar uma taxa adicional para ver a coleção de carros de Elvis, seus dois aviões e a exposição **Sincerely Elvis**, com filmes caseiros e objetos pessoais. As lojas de suvenires não oficiais ao longo do **Elvis Presley Boulevard** oferecem alguns itens bizarros, mas divertidos, como cortador de unhas com brasão de Elvis e toalhas de praia.

Full Gospel Tabernacle Church
787 Hale Rd. **Tel** (901) 396-9192. 11h dom. doações.

O reverendo Al Green abandonou uma bem-sucedida carreira de cantor na década de 1970 para seguir sua vocação. Muitas vezes é ele quem celebra as cerimônias de domingo, nessa igreja no sul de Memphis, não longe de Graceland. O visitante que vai ouvir o vibrante gospel deve mostrar respeito, usando roupas apropriadas, fazendo doação e ficando até terminarem as cerimônias.

Centro de Memphis

① Beale Street
② National Civil Rights Museum
③ Memphis Rock-N-Soul Museum
④ Mud Island
⑤ Center for Southern Folklore

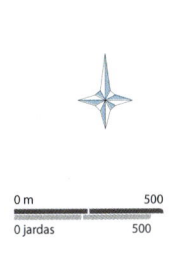

0 m 500
0 jardas 500

Legenda dos símbolos
na orelha da contracapa

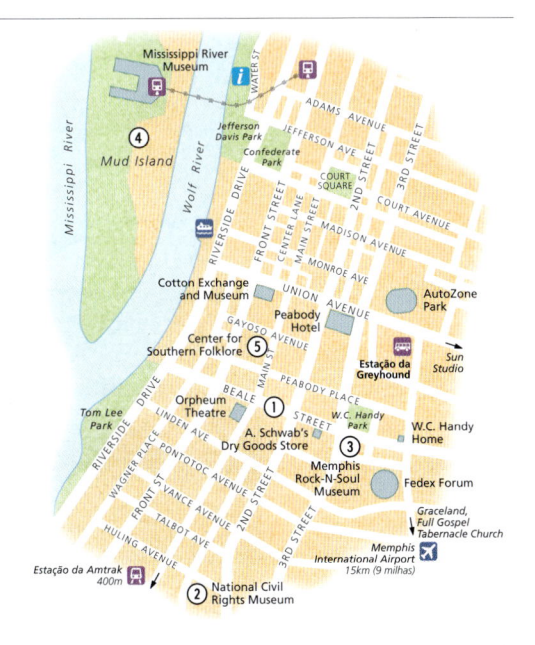

Kentucky

Com as paisagens dos Apalaches e as onduladas zonas rurais cobertas de pastagens, onde cavalos correm sobre acres e acres de capim *bluegrass*, o Kentucky é um dos mais pitorescos estados do país. As terras a oeste das montanhas foram habitadas por tribos indígenas que se opuseram diligentemente aos abusos dos colonos brancos. Atualmente o Kentucky é muito conhecido pelos cavalos e pelos vários haras localizados na região de Lexington. Uma das mais prestigiadas corridas de cavalos, o Kentucky Derby, se realiza em Louisville. Também é famoso o seu estilo próprio de música country que inclusive apelidou a Hwy 23, ao longo da fronteira leste, de "Country Music Highway".

Canhão do Fort McCook, no Cumberland Gap National Historic Park

❷ Cumberland Gap National Historic Park

US Hwy 25 E, Middlesboro. (606) 248-2817. 8h-17h diariam. 25 dez. nps.gov/cuga

Situado no canto sudeste onde o Kentucky faz fronteira com a Virgínia e o Tennessee, o Cumberland Gap é um desfiladeiro natural que corta as Cumberland Mountains, antes usado por veados e bisões em migração. Thomas Walker foi o primeiro a explorá-lo, em 1750, representando uma empresa imobiliária. Cerca de cinco anos depois, Daniel Boone, lendário caçador de peles e explorador, traçou sua Wilderness Road pelo Gap, abrindo caminho para mais de 200 mil pioneiros se assentarem pelo interior intocado.

Essa região acidentada é coberta por densa floresta, onde muitas atrações, como a Sand Cave e as White Rocks – duas formações de arenito –, só são acessíveis a pé, por trilhas. As florestas abrigam perus selvagens, veados-galheiros e diversas variedades de aves canoras.

O Gap também serviu como ponto estratégico na Guerra Civil. Alternadamente, foi controlado pelas forças da Confederação e da União, e suas fortificações ainda podem ser vistas por todo o parque. Agora uma rodovia interestadual de quatro pistas e um túnel ferroviário passam pelo Gap.

De carro, pode-se subir até **Pinnacle Overlook** para avistar os três estados, um panorama mais bonito no outono.

❷ Mammoth Cave National Park

I-65 saída 53. (270) 758-2180. mar-out: 8h-18h diariam; nov-fev: 8h45-17h diariam. 25 dez.

A meio caminho entre Louisville (p. 273) e Nashville (p. 266), esse parque oferece passeios com guia a um dos maiores sistemas de cavernas conhecidos, formados por rios subterrâneos que criaram uma belíssima paisagem de estalactites e estalagmites. O visitante pode escolher entre passeios com nomes como "Historic" ou "Wild Cave Tour" (fornecem-se capacetes). Indícios sugerem que as cavernas foram habitadas há cerca de 4 mil anos. O rio Green corre acima da Mammoth Cave, uma área cortada por muitas trilhas.

❷ Berea

14.200. (800) 598-5263. Berea Crafts Festival (jul). **w** berea.com

Terra da Berea College, escola dedicada a jovens portadores de deficiência dos Apalaches, Berea é famosa como centro de artesanato do planalto. Entre as peças elaboradas há madeiras entalhadas, cerâmicas e tecidos.

A cidade acolhe a Kentucky Guild of Artists Fair, a Craftmen's Fair e o Berea Crafts Festival. No ano todo são feitas visitas a estúdios de artesãos, como o **Weaver's Bottom**, aberto em 1983.

Weaver's Bottom
140 N Broadway. **Tel** (859) 986-8661. 9h-17h seg-sáb. 25 dez.

Caminho que leva para dentro da Mammoth Cave

Veja hotéis e restaurantes dessa região nas pp. 276-81

KENTUCKY | 271

Densa folhagem da floresta vista do Zilpo Road National Scenic Byway, na Daniel Boone National Forest

㉙ Daniel Boone National Forest

1.700 Bypass Rd, Winchester. (859) 745-3100. 8h-16h30 diariam.
1º jan, Ação de Graças, 25 dez.
fs.usda.gov/dbnf

Essa floresta nacional protege um dos cenários mais bonitos do Kentucky. Seu nome homenageia Daniel Boone, pioneiro e caçador de peles, que morava na região. A densa vegetação oferece abrigo a mais de 35 espécies ameaçadas, como o pica-pau-de-penacho-vermelho, o morcego-orelhudo e a águia-careca. A **Sheltowee Trace National Recreation Trail** percorre 418km na floresta, de Morehead, perto da fronteira norte com Ohio, até o Pickett State Rustic Park, no Tennessee. Localizado perto de Morehead, o **Cave Run Lake** é procurado para passeios de barco e o **Zilpo Road National Scenic Byway** permite observar a rica variedade de vida selvagem na floresta, num curto trajeto de carro.

A área central a leste de Stanton conta com o **Natural Bridge State Resort Park**, uma arcada natural cercada por um terreno escarpado, e com o pitoresco **Red River Gorge**. Ambos são ótimos para caminhar, andar de canoa e fazer rafting. Na ponta sul, o **Cumberland Falls State Resort Park** dispõe de hospedagem, camping e local para nadar.

Cumberland Falls State Resort Park
7.351 Hwy 90, Corbin.
Tel (606) 528-4121. diariam.
parks.ky.gov

Arredores
Quem visita a parte sul do parque talvez queira desviar para **Corbin**, saindo pela I-75, 80km ao norte da fronteira estadual com o Tennessee. Corbin é famosa como local de origem do Kentucky Fried Chicken, onde o coronel Harland Sanders serviu, pela primeira vez, a receita que se tornou uma franquia mundial. Está em exposição a cozinha onde foram misturadas as famosas ervas e especiarias, junto com objetos do KFC.

Um teleférico leva o visitante até a Natural Bridge

Música Country e *Bluegrass*

Assim como o delta do Mississippi é a terra do blues, a faixa leste do Kentucky (junto à Virgínia Ocidental) abriga a maior concentração de artistas da música country dos Estados Unidos. Imigrantes britânicos, irlandeses e escoceses trouxeram baladas, ritmos e instrumentos elizabetanos para essa área, e depois foram moldando um estilo reconhecidamente americano: o "country". Ele se caracteriza por solos rápidos de violino, eventuais falsetes na voz e lamentos sobre a vida dura no Sudeste. A Hwy 23, que vai de Ashland até Pikeville, ao longo da fronteira leste do estado, foi apelidada de "Country Music Highway" para homenagear o grande número de artistas que chegam por ela. A rodovia passa pelas cidades onde nasceram Billy Ray Cyrus, os Judds, Loretta Lynn, Patty Loveless e Dwight Yoakum.

O cantor country Billy Ray Cyrus

Os vastos campos de *bluegrass* (variedade de gramínea) do Kentucky batizaram um tipo específico de música country. O estilo nasceu da música tocada no final da década de 1940 por Bill Monroe e seus Bluegrass Boys. O nome *bluegrass* pegou e esse estilo continua popular na região. Entre seus tradicionais instrumentos de cordas acústicos estão: violino, violão, banjo de cinco cordas e violões baixo e *dobro* (violão com ressonador). As letras das músicas em geral falam sobre o dia a dia das pessoas do local.

Cavalos puros-sangues pastam em piquete perto de Lexington

⓴ Lexington

🏠 305.500. ✈ 🚉 ℹ 301 E Vine St, (859) 233-1221. 🌐 visitlex.com

Lexington, segunda maior cidade do Kentucky, também é capital da criação de cavalos do estado. Ao redor, os campos cobertos de *bluegrass* (variedade de gramínea) são marcados por haras de puros-sangues, onde muitos vencedores do Kentucky Derby nasceram e foram treinados. A maioria é aberta aos visitantes, que são recebidos individualmente, com reserva antecipada, ou em grupos, nos passeios organizados. O centro de visitantes fornece listas dos haras e das agências de turismo.

A uns 10km ao norte da cidade fica o **Kentucky Horse Park**, uma fazenda estatal em funcionamento que serve de parque temático equestre. Nela, o visitante pode assistir a shows ao vivo, montar pôneis, cavalgar com guias, passear de carruagem, além de nadar e acampar. O **International Museum of the Horse** do parque mostra o papel do cavalo no desenvolvimento da história humana. Ao lado, o **American Saddlebred Museum** tem esse nome porque se concentra nos primeiros registros sobre reproduções equinas. Do lado de fora, o Man o'War Memorial marca o túmulo de um puro-sangue que venceu diversas corridas aclamadas.

Na cidade, a **Mary Todd Lincoln House**, de 1803, é a preservada casa de infância da esposa de Abraham Lincoln.

🏛 **Kentucky Horse Park**
4.089 Iron Works Pkwy. **Tel** (859) 233-4303. ☐ meados mar-out: 9h-17h diariam. ● nov-meados mar: seg-ter, principais feriados. 🌐 kyhorsepark.com

㉛ Harrodsburg

🏠 8.300. ✈ 🚉 ℹ 124 S Main St, (859) 734-2364.
🌐 harrodsburgky.com

Grande número de famílias shakers da Nova Inglaterra se instalou em Harrodsburg e redondezas em 1805. Elas criaram uma comunidade agrícola famosa pelo artesanato. Essa população já somava 500 pessoas em 1830. Depois, em parte por causa da opção pelo celibato, esse número decresceu e, em 1910, os shakers haviam quase desaparecido.

A grande atração da área é **Shaker Village of Pleasant Hill**, a mais completa e maior comunidade shaker, totalmente restaurada, um museu histórico vivo. A arquitetura e o mobiliário da vila refletem o estilo despojado e utilitário que exemplifica os valores da seita. Artesãos demonstram ofícios como o entalhe da madeira e a tecelagem.

🏛 **Shaker Village of Pleasant Hill**
3.501 Lexington Rd. **Tel** (859) 734-5611. ☐ 10h-17h diariam (até 16h30 nov-mar). ● 24-25 dez. restrito. 🌐 shakervillageky.org

㉜ Hodgenville

🏠 3.200. ℹ 72 Lincoln Square, (270) 358-3411.

Hodgenville é a base para o **Abraham Lincoln Birthplace National Historic Site**, situado 5km ao sul e que homenageia as raízes do 16º presidente dos EUA com a preservação da casa de sua infância. No local, 56 degraus representam a idade de Lincoln, que conduzem a um memorial de granito e mármore, construído em volta da cabana de troncos do século XIX onde o presidente

Fabricação de barris na Shaker Village of Pleasant Hill, em Harrodsburg

Veja hotéis e restaurantes dessa região nas pp. 276-81

nasceu. A instituição também abrange parte da fazenda original da família de Lincoln.

Abraham Lincoln Birthplace National Historic Site
7.120 Bardstown Rd (Hwy 31 E). **Tel** (270) 358-3137. 8h-16h45 ou 18h45 (sazonal). 1º jan, Ação de Graças, 25 dez.
nps.gov/abli

Cabana de troncos de Hodgenville na qual nasceu Abraham Lincoln

❸ Bardstown
12.800. 107 E Stephen Foster Ave, (502) 348-4877.
visitbardstown.com

Autodenominada "Capital Mundial do Bourbon", Bardstown está cercada pelas maiores destilarias de uísque do estado, que conferiram ao Kentucky sua lendária fama de centro produtor dessa bebida nos EUA. (O *bourbon*, tipo de uísque, é feito de milho, malte e centeio, e envelhecido em barris de carvalho branco chamuscados.) A destilaria mais célebre, a James Beam, conhecida em muitas músicas country como "Jim Beam", fica 22,5km a oeste de Bardstown, enquanto num trecho de carro de 32km para o sul chega-se à famosa Maker's Mark, a mais antiga destilaria do Kentucky a funcionar no mesmo local. Mas a maior atração de Bardstown é o **My Old Kentucky Home State Park**. Nele, guias conduzem o visitante pela mansão histórica que, segundo a lenda, inspirou o compositor Stephen Foster a escrever *My Old Kentucky Home*, hino do estado. O parque realiza musicais ao ar livre.

My Old Kentucky Home State Park
US Hwy 150. **Tel** (502) 348-3502. 9h-17h diariam. Ação de Graças, fim dez-início jan.

Estátua de Stephen Foster, no My Old Kentucky Home State Park, em Bardstown

❹ Louisville
253.000. 30 Market St, (502) 584-2121.

Construída nas cachoeiras do rio Ohio, em 1788, Louisville é a terra em que se realiza a corrida de cavalos mais famosa do mundo: o Kentucky Derby. O que o Mardi Gras significa para New Orleans ou o Masters Tournament para Augusta, o Derby significa para Louisville – trata-se do evento em torno do qual giram todas as agendas locais. Desde que começou, em 1875, cavalos com 3 anos de idade correm na pista de Churchill Downs, no primeiro sábado de maio. A alta sociedade do Kentucky se veste com elegância para esse acontecimento social anual, em que chapéus e ternos riscas de giz compõem o uniforme de batalha. O *mint julep* – mistura sulista de *bourbon*, gelo, açúcar e hortelã – é a bebida não oficial da festa. Toca-se *My Old Kentucky Home* enquanto os cavalos são levados para a pista, num evento que dura menos de dois minutos. Os vencedores levam para casa o troféu cobiçado, decorado com ferraduras da sorte de prata, em forma de U, "para que a sorte não se perca". Ao lado, o **Kentucky Derby Museum** expõe a história das corridas de cavalos e oferece "passeios na garupa"

Bastão gigante de beisebol no Louisville Slugger Museum

pela pista de Churchill Downs. A dois quarteirões do bairro histórico, na orla, o **Louisville Slugger Museum** produz um bastão de beisebol excelente numa fábrica assinalada por um bastão de 36m de altura.

O **Speed Art Museum** (funcionando na East Market St até 2016 devido a reformas) possui um grande acervo de pinturas e esculturas renascentistas. Na Riverfront Plaza, à margem do rio Ohio, nas Main e Fourth Streets, diversos pedalinhos passeiam pela área e, periodicamente, uma fonte jorra água a 144m de altura.

Em volta, os armazéns antigos do bairro histórico foram restaurados para se tornarem cafés, galerias e lojas.

Situado a 3,2km a nordeste do centro, o Cave Hill Cemetery é um dos maiores e mais bonitos do país. Moradores da cidade o visitam apenas para dar de comer aos patos ou aproveitar os gramados ajardinados. A 48km a sudoeste de Louisville, pode-se ver o exterior de **Fort Knox**, repositório federal de lingotes de ouro.

Kentucky Derby Museum
704 Central Ave. **Tel** (502) 637-1111. 9h-17h seg-sáb, (8h em 15 mar-30 nov), 11h-17h dom. Taça dos Criadores, 1ª sex e 1º sáb mai, Ação de Graças, 25 dez.
derbymuseum.org

Louisville Slugger Museum
800 W Main St. **Tel** (877) 775-8443. 9h-17h seg-sáb, 12h-17h dom (horário estendido no verão).
sluggermuseum.com

Informações Úteis

Para realizar uma boa viagem pelo Sudeste é preciso planejar, pois há muito o que ver e fazer numa área muito grande. Com diversas praias e cidades históricas pitorescas, a exemplo de Charleston, com as escarpas agrestes das Appalachian Mountains e da Blue Ridge, e com os vales e campos ondulados, o Sudeste encanta. Além dessas maravilhas naturais, a região também oferece florescentes centros comerciais, como Atlanta, e cidades culturais, como Memphis, berço do blues, e Nashville, capital comercial e cultural que conta com a música country, as artes e múltiplas opções de diversão.

Informação Turística

Cada um dos cinco estados do Sudeste, Carolina do Norte, Carolina do Sul, Kentucky, Tennessee e Geórgia, publica informações de viagem que podem ser solicitadas por telefone ou pelos sites. Os "Welcome Centers", localizados ao longo de rodovias importantes, saúdam o visitante assim que ele entra num desses estados do Sudeste. Abertos das 8h às 17h, diariamente, oferecem mapas rodoviários gratuitos e uma série de informações, que cobrem clima, transportes, atrações e hospedagens. Há mais informações em diversos escritórios de turismo espalhados por esses estados.

Perigos Naturais

O final do verão no Sudeste pode ser muito agradável, mas também é a temporada de furacões. Potencialmente, consiste na época mais perigosa para o visitante. A temporada de furacões vai de agosto ao final do ano, mas como eles se formam no Atlântico, perto do Equador, sistemas de alerta de emergência costumam dar pelo menos um ou dois dias de avisos antes que cheguem os ventos fortes e as chuvas pesadas.

Cuidado com tornados e temporais no final da primavera e no verão, principalmente no Sul, onde eles ocorrem de repente e produzem inundações instantâneas. Se houver aviso de tornado, abrigue-se imediatamente.

Como Circular

Como em boa parte dos EUA, o Sudeste é uma região em que pode ser difícil circular sem carro. Os ônibus da **Greyhound** servem algumas cidades grandes e poucas menores, e o visitante também pode tomar os trens da **Amtrak** para viajar pelo Sudeste. Contudo o carro é o melhor meio de circular pela região, pois o transporte público pode ser limitado. Nos cinco estados o cinto de segurança é obrigatório para o motorista e o passageiro da frente e quase todos também exigem cinto para os do banco de trás. É obrigatório o uso de cadeirinhas para ocupantes com menos de 4 anos. Os limites de velocidade variam de 112 a 120km/h nas rodovias interestaduais, fora das áreas urbanas densamente povoadas, se o clima permitir.

Etiqueta

Comparando ao restante do país, a maioria dos habitantes do Sudeste não consome bebida alcoólica. Muitos são batistas, uma religião que desaprova o consumo de álcool. Condados "secos" ainda são encontrados em algumas áreas rurais, em especial nas montanhas, onde não se tem autorização para vender ou servir essas bebidas ao público. Mas as exceções são lendárias, como os produtores de "moonshine", um uísque caseiro destilado de milho, que adquiriu a fama de ilegal nos tempos da Lei Seca. Os fabricantes se livravam dos agentes federais escondendo-se bem quietos nas matas e trabalhando à noite – daí o nome "moonshine" (luar).

Tomar *mint juleps* no dia do Kentucky Derby, em Louisville, é um costume local tão arraigado que as garotas começam a colecionar os tradicionais "copos de *julep*" de prata já aos 12 anos.

Festivais

Nos estados do Sudeste ocorre todos os anos uma grande variedade de festivais municipais, regionais e nacionais. Em fevereiro, ambientes culturais por todo o Sudeste, principalmente o Martin Luther King Jr. Center for Non-Violent Social Change, em Atlanta, comemoram o **Black History Month**, com muitos programas especiais. Em março, Savannah, na Geórgia, patrocina uma animada comemoração do **St. Patrick's Day**, quando muita gente se reúne

O Clima do Sudeste

Os estados da região têm clima ameno, com temperaturas que quase nunca vão abaixo de zero no inverno, mas no verão, nas áreas mais baixas, pode ficar muito quente. Na primavera, azaleias e outras floríferas desabrocham nos jardins da região. O verão, com dias ensolarados e água tépida nas praias, é o melhor momento para viajar. O fim do verão pode ter furacões. No interior, a folhagem muda de cor nas árvores de montanha, em outubro. No inverno, pode nevar bastante.

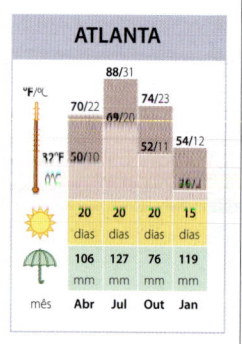

ATLANTA

mês	Abr	Jul	Out	Jan
°F/°C máx	70/22	88/31	74/23	52/11
°F/°C mín	50/10	69/20	54/12	36/2
dias de sol	20	20	20	15
chuva (mm)	106	127	76	119

INFORMAÇÕES ÚTEIS | 275

para tomar cerveja, dançar, cantar e celebrar uma origem irlandesa real ou imaginária. Março e abril são meses ideais para se divertir em passeios para ver casas e jardins e as floradas de muitas árvores frutíferas do Sudeste, comemoradas em eventos como o **Cherry Blossom Festival** de Macon, na Geórgia, quando o visitante vê mais de 200 mil árvores floridas nas ruas da cidade. Durante maio, um dos maiores festivais de música e artes do país ocorre na histórica Charleston, na Carolina do Sul, como parte do **Spoleto Festival USA**.

O verão traz uma avalanche de eventos ao ar livre. Bandas, fogos de artifício e festivais de rua ocorrem nas comemorações do Dia da Independência, no feriado de 4 de julho. Um dos maiores espetáculos de fogos do país é apresentado na Stone Mountain, em Atlanta. Diversas feiras municipais e estaduais são realizadas nesse momento, assim como festivais de música, como o **Old Time Fiddlers' Jamboree,** em Smithville, no Tennessee.

O final do verão tem a famosa **Elvis Week**, em Memphis, no Tennessee, festejando a vida e a época de Elvis Presley, com uma semana de festas no aniversário de morte dele, em 16 de agosto. Uma atração do outono é o **Tennessee Fall Homecoming**, um festival de artesanato e cultura ligado aos Apalaches, que ocorre anualmente no Museum of Appalachia. No final do ano, um Natal à moda antiga é recriado no vilarejo histórico de Old Salem, em Winston-Salem, na Carolina do Norte.

Esportes e Atividades ao Ar Livre

As cidades do Sudeste dispõem de variada combinação de times esportivos profissionais e amadores, e existem muitos times de segunda divisão em cidades menores. Especialmente no basquetebol e no futebol (rúgbi), centenas de times de alta qualidade e apoiados com paixão são patrocinados por faculdades e universidades públicas e particulares. Atlanta possui times importantes nos quatro esportes mais assistidos pelos americanos: beisebol, futebol, hóquei e basquetebol, mas o futebol profissional da National Football League (NFL) também é jogado em Charlotte, na Carolina do Norte, e em Nashville, no Tennessee. Na segunda divisão, Memphis tem um enorme estádio no centro para seu time de beisebol Classe AAA, os Redbirds; Nashville, Charlotte e Louisville também têm times de beisebol Classe AAA. A temporada de beisebol vai de abril a setembro; a de futebol, de setembro a janeiro; e a de basquetebol, do inverno até meados da primavera.

O **Kentucky Derby**, no início de maio, tem admiradores de turfe do mundo todo. Fãs de golfe se reúnem em Augusta, na Geórgia, para assistir ao torneio Masters, em abril. As corridas de stock car **NASCAR** são os eventos mais concorridos da região, atraindo mais de 200 mil pessoas para as corridas em Atlanta, Bristol, Concord, Rockingham e Darlington. Nos parques estaduais pode-se acampar, andar de barco, pescar e caminhar. Os estados litorâneos do Sudeste são conhecidos pelas excelentes atividades praianas.

Diversão

Berço do blues, do rock'n'roll e da música country, o Sudeste é ótimo lugar para apreciar música ao vivo. Centenas de eventos ocorrem na região, quase todas as noites. Além das muitas boates onde se apresentam músicos de talento, os melhores locais de diversão incluem a lendária **Grand Old Opry**, em Nashville, e o **B. B. King's Blues Club**, em Memphis.

AGENDA

Informação Turística

Carolina do Norte
Tel (800) 847-4862.
W visitnc.com

Carolina do Sul
Tel (800) 872-3505.
W discoversouthcarolina.com

Geórgia
Tel (800) 847-4842.
W exploregeorgia.org

Kentucky
Tel (800) 225-8747.
W kentuckytourism.com

Tennessee
Tel (800) 462-8366.
W tnvacation.com

Viagem

Amtrak
Tel (800) 872-7245.
W amtrak.com

Greyhound
Tel (800) 231-2222.

Parques e Vida ao Ar Livre

Carolina do Norte
1615 Mail Service Center, Raleigh.
Tel (919) 733-4181.
W ncsparks.com

Carolina do Sul
1205 Pendleton St, Colúmbia.
Tel (803) 734-0156.
W southcarolinaparks.com

Geórgia
205 SE Butler St, Atlanta.
Tel (800) 864-7275.
W gastateparks.org

Kentucky
2200 Capital Plaza Tower, Frankfort.
Tel (800) 255-7275.
W parks.ky.gov

Tennessee
401 Church St, Nashville.
Tel (615) 532-0001, (800) 421-6683.
W tnstateparks.com

Kentucky Derby
Tel (800) 928-3378.
W kdf.org

NASCAR
W nascar.com

Atlanta Falcons
Tel (404) 223-8000.
W atlantafalcons.com

Carolina Panthers
Tel (704) 358-7000.
W panthers.com

Tennessee Titans
Tel (615) 565-4000.
W titansonline.com

Diversão

B. B. King's Blues Club
143 Beale St, Memphis, Tennessee.
Tel (901) 524-5464.

Grand Old Opry
Nashville, Tennessee.
Tel (615) 889-3060.

Onde Ficar

Carolina do Norte

ASHEVILLE: Cedar Crest Victorian Inn $$
B&B
674 Biltmore Ave, 28803
Tel *(828) 252-1389*
w cedarcrestinn.com
Mansão romântica em estilo rainha Ana, com quartos amplos e móveis de época. O café da manhã está incluso na tarifa.

Destaque
ASHEVILLE: Inn on Biltmore Estate $$$
Luxuoso
1 Lodge St, 28803
Tel *(828) 225-1333*
w biltmore.com
Esse hotel elegante no terreno da renomada Biltmore Estate oferece acomodação luxuosa e esbanja hospitalidade. Os quartos têm móveis refinados e lindas vistas das matas. Atividades de lazer como caminhadas, ciclismo e aulas de culinária são disponíveis. Aprecie vistas da montanha relaxando na varanda e tome chá da tarde na biblioteca. O sofisticado restaurante serve comida e vinhos feitos na propriedade.

CHAPEL HILL: Carolina Inn $$
Histórico
211 Pittsboro St, 27516
Tel *(919) 933-2001*
w carolinainn.com
Amplos, os quartos apresentam móveis antigos e comodidades modernas nesse hotel ao lado da Universidade da Carolina do Norte. Abriga um restaurante fino.

CHARLOTTE: Charlotte Marriott City Center $$
Hotel-butique
100 W Trade St, 28202
Tel *(704) 333-9000*
w marriott.com
Esse Marriott localizado próximo a lojas, restaurantes e museus oferece quartos elegantes e atendimento excelente.

CHARLOTTE: Ritz Carlton $$$
Luxuoso
201 E Trade St, 28202
Tel *(704) 547-2244*
w ritzcarlton.com/charlotte
Esse hotel ecológico oferece muita tranquilidade, quartos bem decorados, um spa luxuoso e um jardim na cobertura que abriga colmeias. Serviço excelente.

DURHAM: Homewood Suites by Hilton $
Econômico
3600 Mt Moriah Rd, 27707
Tel *(919) 401-0610*
w homewoodsuites3.hilton.com
Esse hotel pequeno e de bom gosto apresenta suítes confortáveis com móveis práticos, cozinha completa e espaços de trabalho. Café da manhã de cortesia.

KILL DEVIL HILLS: Sea Ranch Resort $
Econômico
1731 N Virginia Dare Trail, 27948
Tel *(800) 334-4737*
w searanchresort.com
As suítes desse resort litorâneo contam com cozinha completa. Há ainda piscina, academia e sala de jogos.

NAGS HEAD: Surf Side Hotel $$
B&B
6701 Virginia Dare Trail, 27959
Tel *(252) 441-2105*
w surfsideobx.com
Esse hotel diante do mar tem lindas vistas e quartos de vários tamanhos, todos aconchegantes e bem decorados. Ambiente relaxante e serviço cortês.

RALEIGH: Holiday Inn Raleigh – North $
Econômico
2805 Highwoods Blvd, 27604
Tel *(919) 872-3500*
w ihg.com/holidayinn
Os quartos são amplos, confortáveis e bem equipados nesse hotel de rede moderno e bem localizado perto da rodovia principal. Há também uma piscina de uso sazonal ao ar livre.

O charme sulista do Carolina Inn, em Chapel Hill, Carolina do Norte

---

Categorias de Preço
Diária de um quarto padrão para duas pessoas, na alta temporada, com taxas de serviço e impostos.

$	até US$150
$$	US$150-US$300
$$$	acima de US$300

Carolina do Sul

CHARLESTON: John Rutledge House Inn $$
B&B
116 Broad St, 29401
Tel *(843) 723-7999*
w johnrutledgehouseinn.com
Essa propriedade histórica, perto de Battery e de outras atrações, foi construída em 1763 como a residência de John Rutledge, um dos signatários da Constituição dos EUA. Os belos quartos exibem charme sulista.

CHARLESTON: Kings Courtyard Inn $$
B&B
198 King St, 29401
Tel *(843) 723-7000*
w kingscourtyardinn.com
Esse B&B convidativo datado de 1853 é cercado por muitas opções de compras e restaurantes. Os quartos, atraentes, apresentam artefatos históricos.

Destaque
CHARLESTON: The Restoration on King $$$
Hotel-butique
75 Wentworth St, 29401
Tel *(843) 518-5100*
w restorationonking.com
Essa propriedade belamente restaurada oferece serviços de hotel de alto padrão e comodidades de um apartamento bem equipado. As amplas suítes apresentam tijolos expostos e outros elementos originais. Móveis atuais e instalações modernas proporcionam conforto e luxo. Algumas delas têm pátio. A hospitalidade sulista garante queijos e vinhos no terraço da cobertura.

COLÚMBIA: Hampton Inn Columbia $
Econômico
822 Gervais St, 29201
Tel *(803) 231-2000*
w hamptoninncolumbia.com
Situado no centro histórico, esse hotel proporciona quartos com instalações modernas e café da manhã de cortesia.

HILTON HEAD:
Omni Hilton Head $$
Hotel-butique
23 Ocean Ln, 29928
Tel *(843) 842-8000*
w omnihotels.com
Todas as suítes desse resort diante do mar, com paisagismo tropical, dispõem de cozinha. Entre as atividades disponíveis estão golfe, ciclismo, spa e piscinas para crianças e adultos.

MYRTLE BEACH:
The Breakers Resort $$
Econômico
2100 N Ocean Blvd, 29578
Tel *(855) 861-9550*
w breakers.com
Um dos hotéis praianos preferidos das famílias, The Breakers tem quartos confortáveis, áreas lúdicas para crianças, diversas piscinas e belas vistas.

Geórgia

ATLANTA: Four Seasons Hotel $$
Hotel-butique
75 14th St, 30309
Tel *(404) 881-9898*
w fourseasons.com
Ótima localização e serviço exemplar. Os quartos são grandes e confortáveis, e o saguão impressionante tem uma escadaria de mármore vermelho.

ATLANTA: Omni Hotel at CNN Center $$
Econômico
100 CNN Center, 30303
Tel *(404) 659-0000*
w omnihotels.com
Espaçosos, os quartos ostentam banheiro de mármore e vistas da cidade. O hotel situa-se perto do Centennial Olympic Park e de outras atrações.

ATLANTA: Stonehurst Place $$
B&B
923 Piedmont Ave NE, 30309
Tel *(404) 881-0722*
w stonehurstplace.com
Esse hotel elegante e premiado abriga quartos com designs exclusivos, obras de arte originais, mordomias e serviço excelente. Ótima localização.

ATLANTA: Westin Buckhead $$
Econômico
3391 Peachtree Rd NE, 30326
Tel *(404) 365-0065*
w westinbuckheadatlanta.com
Amplos e com banheiro de mármore, os quartos desse hotel moderno com decoração minimalista são muito confortáveis. Há arte contemporânea nas paredes.

Quarto elegante do Stonehurst Place, em Atlanta, Geórgia

Destaque
ATLANTA: The St. Regis $$$
Luxuoso
88 W Paces Ferry Rd, 30305
Tel *(404) 563-7900*
w stregisatlanta.com
Uma opção renomada no sofisticado bairro de Buckhead, esse resort-butique é um dos melhores da cidade. Os quartos, espaçosos, exibem comodidades luxuosas, móveis customizados, obras de arte originais e serviço impecável. Algumas suítes contam com atendimento de mordomo. A piscina e o spa internos são dignos de nota.

AUGUSTA: Hilton Garden Inn $
Econômico
1065 Stevens Creek Rd, 30907
Tel *(706) 739-9990*
w hiltongardeninn3.hilton.com
O Hilton traz hospedagem confortável próximo a atrações locais. Os quartos, modernos, têm estações de trabalho e acesso ao restaurante e à loja de conveniência.

**JEKYLL ISLAND:
The Beachview Club** $$
Econômico
721 N Beachview Dr, 31527
Tel *(912) 635-2256*
w beachviewclub.com
Situados em um lindo terreno com carvalhos antigos, os quartos elegantes do Beachview Club dispõem de cozinha e, em alguns casos, descortinam vistas do mar.

SAVANNAH: East Bay Inn $$
Hotel-butique
225 E Bay St, 31401
Tel *(912) 238-1225*
w eastbayinn.com
Essa bela pousada em estilo clássico perto da agitada River Street oferece instalações modernas e serviço cortês. A recepção noturna agracia os hóspedes com bebidas e petiscos de cortesia.

SAVANNAH: The Gastonian $$$
Histórico
220 E Gaston St, 31401
Tel *(912) 232-2869*
w gastonian.com
Os quartos luxuosos apresentam antiguidades e lareira nessa casa elegante rodeada de jardins.

SAVANNAH: Kehoe House $$$
B&B
123 Habersham St, 31401
Tel *(912) 232-1020*
w kehoehouse.com
Mansão de 1892 restaurada, voltada para a Columbia Square. Os quartos exibem móveis antigos. Há uma recepção noturna com vinhos e canapés.

ST. SIMONS: Ocean Lodge $$$
Luxuoso
935 Beachview Dr, 31522
Tel *(912) 291-4300*
w oceanlodgessi.com
O Ocean Lodge ostenta arquitetura estupenda, um restaurante na cobertura e quartos repletos de luxo.

**TYBEE ISLAND: Surf Song
Bed & Breakfast** $$
Histórico
21 Officers Row, 31328
Tel *(912) 472-1040*
w tybeesurfsong.com
Móveis em estilo praiano e uma ampla varanda conferem personalidade a essa casa vitoriana reformada perto do oceano.

Tennessee

**CHATTANOOGA: Chattanooga
Choo Choo Hotel** $
Histórico
1400 Market St, 37402
Tel *(423) 266-5000*
w choochoo.com
Popular entre os interessados em trem, esse hotel bom para famílias tem quartos-padrão e um vagão vitoriano como leitos.

Mais informações sobre hotéis *nas pp. 26-7*

GATLINBURG: Zoder's Inn & Suites $
B&B
402 Pkwy, 37738
Tel *(865) 436-5681*
w zoders.com
Essa propriedade tranquila fica em uma área isolada ao lado de uma bela nascente na montanha. Tem quartos confortáveis de vários tamanhos. O café da manhã padrão é de cortesia, e queijos e vinhos são servidos à noite.

MEMPHIS: Elvis Presley's Heartbreak Hotel $
Econômico
3677 Elvis Presley Blvd, 38116
Tel *(901) 332-1000*
w elvis.com
Hotel kitsch em estilo dos anos 1950 diante de Graceland, ex--residência de Elvis Presley. Os quartos são amplos e têm cozinha. O canal de TV interno exibe vídeos de Elvis.

Destaque
MEMPHIS: Peabody Hotel $$
Histórico
149 Union Ave, 38103
Tel *(901) 529-4000*
w peabodymemphis.com
Esse hotel famoso no centro é por si só um destino turístico. A "marcha dos patos" duas vezes por dia no saguão atrai espectadores – vale a pena ver essas aves desenvoltas passando pelo tapete vermelho rumo a uma fonte. Conhecido como o Grand Hotel do Sul, o Peabody tem quartos amplos com móveis finos e muitos luxos. Fica perto da Beale Street e de outras atrações da cidade.

NASHVILLE: Hotel Preston $$
Hotel-butique
733 Briley Pkwy 37217
Tel *(615) 361-5900*
w hotelpreston.com
Esse hotel criativo apresenta arte eclética, decoração atraente e toques muito originais. Os quartos, bastante confortáveis, têm temas exclusivos, e o serviço é cortês e personalizado.

NASHVILLE: The Hermitage Hotel $$$
Luxuoso
231 6th Ave N, 37219
Tel *(615) 244-3121*
w thehermitagehotel.com
Charmosa propriedade histórica conhecida por sua hospitalidade sulista. As acomodações, luxuosas e acolhedoras, descortinam vistas do centro da cidade.

Piscina do Hotel Preston, em Nashville, Tennessee

NASHVILLE: Union Station Hotel $$$
Hotel-butique
1001 Broadway, 37203
Tel *(615) 726-1001*
w unionstationhotelnashville.com
Em uma estação de trem desativada, esse hotel tem um impressionante saguão abobadado e quartos elegantes com decoração contemporânea.

Kentucky

LEXINGTON: Gratz Park Inn $$
B&B
120 W 2nd St, 40507
Tel *(859) 231-1777*
w gratzparkinn.com
Os quartos desse B&B histórico e intimista trazem comodidades modernas e roupas de cama de luxo, além de móveis de mogno, pisos de madeira e obras de arte regionais.

LEXINGTON: Hilton Lexington Downtown $$
Hotel-butique
369 W Vine St, 40507
Tel *(859) 231-9000*
w hilton.com/lexington
Esse hotel de rede com localização central abriga quartos confortáveis com ótimas instalações. Situa-se perto de atrações e é ligado por uma passarela a destinos de compras e gastronomia.

LOUISVILLE: Econo Lodge Downtown $
Econômico
401 S 2nd St, 40202
Tel *(502) 583-2841*
w econolodge.com
Conveniente para executivos e turistas, o Econo Lodge tem quartos bem decorados com frigobar e forno de micro-ondas. Há café da manhã grátis e sala de ginástica.

LOUISVILLE: Galt House Hotel $
Econômico
140 N Fourth St, 40202
Tel *(502) 589-5200*
w galthouse.com
Hotel grande com vários restaurantes e um belo jardim na cobertura. Seus vários tipos de quarto apresentam instalações luxuosas. Serviço atencioso.

LOUISVILLE: The Brown Hotel $$
Luxuoso
335 W Broadway, 40202
Tel *(502) 583-1234*
w brownhotel.com
Um dos principais marcos da cidade, esse hotel exibe arquitetura georgiana tardia, um saguão grandioso e quartos elegantes e confortáveis.

Destaque
LOUISVILLE: Seelbach Hilton $$
Histórico
500 S 4th St, 40202
Tel *(502) 585-3200*
w seelbachhilton.com
Esse hotel elegante construído em 1905 já recebeu muitas figuras famosas e até foi citado em *O grande Gatsby*, de F. Scott Fitzgerald. Com charme europeu, tem quartos luxuosos confortáveis com instalações modernas. A decoração opulenta apresenta mármore, detalhes refinados em madeira e arte do mundo inteiro.

LOUISVILLE: 21c Museum Hotel $$$
Hotel-butique
700 W Main St, 40202
Tel *(502) 217-6300*
w 21cmuseumhotels.com
Parte desse hotel singular é um museu de arte contemporânea. Os quartos são elegantes e distintos. Ótima receptividade.

Onde Comer e Beber

Carolina do Norte

ASHEVILLE: Laughing Seed Café $
Vegetariana
40 Wall St, 28801
Tel *(828) 252-3445*
Esse café serve pratos sazonais com toque internacional, cervejas locais e sucos de frutas frescas. Usa ingredientes orgânicos de fazendas locais. Tem um pátio coberto e um bar animado.

ASHEVILLE: Tupelo Honey $
Sulista
12 College St, 28801
Tel *(828) 255-4863*
Estabelecimento informal com decoração simples. O menu criativo sugere versões mais saudáveis de comfort food sulista feitas com ingredientes orgânicos locais frescos.

BEAUFORT: Clawson's 1905 Restaurant & Pub $
Americana moderna
425 Front St, 28516
Tel *(252) 728-2133* **Fecha** *dom*
Esse restaurante e pub na beira-mar ocupa o lugar de uma quitanda do início do século XX. Há porções mistas grandes de frutos do mar e carnes, acompanhadas de cervejas locais.

CHAPEL HILL: Mama Dip's $
Sulista
408 W Rosemary St, 27514
Tel *(919) 942-5837*
Amplo, o Mama Dip's serve comida caseira desde 1976. Há cardápios de café da manhã, almoço e jantar, disponíveis também para viagem. Destaque para o gumbo de bagre, o cozido de Brunswick e o cobbler de frutas.

Destaque
CHARLOTTE: Mert's Heart & Soul $
Soul food
214 N College St, 28202
Tel *(704) 342-4222*
Muitos moradores locais e turistas chamam esse restaurante popular em Uptown de "o coração e a alma de Charlotte". O Mert's se destaca pelos pratos caseiros sulistas, do Lowcountry e de Gullah. Entre os favoritos da casa estão mac 'n' cheese, broa de milho amanteigada, arroz-vermelho de Charleston e camarão com canjica. Equipe atenta e cordial.

CHARLOTTE: Upstream $$
Frutos do mar
6902 Phillips Pl Ct, 28210
Tel *(704) 556-7730*
Os peixes mais frescos do dia são usados em pratos inovadores com toque asiático e em sushis gourmets. Carta de vinhos premiada e brunch dominical.

DURHAM: Dame's Chicken & Waffles $
Americana moderna
317 W Main St, 27701
Tel *(919) 682-9235*
Esse restaurante eclético serve o clássico prato sulista com um toque moderno. Os waffles quebradiços são cobertos com manteiga cremosa e frango frito crocante.

NAGS HEAD: Sam & Omie's $
Americana
7228 S Virginia Dare Trail, 27959
Tel *(252) 441-7366* **Fecha** *dez-fev*
Esse local informal com um bar divertido abriu em 1937 servindo café da manhã para pescadores. A cozinha prepara frutos do mar e hambúrgueres, entre outros pratos.

RALEIGH: The Pit $
Churrascaria
328 W Davie St, 27601
Tel *(919) 890-4500*
Churrascos variados são servidos em um armazém dos anos 1930 restaurado. A cozinha premiada usa carnes orgânicas e produtos locais. Cartas ótimas de vinhos e destilados.

RALEIGH: The Raleigh Times $$$
Americana
14 E Hargett St, 27601
Tel *(919) 833-0999*
O passado da cidade está à mostra nesse edifício de 1906 belamente restaurado. O menu tem comida de bar, drinques criativos e cervejas variadas.

Categorias de Preço
Por pessoa, para uma refeição composta de três pratos e uma taça de vinho da casa, mais taxas.

$	até US$30
$$	US$30–US$50
$$$	acima de US$50

Carolina do Sul

CHARLESTON: Hominy Grill $
Sulista
207 Rutledge Ave, 29403
Tel *(843) 937-0930*
Instalado em um charmoso edifício antigo, o Hominy Grill angaria muitos clientes com sua cozinha tradicional à base de ingredientes locais frescos. Frango frito, camarão creole e torta de leitelho são os favoritos.

Destaque
CHARLESTON: Husk $$$
Sulista
74-76 Queen St, 29401
Tel *(843) 577-2500*
Amantes da cozinha saem de outras cidades para provar as elogiadas versões modernas de comida sulista que o chef Sean Brock prepara no Husk, no centro histórico. O menu muda diariamente conforme os ingredientes disponíveis e privilegia produtos artesanais e conservas e embutidos caseiros. Garçons competentes.

CHARLESTON: Magnolia's $$$
Sulista
185 E Bay St, 29401
Tel *(843) 577-7771*
Em um edifício antigo, o Magnolia se notabiliza pelo serviço excelente e pelos detalhes esmerados. O cardápio tem pratos sulistas clássicos, como tomates verdes fritos e solha com crosta de nozes-pecãs.

O Husk ocupa um edifício do fim do século XIX no centro de Charleston, Carolina do Sul

Mais informações sobre restaurantes *nas pp. 28-9*

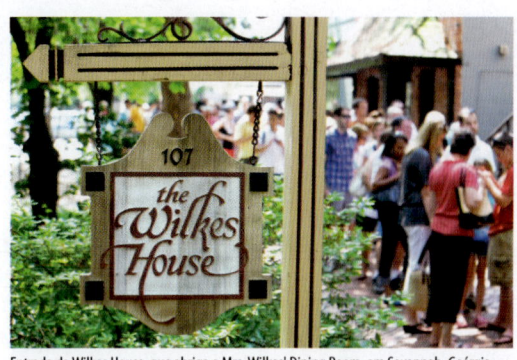

Entrada da Wilkes House, que abriga o Mrs. Wilkes' Dining Room, em Savannah, Geórgia

COLÚMBIA: Al's Upstairs Italian Restaurant $$
Italiana
300 Meeting St, W Columbia, 29169
Tel (803) 794-7404 **Fecha** dom
Em um edifício de 1900 com vistas da cidade, serve frutos do mar frescos do Atlântico, filés de corte manual, especialidades italianas e pratos inovadores de massa.

COLÚMBIA: Blue Marlin $$
Frutos do mar
1200 Lincoln St, 29201
Tel (803) 799-3838
Em uma estação de trem desativada, serve cozinha do Lowcountry com ênfase em frutos do mar e filés de corte manual. As ostras Bienville e o linguado Firecracker são os favoritos.

HILTON HEAD: A Lowcountry Backyard $$
Sulista
32 Palmetto Bay Rd, 29928
Tel (843) 785-9273
Esse lugar se destaca pela versão criativa da culinária campestre do Lowcountry à base de ingredientes sazonais e locais. Pátio animado e garçons gentis.

MYRTLE BEACH: Mr. Fish $
Frutos do mar
6401 N Kings Hwy, 29572
Tel (843) 839-3474
Esse restaurante e mercado serve os peixes mais frescos da cidade. Os pratos fritos clássicos, o gumbo e os sushis impressionam. Há também pizzas sem glúten e opções bem saudáveis.

MYRTLE BEACH: The Library Restaurant $$$
Francesa/Europeia
1212 N Kings Hwy, 29577
Tel (843) 448-4527
Aberto em 1974, o Library é ideal para ocasiões especiais. A equipe veste smoking e serve pratos clássicos como steak diane e sobremesas flambadas.

Geórgia

ATHENS: Cali N Tito's $
Latino-americano
1427 S Lumpkin St, 30608
Tel (706) 227-9979
Sabores latino-americanos e tacos de peixe gostosos são as atrações da casa, que tem salão e pátio animados e só aceita pagamento em dinheiro.

ATHENS: Last Resort Grill $$
Sulista
174-184 W Clayton St, 30601
Tel (706) 549-0810
Instalado em um edifício histórico com mesas reservadas em nichos e no pátio, esse grill atrai muita gente com sua cozinha moderna sulista e do Sudoeste.

ATLANTA: Colonnade Restaurant $
Americana
1879 Cheshire Bridge Rd NE, 30324
Tel (404) 874-5642
O Colonnade aposta desde 1927 nas tradições culinárias locais, servindo pratos como frango frito, lombo bovino e legumes. Equipe cordial.

ATLANTA: The Varsity $
Diner
61 N Ave NW, 30308
Tel (404) 881-1706
O maior drive-in de fast-food do mundo funciona desde 1928. Moradores locais e turistas adoram os hambúrgueres e os cachorros-quentes apimentados.

ATLANTA: La Grotta Ristorante Italiano $$
Italiana
2637 Peachtree Rd NE, 30305
Tel (404) 231-1368 **Fecha** dom
Esse restaurante sofisticado serve comida fina do Norte da Itália, incluindo frutos do mar, carne, vitela, frango, massas e sobremesas. A carta de vinhos é extensa.

ATLANTA: Bone's $$$
Churrascaria
3130 Piedmont Rd NE, 30305
Tel (404) 237-2663
Essa *steakhouse* atrai executivos e pessoas comemorando alguma ocasião especial. Carne orgânica de primeira, frutos do mar frescos e lagosta do Maine são os carros-chefes da casa. A carta de vinhos é notável.

ATLANTA: Holman & Finch Public House $$$
Americana moderna
2277 Peachtree Rd NE, 30309
Tel (404) 948-1175
Amantes da cozinha se encantam com o menu variável desse restaurante moderno, que inclui ingredientes obscuros e todos os tipos de carne. O hambúrguer, considerado o melhor da cidade, é feito em quantidade limitada e também figura no brunch dominical.

JEKYLL ISLAND: Grand Dining Room $$$
Frutos do mar
371 Riverview Dr, 31527
Tel (912) 635-5155
O elegante Grand Dining Room tem decoração vitoriana com cadeiras de espaldar alto, lareiras e cristais cintilantes. O cardápio apresenta delícias como hambúrguer de búfalo, sopa de cogumelos silvestres, bochechas de vitela e camarão com canjica.

Destaque

SAVANNAH: Mrs. Wilkes' Dining Room $
Sulista
107 W Jones St, 31401
Tel (912) 232-5997
Fecha sáb e dom
Clientes vão pela manhã durante a semana para o ritual sulista de se sentar em mesas comunitárias e comer porções grandes de pratos caseiros tradicionais. Há frango frito, broa de milho para acompanhar, suflê de batata-doce, feijão-fradinho, mac'n'cheese, churrasco de carne de porco e gumbo com quiabo. As opções de almoço variam diariamente.

SAVANNAH: Alligator Soul $$
Cajun/Créole
114 Barnard St, 31401
Tel (912) 232-7899
Restaurante no centro que só usa ingredientes orgânicos locais e regionais, com ênfase em animais tratados de maneira respeitosa. Há coquetéis orgânicos e sobremesas caseiras.

ST. SIMONS: Crabdaddy's $$
Frutos do mar
1219 Ocean Blvd, 31522
Tel *(912) 634-1120*
O extenso cardápio desse bom restaurante dá destaque a peixes locais servidos grelhados, enegrecidos ou ao vapor.

SAVANNAH:
The Olde Pink House $$
Americana moderna
23 Abercorn St, 31401
Tel *(912) 232-4286*
Restaurante renomado em uma mansão do século XVIII de cenário elegante. Oferece comida sulista moderna e diversão ao vivo todas as noites.

TYBEE ISLAND: Crab Shack $
Frutos do mar
40 Estill Hammock Rd, 31328
Tel *(912) 786-9857*
Bom para famílias, o Crab Shack serve clássicos regionais, como ostras do Lowcountry fervidas e ao vapor. Salão e terraço.

Tennessee

CHATTANOOGA: 212 Market
Restaurant $$
Americana moderna
212 Market St, 37402
Tel *(423) 265-1212*
O menu variável de versões criativas da cozinha americana contemporânea baseia-se em ingredientes locais. O salão tem decoração rústica, e há mesas também na sacada.

KNOXVILLE: The Tomato Head $
Pizzaria
12 Market Sq, 37902
Tel *(865) 637-4067*
As pizzas gourmets da Tomato Head levam apenas ingredientes frescos. Pães, molhos, cookies e sobremesas são preparados diariamente. Músicos, poetas e outros artistas entretêm os clientes.

Destaque
MEMPHIS: Corky's BBQ $
Churrascaria
5259 Poplar Ave, 38119
Tel *(901) 685-9744*
Favorito dos moradores locais, o Corky's serve carne de porco desfiada, costelas simples ou com molhos picantes e outras opções, tudo grelhado em carvão e lenha de nogueira. As paredes têm fotos de clientes famosos, e a atmosfera animada é apropriada para famílias.

MEMPHIS: Gus' World Famous
Fried Chicken $
Sulista
310 S Front St, 38103
Tel *(901) 527-4877*
Esse restaurante simples é um dos melhores para comer o autêntico frango frito sulista com acompanhamentos caseiros.

NASHVILLE:
Arnold's Country Kitchen $
Sulista
605 8th Ave S, 37203
Tel *(615) 256-4455* **Fecha** *sáb e dom*
Bom para almoço, serve menu de três opções mais prato principal de churrasco suíno ou rosbife e guarnições saborosas.

NASHVILLE: Capitol Grille $$$
Americana moderna sulista
231 6th Ave N, 37219
Tel *(615) 345-7116*
Em cenário elegante de 1910, carne de Black Angus, frutos do mar e ótimos produtos locais integram a criativa culinária sulista.

NASHVILLE: The Catbird Seat $$$
Americana moderna
1711 Division St, 37203
Tel *(615) 810-8200* **Fecha** *dom-ter*
Nesse lugar agitado, os clientes se sentam em torno da cozinha em forma de U e acompanham a preparação dos pratos.

Kentucky

BEREA: Boone Tavern
Restaurant $$
Sulista
100 Main St, 40404
Tel *(859) 985-3700*
O cardápio do Boone Tavern Restaurant sugere pratos caseiros como as deliciosas "lascas de frango em um ninho de ave" e uma broa famosa.

LEXINGTON: Stella's
Kentucky Deli $
Delicatéssen
143 Jefferson St, 40508
Tel *(859) 255-3354*
Essa *deli* é abastecida por agricultores e produtores locais em apoio à economia regional. Sanduíches, saladas, sopas e sobremesas são todos caseiros.

LEXINGTON: Jonathan at
Gratz Park $$$
Americana moderna
120 W Second St, 40507
Tel *(859) 252-4949*
Esse salão elegante serve alta gastronomia. Pratos regionais são preparados com um toque moderno, como lombo bovino com cogumelos. O atendimento é excelente.

LOUISVILLE: Hammerheads $
Americana
921 Swan St, 40204
Tel *(502) 365-1112* **Fecha** *dom*
Vale a pena ir ao Hammerheads devido à comida americana de pub, às cervejas artesanais locais e à música animada.

LOUISVILLE: Havana Rumba $$
Cubana
4115 Oechsli Ave, 40207
Tel *(502) 897-1959*
Esse estabelecimento de proprietário cubano ocupa um nicho na cena local, pois proporciona uma experiência original. Os clientes saboreiam receitas gostosas à base de ingredientes frescos.

Destaque
LOUISVILLE: Lilly's $$
Americano moderno
1147 Bardstown Rd, 40204
Tel *(502) 451-0447*
Fecha *dom e seg*
Comida inovadora e atmosfera convidativa definem esse bistrô charmoso que atrai público local e turistas. A cozinha utiliza produtos frescos para criar o menu variável de pratos originais como quarto dianteiro de cordeiro picante, ravióli caseiro com abóbora e carne de porco servida de sete maneiras. Os garçons explicam o menu.

LOUISVILLE: Jack Fry's $$$
Americana moderna
1007 Bardstown Rd, 40204
Tel *(502) 452-9244*
Esse bar aberto em 1933 tem muita história. Hoje, oferece jazz ao vivo, coquetéis interessantes e um cardápio variado de deliciosa comida regional.

O interior moderno com cozinha exposta do Catbird Seat, em Nashville, Tennessee

COLONY HOTEL

Columbus Restaurant

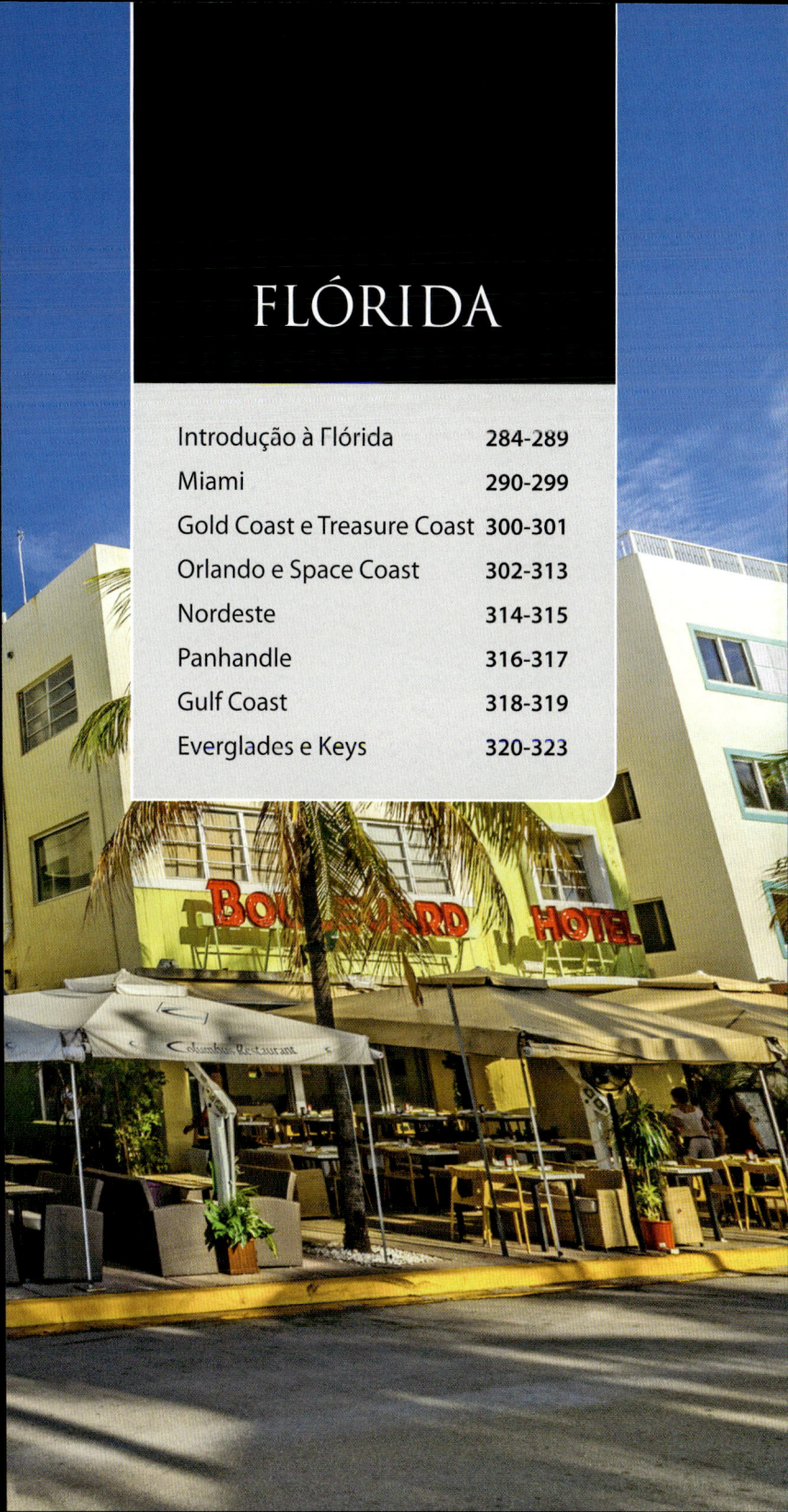

FLÓRIDA

Introdução à Flórida	284-289
Miami	290-299
Gold Coast e Treasure Coast	300-301
Orlando e Space Coast	302-313
Nordeste	314-315
Panhandle	316-317
Gulf Coast	318-319
Everglades e Keys	320-323

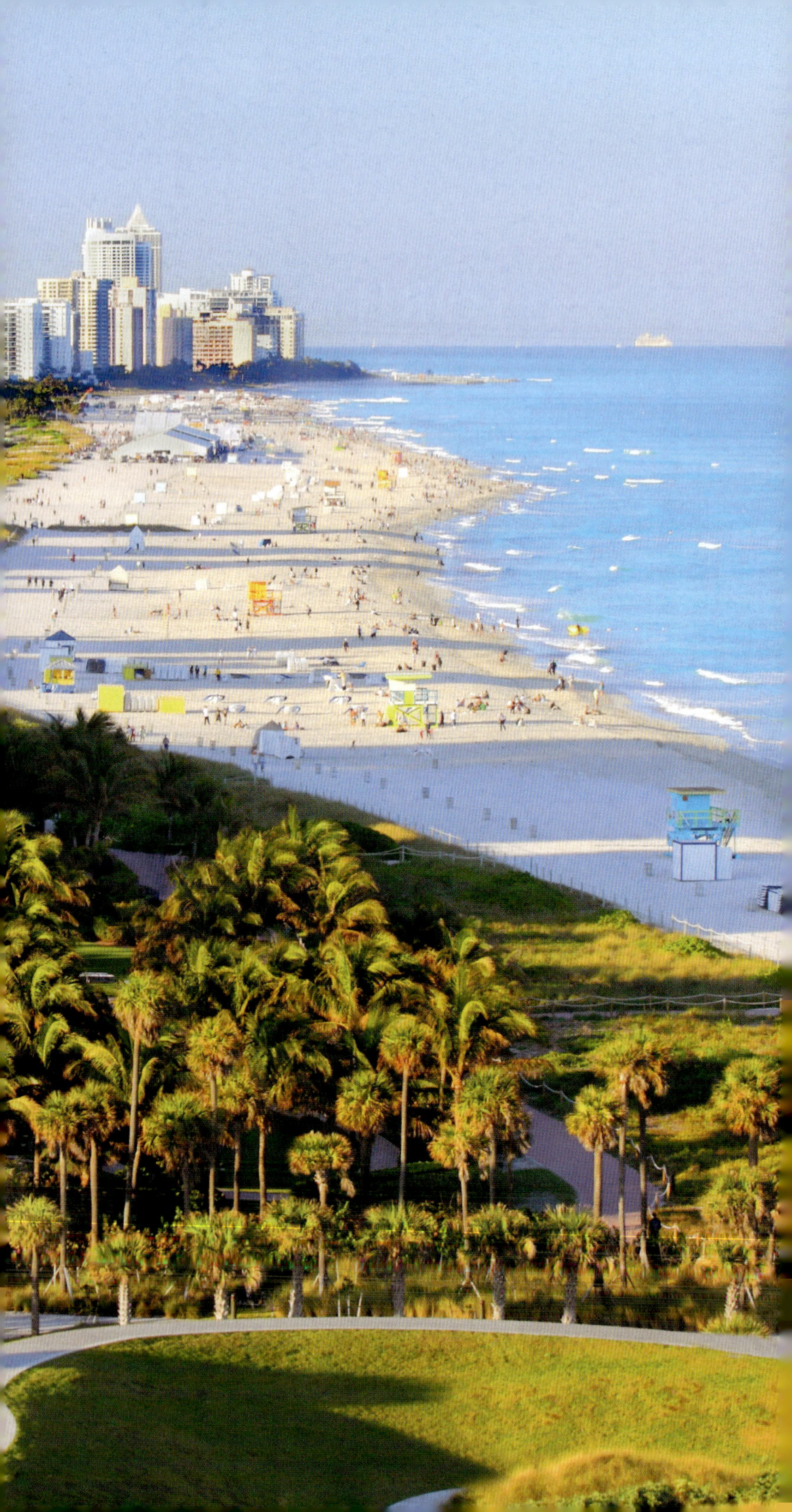

FLÓRIDA

Para a maioria dos mais de 96 milhões de visitantes anuais da Flórida, as imagens típicas de pôster de agência de turismo – sol, mar, praia e Mickey Mouse – bastam para pegar o primeiro avião. O *Sunshine State* merece a fama de local perfeito para as férias da família, mas a Flórida tem muito mais cultura, paisagens e personalidade a oferecer do que sugerem essas imagens estereotipadas.

No que diz respeito ao clima e também à cultura, a Flórida é um estado dividido – uma ponte entre a América do Norte temperada e a América Latina e o Caribe tropicais. No norte, as estradas são ladeadas por imponentes carvalhos perenes; no sul, as palmeiras criam sombras para o sol subtropical. E os habitantes de Miami tanto podem falar espanhol como inglês.

Para a maioria dos visitantes, as principais atrações da Flórida estão ao longo do litoral, com muitas praias para satisfazer qualquer pessoa. No entanto, os que desejam explorar mais coisas serão muito bem recompensados. As florestas viçosas e os campos ondulados do norte fornecem belíssimas paisagens. As chamadas "áreas selvagens" também empolgam, como é o caso dos Everglades, que abrigam uma extraordinária diversidade de vida vegetal e animal, e onde aligátores e cobras constituem lembranças vivas do lugar inóspito que era a Flórida pouco mais de um século atrás.

A História

À primeira vista, parece que a Flórida é um estado sem história. Contudo, por trás da aparência de modernidade está um passado longo e rico, moldado por diferentes nacionalidades e culturas. Até o século XVI, a Flórida tinha uma grande população indígena, cujos complexos sistemas político e religioso demonstravam o alto grau de organização social. Mas a colonização logo dizimou esses índios, tanto pela guerra como por doenças. Em 1513, o explorador espanhol Juan Ponce de León descobriu a região e lhe deu o nome de *Pascua Florida*, a Festa das Flores. Durante quase 200 anos, diversos conquistadores espanhóis tentaram, infrutiferamente, encontrar ouro e colonizar a região. Sua pri-

Deerfield Beach, um balneário pacato de onde se chega facilmente a Boca Raton

◀ Vista aérea de South Beach, em Miami, Flórida

meira preocupação era a posição estratégica da Flórida. A corrente do Golfo levava os galeões espanhóis carregados de ouro e tesouros das colônias do Novo Mundo, passando pela costa da Flórida em seu caminho que cruzava o Atlântico de volta para a Europa. Portanto era vital que La Florida não caísse em mãos inimigas.

De início, os franceses perturbaram os espanhóis, mas a verdadeira ameaça ao seu controle veio em 1742, quando colonos ingleses da Geórgia os desafiaram e acabaram comprando a região cerca de vinte anos depois. Embora a Flórida tenha sido devolvida à Espanha em 1783, ocorreram muitas disputas de fronteira desde então. Somente depois de Andrew Jackson, ambicioso general dos EUA, ter capturado Pensacola é que ocorreu a ocupação oficial americana, em 1821. Nesse período, o sistema de *plantation* havia se estabelecido no norte da Flórida. O primeiro cultivo rentável foi o algodão, para o

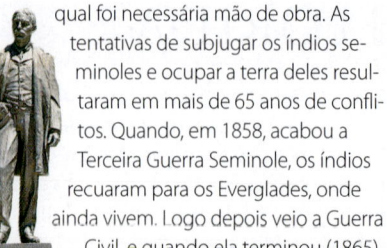

Henry Flagler, 1830-1913

qual foi necessária mão de obra. As tentativas de subjugar os índios seminoles e ocupar a terra deles resultaram em mais de 65 anos de conflitos. Quando, em 1858, acabou a Terceira Guerra Seminole, os índios recuaram para os Everglades, onde ainda vivem. Logo depois veio a Guerra Civil, e quando ela terminou (1865) a Flórida estava em ruínas, mas se recuperou depressa. Magnatas das ferrovias, como Henry Flagler e Henry Plant, construíram uma rede ferroviária e hotéis suntuosos, atraindo os ricos visitantes do Norte. No início do século XX o turismo desabrochou; em 1950 já era a principal indústria da Flórida. Nessa década, o lançamento do programa espacial da Nasa em Cape Canaveral ajudou a aumentar a prosperidade do estado.

Sociedade e Cultura

Estado em que "todo mundo nasceu em outro lugar", a Flórida sempre foi uma miscelânea cultural. Os primeiros habitantes foram povos indígenas de diversas tribos. O domínio de espanhóis, franceses e britânicos trouxe uma diversidade para a região que continua até hoje.

Os americanos procuram essa terra de oportunidades desde a Segunda Guerra Mundial. A Flórida, vigésimo estado mais povoado dos EUA em 1950, agora subiu para a terceira colocação. O maior grupo isolado a se mudar para o Sul foi o dos aposentados, para os quais o clima, a oferta de lazer e os impostos baixos constituem grande apelo, depois de uma dura vida de trabalho. Enquanto comunidades super-ricas, como

PRINCIPAIS DATAS HISTÓRICAS

1513 Ponce de León descobre *La Florida*

1565 Pedro Menéndez de Avilés funda St. Augustine após derrotar os franceses

1763 A Grã-Bretanha adquire a Flórida

1783 A Flórida é devolvida aos espanhóis

1785-1821 Disputas de fronteiras hispano-americanas

1821 A Flórida se torna parte dos EUA. Andrew Jackson é o primeiro governador americano

1845 A Flórida se torna o 27º estado

1852 Harriet Beecher Stowe publica o épico antiescravista *A cabana do Pai Tomás*

1886 Henry Flagler inicia a construção da Florida East Coast Railway

1958 Lançamento da *Explorer I* no Cape Canaveral, a sede do programa espacial

1959 Mais de 300 mil cubanos fogem para a Flórida

1971 É aberto o Walt Disney World®

1992 Furacão Andrew devasta sul da Flórida

2000 George W. Bush é indicado presidente após o fiasco da eleição na Flórida

2003 O ônibus espacial *Columbia* explode na reentrada e o robô *Spirit* ruma para Marte

2004 Quatro furacões atingem a Flórida em um período de seis semanas

2011 O último lançamento do *Atlantis* marca o fim do programa de ônibus espaciais

O ônibus espacial Discovery decola do Kennedy Space Center, em Cape Canaveral

Mural na US Federal Courthouse, em Miami

Palm Beach, mantém a imagem conservadora e sossegada que algumas pessoas ainda têm da Flórida, a realidade é bem diferente. Um número crescente dos que estão chegando agora é de jovens que veem a Flórida como terra de oportunidades, um lugar para aproveitar a vida. E a geração mais nova ajudou a transformar a South Beach de Miami num resort da moda nos EUA. De 1959 em diante, também houve uma imigração maciça da América Latina; o Miami-Dade County, em particular, tem uma enorme comunidade hispânica, com predomínio de cubanos. A Central Florida se tornou território de muitos povos hispânicos, de Porto Rico, México e Américas Central e do Sul, junto a imigrantes caribenhos. Tal diversidade étnica é comemorada num interminável ciclo de exuberantes festivais, músicas e comidas locais.

Quadriciclo, em Daytona Beach

Economia e Turismo

Em quase toda a sua história, a principal fonte de renda foi o setor agropecuário – cítricos, verduras, açúcar e o gado introduzido pelos colonos espanhóis. A Flórida produz mais de 70% das frutas cítricas consumidas hoje no país, enquanto Kissimmee é conhecida como a "capital do gado" do estado. Também significativa é a indústria de alta tecnologia. E a proximidade de Miami com a América Latina e o Caribe transformou a cidade em rota natural para o comércio da região. Tal proximidade contribuiu, igualmente, para a florescente indústria dos cruzeiros do estado. O clima quente da Flórida também gerou projetos rentáveis, como as corridas de carros, e a Daytona International Speedway atrai milhares de visitantes a cada ano. Treinos de beisebol na primavera também levam times e muitos torcedores para o Sul, enquanto o comércio da moda faz dezenas de modelos irem para Miami. Porém o turismo é que enche os cofres do estado. O Walt Disney World® Resort parece dominar essa indústria, mas a Flórida sabe tirar o máximo de seus recursos. Ótimas praias e a promessa de sol no inverno sempre atraem milhões de visitantes. Além das praias e dos parques temáticos, existem hábitats naturais, museus supermodernos e cidades, como St. Augustine e Pensacola, que conservam a ambientação colonial espanhola.

Atualmente a preservação é o item mais importante do estado. Após décadas de intenso desenvolvimento urbano, os habitantes finalmente entenderam a importância de proteger seu rico e variado legado natural. Grandes áreas foram desmatadas para a instalação de fábricas, condomínios e plantações de repolho, mas os envolvidos na indústria e na agricultura estão atuando com mais responsabilidade, e o uso da água agora é monitorado. Os tesouros naturais da Flórida, desde os pântanos de água-doce e as florestas de grandes árvores até os últimos exemplares de pumas, ganharam proteção para a posteridade.

Mural vibrante na Bahama Village, em Key West

Como Explorar a Flórida

Com praias e parques temáticos, a Flórida atrai quase 40 milhões de visitantes por ano. As principais atrações são Miami e Orlando, mas há outros ótimos destinos, como St. Augustine e Pensacola, fundadas por colonos espanhóis no século XVI. Para quem gosta de natureza, os Everglades são uma experiência emocionante, e os Keys oferecem opções de atividades, como pescar, mergulhar e nadar com snorkel. E, como a rede de rodovias liga as cidades principais, é rápido e fácil viajar de carro pela Flórida.

Principais Atrações

1. *Miami pp. 290-9*

Gold Coast e Treasure Coast
2. Fort Lauderdale
3. Boca Raton
4. Loxahatchee National Wildlife Refuge
5. Palm Beach

Orlando e Space Coast
6. Cocoa Beach
7. Kennedy Space Center
8. Canaveral National Seashore e Merritt Island
9. *Walt Disney World® Resort pp. 304-7*
10. *Universal Orlando® Resort pp. 308-9*
11. *SeaWorld® Orlando e Discovery Cove® pp. 310-1*
12. Orlando
13. Winter Park
14. International Drive
15. LEGOLAND®
16. Disney Wilderness Preserve

Nordeste
17. Daytona Beach
18. St. Augustine
19. Fernandina Beach
20. Ocala National Forest

Panhandle
21. Tallahassee
22. Pensacola
23. Apalachicola

Gulf Coast
24. Tampa
25. St. Petersburg
26. *Sarasota p. 319*
27. Lee Island Coast

Everglades e Keys
28. Big Cypress Swamp
29. Everglades National Park
30. Biscayne National Park
31. The Keys
32. Key West

Tema art déco, comum em Miami

Legenda
— Rodovia
— Estrada principal
— Ferrovia

Tabela de Distâncias

Miami

10 = Distância em milhas
10 = Distância em quilômetros

70 / 113	**Palm Beach**							
237 / 381	171 / 275	**Orlando**						
314 / 505	247 / 398	107 / 172	**St. Augustine**					
504 / 811	438 / 705	257 / 414	205 / 330	**Tallahassee**				
707 / 1138	642 / 1033	450 / 724	399 / 642	197 / 317	**Pensacola**			
279 / 449	200 / 322	84 / 135	190 / 306	274 / 441	468 / 753	**Tampa**		
262 / 422	228 / 367	106 / 171	212 / 341	299 / 481	490 / 789	24 / 39	**St. Petersburg**	
230 / 370	195 / 314	131 / 211	236 / 380	333 / 536	520 / 837	60 / 97	35 / 56	**Sarasota**
161 / 259	233 / 375	394 / 634	478 / 769	641 / 1032	873 / 1405	426 / 686	410 / 660	376 / 605	**Key West**

Legenda dos símbolos *na orelha da contracapa*

INTRODUÇÃO À FLÓRIDA | 289

Salva-vidas observando uma praia de Panhandle

❶ Miami

Há um século Miami era um pequeno posto comercial. Agora a Grande Miami ocupa 5.180km² e conta com 5 milhões de habitantes. A metrópole incorporou diversas comarcas e cidades, e inclui Miami-Dade County. Suas grandes atrações são as praias, principalmente South Beach. Entre outros destaques estão Little Havana, coração da população cubana da cidade, e os subúrbios arborizados de Coral Gables e Coconut Grove.

Miami Beach, por si só uma cidade, é ligada à terra firme por um elevado

Legenda
- Local de interesse
- Área de praia
- Rodovia

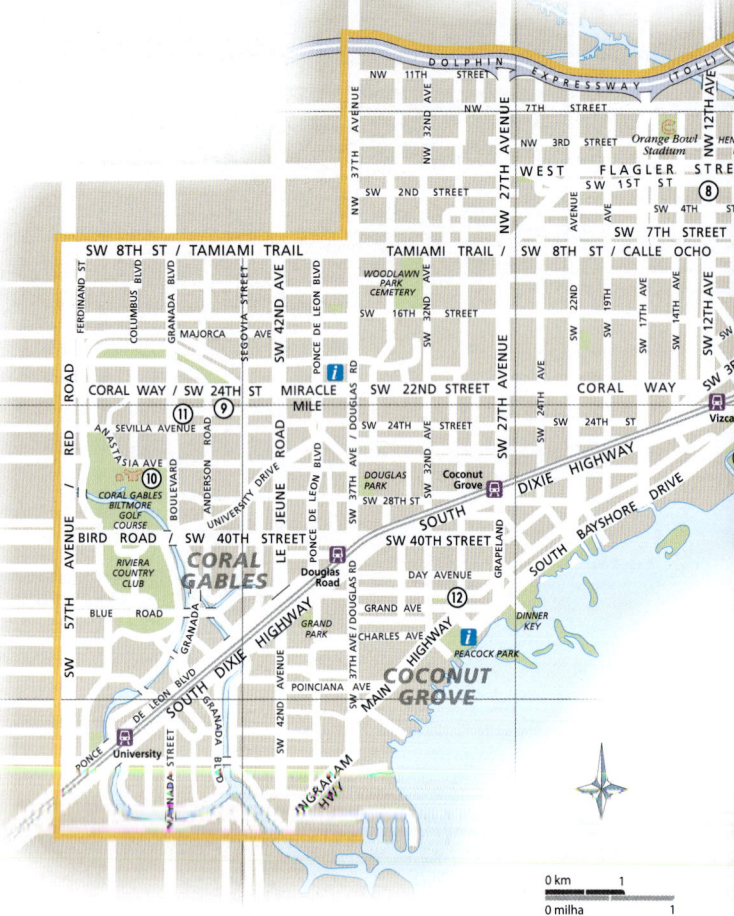

Legenda dos símbolos *na orelha da contracapa*

Como Circular

O transporte público de Miami é administrado pela Miami-Dade Transit Agency, que opera os ônibus, a rede de trens urbanos Metrorail e de trens elevados Metromover. Mas a melhor maneira de se locomover é de carro, embora se recomende o uso de táxis à noite.

Principais Atrações

① South Beach
② Holocaust Memorial
③ Bass Museum of Art
④ Biscayne Bay Boat Trips
⑤ Museum Park
⑥ Miami-Dade Cultural Center
⑦ Downtown
⑧ Little Havana
⑨ Coral Gables
⑩ Biltmore Hotel
⑪ Venetian Pool
⑫ Coconut Grove Village
⑬ *Vizcaya p. 297*

Grande Miami
(veja detalhe)

⑭ North Beaches
⑮ *Ancient Spanish Monastery p. 298*
⑯ Key Biscayne
⑰ Fairchild Tropical Botanic Garden
⑱ Zoo Miami
⑲ Wings Over Miami

Legenda

- Área do mapa principal
- Estrada
- Rodovia principal
- Outra rodovia

Posto de salva-vidas de South Beach igual aos prédios da Ocean Drive

① South Beach

Mapa F2. M, S, C, H, G, L, F, M, Night Owl, Airport Owl. 1.001, Ocean Drive, (305) 763-8026.
mdpl.org

Esse bairro moderno, também chamado SoBe, vai da 6th St até a 23rd St, entre a Lenox Avenue e a Ocean Drive. Paraíso hedonista, animado por um interminável desfile de modelos profissionais, fisiculturistas e *drag queens*, SoBe também dispõe da maior concentração mundial de construções art déco bem conservadas.

Os curiosos 800 prédios ao longo da Ocean Drive eram hotéis modestos, erguidos na década de 1930 por arquitetos, dos quais o mais famoso foi Henry Hohauser, que empregou materiais baratos para criar a sensação de elegância. O uso de cores vivas, conhecido como *Deco Dazzle*, foi iniciado na década de 1980 pelo decorador Leonard Horowitz.

As **Collins e Washington Avenues** também têm sua cota de prédios art déco, como o clássico Marlin Hotel, na Collins Avenue nº 1.200, um dos melhores exemplos do *Streamline Moderne*. Mais para o norte fica o luxuoso Delano Hotel *(p. 326)*, com notável interior não déco e cortinas brancas drapeadas, além de móveis originais de Gaudí e Dalí. Outros prédios interessantes são a Old City Hall, da década de 1920 em estilo *revival* mediterrâneo, e o austero Miami Beach Post Office, na Washington Avenue. Dentro do Post Office há um mural que retrata a chegada de Juan Ponce de León, conquistador espanhol que descobriu a Flórida, em 1513. O Wolfsonian Museum – FIU, construído na década de 1920, também na Washington Avenue, dispõe de excelente acervo de pinturas, esculturas e artes decorativas.

Entre a Washington Avenue e a Drexel está **Española Way**, um pequeno núcleo de construções em estilo *revival* mediterrâneo, onde arcos decorados, capitéis e balcões adornam as fachadas de estuque cor de salmão. Construída de 1922 a 1925, diz-se que essa rua serviu de inspiração para a Worth Avenue, de Addison Mizner, em Palm Beach *(p. 301)*. Galerias de arte e butiques ladeiam essa rua arborizada. Nos fins de semana bancas de artesanato se instalam no local.

O calçadão do **Lincoln Road Mall** é um promissor recanto cultural de Miami, dominado pelo ArtCenter South Florida. Criado em 1984, esse ArtCenter possui três áreas de exposição e dezenas de estúdios que funcionam como espaço de trabalho e de vendas, ou como galerias independentes. Tais galerias costumam abrir à noite, quando o calçadão se anima com frequentadores de teatro que enchem o Art Deco Colony Theatre, restaurado. Depois de tanta arte moderna, os restaurantes e cafés elegantes, como o Van Dyke, no nº 846, junto ao Lincon Road, oferecem uma folga.

South Beach, propriamente dita, se estende por 16km e se transformou num fantástico

---

Art Déco na Ocean Drive

O excelente conjunto de construções na Ocean Drive ilustra a interpretação exclusiva que Miami fez da Art Déco, famosa no mundo todo nas décadas de 1920 e 1930. A versão da Flórida, denominada Déco Tropical, usa motivos como flamingos, sol e vistosos itens náuticos, adequados ao mar de South Beach. Três estilos se destacam: o tradicional, o futurista *Streamline Moderne* e o *revival* mediterrâneo, inspirados nas arquiteturas francesa, italiana e espanhola. Uma corajosa campanha de preservação, comandada por Barbara Capitman na década de 1970, fez com que essa fosse a primeira área do século XX a ser tombada no país.

Flamingo gravado nas portas de vidro do saguão do Beacon.

Beacon (1936)
O esquema moderno de cores, um exemplo do *Déco Dazzle* de Leonard Horowitz, realça a decoração abstrata das janelas do primeiro andar.

Veja hotéis e restaurantes dessa região nas pp. 326-31

parque de diversões depois que a ponte que liga a ilha à terra firme foi construída em 1913.

Boa parte da areia que cobre a praia foi importada há muitas décadas e continua a ser reposta e completada por causa da erosão litorânea. As longas faixas de areia ainda impressionam e atraem uma enorme quantidade de gente.

Os ambientes da praia mudam com frequência. Ela é frequentada por surfistas a partir da 5th Street. Mais adiante se transforma numa extensão de SoBe, com coloridos postos de salva-vidas e banhistas fazendo pose.

Ao lado fica Lummus Park, onde a população judaica é dominante e ainda conversa em iídiche. Já a população gay se concentra ao redor da 21st Street.

Ao norte da 23rd Street há um trecho conhecido como **Central Miami Beach**. A grande atração dessa faixa é o imponente Fontainebleau Hotel. Terminada em 1954, essa estrutura curvilínea resultou da ideia de castelo francês moderno na concepção do arquiteto Morris Lapidus (1903-2001). A aparência grandiosa, a piscina e a cachoeira transformaram o hotel no cenário ideal para *Goldfinger*, clássico de James Bond na década de 1960.

② Holocaust Memorial

Mapa F2. 1.933-45 Meridian Ave. **Tel** (305) 538-1663. A, FM, G, L, W. 9h30-pôr do sol diariam. **w** holocaustmemorialmiami beach.org

Miami Beach conta com um dos maiores grupos de sobreviventes do holocausto do mundo. Por isso ali está o impressionante memorial de Kenneth Treister, terminado em 1990. O grande destaque é um enorme braço de bronze apontado para o céu, que representa o gesto final de uma pessoa agonizante.

Possui gravado um número de Auschwitz e é envolto por mais de cem figuras de bronze de tamanho natural de homens, mulheres e crianças que expressam seu sofrimento insuportável. Denominada *A escultura do amor e da agonia*, é uma das mais vigorosas obras de arte contemporâneas da Flórida. Ao redor da praça central foi feito um túnel em cujas laterais estão os nomes dos campos de concentração europeus, a história do holocausto contada por meio de um gráfico ilustrado e uma parede de granito onde foi gravado o nome de milhares das vítimas.

O Holocaust Memorial

Coroação da Virgem (c. 1492), de Domenico Ghirlandaio

③ Bass Museum of Art

Mapa F2. 2.100 Collins Ave. **Tel** (305) 673-7530. M, S, C, H, G, L. 12-17h qua-dom. seg, ter, feriados. **w** bassmuseum.org

Essa edificação art déco com influência maia é da década de 1930. Seu acervo contém pinturas, esculturas e tapeçarias europeias, doadas em 1964 pelos filantropos John e Johanna Bass.

As obras, que datam do século XV ao XVII, são trabalhos do Renascimento, pinturas de escolas europeias do norte, com telas de Rubens e enormes tapeçarias flamengas do século XVI. As exposições permanentes exibem mais de 2.800 peças.

Telhas de barro

Varanda: pré-requisito da maioria dos hotéis de Ocean Drive.

Cantos suavemente arredondados

No bar, o **piso de terrazzo**, mistura de fragmentos de pedra e mármore mais barato, num desenho de belo efeito a custo baixo.

Adrian (1934)
O Adrian se destaca dos outros edifícios pela inspiração mediterrânea e pelas cores suaves.

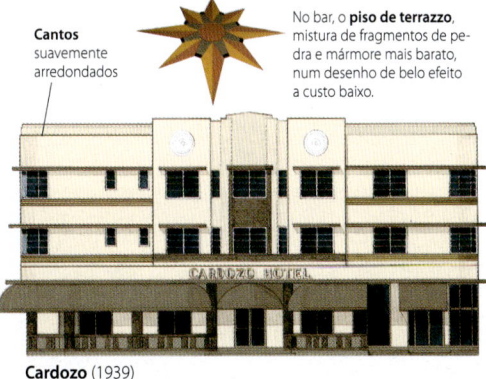

Cardozo (1939)
Obra tardia de Henry Hohauser, preferida de Barbara Capitman, esse prédio *Streamline* substitui os tradicionais detalhes art déco por cantos arredondados e faixas aerodinâmicas.

④ Biscayne Bay Boat Trips

Mapa D3. Bayside Marketplace.
Ⓜ College/Bayside. 🚌 16, 3, C, 95, BM, S, FM, Night Owl. Island Queen: Cruises: (305) 379-5119. Duck Tours: (786) 276-8300. Para os outros passeios de barco: (305) 577-3344.

Um jeito descontraído de observar as casas espalhadas pelas exclusivas ilhas particulares de Biscayne Bay é fazer um dos muitos cruzeiros que partem do **Bayside Marketplace**. Excursões como *Estates of the Rich and Famous* (Propriedades dos Ricos e Famosos), organizada pela Island Queen Cruises, saem com regularidade e duram cerca de 90 minutos.

Os passeios passam pelas ilhas Dodge e Lummus, onde fica o porto de cruzeiro mais movimentado do mundo. Tal porto, que contribui anualmente com uma arrecadação de mais de US$5 bilhões para a economia local, lida com mais de 3 milhões de passageiros de cruzeiros por ano.

Perto da extremidade leste do MacArthur Causeway fica a frota de embarcações de alta velocidade da guarda-costeira. Na frente, a Fisher Island, desprovida de ponte, é separada de South Beach pelo Government Cut, um canal dragado em 1905.

Uma praia restrita aos afro-americanos na década de 1920 se tornou, por ironia, uma área residencial exclusiva, cujas casas custam, no mínimo, US$500 mil. O passeio segue para o norte, pelas ilhas artificiais de Star, Palm e Hibiscus, onde os lotes eram vendidos "feito água". Entre suas mansões estão casas que foram de Frank Sinatra e Al Capone, e as atuais residências de Gloria Estefan e Julio Iglesias.

Há ainda excursões de barco noturnas, pescaria em alto-mar e cruzeiros. A Duck Tours utiliza veículos anfíbios, que partem diversas vezes por dia de South Beach, na saída de Lincoln Road. O passeio abrange pontos de interesse em South Beach e vai até Miami, mas antes passa por Biscayne Bay, para uma espiada nas casas dos ricos e famosos em Star Island. Bayside Marketplace é um complexo divertido, com lojas, bares e restaurantes, a exemplo do Hard Rock Café, com uma guitarra que sai pelo telhado. Nas proximidades localiza-se **Bayfront Park**, em cujo centro fica a Torch of Friendship, em homenagem a John F. Kennedy, cercada pelo brasão dos países das Américas Central e do Sul. Uma placa da comunidade cubana exilada na cidade agradece aos EUA por permitirem sua presença ali.

⑤ Museum Park

Mapa D3. Biscayne Boulevard
Ⓜ 11th St, Park West. 🚌 2, 3, 11, 35, 103, 119, 137, 207, Night Owl. Pérez Art Museum Miami: 1.103 Biscayne Boulevard. **Tel** (305) 375-3000.
🕐 10h-18h ter-dom (até 21h qui).
🌐 pamm.org

Esse grande parque abriga o **Pérez Art Museum Miami**, que em 2013 substituiu o Miami Art Museum. A coleção do museu consiste em arte internacional do século XX e contemporânea, com ênfase na produção das Américas. O Frost Museum of Science, também no parque, deve abrir em 2015.

Uma das mansões elegantes que se veem de barco por Biscayne Bay

Veja hotéis e restaurantes dessa região nas pp. 326-31

Miami-Dade Cultural Center, no centro de Miami

⑥ Miami-Dade Cultural Center

Mapa D3. 101 West Flagler St.
Ⓜ Government Center. 🚌 Todos para Miami Ave. HistoryMiami: **Tel** (305) 375-1492. 🕐 10h-17h seg-sáb, 12h-17h dom. 🍴 ♿ Main Public Library: 🕐 seg-sáb.

Com projeto do consagrado arquiteto americano Philip Johnson, de 1982, o Miami-Dade Cultural Center é um espaçoso complexo com pátio central e fontes no estilo mediterrâneo, além de um museu e uma biblioteca. O Museum of HistoryMiami é dedicado a Miami anterior a 1945. Ao lado de exposições sobre a colonização espanhola e a cultura seminole, existe uma fascinante coleção de fotografias antigas. Essas mostras dão vida à história mais antiga de Miami, desde as privações enfrentadas pelos pioneiros até os anos dourados do início da década de 1920.

⑦ Downtown

Mapa D3. Ⓜ diversas estações. US Federal Courthouse: 301 N Miami Ave. **Tel** (305) 523-5100. Ⓜ Arena/State Plaza. 🕐 8h-17h seg-sex. ⊙ feriados. ♿

Antes do desenvolvimento de Miami com a chegada da Florida East Coast Railway, em 1896, o núcleo inicial se concentrava num quadrado de 2,5km sobre a margem do rio Miami. Atualmente esse é o centro e o eixo do distrito financeiro da cidade. Seus edifícios futuristas são um monumento ao *boom* dos bancos na década de 1980, do qual a cidade emergiu como importante centro financeiro e comercial. A linha suspensa do Metromover, um trajeto circular sem maquinista e lançado em 1985,

Silhueta do centro de Miami vista do MacArthur Causeway

oferece uma boa visão geral da área, embora o percurso seja meio rápido.

Entre as principais atrações do local estão o Southeast Financial Center e a Miami Tower, de 1983, famosa pela iluminação noturna que se altera.

Entre as edificações mais antigas estão o Alfred I. DuPont Building (1938) e o Ingraham Building (1927), um edifício que mistura os estilos neoclássico e neorrenascentista.

A **US Federal Courthouse**, terminada em 1931, é uma imponente construção neoclássica, com agradável pátio mediterrâneo. Nela foram julgados inúmeros casos importantes, como o de Manuel Noriega, ex-presidente do Panamá, em 1990. Sua grande atração é o mural do segundo andar. Desenhado por Denman Fink (p. 296), retrata a transformação de Miami, de área agreste a cidade moderna. A entrada costuma ser restrita, principalmente nos casos mais famosos.

A **Gesu Church**, paróquia católica mais antiga da cidade, foi erguida em 1925 e fica na 2nd Street, a nordeste. É famosa pelos lindos vitrais feitos em Munique, na Alemanha. A **Freedom Tower**, no Biscayne Boulevard, teve influência da Giralda de Sevilha. De início era sede do extinto jornal *Miami News*; tornou-se centro de recepção de exilados cubanos na década de 1960 e agora é um centro cultural. A loja Macy's (antiga Burdines, aberta em 1898) fica na Flagler Street.

Freedom Tower (1925)

⑧ Little Havana

Mapa C3. 8 de Downtown, 17, 12, 6. El Titan de Bronze: 1.071 SW 8th St. **Tel** (305) 860-1412. 9h-17h seg-sáb.

Como o nome indica, os 9km² da área formada por Little Havana têm sido o refúgio dos imigrantes cubanos desde a década de 1960. O ambiente, principalmente nas ruas, é vibrante e reflete o estilo de vida dos cubanos. Fala-se espanhol em toda parte, a batida da salsa é ouvida em muitas lojas e as *bodegas* servem especialidades cubanas. A principal rua comercial e o coração sentimental da área é a **Calle Ocho** (8th Street, no sudoeste), cujo trecho mais animado fica entre as 11th e 17th Avenues. **El Titan de Bronze**, uma fábrica pequena, mas autêntica, fica perto da esquina da Calle Ocho com a 11th Avenue. Vende charutos feitos à mão, no estilo tradicional de Cuba, por funcionários que trabalharam nas melhores fábricas do mundo. O fumo é cultivado na República Dominicana, supostamente com sementes cubanas, as mais valorizadas.

A maior atração nacionalista é o **Cuban Memorial Boulevard** (como é conhecida a 13th Avenue, no sudoeste), cheio de homenagens aos heróis cubanos. O mais notável é a chama eterna do Brigade 2506 Memorial, que comemora a invasão desastrosa da baía dos Porcos em 1961. Em abril as pessoas se reúnem ali para lembrar os cubanos mortos na tentativa de derrubar o regime de Fidel Castro. Mais adiante estão outros memoriais a heróis que lutaram contra colonos espanhóis em Cuba, na década de 1880. Ao longo da Calle Ocho, entre as 12th e 17th Avenues, as calçadas estão cheias de estrelas que festejam celebridades latinas atuais, como Julio Iglesias e Gloria Estefan, numa versão de Little Havana para a Calçada da Fama de Hollywood.

Capa de discos de salsa

Ao norte da Calle Ocho, entre a West Flagler Street e a 17th Avenue, no sudoeste, foi construída a Plaza de la Cubanidad, que tem um mapa de Cuba esculpido em bronze. Nela há uma porção de bandeirolas que indicam a sede do Alpha 66, o grupo anticastrista mais linha-dura que existe em Miami.

Nesse bairro também está o minúsculo Máximo Gómez Park, ou Domino Park, e o Woodlawn Cemetery. O restaurante Versailles, próximo, é centro cultural e culinário da comunidade cubana.

Em Little Havana, mural cubano simboliza a saudade da terra natal

⑨ Coral Gables

Mapa A4. **Lowe Art Museum:
Tel** (305) 284-3535. Metrorail (University). 52, 56, 72. 10h-16h ter-sáb, 12h-16h dom. feriados. Miracle Mile: Metrorail (Douglas Rd), em seguida o ônibus J ou 40, 42, 24 de downtown.

Conhecida como Bela Cidade, Coral Gables é uma área urbana separada dentro da Grande Miami. Na década de 1920, George Merrick a projetou, tendo Denman Fink como consultor artístico, Frank Button como paisagista e Phineas Paist como diretor de arquitetura. Os regulamentos garantem que as novas edificações sigam o mesmo estilo (parte italiano e parte espanhol) que Merrick propôs. As principais referências são a **Coral Gables Congregational Church**, em estilo barroco espanhol, a primeira igreja da área, a Coral Gables City Hall, renascentista espanhola, e o **Lowe Art Museum**, o primeiro museu de arte do sul da Flórida, localizado no *campus* da University of Miami.

Em 1940, a principal rua do comércio recebeu de um construtor o nome de **Miracle Mile** (a milha do nome se refere ao percurso de ida e volta). O Colonnade Hotel foi erguido em 1926 por Merrick, como sede de sua empresa imobiliária. Nas proximidades, na Salzedo Street com Aragon Avenue, fica o antigo prédio da polícia, erguido em 1939.

Vista do Biltmore Hotel, a referência mais famosa de Coral Gables

Congregational Church de Coral Gables

⑩ Biltmore Hotel

Mapa A4. 1.200 Anastasia Ave. **Tel** (855) 311-6903. Metrorail (S Miami) depois ônibus 72. dom grátis.
w biltmorehotel.com

No apogeu, na década de 1920, esse hotel hospedou pessoas como Al Capone, Judy Garland e o duque e a duquesa de Windsor. Durante a Segunda Guerra Mundial serviu de hospital militar e assim continuou até 1968. Após uma restauração de US$55 milhões, em 1986, foi à falência em 1990, mas reabriu dois anos depois. O ponto mais marcante do Biltmore é a réplica de 96m de altura da Giralda da catedral de Sevilha, também modelo para a Freedom Tower *(p. 295)* de Miami. Seu grande saguão é ladeado de pilares. O Biltmore possui uma das maiores piscinas de hotel dos EUA, onde o famoso Johnny Weissmuller (conhecido pelos papéis de Tarzan) bateu o recorde mundial de natação na década de 1930.

⑪ Venetian Pool

Mapa A4. 2.701 De Soto Blvd. **Tel** (305) 460-5306. Metrorail (S Miami) depois ônibus 72. abr-mai e set-out: 11h-17h30; meados jun-meados ago: 11h-19h30 seg-sex; nov-mar: 10h-16h30; o ano todo: 10h-16h30 sáb e dom. seg set-mai, 1ª jan, Ação de Graças, 24-25 dez.
w coralgablesvenetianpool.com

Talvez a mais bela piscina do mundo, a Venetian Pool foi engenhosamente elaborada a partir de uma pedreira de coralina, em 1923, por Denman Fink e Phineas Paist. Torres de estuque rosado e galerias cobertas de trepadeiras, postes venezianos listrados, ponte de pedra, fontes, cascatas e diversas cavernas envolvem as águas cristalinas alimentadas por fontes, que são ótimas para nadar.

A piscina já foi um dos locais da moda em Coral Gables. No saguão há fotografias de concursos de beleza realizados no local, na década de 1920. Vale a pena visitar essa bela piscina pública para nadar ou apenas para espiar.

A Venetian Pool foi criada com engenhosidade na década de 1920, numa velha pedreira de coralina

Veja hotéis e restaurantes dessa região nas pp. 326-31

⑫ Coconut Grove Village

Mapa B4. Metrorail (Coconut Grove). 42 de Coral Gables, 48 de downtown, 6, 27, 22.

Comunidade mais antiga de Miami, Coconut Grove era um reduto hippie na década de 1960. Agora "the village", como é chamada, é famosa pelos cafés e restaurantes, principalmente à noite e nos fins de semana. É também a área da cidade mais sossegada para compras, com muitas butiques e dois shoppings: o CocoWalk, ao ar livre, e o elegante Streets of Mayfair. Para contrastar, há as bancas de alimentação no colorido mercado, que se realiza aos sábados na McDonald Street e na Grand Avenue. Nessa última também existem casas simples da comunidade que veio das Bahamas, descendente dos *wreckers (p. 323)*, que vivem no local desde meados do século XIX. O animado Goombay Festival, uma festa com desfile, ótimas comidas e música do Caribe, ocorre em junho.

Num bairro arborizado, rico, ao longo da Main Highway, fica **Barnacle**, casa de Ralph Monroe, que ganhava a vida construindo e resgatando navios. Na Ralph Monroe no 3.400 fica a pitoresca **Plymouth Congregational Church**, de 1916.

Coconut Grove Village, área animada com lojas, cafés e bares

⑬ Vizcaya

Mapa C4. 3.251 S Miami Ave. **Tel** (305) 250-9133. Metrorail (Vizcaya). 48. 9h30-16h30 seg, qua-dom. Ação de Graças, 25 dez. restrito. **w** vizcayamuseum.org

A residência mais grandiosa da Flórida foi terminada em 1916, como refúgio de inverno do milionário James Deering. A ideia dele era copiar uma propriedade italiana do século XVI, mas que tivesse sido alterada por muitas gerações. Então surgiu Vizcaya, com aposentos suntuosos, que misturam desde o estilo renascentista até o neoclássico, decorados com as compras que Deering fez na Europa. Os jardins formais, uma raridade na Flórida, harmonizam as características do paisagismo italiano e francês com as folhagens tropicais. Há muitas esculturas e construções singulares, como uma casa de chá japonesa. Deering sempre perguntava ao arquiteto: "Temos de ser tão grandiosos?", temendo que Vizcaya pudesse ter manutenção cara demais. Após a morte de Deering, em 1925, ela comprovou os temores dele, até ser adquirida pelo Miami-Dade County, em 1952. Desde então a casa e os jardins estão abertos à visitação pública.

Estátua de Pulcinella

O **banheiro de Deering** tem paredes de mármore, placas de prata e teto com dossel.

O **pátio**, agora coberto de vidro, já foi a céu aberto.

O **salão de música** é o mais bonito da casa, iluminado por um candelabro fantástico.

A **piscina** é visível de fora. Chega-se a ela por uma gruta atrás da casa.

O **salão de estar** é um grande espaço renascentista, onde foi instalado um órgão feito especialmente para o local.

Grande Miami

As áreas ao norte de Miami Beach e centrais e ao sul de Coral Gables não são panorâmicas, mas vale a pena visitá-las, pelas ótimas praias e diversões para a família. Ao sul da cidade, depois dos pomares cítricos, dos manguezais litorâneos e das bordas dos Everglades, o visitante encontra o zoo e diversos jardins maravilhosos. Em 1992, a região foi afetada pelo furacão Andrew, mas hoje está totalmente recuperada.

Praia em Haulover Park, sob o olhar atento do salva-vidas

⑭ North Beaches

Mapa F4. Collins Ave. K, S ou T de South Beach ou downtown.

As ilhas-barreiras do norte, ao longo da Collins Avenue, são ocupadas principalmente por belas áreas residenciais e resorts baratos, procurados em pacotes de viagens. Uma faixa de areia entre as 79th e 87th Streets separa Miami Beach do **Surfside**, uma comunidade simples procurada por canadenses franceses. Na 96th Street, Surfside se junta a **Bal Harbour**, um núcleo elegante, conhecido pelos hotéis vistosos e por um dos shoppings de maior ostentação de Miami: o Bal Harbour Shops. Ao norte fica o agradável **Haulover Park**, com uma marina ao lado da enseada e dunas voltadas para o mar.

⑮ Ancient Spanish Monastery

Mapa F4. 16.711 W Dixie Hwy, N Miami Beach. **Tel** (407) 945-1461. H de South Beach, 3 de downtown. 10h-16h30 seg-sáb, 11h-16h30 dom. ● feriados, pode fechar sáb ou dom em eventos especiais. **w** spanishmonastery.com

Os claustros desse mosteiro têm uma história curiosa. Construídos na Espanha, entre 1113 e 1141, foram comprados em 1925 por William Hearst *(p. 688)*, magnata da imprensa, que mandou embalar suas 35 mil pedras em engradados. Em razão de um surto de febre aftosa, os engradados foram abertos (para examinar a palha da embalagem) e as pedras foram incorretamente recondicionadas. Ao chegarem a Nova York, ali ficaram até 1952, quando se decidiu montá-las no "maior e mais caro quebra-cabeça do mundo". Os claustros se parecem com os originais, mas ainda há uma pilha de pedras não identificadas num canto do jardim.

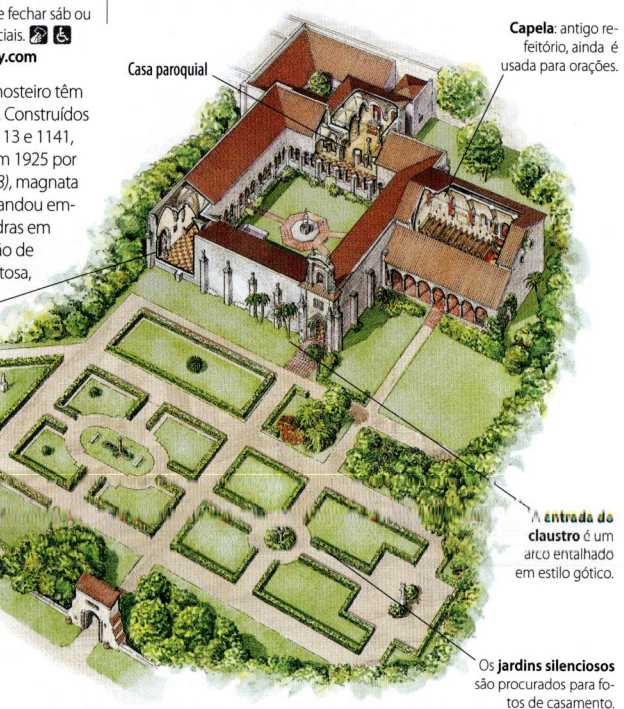

Capela: antigo refeitório, ainda é usada para orações.

Casa paroquial

Estátua do rei Afonso VII, protetor do mosteiro

Sino na porta da capela

A **entrada do claustro** é um arco entalhado em estilo gótico.

Os **jardins silenciosos** são procurados para fotos de casamento.

Veja hotéis e restaurantes dessa região nas pp. 326-31

Lagoas tranquilas cercadas de palmeiras, no Fairchild Tropical Botanic Garden

⑯ Key Biscayne

Mapa F5. 11km SE de downtown. B. Bill Baggs Cape Florida State Park: **Tel** (305) 361-5811. diariam. **w** floridastateparks.org

O centro é lindo, visto de Rickenbacker Causeway, que liga a terra firme a Virginia Key e Key Biscayne. Esses locais têm algumas das melhores praias da cidade. A mais impressionante fica em Crandon Park, na porção superior de Key. Tem 5km de comprimento e é muito larga, com palmeiras e áreas de piquenique. Na ponta sul, o **Bill Baggs Cape Florida State Park** tem uma praia menor ligada a áreas de piquenique por meio de passarelas de madeira que atravessam as dunas.

Palmeiras do jardim tropical

⑰ Fairchild Tropical Botanic Garden

Mapa F5. 10.901 Old Cutler Rd. **Tel** (305) 667-1651. 65 de Coconut Grove. Escritório: 8h-17h diariam. Jardins: amanhecer-anoitecer diariam. 25 dez. **w** fairchildgarden.org Matheson Hammock Park: **Tel** (305) 665-5475. 6h-anoitecer diariam.

Criado em 1938, esse lindo jardim tropical é também uma importante instituição de pesquisa botânica. Uma das maiores coleções mundiais de palmeira (550 das 2.500 espécies conhecidas) rodeia diversas lagoas artificiais. Ele possui ainda um lindo conjunto de cicadáceas – da família das palmeiras e das samambaias, que apresentam enormes cones vermelhos –, assim como outras árvores e plantas, como a divertida "árvore da salsicha".

Num passeio de trenzinho, de 40 minutos, os guias descrevem como as plantas eram usadas para fazer remédios e perfumes (como as flores do ilangue-ilangue, usadas no Chanel Nº 5). À beira-mar, o **Matheson Hammock Park** fica ao lado do Fairchild Tropical Garden. Sua grande atração é a Atoll Pool, uma piscina artificial de água salgada, rodeada de areia e de palmeiras, em Biscayne Bay.

⑱ Zoo Miami

Mapa E5. 12.400 SW 152nd St, Miami. **Tel** (305) 251-0400. Metrorail (Dadeland North) depois Zoo Bus. 9h30-17h30 diariam. **w** miamimetrozoo.com

Esse zoo enorme é considerado um dos melhores do país. Os animais são mantidos em hábitats espaçosos e ajardinados, separados dos humanos por fossos. Entre as atrações estão gorilas-das-planícies, ursos-malaios e tigres brancos. O Petting Zoo é adorado pelas crianças e o Wildlife Show demonstra a agilidade dos grandes felinos. Dê um passeio de 20 minutos no monotrilho para ter uma visão geral do zoológico. Depois visite o que quiser ou pegue o monotrilho para a estação 4 e volte a pé.

⑲ Wings Over Miami

Mapa F5. 14.710 SW 128th St, ao lado do Tamiami Airport. (305) 233-5197. 10h-17h qua-dom. feriados. **w** wingsovermiami.com

Museu dedicado a preservar aeronaves antigas, com hangares que contêm excelente coleção de exemplares perfeitamente conservados, ainda em operação. Entre eles estão um AT6D Texan "Old Timer" de 1943, um Douglas B-23 Dragon e um British Provost Jet. O museu também expõe grande variedade de peças, como uma torre de tiro para metralhadora. Todos esses aviões decolam no fim de semana de comemoração do Memorial Day. Em fevereiro eles se juntam aos bombardeiros B-17 e B-24, no evento Wings of Freedom.

Tigre branco numa imitação de templo Khmer, no Zoo Miami

❷ Fort Lauderdale

170.000.
100 East Broward Blvd, Ste 303, (954) 765-4466.

Conhecida como "Yachting Capital of the World" (Capital Mundial dos Iates), Fort Lauderdale se caracteriza pelos canais que se ramificam desde o rio New. A área ao redor da foz é denominada **Isles**, e é o bairro mais sofisticado da cidade, com amplas mansões por trás de densa folhagem e iates luxuosos atracados nos canais.

Milhões de visitantes vão para as ilhas-barreiras ao longo do litoral, entre as praias e o Intracoastal Waterway. Esse canal cruza **Port Everglades**, o segundo maior porto mundial de navios de cruzeiro, depois de Miami, que igualmente dispõe de cruzeiros fluviais e aquatáxis.

Las Olas Boulevard, a via mais movimentada da cidade, está cheia de restaurantes e butiques. O **Museum of Art** também fica nela e é conhecido pelas obras dos artistas CoBrA, grupo de pintores expressionistas do século XX, de Copenhague, Bruxelas e Amsterdã. No centro está o **Riverwalk**, centro cultural e de negócios que ocupa uma faixa de 2,4km ao longo da margem norte do rio New e faz a conexão entre os marcos históricos e culturais da cidade. Começa pela **Stranahan House** (1901), que já foi posto comercial, correio e banco. O **Old Fort Lauderdale** acompanha a 2nd Avenue, a sudoeste, e tem algumas construções do início do século XX, como a do Fort Lauderdale History Center. A cidade conta com as praias mais animadas da Gold Coast, principalmente as que ficam no final do Las Olas Boulevard, onde patinadores praticam na frente de bares e lojas. A oeste fica Sawgrass Mills, o maior shopping center da Flórida, que dispõe de seu próprio parque temático.

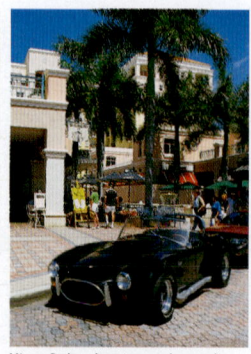

Mizner Park, o shopping cor-de-rosa de Boca Raton

Aquatáxi no rio New, em Fort Lauderdale

❸ Boca Raton

87.800. 1.555 Palm Beach Lakes Blvd, (561) 233-3000.

A milionária Boca Raton já foi uma sossegada plantação de abacaxi, que o arquiteto Addison Mizner (1872-1933) idealizou como "o melhor balneário do mundo". O núcleo desse ideal era o luxuosíssimo Cloister Inn, terminado em 1926, com detalhes espanhóis, que eram a marca registrada de Mizner. Agora o hotel faz parte do exclusivo **Boca Raton Resort and Club**. Toda semana, a Boca Raton Historical Society organiza passeios para não moradores, que saem da prefeitura, projetada por Mizner. Bem na frente fica o **Mizner Park**, a céu aberto, talvez o mais impressionante shopping de Boca Raton. Localizado dentro do Mizner Park, está o **Boca Raton Museum of Art**. Esse museu conta com um espaço enorme para suas mostras maravilhosas e um excelente acervo de arte contemporânea.

O bairro arborizado de **Old Floresta** fica a 1,6km a oeste da prefeitura e possui 29 casas em estilo mediterrâneo construídas por Mizner.

Boca possui uma longa praia não urbanizada, à qual se chega pelos parques à beira-mar, como o **Red Reef Park**, que também sedia o **Gumbo Limbo Nature Center**. O parque mais setentrional é o **Spanish River Park**, o mais atraente, com áreas de piquenique sombreadas por pinheiros e palmeiras. Dispõe, além disso, de uma linda lagoa na Intracoastal Waterway, ao lado de uma torre de observação.

Boca Raton Museum of Art
501 Plaza Real, Mizner Park. **Tel** (561) 392-2500. 10h-17h ter-sex (até 21h qua), 12h-17h sáb-dom. feriados. bocamuseum.org

❹ Loxahatchee National Wildlife Refuge

10216 Lee Rd. **Tel** (561) 732-3684. Boynton Beach. Refuge. diariam, 25 dez. Visitor Center: nov-abr: diariam; mai-out: qua-dom. 25 dez.

Na porção mais ao norte dos Everglades *(p. 321)*, esse refúgio de 572 km² é famoso pela magnífica vida selvagem. O inverno é o melhor momento para visitá-lo, quando chegam as aves

Ciclistas e patinadores aproveitam o calçadão da praia, em Fort Lauderdale

Veja hotéis e restaurantes dessa região nas pp. 326-31

GOLD COAST E TREASURE COAST | 301

Viela que sai da Worth Avenue, a mais chique de Palm Beach

migratórias vindas do norte. O centro de visitantes, na saída da Route 441, tem uma prancha que explica a ecologia dos Everglades e também mostra duas trilhas. A Cypress Swamp Boardwalk é ladeada de árvores-de-cera; a Marsh Trail, mais comprida, é o paraíso dos ornitófilos, com íbis, garças e biguatingas. Também se podem ver tartarugas e aligátores. Além disso, existe uma trilha de 9km para canoas e diversos passeios a pé.

❺ Palm Beach

8.500. 45 Cocoanut Row, (561) 655-3282.

Balneário de inverno para os ricos e famosos, Palm Beach foi criada no final do século XIX pelo magnata das ferrovias Henry Flagler. Na década de 1920, Addison Mizner construiu luxuosas mansões em estilo espanhol, tendência que virou sua marca registrada e que, depois, influenciou outros estilos arquitetônicos. As maiores atrações de Palm Beach podem ser vistas na área entre Cocoanut Row e South County Road.

Lá fica o **Flagler Museum** (ex-Whitehall), antiga residência de inverno de Flagler, com 55 cômodos. Possui grandioso hall de entrada de mármore, biblioteca em estilo renascentista italiano e salão de baile Luís XV. O vagão de trem privativo de Flagler fica no gramado sul.

A **Society of the Four Arts**, mais ao sul, foi fundada em 1936 e possui duas bibliotecas, espaço de exposição e um auditório para concertos e filmes. Entre outras construções interessantes estão a prefeitura, de 1926, o Mizner Memorial Park e **The Breakers**, uma imensa edificação em estilo renascentista italiano que é o hotel mais suntuoso de Palm Beach (p. 326).

Contudo a síntese da opulência de Palm Beach é a famosa **Worth Avenue**, que se estende por quatro quarteirões, de Lake Worth até o mar. Essa avenida entrou na moda com a construção do Everglades Club, em 1918, num esforço conjunto entre Mizner e seu patrocinador Paris Singer, herdeiro da fortuna das máquinas de costura. Agora a Worth Avenue se orgulha de apresentar uma mistura de butiques da moda, galerias de arte e lojas.

Ruelas pitorescas, reminiscências das ruas de serviço das vilas espanholas, saem da avenida. Essas vielas de pedestres, criadas por Mizner, têm muitos arcos, escadas espiraladas, cascatas de primaveras e pátios. The Esplanade, um shopping a céu aberto, fica na ponta leste.

As mansões de milhões de dólares de Palm Beach ficam nos subúrbios. Algumas foram construídas por Mizner e seus imitadores na década de 1920. Desde então centenas de outras casas proliferaram, em estilos que vão do neoclássico ao art déco. As mais visíveis ficam numa elevação ao longo do South Ocean Boulevard, apelidadas de "Mansion Row". A casa mais elaborada, a Mar-a-Lago (no 1.100), agora é um clube fechado, cujo dono é o milionário Donald Trump.

🏛 Flagler Museum
1 Whitehall Way. **Tel** (561) 655-2833.
🕐 10h-17h ter-sáb, 12h-17h dom.
🚫 1º jan, Ação de Graças, 25 dez.
♿ Restrito.
🌐 flaglermuseum.us

O Flagler Museum, em Palm Beach, era casa de inverno de Henry Flagler

❻ Cocoa Beach

🏠 11.200. 🚉 Merritt Island. ℹ️ 400 Fortenberry Rd, (321) 459-2200.

Esse balneário amplo e despojado autodenomina-se Capital do Surfe da Costa Leste. Seus pontos altos são os festivais de surfe e as competições de "ganhe seu peso em cerveja". Motéis, restaurantes e lojas de presentes enchem a rua principal. A fascinante **Ron Jon Surf Shop** tem pranchas de surfe (venda ou aluguel) e grande variedade de camisetas. Na frente de suas torres há esculturas de figuras do esporte.

Foguetes em exposição na Cape Canaveral Air Force Station

❼ Kennedy Space Center

Fora da rota 405, 6 milhas (9,6 km) a leste de Titusville. **Tel** (321) 449-4444. 🚉 Titusville. 🕘 9h-19h diariam (o horário de fechamento varia entre set-dez; consulte o site). 🔴 25 dez. Às vezes, o centro fecha por motivos operacionais; sempre ligue antes. ♿ solicite cadeira de rodas na Information Central. 📞 **Tel** (321) 867-4636. 🌐 **kennedyspacecenter.com**

Quando Cape Canaveral foi escolhido para sediar o programa espacial da Nasa (National Aeronautics and Space Administration), na década de 1960, a área se tornou conhecida como Space Coast.

O Kennedy Space Center, na Merritt Island, foi o local de lançamento dos ônibus espaciais do International Space Center até 2011. Os históricos veículos já não voam, mas outros mais modernos voltarão a utilizar a área. O Center também foi o ponto de decolagem da missão *Apollo 11*, em julho de 1969, quando se concretizou o sonho do presidente John F. Kennedy de desembarcar um homem na Lua. O **Visitor Complex**, construído em 1967 para astronautas e suas famílias observarem as operações do centro espacial, é uma instalação de 340km², com muitas atrações. Os destaques são os dois **IMAX® Theaters**, que exibem filmes sobre a exploração do espaço em telas com a altura de cinco andares. As filmagens feitas nas missões dos ônibus espaciais mostram vistas fantásticas da Terra. A oeste da entrada está o **Rocket Garden**, onde o visitante caminha entre foguetes que representam as diversas etapas da história espacial. O **Robot Scouts** exibe os últimos robôs exploradores interplanetários, e a **Exploration in the New Millennium** mostra ao visitante o que o futuro guarda para a exploração espacial (é possível até tocar um pedaço de meteorito de Marte). No **Astronaut Encounter**, no mesmo prédio, o visitante conhece astronautas. Também pode subir a bordo de uma réplica do **Explorer** na Shuttle Plaza, que faz parte do complexo. Ao lado do Explorer estão um tanque de combustível externo, propulsores de foguetes e o Mission Status Center. Os ônibus espaciais foram a alternativa engenhosa às caríssimas naves usadas apenas uma vez, nas missões Apollo. Projetadas no final da década de 1970, essas naves reutilizáveis constituíam a base do programa espacial. Perto de lá, o **Astronaut Memorial** homenageia os astronautas que morreram a serviço da conquista espacial desde a missão da *Apollo 1* até a do *Columbia*.

Perto da entrada do complexo, uma cúpula de vidro leva à **Early Space Exploration**, que apresenta figuras de destaque desde o início da construção de foguetes. Na **Mercury Mission Control Room** o visitante observa os

Explorer: uma réplica do ônibus espacial, no Kennedy Space Center

Cronologia da Exploração Americana do Espaço

1950	1960	1970	1980	1990	2000	2010	2020
1958 Lançado *Explorer 1*, primeiro satélite americano (31 jan)	**1962** John Glenn dá volta à Terra na nave *Mercury*	**1975** A *Apollo* americana e a *Soyuz* russa se acoplam em órbita (17 jul) / **1981** *Columbia*: primeiro ônibus espacial (12 abr)		**1996** Enviada a *Mars Pathfinder* para pesquisar a superfície de Marte / **2003** Ônibus espacial *Columbia* se fragmenta ao reentrar na atmosfera (1º fev)			
1961 Em 5 de maio, Alan Shepherd é o primeiro americano no espaço		**1969** Neil Armstrong e Buzz Aldrin (*Apollo 11*) andam na Lua (24 jul)		**1990** Lançado o telescópio Hubble (24 abr) / **1986** A *Challenger* explode e mata tripulação (28 jan)		**2011** Último voo do ônibus espacial *Atlantis* encerra o programa espacial que durou 30 anos	

Veja hotéis e restaurantes dessa região nas pp. 326-31

ORLANDO E SPACE COAST | **303**

Plataforma de lançamento vista em passeio

consoles de onde foram monitoradas as oito primeiras missões tripuladas. Os destaques são as filmagens e entrevistas com parte do pessoal. Ao lado estão expostas cápsulas *Mercury* e *Gemini*.

O centro oferece diversos passeios interessantes. O **Kennedy Space Center (KSC) Bus Tour** sai do Visitor Complex e dá uma volta pelas instalações. O visitante entra em áreas de segurança, enquanto os guias explicam o funcionamento daquela instalação. Cada passeio leva de duas a seis horas.

O **Apollo/Saturn V Center** expõe um foguete lunar Saturno V, real, com 110m de altura, utilizado nas missões Apollo. O visitante observa o lançamento da *Apollo 8*, a primeira missão tripulada para a Lua, no Firing Room Theater, seguido de um filme no Lunar Theater, que mostra o pouso na Lua. Esse é o único lugar do mundo em que o turista pode comer ao lado de uma verdadeira rocha lunar, no Moon Rock Café.

Uma apresentação multimídia em torno do ônibus espacial *Atlantis* apresenta o veículo espacial que orbitou a Terra em 33 missões entre 1985 e 2011. O lançamento é mostrado do ponto de vista dos astronautas, com as portas do compartimento de carga abertas. Simuladores e exposições retratam o dia a dia das missões e a história do programa espacial. As crianças adoram o **Angry Birds Space Encounter**, uma atração que ensina física e engenharia por meio de vídeogames. Há dois passeios para quem quer se aprofundar no assunto – o **Discover KSC: Today and Tomorrow**, que mostra a visão de especialistas sobre o programa de ônibus espaciais; e o **Cape Canaveral: Then & Now Tour**, uma expedição às rampas de lançamento das naves *Mercury*, *Gemini* e *Apollo*. O visitante também é levado ao Air Force Space & Missile Museum, local de lançamento do primeiro satélite americano, e depois ao complexo de onde Alan Shepard decolou no primeiro voo tripulado dos EUA. O passeio termina no Apollo/Saturn V Center. Lembre-se de que o Kennedy Space Center e o Cape Canaveral são plataformas espaciais em funcionamento, e os passeios podem ser alterados ou cancelados por motivos operacionais. Há outros pontos de observação em Titusville e em Cocoa Beach.

Arredores

O **US Astronaut Hall of Fame**, em Titusville, 14km a oeste do KSC, oferece oportunidades emocionantes para experimentar a ausência de gravidade e pilotar um simulador de voo com força G.

❽ Canaveral National Seashore e Merritt Island

🚍 Titusville. 🌐 nps.gov/cana

Essa reserva na Space Coast acolhe grande variedade de vida animal e tem diversos tipos de hábitats, como estuários e florestas. Muitas vezes, o visitante avista aligátores e o ameaçado manati, mas aves são o grande destaque da área.

A **Canaveral National Seashore** possui uma faixa de 39km de praias quase intocadas. A Apollo Beach na ponta norte e a Playalinda Beach ao sul são ótimas para tomar sol, mas nadar pode ser perigoso e não há salva-vidas. O topo do Turtle Mound oferece lindas vistas da Mosquito Lagoon (traga repelente na primavera e no verão, porque esse nome é bem apropriado).

Da Route 402 para Playalinda Beach dá para ver as plataformas de lançamento do Kennedy Space Center. Ela cruza o **Merritt Island National Wildlife Refuge**, que cobre uma área de 570km^2. Boa parte do refúgio fica dentro do Space Center, onde a entrada é proibida. O inverno é o melhor momento para visitá-lo. A fim de observar a vida selvagem, siga a Black Point Wildlife Drive, que conta com a Cruickshank Trail de 8km. Solicite um folheto informativo na entrada de carro. O Visitors' Information Center dispõe de mostras sobre os hábitats e a vida selvagem do refúgio. Cerca de 1,5km a leste ficam as trilhas de Oak Hammock e Palm Hammock. Para ornitófilos, há passarelas que cruzam os mangues.

Canaveral National Seashore
Rte A1A, 32km N de Titusville ou Rte 402, 16km L de Titusville. **Tel** (321) 267-1110. ⏰ diariam.

Merritt Island National Wildlife Refuge
Rte 406, 6,5km E de Titusville. **Tel** (321) 861-0667. ⏰ diariam.

Aves da Space Coast

A Space Coast é o paraíso dos ornitófilos, com muitas aves magníficas. O melhor momento para observá-las é de manhã cedo ou um pouco antes de anoitecer. Entre novembro e março, principalmente, os alagados e as lagoas se enchem de patos e aves pernaltas, quando quase 100 mil deles fogem dos climas mais frios do norte. Andorinhas-do-mar, íbis-brancas, talha-mares-pretos e grous são algumas das aves mais comuns.

Pelicano marrom

Walt Disney World® Resort

O Walt Disney World® Resort é o maior complexo de diversões do mundo, com uma impressionante área de 69km². Seus parques temáticos são as grandes atrações: Magic Kingdom®, Epcot®, Disney's Hollywood Studios® e Animal Kingdom®. Autossuficiente, esse famoso destino de férias oferece mais de 30 alojamentos, além de campos de golfe, parques aquáticos, complexo esportivo, trilhas para caminhar e cavalgar e lagos com barcos. Concebido com criatividade e perfeccionismo inigualáveis, o Resort representa um mundo à parte, onde tudo funciona com precisão e nada perturba suas ilusões de fantasia. Quando você se dá conta, já está imerso no universo do Walt Disney World® Resort.

Telefones Úteis

Informações Gerais
Tel (407) 939-6244.

Informações/Reservas em Hotéis
Tel (407) 939-6244.

Reservas em Restaurantes
Tel (407) 939-3463.
w disney.go.com

Quando Visitar

Os momentos mais movimentados do ano são o Natal, a Páscoa, de junho a agosto e a última semana de fevereiro. Nessas épocas, os parques ficam muito cheios – quase 90 mil pessoas só no Magic Kingdom®. Mesmo assim, todos os brinquedos funcionam e os parques ficam abertos por mais tempo. Fora da alta temporada, 10 mil visitantes por dia vão ao Magic Kingdom®, e algumas atrações talvez estejam fechadas para manutenção. O clima também é importante. Em julho e agosto as tardes quentes e úmidas quase sempre terminam em tempestades. De outubro a março, a temperatura e a umidade ficam mais satisfatórias e permitem um programa mais agitado.

Duração da Visita

O Walt Disney World® oferece pelo menos uma semana de diversões. Para aproveitar tudo, reserve dois dias para o Magic Kingdom®, dois para o Epcot®, e um dia para os Disney's Hollywood Studios® e outro para o Animal Kingdom®. Guarde três noites para os fogos de artifício de Fantasmic!, Fantasy in the Sky e IllumiNations.

Como Circular

Um amplo sistema de transporte atende uma média de 200 visitantes por dia. Se você se hospedar fora do Walt Disney World® Resort, muitos hotéis próximos oferecem serviço de ônibus grátis para ir e voltar dos parques temáticos. Verifique, quando fizer a reserva. O centro de transportes do Walt Disney World® é o **Ticket and Transportation Center** (TTC). Há dois serviços de monotrilho que o ligam ao Magic Kingdom® e outro liga o TTC ao Epcot®. Há ferryboats do TTC até o Magic Kingdom® e entre o Magic Kingdom® e o Epcot® e seus resorts. Os ônibus conectam tudo no Walt Disney World®, fazem até conexões diretas com o Magic Kingdom®. Os hóspedes e os que têm passe podem usar de graça todo o sistema de transporte, ao passo que os ingressos para um dia permitem que as pessoas usem os ferryboats e o monotrilho entre o TTC e o Magic Kingdom®.

Portadores de Deficiência

Há cadeiras de rodas na entrada do parque; passagens especiais permitem que hóspedes deficientes entrem nos brinquedos sem esperar na fila. Os funcionários não têm permissão de ajudá-los a se erguer por motivos de segurança.

Crianças Pequenas

Os pais de crianças em idade pré-escolar podem usar um sistema exclusivo, chamado *switching off* ("operação troca"): um de cada vez pode se divertir em brinquedos e atrações enquanto o outro fica com a criança e não entrará na fila, quando for sua vez.
O Resort pode ser cansativo; por isso convém alugar um carrinho em qualquer entrada do parque. Faça pausas constantes na diversão, prevendo tempo para lanchinhos e sonecas. E cuidado com o calor.
Se você está com crianças pequenas, o melhor é se concentrar no Magic Kingdom®.

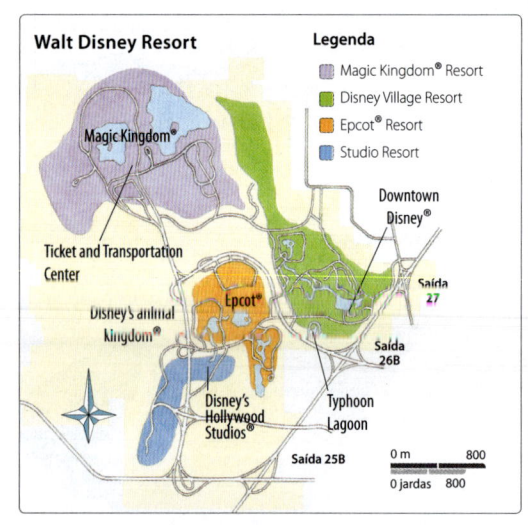

Veja hotéis e restaurantes dessa região nas pp. 326-31

Segurança

O serviço de segurança lida rapidamente com os problemas. Seus membros são treinados para prestar atenção em crianças desacompanhadas e encaminhá-las aos centros de crianças perdidas.

Estacionamento

Visitantes do Magic Kingdom® devem estacionar no TTC e usar transporte público. Epcot® e Disney's Hollywood Studios® têm estacionamentos. Os hóspedes do Disney Resort não pagam estacionamento. Os outros pagam só uma vez por dia, não importa quantas vezes andarem com o carro.

Vantagens de se Hospedar no Resort

A hospedagem no Resort e no Walt Disney World Swan and Dolphin (de administração independente, mas típico de Disney em qualquer aspecto) é de alto padrão. Porém, mesmo os locais de preço menor são mais caros do que muitos hotéis fora do Walt Disney World®.

Contudo, existem algumas razões práticas para ficar no resort:
• Proximidade dos parques e uso do transporte grátis.
• Privilégio de entrar antes nos parques (até 90 minutos). Verifique antes os detalhes de cada parque.
• Garantia de admissão aos parques temáticos, mesmo quando estão cheios.
• Possibilidade de jantar no hotel com seu personagem Disney preferido.
• Entrega de compras feita em qualquer ponto do Resort.
• Note que os hotéis perto do Marketplace (não administrado pela Disney) oferecem poucos dos privilégios mencionados acima. Veja mais informações sobre hotéis na página 327.

Alimentação no Resort

O visitante deve fazer reserva com antecedência para qualquer restaurante com serviço à la carte no Walt Disney World® Resort, principalmente nos parques temáticos e, mais ainda, no Epcot®. Mesmo que você não esteja em um dos resorts, as reservas podem ser feitas 60 dias antes. Algumas mesas são guardadas para reservas do dia, por isso reserve a sua de manhã bem cedo. Veja detalhes sobre restaurantes na página 330.

Encontro com Mickey

Para os pequenos, o encontro com personagens Disney é o ponto alto da visita. Além de vê-los pelos parques, também se pode encontrá-los em diversos restaurantes (em geral no café da manhã). Cada parque e muitos resorts oferecem "jantar com um personagem", mas é preciso reservar antes.

AGENDA

Informações

Ingressos e Tipos de Passes
Há ingressos de um dia ou para períodos de 2 a 10 dias, para apenas um parque. Para quem pretende visitar mais de um parque, há as seguintes opções:
Park Hopper Add-On: permite a entrada nos quatro parques.
Water Park Add-On ou **Park Hopper and Water Park Add-On:** dá acesso a qualquer combinação de parques.
Seasonal, Annual and Premium Annual: custa pouco mais que o Park Hopper de sete dias e é válido para um ano de visitas. Os preços para crianças se referem a idades de 3 a 9 anos. Os valores dependem da duração da estadia.
FastPass+: permite fazer reservas antecipadas para os brinquedos e atrações, como shows, paradas e apresentações de fogos de artifício. Hóspedes do Disney Resort Hotel podem fazer essas reservas com até 60 dias de antecedência.

Dias Mais Movimentados

Todos os parques temáticos ficam mais cheios em determinados dias. **Magic Kingdom®:** segunda, sexta e sábado. **Epcot®:** terça, sexta e sábado. **Disney's Hollywood Studios®:** quarta e domingo. **Animal Kingdom®:** quinta e sábado.

Horários

Se houver muito movimento, os horários de funcionamento aumentam: das 9h às 22h, 23h ou 24h. Com pouco movimento, abrem das 9h às 18h, 19h ou 20h. Os parques abrem cedo para quem tem passe e hóspedes dos hotéis. Detalhes por telefone.

Horário Ideal

Para evitar as multidões e o calor, chegue cedo e visite, primeiro, as atrações concorridas. Dê uma parada à tarde, quando fica quente e os parques enchem. Volte à noite para apreciar os desfiles e os fogos.

Dicas

As filas estão mais curtas no início e no fim do dia, e durante os desfiles e horários de refeições. Mas a espera para um show quase nunca demora mais que esse show.
• Os parques se enchem após a primeira hora de abertura. Até então, pode-se caminhar com calma.
• Após uma chuvarada, os parques aquáticos costumam ficar quase vazios, mesmo em épocas mais movimentadas.
• Em geral, cada parque dá informações sobre horários de shows, desfiles e brinquedos, e dicas quanto ao tempo de espera nas atrações. Verifique nos balcões de informações, Information Centers e Guest Services. • Peça um mapa do parque.
• Durante os desfiles, as outras atrações estão calmas.
• Use calçados confortáveis, pois irá caminhar muito.
• Quase não há sombras; por isso, proteja a cabeça.

Magic Kingdom®

O Magic Kingdom® resume a essência dos parques temáticos Disney. Personagens de desenho animado passeiam pelo parque e sete "terras" evocam temas diferentes.

Convém seguir direto para **Space Mountain®**, uma montanha-russa fantástica em Tomorrowland®. Ela corre pela escuridão com projeção de asteroides e galáxias. Outra atração concorrida, **Monsters, Inc. Laugh Floor**, em que os visitantes descobrem o poder do riso em uma aventura interativa inspirada no filme *Monstros S. A.* **Buzz Lightyear's Space Ranger Spin** é uma jornada fabulosa num carro de dois lugares, dotado de canhões de laser e um controle, de modo que se pode atirar em alvos com um raio laser.

Fantasyland®, dominada pelo Cinderella's Castle, é o coração do Magic Kingdom®. Após uma grande ampliação passou a incluir o popular **Be Our Guest Restaurant** dentro do **Beast's Castle**, o **Seven Dwarfs Mine Train** e uma variedade de brinquedos temáticos dos personagens da Disney no **Storybook Circus**, com suas coloridas tendas de circo. **The Many Adventures of Winnie the Pooh** usa tecnologia de ponta, luzes e efeitos sonoros para criar uma experiência encantadora, e **Peter Pan's Flight** combina a sensação de voar com o prazer da sincronia perfeita entre música e movimento. **"it's a small world"** é uma viagem musical e uma das atrações mais populares. **The Haunted Mansion®**, na Liberty Square, leva o visitante por uma mansão e um cemitério assombrados.

Instalada no Wild West, Frontierland® oferece um passeio de trem chamado **Big Thunder Mountain Railroad.** O divertido **Country Bear Jamboree** é um show de animais em Audio-Animatronics®, e **Splash Mountain®** consiste num passeio aquático empolgante.

Adventureland® mistura a África e o Caribe. The **Jungle Cruise** atravessa um cenário africano comandado por animatrônica. Outra viagem, **Pirates of the Caribbean®**, leva você a masmorras e a galeões do século XVI.

Main Street USA é famosa pelo **Festival of Fantasy**, uma fantasia de música, atuação ao vivo e balões iluminados. No auge da temporada ocorre às 19h e às 21h. Vê-se melhor o desfile da tarde de Frontierland®. O desfile da noite também inclui **Wishes℠ Nighttime Spectacular**, um espetáculo de fogos e música.

Epcot®

Epcot®, acrônimo de Experimental Prototype Community of Tomorrow, era a fantasia de Disney sobre uma comunidade avançada tecnologicamente, que representava uma visão utópica do futuro.

O parque tem 101ha e se divide em dois: **Future World**, que enfatiza o divertimento e a educação; e **World Showcase**, que representa a arte, a cultura e os recursos culinários dos diferentes países do mundo. Com frequência, barcos cruzam a World Showcase Lagoon e são um meio conveniente de chegar até lá.

O inconfundível globo de 7,5 toneladas da **Spaceship Earth** é o ponto de referência do Future World, que leva o visitante por quadros muito bem elaborados e cenas de Animatronics® que retratam as possibilidades tecnológicas do futuro. Como a maioria das pessoas o procuram no início do passeio, há longas filas de manhã. Portanto, é melhor visitá-lo à tarde.

Test Track coloca o visitante num simulador que se move numa pista de alta velocidade. Você testa um protótipo de carro esporte a mais de 106km/h, numa pista elevada. Tente ir a esse brinquedo de manhã cedo. O concorrido **Mission: SPACE** usa tecnologia moderníssima para simular uma ida a Marte num foguete, o que pode provocar enjoo.

Imagination Pavilion apresenta o **Journey into Imagination with Figment**, um brinquedo divertido que explora ideias relacionadas às artes e às ciências.

O **Land Pavilion** tem uma atração muito popular chamada Soarin®. Nela os visitantes são içados numa simulação de voo de parapente. O vento balança o cabelo e os pés dançam sobre as árvores enquanto você "voa" pela California.

Em **The Seas with Nemo & Friends Pavilion** você observa a vida marinha por paredes transparentes, viaja a bordo do Clamobile procurando Nemo ou assiste ao show "Turtle Talk with Crush". O World Showcase traz exemplos arquitetônicos de onze países, com réplicas de edificações famo-

---

Onde Comer e Beber

A comida típica do **Magic Kingdom®** é a fast-food. Mas experimente o Liberty Tree Tavern ou o Crystal Palace para uma refeição mais tranquila. No Cinderella's Royal Table, no castelo, o ambiente é suntuoso, e o Be Our Guest Restaurant oferece ótima culinária francesa. Jantar no **Epcot®** é maravilhoso, principalmente no **World Showcase**, que exige reserva. Veja as recomendações. **México:** a San Angel Inn serve comida mexicana interessante, mas cara. **Itália:** Tutto Italia serve massa e especialidades italianas. **Japão:** pode-se comer nos Mitsukoshi Teppan Edo ou no bar do Mitsukoshi Tokio Dining, que serve sushi e tempura. **França:** o caro Monsieur Paul só serve jantar; Les Chefs de France, restaurante exclusivo com *haute cuisine*; e Canada: Le Cellier Steakhouse, serve filés e crepes. Nos **Disney's Hollywood Studios®** você pode apreciar o ambiente de três dos restaurantes à la carte. O caro Hollywood Brown Derby reproduz o Original Brown Derby de Hollywood, onde astros e estrelas se reuniam na década de 1930. As crianças preferem o Sci-Fi Dine-In Theater Restaurant, onde se sentam em mini-Cadillacs e assistem a velhos filmes de ficção científica. Para jantar sem fazer reserva, experimente o Hollywood & Vine, que serve massas, saladas, frutos do mar, costelas e filés.

sas. Cada pavilhão conta com uma equipe de pessoas do país representado, que vende produtos étnicos e comidas. Os melhores shows ao vivo são o dos acrobatas, na China, e o show musical Off Kilter, no Canadá.

Entre os destaques estão **Reflections of China** – um filme Circle-Vision sobre locais antigos da China; **Maelstrom** – um passeio emocionante pelos fiordes da Noruega; e **Impressions de France** – um filme com uma visita fascinante à França. **IllumiNations** é imperdível: um espetáculo de som e luz, com laser, fogos e movimentos aquáticos. É apresentado perto do horário de fechamento, ao redor da World Showcase Lagoon.

Disney's Hollywood Studios®

Os Disney's Hollywood Studios®, conhecidos como Disney MGM Studios, foram inaugurados em 1989, como parque temático e como estúdio de cinema e TV. Grande parte dos estúdios de filmagem foi fechada, mas o parque ainda mistura programas de destaque e brinquedos baseados em filmes da Disney e de Hollywood (da qual a Disney adquiriu os direitos), com passeios divertidos.

Em Hollywood Boulevard, prédios no estilo art déco competem com uma réplica do Chinese Theater de Mann. As melhores lojas estão nela: a Celebrity 5 & 10 dispõe de econômicos suvenires de cinema, como claquetes e Oscars®, e a loja One-Of-A-Kind, de Sid Cahuenga, possui peças caras, como fotos autografadas e roupas de artistas famosos. **The Great Movie Ride** leva o visitante por imensos cenários de cinema, onde cenas de filmes são recriadas com ação ao vivo. Sunset Boulevard lembra a famosa rua de Hollywood na década de 1940. Recriações de cinemas e fachadas de lojas são dominadas pelo Hollywood Tower Hotel. Esse hotel sinistro é o brinquedo mais assustador de Orlando, **The Twilight Zone Tower of Terror™**, no qual se fica preso num elevador, numa viagem inspirada em *The Twilight Zone™*, programa de TV da década de 1950. Seu ponto alto é o medonho mergulho de treze andares, repetido sete vezes, no mínimo. O **Rock'n'Roller Coaster® Starring Aerosmith** acelera de 0 a 96km/h em 2,8 segundos, numa arrancada com aceleração de 5G.

O Animation Courtyard dá ao visitante uma visão de bastidor durante a criação do Disney's Audio-Animatronics®. O **Magic of Disney-Animation** é uma visita guiada com um artista da Disney, enquanto **Disney Junior – Live on Stage!** é uma apresentação interativa, com personagens do Mickey Mouse Clubhouse e da Little Einsteins™.

Na Mickey Avenue, a **The Legend of Jack Sparrow** leva o visitante ao encontro do famoso pirata dos filmes.

A **Toy Story Midway Mania!**, na Pixar's Place, consiste em uma aventura-jogo 4D.

O **Disney's Hollywood Studios® Backlot Tour** tem um trenzinho para espiar os departamentos de filmagem, figurino e iluminação. Termina na Catastrophe Canyon, em meio a uma inundação e a explosões. O passeio a pé mostra o uso de efeitos especiais.

Streets of America é uma engenhosa recriação de algumas cidades americanas. Seu destaque é o espetacular **Muppet™ Vision 3-D**, uma palhaçada em 3D, estrelada pelos Muppets. Trombones, carros e pedras saem da tela e se atiram em você. A coisa é tão realista que as crianças agarram o ar, esperando tocar em algo.

O Echo Lake oferece o sensacional brinquedo **Star Tours** baseado na série de filmes *Star Wars*, incluindo uma batalha intergaláctica. O **Indiana Jones™ Epic Spectacular** exibe um show de 30 minutos, com aventuras de perder o fôlego.

Às 17h, o parque inicia um desfile baseado num dos desenhos animados Disney. O show noturno, **Fantasmic!**, é o melhor do tipo na Flórida. Mistura música, laser, animação e mais de cem atores e dançarinos. Embora acomode 10 mil pessoas, você precisa chegar duas horas antes para pegar um bom lugar.

Disney's Animal Kingdom®

Esse parque tem feras de verdade e míticas espalhadas por sete "terras" diferentes.

Na Discovery Island®, o show **It's Tough to be a Bug®** é uma excelente apresentação em 3D. O Camp Minnie-Mickey foi fechado e deve reabrir em 2017 como uma terra alienígena baseada no filme *Avatar*. O **Festival of the Lion King** é fantástico.

A África tem o fabuloso **Kilimanjaro Safaris®**, no qual se veem animais passeando livremente.

A Ásia mostra gibões, pássaros e tigres, numa recriação de ruínas indianas. Antas e dragões-de-comodo são vistos na **Maharaja Jungle Trek®**, que também mostra tigres-de-bengala explorando as ruínas. **Expedition Everest™ – Legend of the Forbidden Mountain** é uma enorme atração onde os visitantes são levados em um trem rumo ao desconhecido. DinoLand U.S.A. tem o brinquedo **DINOSAUR**, no qual um simulador se sacode, tentando fugir de dinossauros. **Primeval Whirl®** e **TriceraTop Spin** deixam o visitante meio tonto.

O Restante do Walt Disney World® Resort

O Walt Disney World® Resort oferece 30 resorts (*p. 327*), dois parques aquáticos, camping, cerca de 300 restaurantes, boates, um centro de compras e meia dúzia de campos de golfe. Dos parques aquáticos, **Blizzard Beach**, reprodução de uma estação de esqui alpina, diz ter a mais alta descida livre do mundo. No **Fort Wilderness Resort and Campground** você pode cavalgar, pescar e andar de bicicleta. No **Marketplace**, é possível praticar jet ski, alugar barco e equipamento de pesca, como em todos os resorts com lago. The Marketplace é um shopping a céu aberto com muitas lojas (The World of Disney® vende muitas mercadorias); e **Disney's West Side** conta com clubes de blues, além do famoso Cirque du Soleil®, um circo de vanguarda que conta com mais de 70 membros.

⑩ Universal Orlando® Resort

Universal Orlando® era só um parque de cinema que agora dispõe de dois parques temáticos, de um complexo de diversões e de três resorts. Juntos, Universal Studios Florida®, Islands of Adventure® e Universal CityWalk® são bons motivos para passar algum tempo longe do Walt Disney World® Resort. O estacionamento leva até Universal CityWalk®, onde esteiras rolantes conduzem a uma bifurcação para os dois parques.

Logotipo da Universal para o novo complexo combinado de parques

Como Explorar os Parques

Os períodos mais movimentados são o Natal e a Páscoa. Durante a baixa estação, verifique no Guest Services se há descontos especiais para ingressos. Venha cedo para evitar longas filas para os brinquedos (os portões abrem uma hora antes do horário de funcionamento). Chegue 15 minutos antes dos shows para pegar lugar. Para as crianças não se assustarem há atrações adequadas, como ET Adventure®, Woody Woodpecker's Nuthouse®, A Day in the Park with Barney™, Animal Actors on Location!℠, Jurassic Park River Adventure® e Seuss Landing™.

Onde Comer e Fazer Compras

Há muitas opções para as refeições. O Hard Rock Café® é o maior do mundo. O Lombard's Seafood Grill se especializou em peixes, enquanto o Universal Studios Classic Monsters Café serve comida da Califórnia e da Itália e tem ótimo bufê. A maioria das atrações possui lojas. A Dinostore, perto do Jurassic Park River Adventure®, vende itens relacionados a dinossauros, e a Universal Studio Stores oferece de réplicas de Oscars até luvas de cozinha com seu logo.

Universal Studios Florida®

A entrada é conhecida como Front Lot, pois foi criada para se parecer com a fachada de um estúdio de Hollywood na década de 1940. Atores a caráter caminham pelas ruas, atuando como os personagens Pica-Pau, Scooby Doo e como os lendários Irmãos Marx e Marilyn Monroe, entre outros.

A área a seguir, chamada Production Central, é onde ficam os brinquedos **Shrek 4-D**, **Transformers: The Ride** e **Despicable Me Minion Mayhem**, além da veloz montanha-russa **Hollywood Rip Ride Rockit**.

The Wizarding World of Harry Potter™ – Diagon Alley é uma área com entrada separada onde fica a emocionante atração Escape From Gringotts™, além de restaurantes e lojas, conectados pelo trem a vapor Hogwarts Express ao **The Wizarding World of Harry Potter – Hogsmeade™**.

A área de Nova York tem mais de 60 fachadas, algumas como réplica de prédios reais e outras como reprodução de cenários de filmes famosos, como a frente do Guggenheim Museum, da loja de departamentos Macy's e do Louie's Italian Restaurant, onde acontece o tiroteio de *O poderoso chefão*.

Revenge of the Mummy® é uma montanha-russa de alta velocidade que leva você por tumbas e galerias egípcias, com imagens assustadoras de robôs.

Twister… Ride It Out® é outro brinquedo que mergulha a plateia num tornado simulado e a faz sentir a força aterrorizadora da natureza, dentro de um túnel de vento com 6m de altura.

Na seção Hollywood, cenários de Hollywood Boulevard e Rodeo Drive homenageiam a idade de ouro de Hollywood, entre as décadas de 1920 e 1950, com a famosa boate Mocambo, o Beverly Wilshire Hotel e o sofisticado salão de beleza de Max Factor. Tem até uma réplica da Hollywood Walk of Fame.

A grande atração de Hollywood é **Terminator 2: 3-D**, um brinquedo que usa a tecnologia de filmes em 3D e robótica para levar a plateia à ação, junto com Arnold Schwarzenegger, astro de *O exterminador do futuro*.

No **Universal Orlando's Horror Make-Up Show** você dá uma espiada nos bastidores dos assustadores efeitos de maquiagem. Esse show pode fechar durante o inverno.

A **Simpsons Ride™** permite ao visitante voar, planar e saltar em direção a Krustyland antes de visitar Springfield e se deliciar no Krusty Burger e na taverna do Moe. Brinquedo que vicia, **Men In Black™ – Alien Attack™** leva a plateia a se juntar a Will Smith num simulador, comba-

Muita emoção no passeio da Incredible Hulk Coaster®

Veja hotéis e restaurantes dessa região nas pp. 326-31

Entrada para o parque temático da Universal Studios Florida®

tendo alienígenas com raios laser e canhões. Em Woody Woodpecker's Kid Zone, a encantadora **ET Adventure®** se baseia no filme de Steven Spielberg, de 1982. O visitante voa de bicicleta para o planeta natal do ET, planando sobre a cidade.

A grande atração da seção de São Francisco é a **Disaster!**℠. Viaje pelo mundo dos filmes que envolvem desastres, conheça os efeitos especiais e suba a bordo de um vagão de metrô em movimento, para a cena final de um filme catastrófico. Depois da aventura, assista ao trailer do filme que tem você como principal estrela! O **Beetlejuice's Graveyard Revue™** promove uma reunião com os monstros mais clássicos da Universal e ainda apresenta um show de rock n' roll tão barulhento que é capaz de acordar os mortos! O **Fear Factor Live** é a primeira atração baseada em um *reality show*. A escalação dos participantes dispostos a testar coragem e resistência acontece 1h15 antes do show.

Universal's Islands of Adventure®

Um dos parques temáticos de tecnologia mais avançada do mundo, as Islands of Adventure® pedem um dia inteiro de visita. A primeira ilha é a Marvel Super Hero Island®, onde o tema se inspirou nos personagens de história em quadrinhos da Marvel. A **Incredible Hulk Coaster®**, talvez a melhor da Flórida, é um gigante verde que leva você a uma velocidade de 64km/h em dois segundos, virando-o de cabeça para baixo a 33,5m acima do solo. As **Amazing Adventures of Spiderman®** exibem uma fantástica integração de tecnologia de 3D com um simulador de movimento. A Toon Lagoon, onde desenhos animados viram realidade, oferece um passeio molhado – **Popeye & Bluto's Bilge-Rate Barges®**, um passeio de rafting tortuoso e divertido.

A Jurassic Park Island se orgulha da **Jurassic Park River Adventure®**, um cruzeiro em que o visitante observa dinossauros amigáveis até encontrar um T-Rex que fugiu. O brinquedo **Pteranodon Flyers®** faz uma dupla de participantes voar sobre a ilha, numa viagem de 80 segundos, enquanto o **Discovery Center®** é uma exposição interativa de história natural, em que o visitante vê os resultados da mistura do DNA de diversas espécies, incluída a dele.

O **Wizarding World of Harry Potter – Hogsmeade™** leva o visitante ao Castelo de Hogwarts, ao Beco Diagonal e apresenta os brinquedos mais procurados dos parques: a montanha-russa The Dragon Challenge™ e a Harry Potter and the Forbidden Journey™, uma façanha que mistura montanha-russa e filme, deixando o usuário sem fôlego. Os mais conservadores podem dar uma volta no castelo e não ir aos brinquedos. Os shows incluem Eighth Voyage of Sinbad® Stunt Show e Poseidon's Fury®, com muitos efeitos especiais. A Seuss Landing™, baseada no famoso livro infantil do Dr. Seuss, criação de Theodor Seuss Geisel, atende às crianças. O brinquedo **Cat in the Hat** serve como introdução aos personagens. Há diversos outros brinquedos que os pequenos adoram.

PREPARE-SE

Informações práticas
1.000 Universal Studios Plaza, saídas 29 ou 30B na I-4. **Tel** (407) 363-8000. **W** universalorlando.com
9h-18h diariam; horário noturno prolongado no verão e feriados.

Transporte
7, 11, 18, 21 de Orlando.

Universal CityWalk®

Inspirada em muitos ícones da cultura popular, como Bob Marley, a Universal CityWalk® consiste num complexo de 12ha, com restaurantes, boates e cinemas. Abre das 11h às 2h, e seu fascinante conjunto de restaurantes vai do Emeril's (chef famoso com programa de TV) até o nostálgico Bubba Gump Shrimp Co.™ e o célebre Hard Rock Café®. Um restaurante chamado "Bob Marley – A Tribute to Freedom"℠ é uma cópia exata da casa desse músico consagrado.

Entre as muitas boates estão a Hard Rock® Live! e o The Groove Dance Club, onde o visitante pode assistir às apresentações musicais ao vivo. O complexo também possui lojas e cinemas, e seus palcos recebem concertos, festivais de arte e apresentações de celebridades. Uma lagoa serve de fundo pitoresco para um drinque ou uma caminhada ao luar.

O Flight of the Hippogriff™ faz parte do Wizarding World of Harry Potter – Hogsmeade™

⓫ SeaWorld Orlando® e Discovery Cove®

Em termos de escala e sofisticação, o SeaWorld® é um dos parques de vida marinha mais impressionantes do mundo. Criado em 1973 para promover programas de educação, pesquisa e preservação, o parque diverte e entretém. Os shows One Ocean^{SM} e Blue Horizons, com orcas, são o máximo. Ao lado do SeaWorld® fica o Discovery Cove®, um parque com tudo incluído, onde o hóspede pode nadar com raias e golfinhos. Aquatica é o terceiro parque do SeaWorld®'s, com animais, barcos e atrações aquáticas, como o espetacular Dolphin Plunge.

Dolphin Cove®, onde se pode tocar nos golfinhos e alimentá-los

Como Explorar o Parque

O SeaWorld® fica menos cheio que os outros parques de Orlando. Chegar 15 minutos antes garante um bom lugar. Os horários dos shows se sobrepõem, assim não dá para sair de um em tempo de assistir a outro. No entanto é possível pegar um lugar no show de Clyde e Seamore (leões-marinhos) saindo do **Shamu Stadium** enquanto os apresentadores estão agradecendo. O melhor momento para ver shows, como o Wild Arctic e o Shark Encounter, é quando os visitantes estão ocupados assistindo aos eventos do estádio. As crianças pequenas adoram se encontrar com os atores com trajes peludos, que representam os papéis de Shamu e sua equipe – o visitante costuma encontrá-los perto da saída, na hora de fechar. O brinquedo Sky Tower, com 122m de altura, oferece uma bela vista geral do parque. Para mais informações procure Guest Relations, ao lado do portão de saída.

Atrações e Brinquedos

Três hábitats com projeto meticuloso foram incorporados a **Key West at SeaWorld®**. Dolphin Cove, uma piscina com ondas como as de uma praia do Caribe, oferece uma visão subaquática dos golfinhos-nariz-de-garrafa e a chance de acariciá-los e alimentá-los. O visitante também pode tocar em uma das 200 raias na Stingray Lagoon. Turtle Trek apresenta uma visão de 360 graus em 3D, e a chance de experimentar a vida de uma tartaruga.

A **Pacific Point Preserve** recria a costa norte do Pacífico, escarpada, num tanque amplo e rochoso. Pode-se observar focas comuns, focas com pelagem da América do Sul e os barulhentos leões-marinhos que se aquecem nas pedras ou deslizam pela água.

A maior parte das demais criaturas do SeaWorld® é vista pelo vidro. **Manatee Rescue** oferece uma excelente visão subaquática dos herbívoros peixes-boi (p. 319). No fabuloso **Antarctica: Empire of the Penguin** os visitantes são transportados acima e abaixo da linha d'água no gelado Polo Sul nessa atração que mistura pinguins reais com simuladores.

Considerado o maior agrupamento mundial de criaturas marítimas perigosas, o **Shark Encounter** é muito concorrido. Enguias, barracudas e baiacus são aperitivos provocantes antes do prato principal dos tubarões, cujos dentes poderosos estão a pouca distância do visitante, que atravessa o aquário por um túnel de vidro. **Wild Arctic** é um brinquedo emocionante e de alta tecnologia que simula um voo de helicóptero por nevascas e avalanches. O visitante chega na Base Station Wild Arctic, criada ao redor de um velho navio de expedições, e encontra ursos-polares, focas, morsas e baleias-belugas.

Outras grandes atrações do SeaWorld® são a **Journey to Atlantis**, que mistura montanha-russa e água, com um mergulho famoso, e a **Kraken**, ganhadora da competição anual de montanhas-russas de Orlando. A **Manta** é uma montanha-russa que imita os movimentos de uma raia-jamanta gigante.

A **Aquatica** é um parque que oferece passeios aquáticos, incluindo escorregadores e piscinas com ondas.

Shamu, mascote oficial do parque

Dicas

• O visitante tem permissão para alimentar a maioria dos animais. Mas o parque restringe o tipo e a quantidade de alimento, que deve ser adquirido lá. Verifique nos serviços ao visitante os horários da comida e a disponibilidade de alimentos.

• Programe-se considerando os quatro principais tipos de shows: One Ocean^{SM}, A'Lure, Sea Lion and Otter e Blue Horizons.

• Traga uma sacola plástica à prova d'água para sua câmera, especialmente nos shows One Ocean^{SM} e Blue Horizons, nos quais as pessoas sentadas nas primeiras doze fileiras se molham com água salgada.

• Na Journey to Atlantis você ficará molhado, por isso deixe esse show para a parte mais quente do dia.

• É melhor visitar o SeaWorld® após as 15h, quando as multidões se dispersam.

Veja hotéis e restaurantes dessa região nas pp. 326-31

ORLANDO E SPACE COAST | 311

Shows e Passeios

O **One Ocean**^{SM} é um espetáculo inovador que mostra toda a família de baleias orca do SeaWorld® dançando ao som de uma trilha sonora original. Os shows multissensoriais apresentam águas dançantes e um impressionante sistema de som, que se combinam para transmitir uma mensagem educativa para os jovens e para os mais velhos.

Blue Horizons é outro show teatral notável, baseado na graça de golfinhos e falsas orcas, no arco-íris de pássaros exóticos e na excelência da trupe de mergulhadores e trapezistas. A imaginação de uma garotinha serve de roteiro para uma aventura emocionante pelo poder do mar e pela elegância do voo.

O show **Clyde and Seamore Take Pirate Island**, realizado no Sea Lion and Otter Stadium, apresenta dois leões-marinhos (Clyde e Seamore), lontras e uma morsa numa aventura cheia de palhaçadas, com navios piratas, saques e muitas risadas.

O Nautilis Theater exibe **A'Lure, the Call of the Ocean**, um espetacular conto sobre sereias cujos cantos hipotizavam os pescadores e os levavam para as profundezas do mar por séculos. A encenação é feita por atores acrobatas que voam em cena, além de artistas performáticos com ioiô.

Outro show, o **Pets Ahoy**, apresenta gatos, pássaros, cães e porcos talentosos, resgatados de abrigos. Entre outras atrações estão **Shamu's Happy Harbor**, uma área para as crianças brincarem, e **Dolphin Nursery**, para as mamães golfinhos e suas crias.

As palavras de ordem do **Hubbs – SeaWorld Research Institute**, sem fins lucrativos, são "pesquisa", "resgate" e "reabilitação". O instituto ajudou milhares de peixes-boi, golfinhos e baleias em dificuldade, cuidando deles e até fazendo cirurgias. Os que se recuperam completamente são devolvidos à natureza. Diversos passeios, como o The Sharks!, permitem um vislumbre desse trabalho. Peça informações nas Guest Services.

Diversas **Exclusive Park Experiences** estão em oferta, a exemplo da Behind the Scenes Tour, da Marine Mall Keeper Experience e da Family Fun Tour, que combinam alimentação de animais, bilhetes para shows e uma refeição.

Versão de pelúcia dos animais do SeaWorld

Discovery Cove®

Ao atravessar a rua, na frente do SeaWorld®, chega-se à Discovery Cove®, uma revolução nos parques temáticos da Flórida. Com capacidade para apenas mil visitantes por dia (o estacionamento só comporta 500 carros), oferece experiências inesquecíveis, como a oportunidade de nadar com golfinhos-nariz-de-garrafa do Atlântico.

A Discovery Cove® foi concebida para ser uma ilha particular. Suas cinco áreas possuem belíssimo paisagismo, com cachoeiras, piscinas e nichos ligados por praias. **Grand Reef** conta com muitas grutas e um navio naufragado, e oferece a oportunidade de nadar quase ao lado de grandes tubarões ameaçadores, separados do visitante por uma divisória transparente de plexiglas. No **Free Flight Aviary** pode-se alimentar os pássaros, e na **Ray Lagoon** é possível nadar com snorkel acima de raias, algumas das quais atingem 1,5m de comprimento. A água morna do **Rainforest River** convida para um mergulho com snorkel, passando preguiçosamente por lagoas, cachoeiras, mata fechada, além de uma caverna submersa. A **Dolphin Lagoon** tem um programa de orientação de 15 minutos; depois, durante 30 minutos, você nada com os golfinhos, mamíferos extremamente inteligentes, normalmente em um grupo de oito pessoas. A sessão "Trainer for a Day" oferece uma interação mais profunda e um passeio pelos bastidores.

Convém dividir seu grupo em dois, para um tirar fotos do outro durante a experiência. Não traga protetor solar, pois o parque fornece um que é "inofensivo a peixes", o único permitido. O preço do pacote (sem redução para crianças) inclui a experiência com golfinhos (menores de 6 anos não participam), equipamento, snorkel, uma refeição e cartorze dias de ingresso do SeaWorld® ou do Busch Gardens, em Tampa Bay. Por um pagamento adicional, pode-se visitar o Sea Venture, um passeio por baixo d'água ao Grand Reef. Apesar do preço, o parque é bastante concorrido, então agende com bastante antecedência.

PREPARE-SE

Informações Práticas
7.007 SeaWorld Drive, cruzamento da I-4 com Bee Line Expressway. **Tel** (407) 351-3600. **W** seaworld.com ○ horário mínimo de funcionamento 9h-19h diariam (até 23h no verão).

Transporte
🚌 8, 38, 50, 111 de Orlando.

Apresentação de uma orca, uma das atrações de SeaWorld® Orlando

O centro de Orlando, dominado pelo SunTrust Center

⓬ Orlando

🚗 249.000. ✈ 🚌 🚆 ℹ 8.723 International Dr, (407) 425-1234.
🌐 visitorlando.com

Orlando era uma pacata cidade provinciana até a década de 1950. Sua proximidade com Cape Canaveral e com os parques temáticos logo a transformaram num florescente centro comercial. O centro, com prédios altos e envidraçados, ganha vida apenas à noite, quando moradores e visitantes enchem os bares e restaurantes em volta da Orange Avenue, principal via da cidade. Durante o dia, a área ao redor de **Lake Eola**, a leste da Orange Avenue, oferece um tranquilo refúgio para turistas e famílias.

O bairro residencial a norte do centro possui muitos parques e museus, entre os quais os tranquilos Harry P. Leu Gardens e o **Loch Haven Park**, onde ficam três museus. O mais considerado deles é o **Orlando Museum of Art**. Em seu acervo estão objetos pré-colombianos (como estatuetas do Peru), arte africana e pinturas americanas dos séculos XIX e XX. O parque também conta com o John and Rita Lowndes Shakespeare Center, que possui o Margeson Theater e dois outros teatros. O Orlando-UCF Shakespeare Festival e o Orlando Fringe Theatre Festival são realizados nesse centro.

Na Packwood Avenue, na arborizada cidade vizinha de Maitland, o **Maitland Art Center** ocupa ateliês projetados na década de 1930 pelo artista André Smith para que servissem de refúgio de inverno para seus colegas artistas. Cercadas de pátios e jardins, as construções exibem diversos temas maias e astecas. Os ateliês ainda são usados e há exposições frequentes de artesanato americano contemporâneo.

No Loch Haven Park fica o **Orlando Science Center**, que ocupa um espaço de 19.200m². Seu propósito é fornecer um ambiente estimulante para o aprendizado da ciência experimental. Para isso, oferece enorme variedade de mostras interativas empolgantes e supermodernas. Entre as atrações estão o Dr. Philips CineDome, que também funciona como planetário; uma coleção de fósseis de dinossauros; e a exposição ShowBiz Science, que revela ao público alguns truques e efeitos especiais usados em filmes.

🏛 **Loch Haven Park**
N Mills Ave com Rollins St, Orlando Museum of Art: **Tel** (407) 896-4231.
🕐 ter-dom. 🚫 feriados. ♿
🌐 omart.org

🏛 **Orlando Science Center**
777 East Princeton St.
Tel (407) 514-2000. 🕐 10h-17h qui-ter. 🚫 principais feriados.
🌐 osc.org

Four Seasons: vitral de Tiffany, em Winter Park

⓭ Winter Park

🚗 28.000. 🚌 🚆 ℹ 507 N New York Ave, (407) 644-8281. Passeio de barco: **Tel** (407) 644-4056.
🌐 scenicboattours.com

Área mais refinada de Orlando, foi erguida na década de 1880, quando ricaços do norte começaram a construir ali seus refúgios de inverno. O **Charles Hosmer Morse Museum of American Art** talvez tenha a melhor coleção de obras de Louis Comfort Tiffany, artista do Art Nouveau. Há fascinantes exemplares de seus trabalhos, como joias, abajures e muitos vitrais, a exemplo de *The Four Seasons* (1899).

Ao sul de Winter Park fica a **Rollins College**, repleta de construções em estilo espanhol da década de 1930. A mais bonita é a **Knowles Memorial Chapel**, cuja entrada principal conta com um relevo que retrata o encontro entre índios seminoles e conquistadores espanhóis. Pertencente à faculdade, o **Cornell Fine Arts Museum** tem o acervo mais antigo da Flórida de pinturas renascentistas italianas.

O **Scenic Boat Tour** explora lagos e canais dos arredores.

🏛 **Charles Hosmer Morse Museum of American Art**
445 Park Ave N. **Tel** (407) 645-5311.
🕐 ter-dom. 🚫 feriados. ♿
🌐 morsemuseum.org

Entrada principal da Knowles Memorial Chapel, em Winter Park

Veja hotéis e restaurantes dessa região nas pp. 326-31

A sede do Believe It or Not!, de Ripley, parece afundar

⓴ International Drive

🚇 Orlando. 🚌 Orlando. 🛈 Visitor Center, 8.723 International Drive, (407) 363-5872.

Bem perto do Walt Disney World®, a I Drive é uma faixa de 5km, com hotéis, lojas e teatros. Sua atração mais famosa é o parque aquático **Wet'n'Wild**, conhecido pelos brinquedos emocionantes. The Storm e Mach 5 levam a mergulhos de arrepiar em escorregadores quase verticais, e há o Kid's Playground.

Cheio de objetos fantásticos, ilusões e filmagens de façanhas estranhas, o **Ripley's Believe It or Not!** foi criado pelo cartunista americano Robert Ripley. Ele fica numa casa que parece afundar em alguma erosão que teria desgastado o solo.

Titanic The Experience expõe objetos, lembranças do filme e uma recriação do interior do navio.

A dois quarteirões do shopping está o **Official Visitor Information Center** de Orlando, que tem cupons para muitas atrações, como descontos nos ingressos e em refeições econômicas.

⓯ LEGOLAND®

One Legoland Way, Winter Haven. **Tel** (877) 350-5346. 🚇 Winter Haven. ⏰ 10h-17h diariam. ⬤ ter e qua durante a baixa temporada. 🅿 ♿ **w** florida.legoland.com

Aproveite um dia cheio de ação, aventuras e aprendizados num belo cenário à margem do lago Eloise. A LEGOLAND® Florida, a maior das cinco existentes no mundo, é outro dos impressionantes parques temáticos finais para a família. Fica a apenas 45 minutos do Walt Disney World® Resort e de Tampa, na cidade de Winter Haven. Construída no local do antigo Cypress Gardens, teve preservadas as plantas nativas e exóticas da área, incluindo a figueira original da inauguração, em 1939. O parque dispõe de dez zonas diferentes, o que garante uma bela experiência para todos os membros da família. **The Beginning** apresenta uma plataforma rotativa de 30m de altura, com vista 360º do parque, enquanto a **Fun Town** tem um carrossel de dois andares e um cinema 4D. A **Castle Hill** imita a vida na Idade Média, e a **Miniland USA** apresenta oito miniaturas de marcos americanos. Com um dinossauro de LEGO® em tamanho real e montanhas-russas, a **Land of Adventure** encanta quem gosta de emoção, enquanto a **XTreme** acolhe os visitantes mais corajosos com a montanha-russa LEGO Technic® Test Track Coaster e os jet-skis da Aquazone® Wave Racers. A **LEGO® City** e a **Imagination Zone** oferecem uma cidade em miniatura e demonstrações interativas. Os mais novos vão adorar a **Duplo® Valley** e a **Pirate's Cove**. O **Water Park** apresenta um rio com correderiras, uma piscina de ondas e toboáguas de alta velocidade.

⓰ Disney Wilderness Preserve

2.700 Scrub Jay Trail, 18km SO de Kissimmee. **Tel** (407) 935-0002. 🚇 Kissimmee. 🚌 Kissimmee. ⏰ 9h-17h diariam. ⬤ sáb-dom jun-set. 🅿 🎫 dom 13h30 out-mai.

A melhor reserva de vida selvagem de Orlando é um paraíso para plantas e animais nativos, e também para quem não gosta de aglomerações. Não há brinquedos emocionantes nessa área de mais de 4.800ha, embora haja muita coisa para fazer. Nos domingos, pode-se fazer um passeio de buggy. Das três trilhas que levam ao lago Russell, a trilha explicativa tem 1,2km de comprimento e o visitante conhece a natureza em volta. As trilhas mais longas quase não têm sombras, por isso leve protetor solar, chapéu, muita água e repelente de insetos.

Russell, um dos muitos lagos na Disney Wilderness Preserve

⓱ Daytona Beach

🏠 62.000. ✈ 🚂
ℹ 126 E Orange Ave, (386) 255-0415.
🌐 daytonabeach.com

Esse balneário é famoso por sua praia de 37km, com um hotel ao lado do outro. A antiga calçada de madeira oferece concertos no coreto, fliperamas e corridas de kart. Durante as férias de abril, cerca de 200 mil universitários vão para a praia, num festejo quase ritual.

Essa é uma das poucas praias da Flórida em que se permitem carros na areia, um resquício dos tempos em que os entusiastas por automóveis, como Louis Chevrolet e Henry Ford, corriam nas praias. Ali perto, a **Daytona International Speedway** atrai multidões, durante a Speedweek, em fevereiro, e as Motorcycle Weeks, em março e outubro (p. 38).

No centro, cruzando o rio Halifax, o **Halifax Historical Society Museum** ocupa uma construção de 1819 e apresenta a história do local. Para oeste, o **Museum of Arts and Sciences** tem peças de 1640 a 1920 e um planetário. O **Gamble Place**, administrado pelo museu, é um pavilhão de caça erguido em 1907 por James N. Gamble, dono da Procter & Gamble. As visitas ao museu incluem a Snow White House, construída para os netos de Gamble.

🏛 **Museum of Arts & Sciences**
1.040 Museum Blvd.
Tel (386) 255-0285.
⏰ ter-dom. ⏺ feriados.
🌐 moas.org

⓲ St. Augustine

🏠 14.000. 🚂 1.711A Dobbs Rd, (904) 827-9273. ℹ 10 Castillo Dr, (904) 825-1000. 🎨 Arts & Crafts Spring Festival (abr). 🌐 floridashistoriccoast.com

Esse é o mais antigo povoado europeu em terras da América do Norte que se manteve continuamente povoado. Foi fundado pelo espanhol Pedro Menéndez de Avilés, no Dia de St. Augustine, em 1565. Agora a cidade dispõe de muitas atrações para o turista moderno, além dos 69km de praias e do fato de ter acesso fácil a campos de golfe e marinas. St. Augustine sofreu um incêndio em 1702, mas logo foi reconstruída sob a proteção do **Castillo de San Marcos**. Essa poderosa fortaleza é a maior e mais completa defesa espanhola nos EUA. Construída de *coquina*, uma rocha sedimentar formada de conchas e corais que aguentou o impacto de balas de canhão, ela é um exemplo da notável arquitetura militar do século XVII.

Cleópatra (c. 1890) de Romanelli, no Lightner Museum

O centro histórico de St. Augustine é fácil de visitar a pé. Passeios de carruagens são concorridos e partem da Avenida Menéndez, ao norte da Bridge of Lions, que foi aberta para atravessar Matanzas Bay, em 1927. O City Gate, do século XIX, é a entrada para a **Old Town**. Seu ponto interessante é a St. George Street, um calçadão ladeado de lindas construções de pedra. Ali algumas das grandes atrações são o **Spanish Quarter Village**, um museu que recria uma guarnição da cidade no século XVIII, e a **Peña-Peck House**, uma casa do primeiro período espanhol, datando da década de 1740. A **Oldest Wooden Schoolhouse**, uma escola feita de cipreste e cedro-vermelho em meados do século XVIII, também fica naquela rua. O coração do assentamento espanhol é a **Plaza de la Constitution**, uma praça arborizada que tem ao lado o Government House Museum e a grandiosa Basilica Cathedral. O excelente **Flagler College** começou como o Ponce de Leon Hotel, construído por Henry Flagler (p. 286), em 1883, um ano depois de ele ter passado a lua de mel em St. Augustine. A cúpula dourada possui enfeites simbólicos que representam a Espanha e a Flórida. É de se notar a máscara dourada do deus-sol dos índios timucuans e o cordeiro – um símbolo de cavaleiros espanhóis. Pergunte sobre o rosto escondido no piso de mosaico.

Flagler também construiu os hotéis Cordoba e Alcazar. Esse último, um prédio de três andares hispano-mourisco, é o atual **Lightner Museum**. Entre as peças exibidas há obras de vidro de Louis Tiffany, e o Grand Ballroom contém uma exposição eclética de mobiliário "American Castle". A encantadora **Ximenez-Fatio House** se tornou museu administrado pela National Society of Colonial Dames. Esse museu busca recriar a pensão aristocrática que era na década de 1830, quando inválidos e aventureiros começaram a visitar a Flórida, para fugir das agruras dos invernos do Norte.

🏛 **Castillo de San Marcos**
1 S Castillo Dr. **Tel** (904) 829-6506.
⏰ 8h45-1/h15 diariam. ⏺ 25 dez.
🎨 Restrito. 📞 ligar antes.
🌐 nps.gov/casa

🏛 **Lightner Museum**
75 King St. **Tel** (904) 824-2874.
⏰ diariam. ⏺ 25 dez.
🌐 lightnermuseum.org

Carros circulam nas areias compactas de Daytona Beach

Veja hotéis e restaurantes dessa região nas pp. 326-31

Beech Street Grill de Fernandina mistura os estilos chinês e Chippendale

⑲ Fernandina Beach

🏠 12.000. 🚂 Jacksonville. ✈ Jacksonville. 🛈 961687 Gateway Blvd Ste 101 G, (904) 261-3248.

A cidade de Fernandina Beach, na Amelia Island, era famosa como antro de piratas até o início do século XIX. Seu porto atraía um bando de aventureiros estrangeiros, cujas diferentes origens conferiram à ilha o apelido de "Ilha dos Oito Bandeiras". Atualmente Fernandina é mais conhecida como charmoso balneário vitoriano e principal fonte de camarões-brancos do Atlântico: mais de 900 toneladas são pescadas anualmente pelas frotas de camarão.

O Silk Stocking District (Bairro dos Meias de Seda), que ocupa boa parte do **Historic District** da cidade, recebeu esse nome por causa dos primeiros moradores. Nele capitães de navios e ricos madeireiros construíram suas casas em estilos variados. Casas no estilo rainha Anne, com torreões, convivem com graciosas residências italianas e edificações que misturam o estilo chinês com Chippendale, como a **Beech Street Grill**. As decadentes construções na Centre Street já foram depósitos de velas e armazéns. Agora antiquários e lojas de presentes tomaram seu lugar. Mas o Palace Saloon, de 1878, ainda serve um forte Pirate's Punch no bar de mogno enfeitado com cariátides entalhadas à mão. Mais ao sul, o **Amelia Island Museum of History** ocupa a antiga cadeia. Há uma visita guiada de 90 minutos duas vezes por dia que conta o passado turbulento da ilha, desde os tempos em que era habitada por índios até o início do século XX.

No norte da ilha, o **Fort Clinch State Park** dispõe de trilhas, praias e campings, além de um forte que data de 1847. Os guardas do parque vestem uniformes da Guerra Civil e representam cenas desse conflito do século XIX em um fim de semana de cada mês.

🏛 **Amelia Island Museum of History**
233 S 3rd St. **Tel** (904) 261-7378. 🕐 diariam. ⬤ feriados. 📷 ♿ Restrito. 🎫 obrigatório, duas visitas por dia. 🌐 ameliamuseum.org

⑳ Ocala National Forest

🕐 diariam. 🏕 áreas de camping e natação. ♿ 🅿 Visitor Center: 3.199 NE Co Rd. **Tel** (352) 236-0288. Juniper Springs Canoe Rental: **Tel** (352) 625-2808.

Entre Ocala e o rio St. John, a maior floresta de *Pinus clausa* do mundo cobre 148.000ha de terra e é cruzada por rios e trilhas de caminhadas. Um dos últimos refúgios do urso-preto da Flórida, uma espécie ameaçada, também abriga animais como o veado e a lontra, além de diversas aves como águias-carecas, corujas-listradas, perus selvagens e muitas outras.

As trilhas para caminhadas vão desde passarelas de madeira e pequenos circuitos até a faixa de 106km da National Scenic Trail. A pesca de percas é muito praticada, e há poços para nadar e campings nas áreas de recreação de Salt Springs e de Alexander Springs.

Há muitas canoas para alugar; o trajeto de 11km de canoa por Juniper Creek, saindo de **Juniper Springs Recreation Area**, é um dos melhores da Flórida. A trilha de Salt Springs é excelente para os ornitófilos. Existem guias nos principais centros de visitantes na orla oeste da floresta ou nos centros de Salt Springs e de Lake Dorr, na Route 19.

Arredores

Silver Springs, no limite oeste da Ocala National Forest, 46km a oeste da Juniper Springs Recreation Area, é a maior fonte artesiana do mundo e a mais antiga atração turística da Flórida. Seus famosos passeios em barco com fundo de vidro ocorrem desde 1878. Safáris de jipe e "Jungle Cruises" também atravessam a zona rural da Flórida, onde eram feitos os primeiros filmes de Tarzan, estrelados por Johnny Weissmuller. O Wild Waters, perto das fontes, é um parque aquático animado. Já o pacato **Silver River State Park**, 3km a sudeste, possui uma bela trilha de caminhada que leva a um poço para nadar, numa curva do rio de águas cristalinas.

🌳 **Silver River State Park**
1.425 NE 58th Ave, Ocala. **Tel** (352) 236-7148. 🕐 diariam. 📷 ♿

Juniper Springs, na Ocala National Forest

❷ Tallahassee

186.000. 918 Railroad Ave, (800) 872-7245. 106 E Jefferson, (850) 606-2305. Springtime Tallahassee (mar-abr).

Cercada de colinas, a capital da Flórida é bem sulista. Tallahassee cresceu muito durante o período das *plantations*, e as elegantes mansões construídas no século XIX ainda são vistas na Park Avenue e na Calhoun Street. A Câmara de Comércio, na Duval Street, fica na construção mais antiga da cidade, um palacete de 1830, em estilo neoclássico, conhecido como "The Columns" ("As Colunas").

O marco principal, o **Old Capitol Building**, no centro de Tallahassee, foi restaurado para voltar ao que era em 1902, com toldos listrados. Dentro do prédio, o visitante pode ver o recinto da Suprema Corte e do Senado. Por trás dele, o alto **New Capitol Building** oferece uma linda vista da cidade. O **Museum of Florida History**, situado na Bronough Street, cobre aproximadamente 12 mil anos da história da região.

Prédios do Old e New Capitol, em Tallahassee

Arredores
Nas décadas de 1820 e 1830, a área ao redor de Tallahassee era a mais importante região da Flórida com cultivo de algodão. Um passeio pelas estradas arborizadas da antiga **Cotton Trail** leva o visitante para ver *plantations* de algodão e pastagens. **Goodwood Museum and Gardens** conserva sua bela mansão da década de 1830. A Bradley's Country Store, de 1927, ainda serve suas famosas linguiças caseiras. Localizado 24km ao sul de Tallahassee, o **Wakulla Springs State Park** possui uma das maiores fontes de água-doce do mundo, que joga 2,6 milhões de litros de água por minuto num poço muito grande. O visitante pode nadar com snorkel nas águas límpidas ou passear de barco com fundo de vidro. Os passeios de barco no rio Wakulla permitem ver os alígátores e as aves migratórias. O elegante Wakulla Springs Lodge foi erguido na década de 1930.

Wakulla Springs State Park
550 Wakulla Park Dr, Wakulla Springs. **Tel** (850) 926-0700. diariam. floridastateparks.org

❷ Pensacola

53.000. 980 E Heinburg St, (850) 433-4966. (850) 476-4800. 1.401 E Gregory St, (850) 434-1234. Fiesta of Five Flags (jun). visitpensacola.com

Um dos primeiros assentamentos espanhóis da Flórida, Pensacola foi fundada por Don Tristan de Luna, que entrou em Pensacola Bay em 1559. A cidade exibe muitos estilos arquitetônicos,

---

As Praias de Panhandle

Algumas das praias mais bonitas da Flórida ficam entre Perdido Key e Panama City Beach. A areia brilhante, constituída principalmente de quartzo, é precipitada desde as Appalachian Mountains. Pode-se escolher entre praias quase intocadas e balneários mais agitados, com muitas opções de esportes aquáticos. A alta temporada vai de abril a julho.

① **Perdido Key** No litoral mais ocidental da Flórida, mais sossegado do que o restante, os carros não têm acesso.

② **Quietwater Beach**, na ilha de Santa Rosa, não é a melhor de Panhandle, mas tem acesso fácil por Pensacola.

③ **Pensacola Beach** Tem quilômetros de areia imaculada e uma faixa de lojas, hotéis e bares. Nos fins de semana enche de gente para tomar sol e nadar.

④ **Navarre Beach** É mais sossegada que Pensacola, mas tem bons recursos, esportes aquáticos e um píer de pesca.

Veja hotéis e restaurantes dessa região nas pp. 326-31

de chalés coloniais a elegantes casas neoclássicas. Pensacola foi assolada por um furacão dois anos após a fundação, mas foi reconstruída depressa. Nos 300 anos seguintes, foi ocupada por franceses, espanhóis, ingleses e americanos. O século XIX foi um período de prosperidade, que começou com a exploração de madeiras. Boa parte do centro atual data dessa época.

A área mais antiga de Pensacola, a **Historic Pensacola Village**, possui diversos museus e mansões, erguidos por ricos pioneiros e comerciantes. Há passeios diários que saem da Tivoli House, na Zaragoza Street. Numa espécie de pano de fundo para o Museum of Commerce há uma ambientação engenhosa de uma rua vitoriana, com oficina gráfica, selaria e uma antiga loja de música. Uma das igrejas antigas da Flórida, a Old Christ Church (1832), fica na Seville Square, arborizada com carvalhos e magnólias.

O **TT Wentworth, Jr., Florida State Museum**, instalado numa construção *revival* do Renascimento espanhol, possui um acervo eclético que inclui curiosidades como cabeças mumificadas dos tempos pré-colombianos e velhas garrafas de Coca-Cola.

Mais ao norte, o **North Hill Preservation District** dispõe de casas dos séculos XIX e XX, construídas onde existiam fortes britânicos e espanhóis. Até hoje são encontradas balas de canhão nos jardins do local. Uma casa notável é a McCreary House, na North Baylen Street. Construída em 1900, no estilo rainha Anne, possui torre e telhado em frontão. Situada entre os dois bairros, a **Palafox Street** é o núcleo comercial da cidade.

TT Wentworth, Jr., Florida State Museum
330 S Jefferson St. **Tel** (850) 595-5985.
ter-sáb. feriados.
historicpensacola.org

Guias com trajes do século XIX, na Historic Pensacola Village

㉓ Apalachicola

2.300. Tallahassee. 122 Commerce St, (850) 653-9419.
apalachicolabay.org

Como posto aduaneiro fluvial, aberto em 1823, os primeiros cem anos de Apalachicola foram excelentes. De início floresceu com o comércio de algodão; depois com o de madeira. Atualmente ainda existem pinheiros e madeiras duras na **Apalachicola National Forest**. A área oferece trilhas de caminhadas, canoagem e campings. A ostreicultura no rio Apalachicola começou na década de 1920. Os barcos ostreiros ainda atracam na zona portuária, e a Water Street tem muitos lugares que oferecem ostras frescas.

Um mapa da cidade antiga, disponível na Câmara de Comércio, indica as construções da época do algodão, como a neoclássica Raney House, de 1838. O **John Gorrie State Museum** exibe um modelo da máquina de gelo com patente de Gorrie. Feita para baixar a febre amarela dos pacientes, a invenção de 1851 foi a precursora da geladeira e do ar-condicionado modernos.

⑤ **Fort Walton Beach** Balneário tranquilo, ideal para férias em família. Uma das melhores praias para esportes aquáticos.

⑨ **Panama City Beach** é um lugar fervilhante, com condomínios e parques de diversões se enfileirando. É o maior balneário de Panhandle, com excelentes recursos para esportes aquáticos.

⑦ **Santa Rosa Beach** Praia pouco desenvolvida, marcada por dunas e mangues cheios de pássaros e outros animais.

⑥ **Destin** Essa praia maravilhosa atrai banhistas, fãs de esportes aquáticos e de pesca em alto-mar.

⑧ **Grayton** Passarelas nas dunas levam a essa praia, uma das melhores do país.

⑩ **St. Andrews** Tem uma praia ótima, muito bem protegida da especulação imobiliária.

Silhueta recortada por prédios altos no centro de Tampa, na Gulf Coast

㉔ Tampa

347.000. 601 Nebraska Ave, (800) 872-7245. 610 Polk St, (800) 231-2222. Channelside Dr, (800) 741-2297. 401 E Jackson St, (813) 223-1111. Gasparilla Festival (fev). **visittampabay.com**

Na foz do rio Hillsborough, Tampa é uma das cidades de crescimento mais rápido da Flórida. Porto perfeito, Tampa Bay atraiu os espanhóis, que chegaram em 1539. Mas o período de maior prosperidade foi no século XIX, quando Henry Plant, magnata das ferrovias, estendeu sua estrada até a cidade e a transformou num importante centro comercial.

A área central de Tampa gira em torno da Franklin Street (parcialmente para pedestres), onde está o histórico Tampa Theater. A sudeste, na North Ashley Drive, fica o **Tampa Museum of Art**, cujo acervo abrange desde antiguidades gregas, romanas e etruscas até arte americana do século XX.

O antigo Tampa Bay Hotel, onde funciona o **Henry B. Plant Museum**, é uma referência na cidade, com seus minaretes mouriscos visíveis de toda a cidade. Em 1891, Plant encomendou o prédio que custou US$3 milhões. Atualmente é parte da University of Tampa, e a ala foi destinada ao museu. O interior magnificamente decorado conserva as porcelanas originais Wedgwood, os espelhos venezianos e a mobília francesa do século XVIII.

O **Florida Aquarium** fica na Channelside Drive e mostra grande variedade de criaturas do mar, como pássaros, lontras e filhotes de aligátores que vivem em tanques que reproduzem seu hábitat natural.

Localizada 5km a leste do centro, a **Ybor City** foi criada pelo espanhol Don Vicente Martinez Ybor, quando ele transferiu seu negócio de charutos de Key West para Tampa, no final do século XIX. Cerca de 20 mil trabalhadores migrantes se estabeleceram na área, e o legado da fase próspera dos charutos ainda é visível na 7th Avenue, com seus azulejos e balcões de ferro batido espanhóis. Agora a área é conhecida por lojas, clubes e restaurantes, a exemplo do Columbia Restaurant, o mais antigo da Flórida.

A nordeste do centro, o **Museum of Science and Industry** apresenta diversas exibições e tem um IMAX® Cinema. O GTE Challenger Learning Center, um memorial vivo ao ônibus espacial *Challenger*, dispõe de simuladores e de uma sala de controle da missão. Bem perto fica a grande atração de Tampa: **Busch Gardens**. Esse parque temático possui um zoo incomum que recria a África do período colonial. O zoo conta com mais de 2.600 animais, e as girafas e as zebras andam livremente pela "planície do Serengeti". Leões e outros animais africanos são vistos num passeio exclusivo, o Edge of Africa Safari. Quem busca fortes emoções pode cair da altura de 91m no Falcon's Fury.

Vaso grego: Tampa Museum of Art

Busch Gardens
Busch Blvd, Tampa. **Tel** (888) 800-5447. 10h-18h diariam, horários estendidos no verão e feriados. **buschgardens.com**

㉕ St. Petersburg

246.000. 180 9th St North, (727) 898-1496. 100 2nd Ave N, (727) 821-4715. Festival of the States. **stpete.com**

Fundada em 1875, "St. Pete", como costuma ser chamada, era para onde vinham as pessoas aposentadas. Mas os tempos mudaram e profundas renovações rejuvenesceram a área da orla no centro.

A cidade ganhou fama com o consagrado **Salvador Dalí Museum**, que possui a maior coleção particular do mundo de obras do artista espanhol, que valem mais de US$350 milhões. Foi aberto em 1942, 40 anos depois de o empresário Reynolds Morse conhecer Dalí e começar a colecionar suas obras. O acervo conta com 95 quadros a óleo, cem aquarelas e desenhos, 1.300 esboços, esculturas e outros objetos. As obras cobrem o período de 1914 a 1970, desde as primeiras telas figurativas de Dalí até as experiências iniciais no Surrealismo, além de pinturas maduras, suas conhecidas obras-primas.

A referência mais conhecida da cidade é **The Pier**, que tem uma faixa de lojas e restaurantes. Lá perto, o **St. Petersburg Museum of History** se dedica à história da cidade. Seu acervo abrange desde ossos de mastodonte e cerâmica indígena local até uma réplica de hidroavião que fez o primeiro voo mundial com passageiros pagantes, em 1914.

Perto da baía, o moderno **Museum of Fine Arts**, em estilo paladiano, é famoso por sua variada coleção de obras europeias, americanas e asiáticas, com destaque para os pintores impressionistas franceses: *Um canto do bosque* (1877), de Paul Cézanne, e o clássico de Claude Monet *Parlamento, efeito do fog, Londres* (1904).

Salvador Dali Museum
1 Dali Blvd. **Tel** (727) 823-3767. 4, 32, bonde do The Pier. 10h-17h30 seg-sáb, (10h-20h qui), 12h-17h30 dom. Ação de Graças, 25 dez. **thedali.org**

Veja hotéis e restaurantes dessa região nas pp. 326-31

GULF COAST | **319**

South Lido Park Beach em Lido Key, uma das ilhas costeiras de Sarasota

Arredores

A Gulf Coast, com sua propaganda de "361 dias de sol por ano", atrai turistas do mundo todo para as praias entre St. Petersburg e Clearwater. Conhecida como Holiday Isles ou Suncoast, essa faixa inclui 45km de praias nas ilhas-barreiras. St. Pete Beach é a mais movimentada, com ótimos recursos para esportes aquáticos. As praias do **Fort de Soto Park** foram classificadas entre as dez melhores dos EUA. Os famosos manatis, encontrados em águas litorâneas, são mamíferos herbívoros, mansos, que atingem até 3m de comprimento. Dos milhares que existiam, hoje sobrevivem apenas 2.500.

㉖ Sarasota

53.000. 575 N Washington Blvd, (941) 955-5735; ônibus Amtrak, (800) 872-7245. 655 N Tamiami Trail, (941) 957-1877. Circus Festival (jan). **w** visitsarasota.org

Considerada o centro cultural da Flórida, a riqueza de Sarasota é creditada a John Ringling, milionário e dono de circo, que investiu nessa área boa parte de sua fortuna estimada em US$200 milhões. Pode-se observar melhor seu legado na casa dele e em sua magnífica coleção de arte europeia, maior atração da cidade. O **Ringling Museum Complex** compreende o Museum of Art, um colorido Circus Museum e a Ca'd'Zan – residência de inverno do proprietário, voltada para Sarasota Bay. Ringling tinha um carinho especial pela Itália, e o belíssimo acervo de pinturas italianas barrocas constitui o ponto alto da coleção. O destaque do Museum of Art é a Rubens Gallery. Também são notáveis os Astor Rooms, com o interior elegante de uma mansão nova-iorquina do século XIX.

Sarasota tem uma linda orla. Diversos pintores e escritores se estabeleceram na cidade. Os pontos comerciais restaurados na área central, em volta da Palm Avenue e da Main Street, agora são lojas, bares e restaurantes.

As ilhas-barreiras de Longboat Key, Lido Key e Siesta Key contam com ótimas praias e excelentes acomodações para turistas. O **South Lido Park Beach**, em Lido Key, tem uma bela trilha nos bosques. A larga **Siesta Key Beach** está sempre animada, enquanto Turtle Beach é mais pacata e tem o único camping dessas Keys. Longboat Key é famosa pelos campos de golfe. A maioria das praias oferece excelentes recursos para esportes aquáticos.

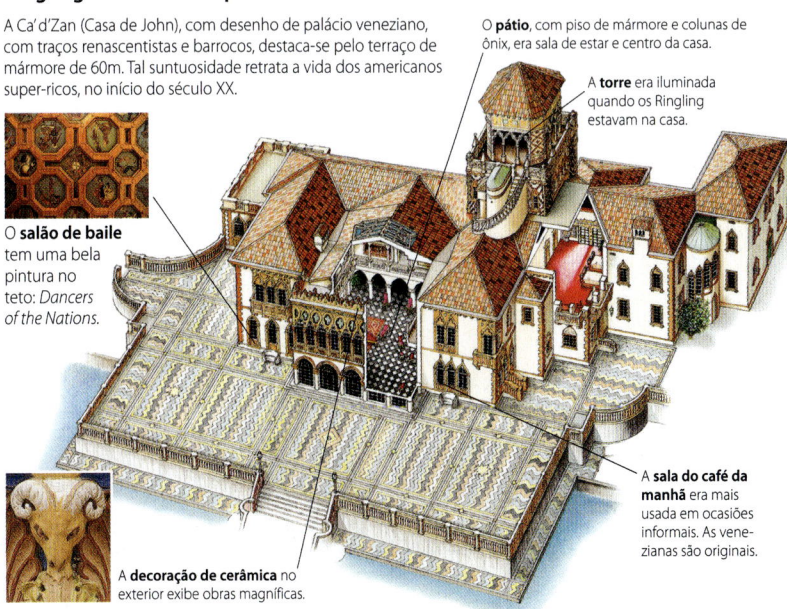

Ringling Museum Complex: Ca'd'zan

A Ca'd'Zan (Casa de John), com desenho de palácio veneziano, com traços renascentistas e barrocos, destaca-se pelo terraço de mármore de 60m. Tal suntuosidade retrata a vida dos americanos super-ricos, no início do século XX.

O **pátio**, com piso de mármore e colunas de ônix, era sala de estar e centro da casa.

A **torre** era iluminada quando os Ringling estavam na casa.

O **salão de baile** tem uma bela pintura no teto: *Dancers of the Nations*.

A **sala do café da manhã** era mais usada em ocasiões informais. As venezianas são originais.

A **decoração de cerâmica** no exterior exibe obras magníficas.

Chalés à beira-mar na ilha de Sanibel, na Lee Island Coast

㉗ Lee Island Coast

2.275 Cleveland Ave, Fort Myers, (800) 231-2222. 1.159 Causeway Rd, Sanibel, (239) 472-1080. Serviços de barco: Tropic Star (239) 283-0015; Captiva Cruises (239) 472-5300; North Captiva Island Club Resort (239) 395-1001.

Esse litoral oferece uma combinação irresistível de praias, lindos pores do sol e natureza exótica. Das duas ilhas mais procuradas, **Sanibel** possui jardins tratados e fileiras de lojas e restaurantes ao longo de Periwinkle Way, o núcleo da cidade. A maioria das praias com acesso para o público fica ao longo de Gulf Drive, e as melhores são Turner e Bowman.

A **Sanibel Captiva Conservation Foundation**, na Sanibel-Captiva Road, protege boa parte dos alagados da ilha. Conta com 6km de passarelas de madeira e uma torre de observação, que é um ponto privilegiado para os ornitófilos. O **JN "Ding" Darling National Wildlife Refuge** ocupa dois terços de Sanibel. Entre seus animais há racuns, aligatores e aves, como colhereira-cor-de-rosa, águia-careca e águia-pescadora.

A "Wildlife Drive", concorrida e panorâmica, pode ser percorrida de bicicleta ou carro. Caminhos e trilhas de canoas estão cheios de mangue e uva-da-praia. É possível alugar canoas e barcos de pesca.

A **Captiva Island**, a outra ilha procurada, é menos desenvolvida. Mas o visitante apreciará o ambiente antigo do South Seas Plantation Resort, com sua marina movimentada, que é ponto de partida para viagens de barco até Cayo Costa Island, uma linda ilha-barreira intocada.

As duas ilhas são muito conhecidas por suas conchas, e o visitante logo começa a colecioná-las. Outras ilhas pouco desenvolvidas ficam próximas e podem ser exploradas de barco.

JN "Ding" Darling National Wildlife Refuge
Mile Marker 2, Sanibel Captiva Rd. **Tel** (239) 472-1100. sáb-qui. feriados.

Arredores
Fort Myers, cerca de 40km a leste da Lee Island Coast, é uma cidade antiga, que entrou para o mapa na década de 1880 por obra de um dos mais famosos inventores americanos: Thomas Alva Edison (1847-1931). A Edison Winter Home é a maior atração de Fort Myers. Edison construiu a propriedade em 1886, e a casa, o laboratório e o jardim botânico estão quase como ele os deixou. O laboratório guarda seu equipamento original e ainda é iluminado por lâmpadas de filamento de carbono, que estão em uso constante desde que Edison as inventou. O museu exibe itens pessoais, fonógrafos e um carro Modelo T, de 1916, oferecido a Edison por Henry Ford, seu grande amigo. Ao lado, a Ford Winter Home tem alguns dos primeiros Ford à mostra.

O Fort Myers Historical Museum, na Peck Street, ocupa a antiga estação de trem. Entre seus itens interessantes estão uma maquete de Fort Myers no século XX e um bombardeiro P-39 que se acidentou na década de 1940. Ao sul da cidade há uma porção de praias animadas.

㉘ Big Cypress Swamp

Big Cypress National Preserve: **Tel** (239) 695-1201. diariam. 25 dez. **Fakahatchee Strand Preserve State Park: Tel** (239) 695-4593. diariam. Audubon of Florida's Corkscrew Swamp Sanctuary: **Tel** (239) 348-9151. diariam.

Abrigo para centenas de plantas e animais, entre os quais a ameaçada pantera da Flórida, essa imensa bacia alagada apresenta ilhas de pinheiro-do-pântano, campinas e bosques de madeira dura. Um terço do pântano é coberto por ciprestes, que crescem em grupos alongados e estreitos, chamados de "strands" (cordões). A Tamiami Trail (US 41) se estende de Tampa até Miami e cruza o pântano.

A **Big Cypress National Preserve** é a maior área protegida do pântano. O visitante pode parar no Oasis Visitor Center para pedir informações e apreciar a vista na US 41. O **Fakahatchee Strand Preserve State Park** fica a oeste. Os poucos espécimes remanescentes dos velhos ciprestes, alguns com 600 anos de idade, são encontrados em Big Cypress Bend. O maior agrupamento do país de palmeiras-imperiais está nesse parque. A Route 846 leva ao **Audubon of Florida's Corkscrew Swamp Sanctuary**, com ciprestes centenários. Famoso pelas aves, é uma área de ninhos para as cegonhas ameaçadas.

Equipamento original no laboratório de Edison, em Fort Myers

Veja hotéis e restaurantes dessa região nas pp. 326-31

㉙ Everglades National Park

◯ diariam. ℹ️ todo centro abre dez-abr: diariam; checar os demais meses. Ernest F. Coe Visitor Center: **Tel** (305) 242-7700. ◯ 8h-17h o ano todo. Gulf Coast Visitor Center: (Everglades City) **Tel** (239) 695-3311; passeio de barco e aluguel de canoa (239) 695-2591. Shark Valley Information Center: **Tel** (305) 221-8776; passeio de bonde e aluguel de bicicleta (305) 221-8455. Royal Palm Visitor Center: **Tel** (305) 242-7700. Flamingo Visitor Center: **Tel** (239) 695-2945. Aluguel de canoa e bicicleta, e passeio de barco, ligar (239) 695-3101. ♿ em quase todas passarelas. ⚠️ (800) 365-2267 para reserva. 🌐 **nps.gov/ever**

Com área de 566.580ha, o Everglades National Park ocupa apenas um quinto dos famosos Everglades – baixadas alagadas, formadas pelo transbordamento do lago Okeechobee. A paisagem singular é formada por uma enorme extensão de campinas, interrompida por grupos de árvores, elevações com vegetação e canais sinuosos. Paraíso para a vida natural, o parque possui fauna muito variada, com 400 espécies de aves.

A entrada oficial fica 16km a oeste de Florida City. Dentro há trilhas para caminhadas, a maioria com passarelas de madeira elevadas; algumas são próprias para bicicletas. Existe aluguel de barcos e canoas. O melhor momento para visitá-lo é no inverno. Ao sul da entrada fica o Royal Palm Visitor Center, de onde saem duas trilhas com passarelas. A famosa **Anhinga Trail** atrai vida selvagem nos meses secos do inverno e dá ótimas fotografias. Aligatores se reúnem no "gator hole" (um poço cavado pelos animais no tempo seco para chegar à água no subsolo) no topo da trilha, e é possível avistar muitos animais, tais como veados, racuns e a anhinga (carará). Nas proximidades, a **Gumbo Limbo Trail** oferece a oportunidade de explorar os bosques de madeira dura, mas eles ficam cheios de pernilongos. Observe as lindas bromélias que crescem em outra planta, mas não são parasitas. E veja a árvore que dá nome à trilha, o gumbo-limbo, que tem casca vermelha.

A pouca distância para oeste, o camping de **Long Pine Key** fica numa bela localização, e muita gente para ali para apreciar a paisagem ou para caminhar em uma das diversas trilhas sombreadas que partem de lá. Não se desvie do caminho porque o leito de pedra possui "buracos de erosão" criados pela chuva, que são fundos e perigosos.

O **Shark Valley** está ao norte de Long Pine Key, perto do limite do parque. A melhor maneira de visitar a área é pegar um bondinho ou uma bicicleta para vencer os 25km do trajeto. No final, uma torre de 18m de altura oferece lindas vistas. No vale vivem os índios seminoles, que se estabeleceram na região no século XIX, depois de serem encurralados nos Everglades pelos europeus sedentos por terras *(p. 286)*.

A elevada **Pa-hay-okee Overlook** está a noroeste de Long Key Pine. A extensão de prados verdes que se vê é típica da paisagem dos Everglades. Vale a pena subir na torre de observação por causa da vista: três ilhas rompem o horizonte e se avista uma multidão de aves, como falcões, colhereiras-cor-de-rosa, garças-azuis e milhafres.

A **Mahogany Hammock Trail** conduz a uma das mais extensas elevações dos alagados, com muita variedade de fauna e flora. Trilhas como a West Lake Trail e a Snake Bight Trail ficam entre Mahogany Hammock e **Flamingo**, na Florida Bay, e contam com muitos pássaros. Flamingo possui o único hotel do parque e também diversas opções de atividades, como caminhar, pescar, andar de barco e observar a natureza. Um pernoite no camping é obrigatório, principalmente para os ornitófilos. As baías em volta de Flamingo têm peixes-boi *(p. 319)*, além do raro e ameaçado crocodilo-americano. O Flamingo Visitor Center dá informações sobre atividades orientadas por guardas-florestais: palestras, apresentação de fotos e caminhadas pelo pântano. A canoa é o melhor modo de explorar as trilhas aquáticas ao redor de Flamingo, que vão de passeios curtos a aventuras de uma semana no remoto Wilderness Waterway, passando pela Whitewater Bay, ao longo da costa oeste do parque. A noroeste de Flamingo, a entrada oeste do parque é marcada pela ilha de Chokoloskee.

Atualmente os Everglades estão sob ameaça. Canais de irrigação alteraram o fluxo de água do lago Okeechobee, o que pode ser desastroso para esse delicado ecossistema.

O visitante deve seguir algumas dicas simples de segurança. Traga repelente de insetos e protetor solar. Siga as regras do parque e respeite a natureza. Lembre-se de que alguns arbustos e árvores são venenosos, do mesmo modo que taturanas, aranhas e cobras. Não saia dos caminhos e dirija devagar porque os animais sempre atravessam a estrada.

Guarda

Passarela de madeira no pântano, Everglades National Park

③⓪ Biscayne National Park

9.700 SW 328th St, Convoy Point. Miami. **Tel** (305) 230-7275. diariam. 25 dez. Restrito. Passeios de barco: **Tel** (305) 230-1100. **W** nps.gov/bisc

Manguezais protegem o litoral do Biscayne National Park, que incorpora as ilhas mais setentrionais de Florida Keys. Nas águas do parque vive uma de suas maiores atrações: um recife de coral, com milhares de formas de vida e mais de 200 tipos de peixes tropicais. As ilhas-barreiras não são ocupadas, por isso os corais são mais saudáveis e as águas mais límpidas do que em parques concorridos mais ao sul. Passeios de barco com fundo de vidro e mergulhos são organizados pelo centro de visitantes.

③① The Keys

Miami.

A sudoeste da ponta da península da Flórida ficam as Keys, uma cadeia de ilhas de coral fossilizado, protegida pelo único recife de coral da América do Norte. Multidões de visitantes vão para os balneários da região e participam de atividades como pesca e prática do snorkel.

Desde o século XVI, as Keys atraíram diversos colonizadores, piratas e *wreckers* (os que fazem pilhagem de naufrágios). Mas seu desenvolvimento aumentou no início do século XX, quando o magnata das ferrovias Henry Flagler (*p. 286*) construiu a Overseas Railroad atravessando as Keys, que depois foi substituída pela Overseas Highway, que termina em Key West.

A maior ilha das Upper Keys é **Key Largo**, chamada de "ilha comprida" pelos espanhóis. Um de seus destaques é o *African Queen*, barco usado no filme homônimo, de 1951, que realiza passeios curtos. As maiores atrações, porém, são as opções de mergulho e snorkel no **John Pennekamp Coral Reef State Park**. Ele tem um centro de visitantes, áreas de natação e trilhas pelos bosques, mas é mais conhecido pelos passeios submarinos, que oferecem um vislumbre das fascinantes formas de vida que povoam o recife de coral.

Islamorada, ao sul de Key Largo, se declara "Capital Mundial da Pesca Esportiva". Engloba sete ilhas e é conhecida pela prática de caça submarina. A Whale Harbor Marina, em Upper Matecumbe Key, dispõe de impressionantes embarcações de alto-mar, contratadas para pescarias em mar aberto. Os barcos de pesca atracados na marina oferecem viagens de meio dia, mesmo que o visitante não seja nenhum especialista em pesca de anzol. Long Key Bridge marca o início de Middle Keys. O **Dolphin Research Center**, instituição sem fins lucrativos de Grassy Key, dirige o encantador "Dolphin Encounter", onde se pode nadar com golfinhos. O principal centro de Middle Keys é a desenvolvida **Marathon Key**, que chama a atenção pelas áreas de pesca onde os entusiastas podem escolher o tipo de técnica, que inclui a pesca com arpão e a com linhada. Crane Point Hammock tem 26ha de floresta tropical e mangue, com diversas trilhas. O **Museum of Natural History of the Florida Keys** explica a história, a geologia e a ecologia da ilha.

As Lower Keys são mais escarpadas e menos desenvolvidas do que Upper e Middle Keys, com mais bosques que abrigam flora e fauna diferentes. A mudança mais notável, porém, é o ritmo de vida mais lento e desanimado.

Depois de atravessar a Seven Mile Bridge, o visitante pode procurar o **Bahia Honda State Park**, que tem a melhor praia das Keys. A areia brilhante e branca tem ao fundo a floresta tropical, com espécies incomuns de árvores, como a palmeira-prateada. Para alugar, o visitante pode escolher entre caiaques, canoas e equi-

A bela praia de Bahia Honda, a melhor de Florida Keys

Enfeite de ouro de um navio de tesouro

Pesca em Florida Keys

Islamorada, Marathon e Key West são os centros de pesca da área, e pequenas marinas de toda a região têm barcos para alugar. Há opções para todos os bolsos e habilidades. Pode-se reservar lugar em grupos de pesca ou contratar guias. A pesca em mar aberto, uma experiência divertida, pede espírito de pescador de vara e anzol, enquanto a pesca no interior requer dissimulação e esperteza. Muitas lojas de artigos para pesca alugam equipamento e vendem licenças.

Pesca de barco em mar aberto

Veja hotéis e restaurantes dessa região nas pp. 326-31

pamentos para esportes aquáticos. Ao lado, o **Looe Key National Marine Sanctuary** é um local espetacular para mergulhos, com abundante vida marinha.

Segunda maior ilha, a **Big Pine Key** tem a principal comunidade residente de Lower Keys e é o melhor lugar para observar o pequenino cervo de Key.

A saída perto da MM 30 leva ao **Blue Hole**, uma mina inundada cuja plataforma de observação é ótima para avistar o cervo de Key e outras formas de vida.

Key Largo
MM 106, (305) 451-1414, (800) 822-1088. fla-key.com

John Pennekamp Coral Reef State Park
MM 102.5. **Tel** (305) 451-1202. diariam. Restrito.

Key West

25.000. 402 Wall St, (305) 294-2587.

Cidade mais meridional dos EUA, Key West atrai pessoas que desejam deixar o restante do país para trás. No século XVI, ela se tornou refúgio de piratas e de *wreckers*. O *wrecking*, ou caça aos tesouros dos naufrágios no recife de coral das Keys, foi o negócio que trouxe o primeiro período de prosperidade a Key West. Logo ela se tornou a cidade mais rica da Flórida, e esse estilo de vida oportunista atraiu uma leva de aventureiros das Américas, do Caribe e da Europa. O legado deles é visível na arquitetura singular da ilha e em sua culinária. O afluxo de escritores e de uma grande comunidade gay veio enriquecer o coquetel cultural de Key West.

A maioria das atrações fica a alguns quarteirões de **Duval Street**, a principal via da Old Key West. Travessas, como a Fleming Street, possuem lindas construções de madeira do século XIX, que contrastam com as casinhas simples, erguidas para acomodar os cubanos das fábricas de charuto.

O **Wreckers' Museum**, na Duval Street, foi originalmente a casa do capitão Francis B. Watlington, um caçador de tesouros. Construída em 1829, seu projeto apresenta influências marítimas excêntricas, como a escotilha usada para ventilar o telhado. Ela está cheia de curiosidades náuticas. Mais adiante, o **San Carlos Institute**, fundado em 1871, é um centro de tradições cubanas. O jardim do **Heritage House Museum**, na Caroline Street, tem o chalé de Robert Frost, nomeado em homenagem ao famoso poeta americano que se hospedou muitas vezes nele. Na ponta norte de Old Town fica a **Mallory Square**, que adquire vida ao anoitecer, quando muitos artistas performáticos divertem as pessoas. A **Bahama Village**, na extremidade oeste de Old Town, recebeu esse nome por causa dos primeiros ocupantes de Key West. O local tem um intenso sabor caribenho, com diversas construções de madeira com cores fortes.

Uma grande atração é a **Hemingway Home**, em estilo colonial espanhol, onde o romancista Ernest Hemingway morou de 1931 a 1940. A sala onde escreveu diversas obras famosas como *Ter e não ter* (único livro ambientado em Key West), fica acima da cocheira. Estão expostas a biblioteca, anotações de viagens e lembranças, como a cadeira de enrolador de charuto onde ele se sentava para escrever.

O **Mel Fisher Maritime Museum**, na Green Street, exibe fantásticos tesouros de naufrágios, como moedas, joias e crucifixos. Eles foram resgatados pelo falecido Mel Fisher, que descobriu os naufrágios dos galeões espanhóis *Nuestra Señora de Atocha* e *Santa Margarita*, a cerca de 64km a oeste de Key West, em 1985.

Foram 47 toneladas de barras de ouro e prata e 32kg de esmeraldas brutas, que afundaram com os galeões em 1622.

O **Conch Train** e o **Old Town Trolley Tour** são opções interessantes para explorar a cidade.

Escafandro, no Mel Fisher Museum

Hemingway Home
907 Whitehead St. **Tel** (305) 294-1136. diariam. Restrito.
hemingwayhome.com

Recife de Coral da Flórida

Único recife de coral da América do Norte, ocupa 320km ao longo das Keys, de Miami a Dry Tortugas. Ecossistema complexo e delicado, ele protege essas ilhas das tempestades oceânicas. Os recifes de coral se formam no decorrer de milhares de anos a partir de minúsculos organismos marinhos conhecidos como pólipos e abrigam muitas plantas e criaturas do mar, como 500 espécies de peixe.

Coral *starlet* mole
Coral-pilar
Coral-chifre
Coral-cérebro
Esponja gigante em forma de tubo
Leque-do-mar, um tipo de coral mole
Coral-flor
Gorgônia
Coral *staghorn*

Informações Úteis

Com aproximadamente 95 milhões de visitantes por ano, a Flórida é muito bem administrada para atender às necessidades dos turistas. É um destino insuperável para as férias familiares. O divertimento para crianças é muito enfatizado, e os excelentes recursos disponíveis transformam a viagem com os pequenos num verdadeiro prazer. Em razão do clima quente, a Flórida é muito procurada por visitantes no inverno. A alta temporada vai de dezembro a abril, quando as praias e outras atrações ficam cheias. Ao visitar Walt Disney World® ou outro parque temático, prepare-se para longas filas na alta temporada.

Informação Turística

As grandes cidades da Flórida têm um Convention & Visitor's Bureau (CVB) que oferece uma infinidade de folhetos. Muitos hotéis também têm folhetos ou distribuem de presente a revista *WHERE*, que enumera museus, diversões, compras e restaurantes. Para obter informações antes de viajar, ligue ou escreva procurando pacotes do Visit Florida.

Segurança e Saúde

Embora os crimes contra turistas tenham diminuído desde a década de 1990, é bom tomar precauções em áreas urbanas, principalmente Miami. Evite áreas desertas à noite. Leve pouco dinheiro e deixe objetos de valor no cofre do hotel (convém não deixá-los no quarto do hotel). Se for assaltado, entregue logo a carteira e não ofereça resistência. Em caso de doença grave ou acidente, os hospitais oferecem bom tratamento. Ferimentos leves podem ser tratados em ambulatórios. O serviço médico é caro, por isso leve consigo os documentos de seu plano de saúde com cobertura internacional. Para assistência sem emergência contate a **Miami-Dade Police Information**.

Perigos Naturais

Os furacões não ocorrem com frequência, mas são devastadores se ocorrerem. Na iminência de tempestade, siga as orientações da televisão ou do rádio. O **National Hurricane Center**, em Miami, dá detalhes sobre furacões iminentes. Nas praias, fique de olho nas crianças, pois as marés turbulentas são perigosas em alguns locais.

A grande ameaça climática é o sol. Use protetor, ponha chapéu e beba muito líquido para evitar desidratação. Observar aligátores nos Everglades é emocionante, mas eles podem matar. Por isso trate-os com respeito. Tome cuidado com aranhas, escorpiões e cobras venenosas. É melhor não tocar em plantas desconhecidas. Use repelente de insetos quando visitar parques e reservas naturais.

Como Dirigir na Flórida

Dirigir na flórida é muito prazeroso, pois há uma excelente malha viária, gasolina barata e carros econômicos para alugar. Os percursos mais rápidos são pelas rodovias interestaduais, conhecidas como I-10, I-75 e assim por diante. Fique atento, pois os motoristas locais mudam de pista com frequência nas vias expressas. Assim, mantenha-se à direita e preste atenção nas saídas. O limite de velocidade varia de 90 a 105km/h, nas rodovias, de 32 a 48km/h, em áreas residenciais, e 24km/h, perto de escolas. Esses limites são obrigatórios, e as multas podem chegar a US$500.

No caso de acidente grave, ligue para o número de emergência da locadora e eles providenciarão outro veículo. A **American Automobile Association (AAA)** também tem serviço de acidentes e dará assistência aos membros.

Miami tinha a má fama de crimes contra motoristas, mas também tome cuidado em outras áreas. Evite dirigir em locais desconhecidos depois do anoitecer. Se tiver de consultar um mapa, pare apenas em áreas muito bem iluminadas. Ignore qualquer tentativa que alguém faça para impedi-lo de dirigir.

Etiqueta

As roupas na Flórida são informais, mas é ilegal as mulheres fazerem topless nas praias, exceto em alguns locais, como a South Beach de Miami. Tomar bebida alcoólica nas praias e em locais públicos é proibido, assim como fumar em ônibus, trens, táxis e nos prédios públicos. Na Flórida, não se pode fumar em todos os restaurantes e cafés.

O Clima da Flórida

A Flórida é um destino turístico para o ano todo em razão do clima, que se divide em temperado, ao norte, e subtropical, ao sul. Isso significa que o estado costuma ter duas temporadas turísticas. No sul da Flórida (área que inclui Orlando), os momentos mais movimentados são quando os turistas chegam para aproveitar o inverno moderado. O verão pode ser muito quente e desconfortável. Ao norte, Panhandle atrai mais visitantes no verão. Apesar dessa diferença o "sunshine State" faz jus à sua fama, com céu azul e clima agradável.

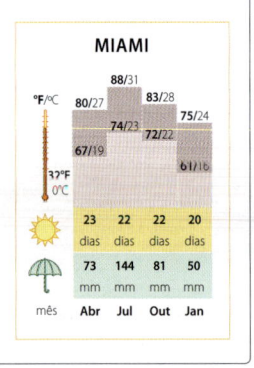

MIAMI

	Abr	Jul	Out	Jan
°F (max)	80/27	88/31	83/28	75/24
°F (min)	67/19	74/23	72/22	61/16
dias de sol	23	22	22	20
mm chuva	73	144	81	50

INFORMAÇÕES ÚTEIS | 325

Esportes e Atividades ao Ar Livre

Clima é o fator que faz os entusiastas pelos esportes escolherem a Flórida, como no caso de jogadores de golfe, de tênis e os que praticam canoagem e mergulho. As melhores fontes de informações sobre atividades ao ar livre sao a **Florida Sports Foundation** e o **Department of Environmental Protection (DEP)**.

Os diferentes esportes aquáticos estão bem representados, com lindas praias no Atlântico e no golfo do México. A maioria dos resorts oferece de windsurfe a jet ski. Também é possível esquiar na água de lagos e rios. O estado oferece muitas opções para canoagem, e a trilha aquática Wilderness Waterway, no Everglades National Park, é uma das preferidas.

A Flórida tem ótimos locais para mergulhar e fazer snorkel. O único recife de coral do país se estende pela costa sudeste do estado, alongando-se pelas Keys. É possível passear com guias para fazer snorkel e apreciar os corais e peixes. Para informações sobre mergulhos, ligue para **Keys Association of Dive Operators**.

Pescar fora do píer é comum em locais litorâneos, mas o estado é famoso pela pesca esportiva. Barcos de pesca em alto-mar podem ser alugados nos resorts à beira-mar. As grandes frotas estão em Panhandle e nas Keys. Muitos rios e parques oferecem pesca de peixes de água-doce. A **Florida Game and Fresh Water Fish Commission** fornece detalhes sobre os locais e o preço da licença.

Passeios aventurescos para áreas selvagens, como os Everglades, são organizados por algumas empresas, como a Build a Field Trip.

Diversão

Se você gosta de peças da Broadway, dos suntuosos shows ao estilo de Las Vegas ou prefere um pequeno cruzeiro, a Flórida atende a todos os gostos. O **Walt Disney World® Resort**, a **Universal Orlando® Resort** e outras atrações oferecem o melhor para a diversão da família, e os parques temáticos têm muita coisa para as crianças, de dia, e shows com jantar, à noite. As refeições costumam seguir o tema do show visto. Os parques aquáticos por toda a Flórida também são grandes atrações.

Ricos shows itinerantes são muito bem produzidos na Flórida. O estado possui seus próprios grupos teatrais, orquestras e companhias de ópera, como a **Symphony of the Americas** e a **Florida Grand Opera**. Os clubes são as melhores opções para dançar, com música ao vivo. Nas boates só podem entrar maiores de dezoito anos, com identidade.

A Flórida é o principal porto de embarque para cruzeiros no Caribe. Também se pode fazer minicruzeiros, por um dia ou uma noite, por cerca de US$40. Os cruzeiros noturnos costumam oferecer jantar e dança; os cruzeiros com cassinos, que operam fora de Miami e Port Everglades, são a moda. Fort Lauderdale e St. Petersburg têm passeios de barco.

Compras

As compras atraem muitos estrangeiros para a Flórida. O estado tem algumas lojas caras, muitas vezes reunidas em locais como a exclusiva Worth Avenue, em Palm Beach, mas ficou mais conhecido por suas lojas de descontos. Para presentes e lembranças, os parques temáticos e os centros turísticos oferecem muitas opções. A Flórida é famosa pelas frutas cítricas, que podem ser compradas frescas ou em conserva, como balas coloridas ou geleias. Também é possível adquirir conchas, artesanato seminole, discos latinos e charutos enrolados à mão.

AGENDA

Informação Turística

Tel (866) 972-5280.
w visitflorida.com

Números de Emergência

All Emergencies
Tel 911 (polícia, bombeiros, serviços médicos).

Miami-Dade Police Information
Tel (305) 476-5423.

National Hurricane Center (Furacões)
Tel (305) 229-4470, gravação com detalhes sobre furacões.

American Automobile Assn. (AAA)
Tel (800) 222-1134.

AAA General Breakdown Assistance
Tel (800) 222-4357. NOTA: Locadoras fornecem assistência 24 horas.

Esportes

Department of Environmental Protection (DEP)
3900 Commonwealth Blvd, Tallahassee, FL 32399.
Tel (850) 245-2052.

Florida Sports Foundation
Tallahassee, FL 32308.
Tel (850) 488-8347.
w flasports.com

Atividades no Interior

Build a Field Trip
Fort Lauderdale, FL 33308.
Tel (954) 772-7800.

Pesca

Florida Fish and Wildlife Conservation
Tel (850) 488-4676.
Tel (888) 347-4356 (licença para pescar).
w myfwc.com

Mergulho e Snorkel

Keys Association of Dive Operators (KADO)
w divekeys.com

Diversão

Florida Grand Opera
1200 Coral Way, Miami.
Tel (305) 854-7890.

Symphony of the Americas
2425 E Commercial Blvd, Fort Lauderdale.
Tel (954) 335-7002.

Universal Orlando® Resort
Tel (407) 363-8000.
w universalorlando.com

Walt Disney World® Resort
Tel (407) 934-7639 (reservas).
w disneyworld.com

Onde Ficar

Miami

CORAL GABLES: Courtyard by Marriott $$
Moderno **Mapa** B4
2051 Le Jeune Rd, 33134
Tel *(305) 443-2301*
w marriott.com
Hotel confortável de seis andares com uma piscina na cobertura. Traslado para o aeroporto.

Destaque
CORAL GABLES: Biltmore Hotel $$$
Resort **Mapa** A4
1200 Anastasia Ave, 33134
Tel *(855) 311-6903*
w biltmorehotel.com
Há quartos grandes e suítes formidáveis nesse marco luxuoso dos anos 1920 em estilo espanhol. Tem um campanário inspirado na sevilhana torre Giralda, um campo de golfe de Donald Ross, dez quadras de tênis, uma piscina imensa e quatro restaurantes excelentes.

DOWNTOWN: Mandarin Oriental $$$
Luxuoso **Mapa** D3
500 Brickell Key Dr, 33131
Tel *(305) 913-8288*
w mandarinoriental.com
Frequentado por celebridades, esse hotel asiático de luxo tem spa e gastronomia cinco estrelas.

MIAMI BEACH: Aqua $$
Moderno **Mapa** F2
1530 Collins Ave, 33139
Tel *(305) 538-4361*
w aquamiami.com
O Aqua abriga quartos modernos, deque para tomar sol e jardim. Café da manhã incluso na diária.

MIAMI BEACH: Clay Hotel $$
Histórico **Mapa** F3
1438 Washington Ave, 33139
Tel *(305) 534-2988*
w clayhotel.com
Em edifício charmoso dos anos 1930, tem um pátio agradável e quartos bem iluminados. Reserve com bastante antecedência.

Destaque
MIAMI BEACH: The Angler's $$$
Luxuoso **Mapa** F3
660 Washington Ave, 33139
Tel *(305) 534-9600*
w theanglersresort.com
Opte entre suítes amplas ou quitinetes nos quatro edifícios majestosos desse complexo em estilo mediterrâneo, que também dispõe de *villas*. Algumas unidades têm jardim, banheira de hidromassagem e terraço na cobertura. Oferece luxuosos tratamentos de spa ao lado da piscina ou no próprio quarto.

MIAMI BEACH: The Delano $$$
Luxuoso **Mapa** F2
1685 Collins Ave, 33139
Tel *(305) 672-2000*
w delano-hotel.com
Hotel projetado por Philippe Starck, famoso pela decoração e pela clientela célebre. Os quartos são todos brancos, e há uma piscina e um bar ótimos.

MIAMI BEACH: Fountainebleau Hotel $$$
Resort **Mapa** F2
4441 Collins Ave, 33140
Tel *(305) 538-2000*
w fontainebleau.com
Hotel retrô reformado com decoração cintilante como em Las Vegas. Piscina e spa espetaculares.

Categorias de Preço
Diária de um quarto padrão para duas pessoas, na alta temporada, com taxas de serviço e impostos.

$	até US$150
$$	US$150-US$300
$$$	acima de US$300

MIAMI BEACH: W South Beach $$$
Luxuoso **Mapa** F2
2201 Collins Ave, 33139
Tel *(305) 938-3000*
w wsouthbeach.com
Hotel estupendo da rede W, tem quartos amplos com sacada de vidro, cozinha e vista para o mar.

Gold e Treasure Coasts

FORT LAUDERDALE: The Hotel Deauville $
Albergue
2916 N Ocean Blvd, 33308
Tel *(954) 568-5000*
w thedeauvillehotel.com
Perto da praia, esse albergue tem dormitórios, quartos, cozinha comunitária e piscina.

Destaque
FORT LAUDERDALE: Lago Mar Resort $$$
Resort
1700 S Ocean Ln, 33316
Tel *(954) 678-3915*
w lagomar.com
Há resorts mais luxuosos, mas poucos são tão graciosos como esse, de gestão familiar. Tem enorme praia privativa, piscina em estilo laguna, quadras de tênis, campo de golfe e um tabuleiro de xadrez gigantesco. Ótimo para famílias e casais.

HOLLYWOOD: Seminole Hard Rock Hotel and Casino $$$
Luxuoso
1 Seminole Way, 33314
Tel *(954) 327-7625*
w seminolehardrockhollywood.com
Tem quartos amplos e uma piscina ótima, mas a diversão e o cassino são seus chamarizes.

PALM BEACH: The Breakers $$$
Resort
1 S County Rd, 33480
Tel *(561) 655-6611*
w thebreakers.com
Resort litorâneo de alto padrão, com spa, campo de golfe, instrutores de tênis, programação para famílias e quartos luxuosos.

O luxuoso Biltmore Hotel, um marco em Coral Gables

Obras de arte enfeitam as paredes do Grand Bohemian, no centro de Orlando

**WEST PALM BEACH:
Palm Beach Hibiscus** $$
B&B
213 South Rosemary Ave, 33407
Tel *(561) 833-8171*
w palmbeachhibiscus.com
Essa casa dos anos 1920 belamente restaurada exala elegância. Os quartos contam com sacada ou terraço, e há uma piscina pequena.

Orlando e Space Coast

**COCOA BEACH:
The Inn at Cocoa Beach** $$
B&B
4300 Ocean Blvd, 32931
Tel *(321) 799-3460*
w theinnatcocoabeach.com
Localizado na praia, esse B&B abriga quartos com decoração individual. Há recepção noturna com queijos e vinhos.

**KISSIMMEE: Gaylord
Palms Resort** $$$
Resort
6000 W Osceola Pkwy, 34747
Tel *(407) 586-0000*
w gaylordpalms.com
Esse complexo de resort e centro de convenções tem três áreas temáticas e um parque aquático.

ORLANDO: Grand Bohemian $$$
Luxuoso
325 S Orange Ave, 32801
Tel *(407) 313-9000*
w grandbohemianhotel.com
Quartos ótimos, obras de arte, piscina e bar com tema de jazz no centro de Orlando.

**ORLANDO: Villas of
Grand Cypress** $$$
Resort
1 N Jacaranda, 32836
Tel *(407) 239-4700*
w grandcypress.com
As extravagantes *villas* desse complexo paisagístico têm cozinha, pátio e banheiro com banheira romana. Traslado grátis para os parques temáticos.

**UNIVERSAL ORLANDO®:
Hard Rock Hotel** $$$
Luxuoso
5800 Universal Blvd, 32819
Tel *(407) 503-2000*
w hardrockhotelorlando.com
Com tema de "rock 'n' roll", esse hotel da rede Hard Rock oferece quartos amplos, spa e trilhas.

Destaque

**UNIVERSAL ORLANDO®:
Loews Portofino
Bay Hotel** $$$
Luxuoso
5601 Universal Blvd, 32819
Tel *(407) 503-1000*
w loewshotels.com
Esse hotel de luxo recria um vilarejo italiano com canais e praça festiva, além de abrigar piscinas e o Mandara Spa. Escapar das filas nos parques temáticos da Universal e utilizar de graça o Express Unlimited, táxis aquáticos e traslados de ônibus são privilégios inclusos na diária.

**WALT DISNEY WORLD®:
Disney's All Star Resorts** $$
Resort
World Dr & Osceola Pkwy, Lake Buena Vista, 32830
Tel *(407) 934-7639*
w disneyworld.com
A opção mais barata da Disney tem quartos pequenos em torres temáticas e muita diversão.

**WALT DISNEY WORLD®:
Animal Kingdom Lodge** $$$
Luxuoso
2901 Osceola Pkwy, Lake Buena Vista, 32830
Tel *(407) 938-3000*
w disneyworld.com
Acomodação de luxo com vista para mais de 200 animais na savana. Traslado para o parque.

**WALT DISNEY WORLD®:
Disney's Coronado
Springs Resort** $$$
Resort
1000 W Buena Vista Dr, 32830
Tel *(407) 939-1000*
w disneyworld.com
Opção de luxo com uma piscina em forma de pirâmide maia e fogueiras à noite. Há também minigolfe e academia.

**WALT DISNEY WORLD®:
Disney's Port Orleans Resort** $$$
Resort
1251 Riverside Dr, Lake Buena Vista, 32830
Tel *(407) 934-5000*
w disneyworld.com
Com sacadas de ferro batido, coches puxados por cavalos e uma laguna, esse resort fantástico evoca New Orleans.

Nordeste

**AMELIA ISLAND: Omni Amelia
Island Plantation** $$$
Resort
39 Beach Lagoon, 32034
Tel *(904) 261-6161*
w omnihotels.com
Esse vasto playground garante férias ativas: praia, piscinas cobertas, ao ar livre e infantil, golfe, tênis e trilhas ecológicas.

**FERNANDINA BEACH:
Elizabeth Pointe Lodge** $$$
B&B
98 S Fletcher Ave, 32034
Tel *(904) 277-4851*
w elizabethpointelodge.com
Premiada casa de praia ao estilo de Nantucket, com vistas do mar, quartos elegantes, café da manhã delicioso e vinhos e canapés à noite.

**JACKSONVILLE: Hyatt
Regency Riverfront** $$
Moderno
225 E Coastline Dr, 32202
Tel *(904) 588-1234*
w jacksonville.hyatt.com
Prédio moderno diante do rio, com quartos confortáveis, serviço completo, piscina na cobertura e spa.

**PONTE VEDRA BEACH:
Ponte Vedra Inn** $$$
Resort
200 Ponte Vedra Blvd, 32082
Tel *(904) 285-1111*
w pontevedra.com
Um marco desde 1928, esse resort cinco estrelas em estilo espanhol oferece quartos e suítes bem equipados, praia, piscinas, campos de golfe e spa.

Mais informações sobre hotéis *nas pp. 26-7*

Saguão do opulento Casa Monica Hotel, em St. Augustine

Destaque
ST. AUGUSTINE:
Casa Monica Hotel $$$
Histórico
95 Cordova St, 32084
Tel *(904) 827-1888*
🌐 casamonica.com
Essa joia de 1888 restaurada exala charme espanhol no saguão com afrescos, nos quartos charmosos e no som de violão ao vivo no lounge Cobalt. Os quartos têm todas as instalações modernas, e o deque da piscina é muito relaxante.

Panhandle

FORT WALTON BEACH:
Ramada Plaza Beach Resort $$
Moderno
1500 E Miracle Strip Pkwy, 32548
Tel *(850) 243-9161*
🌐 ramadafwb.com
Tem quartos confortáveis e bem equipados, praia, cascata, piscina em uma gruta e playground.

PANAMA CITY BEACH:
Wyndham Bay Point Resort $$
Resort
4114 Jan Cooley Dr, 32408
Tel *(850) 236-6000*
🌐 wyndham.com
Esse resort de luxo tem dois campos de golfe, spa, cinco piscinas e traslado para a praia.

PENSACOLA: Lee House $$$
B&B
400 Bayfront Pkwy, 32502
Tel *(850) 912-8770*
🌐 leehousepensacola.com
Esse B&B amplo oferece nove quartos com decoração individual. As varandas têm vista para a Seville Square e o Fountain Park.

PENSACOLA BEACH:
Portofino Island Resort $$$
Resort
10 Portofino Dr, 32561
Tel *(850) 916-5000*
🌐 portofinoisland.com
Os cinco *condos* em estilo mediterrâneo têm apartamentos com cozinha. Há também spa, piscinas, golfe e atividades para crianças.

Destaque
SANTA ROSA BEACH:
Watercolor Inn $$$
B&B
34 Goldenrod Circle, 32459
Tel *(850) 534-5000*
🌐 watercolorresort.com
Perto da praia, o Watercolor Inn é um casarão luxuoso, porém descontraído, com quartos enormes, camas king size, duchas potentes e sacadas para ver o pôr do sol. Há bicicletas, canoas e caiaques à disposição dos hóspedes.

TALLAHASSEE:
Governors Inn $$$
Histórico
209 S Adams St, 32301
Tel *(850) 681-6855*
🌐 thegovinn.com
Opção conveniente no centro, com hospitalidade à moda antiga e quartos com nomes de ex-governadores. Café da manhã padrão e happy-hour de cortesia.

Costa do Golfo

Destaque
FORT MYERS BEACH:
Edison Beach House $$$
B&B/Pousada
830 Estero Blvd, 33931
Tel *(239) 463-1530*
🌐 edisonbeachhouse.com
Esse prédio litorâneo de cinco andares é imbatível em termos de espaço e instalações. As suítes exibem móveis de vime, ventilador de teto, cozinha completa, lavadora, secadora e sacada. Há também uma piscina aquecida e atividades lúdicas para crianças.

SANIBEL ISLAND:
Sanibel Inn $$$
B&B
937 E Gulf Dr, 33957
Tel *(239) 472-3181*
🌐 sanibelinn.com
Quartos e apartamentos amplos e bem equipados, praia ótima, tênis e ciclismo.

SARASOTA:
Turtle Beach Resort $$$
Resort
9049 Midnight Pass Rd, Siesta Key, 34242
Tel *(941) 349-4554*
🌐 turtlebeachresort.com
Esse complexo de casas ao lado da baía tem quitinetes e suítes temáticas com banheira e pátio particular.

ST. PETERSBURG: Renaissance Vinoy Resort $$$
Histórico
501 5th Ave NE, 33701
Tel *(727) 894-1000*
🌐 marriott.com
Esse hotel clássico belamente restaurado mantém a pompa do passado, mas apresenta itens atuais como uma piscina luxuosa.

TAMPA: Hilton Garden Inn $$
B&B
1700 E 9th Ave, 33605
Tel *(813) 769-9267*
🌐 hiltongardeninn.com
Hotel confortável com quartos bem equipados, em ótima localização perto de Ybor City.

Everglades e Keys

ISLAMORADA:
The Moorings Village $$$
Luxuoso
123 Beach Rd, 33036
Tel *(305) 664-4708*
🌐 themooringsvillage.com
As dezoito casas mobiliadas com bom gosto têm varanda e sacada. Há um spa excelente.

Destaque
KEY LARGO: Kona Kai Resort & Gallery $$$
Resort
97802 Overseas Hwy, 33037
Tel *(305) 852-7200*
🌐 konakairesort.com
O Kona Kai é um resort só para adultos. Suas casas tropicais ficam num jardim botânico com mais de 250 plantas raras. Para se divertir, há passeios no jardim, jogos na praia, caiaque, barco a remo, piscina de água doce e banheira de hidromassagem.

KEY WEST: Marquesa Hotel $$$
Histórico
600 Fleming St, 33040
Tel *(305) 292-1919*
🌐 marquesa.com
Belos quartos com ventilador de teto em três casas dos anos 1880 restauradas e outra unidade nova.

Categorias de Preço *na p. 326*

Onde Comer e Beber

Miami

COCONUT GROVE: Jaguar $$
Latino-americana Mapa B4
3067 Grand Ave, 33133
Tel *(305) 444-0216*
Pratos latinos bem temperados e muitos itens grelhados figuram no menu tropical do Jaguar. Há um bufê com ceviches.

CORAL GABLES: Sazerac $$
Americana Mapa B4
321 Miracle Mile, 33134
Tel *(305) 442-8552*
A comida é saudável, e as entradas têm no máximo 475 calorias. Há pratos como salmão assado em tábua de cedro e costelas de cordeiro grelhadas.

DOWNTOWN: Michael's Genuine Food & Drink $$$
Americana Mapa D3
130 NE 40th St, 33137
Tel *(305) 573-5550*
Ingredientes frescos da fazenda ou do mar são a base dos pratos que variam de tamanho nesse restaurante elegante.

DOWNTOWN: Tuyo $$$
Latino-americana Mapa D3
415 NE 2nd Ave, 33132
Tel *(305) 337-3200* **Fecha** *dom e seg*
O cardápio muda todo dia nesse restaurante romântico com vistas fantásticas da cidade e da baía. A deliciosa cozinha "floribenha" é resultante da mescla de ingredientes locais frescos com temperos latinos.

LITTLE HAVANA: Versaille $
Cubana Mapa C3
3335 8th St, 33135
Tel *(305) 444-0240*
Vale a pena conhecer a deliciosa culinária cubana servida no restaurante mais conhecido de Little Havana.

MIAMI BEACH: Shake Shack $
Americana Mapa F2
1111 Lincoln Rd, 33139
Tel *(305) 434-7787*
No Shake Shack há ótimos hambúrgueres por uma pechincha, fritas deliciosas e milk-shakes que compensam enfrentar a fila.

MIAMI BEACH: Tap Tap Haitian $
Haitiana Mapa F3
819 5th St, 33139
Tel *(305) 672-2898*
Reúne restaurante, galeria de arte e centro cultural. I Iá pratos haitianos como peixe inteiro ao vapor com molho de limão, camarão ao molho creole, cozido de cabra e bolinhos de banana.

MIAMI BEACH: News Café $$
Americana Mapa F2
800 Ocean Dr, 33139
Tel *(305) 538-6397*
Café 24 horas que serve bolinho de caranguejo, salmão grelhado, pizzas e massas.

Destaque
MIAMI BEACH: 15 Steps $$$
Americana Mapa F2
4525 Collins Ave, 33140
Tel *(305) 674-5594*
O cardápio criativo desse restaurante dentro do Eden Roc Hotel em South Beach muda diariamente para incluir o que há de melhor na estação e utiliza muitos produtos locais. O jantar com três pratos a preço fixo é excelente.

ARREDORES: Rusty Pelican $$$
Americana
3201 Rickenbacker Causeway, 33149
Tel *(305) 361-3818*
Com um chef criativo no comando e vistas estupendas da baía e da cidade, esse restaurante tem sushi, entradas, menu a preço fixo acessível e pratos para dividir.

Categorias de Preço
Por pessoa, para uma refeição composta de três pratos e uma taça de vinho da casa, mais taxas.

$	até US$35
$$	US$35-US$70
$$$	acima de US$70

Gold e Treasure Coasts

Destaque
BOCA RATON: Sapori $$$
Italiana
301 Via de Palmas, 33432
Tel *(561) 367-9779*
O Sapori, que significa "sabores" em italiano, é um restaurante pequeno e afamado pelos pratos saborosos com peixe e pela melhor massa da cidade. Há surpresas como ravióli de costela de ripa e filé de salmão agridoce. Em eventos especiais, o chef Marco Pindo explica os ingredientes e o preparo dos pratos.

FORT LAUDERDALE: The Floridian $
Diner
1410 E Las Olas Blvd, 33301
Tel *(954) 463-4041*
Aberto 24 horas, esse *diner* antigo serve porções fartas de comida substanciosa e barata.

FORT LAUDERDALE: Greek Islands Taverna $$$
Grega
3300 N Ocean Blvd, 33308
Tel *(954) 568-0008*
Nesse grego excelente os clientes fazem fila para comer mezze, peixes e cordeiro. Há vinhos gregos e estrangeiros.

Destaque
PALM BEACH: Buccan $$$
Americana
350 S County Rd, 33480
Tel *(561) 833-3450*
Com um chef famoso de Miami, ambiente animado e um menu criativo de porções para partilhar, o Buccan se destaca entre a concorrência. Além de filé e espadarte, serve deliciosas empanadas com costela de ripa, panini e ceviches.

Interior aconchegante do The Floridian, em Fort Lauderdale

Mais informações sobre restaurantes nas pp. 28-9

POMPANO BEACH:
Café Maxx $$$
Americana
2601 E Atlantic Blvd, 33062
Tel *(954) 782-0606*
O Café Maxx prima pela inovação desde 1984. Peça vieiras temperadas e rack de cordeiro com crosta de pinhole.

Orlando e Space Coast

COCOA: Café Margaux $$$
Francesa
220 Brevard Ave, 32922
Tel *(321) 639-8343* **Fecha** *dom*
Café refinado com pratos criativos como salmão norueguês empanado e lombo de porco recheado com pera, brie e nozes.

LAKE BUENA VISTA:
Hemingway's $$$
Frutos do mar
Hyatt Regency Resort, 1 Grand Cypress Blvd, 32836
Tel *(407) 239-1234*
Inspirado nas pescarias de Ernest Hemingway, esse restaurante oferece ótimos frutos do mar, como espadarte local e camarão da Flórida. Peça o drinque Papa's Doble, inventado pelo escritor.

ORLANDO: Little Saigon $
Vietnamita
1106 Colonial Dr, 32803
Tel *(407) 423-8539*
Um favorito dos moradores do bairro, o Little Saigon serve petiscos deliciosos, assim como pratos com talharim e arroz.

> **Destaque**
> **ORLANDO: Christini's**
> **Ristorante** $$$
> Italiana
> *7600 Dr. Phillips Blvd, 32819*
> **Tel** *(407) 583-4472*
> Detentor de vários prêmios pela comida e pelos vinhos, esse templo gastronômico foi aberto em 1984. Belos revestimentos de madeira, pinturas e fotos de celebridades dão mais charme ao ambiente. O menu tem pratos deliciosos com carne, assim como massas e opções menos caras com frango.

UNIVERSAL ORLANDO®:
Emeril's Orlando $$$
Creole
6000 Universal Blvd, 32819
Tel *(407) 224-2424*
Serve clássicos de New Orleans em um cenário moderno com cozinha exposta. Há menu infantil.

O restaurante de frutos do mar Hemingway's, em Lake Buena Vista

> **Destaque**
> **WALT DISNEY WORLD®:**
> **Boma – Flavors of Africa** $$
> Africana
> *Animal Kingdom Lodge, 2901 Osceola Pkwy, 32830*
> **Tel** *(407) 938-4722*
> O Boma apresenta todas as cores e os sabores de um mercado africano. Tem teto de palha, troncos como tampos de mesa e várias estações com carnes e peixes bem temperados, assim como curries e o apreciado mac'n'cheese.

WALT DISNEY WORLD®:
Ohana $$
Polinésia
Polynesian Resort, 1600 Seven Seas Dr, 32836
Tel *(407) 824-1334*
Com contadores de histórias, corridas de coco e outras diversões, o Ohana serve comida excelente da Polinésia em espetos preparados na grelha.

WALT DISNEY WORLD®:
Cinderella's Royal Table $$$
Americana
Fantasyland, Magic Kingdom Dr, 32830
Tel *(407) 939-3463*
Faça uma refeição encantadora em um salão com Cinderela e seu príncipe. Uma foto da ocasião está inclusa na conta.

WALT DISNEY WORLD®:
Les Chefs de France $$$
Francesa
Epcot World Showcase, 32830
Tel *(407) 827-8709*
O menu de *brasserie* criado por chefs franceses famosos exibe pratos como coquille St. Jacques e pato com cerejas para os adultos. Crianças têm um menu especial e conversam com o chef Remy, do filme *Ratatouille*.

WINTER PARK:
Ravenous Pig $$$
Gastropub
1234 N Orange Ave, 32789
Tel *(407) 628-2333* **Fecha** *dom e seg*
Desde comida de pub, como tacos e hambúrgueres, até itens mais criativos, como lombinho de porco e salmão defumado em chá, o Ravenous Pig tem opções para todos os gostos.

Nordeste

DAYTONA BEACH: Aunt Catfish's On the River $$$
Frutos do mar/Sulista
4009 Halifax Dr, Port Orange, 32127
Tel *(386) 767-4768*
Representante do Sul à beira do rio, tem um bufê afamado. Saboreie linguado grelhado ou frito, aligátor frito e camarão ao coco.

JACKSONVILLE: Bistro Aix $$$
Americana
1440 San Marco Blvd, 32207
Tel *(904) 398-1949*
Esse bistrô chique na área histórica da cidade oferece porções, pizzas e delícias francesas como mexilhões e steak-frites.

> **Destaque**
> **JACKSONVILLE:**
> **Matthew's Restaurant** $$$
> Americana
> *2107 Hendricks Ave, 32207*
> **Tel** *(904) 396-9922* **Fecha** *dom*
> Com decoração elegante e 2 mil garrafas de vinho na adega, esse lugar é uma meca da alta-cozinha. A comida bem apresentada de Matthew Meure tem preço justo diante da qualidade. Entre os itens excelentes há truta-do-ártico com crosta de pistache e filé com cogumelos portobello e gorgonzola.

Categorias de Preço na p. 329

ONDE COMER E BEBER | 331

ST. AUGUSTINE: The Floridian $$
Sulista
39 Cordova St, 32084
Tel *(904) 829-0655* **Fecha** *ter almoço*
A cozinha sulista do Floridian prepara camarões com pimentão, frango e waffles, mas há também sanduíches, saladas e opções vegetarianas.

ST. AUGUSTINE:
95 Cordoba $$$
Internacional
95 Cordoba St, 32084
Tel *(904) 824-0402*
Prove carnes espanhois do passado em petiscos como escargô e tomates verdes fritos. Entre os pratos principais, há opções como ossobuco, lagosta e robalo com purê de feijão-fradinho.

Panhandle

DESTIN: Marina Café $$$
Frutos do mar/Americana
404 Harbor Blvd, 32541
Tel *(850) 837-7960*
Há mesas no elegante salão náutico e no deque externo com vista para o porto. A cozinha formal faz filés e frutos do mar harmonizados com vinhos finos.

FORT WALTON BEACH:
Pandora's Steakhouse $$$
Churrascaria
1120B Santa Rosa Blvd, 32548
Tel *(850) 244-8669* **Fecha** *seg*
Essa *steakhouse* de gerência familiar é famosa pelo filé grelhado na lenha. Há também frutos do mar e um menu especial para crianças.

Destaque
PANAMA CITY BEACH:
Firefly $$$
Americana
535 Richard Jackson Blvd, 32407
Tel *(850) 249-3359*
O Firefly proporciona uma ótima experiência sob um carvalho imenso com luzes suaves – é ideal para um encontro romântico. O menu inclui sopa de caranguejo, rack de cordeiro, costelas de porco e cauda de lagosta. Martínis no Library Lounge, sushis na happy-hour e menu infantil.

PENSACOLA: Five Sisters
Blues Café $$
Sulista
421 W Belmont St, 32501
Tel *(850) 912-4856*
Com música ao vivo, tem delícias tradicionais como gumbo, frango frito, bolinho de caranguejo, carne de porco desfiada e assado de panela. Bom brunch dominical.

TALLAHASSEE:
Cypress Restaurant $$$
Sulista
320 E Tennessee St, 32301
Tel *(850) 513-1100*
Fecha *dom jantar e seg*
O chef-proprietário compôs um menu sofisticado para o Cypress. Há peito de pato glaceado com kumquat, garoupa com crosta de nozes-pecãs e o melhor camarão com canjica da cidade.

Costa do Golfo

Destaque
ANNA MARIA ISLAND:
Beach Bistro $$$
Americana
6600 Gulf Dr, Holmes Beach, 34217
Tel *(941) 778-6444*
Um dos melhores restaurantes da Flórida, o Beach Bistro é perfeito para uma refeição romântica com vistas do sol se pondo no mar. Entre as iguarias estão garoupa com crosta de coco e castanha de caju, bouillabaisse com cauda de lagosta, rolinho com lascas de lombo e foie gras ao molho béarnaise.

CLEARWATER BEACH:
Frenchy's South Beach Café $$
Americana
351 S Gulfview Dr, 33767
Tel *(727) 441-9991*
Esse café praiano informal se destaca pelos saborosos sanduíches de garoupa. Serve também sopa de caranguejo, saladas e porções de frutos do mar.

Prato de frutos do mar no elogiado Beach Bistro, em Anna Maria Island

SARASOTA: Yoders $
Americana
3434 Bahia Vista St, 34239
Tel *(941) 955-7771* **Fecha** *dom*
O Yoders serve culinária amish desde 1975, incluindo café da manhã, frango frito delicioso e tortas. Não há bebidas alcoólicas.

ST. PETERSBURG: The Moon
Under Water $$
Pub/Britânica
332 Beach Dr NE, 33701
Tel *(727) 896-6160*
Esse pub com dezessete cervejas e chopes de barril serve fish 'n' chips excelente, hambúrgueres e pastelões.

Destaque
TAMPA:
Columbia Restaurant $$$
Espanhola
2117 E 7th Ave, Ybor City, 33605
Tel *(813) 248-4961*
O restaurante mais antigo da Flórida cresceu absurdamente, mas mantém a qualidade de seu menu hispano-cubano e de pratos como paella e caranha à Alicante. Dançarinos de flamenco são outra atração.

Everglades e Keys

KEY LARGO:
Mrs. Mac's Kitchen $$
Frutos do mar
99336 Overseas Hwy, MM 99.4, 33037
Tel *(305) 451-3722* **Fecha** *dom*
O cardápio apresenta a boa e velha culinária sulista, como chili, sopa de mariscos, bolinho de caranguejo, peixes e tortas caseiras.

KEY WEST: Seven Fish $$
Americana
632 Olivia St, 33040
Tel *(305) 296-2777* **Fecha** *ter*
Bistrô de esquina cujo menu inclui mahi mahi, bolo de carne, frango com banana e massa com caranguejo e shitake.

Destaque
KEY WEST: Café Sole $$$
Francesa/Floridense
1029 Southard St, 33040
Tel *(305) 294-0230*
Esse pequeno café é comandado por um chef talentoso cujos menus combinam o melhor da Provence e da Flórida, como sopa de lagosta, sopa de cebola francesa, carpaccio e pato com laranja.

Mais informações sobre restaurantes nas pp. 28-9

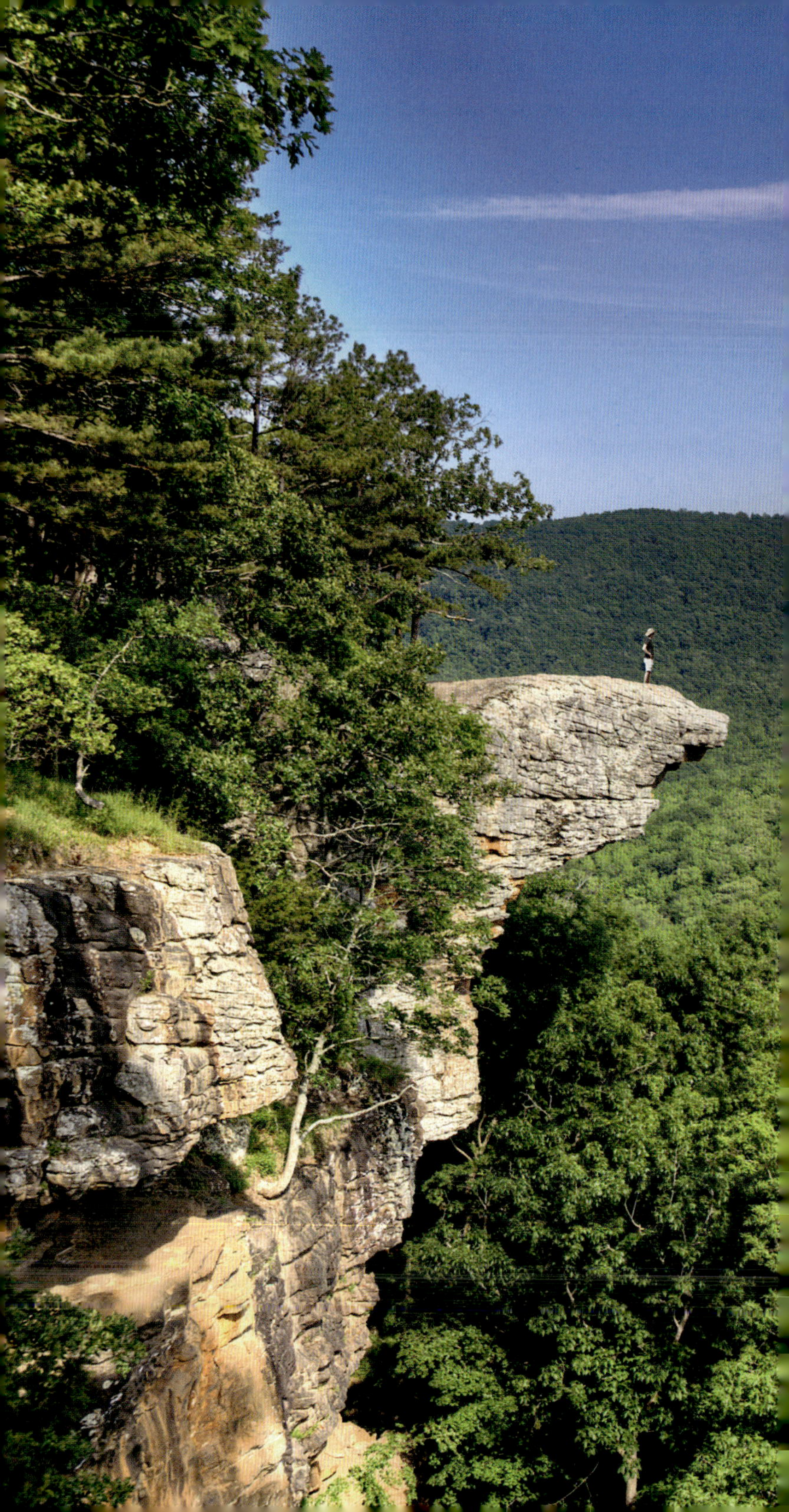

EXTREMO SUL

Introdução ao Extremo Sul	334-341
New Orleans, Louisiana	342-351
Louisiana	354-357
Arkansas	358-359
Mississippi	360-363
Alabama	364-365

Extremo Sul em Destaque

Formado por quatro estados – Louisiana, Arkansas, Mississippi e Alabama –, o Extremo Sul é uma das regiões inconfundíveis dos Estados Unidos. Desde as extensas planícies do rio Mississippi e os *bayous* (rios pantanosos) do Cajun Country, na Louisiana, até as florestas das Ozark Mountains, no Arkansas, essa área se revela geográfica e culturalmente variada. Enquanto mansões opulentas, casas de antes da Guerra Civil e atrações ligadas ao movimento dos direitos civis constituem aspectos do seu passado, os atuais encantos do Extremo Sul recaem no povo e em seu gosto natural pelas boas coisas da vida. As duas mais apreciadas criações musicais do país nasceram ali: o jazz e o blues, um legado celebrado por toda a região, principalmente em New Orleans. A fama mundial de diversão incessante dessa cidade é comprovada durante o Mardi Gras.

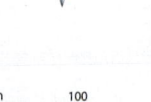

Hot Springs *(p. 358)*, no Arkansas, dispõe da histórica Bathhouse Row, onde a Buckstaff Bathhouse ainda oferece instalações de spa. O ex-presidente Bill Clinton passou a juventude nessa cidade.

Lafayette *(p. 356)* é o coração do Cajun Country, na Louisiana, onde descendentes de imigrantes franco-canadenses ainda preservam sua língua e sua cultura. Boa parte dessa cultura local pode ser encontrada em restaurantes, boates, museus e parques históricos, assim como nos pântanos das redondezas.

◀ Vista da floresta nas Ozark Mountains, Arkansas

INTRODUÇÃO AO EXTREMO SUL | 335

Localize-se

Selma (p. 364) é uma das muitas cidades no Alabama que tiveram papel significativo no movimento dos direitos civis, nas décadas de 1950 e 1960. Uma grande atração ali é o National Voting Rights Museum, que narra a história da vitoriosa Selma-to-Montgomery March, comandada por Martin Luther King Jr., em 1965.

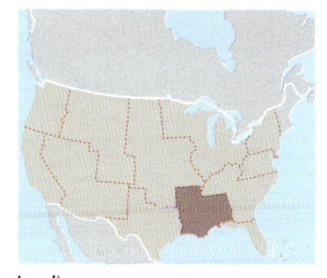

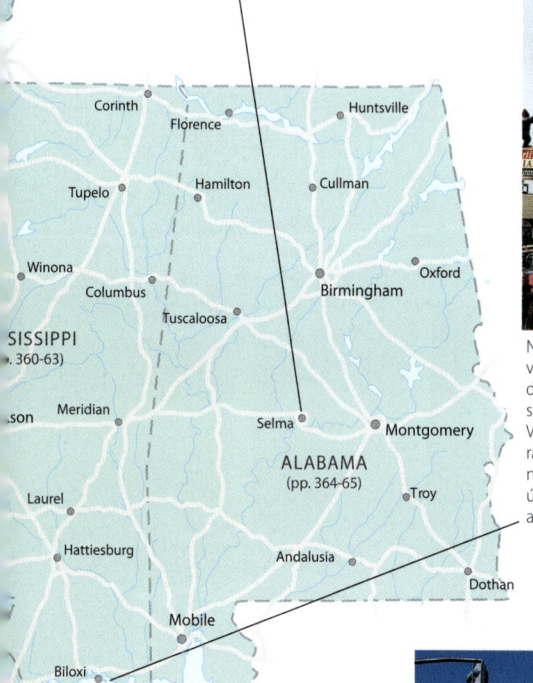

Na **Gulf Coast** (p. 363) o que dominava, tradicionalmente, era a indústria da pesca. Mas, na última década, os suntuosos cassinos no estilo de Las Vegas proliferaram ao longo do litoral. A área afetada pelo furacão Katrina e pelo vazamento de petróleo nos últimos anos foi bem recuperada e acolhe todos os visitantes.

New Orleans (pp. 342-51), capital cultural da região, caracteriza-se pelos balcões com balaustrada de ferro forjado, pela comida inconfundível, por bares animados e pelos festejos anuais do Mardi Gras.

Veja hotéis e restaurantes dessa região nas pp. 368-73

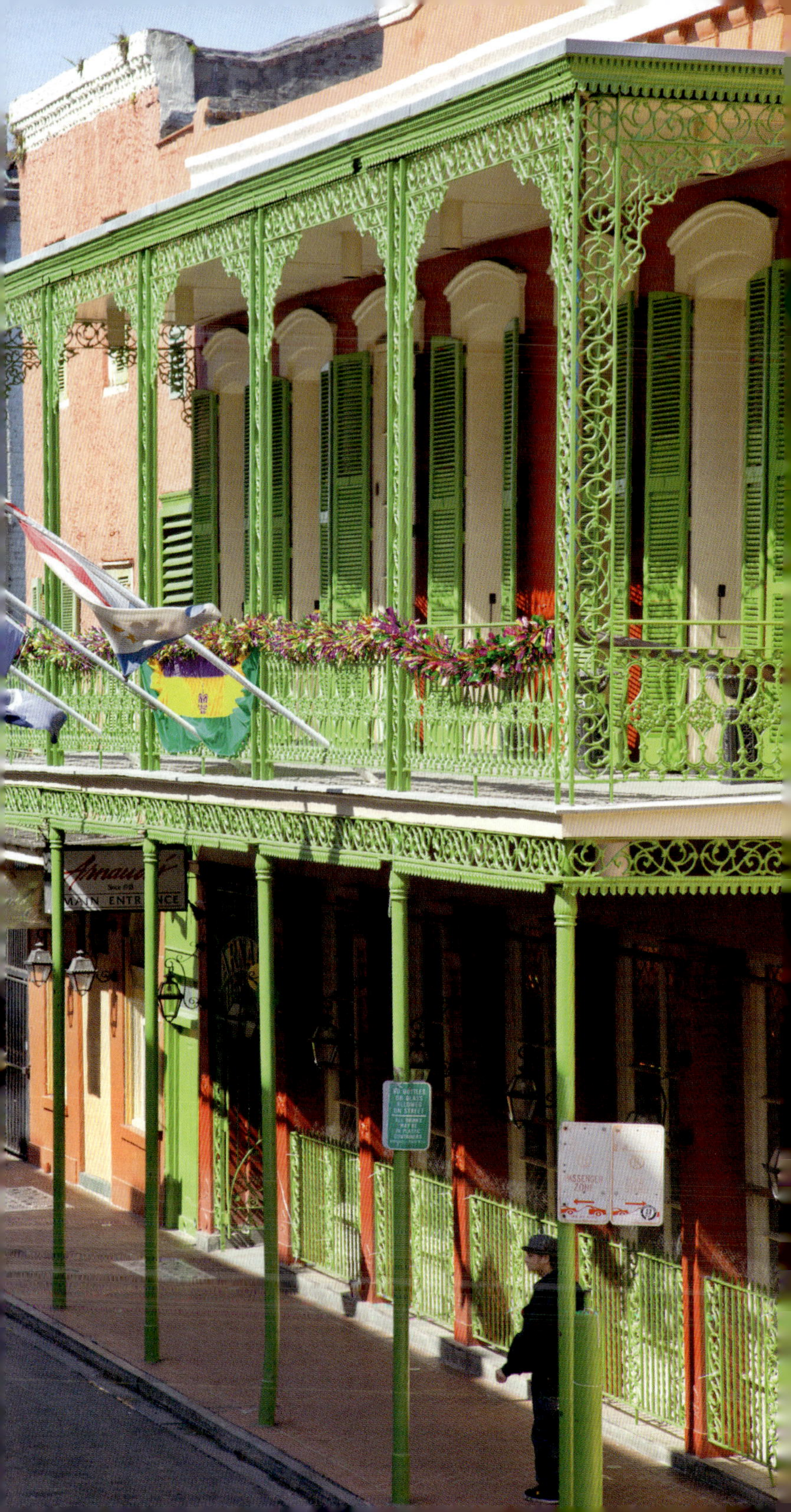

INTRODUÇÃO AO EXTREMO SUL | 337

EXTREMO SUL

Com clima quente, subtropical, e índole totalmente descontraída, o Extremo Sul talvez seja a região de culturas mais variadas dos Estados Unidos. Multiétnica e acolhedora, de um jeito simpático e hospitaleiro, a região proporciona ao visitante uma introdução ao charme sulista, representado pelo estilo de vida prazeroso de New Orleans.

Aproximadamente 14 milhões de pessoas vivem no Extremo Sul, uma região que ocupa 517.998km², quase o mesmo tamanho e a mesma densidade populacional do vizinho Texas. Embora os quatro estados revelem o mesmo gosto natural pelas boas coisas da vida, eles são bem diferentes. A Louisiana sintetiza a cultura católica francesa, e o Mississippi e o Alabama constituíram o coração da Confederação durante a Guerra Civil. O Arkansas tem paisagem escarpada que combina com o orgulho de seu povo pelas tradições montanhesas do estado. A maioria dos moradores do Extremo Sul basicamente rural tem famílias cujas raízes se aprofundam na história. Nessa região existe uma conexão incomum entre o passado e o presente.

A rica bacia aluvial que acompanha o caminho sinuoso do rio Mississippi, cruzando parte dos estados de Mississippi, Arkansas e Louisiana, já foi a maior produtora mundial de algodão, e lá se formaram algumas das primeiras grandes fortunas americanas. Porém, o suprimento de mão de obra para essa cultura se baseava na desigualdade da escravidão, que marcou a economia e a cultura do Extremo Sul durante dois séculos.

A História

Os primeiros habitantes da região criaram núcleos de comunidades agrícolas próximas ao rio Mississippi, onde cultivavam os extensos campos com milho, feijão e abóbora, e erguiam montículos elaborados, para seus rituais religiosos e políticos. Os montículos com figuras (*effigy mounds*) em Poverty Point, a nordeste da Louisiana, são dos mais antigos, maiores e mais significativos legados arqueológicos norte-americanos, que datam de aproximadamente 3.700 anos.

Quando o conquistador Hernando de Soto e suas tropas encontraram aqueles núcleos perto do Mississippi logo dizima-

O vapor *Natchez* sai de um porto do rio Mississippi

◀ Coloridos trabalhos em ferro enfeitando um edifício em New Orleans, Louisiana

The Battle of New Orleans, quadro de Dennis Malone Carter

ram seus habitantes e a cultura deles. Depois disso, outros grupos indígenas mais dispersos tomaram o poder, principalmente as tribos chickasaw, choctaw, quapaw, creek e cheroqui. Os índios creeks, do centro e do norte do Alabama, talvez tenham sido os mais bem-sucedidos, somando cerca de 15 mil quando estavam no auge. No início do século XVIII, colonizadores europeus deram apoio aos creeks e lhes forneceram armas e munição em troca de sua ajuda para derrotar as outras tribos. Um século depois, os próprios creeks foram agredidos e, por volta de 1816, obrigados a desistir de seu território vasto e fértil em favor dos invasores americanos. Essa história se repetiu com quase todas as outras tribos do Extremo Sul e terminou tragicamente na década de 1830, quando foram transferidas para o distante estado de Oklahoma. Poucos índios, como os da tribo choctaw, no centro do Mississippi, ainda vivem nas terras de seus antepassados.

Se os americanos anglófonos dominam o passado e o presente, franceses e espanhóis realizaram a maior parte da colonização inicial e do povoamento. Formalmente, Louisiana e Arkansas ficaram sob domínio francês até 1803, ao passo que Alabama e Mississippi fizeram parte da colônia espanhola de West Florida até 1814. As fronteiras e os domínios variaram até que os EUA assumiram toda a região depois da Compra da Louisiana em 1803 e das batalhas com ingleses, espanhóis e com os índios aliados deles.

Com a derrota dos britânicos na batalha de New Orleans, em janeiro de 1815, o Extremo Sul entrou num período de crescimento sem precedentes. New Orleans se tornou a quarta maior cidade do país e seu segundo porto mais movimentado. Vapores navegavam pelo rio Mississippi, como retratou o escritor Mark Twain (1835-1910), que também fora comandante de navios fluviais.

Em meados do século XIX, indivíduos abastados (vindos, principalmente, das duas Carolinas) introduziram as *plantations* de algodão com trabalho escravo, que produziram enormes fortunas e levaram à Guerra Civil. O Mississippi, segundo estado a se separar dos EUA, contribuiu para a Confederação rebelde com seu presidente Jefferson Davis, enquanto Montgomery, no Alabama, serviu de primeira capital. A queda de Vicksburg, em 1863, pôs fim ao controle confederado sobre o Mississippi, e após a guerra boa parte da região estava em ruínas. A devastação socioeconômica

PRINCIPAIS DATAS HISTÓRICAS

1539 Primeira expedição ao Extremo Sul sob comando de Hernando de Soto

1699 Forte de Maurepas, perto da atual Biloxi, no Mississippi, torna-se capital da colônia francesa da Louisiana

1723 New Orleans é a nova capital da Louisiana

1803 A Louisiana é adquirida da França napoleônica (Compra da Louisiana)

1812 A Louisiana se torna estado

1814 Índios creek e chickasaw são forçados a desistir de suas reivindicações por terras

1817 O Mississippi se torna estado

1819 O Alabama se torna estado

1836 O Arkansas se torna estado

1935 O governador da Louisiana Huey "Kingfish" Long é assassinado em Baton Rouge

1955 Boicote aos ônibus em Montgomery

1962 O estudante afro-americano James Meredith se torna a primeira pessoa negra a assistir às aulas da University of Mississippi

1992 O ex-governador do Arkansas Bill Clinton é eleito 42º presidente dos EUA

2005 O furacão Katrina destrói o Sudeste dos EUA e mata milhares de pessoas em New Orleans e na Gulf Coast

2010 Vazamento de óleo na Louisiana é o maior na história dos EUA, causando destruição ambiental e prejuízos econômicos

do pós-guerra deu origem à doutrina da supremacia dos brancos e à violência racista que assolou a região por um século. Apenas nas décadas de 1950 e 1960, com os confrontos do movimento dos direitos civis, como o de Selma, no Alabama, em 1965, é que as coisas começaram a melhorar.

Povos e Economia

O Extremo Sul é lembrado por sua história conturbada e também por seu povo de espírito determinado e indomável ao enfrentar problemas. Apesar do grande êxodo de afro-americanos para o Norte depois da Guerra Civil, os descendentes de escravos ainda formam uma alta porcentagem da população, e o processo lento, mas firme, para superar a segregação racial transformou a região. Hoje a discriminação racial é ilegal, mas, na realidade, ainda existe grande disparidade de oportunidades para brancos e negros.

Outro grupo de pessoas diferenciado é constituído pelos cajuns, da Louisiana, que vivem na região dos alagados ao norte e oeste de New Orleans. Uma terceira cultura bem diferente é encontrada nas densas florestas montanhosas do Arkansas e do norte do Alabama. Há tempo difamados como *hillbillies* (caipiras), como seus primos simbólicos do Tennessee, Kentucky e West Virginia, esse povo montanhês possui uma independência e uma autoconfiança ferozmente defendidas. A caça e a pesca, tanto recreativas como de subsistência, continuam populares, assim como o artesanato tradicional e a chamada música *bluegrass*, derivada de temas folclóricos dos antepassados escoceses e irlandeses desse grupo.

Conforme foram acabando os tempos da economia das *plantations* de algodão e a época da reconstrução pós-guerra, não havia quase nada em substituição. A indústria têxtil que florescia na região quase desapareceu, em razão da importação mais barata. Com exceção das siderúrgicas de Birmingham, no Alabama, do corredor petroquímico ao longo do Mississippi, na Louisiana, ou dos centros de jogos no delta do Mississippi, o Extremo Sul ainda sofre da falta de indústrias e de oportunidades de emprego. Entre as histórias de sucesso estão o mundialmente poderoso varejista Walmart, que começou e ainda tem sua sede no Arkansas. Contudo, uma das corporações mais elogiadas na década de 1990, a WorldCom, empresa de telecomunicações com sede no Mississippi, faliu em 2002.

Cultura e Arte

Se cultura e arte fossem as mercadorias mais valorizadas do mercado, o Extremo Sul provavelmente seria a região mais rica do país. Foi lá que se criaram algumas das formas musicais, das obras literárias e das invenções culinárias mais famosas do mundo. O jazz, por exemplo, surgiu da mistura borbulhante da cultura crioula de New Orleans, pós-Guerra Civil, enquanto o blues e o rock, seu "descendente", emergiram de canções escravas do delta do Mississippi.

Escritores como Tennessee Williams e William Faulkner, e romances do tipo de *O sol é para todos* (To Kill a Mockingbird), clássico da escritora Harper Lee, deram ao Extremo Sul fama literária internacional. Já a mescla da culinária cajun, crioula, de "soul food" e dos churrascos dá muita água na boca.

Estátua de William Faulkner na praça do fórum, no centro de Oxford, no Mississippi

Como Explorar o Extremo Sul

O Extremo Sul se estende desde a Gulf Coast até os Apalaches, no norte, e alcança as Grandes Planícies a oeste, ocupando uma área de 517.998km². A densidade populacional é baixa e os recursos de transporte são limitados. Como em qualquer parte dos EUA, o melhor meio para circular é o carro. New Orleans possui o aeroporto mais importante da região, e aeroportos menores servem outras cidades.

Legenda
— Rodovia
— Estrada principal
— Ferrovia
-- Fronteira estadual

Principais Atrações

Louisiana
1. *New Orleans pp. 342-51*
2. Plantation Alley
3. *Baton Rouge p. 355*
4. Lafayette
5. Bayou Teche
6. Natchitoches
7. Shreveport

Arkansas
8. Little Rock
9. Hot Springs
10. Mountain View
11. Eureka Springs

Mississippi
12. Clarksdale
13. Oxford
14. Tupelo
15. Vicksburg National Military Park
16. Jackson
17. Natchez Trace Parkway
18. Natchez
19. Gulf Coast

Alabama
20. Mobile
21. Selma
22. Montgomery
23. Tuskegee
24. Birmingham
25. Huntsville

Legenda dos símbolos na orelha da contracapa

INTRODUÇÃO AO EXTREMO SUL | 341

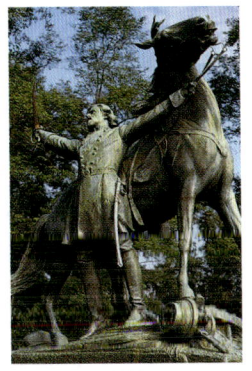

Estátua do general Tilghman, no Vicksburg National Military Park

Tabela de Distâncias

New Orleans, LA

10 = Distância em milhas
10 = Distância em quilômetros

80 / 129	Baton Rouge, LA					
529 / 851	480 / 772	Little Rock, AR				
345 / 555	333 / 536	221 / 356	Oxford, MS			
185 / 298	173 / 278	344 / 553	174 / 280	Jackson, MS		
144 / 232	199 / 320	573 / 922	402 / 647	189 / 304	Mobile, AL	
343 / 552	399 / 642	377 / 607	187 / 301	238 / 382	258 / 415	Birmingham, AL

Um dos muitos pubs de jazz de New Orleans

❶ New Orleans

No sudeste da Louisiana, New Orleans está localizada entre o lago Pontchartrain e uma curva do rio Mississippi. A cidade cobre uma área de 516km^2 e, antes do furacão Katrina (agosto de 2005), tinha quase 500 mil habitantes. Desde então a população foi reduzida a 370 mil. As áreas históricas quase não foram afetadas pela tempestade. O destino turístico mais procurado é o French Quarter, onde ficam as lendárias Royal e Bourbon Streets. Mais além ficam o Central Business District, ao longo da orla, o Garden District e a área ao redor do City Park.

Refeição na concorrida Acme Oyster House

Principais Atrações
① Old US Mint
② Old Ursuline Convent
③ French Market
④ Café du Monde
⑤ Jackson Square
⑥ St. Louis Cathedral, Cabildo, e Presbytère
⑦ Washington Artillery Park e Moonwalk
⑧ St. Louis Cemetery nº1
⑨ Hermann-Grima Historic House
⑩ Bourbon Street
⑪ Royal Street
⑫ Steamboat Natchez
⑬ Custom House
⑭ Audubon Aquarium of the Americas
⑮ Mardi Gras World
⑯ Outlet Collection at Riverwalk

Grande New Orleans
(veja detalhe)
⑰ Garden District
⑱ City Park

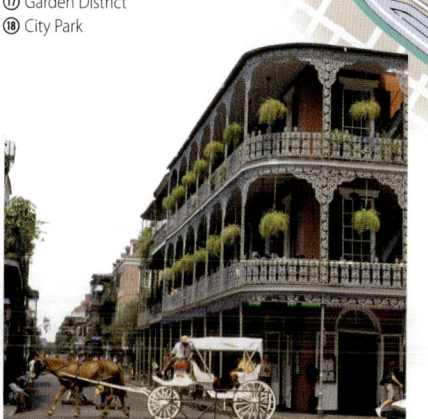

Royal Street e suas famosas construções LaBranche

Legenda dos símbolos
na orelha da contracapa

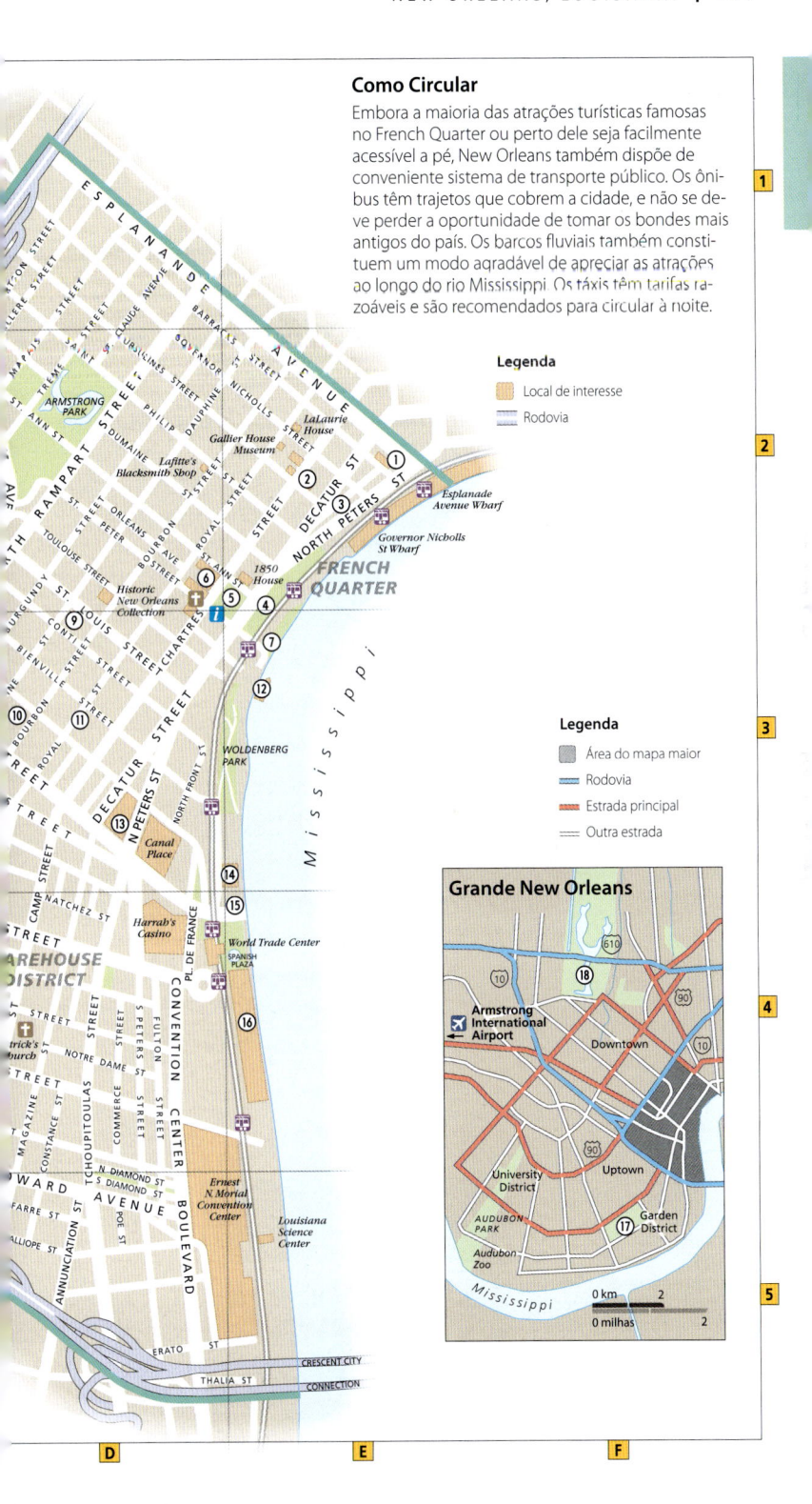

NEW ORLEANS, LOUISIANA | 343

Como Circular

Embora a maioria das atrações turísticas famosas no French Quarter ou perto dele seja facilmente acessível a pé, New Orleans também dispõe de conveniente sistema de transporte público. Os ônibus têm trajetos que cobrem a cidade, e não se deve perder a oportunidade de tomar os bondes mais antigos do país. Os barcos fluviais também constituem um modo agradável de apreciar as atrações ao longo do rio Mississippi. Os táxis têm tarifas razoáveis e são recomendados para circular à noite.

Legenda
- Local de interesse
- Rodovia

Legenda
- Área do mapa maior
- Rodovia
- Estrada principal
- Outra estrada

Grande New Orleans

Fachada neoclássica da Old US Mint

① Old US Mint

Mapa E2. 400 Esplanade Ave. **Tel** (504) 568-6968. Riverfront. 3, 55. 10h-16h30 ter-dom. feriados. **W** crt.state.la.us/museum/properties/usmint

Esse prédio neoclássico, construído em 1835 por William Strickland, funcionou como Casa da Moeda até 1909, emitindo diversas cunhagens, a exemplo do dinheiro confederado e mexicano. Depois tornou-se prisão federal e mais tarde foi usado pela Guarda Costeira. No final da década de 1970, passou a ser administrado pelo estado e se tranformou num museu que abriga a **New Orleans Jazz Collection**. A mostra conta a história do jazz (p. 347) por meio de uma coleção de instrumentos musicais originais, fotografias de época e documentos históricos. Entre os instrumentos expostos estão o clarinete de George Lewis, tocado na gravação de Burgundy Street Blues, e o cornetim no qual Louis Armstrong aprendeu a tocar. Na entrada há uma série de fotografias das primeiras bandas e de músicos, além da miniatura de um vapor.

No local também fica a **History of the Old US Mint Exhibition**, com as moedas de ouro e prata que eram cunhadas ali. No terceiro andar, o New Orleans Mint Performing Arts Center oferece apresentações musicais e teatrais por preços modestos.

Fotografia da New Orleans Jazz Collection

② Old Ursuline Convent

Mapa E2. 1.100 Chartres St. **Tel** (504) 529-3040. Riverfront. 3, 55. 10h-16h seg-sáb. **W** oldursulineconvent.org

Prédio mais antigo do vale do Mississippi, o Antigo Convento das Ursulinas foi construído em 1752, cerca de 25 anos depois que as freiras ursulinas chegaram a New Orleans. O telhado com águas muito inclinadas é marcado por uma fileira de águas-furtadas e chaminés altas, típicas da estrutura colonial francesa. Trata-se de uma das poucas construções que ainda restam desse período. Na década de 1820, as freiras se mudaram e o convento se tornou residência oficial dos bispos e arcebispos de New Orleans, que ali instalaram os arquivos arquidiocesanos. Mais tarde tornou-se parte de uma paróquia.

A capela atual, conhecida como Our Lady of Victory, foi consagrada em 1845. Em seu interior pode-se admirar o lindo teto de pinheiro e cipreste, dois magníficos vitrais da Bavária e uma janela que retrata a batalha de New Orleans, sob uma imagem de Our Lady of Prompt Succor. A atual reitoria era a antiga cozinha e lavanderia das freiras.

Um jardim francês formal, com gazebo de ferro, fica em frente do prédio e é acessado pela casa do porteiro.

③ French Market

Mapa E2. N Peters St, de St. Ann até Barracks St. Riverfront. 3, 5, 48. 9h-18h diariam. **W** frenchmarket.org

Uma instituição em New Orleans desde 1791, essa área servia de entreposto comercial para os indígenas muito antes da chegada dos europeus. Oficialmente, o French Market ocupa cinco quarteirões entre as St. Ann e Barracks Streets, começando aproximadamente no Café du Monde e terminando no museu Old Mint. No dia a dia, a expressão "French Market" costuma se referir às feiras livres desde St. Philip até Barracks, que vendem muitas especialidades de New Orleans. O Farmers Market (que começa na Ursulines Street) oferece produtos frescos da Louisiana, frutos do mar e especiarias. Os morangos da primavera e as nozes-pecã do outono são muito elogiados.

Quase todo o espaço é ocupado agora pelo **Flea Market**, onde se pode adquirir todo tipo de mercadorias, de joias e cerâmicas a peças de arte e de artesanato africanas, em bancas ou mesas em volta das construções do French Market. Bom lugar para comprar suvenires, como camisetas e estampas. O Flea Market fica no famoso local ao redor da Gallatin Street que era frequentado por criminosos, prostitutas e marinheiros de passagem.

Old Ursuline Convent, erguido em 1752

Veja hotéis e restaurantes dessa região nas pp. 368-73

④ Café du Monde

Mapa E2. 6.800 Decatur. **Tel** (504) 525-4544. Riverfront. 3, 5, 55. 24 horas diariam. 25 dez. cafedumonde.com

Parada obrigatória em New Orleans para provar os *beignets* (bolinhos quadrados franceses) salpicados de açúcar, acompanhados de *café au lait* ou da famosa versão de "café" de chicória. Esses são os únicos itens oferecidos nessa cafeteria de 1862, onde o visitante pode relaxar numa mesa sob a arcada e escutar os músicos de rua, ou simplesmente observar as pessoas que passam.

Em meados do século XIX existiam 500 cafeterias semelhantes no French Quarter. O café era uma das mercadorias mais importantes da cidade, e seu comércio ajudou a economia a se recuperar depois da Guerra Civil, quando New Orleans rivalizava com Nova York na importação de café. O "café" de chicória foi criado na Guerra Civil, quando a raiz era usada para economizar pó de café.

Café com *beignets*, numa pausa no Café du Monde

⑤ Jackson Square

Mapa E2. Riverfront. 3, 5, 55.

Antes essa praça no coração do French Quarter não passava de um campo lamacento chamado Place d'Armes, onde tropas recebiam treinamento, criminosos eram postos a ferro e execuções ocorriam. Ela foi renomeada em homenagem ao general Andrew Jackson *(p. 267)*, que derrotou os britânicos na batalha de New Orleans, em 1815.

Banda de jazz se apresenta na Jackson Square

Os jardins e caminhos de hoje foram criados em 1848, quando houve o embelezamento da praça sob o patrocínio da baronesa Micaela Pontalba, então uma das personalidades mais destacadas da cidade. Sob seus auspícios, os irmãos Pelanne projetaram a elegante cerca de ferro batido que circunda a praça. No centro fica a estátua do general Jackson, esculpida por Clark Mills ao custo de US$30 mil. Na base, a inscrição "A União deve ser preservada, e será" foi adicionada pelo general Benjamin "Beast" Butler, da União, quando ocupou a cidade durante a Guerra Civil.

Agora a praça é um local de encontros animado, onde artistas mostram seus trabalhos e músicos entretêm os visitantes durante a semana inteira.

Desenvolvimentista como Don Andreés Almonester y Rojas *(p. 346)*, seu pai filantropo, a baronesa também encomendou os **Pontalba Buildings**, que se enfileiram nas laterais da Jackson Square. Construídos a um custo de mais de US$300 mil, foram considerados os melhores e maiores apartamentos do gênero naqueles tempos. Os projetos desses elegantes prédios residenciais foram baseados em plantas que a baronesa trouxe de Paris, depois de se separar do marido. O desenho das iniciais A e P (para Almonester e Pontalba) na balaustrada de ferro forjado dos balcões e das galerias é atribuído a um dos filhos da baronesa, um artista.

O **National WWII Museum** é o maior museu do mundo sobre a Segunda Guerra Mundial e foi designado o museu oficial sobre o tema pelo Congresso americano. Fica em New Orleans porque foi lá que Andrew Higgins projetou e construiu o ambicioso barco de desembarque, considerado pelo presidente Eisenhower o responsável pela vitória dos Aliados na guerra. O acervo do museu inclui de tanques até diários pessoais.

National WWII Museum
945 Magazine St, Warehouse District. **Tel** (504) 528-1944. 9h-17h diariam. feriados.
nationalww2museum.org

Trabalhos de Ferro em New Orleans

As sombras proporcionadas pelos trabalhos de ferro em New Orleans conferem um toque romântico à cidade. Primeiro foram os trabalhos de ferro batido, feitos artisticamente à mão por artesãos alemães, irlandeses e afro-americanos. Já o ferro forjado era derretido e despejado em moldes, onde enrijecia. Esse último adquiria uma aparência sólida e estável, diferente do ferro batido feito à mão, cujo aspecto era mais leve. Obras dos dois tipos são encontradas por toda a cidade, principalmente no French Quarter e no Garden District, onde balcões, cercas, grades de janelas e portões são adornados com motivos decorativos abstratos ou com anjos, frutas, flores e animais.

Trabalho de ferro batido nos Pontalba Buildings

St. Louis Cathedral

⑥ St. Louis Cathedral, Cabildo e Presbytère

Mapa D2. Jackson Square. **Tel** (504) 525-9585 (St. Louis Cathedral), (504) 568-6968 (Cabildo e Presbytère). St. Charles Ave, Canal. 3, 5, 55, 81. 10h-16h30 diariam ((St. Louis Cathedral); 9h-17h ter-dom (Cabildo e Presbytère). Cabildo e Presbytère. St. Louis Cathedral, missas regulares o dia todo.
w stlouiscathedral.org

Esse complexo de edificações compreende a catedral e os chamados Cabildo (capítulo) e Presbytère (casa paroquial). A St. Louis Cathedral ocupa o lugar de duas igrejas anteriores que foram destruídas. A construção atual, iniciada em 1789, foi consagrada como catedral em 1794. O interior possui murais magníficos e o altar-mor barroco é entalhado em madeira.

O Cabildo, projetado por Guilberto Guillemard, foi construído em 1795, financiado por Don Andrés Almonester y Rojas. Serviu como sede da Assembleia Legislativa do governo colonial espanhol e, depois, como prefeitura. De 1853 a 1911, ali se instalou a Corte Suprema. A Compra da Louisiana (*p. 338*) foi assinada na Sala Capitular, em 1803.

O Presbytère foi construído entre 1794 e 1813 e usado como fórum até 1911. Agora abriga o Mardi Gras Museum, que exibe objetos coloridos e lembranças.

⑦ Washington Artillery Park e Moonwalk

Mapa E3. Decatur St, entre St Ann e St Peter sts. 3, 5, 55. Riverfront.

O Washington Artillery Park fica na frente da Jackson Square, do ponto de vista da Decatur Street. Tem um anfiteatro de concreto com uma escadaria central que leva à Moonwalk. Essa calçada de madeira recebeu esse nome em homenagem ao ex-prefeito de New Orleans, Maurice "Moon" Landrieu, que aprovou a construção de paredões para controlar enchentes, o que tornou a área acessível ao público.

O parque foi construído em 1976. Esse local já tinha sido usado como campo de treinamento militar. Agora o anfiteatro e a Moonwalk são os pontos preferidos dos artistas de rua. Multidões se reúnem ali para assistir à apresentação de músicos, como violonistas, clarinetistas, saxofonistas, trombonistas e bateristas, que tocam com uma caixa aberta a seus pés para receber donativos.

A brisa que bate na orla alivia a umidade que domina a cidade. Esse é um ótimo ponto para ver o rio, Jackson Square e as áreas adjacentes. Uma escada de pedra leva até onde se pode pôr os pés na água, mas não tente ficar de pé no rio, pois a correnteza é muito forte.

Adorno de lápide, no St. Louis Cemetery nº 1

⑧ St. Louis Cemetery nº 1

Mapa D2. Basin St entre St Louis e Conti. **Tel** (504) 596-3050. 46, 48, 52, 57. 9h-15h seg-sáb, 9h-12h dom.

Criado em 1789, esse é o cemitério mais antigo da cidade. Esse local fascinante, com fileiras de mausoléus, é o lugar onde descansam muitos moradores lendários de New Orleans. A mais famosa provavelmente é Marie Laveau. Milhares de pessoas visitam o túmulo dela, marcando-o com um X (pedindo simbolicamente que ela lhes conceda um desejo). Por volta de 1829, o St. Louis Cemetery nº 1 ficou cheio, principalmente com as vítimas da febre amarela. Então, ali perto, foi criada uma ampliação: o **St. Louis Cemetery nº 2**. No século XIX, boa parte da aristocracia crioula da cidade foi enterrada lá, em mausoléus rebuscados.

Os cemitérios não devem ser visitados por pessoas desacompanhadas, pois são áreas isoladas, onde agem assaltantes. Convém se juntar às visitas guiadas da organização **Save Our Cemeteries** e da **Gray Line Tours**. As duas empresas fornecem boas informações sobre o local.

Gray Line Tours
Tel (504) 569-1401.
w graylineneworleans.com

Save Our Cemeteries
Tel (504) 525-3377

Culto Vodu

O vodu chegou a New Orleans vindo da África (via Caribe), onde se originou como forma de culto aos antepassados entre os nativos do oeste africano que chegaram à América do Norte como escravos. Em 1793, durante uma rebelião de escravos em Saint Dominique, muitos fazendeiros do Haiti fugiram para New Orleans, levando consigo seus escravos (e o vodu). Marie Laveau (c. 1794-1881), a rainha do vodu, usava elementos católicos, como orações, incenso e santos, nos rituais que ela abria ao público mediante o pagamento de uma taxa. O ponto máximo do calendário vodu era a celebração que ela realizava no Bayou St. John, na noite de São João.

Retrato de Marie Laveau

Veja hotéis e restaurantes dessa região nas pp. 368-73

O Jazz de New Orleans

O jazz é uma contribuição original americana para a cultura mundial. Evoluiu devagar e quase imperceptivelmente a partir da música tocada em bailes, desfiles e funerais, e da exclusiva mistura de culturas da região. Nessa inspiração musical estavam cantos de trabalho e religiosos da África, assim como influências populares europeias e americanas – uma total miscelânea do que era tocado na cidade no século XIX.

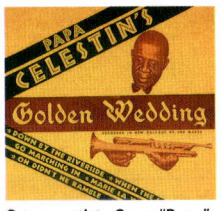

O trompetista Oscar "Papa" Celestin, fundador da Tuxe do Brass Band, em 1911. Compositor de Down by the Riverside.

Trombone de Kid Ory. Ele o tocava quando se apresentava com King Oliver e outros. Exposto em Old US Mint.

Storyville Jazz Salon

A área de 38 quarteirões limitada pelas ruas Iberville, Basin, Robertson e St. Louis foi a zona de prostituição da cidade de 1897 a 1917. Conhecida como Storyville, era ali que muitos dos primeiros jazzistas, a exemplo de Jelly Roll Morton, King Oliver e Edward "Kid" Ory, se apresentavam em bordéis, tocando por trás de biombos.

Bandas de Jazz em vapores começaram a aparecer depois que Storyville foi fechada, em 1917. Os melhores músicos de New Orleans passaram a tocar em vapores ou migraram para o Norte. A banda do pianista Fate Marable incluía Louis Armstrong, que tocava cornetim.

A **Congo Square**, agora no Louis Armstrong Park, era onde os escravos se reuniam aos domingos para comemorar seu dia de folga com música e dança.

Louis Armstrong, trompetista de jazz famoso mundialmente, começou a cantar nas ruas de New Orleans. Tocava cornetim com Kid Ory antes de deixar a cidade em 1923 para tocar na banda de King Oliver, em Chicago.

Quarto de casal, na Hermann-Grima Historic House

⑨ Hermann-Grima Historic House

Mapa D3. 820 St. Louis St. **Tel** (504) 525-5661. 3. 10h-14h seg-ter, qui-sex; 12h-15h sáb; qua apenas com agendamento. feriados. hgghh.org

Essa casa de tijolos com frontão é um dos poucos exemplos de arquitetura americana em estilo crioulo, no French Quarter. Foi construída em 1831 por William Brand para Samuel Hermann, um comerciante judeu alemão que perdeu a fortuna em 1837 e vendeu a casa ao juiz Felix Grima. Ela tem um portal central com bandeira semicircular e escada de mármore; uma janela com bandeira enfeita o segundo andar. No interior, o piso e as portas são de cipreste. As dependências de serviço ficam numa construção de três andares além do jardim do quintal. Tem cozinha com um fogão a lenha de quatro bocas e forno.

⑩ Bourbon Street

Mapa D3. 3, 55, 89.

Mais que a Basin Street, a atual Bourbon Street é sinônimo de pecado. Essa rua famosa, cujo nome é o da família real francesa, está cheia de bares que oferecem litros e mais litros de misturas letais, a exemplo de Brain Freeze, Nuclear Kamikaze e Sex on the Bayou, quase sempre acompanhadas de muito rock ou blues. Outros locais oferecem de tudo, desde *peep shows* (com garotas seminuas), dançarinas em topless e bares de strip, até shows de drag queens e pontos gays. Durante o Mardi Gras as calçadas e os terraços ficam cheios de gente e de carnavalescos bebendo.

Entre os estabelecimentos mais famosos nas proximidades dessa rua estão o **Pat O'Brien's** (na St. Peter Street), conhecido pelo "Hurricane", coquetel à base de rum, o **Preservation Hall** (na St. Peter Street), que tem jazz de qualidade, e o **Arnaud's** (na Bienville Street),

Fonte de fogo em Pat O'Brien's, perto da Bourbon Street

restaurante clássico de New Orleans. O **Galatoire's**, perto do Arnaud's, é outro excelente restaurante *(p. 372)*. **Lafitte's Blacksmith Shop**, na Bourbon Street nº 941, é considerado um dos melhores bares da cidade. Construído antes da década de 1770, é um bom exemplo das contruções estilo francês, em que os tijolos se apoiam em vigas de cipreste e ganham a proteção do reboco. No interior, diversas lareiras aquecem o local, e há também um pequeno pátio com uma escultura de Adão e Eva, criada por um artista em pagamento de sua conta no bar. Apesar do nome, não existe nenhum indício concreto de que os irmãos piratas Jean e Pierre Lafitte tivessem uma ferraria ali como fachada para suas atividades ilegais. Eles também foram famosos traficantes de escravos, que vendiam "marfim negro" para as famílias escravocratas da Louisiana. Os irmãos ganharam a gratidão local por terem avisado os americanos de que os britânicos planejavam atacar New Orleans em 1815, e os dois lutaram bravamente na batalha que se seguiu.

Perto do Lafitte's fica o bar gay mais antigo do país, o **Café Lafitte in Exile**, que recebeu esse nome porque, até o início da década de 1950, os gays frequentavam o velho Lafitte's. Quando o bar foi vendido, o novo dono se recusou a renovar o arrendamento, e seus patronos gays se estabeleceram no novo local. Desde então tornou-se uma opção concorrida.

Vista da Royal Street

Orgulho do French Quarter, a Royal Street dispõe de lindas construções que foram restauradas com atenção. Agora elas são ocupadas por lojas e restaurantes elegantes.

Louisiana State Bank (nº 403)

Brennan's (nº 417)
Construído por volta de 1802 para um comerciante espanhol, esse prédio se tornou banco e depois restaurante, em 1954. O brasão no balcão é de ferro forjado.

Moss Antiques

Antoine Peychaud's Pharmacy (nº 437)
Antiquário que oferece diversos objetos finos está instalado numa farmácia onde nasceu o coquetel.

Veja hotéis e restaurantes dessa região nas pp. 368-73

NEW ORLEANS, LOUISIANA | 349

Lafitte's Blacksmith Shop, na Bourbon Street

⑪ Royal Street

Mapa D3. St. Charles Ave. 3, 5, 55, 81, 82.

Antiquários cheios de objetos belíssimos se alinham pela Royal Street, sem dúvida a rua mais encantadora do French Quarter. No início da colônia ela era o centro financeiro da cidade e sua principal e mais elegante rua. Atualmente muitas lojas de antiguidades ocupam pontos que são referências. Nelas se vendem candelabros de cristal, armários de madeira marchetada com detalhes de ouropel (liga de cobre ou latão e zinco, que imita ouro), associados ao estilo de vida suntuoso do Sul.

A **Historic New Orleans Collection**, surgida do interesse de um casal pela batalha de New Orleans (1815), foi instalada num complexo de casas construídas para Jean François Merieult e sua esposa, em 1792. Os colecionadores foram o general L. Kemper Williams e sua esposa, que moraram numa casa na parte posterior do pátio, da década de 1940 até a de 1960. As dez galerias do museu exibem objetos históricos, de mapas e pinturas a móveis e objetos decorativos. A Empire Gallery tem mesas, cômodas e sofás, ao lado de retratos de pessoas de New Orleans, como Madame Auguste de Gas, mãe do artista Edgar Degas. O museu também conta com a Plantation Gallery, a Louisiana Purchase Gallery, a Victorian Gallery e a Spanish Colonial Gallery.

Mais adiante ficam o **Gallier House Museum**, uma interessante residência do século XIX que mescla elementos arquitetônicos crioulos e americanos, e a encantadora **Lalaurie House**, considerada assombrada. Na Royal Street também fica a **Rumors**, uma loja de presentes que vende suvenires do Mardi Gras o ano todo. Estão à venda máscaras, colares, trajes *krewes* (p. 351) e cartazes, entre outros itens.

🏛 Historic New Orleans Collection
533 Royal St. **Tel** (504) 523-4662.
⏰ 9h30-16h30 ter-sáb. 🌐 hnoc.org

Objetos da Historic New Orleans Collection, na Royal Street

O vapor *Natchez* oferece cruzeiros regulares de duas horas

⑫ Steamboat Natchez

Mapa E3. Woldenberg Riverfront park wharf. **Tel** (504) 586-8777, (800) 233-2628. Riverfront. 45, 87.
⏰ Jazz Cruises: embarque 11h e 14h diariam; eventualmente também 18h qui-dom.
🌐 steamboatnatchez.com

Para recordar os tempos em que se viajava pelo rio, o vapor *Natchez* representa as embarcações que percorriam o Mississippi, levando de três a cinco dias para ir de Louisville, no Kentucky (p. 273), até New Orleans. Os barqueiros, valentões em busca de mulheres e bebida no final de uma viagem, criaram para New Orleans a fama de "Cidade do Pecado". No período áureo, de 1830 a 1860, cerca de 30 vapores se alinhavam nos molhes. Esses tempos terminaram no fim do século XIX, quando ferrovias e rodovias substituíram o transporte fluvial. Atualmente, cruzeiros diários oferecem aos turistas a oportunidade de vivenciar esse estilo de vida, com pratos e bebidas locais servidos a bordo.

St. Anthony's Garden
Esse lindo jardim fica atrás da St. Louis Cathedral. Sua serenidade oculta o fato de que foi campo de duelos no século XVIII.

LaBranche Buildings (nº 700)
Ornamentados com folhas de carvalho de ferro batido, esses prédios foram construídos em 1835 para o fazendeiro de cana-de-açúcar Jean Baptiste LaBranche.

Localize-se

⑬ Custom House

Mapa D3. 423 Canal St. Canal. diariam. feriados. auduboninstitute.org

Talvez a construção mais importante no estilo federal no Sul seja esse prédio de granito, que levou 33 anos para ser terminado (de 1848 a 1881). No interior, o hall de mármore é um belo espaço sob um teto de vidro fosco sustentado por catorze colunas de mármore.

⑭ Audubon Aquarium of the Americas

Mapa E3. Canal St no rio Mississippi. **Tel** (504) 581-4629. Riverfront. 3, 5, 55, 57. 10h-17h diariam. 25 dez e Mardi Gras. auduboninstitute.org

Dedicado às águas em volta de New Orleans, do Mississippi e dos pântanos até o golfo do México e o Caribe, esse complexo apresenta cerca de 600 espécies da vida marinha. Entre os destaques, a exposição Great Maya Reef apresenta, em uma cidade submersa hipotética de 9m, peixes-leão, esponjas, moreias, lagostas, e muitas outras criaturas marinhas exóticas que habitam o coral da península de Yucatán. Também há uma colônia ativa de pinguins de clima quente da América do Sul e da África. No segundo andar há arraias que podem ser tocadas e, em outros tanques, espécies que ilustram tudo o que se sabe sobre a vida submarina, a

Estátua do Great Maya Reef, no Audubon Aquarium of the Americas

Entrada do luxuoso Outlet Collection at Riverwalk, no centro de New Orleans

exemplo de como os peixes se comunicam. O complexo também inclui o New Orleans Zoo, o Insectarium e o The Entergy IMAX® Theater. Cruzeiros de barco saem dali todos os dias.

⑮ Mardi Gras World

Mapa E4. 1.380 Port fora de New Orleans Place. Riverfront. 55, 57. 9h-16h30 diariam. Blaine Kern's Mardi Gras World: 233 Newton St, Algiers. **Tel** (504) 361-7821. 9h30-17h diariam. mardigrasworld.com

Visitar essa atração surreal e colorida, no passado, exigia atravessar o rio num ferryboat para Algiers; em 2009, porém, o proprietário Blaine Kern se mudou para um armazém maior, perto do French Quarter, e atualmente há o serviço de uma van circular gratuita, que sai da Canal Street. Blaine Kern costuma ser chamado de "Mr. Mardi Gras", porque muitos carros alegóricos, esculturas e adereços do Carnaval são preparados em seu armazém.

O passeio começa com um café e o tradicional King Cake. Um documentário mostra os carros alegóricos e sua produção, desde os desenhos e modelos até os acabamentos. O visitante pode experimentar uma das luxuosas fantasias usadas pelos krewes em desfiles anteriores e também perambular pelos barracões e observar as enormes esculturas. O custo dos carros alegóricos costuma ser assumido por um krewe e varia de US$300 a US$3 mil.

⑯ Outlet Collection at Riverwalk

Mapa E4. 1 Poydras St. **Tel** (504) 522-1555. Riverfront. 3, 55, 57, 65. riverwalkneworleans.com

Grande e moderno, esse shopping em frente ao rio foi aberto em 2014 com mais de 70 lojas, substituindo o Riverside Marketplace. Last Call Studio by Neiman Marcus e Forever 21 são as lojas principais, mas há também filiais da Coach and Coach, Gap, Kenneth Cole, Ann Taylor Loft, New Balance, Guess, American Eagle Outfitters e Tommy Bahama.

Além das variadas opções de compras, o shopping dispõe de uma calçada a céu aberto que acompanha o trajeto do rio Mississippi, o que oferece ao visitante as melhores vistas do rio e do trânsito fluvial da cidade. Navios de cruzeiro internacionais e outras embarcações atracam ao longo do Outlet Collection at Riverwalk, e os mais notáveis são os operados pela Delta Queen Steamboat Company, fundada em 1890. Diversas placas informativas presas à balaustrada da calçada descrevem desde os tipos de barcos que navegam pelo rio até as gaivotas que migram do golfo do México.

A **Spanish Plaza**, perto da entrada, tem uma fonte circundada por um banco de mosaico que retrata os brasões dos imigrantes espanhóis da cidade.

Veja hotéis e restaurantes dessa região nas pp. 368-73

NEW ORLEANS, LOUISIANA | 351

Bonde na St. Charles Avenue, um marco de New Orleans

⑰ Garden District

Entre Jackson e Louisiana Aves, St. Charles Ave e Magazine St. 🚋 St. Charles. 🚌 11, 14, 27.

Ao chegarem a New Orleans, após a Compra da Louisiana, em 1803, os americanos se estabeleceram rio acima em relação ao French Quarter. Essa área é denominada Garden District por causa dos lindos jardins cheios de magnólias, camélias, azaleias e jasmins. Bairro residencial, possui mansões construídas por ricos fazendeiros e comerciantes. Dessas residências grandiosas, destacam-se a Robinson House e a Colonel Short's Villa, com linda cerca de ferro forjado com desenho de trigo.

Uma experiência agradável em New Orleans é dar uma volta no lento **St. Charles Avenue Streetcar**. Último bonde do tipo que aparece na obra de Tennessee Williams *Um bonde chamado desejo*, ele percorre 10,5km, de Canal Street à Carrollton Avenue. No caminho passa por muitos pontos famosos. Os mais notáveis são o Lee Circle, com um memorial para o general confederado Robert E. Lee, a Christ Church neogótica, a Touro Synagogue, a Latter Public Library e as universidades de Loyola e Tulane.

Na saída da St. Charles Avenue fica um dos mais bonitos parques urbanos do país. O Audubon Park, com 137ha, era a fazenda de cana de açúcar de Jean Etienne Boré, que desenvolveu o processo de granulação do açúcar, com muito sucesso comercial. Também foi o local da World Exposition de 1884.

O **Audubon Zoo** ocupa 23ha do terreno do parque. Bem traçado, o zoo abriu em 1938, mas recebeu projeto totalmente novo na década de 1980. Agora os animais vivem em recintos abertos que imitam seus hábitats naturais.

O Louisiana Swamp, onde aligátores-brancos se aquecem ao longo das margens ou boiam numa lagoa barrenta, é um dos pontos mais procurados. Não perca o jardim de flamingos e a verdejante Jaguar Jungle.

Estátua evocativa nos New Orleans Botanical Gardens do City Park

⑱ City Park

🚌 45, 46, 48, 87, 90. New Orleans Museum of Art: **Tel** (504) 658-4100. 🕐 10h-18h ter-qui, 10h-21h sex, 11h-17h sáb-dom. ⬤ feriados. 🔗 **noma.org**

O City Park, com 607ha, é o quinto maior parque urbano dos EUA e se tornou uma instituição em New Orleans, onde os visitantes descansam e aproveitam o clima subtropical da Louisiana. Os **New Orleans Botanical Gardens** e o consagrado **New Orleans Museum of Art** dividem esse espaço com carvalhos cheios de barba-de-velho, lagoas para pescar e andar de barco, e o Bayou Oaks Golf Course, com dimensões para campeonato.

Instalado num belo prédio em estilo beaux-arts, o museu dispõe de acervo bem variado. Foi fundado em 1910 como Delgado Museum of Art, quando Isaac Delgado, um solteiro milionário, doou U$$150 mil para construir um museu de arte no City Park. Em 1971 foi renomeado como New Orleans Museum of Art em respeito a benfeitores mais recentes. O New Orleans Botanical Garden foi criado na década de 1930. Era, então, um roseiral, mas hoje possui mais de 2 mil variedades de plantas do mundo organizadas em jardins temáticos. Entre os destaques estão o Historic Train Garden, com trens e bondes em miniatura feitos com materiais do jardim, o Conservancy of Two Sisters, o Butterfly Walk e o Lord and Taylor Rose Garden.

Mardi Gras

O Carnaval de New Orleans termina com o Mardi Gras, dia que antecede a Quarta-feira de Cinzas. Comemora-se com bailes de máscara, organizados por grupos de cidadãos conhecidos como "krewes". A maioria dos bailes é particular, mas muitos krewes também realizam desfiles, com fantasias elaboradas e carros alegóricos coloridos. Muitas tradições do Carnaval começam com o Krewe of Rex. As cores púrpura, verde e dourado, usadas em máscaras, bandeirolas e outras decorações, eram da fantasia original usada por Rex, o Rei do Mardi Gras, no desfile de 1872. O costume de os carros alegóricos jogarem dobrões (moedas), contas e bonecas de lembrança para o povo começou em 1881.

Traje colorido para um dos desfiles carnavalescos do Mardi Gras

Oak Alley Plantation em Vacherie, Louisiana ▶

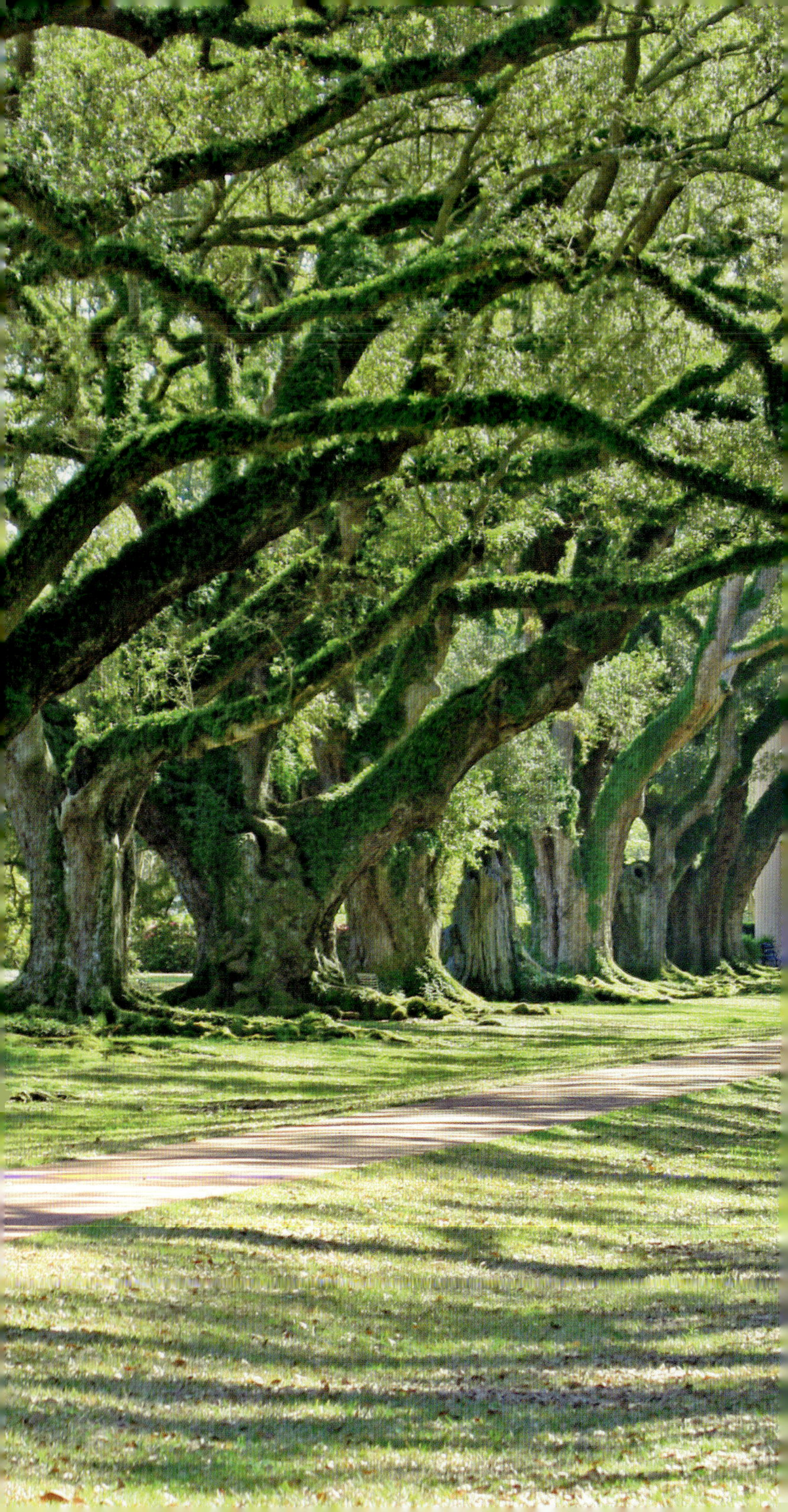

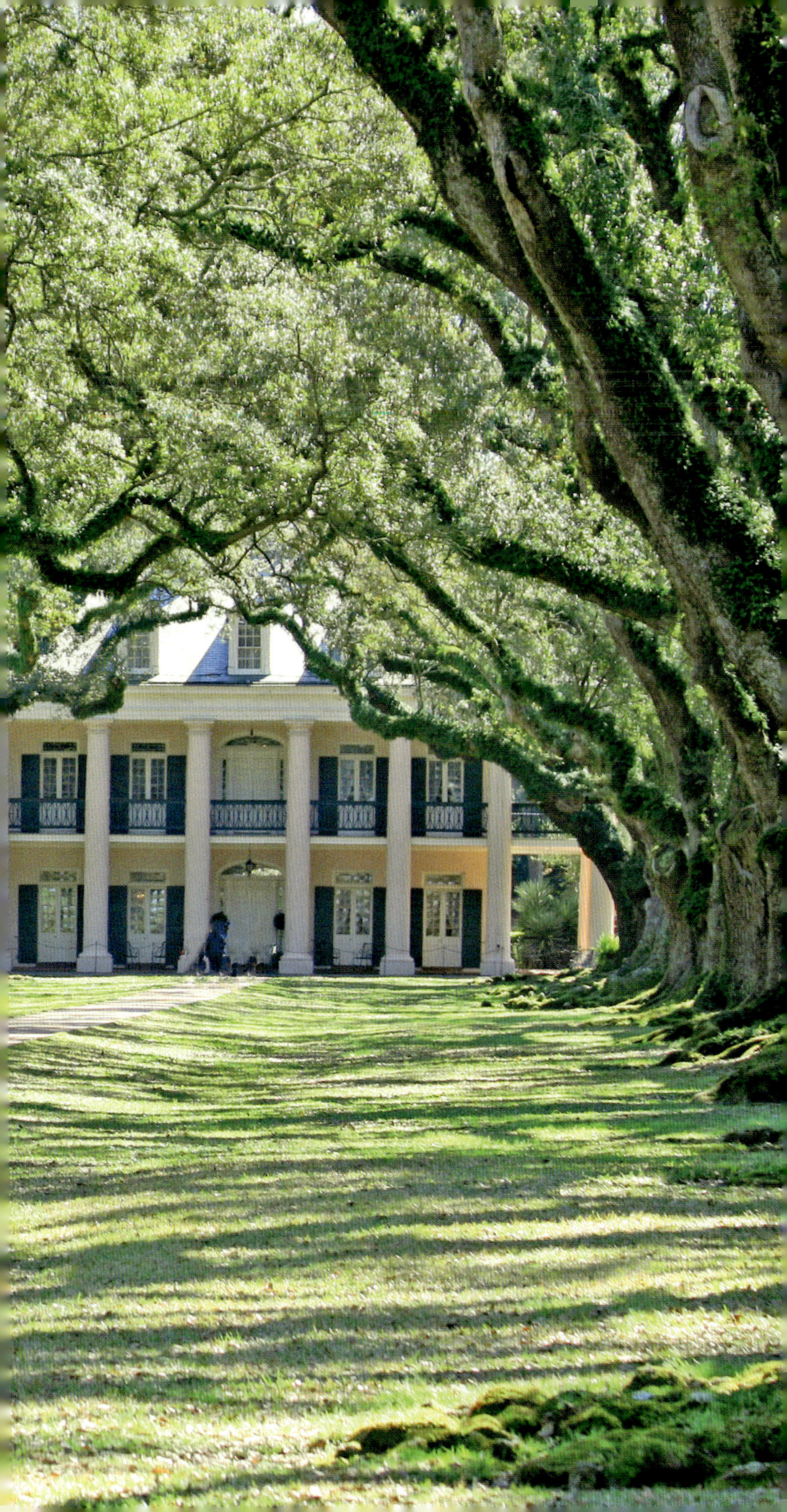

Louisiana

Famosa pela exótica paisagem de *bayous* e pântanos, residências em *plantations* de antes da guerra, jazz e ótima comida, a Louisiana é um estado dotado de rica história e tradição. Sua herança predominantemente francesa é o legado dos colonizadores que nomearam a colônia em homenagem ao seu rei Luís XIV. A França e a Espanha colonizaram essas terras antes que os Estados Unidos, em 1803, finalmente fizessem a compra da Louisiana, que se tornou estado em 1812, e nas décadas posteriores teve papel estratégico na Guerra Civil e na luta pelos direitos civis. Agora o estado preserva sua história colonial junto com sua herança crioula e cajun. Entre os destaques estão as belas *plantations* ao longo do Mississippi e os encantos culturais do Cajun Country.

❷ Plantation Alley

Hwy 18 a partir de New Orleans, que se junta à Hwy 1. 🛈 New Orleans Convention & Visitors' Bureau, (504) 566-5011; o Bureau mantém uma lista de agências de turismo.

Antes da Guerra Civil, o rio Mississippi era ladeado de *plantations* que cultivavam anileiras e, depois, algodão, arroz e cana-de-açúcar. Naquele tempo, essa era uma das regiões mais ricas do país, com dois terços dos milionários americanos. Das 350 propriedades abastadas que então floresciam ali, restaram cerca de 40. Dessas, umas doze estão abertas à visitação na faixa ocupada pela Great River Road (pp. 50-1) entre New Orleans e Baton Rouge, estrada conhecida como Plantation Alley.

Agora enormes usinas petroquímicas substituíram a cana-de-açúcar e o algodão como principal suporte da economia ribeirinha. Diques altos, reforçados pelos engenheiros do exército, após a enchente de 1927, impedem que o rio chegue à estrada. Desde a década de 1880, a tradição manda acender fogueiras na estrada, na noite de Natal, a fim de iluminar o caminho para Papai-Noel.

A **Oak Alley Plantation**, em Vacherie, fica 64km a oeste do aeroporto de New Orleans. Um "túnel" com carvalhos perenes, plantados há cerca de 300 anos, leva a essa notável residência de 1839. A imagem da mansão neoclássica no final do longo "túnel" parece um cenário típico de Hollywood. A casa, assim como o jardim, foi utilizada como locação para muitos filmes, a exemplo de *Entrevista com o vampiro* (1994). A mansão oferece cinco chalés para o pernoite. A oeste, a **Laura Plantation** possui uma residência crioula de 1805, feita de cipreste, projetada por construtores do Senegal. Imagina-se que os escravos da fazenda foram a origem de muitas lendas populares senegalesas, como as famosas histórias de *Br'er Rabbit* (Brer Rabbit, ou Irmão coelho), traduzidas para o inglês por Joel Chandler Harris.

A 15 minutos de carro de New Orleans, a **Destrehan Plantation**, erguida em 1787, é a sede de *plantation* mais antiga, documentada, no vale do baixo Mississippi. A casa em estilo colonial francês apresenta demonstrações de tintura com anil e outros recursos, como a *bousillage*, um método de construção que mistura barro e musgo barba-de-velho. A San Francisco Plantation, perto de Garyville, fica a 40 minutos de carro de New Orleans. Construída em 1856, sob carvalhos perenes centenários, essa residência em estilo crioulo foi tombada como National Historic Landmark. Hoje se encontra em pleno funcionamento,– passou por uma reforma necessária depois de um incêndio.

Perto de Baton Rouge, a suntuosa **Nottoway Plantation**, de 1860, ocupa uma área de 4.924m² e tem 65 cômodos, 165 portas e 200 janelas. Terminada em 1859, seu maior aposento é o Grand White Ballroom, onde o proprietário, John Hampden Randolph, realizou o casamento de suas filhas.

Além das visitas guiadas às casas, diversas *plantations* contam com restaurantes e acomodações confortáveis em *bed-and-breakfasts*.

🏛 **Oak Alley Plantation**
3.645 Hwy 18 Vacherie. **Tel** (225) 265-2151. ⏰ 9h-17h diariam. ● 1º jan, Mardi Gras, Ação de Graças, 25 dez.
🅿 ♿ 🌐 oakalleyplantation.com

🏛 **Laura Plantation**
2.247 Hwy 18. **Tel** (225) 265-7690. ⏰ 9h-17h diariam. ● 1º jan, Mardi Gras, Páscoa, Ação de Graças, 25 dez.
♿ 🌐 lauraplantation.com

🏛 **Destrehan Plantation**
13.034 River Road, Destrehan. **Tel** (985) 764-9315. ⏰ 9h-16h diariam. ● feriados.
🌐 destrehanplantation.org

🏛 **Nottoway Plantation**
White Castle. **Tel** (225) 545-2730. ⏰ 9h-16h diariam. ● 25 dez. 🅿
♿ 🌐 nottoway.com

O Grand White Ballroom, na Nottoway Mansion, em Plantation Alley

Veja hotéis e restaurantes dessa região nas pp. 368-73

LOUISIANA | 355

Louisiana Old State Capitol, em Baton Rouge

❸ Baton Rouge

230.000. ✈ 🚌 1.253 Florida Blvd, (225) 383-3811. 🛈 359 Third St, (225) 382-3582. 🎭 Bayou Country Superfest (fim de maio). 🌐 visitbatonrouge.com

Fundada pelos franceses em 1699 para controlar o acesso ao Mississippi, Baton Rouge (Bastão Vermelho) recebeu esse nome por causa das estacas penduradas com cabeças de peixes ensanguentadas que marcavam os limites de dois territórios de caça indígenas. Capital da Louisiana desde 1849, a cidade é um concorrido destino de turistas. Sua população cresceu drasticamente depois do furacão Katrina, pois recebeu muitos habitantes de New Orleans.

Ao norte do centro, o **State Capitol** foi construído em 1932, sob a direção incansável do ex-governador e senador Huey Long (1893-1935), que convenceu os legisladores a aprovarem o orçamento de US$5 milhões para sua construção. Ironicamente, Long foi assassinado no prédio. Essa estrutura de 34 andares, o capitólio mais alto do país, oferece belas vistas do observatório no 27º andar. Para o sul, a predileção do senador por edificações caras se reflete na **Old Governor's Mansion**, erguida em 1930 como uma cópia da Casa Branca. Agora essa estrutura neoclássica restaurada expõe lembranças de antigos governadores, como o violão de Jimmie Davis. De 1849, o **Louisiana Old State Capitol**, em estilo neogótico, realiza exposições interativas sobre a tumultuada história política do estado. Fora há uma praça de observação voltada para o rio, onde um destróier da Segunda Guerra Mundial, o **USS Kidd**, permite visitas. Mais ao sul, o visitante pode ter uma noção de como era, antes da guerra, a **Magnolia Mound Plantation**, de 1791, que ocupa 6ha e dispõe de uma residência em estilo crioulo-francês e de uma *plantation* em funcionamento.

A dez minutos de carro para sudoeste do centro chega-se ao *campus* arborizado da **Louisiana State University** e ao **LSU Rural Life Museum**, mantido pela universidade. Ao contrário das restaurações das grandiosas *plantations*, esse museu, com objetos simples, revela como as famílias viviam numa fazenda trabalhada pelos proprietários no século XIX.

Estátua no novo State Capitol

🏛 **Louisiana Old State Capitol**
100 N Blvd. **Tel** (225) 342-0500.
🕘 9h-16h ter-sáb.
⚫ dom, seg, feriados. ♿
🌐 louisianaoldstatecapitol.org

🏛 **LSU Rural Life Museum**
I-10 saída 160, em 4.650 Essen Ln. **Tel** (225) 765-2437. 🕘 8h-17h diariam.
⚫ 1º jan, Páscoa, Ação de Graças, 24-25 dez. 📷 ♿ 🌐 rurallife.lsu.edu

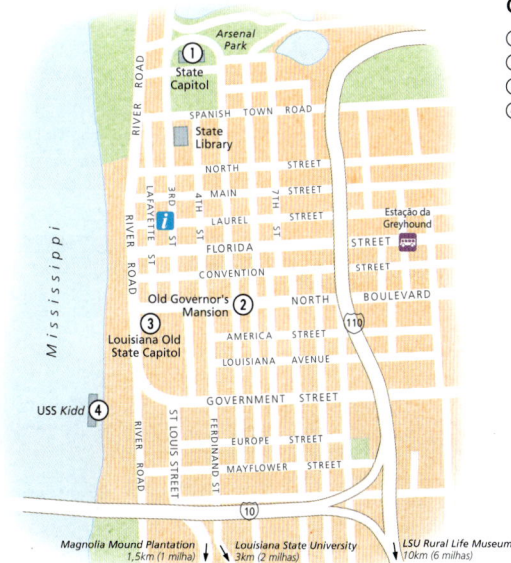

Centro de Baton Rouge

① State Capitol
② Old Governor's Mansion
③ Louisiana Old State Capitol
④ USS Kidd

0 m 600
0 jardas 600

Legenda dos símbolos
na orelha da contracapa

Cathedral of St. John the Baptist, em Lafayette

❹ Lafayette

120.600. 1.400 NW Evangeline Thruway, (337) 232-3808.
lafayettetravel.com

Extra oficialmente, essa é a "Capital da Louisiana Francesa", interessante introdução ao mundo dos *bayous*, dos aligátores, da culinária maravilhosa e da pronúncia cajun cantada. Em 1765, quando chegaram os primeiros acadianos, eles se instalaram ao longo dos *bayous* e das pradarias a oeste de New Orleans, trabalhando como fazendeiros e sobrevivendo dos pântanos e mangues.

Lafayette se desenvolveu a partir de um pequeno núcleo fundado em 1821 ao redor de uma igreja, a atual **Cathedral of St. John the Baptist**, perto do rio Vermilion. A cidade se tornou centro do Cajun Country, diferenciada por sua herança cultural inigualável.

Museu de história viva de Lafayette, **Vermilionville** (nome original da cidade) evoca a Acadiana do século XIX, com característica arquitetura de influência francesa. Ali as edificações são construídas de *bousillage* (p. 354), e os telhados têm inclinação acentuada. Tanto Vermilionville quanto o vizinho **Jean Lafitte National Historical Park Acadian Cultural Center** apresentam exposições e também demonstrações sobre as habilidades necessárias para sobreviver na Louisiana nos séculos XVIII e XIX. Isso pressupunha tecer redes, que eram fundamentais para uma vida que dependia da coleta de alimentos nos *bayous*, e dominar a carpintaria para fazer arados e pirogas rasas de madeira. O National Park Service, que administra o Jean Lafitte National Historic Park, também mantém outros centros culturais acadianos em regiões de terras alagadas em Thibodaux (160km a sudeste) e na região das pradarias, em Eunice, que está localizada 48km a noroeste.

Vermilionville
300 Fisher Rd. **Tel** (337) 233-4077.
10h-16h ter-dom. seg, 1º jan, Martin Luther King Jr. Day, Ação de Graças, 24, 25 e 31 dez.
vermilionville.org

Jean Lafitte National Historical Park Acadian Cultural Center
501 Fisher Rd. **Tel** (337) 232-0789.
8h-17h diariam. Mardi Gras, 25 dez. **nps.gov/jela**

❺ Bayou Teche

Hwy 31 vai de Breaux Bridge até New Iberia. 2.513 Hwy 14, (337) 365-1540. **iberiatravel.com**

O Bayou Teche serpenteia de norte para sul, ao longo da estrada panorâmica que liga Lafayette ao Atchafalaya Swamp. A Hwy 31, de 40km, se estende entre Breaux Bridge e New Iberia e vai mostrando a vegetação exuberante e lindos carvalhos, oferecendo o verdadeiro sabor da região.

No centro de **Breaux Bridge**, uma pequena ponte levadiça sobre o Bayou Teche avisa que a cidade é "a Capital Mundial do Pitu". E lá se organiza o Festival do Pitu (Crawfish Festival) sempre em maio. Em **Lake Martin**, a Nature Conservancy's Cypress Island Preserve oferece a oportunidade de observar a vida selvagem dos pântanos, com uma trilha para caminhadas ou passeios de barco. A reserva possui um viveiro de aves-limícolas de primeira classe.

Mais ao sul, em **St. Martinville**, o famoso Carvalho de Evangeline (Evangeline Oak) marca o local em que essa moça e seu amante, Gabriel, deveriam se encontrar. Sua história trágica, assim como a saga acadiana, é contada no poema *Evangeline* (1847), de Henry Wadsworth Longfellow. Lá perto fica a St. Martin de Tours Church que remonta à fundação da cidade em 1765. Anexo, um museu expõe fantasias de Carnaval.

Na saída da cidade, no **Longfellow-Evangeline State Historic Site** pode-se visitar uma casa do século XVIII, sede de uma *plantation* de cana-de-açúcar. O Bayou Teche passa pela cidade de **New Iberia**, famosa pela grandiosa sede de uma *plantation*, a Shadows-on-the-Teche, de 1834, que agora é museu.

Um desvio pela Avery Island leva à **McIlhenny Tabasco Company**, conhecida parada para *gourmands*, onde um

Mansão de Shadows-on-the-Teche, em New Iberia, no Bayou Teche

Veja hotéis e restaurantes dessa região nas pp. 368-73

LOUISIANA | 357

Reconstrução do Fort St. Jean Baptiste, em Natchitoches

guia conta a história da empresa que fabrica pimenta. Ao lado, **Jungle Gardens** é um pântano natural, que também pode ser visitado.

Longfellow-Evangeline State Historic Site
1.200 N Main St, St. Martinville. **Tel** (337) 394-3754. 9h-17h ter-sáb. 1º jan, Ação de Graças, 25 dez.
w crt.state.la.us/parks

McIlhenny Tabasco Company
Avery Island. **Tel** (337) 365-8173.
9h-16h diariam. feriados.
w tabasco.com/avery-island

❻ Natchitoches

39.500. 781 Front St, (318) 352-8072, (800) 259-1714.
w natchitoches.net

Mais antigo povoado permanente da Louisiana, Natchitoches ("Nack-a-tish") foi fundado à margem do rio Cane por franceses, em 1714. O bairro ao longo do rio, formado por 33 quarteirões, conserva boa parte da arquitetura crioula do século XIX, com elaboradas escadarias em espiral feitas de ferro. Ao sul do centro, o **Fort St. Jean Baptiste** recria o posto de fronteira de 1732, destinado a deter a expansão espanhola para leste do Texas.

Nos arredores, o Cane River Country possibilita diversas visitas a sedes de *plantations*. Dessas, a **Melrose Plantation** foi visitada por escritores como John Steinbeck e William Faulkner. O **Louisiana Sports Hall of Fame & Northwest Louisiana History Museum** é dedicado a atletas e figuras do esporte da Louisiana, apresentando exposições relacionadas a esportes e explorando as tradições culturais da região.

Melrose Plantation
LA 119. **Tel** (318) 379-0055.
10h-17h ter-dom. feriados.
w melroseplantation.org

Louisiana Sports Hall of Fame & Northwest Louisiana History Museum
800 Front St. **Tel** (318) 357-2492.
10h-16h ter-sáb, 13h-17h dom.

❼ Shreveport

199.300. 629 Spring St, (318) 222-9391.
w shreveport-bossier.org

Perto da fronteira com o Texas, Shreveport foi fundada no rio Red, em 1839. Os esteios da economia foram a agricultura e o transporte fluvial até a virada do século XX, quando a descoberta de petróleo provocou uma reviravolta na cidade. Shreveport entrou em declínio depois que a indústria petrolífera passou para o mar. Atualmente há seis cassinos flutuantes ao longo do rio, vários museus e um cruzeiro fluvial. A cidade oferece as boas-vindas com várias atividades culturais, e a Louisiana State Fair, realizada ali no final de outubro ou início de novembro, atrai mais de 300 mil visitantes.

Arredores
Na ponta mais a nordeste da Louisiana, a aproximadamente 265km de Shreveport, fica um dos sítios arqueológicos mais significativos da parte leste do país. O **Poverty Point National Monument** *(p. 337)*, ao lado de Epps, preserva os montículos religiosos erguidos por civilizações primitivas que viveram na bacia do baixo Mississippi por volta de 600 a.C. O visitante chega até o local pela Hwy 577.

Poverty Point National Monument
Hwy 577. **Tel** (888) 926-5492. 9h-17h diariam. 1º jan, Ação de Graças, 25 dez. **w** nps.gov/popo

Exposição no Poverty Point National Monument, ao lado de Epps

Os Acadianos – Cajun Country

Os acadianos, ou "cajuns", foram imigrantes franceses que haviam fundado uma colônia na Nova Escócia, no Canadá, em 1604. Chamaram-na Acádia para lembrar o lendário paraíso grego, a Arcádia. Expulsos pelos britânicos em 1755, eles acabaram se instalando ao longo de *bayous* isolados da Louisiana, onde desenvolveram uma rica cultura de influência francesa, com raízes profundas na música e na culinária da França. A cultura acadiana pode ser apreciada nos festivais da região. Desses, o Courir de Mardi Gras, literalmente "corrida da terça-feira gorda," é a versão cajun do Mardi Gras *(p. 351)*. Cavaleiros fantasiados e mascarados vão de casa em casa angariando ingredientes para um *gumbo* (ensopado e arroz) comunitário. Depois desfilam triunfantes pela cidade e se reúnem para comer, beber, cantar e bater papo. A "Acadiana" é uma região de 22 distritos que compreende os alagados próximos de New Orleans, as pradarias ao norte de Lafayette e o remoto litoral sudoeste.

Vestido acadiano

Arkansas

Apelidado de "Estado da Natureza", o Arkansas está cheio de montanhas, vales, bosques densos e planícies férteis. Duas cadeias de montanhas, a Ozark e a Ouachita, são separadas pelo rio Arkansas, que atravessa Little Rock, capital do estado. Terra natal do ex-presidente Bill Clinton, o estado promove ativamente as atrações associadas a ele, incluindo a cidade onde nasceu, Hope, a casa de sua infância em Hot Springs e Little Rock, onde serviu como governador e promoveu a campanha para a presidência. Esse estado, que antigamente era fronteiriço, permanece quase intocado até hoje, com vastas áreas de beleza natural, famosas pelos esportes de aventura.

Mostra no Central High Visitor Center, em Little Rock

❽ Little Rock

194.000. 615 E Capitol Ave, (501) 371-0076.
w littlerock.com

Fundada no rio Arkansas, próxima da pedra que lhe deu o nome, Little Rock era só mais uma capital estadual do Sul até que um filho do estado, Bill Clinton, foi eleito o 42º presidente, em 1993. Em consequência, a atenção do executivo ajudou a revitalizar a cidade. Um grande centro de atividades é o Little Rock River Market District, cheio de boates, restaurantes, cafés e lojas. Ao lado, fica o William J. Clinton Presidential Center, que conta com uma biblioteca e um museu, onde exibições explicam a rotina presidencial. O **Old State House State History Museum**, a oeste da Main Street, foi onde Clinton comemorou suas vitórias presidenciais em 1992 e 1996.

Em 1957, o tumultuado fim da segregação na Little Rock Central High School levou a cidade à vanguarda na luta pelos direitos civis. Apesar de a Corte Suprema ter proibido a segregação, o governador se recusou a integrar a escola, o que forçou o presidente Eisenhower a enviar militares para proteger os "Little Rock Nine" (os nove primeiros alunos negros). Agora a escola é um sítio histórico nacional e a única em funcionamento a ser designada dessa maneira. Localizado no cruzamento da escola, o **Little Rock Central High School National Historic Site Visitor Center** documenta essa história.

Little Rock Central High School National Historic Site Visitor Center
2.120 Daisy L. Gatson Bates Dr.
Tel 396-3000. diariam.
alguns feriados.
w nps.gov/chsc

Old State House State History Museum
300 W Markham St. **Tel** (501) 324-9685. diariam. fer.
w oldstatehouse.com

William J. Clinton Presidential Center
1.200 President Clinton Ave.
Tel (501) 374-4242. diariam.

❾ Hot Springs

40.000. 629 Central Ave, (501) 321-2277. **w** hotsprings.org

No início do século XX essa era uma concorrida estação de águas para quem vinha se tratar nas fontes termais da encosta da Hot Springs Mountain. Em 1832, a área se tornou o primeiro parque federal americano de proteção ambiental e, em 1921, virou parque nacional. Agora a "Bathhouse Row" original é um National Historic Landmark District dentro do **Hot Springs**

Fachada em estilo espanhol da Fordyce Bathhouse, centro de visitantes para o Hot Springs National Park

Veja hotéis e restaurantes dessa região nas pp. 368-73

National Park. O centro de visitantes fica na suntuosa Fordyce Bathhouse, de 1915, em estilo espanhol renascentista. Atualmente apenas a **Buckstaff Bathhouse** funciona, oferecendo recursos de spa. Alguns hotéis também têm instalações para banhos. Na extremidade sul da Row, o centro de visitantes distribui mapas das atrações associadas ao presidente Clinton, que passou a infância na cidade. A Hot Springs High School, onde Clinton se formou em 1964, agora é um prédio de apartamentos com um "campo cultural" que faz exposição dos anos de adolescência de Clinton. O visitante pode fazer passeios a locais como a igreja de Clinton e sua lanchonete preferida. Um passeio panorâmico ao topo da Hot Springs Mountain leva a uma torre de observação que oferece belas vistas das Ouachita Mountains, da cidade e de florestas e lagos em volta.

Ladeiras da área comercial vitoriana de Eureka Springs

🎿 **Hot Springs National Park**
369 Central Ave. **Tel** (501) 620-6715. ⏰ 9h-17h diariam. ⛔ 1º jan, Ação de Graças, 25 dez. ♿
🌐 **nps.gov/hosp**

🎿 **Buckstaff Bathhouse**
509 Central Ave, Bathhouse Row. **Tel** (501) 623-2308. ⏰ 7h-12h seg-sáb, 13h30-15h seg-qui. ⛔ horários variam, verifique no site. ♿
🌐 **buckstaffbaths.com**

❿ Mountain View

🏠 2.700. ℹ️ 107 N Peabody, (888) 679-2859.

Aninhado em meio a colinas e vales da remota Ozark Mountain, o isolado vilarejo de Mountain View é um refúgio para quem gosta de vida ao ar livre. De carro, um curto trajeto para norte leva ao **Ozark Folk Center State Park**. Esse parque celebra a herança cultural da região da Ozark Mountain com exposições de história viva, demonstrações de ofícios, festivais e apresentações de música tradicional, realizados no teatro do local. Também oferece trilhas para caminhadas, uma hospedaria que abre o ano todo, restaurante animado e uma piscina.

Ali perto fica o **Buffalo National River**, procurado para pesca e canoagem. O pessoal do local organiza passeios guiados de canoa pelo rio. O National Forest Service mantém diversos campings na área.

🎿 **Ozark Folk Center State Park**
1.032 Park Ave. **Tel** (870) 269-3851. ⏰ abr-final nov: 10h-17h ter-sáb, 10h-16h dom-seg. ♿
🌐 **ozarkfolkcenter.com**

Arredores
A uns 25km a noroeste de Mountain View, pela Hwy 14, fica **Blanchard Springs Caverns**, que apresenta uma série de cavernas de calcário e um rio subterrâneo aberto a passeios públicos. As formações cristalinas, que estão sempre se modificando nessas cavernas "vivas", são o resultado da sedimentação de minerais depositados pelos pingos de água.

Pode ser difícil explorar essas cavernas magníficas por causa do ar úmido e do espaço apertado. Mas a Dripstone Trail de 1km e a Discovery Trail de 2km propiciam uma experiência subterrânea inesquecível. O centro de visitantes apresenta exposições e vídeos que descrevem as cavernas e seu longo processo de criação.

🎿 **Blanchard Springs Caverns**
Saída da Hwy 14. **Tel** (870) 757-2211. ⏰ meados abr-out: 9h-17h diariam; out-abr: 9h30-16h qua-dom. ⛔ 1º jan, Ação de Graças, 25 dez.

⓫ Eureka Springs

🏠 2.400. ℹ️ 516 Village Circle, (479) 253-8737. 🌐 **eurekasprings.org**

A enorme imagem de Jesus, com altura de sete andares, o "**Christ of the Ozarks**", se destaca acima da antiga cidade balneária de Eureka Springs. Depois de quase um século de declínio, a cidade se beneficiou de seu crescimento como comunidade de artistas, como refúgio romântico e com as apresentações de música country, no estilo do Grand Ole Opry de Nashville *(p. 267)*, realizadas em Hoe-Down e Pine Mountain Jamboree.

Com quase 30 anos em cartaz, a *Great Passion Play* (Paixão de Cristo) é encenada no **Sacred Arts Center**. Esse drama a céu aberto retrata os dias que antecederam a morte de Jesus Cristo.

Cristo de Ozarks, em Eureka Springs

O lado religioso da cidade é perpetuado no **Bible Museum**, com mais de 6 mil edições da Bíblia, em 625 idiomas, incluindo algumas primeiras edições raras. Os Eureka Springs Historic Gardens e uma ferrovia panorâmica são outras atrações. Muitos visitantes passeiam nas construções vitorianas bem conservadas e saboreiam a magia do ambiente montanhês e arborizado da cidade.

🎿 **Sacred Arts Center**
935 Passion Play Rd. **Tel** (800) 882-7529. ⏰ abr-out: ligar antes.

Mississippi

Terra natal de Tennessee Williams, Elvis Presley, B. B. King e Oprah Winfrey, o Mississippi é conhecido pelo blues, pelas sedes de *plantations* de antes da guerra e pela lamentável história dos direitos civis. Campos de algodão a perder de vista são encontrados na região do delta, a noroeste, enquanto no canto nordeste está uma área acidentada e improdutiva ao redor de Tupelo. Jackson, a capital, fica na planície central e é o centro urbano desse estado basicamente rural. Atualmente, o Mississippi oferece um contraste de atrações, de cassinos cintilantes ao estilo de Las Vegas na Gulf Coast e no rio Mississippi a excelentes restaurantes vietnamitas de frutos do mar e passeios de ferryboat até praias desertas.

Ventress Hall, no *campus* da University of Mississippi, em Oxford

⓬ Clarksdale

23.000 (Clarksdale). Greenwood. 1.540 DeSoto Ave, Hwy 49, Clarksdale, (662) 627-7337.

O delta do Mississippi, extensa bacia aluvial, despojada de sua antiga floresta densa e alvejada pelos campos de algodão, é o berço do blues. O **Delta Blues Museum**, no centro de Clarksdale, é uma grande referência para os apaixonados dessa música. Instalado num depósito reformado da década de 1920, esse museu guarda tudo do blues, desde pertences pessoais, fotografias e instrumentos até vídeos de moradores lendários, como Robert Johnson, Howlin' Wolf e Muddy Waters. Entre as peças expostas está uma guitarra de madeira "Muddywood", criada por Z. Z. Top, com tábuas da House of Blues original, local de nascimento de Muddy Waters.

Emblema de fazenda de bagre

O Sunflower River Blues e o Gospel Festival são realizados do lado de fora do museu em agosto. O legado criativo do delta vai além da música. O festival anual de Tennessee Williams celebra a obra do famoso dramaturgo, que passou a infância em Clarksdale.

Cerca de 88km ao sul de Clarksdale, o **Cottonlandia Museum**, em Greenwood, documenta a história do delta, enfatizando o cultivo do algodão, atividade que estimulou a cultura e a economia da região.

De carro, o visitante anda 38km para chegar a Greenville, maior cidade do delta. O centro de visitantes desse porto fluvial ocupa um vapor atracado numa ponte. O Mississippi Delta Blues Festival ocorre em setembro.

Entre outras atrações, há um pequeno museu em Leland que homenageia Jim Henson, criador dos Muppets; Belzoni, considerada a "Capital Mundial do Bagre", localizada num município que tem a maior quantidade desse tipo de peixe criado em fazendas; e Indianola, onde nasceu B. B. King.

Delta Blues Museum
1 Blues Alley, Clarksdale. **Tel** (662) 627-6820. mar-out: 9h-17h seg-sáb; nov-fev: 10h-17h seg-sáb. 1º jan, 4 jul, Ação de Graças, 25 dez.
deltabluesmuseum.org

Cottonlandia Museum
1.608 Hwy 82 W. **Tel** (662) 453-0925. 9h-17h seg-sex, 10h-16h sáb. feriados.
cottonlandia.org

⓭ Oxford

14.000. (662) 232-2367. oxfordcvb.com

Sede da majestosa University of Mississippi, de 1848, carinhosamente chamada de "Ole Miss", a charmosa cidade universitária de Oxford é o centro intelectual e cultural do estado. O marco literário local é o isolado **Rowan Oak**, de 1844, residência de William Faulkner, um dos mais influentes escritores de seu tempo e pioneiro, na literatura, do Movimento Gótico Sulista, além de ganhador do Nobel de Literatura. O esboço do enredo de *Uma fábula*, livro no qual o autor trabalhava quando morreu, está gravado nas paredes. Existe uma estátua de Faulkner na praça do fórum, no centro, rodeada de sofisticadas galerias, restaurantes, café e locais em que se escuta música ao vivo.

No *campus* da University of Mississippi está o **University Museums**. Além das clássicas antiguidades gregas e romanas, o museu dispõe de um

Um dos muitos cassinos em vapores, no delta do Mississippi

Veja hotéis e restaurantes dessa região nas pp. 368-73

pequeno mas dinâmico acervo de arte popular sulista.

Rowan Oak
916 Old Taylor Rd. **Tel** (662) 234-3284. 10h-16h ter-sáb, 13h-16h dom. feriados e férias universitárias.

University Museums
University Ave com Fifth St. **Tel** (662) 915-7073. 10h-18h ter-sáb, 13h-16h dom. feriados e férias universitárias. olemiss.edu

⑭ Tupelo

37.000. 399 E Main St, (662) 841-6521. tupelo.net

A uma hora de carro a oeste de Oxford, Tupelo é a terra natal de Elvis Presley, um dos ícones mundiais com fama mais duradoura. Numa modesta casa de dois quartos na periferia leste da cidade, nasceu o Rei do Rock, em 1935, junto com o irmão gêmeo Jesse, natimorto. Elvis morou em Tupelo até os 13 anos, quando a família teve problemas financeiros e se mudou para Memphis *(p. 268)*.

Atualmente o **Elvis Presley Birthplace**, recuperado para ficar com a aparência que tinha em 1935, tornou-se ponto de peregrinação dos fãs de Elvis do mundo todo. Ao lado, um museu apresenta uma coleção única de recordações do cantor. Uma capela, voltada para a casa onde ele nasceu, exibe uma Bíblia que foi de Elvis.

O Tupelo Automobile

Estátua do jovem Elvis em Tupelo, sua cidade natal

Lápides no Vicksburg National Military Park

Museum, primeiro do tipo no estado, apresenta mais de 150 carros restaurados e inclui a réplica de uma oficina antiga. Tupelo oferece acomodações e restaurantes, e é ponto de parada na famosa Natchez Trace Parkway *(p. 362)*.

Elvis Presley Birthplace
306 Elvis Presley Dr. **Tel** (662) 841-1245. 9h-17h seg-sáb, 13h-17h dom. Ação de Graças, 25 dez. elvispresleybirthplace.com

⑮ Vicksburg National Military Park

3.201 Clay St. (601) 636-0583. 8h-17h diariam. 25 dez. nps.gov/vick

O Vicksburg National Military Park, criado em 1899, relembra um dos cercos mais trágicos da história da Guerra Civil *(p. 57)*. Sua localização estratégica, no alto dos costões voltados para o rio Mississippi, fez de Vicksburg um alvo das tropas da União, que queriam controlar o vital corredor do rio e dividir a Confederação ao meio. Em 29 de março de 1863 o exército da União cercou a cidade. Após 47 dias de cerco, os confederados se renderam em 4 de julho de 1863, dando ao Norte o controle indiscutível sobre o rio, o que significou um grande golpe para a Confederação. O impacto da derrota foi tão grave que os cidadãos de Vicksburg se recusaram a reconhecer o 4 de Julho como feriado da Independência até meados do século XX. A história dessa luta é recontada em lápides, fortificações e objetos no parque. Visitas guiadas dão vida à paisagem, com representações sobre a Guerra Civil, de junho até agosto.

O Som do Blues

Nas raízes da música popular contemporânea escutada no mundo todo está o som que jorra de uma grande bacia aluvial conhecida como delta do Mississippi. Ritmos africanos, cantos de trabalho e *spiritual* (atual *gospel*) se mesclaram na criação de um estilo diferente de música conhecido como blues. Quando W. C. Handy, músico do Alabama, atravessou o delta em 1903, ele declarou que essa era "a música mais esquisita" que tinha escutado. E levou o som para Memphis, onde gravou *Memphis Blues*. Junto com a grande migração de afro-americanos do Sul rural para o Norte industrial, já no século XX, o blues chegou a Chicago, onde artistas como Muddy Waters incrementaram o som. Dizem que o rock nasceu do blues.

Foto de Muddy Waters no Delta Blues Museum

Antigo posto de gasolina no Mississippi Agriculture and Forestry Museum

⑰ Natchez Trace Parkway

Visitor Center: Mount Locust. **Tel** (662) 680-4027. 8h-17h diariam. **w** nps.gov/natr

Considerada estrada nacional histórica em 1938, essa rodovia de 724km, que liga Natchez a Nashville, no Tennessee *(pp. 266-7)*, originalmente era uma trilha de animais. Depois, tornou-se uma trilha e teve papel vital no desenvolvimento da região interiorana do país, fazendo a ligação entre o vale do rio Ohio e o golfo do México. Os pioneiros usavam a rota para transportar em barcaças suas colheitas e outros produtos rio abaixo até Natchez.

Ali, além das mercadorias, vendiam também as barcaças como madeira descartável e voltavam a pé para casa. Atualmente a Natchez Trace Parkway *(pp. 50-1)* é um destino panorâmico para o ano todo. Não se permite tráfego comercial. Pode-se ir a pé, de bicicleta ou carro, com limite de velocidade de 80km/h.

A estrada preserva muitos sítios históricos, como **Emerald Mound**. Situado perto de Natchez, data de 1400 a.C. e é o segundo maior montículo cerimonial do país, feito pelos nativos. Um desvio para oeste, pela Hwy 552, leva às **Ruins of Windsor**,

⑯ Jackson

174.000. 921 S President St, (601) 960-1891.

Fundada num costão acima do rio Pearl, a capital do Mississippi deve seu nome ao general Andrew Jackson *(p. 267)*, herói popular. Durante a Guerra Civil, a cidade foi incendiada em três ocasiões pelo general da União William Tecumseh Sherman, o que conferiu a ela o apelido de "Chimneyville" (Cidade Chaminé). As poucas construções que restaram hoje se transformaram em marcos valorizados. Delas, o antigo Capitólio de 1839, agora **Old Capitol Museum of Mississippi History**, apresenta uma visão geral da história dos direitos civis no estado, ao lado da filmagem em vídeo preto e branco dos violentos conflitos entre polícia e manifestantes. No andar de cima, o museu apresenta mostras giratórias sobre esses tópicos, de autores como Eudora Welty, moradora de Jackson, ou "Pride of the Fleet" (Orgulho da Frota) sobre o navio de guerra USS *Mississippi*. Um salão pequeno, do século XX, ilustra o impacto das atividades algodoeira e madeireira sobre a economia, a ecologia e a sociedade do estado. Contudo, a própria cidade é o melhor retrato histórico. A partir do Old Capitol, uma pequena caminhada ao longo da Capitol Street leva até a Governor's Mansion e o Lamar Life Building, com campanário e gárgulas. O **Mississippi State Capitol**, construído em 1903, lembra o Capitólio de Washington, DC e acolhe os poderes Legislativo, Judiciário e Executivo do governo do estado. Jackson também abriga o **Mississippi Agriculture and Forestry Museum**, que celebra a herança rural do estado. Entre as exibições há uma fazendinha da década de 1850, completa, com criação e horta, e a rua principal de uma pequena cidade da década de 1930, com empório. A Chimneyville Crafts Gallery, uma loja de artesanato, exibe e vende arte popular, como objetos feitos por índios choctaw. O local também conta com uma cafeteria animada. Ao lado, o Sports Hall of Fame homenageia os atletas consagrados e times universitários do estado com mostras interativas.

Entre outras atrações estão o zoo, os Mynelle Gardens, o Mississippi Museum of Natural Science e o Mississippi Museum of Art. Tais atrações mais a crescente fama da cidade como centro de blues fazem de Jackson uma parada agradável ao visitante que está passando pela Natchez Trace Parkway.

Placa da Natchez Parkway

🏛 **Old Capitol Museum of Mississippi History**
Old Capitol, 100 S State St. **Tel** (601) 576-6920. diariam. feriados.
w mdah.state.ms.us/oldcap

🏛 **Mississippi Agriculture & Forestry Museum**
1.150 Lakeland Dr. **Tel** (601) 432-4500. 9h-17h seg-sáb. dom, 1º jan, Ação de Graças, 25 dez.
w mdac.state.ms.us/departments/museum

Natchez Trace Parkway, histórica trilha arborizada

Veja hotéis e restaurantes dessa região nas pp. 368-73

onde um fantasmagórico conjunto de 23 colunas coríntias bem altas serve de recordação de um solar incendiado em 1890. O centro de visitantes de **Mount Locust** fixa 24km a nordeste de Natchez, instalado numa hospedaria restaurada de 1783.

⓲ Natchez

20.000. 640 S Canal St, (601) 446-6345.

Muito conhecida pela arquitetura de antes da guerra, Natchez é uma cidade atraente nos costões do rio Mississippi. Primeira capital do estado, é o mais antigo assentamento em toda a margem do rio e está rodeada de ricos recursos naturais, com um setor industrial em crescimento. Muitos de seus prédios históricos são alcançados a pé a partir do centro. Entre algumas das preciosidades estão a casa mais antiga da cidade, a **House on Ellicott's Hill** (1798); o majestoso **Stanton Hall** (1857); **Longwood** (1860), cuja construção foi interrompida pela Guerra Civil; e **Rosalie** (1829), mansão de tijolo aparente situada no costão que servia de quartel-general da União durante a guerra.

Muitos museus em casas ficam abertos o ano todo, porém muito mais casas podem ser vistas durante a **Natchez Pilgrimage** realizada na primavera e no outono *(pp. 40)*. A uma curta distância de carro para leste do centro fica **Melrose Plantation**, propriedade anterior à guerra, a mais bem preservada do país. Ela mostra a história dos afro-americanos em senzalas e a mansão neoclássica de 1845. Ao sul da cidade, a 2,6km na Hwy 61, está a Grand Village dos índios natchez, uma aldeia histórica com réplicas de tendas, trilhas naturais e um pequeno museu.

House on Ellicott's Hill
Jefferson & Canal Sts. **Tel** (601) 442-2011. 10h-15h sex-sáb. 25 dez.
natchezgardenclub.com

Natchez Pilgrimage Tour
Tel (601) 446-6631, (800) 647-6742.
natchezpilgrimage.com

⓳ Gulf Coast

156.000 (Biloxi e Gulfport). 942 Beach Dr, Gulfport, (228) 896-6699. **gulfcoast.org**

As ainda vívidas influências francesas e a herança marítima se combinam para deixar o panorâmico litoral do golfo do México diferente do restante do Mississippi. Em 1699, dois irmãos de Quebec, Pierre e Jean Baptiste le Moyne, chegaram onde hoje fica Ocean Springs, para fundar o primeiro assentamento francês no Sul. Em 1704, o governo da França patrocinou o transporte de vinte moças como possíveis noivas para os colonos. Armadas com seus enxovais em malas com selo do governo ou "cassettes", as "cassette girls" se instalaram na Ship Island. Depois que

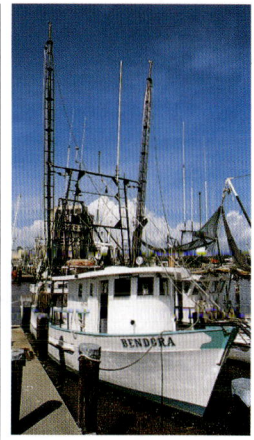

Escunas de pesca atracadas em píer da Gulf Coast

os americanos dominaram o litoral, foi erguido o **Fort Massachusetts**, em meados do século XIX, na mesma Ship Island. Na Guerra Civil, a União usou o forte para colocar prisioneiros de guerra, entre os quais uma unidade de confederados afro-americanos de Louisiana.

Em agosto de 1965, o furacão Camille, uma das piores tempestades a atingir o continente, dividiu a Ship Island em duas – West Ship e East Ship (embora, localmente, ela ainda seja mencionada no singular). As duas fazem parte de **Gulf Islands National Seashore**. Um ferryboat leva passageiros para a praia e para visitas ao forte.

Andar de barco é uma diversao concorrida, e o visitante pode fazer passeios de barco ou caiaque às ilhas desertas ou pescar nos tradicionais barcos de camarão fretados.

O **Walter Anderson Museum of Art** exibe obras do falecido pintor, ceramista, naturalista e escritor Walter Anderson, refletindo seu amor pela costa do Mississippi.

Gulf Islands National Seashore
3.500 Park Rd, Ocean Springs.
Tel (228) 875-9057. **nps.gov/guis**

Walter Anderson Museum of Art
510 Washington Avenue, Ocean Springs. (228) 872-3164. 9h30-16h30 seg-sáb, 12h30-16h30 dom.
walterandersonmuseum.org

Longwood, casa octogonal com cúpula, em Natchez

Alabama

O Alabama desce do Cumberland Plateau no nordeste, atravessa serras com florestas e planícies férteis até o golfo do México, em Mobile Bay. Os primeiros europeus a se estabelecerem no estado foram os franceses, que ocuparam o litoral no início do século XVIII. Nos cem anos seguintes, o assentamento cresceu, conforme migrantes vinham do Tennessee e da Geórgia, expulsando índios choctaw, cheroqui e creek de suas terras. Com o progresso, o algodão alimentou o porto de Mobile, e a indústria do aço estimulou Birmingham. Hoje o estado é conhecido pelas paisagens, pela arquitetura de antes da guerra e, principalmente, pela história dos direitos civis.

Fort Conde, reconstruído, em Mobile

❷⓿ Mobile

203.000. 🛬 🚆 🚌 ℹ️ 1 S Water St, (251) 208-2000.

Essa bonita cidade portuária surgiu como colônia francesa, em 1702. Mais tarde, serviu como porto estratégico dos confederados até o término da Guerra Civil. Agora a cidade mistura toques franceses e sulistas e é famosa pelo **Mobile Carnival Museum**, que tem recordações do início do século XIX.

Na ponta de Mobile Bay fica o **Fort Conde**, parcialmente reconstruído pelos franceses. Atracado ali perto está o USS *Alabama*, navio da Segunda Guerra Mundial. Uma volta panorâmica na baía leva a dois outros fortes históricos: o Fort Morgan, a leste, e o Fort Gaines, na Dauphin Island. Os dois são refúgios de pássaros.

🏛 Fort Conde
150 Royal St. **Tel** (251) 208-7304.
🕐 8h-17h diariam. ⬤ feriados, Mardi Gras.

❷❶ Selma

21.000. 🚌 ℹ️ 912 Selma Ave, (334) 875-7241. **w** selmaalabama.com

Situada sobre um costão do rio Alabama, Selma foi palco de uma das cenas mais conhecidas da história dos direitos civis. Em 7 de março de 1965, dia que ficou conhecido como "Domingo Sangrento", 600 manifestantes a favor dos direitos civis, que rumavam para a capital, Montgomery, foram violentamente rechaçados pela polícia, na Edmund Pettus Bridge. Mas, algumas semanas depois, Martin Luther King Jr. liderou uma marcha vitoriosa até o Capitólio estadual. O **National Voting Rights Museum** narra essa história, e uma representação anual presta homenagem ao ocorrido.

Antes do período dos direitos civis, a cidade era conhecida como o "Arsenal da Confederação". Lá se produziam armas, canhões e navios couraçados. Parte da cidade foi destruída na guerra, mas ficou intacta ao longo do rio. Na estação de trem, de 1891, estão expostos aspectos dessa história.

Exposição no National Voting Rights Museum, em Selma

🏛 National Voting Rights Museum
6 US Hwy 80 E. **Tel** (334) 418-0800.
🕐 10h-16h seg-qui, agendar horário sex-dom. **w** nvrmi.com

❷❷ Montgomery

224.000. 🚌 ℹ️ 3.300 Water St, (334) 262-0013.
w visitingmontgomery.com

Capital do Alabama desde 1846, Montgomery também foi a primeira capital da Confederação na Guerra Civil. Em 1861, Jefferson Davis fez juramento como presidente confederado nos degraus do Capitólio estadual. Agora, do outro lado da rua, a **First White House of the Confederacy** é um museu associado a esses tempos.

A cidade também teve papel estratégico durante o movimento dos direitos civis. A segregação no sistema de transportes da cidade levou a um ato de desafio de Rosa Parks, quando ela se recusou a ceder lugar no ônibus a um homem branco. Em 1956, o jovem Martin Luther King Jr. apoiou o ano todo o boicote aos ônibus de Montgomery, que pôs fim na segregação nos transportes públicos. O sucesso do boicote foi significativo, pois não só fortaleceu o movimento como fez King se destacar como líder da campanha.

O **Civil Rights Memorial**, uma referência na cidade, foi projetado pela mesma artista que fez o Vietnam Veterans Memorial, Maya Lin (*p. 209*),

Veja hotéis e restaurantes dessa região nas pp. 368-73

Fonte no Civil Rights Memorial, em Montgomery

homenageando 40 mártires que deram a vida na luta pela igualdade racial.

Montgomery está asssociada a duas importantes figuras das artes do século XX. Zelda Fitzgerald, moça da região, e seu marido, F. Scott Fitzgerald, moraram na cidade em 1931, enquanto ele escrevia *Suave é a noite*. A casa deles virou museu. Em 1958, Hank Williams, cantor de música country, fez seu último show na cidade, três dias antes de morrer. Ele foi enterrado no Oakwood Cemetery, e há uma estátua dele no centro da cidade.

First White House of the Confederacy
644 Washington Ave. **Tel** (334) 242-1861. 9h-16h seg-sáb. dom, feriados.

❷ Tuskegee

13.000. 121 Main St, (334) 727-6619.

O Tuskegee Normal and Industrial Institute foi criado nessa cidade pelo ex-escravo Booker T. Washington, em 1881, a fim de melhorar as oportunidades educacionais para afro-americanos. A escola se transformou na **Tuskegee University**, mais conhecida pelas inovações do agricultor George Washington Carver que revolucionaram os cultivos agrícolas da área. Os "Tuskegee Airmen", grupo de pilotos afro-americanos que se distinguiram na Segunda Guerra Mundial, também se formaram no instituto, que faz parte do Tuskegee Institute National Historic Site.

❷ Birmingham

212.000. 2.200 9th Ave N, (205) 458-8000.

Maior cidade do Alabama, Birmingham já foi a mais importante produtora de aço da região. Para lembrar o passado industrial da cidade, existe o **Sloss Furnaces National Historic Landmark**, um museu instalado numa siderúrgica antiga, além de uma estátua de ferro do deus do fogo Vulcano, com 17m de altura, colocada no topo da Red Mountain, a fonte do minério de ferro. Agora as atrações da cidade são típicas de um centro sulista moderno: casas de antes da guerra, jardins botânicos e o consagrado **Birmingham Museum of Art**, com bela coleção de porcelana Wedgwood. Mas as referências mais comoventes são as relacionadas à história dos afro-americanos da cidade, que podem ser vistas perto do centro de visitantes, que oferece mapas e visitas guiadas pelo bairro.

O **Birmingham Civil Rights Institute** usa filmagens antigas para explicar o movimento dos direitos civis na cidade. Entre as peças expostas está a porta da cela em que Martin Luther King Jr. escreveu sua famosa "Carta da Prisão de Birmingham", argumentando que todo indivíduo tem direito de desobedecer a leis injustas.

Mais adiante, a Baptist Church, da Sixteenth Street, funciona como um memorial para as quatro garotas negras mortas por uma bomba da Ku Klux Klan em 1963. A sudeste, no histórico **Carver Theatre**, o Alabama Jazz Hall of Fame apresenta música ao vivo e comemora as conquistas de artistas como Dinah Washington, Nat King Cole, W. C. Handy e Duke Ellington. Na extremidade norte da cidade, o **Alabama Sports Hall of Fame** glorifica os atletas afro-americanos nativos de Birmingham, como Joe Louis e Jesse Owens.

Martin Luther King Jr.

Birmingham Civil Rights Institute
520 16th St N. **Tel** (205) 328-9696. 10h-17h ter-sáb, 13h-17h dom. feriados. (dom grátis). **w** bcri.org

❷ Huntsville

163.000. 5.500 Church St, (256) 533-5723. **w** huntsville.org

Instalada num vale no norte do Alabama, Huntsville era a cidade do comércio de algodão que se tornou centro de pesquisa espacial e militar, além de centro manufatureiro, após a Segunda Guerra Mundial. Sede do Marshall Space Flight Center da Nasa, a cidade tem como pontos altos o US Space and Rocket Center e seus passeios de ônibus. Há também cápsulas Apollo e um ônibus espacial de tamanho real. Um acampamento mostra às crianças dados sobre a exploração do espaço.

George Washington Carver Museum, na Tuskegee University

Informações Úteis

Já que há muita coisa para ver e fazer, é preciso planejar a viagem pelo Extremo Sul. New Orleans, a cidade mais exótica da região, está cheia de locais com música, boates, hotéis e restaurantes, ao passo que muitas cidades menores e as amplas áreas entre elas contam com estações balneárias e resorts, que atendem aos moradores das cidades que necessitam mudar o ritmo de vida. Conforme o tempo disponível, o visitante vai explorar atrações históricas significativas, observar as paisagens estonteantes, apreciar os jardins bem cuidados das antigas sedes de *plantations*, participar de uma celebração local ou apenas relaxar à margem de um rio preguiçoso.

Informação Turística

Todos os estados do Extremo Sul publicam grande variedade de guias informativos, que podem ser pedidos por telefone ou pelos websites. Quando o visitante entra na Louisiana, no Mississippi, no Alabama ou em Arkansas, pode se colocar a par disso nos diversos "Welcome Centers" (Centros de Boas-Vindas), ao longo das rodovias importantes. Com simpática equipe de voluntários e abertos das 8h às 17h diariamente, os centros oferecem mapas rodoviários grátis e informações turísticas, também disponíveis em diversos escritórios de turismo locais ou regionais dos quatro estados.

Perigos Naturais

O extremo sul é propenso a furacões e a tornados ocasionais, do início de junho até novembro. Em agosto de 2005, o furacão Katrina atingiu a Gulf Coast, destruindo grande parte de New Orleans e cidades litorâneas, e matando milhares de pessoas. Ao planejar a viagem, o visitante deve acompanhar as previsões do tempo para o Golfo e o Caribe. O **National Hurricane Center** de Miami dá informações sobre furacões iminentes. Quando um aviso de furacão é divulgado na área que você irá visitar, cancele a viagem; se estiver no local, saia da área. Siga as mensagens sobre procedimentos de emergência no rádio e na TV.

O maior perigo é o sol. Passe protetor solar com fator alto e use chapéu. Beba muita água para não desidratar. As picadas de insetos, principalmente de pernilongos, são um transtorno entre abril e novembro; por isso, leve repelente.

Como Circular

Como em boa parte dos EUA, o Extremo Sul é uma região em que pode ser difícil circular sem carro. Em todos os estados, os cintos de segurança são obrigatórios para o motorista e o passageiro da frente, e quase todos também exigem cinto para os passageiros do banco de trás. E os ocupantes com menos de 4 anos devem ficar em cadeirinhas de segurança.

As opções de transporte público são limitadas. Os ônibus da **Greyhound** servem apenas algumas cidades, enquanto a **Amtrak** mantém duas rotas de trem: norte-sul, atravessando o delta do Mississippi, entre Memphis e New Orleans, e leste-oeste, ligando New Orleans a cidades do oeste. O número de cruzeiros pelo rio Mississippi diminuiu depois do furacão Katrina em 2005, mas a **American Cruise Lines** e a **Blount Small Ship Adventures**, apesar de caras, oferecem itinerários de extensão variada.

Etiqueta

A hospitalidade e a cortesia do Extremo Sul são famosas, principalmente em relação às mulheres. Tratar as pessoas por "sir" ou "ma'am" (senhor ou senhora) será educado e ajudará na interação social. Fique atento às placas para não fumar, pois isso é proibido na maioria dos prédios públicos, o que inclui lojas e restaurantes. Embora as leis referentes às bebidas alcoólicas variem conforme o estado, a idade legal é 21 anos. Apenas em New Orleans se pode beber nas ruas, mas apenas em embalagens plásticas chamadas "go cups."

Festivais

No Extremo Sul é realizada uma série de festivais anuais municipais, regionais e nacionais. A maior festa do país e um dos eventos mais coloridos e animados do mundo é a comemoração que se prolonga por dez dias e culmina no **Mardi Gras**, a Terça-feira Gorda. Os desfiles de Carnaval, a música, as bebidas e as danças são animadíssimos em New Orleans, embora comemorações menores, mas igualmente animadas, ocorram

O Clima do Extremo Sul

O clima não varia muito entre os estados, se bem que as diferenças de estação sejam claras. O inverno é úmido, enquanto o calor e a umidade do verão podem ser sufocantes. Em setembro, o tempo volta a ficar bom, embora tempestades ou furacões do fim do verão possam atrapalhar. A primavera e o outono são ideais para viagens prolongadas. As floradas primaveris, como a das magnólias, dão um toque especial nos primeiros meses do ano.

NEW ORLEANS

mês	Abr	Jul	Out	Jan
°F/°C (max)	77/25	90/32	79/26	62/17
°F/°C (min)	61/16	76/24	64/18	17/0
dias de sol	14	19	18	20
mm chuva	4.5	6.1	3	5

em muitas outras cidades da região, como em Mobile, no Alabama.

Na primavera, visite o Mississippi, ainda mais se você puder marcar a viagem para aproveitar as encenações do tipo "E o Vento Levou" da **Natchez Pilgrimage**, um mês inteiro que comemora o Sul antes da guerra. Muitas das casas históricas da cidade ficam abertas à visitação, e ocorrem diversos concursos e encenações. O verão permite muitos eventos ao ar livre, e nas comemorações do Dia da Independência, em 4 de julho, costuma haver fogos, bandas de música e festivais de rua. Muitas feiras municipais e estaduais ocorrem no interior, em julho e agosto, assim como diversos festivais de música, como o **B. B. King Homecoming Festival** em Indianola, no Mississippi, o primeiro de muitos festivais de blues que são realizados no delta do Mississippi. No final do verão é a vez do grandioso **Mississippi Delta Blues and Heritage Festival**, que ocorre em setembro, em Greenville, no Mississippi. Em outubro, as residências históricas de Natchez e Vicksburg se abrem de novo ao público, durante a **Fall Pilgrimage**. Por esse período, o visitante pode provar as deliciosas amêndoas confeitadas vendidas por ambulantes.

Esportes e Atividades ao Ar Livre

As cidades do Extremo Sul não são grandes o bastante para manter times profissionais da primeira divisão, mas patrocinam dezenas de equipes menores e centenas de times esportivos de alta qualidade em diversas faculdades ou universidades públicas e particulares. New Orleans tem o time de basquete New Orleans Pelicans e o de futebol (rúgbi) New Orleans Saints, que joga no **Superdome**, um dos maiores estádios do mundo. Os principais eventos das temporadas esportivas universitárias são os jogos de futebol e basquete entre rivais regionais, como o Louisiana State University Tigers, o University of Alabama's Crimson Tide e o Rebels da Universidade do Mississippi. A temporada de beisebol vai de abril a setembro; a de futebol, de setembro a janeiro; e a de basquete, do inverno até meados da primavera.

Embora pescar e andar de barco se destaquem, a pesca é de longe o esporte mais popular. Em lagos, a pesca de perca ou *crappie* ocorre em muitos parques, enquanto nos rios do Arkansas é feita a pesca de truta. Em alto-mar, a pesca com vara de garoupa, tarpão ou caranho, e a com rede de camarões, pode ser combinada nos portos do golfo do México, como Biloxi, no Mississippi, Mobile, no Alabama, e Grand Isle, na Louisiana. O visitante deve verificar, com os departamentos de caça e pesca dos estados, quais as licenças necessárias.

Diversão

Berço do jazz e local onde se faz uma mistura da música americana, New Orleans é uma vitrine para todos os tipos de apresentações. Jornais locais, como o *Times-Playune* ou o semanário *New Orleans Magazine*, publicam listas detalhadas de eventos e atividades. Um importante ponto de reunião de músicos em New Orleans é o histórico **Preservation Hall**, onde se pode apreciar o tradicional jazz "Dixieland" quase todas as noites. Uma grande quantidade de boates no French Quarter, tomado por turistas, e também na área central oferece música ao vivo. Para a música cajun tradicional, vá para Lafayette, no restaurante **Prejean's**, o mais confiável dos lugares com música da região. Muitas outras cidades também realizam eventos musicais. Os festivais de blues ocorrem no Mississippi e em Arkansas, no verão. Um ótimo lugar para ouvir blues é o **Ground Zero Blues Club**, em Clarksdale, no Mississippi.

AGENDA

Informações Turísticas

Alabama
Tel (334) 242-4169.
W alabama.travel

Arkansas
Tel (800) 628-8725.
W arkansas.com

Louisiana
Tel (800) 994-8626.
W louisianatravel.com

Mississippi
Tel (601) 359-3297.
W visitmississippi.org

Perigos Naturais

National Hurricane Center, Miami
Tel (305) 229-4470.
W nhc.noaa.gov

Viagem

Amtrak
Tel (800) 872-7245.
W amtrak.com

Greyhound
Tel (800) 231-2222.
W greyhound.com

Cruzeiros

American Cruise Lines/Blount Small Ship Adventures
Tel (800) 510-4002.
W mississippi rivercruises.com

Festivais

B. B. King Homecoming Festival
Tel (662) 887-4454.

Mardi Gras, New Orleans
Tel (800) 672-6124.
W neworleans online.com

Esportes

Superdome
Tel (504) 587-3663.
W superdome.com

Departamentos de Caça e Pesca

W fws.gov

Alabama
Tel (334) 242-3465.

Arkansas
Tel (501) 223-6300.

Louisiana
Tel (225) 765-2800.

Mississippi
Tel (601) 432-2400.

Diversão

Ground Zero Blues Club
Tel (662) 621-9009.

Prejean's
Tel (337) 896-3247.
W prejeans.com

Preservation Hall
Tel (504) 522-2841.
W preservation hall.com

Onde Ficar

Louisiana

BATON ROUGE: Hilton Baton Rouge Capitol Center $$
Para negócios
201 Lafayette St, 70801
Tel *(225) 344-5866*
w hilton.com
A pompa histórica é mesclada com instalações modernas e serviço excelente. O deque no jardim fica diante do rio Mississippi.

Destaque
BATON ROUGE:
The Stockade $$
Pousada/B&B
8860 Highland Rd, 70808
Tel *(225) 769-7358*
w thestockade.com
Perto da Universidade Estadual da Louisiana e do centro, essa fazenda em estilo espanhol tem o nome da paliçada instalada por lá durante a Guerra Civil. Elegantes, todos os quartos apresentam arte regional e belas antiguidades. Em um terreno de mais de 12ha coberto por matas, The Stockade dá muitas oportunidades de ter contato com a natureza e avistar animais e aves.

BREAUX BRIDGE: Cajun Country Cottages B&B $$
B&B
1138A Lawless Tauzin Rd, 70517
Tel *(337) 332-3093*
w cajuncottages.com
Chalés espalhados por uma antiga fazenda com vista para o lago. Relaxe nos balanços da varanda, pesque e passeie de canoa.

Saguão do charmoso Hotel Mazarin, em New Orleans

LAFAYETTE: Blue Moon Saloon and Guesthouse $
Econômico
215 E Convent St, 70501
Tel *(337) 234-2422*
w bluemoonpresents.com
Quartos e dormitórios com várias comodidades. O bar tem música ao vivo na maioria das noites.

LAFAYETTE: Courtyard by Marriott $$
Para negócios
214 E Kaliste Saloom Rd, 70508
Tel *(337) 232-5005*
w marriott.com
Esse hotel moderno perto do aeroporto abriga quartos muito confortáveis.

NATCHITOCHES: Queen Anne B&B $$
B&B
125 Pine St, 71457
Tel *(800) 441-8343*
w queenannebandb.com
Essa pousada oferece boas instalações e várias atividades.

NEW IBERIA: Rip Van Winkle Gardens $$
B&B
5505 Rip Van Winkle Rd, 70560
Tel *(337) 359-8525*
w ripvanwinklegardens.com
Em jardins semitropicais, essas casas cajun campestres e românticas contam com camas de luxo e outras comodidades.

NEW ORLEANS: Auld Sweet Olive B&B $
B&B
2460 N Rampart St, 70117
Tel *(504) 947-4332*
w sweetolive.com
Esse B&B perto do French Quarter tem quartos serenos e um pátio tropical verdejante. Café da manhã de cortesia.

NEW ORLEANS: Ashton's Bed & Breakfast $$
B&B
2023 Esplanade Ave, 70116
Tel *(504) 942-7048*
w ashtonsbb.com
B&B em uma mansão neogrega à sombra de carvalhos antigos, com serviços extras de cortesia.

NEW ORLEANS: Hotel Mazarin $$
Hotel-butique   Mapa 3D
730 Bienville St, 70130
Tel *(504) 581-7300*
w hotelmazarin.com
Quartos modernos e bem mobiliados com charme local, estabelecidos em torno de um pátio.

Categorias de Preço
Diária de um quarto padrão para duas pessoas, na alta temporada, com taxas de serviço e impostos.
$ até US$150
$$ US$150-US$250
$$$ acima de US$250

NEW ORLEANS: Hotel Modern $$
Hotel-butique   Mapa 4C
936 St Charles Ave, 70130
Tel *(504) 962-0900*
w thehotelmodern.com
Esse hotel elegante exala charme europeu. Os quartos apresentam roupas de cama luxuosas e instalações requintadas.

Destaque
NEW ORLEANS:
Hotel Monteleone $$
Histórico   Mapa 3D
214 Rue Royale, 70130
Tel *(504) 523-3341*
w hotelmonteleone.com
Hospitalidade lendária e localização privilegiada distinguem esse hotel excelente sob gestão familiar. Em um edifício histórico, tem um saguão amplo e elegante, assim como quartos e suítes luxuosos. A piscina na cobertura é ótima para relaxar, e o famoso Carousel Bar giratório, uma verdadeira atração turística em New Orleans.

NEW ORLEANS: International House Hotel $$
Hotel-butique   Mapa 3D
221 Camp St, 70130
Tel *(504) 553-9550*
w ihhotel.com
Os quartos na cobertura desse hotel estiloso oferecem lindas vistas. Há um bar no saguão.

NEW ORLEANS: Le Pavillon $$
Histórico   Mapa 4C
833 Poydras St, 70112
Tel *(504) 581-3111*
w lepavillon.com
Esse ótimo hotel conquista os hóspedes com um saguão encantador, piscina na cobertura, quartos bem decorados e serviço impecável.

NEW ORLEANS: Roosevelt Hotel $$
Histórico   Mapa 3C
123 Baronne St, 70112
Tel *(504) 648-1200*
w therooseveltneworleans.com
O majestoso saguão e o requintado Sazerac Bar conferem distinção a esse hotel. Quartos luxuosos e ótimo spa.

ONDE FICAR | **369**

NEW ORLEANS:
Royal Sonesta $$
Hotel-butique   Mapa 3D
300 Bourbon St, 70130
Tel *(504) 586-0300*
🅦 sonesta.com/RoyalNewOrleans
Muito charmoso, tem sacadas de ferro batido, portas envidraçadas e um belo pátio tropical.

NEW ORLEANS: Ritz-Carlton
New Orleans $$$
Para negócios   Mapa 3D
921 Canal St, 70112
Tel *(504) 524 1331*
🅦 ritzcarlton.com
Com decoração em estilo Garden District Mansion, esse hotel oferece alto luxo e muita hospitalidade. Os quartos têm pé-direito alto e banheiro de mármore.

NEW ORLEANS:
Windsor Court Hotel $$$
Histórico   Mapa 4D
300 Gravier St, 70130
Tel *(504) 523-6000*
🅦 windsorcourthotel.com
Com decoração à inglesa e serviço excelente, o Windsor exibe quartos grandes e confortáveis. Tome o chá da tarde tradicional de quinta a domingo.

ST. FRANCISVILLE: Barrow
House Inn $
B&B
9779 Royal St, 70775
Tel *(225) 635-4791*
🅦 topteninn.com
Esse B&B romântico oferece suítes elegantes com antiguidades americanas de meados do século XIX e atendimento muito cortês.

ST. MARTINVILLE:
Bienvenue House $
B&B
421 N Main St, 70582
Tel *(337) 394 9100*
🅦 bienvenuehouse.com
B&B hospitaleiro, o Bienvenue propõe quartos elegantes decorados com temas individuais. Os balanços na varanda são ideais para relaxar. Café da manhã gourmet.

VACHERIE: Oak Alley
Plantation $$
Histórico
3645 Hwy 18, 70090
Tel *(225) 265-2151*
🅦 oakalleyplantation.com
Essa casa de fazenda histórica em estilo *revival* grego já apareceu em diversos filmes, entre eles o grande sucesso *Entrevista com o vampiro*. Oferece chalés espalhados por um cenário espetacular. Café da manhã completo incluso na tarifa.

Varanda de uma suíte no luxuoso Ritz Carlton, em New Orleans

Arkansas

Destaque
BENTONVILLE:
21c Museum Hotel $$
Hotel-butique
200 NE A St, 72712
Tel *(479) 286-6500*
🅦 21cmuseumhotels.com
Ao mesmo tempo hotel-butique e museu de arte contemporânea, o 21c Museum realiza mostras e instalações, além de organizar eventos. Os quartos, acolhedores, têm muita luz natural, cores vivas, obras de arte originais e comodidades luxuosas. O restaurante interno serve comida local criativa.

EUREKA SPRINGS: 1886
Crescent Hotel & Spa $$
Histórico
75 Prospect Ave, 72632
Tel *(855) 725-5720*
🅦 crescent-hotel.com
Esse hotel em um edifício vitoriano com fama de mal-assombrado abriga spa, belos jardins e varanda com cadeiras de balanço.

FAYETTEVILLE:
The Chancellor Hotel $
Hotel-butique
70 NE Ave, 72701
Tel *(855) 285-6162*
🅦 hotelchancellor.com
Hotel moderno e sofisticado com ambiente informal, instalações luxuosas e serviço eficiente.

HOT SPRINGS: The B Inn $
Econômico
316 Park Ave, 71901
Tel *(501) 547-7172*
🅦 bhotsprings.com
A poucos passos do Hot Springs National Park e do centro da cidade, esse estabelecimento oferece quartos confortáveis com temas relacionados a livros.

LITTLE ROCK: Legacy
Hotel and Suites $
Econômico
625 W Capitol Ave, 72201
Tel *(501) 374-0100*
🅦 legacyhotel.com
Hotel elegante com quartos bem equipados, pátio acolhedor e business center.

LITTLE ROCK: Wyndham
Riverfront $
Para negócios
2 Riverfront Dr, 72114
Tel *(501) 371-9000*
🅦 wyndham.com
O Wyndham oferece conforto, business center e traslado.

LITTLE ROCK:
The Capital Hotel $$
Histórico
111 W Markham, 72201
Tel *(501) 374-7474*
🅦 capitalhotel.com
Há quartos de bom gosto, saguão de mármore e um escadaria imponente nessa joia arquitetônica. Serviço refinado.

MOUNTAIN VIEW: Ozark Folk
Center Dry Creek Cabins $
Econômico
1032 Park Ave, 72560
Tel *(870) 269-3871*
🅦 ozarkfolkcenter.com
Cabanas aconchegantes com varanda em meio a matas. Há sala de jogos e piscina.

Mississippi

BILOXI: Beau Rivage
Resort & Casino $$
Hotel-butique
875 Beach Blvd, 39530
Tel *(228) 386-7444*
🅦 beaurivage.com
Esse resort praiano com cassino oferece muitas opções de gastronomia, compras e diversão, além de quartos luxuosos.

Mais informações sobre tipos de hotel *nas pp. 26-7*

O Shack Up Inn, em Clarksdale, tem choupanas autênticas de meeiros

CLARKSDALE: Shack Up Inn $
Econômico
1 Commissary Circle, 38614
Tel *(662) 624-8329*
w shackupinn.com
A estada mínima é de dois dias nos fins de semana nessas choupanas de meeiros bem equipadas. Só para maiores de 25 anos.

JACKSON: Old Capitol Inn $
Hotel-butique
226 N State St, 39201
Tel *(601) 359-9000*
w oldcapitolinn.com
Deque na cobertura com banheira de hidromassagem e pátio, onde se serve o café da manhã sulista. Há recepção com vinhos à noite.

Destaque
NATCHEZ: Monmouth Historic Inn $$
B&B
36 Melrose Ave, 39120
Tel *(601) 442-1852*
w monmouthhistoricinn.com
Uma das opções mais românticas do país, esse B&B premiado ocupa uma casa de fazenda de 1818 cercada por carvalhos. Os quartos em estilo pré-Guerra Civil exibem antiguidades. Há degustações de vinhos e pacotes para ocasiões especiais e para fãs de golfe e gastronomia.

OCEAN SPRINGS: Travelodge $
Econômico
500 Bienville Blvd, 39564
Tel *(228) 215-1144*
w travelodge.com
Motel agradável com churrasqueiras, próximo a atrações locais.

OXFORD: Hampton Inn $
Para negócios
110 Heritage Dr, 38655
Tel *(662) 232-2442*
w hamptoninn.com
Esse hotel moderno perto da universidade oferece quartos limpos e café da manhã de cortesia.

OXFORD: The 5 Twelve $$
Pousada/B&B
512 Van Buren Ave, 38655
Tel *(662) 234-8043*
w the5twelve.com
Um casarão *revival* grego que exala charme sulista. Os quartos têm estilo campestre inglês e banheiras com pés de garra.

VICKSBURG: Baer House Inn $
Pousada/B&B
1117 Grove St, 39183
Tel *(601) 883-1525*
w baerhouseinn.ms
Café da manhã completo e recepção noturna estão inclusos na diária dessa mansão vitoriana com belas antiguidades.

Alabama

BIRMINGHAM: Cobb Lane B&B $
Pousada/B&B
1309 19th St S, 35205
Tel *(205) 918-9090*
w cobblanebandb.com
B&B vitoriano com atmosfera refinada, o Cobb Lane oferece hospitalidade sulista, quartos luxuosos e café da manhã caprichado.

Destaque
BIRMINGHAM: Hotel Highland at Five Points South $$
Hotel-butique
1023 20th St S, 35205
Tel *(205) 933-9555*
w thehotelhighland.com
Cada quarto desse hotel chique apresenta móveis modernos exclusivos, finas roupas de cama e banho do Brasil, detalhes singulares de design, TV de tela plana e bar com pia para preparar drinques. Experimente os coquetéis premiados do Martini Bar interno. Serviço atencioso e localização privilegiada são outras vantagens.

HUNTSVILLE: Marriott Huntsville $
Para negócios
5 Tranquility Base, 35805
Tel *(256) 830-2222*
w marriott.com
Na área do US Space and Rocket Center, o Marriott tem quartos bem mobiliados, confortáveis e tranquilos, além de equipe prestativa.

MOBILE: Kate Shepard House B&B $$
B&B
1552 Monterey Pl, 36604
Tel *(251) 479-7048*
w kateshepardhouse.com
Esse B&B de 1897 em estilo rainha Ana fica próximo ao centro da cidade e apresenta vigas na lareira e piso de madeira originais. Café da manhã de cortesia.

MOBILE: The Battle House $$
Histórico
26 N Royal St, 36602
Tel *(251) 338-2000*
w rsabattlehouse.com
Esse hotel histórico no centro da cidade apresenta um saguão opulento, clássico charme sulista e quartos luxuosos com comodidades modernas. O spa interno oferece vários tratamentos.

MONTGOMERY: Doubletree Hotel $$
Para negócios
120 Madison Ave, 36104
Tel *(334) 245-2320*
w doubletree3.hilton.com
Quartos modernos e confortáveis ocupam esse hotel de rede que proporciona fácil acesso a pontos históricos importantes e a opções de compras e gastronomia. Há um restaurante e um bar internos elegantes.

ORANGE BEACH: The Island House Hotel $$
Hotel-butique
26650 Perdido Beach Blvd, 36561
Tel *(251) 981-6100*
w islandhousehotel.com
Esse hotel luxuoso sustenta uma equipe atenciosa e instalações de alto padrão. Todos os quartos localizam-se diante do golfo, e suas sacadas descortinam vistas para uma praia privativa.

SELMA: St. James Hotel $
Histórico
1200 Water Ave, 36701
Tel *(334) 872-0332*
w historicstjameshotel.com
Hotel diante do rio, com quartos confortáveis. As varandas amplas revelam vistas da afamada ponte Edmund Pettus.

Categorias de Preço *na p. 368*

Onde Comer e Beber

Louisiana

BATON ROUGE: Boutin's Cajun Restaurant $
Cajun/Creole
8322 Bluebonnet Blvd, 70810
Tel *(225) 819-9862*
Serve favoritos como lagostim, étouffée (cozido cajun de mariscos ou frango) e espetos de camarão e ostra. Há música cajun ao vivo na maioria das noites.

BATON ROUGE: The Chimes $
Cajun/Creole
3357 Highland Rd, 70802
Tel *(225) 383-1754*
O cardápio apresenta comida padrão de bar, clássicos cajun e creole, frutos do mar e sobremesas. Carta extensa de cervejas.

BREAUX BRIDGE: Café des Amis $
Cajun/Creole
140 E Bridge St, 70517
Tel *(337) 332-5273* **Fecha** *seg*
Aos sábados, não perca o café da manhã Zydeco nessa joia cultural. Étouffée, couche couche (à base de fubá ao vapor) e churrasco de camarão são especialidades.

Destaque

LAFAYETTE: Prejean's $
Cajun
3480 US I-49 N, 70507
Tel *(337) 896-3247*
O Prejean's atrai moradores locais e turistas com seu tema de pântano. O menu inclui gumbos, sopas, étouffée de bagre enegrecido, berinjela à Pirogue e um cheesecake salgado de lagostim e linguiça de aligátor. Há animada música cajun ao vivo todas as noites e também no brunch nos fins de semana.

**LAFAYETTE:
Café Vermilionville** $$
Cajun/Creole
1304 W Pinhook Rd, 70503
Tel *(337) 237-0100* **Fecha** *dom*
Em um hotel do século XIX, esse restaurante tem cardápio cajun com velhos favoritos e outro de criações sazonais do chef.

NATCHITOCHES: The Landing $
Cajun/Creole
530 Front St, 71457
Tel *(318) 352-1579* **Fecha** *seg*
Nesse ambiente informal o sanduíche po'boy é muito pedido no almoço. O menu de jantar sugere frutos do mar, carne e massa em estilo creole ou cajun.

NEW ORLEANS: Acme Oyster House $
Frutos do mar **Mapa** 3D
724 Iberville St, 70130
Tel *(504) 522-5973*
Estabelecimento informal que serve ostras frescas cruas, fritas ou grelhadas. O cardápio também tem porções de frutos do mar e favoritos regionais como feijão-vermelho e jambalaya.

**NEW ORLEANS:
Café du Monde** $
Café francês **Mapa** 2E
800 Decatur St, 70116
Tel *(504) 525-4544*
Sucesso entre o público local e turistas, apresenta um único item no menu: os deliciosos begnets, que combinam com o refinado café au lait. Aberto 24 horas.

NEW ORLEANS: Casamento's $
Frutos do mar
4330 Magazine St, 70115
Tel *(504) 895-9761*
Fecha *jun-ago; dom e seg*
Esse pequeno restaurante serve ostras frescas e outros frutos do mar desde 1919. O cardápio, curto, sugere bolinho de ostra, gumbo e ostras frescas cruas.

**NEW ORLEANS:
Cochon Butcher** $
Sanduíche
930 Tchoupitoulas St, 70130
Tel *(504) 588-7675*
Essa *deli* e açougue é ligada ao Cochon, do chef Donald Link. Entre os destaques estão carnes e linguiças maturadas, pastrame de pato, sanduíche de bacon e queijo suíço, mac 'n' cheese com panceta e pralina de bacon.

NEW ORLEANS: Mother's $
Cajun/Creole **Mapa** 4D
401 Poydras St, 70130
Tel *(504) 523-9656*
Em estilo de *diner*, informal e tumultuado, o Mother's serve café da manhã, po'boys caprichados e outras comidas creole. O famoso po'boy Ferdi leva feijão, presunto cozido e "debris" (carne picada).

**NEW ORLEANS:
Napoleon House** $
Creole **Mapa** 3D
500 Chartres St, 70130
Tel *(504) 524-9752* **Fecha** *dom*
Esse bar e café com ar europeu situa-se em um edifício histórico de 1797. A atmosfera informal, a música clássica e o pátio nos fundos dão inspiração para um drinque Pimm's ou um muffuletta (um tipo de sanduíche local).

Categorias de Preço
Por pessoa, para uma refeição composta de três pratos e uma taça garrafa de vinho da casa, mais taxas.

$	até US$35
$$	US$35-US$70
$$$	acima de US$70

NEW ORLEANS: Parkway Bakery and Tavern $
Sanduíche
538 Hagan Ave, 70119
Tel *(504) 482-3047* **Fecha** *ter*
Há muita história e diversas mesas externas nessa padaria e taverna. Os destaques são rosbife, camarão frito e po'boys mais substanciosos, com tomate, alface, picles e maionese.

NEW ORLEANS: Port of Call $
Hamburgueria **Mapa** 2E
838 Esplanade Ave, 70116
Tel *(504) 523-0120*
Sempre lotado, o Port of Call serve hambúrgueres cobertos com queijo ralado ou cogumelos. Há também batatas assadas gigantes, filés e guarnições. Prove o inebriante coquetel Monsoon.

NEW ORLEANS: Emeril's $$
Creole moderna **Mapa** 4D
800 Tchoupitoulas St, 70130
Tel *(504) 528-9393*
O restaurante do famoso chef Emeril Lagasse é um dos melhores do gênero na cidade. O longo menu realça ingredientes e sabores creole. Peça a divina torta de banana e creme.

NEW ORLEANS: Irene's Cuisine $$
Italiana/Creole **Mapa** 2E
539 St Philip St, 70116
Tel *(504) 529-8811*
Esse lugar aconchegante tem especialidades creole-italianas, incluindo frango com alecrim, costelas, filé de peixe salteado e massas. Ótimas sobremesas.

O famoso Emeril's, em New Orleans, serve culinária creole

Mais informações sobre restaurantes *nas pp. 28-9*

NEW ORLEANS: Jacques-Imo's $$
Cajun/Creole
8324 Oak St, 70118
Tel *(504) 861-0886* **Fecha** *dom*
Ruidoso, o Jacques-Imo's apresenta cardápio eclético e decoração atraente. Peça frango frito, camarão creole ou cheesecake de aligátor.

NEW ORLEANS: K-Paul's Louisiana Kitchen $$
Cajun/Creole **Mapa** 3D
416 Chartres St, 70130
Tel *(504) 596-2530* **Fecha** *dom*
Berço da moda de preparar peixe "enegrecido" nos anos 1980, o K-Paul's continua em alta com seus temperos fortes e molhos ricos. Há clássicos como gumbo, caranguejo de casca macia e jambalaya. Mesas agradáveis na varanda.

Destaque
NEW ORLEANS: Antoine's $$$
Creole **Mapa** 3D
713 St. Louis St, 70130
Tel *(504) 581-4422*
Esse restaurante sofisticado inaugurado em 1840 é o mais antigo do gênero em New Orleans. Com elegância clássica, tem catorze salões e um menu predominantemente franco-creole. Entre os pratos emblemáticos estão os ovos à Sardou e as ostras à Rockefeller. Há jazz no brunch de domingo. Outra experiência refinada é tomar drinques no Hermes Bar, que faz parte do restaurante.

NEW ORLEANS: Commander's Palace $$$
Creole
1403 Washington Ave, 70130
Tel *(504) 899-8221*
Nesse marco instalado em um edifício da época vitoriana, o cardápio sugere pratos tradicionais e inovadores, incluindo a clássica sopa de tartaruga. O serviço é excelente, e a carta de vinhos impressiona. Peça uma mesa no encantador jardim.

NEW ORLEANS: Galatoire's $$$
Creole **Mapa** 3D
209 Bourbon St, 70130
Tel *(504) 525-2021* **Fecha** *seg*
Esse estabelecimento com pisos de mármore e garçons de black-tie exala elegância e charme antigo – sua origem remonta a 1905. A cozinha creole e o serviço são impecáveis. Peça remoulade, salada Godchaux e suflê de batatas.

Mesa no Garden Room do Commander's Palace, em New Orleans

Arkansas

BENTONVILLE: Tusk & Trotter $$
Americana moderna
110 SE A St, 72712
Tel *(479) 268-4494*
Esse restaurante tem menu sofisticado de comfort food regional com um toque inovador. Peça bolinhos de risoto, salada de orelha de porco ou frango com waffles.

EUREKA SPRINGS: The Balcony Restaurant $
Americana
12 Spring St, 72632
Tel *(479) 253-7837*
A sacada de um hotel histórico abriga esse restaurante com vista para a rua principal da cidade. O longo cardápio revela clássicos como sopas, saladas, hambúrgueres e sanduíches.

Destaque
HOT SPRINGS: McClard's BBQ $
Churrascaria
505 Albert Pike, 71913
Tel *(501) 623-9665*
Fecha *dom e seg*
Favorito do ex-presidente Bill Clinton, o McClard's foi aberto em 1928 e serve o melhor churrasco do Arkansas. Costelas são cozidas e defumadas à moda antiga e acompanhadas por um lendário molho especial. Tamales, feijão cozido lentamente e salada de repolho cru também fazem sucesso.

HOT SPRINGS: Belle Arti Ristorante $$
Italiana
719 Central Ave, 71901
Tel *(501) 624-7474*
Restaurante com ambiente europeu, o Belle Arti serve cozinha de bela apresentação, incluindo filé, frutos do mar, frango, massas, vinhos finos e sobremesas.

LITTLE ROCK: Doe's Eat Place $
Churrascaria
1023 W Markham St, 72201
Tel *(501) 376-1195* **Fecha** *dom*
Chuleta, bife de lombinho e lombo são preparados nesse lugar de clima familiar. Como guarnição há batatas cozidas ou fritas e pão de forma.

LITTLE ROCK: Whole Hog Café $
Churrascaria
2516 Cantrell Rd, 72202
Tel *(501) 664-5025*
Há deliciosa carne de porco desfiada, frango defumado e as famosas costelas grelhadas, com sete opções de molho e várias guarnições.

LITTLE ROCK: Cajun's Wharf $$
Cajun/Creole
2400 Cantrell Rd, 72202
Tel *(501) 375-5351* **Fecha** *dom*
O menu dessa animada mistura de restaurante, bar e danceteria tem uma boa seleção de frutos do mar frescos e carne Angus maturada. Carta de vinhos ótima.

MOUNTAIN VIEW: Skillet Restaurant $
Sulista
1032 Park Ave, 72560
Tel *(870) 269-3139* **Fecha** *dez-mar*
Restaurante em estilo campestre no Ozark Folk Center, o Skillet propõe um menu extenso. Os bufês de fim de semana são ótimos, e há lindas vistas do jardim e de comedouros dos animais.

Mississippi

BILOXI: Mary Mahoney's Old French House $$
Frutos do mar
110 Rue Magnolia, 39530
Tel *(228) 374-0163* **Fecha** *dom*
Ocupa uma casa histórica de 1737 com decoração de época. O menu tem frutos do mar do golfo, carnes e sobremesas.

CLARKSDALE: Ground Zero Blues Club $
Sulista
252 Delta Ave, 38614
Tel *(662) 621-9009* **Fecha** *dom*
O clube e restaurante do ator Morgan Freeman tem blues ao vivo, churrasco, hambúrgueres e opções especiais no almoço.

HATTIESBURG: Leatha's BBQ $
Churrascaria
6374 US Hwy 98, 39402
Tel *(601) 271-6003*
Esse restaurante serve churrascos deliciosos, como costelas e carne de porco desfiada, além de guarnições também saborosas.

JACKSON: Walker's Drive In $$
Sulista/Americana moderna
3016 N State St, 39216
Tel *(601) 982-2633* **Fecha** *dom*
Diner sofisticado no qual pratos favoritos regionais ganham um toque moderno. Há ostras grelhadas com brie, peixe na manteiga e pernil de porco. A carta de vinhos é extensa.

NATCHEZ: Carriage House Restaurant $
Sulista
401 High St, 39120
Tel *(601) 445-5151*
Fecha *jantar; seg e ter*
Esse restaurante charmoso instalado no terreno da Stanton Hall serve comida sulista tradicional e contemporânea, como frango frito, galantina de tomate e salada Longwood.

Destaque

OXFORD: Ajax Diner $
Sulista
118 Courthouse Sq, 38655
Tel *(662) 232-8880* **Fecha** *dom*
Bem localizado, o Ajax Diner oferece comida caseira e tem decoração eclética. O menu apresenta versões criativas de pratos tradicionais da região, como frango, bolinhos, cozidos, torta de tamale e bolo de carne. Há mesas em nichos reservados e no bar. Para a sobremesa, escolha alguma das tortas quentes ou a torta de frutas à moda da casa.

OXFORD: City Grocery $$
Sulista
152 Courthouse Sq, 38655
Tel *(662) 232-8080* **Fecha** *dom*
Cozinha sulista eclética é servida no ambiente pitoresco do City Grocery. Camarão com canjica é o carro-chefe, porém há também saladas, frutos do mar, sanduíches e carnes.

VICKSBURG: Café Anchuca $
Americana
1010 1st E St, 39183
Tel *(601) 661-0111*
Em uma casa mais antiga do que a Guerra Civil, tem um menu curto de almoço com sopas e sanduíches e um de jantar com clássicos sulistas e sobremesas caseiras. Brunch dominical.

Alabama

BIRMINGHAM: Bob Sykes Bar-B-Q $
Churrascaria
1724 9th Ave N, 35020
Tel *(205) 426-1400* **Fecha** *dom*
Esse marco funciona desde 1957. Peça carne de porco e frango suculentos grelhados lentamente em lenha de nogueira. Há também costelas, sanduíches e feijão, além de tortas para sobremesa.

BIRMINGHAM: Café Dupont $$
Americana moderna
113 20th St N, 35203
Tel *(205) 322-1282* **Fecha** *dom e seg*
Restaurante que usa ingredientes locais nos pratos. O cardápio tem filés, frutos do mar, quiabo ao molho de manteiga e caiena, e filhós (beignets).

Destaque

BIRMINGHAM: Highlands Bar & Grill $$$
Sulista
2011 11th Ave S, 35205
Tel *(205) 939-1400*
Fecha *dom e seg*
Esse estabelecimento elegante de fama internacional serve comida sulista com inspiração francesa. O salão principal tem serviço refinado e é perfeito para ocasiões especiais; escolha a área mais informal do bar para relaxar ou comer algo mais leve. Os pratos são feitos com ingredientes sazonais.

BIRMINGHAM: Hot and Hot Fish Club $$$
Frutos do mar
2180 11th Court S, 35205
Tel *(205) 933-5474* **Fecha** *dom e seg*
Sob o comando de um chef indicado por James Beard, esse restaurante propõe um menu diário e outro sazonal, além de coquetéis deliciosos. O salão é requintado, e o balcão do chef tem vista para a cozinha exposta.

HUNTSVILLE: Little Paul's Gibson Barbecue $
Churrascaria
815 Madison St SE, 35801
Tel *(256) 536-7227* **Fecha** *dom*
Há porções fartas de carne suína e bovina, costelas e frango defumados em nogueira, bagre frito e torta caseira nesse restaurante de gerência familiar.

MOBILE: Wintzell's $
Frutos do mar
605 Dauphin St, 36602
Tel *(251) 432-4605*
Famoso na região desde 1938, o Wintzell's oferece frutos do mar fritos, cozidos ou grelhados, e clássicos sulistas como tomates verdes fritos e gumbo. Ostras frescas são servidas ao natural.

MONTGOMERY: Chris's Famous Hot Dogs $
Diner
138 Dexter Ave, 36104
Tel *(334) 265-6850* **Fecha** *dom*
Esse *diner* de gestão familiar funciona desde 1917. Seus famosos cachorros-quentes vêm com mostarda, cebola, chucrute e molho picante. Serve também sopas, hambúrgueres, iscas de frango e tortas.

TUSCALOOSA: Dreamland $
Churrascaria
5535 15th Ave E, 35405
Tel *(205) 758-8135*
Restaurante antigo que serve costelas com pão branco para raspar o molho. O pudim de banana é imbatível.

O bar Wintzell's é famoso em Mobile pelos frutos do mar

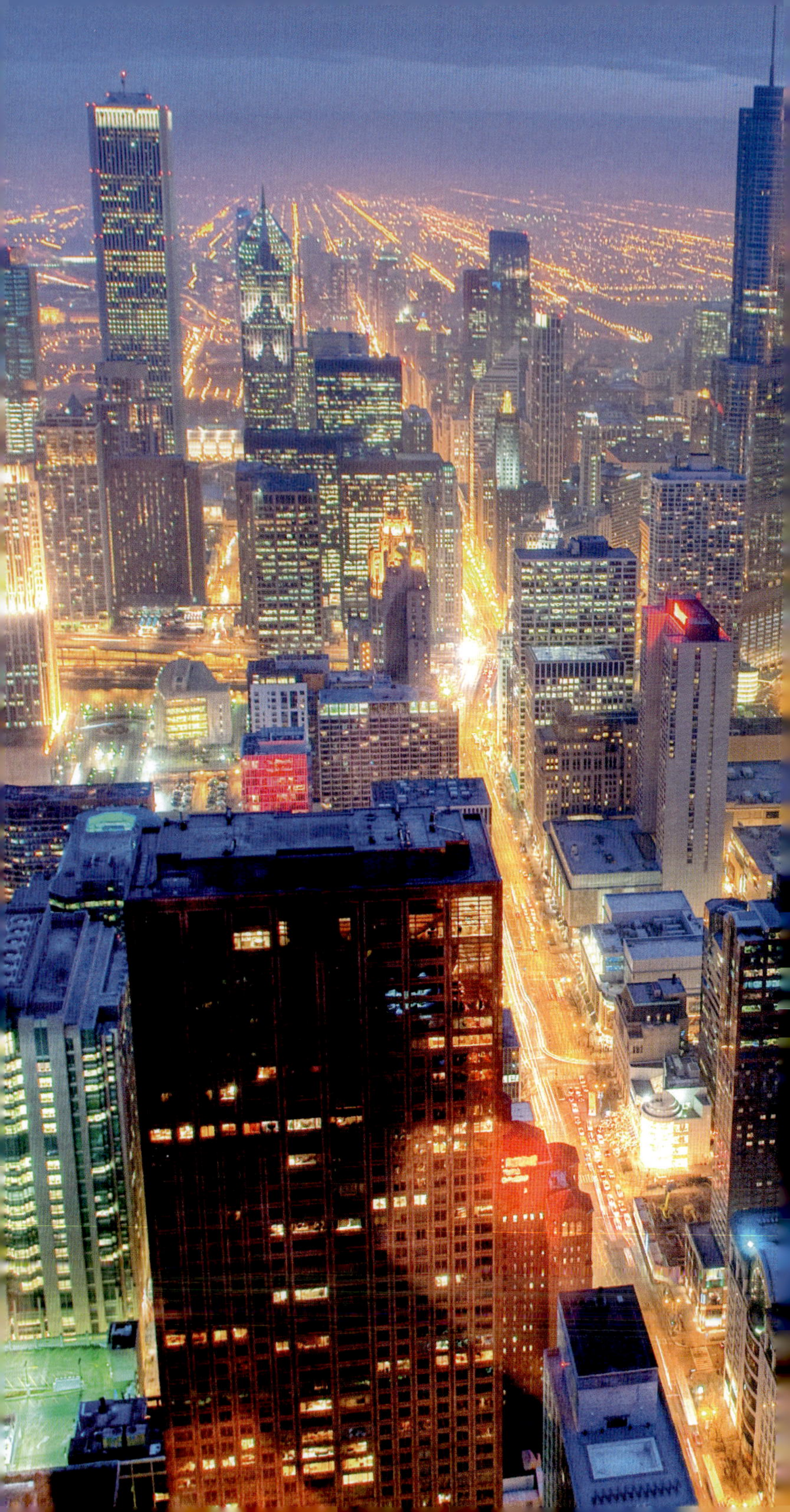

GRANDES LAGOS

Introdução aos Grandes Lagos	376-383
Chicago, Illinois	384-395
Illinois	396-397
Indiana	398-401
Ohio	402-405
Michigan	406-409
Wisconsin	410-413
Minnesota	414-419

Grandes Lagos em Destaque

Essa região se espalha entre as paisagens do período colonial da Costa Leste e os amplos espaços abertos do Velho Oeste, e reclama o direito de ser a parte mais "americana" dos EUA. Mais de um entre cinco americanos nasceram ali. Os Grandes Lagos mostram uma variedade surpreendente. Com grandes cidades agitadas e cidadezinhas supercalmas, cenas rurais bucólicas e o burburinho agradável de uma orla, poderio industrial e extensões intocadas de belezas naturais, as atrações da região são tão variadas quanto os seis estados que formam a área central dos EUA: Illinois, Ohio, Michigan, Indiana, Wisconsin e Minnesota.

Voyageurs National Park *(p. 419)*, em Minnesota, cobre infindáveis faixas de terras alagadas perto da fronteira com o Canadá. O parque, com lagos, pântanos e ilhas, é um excelente destino.

Wisconsin, com suas maravilhas naturais, atrai quem gosta de caminhar, andar de bicicleta e acampar, para explorar as morenas glaciais do estado, os lagos e os vales, por meio de trilhas bem marcadas.

Springfield *(p. 397)* é a capital de Illinois, um estado caracterizado por vastas extensões de terras férteis. Abraham Lincoln, que morou ali por 31 anos (1830-61), elaborou seu famoso discurso "House Divided", em 1858, no Old State Capitol.

◀ Vista de Chicago à noite, a partir do John Hancock Building

INTRODUÇÃO AOS GRANDES LAGOS | 377

Chicago *(pp. 384-5)*, maior cidade da região, está situada na extremidade sudoeste do lago Michigan. Um dos centros mais consagrados de inovação arquitetônica, a cidade atraiu muitos dos arquitetos americanos mais influentes. O mais conhecido deles foi Frank Lloyd Wright.

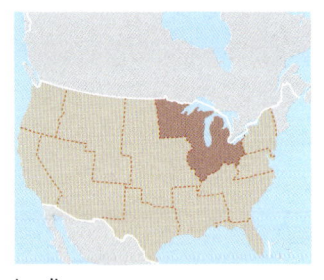

Localize-se

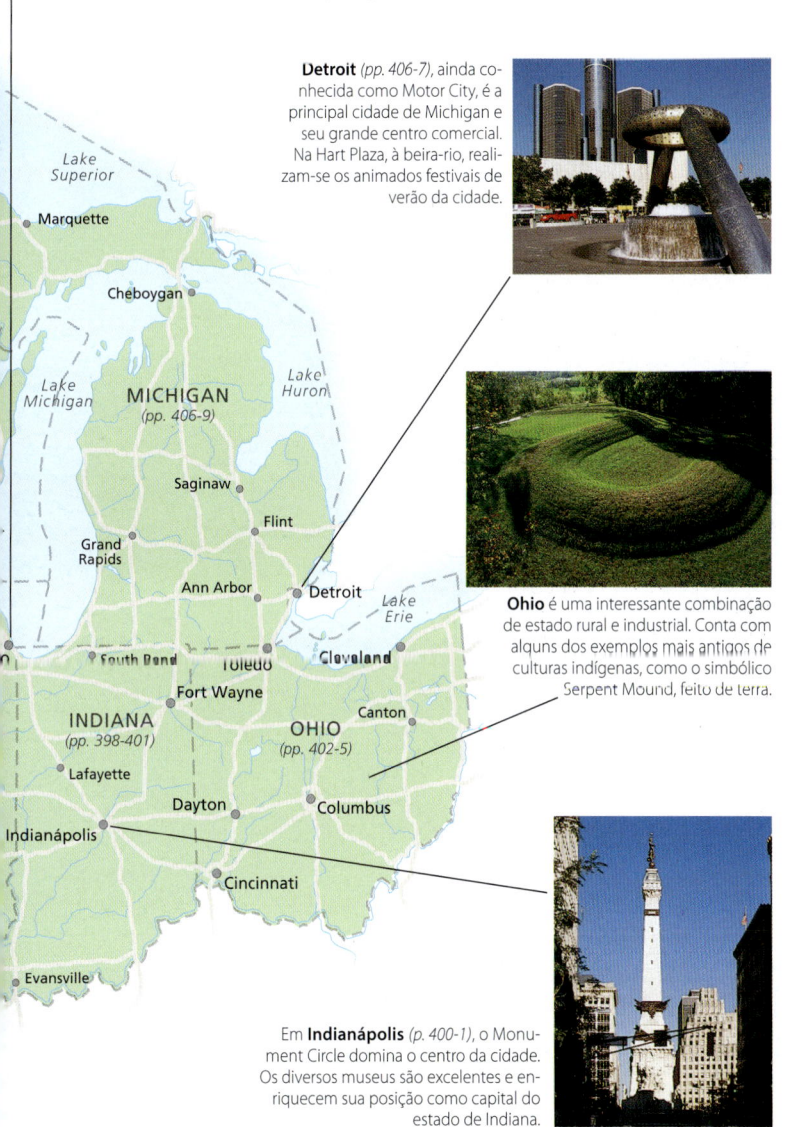

Detroit *(pp. 406-7)*, ainda conhecida como Motor City, é a principal cidade de Michigan e seu grande centro comercial. Na Hart Plaza, à beira-rio, realizam-se os animados festivais de verão da cidade.

Ohio é uma interessante combinação de estado rural e industrial. Conta com alguns dos exemplos mais antigos de culturas indígenas, como o simbólico Serpent Mound, feito de terra.

Em **Indianápolis** *(p. 400-1)*, o Monument Circle domina o centro da cidade. Os diversos museus são excelentes e enriquecem sua posição como capital do estado de Indiana.

Veja hotéis e restaurantes dessa região nas pp. 422-7

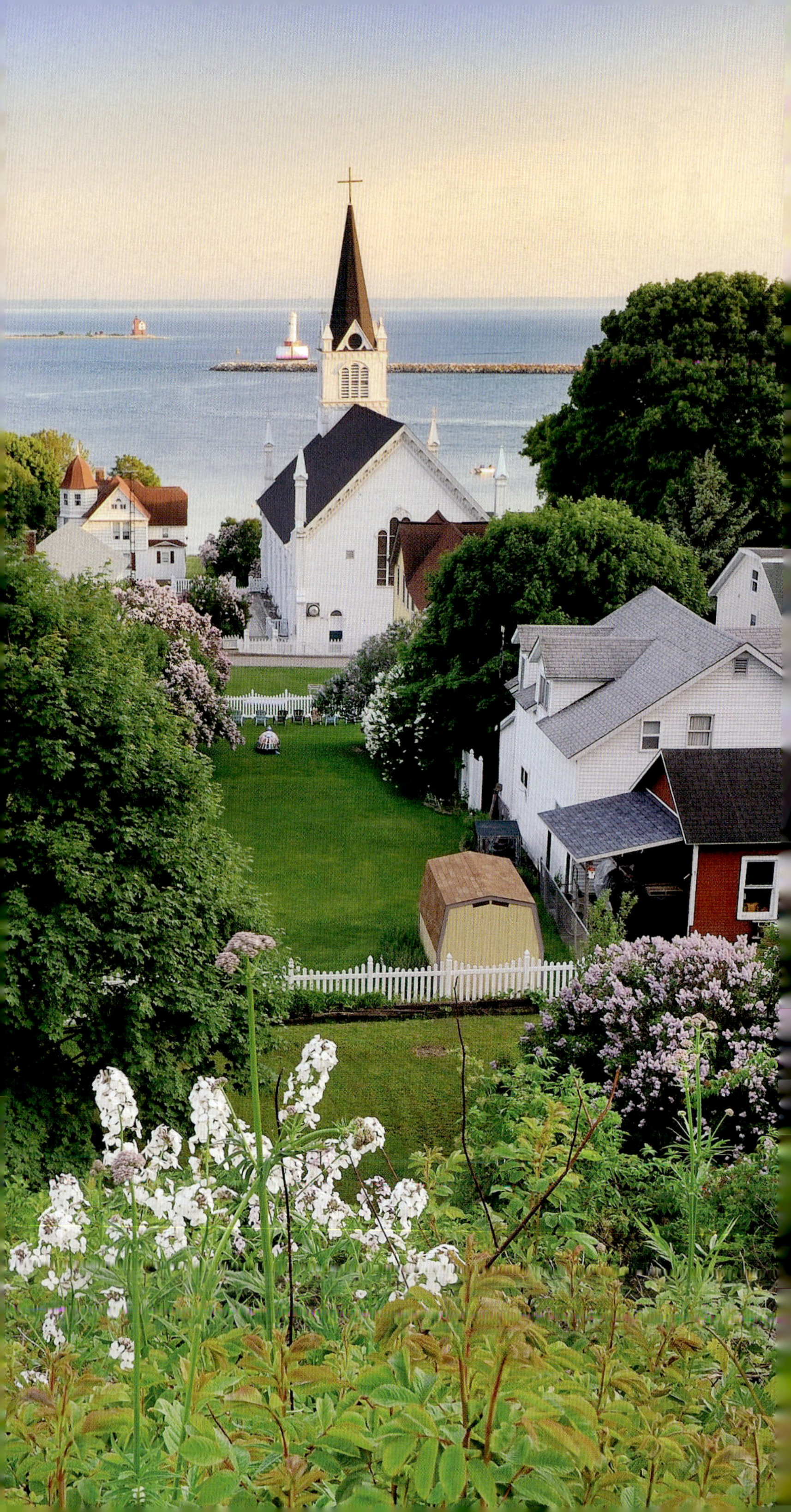

… | 379

GRANDES LAGOS

A região dos Grandes Lagos, que circunda as maiores massas de água-doce do planeta, é uma terra de proporções épicas. Dos altos arranha-céus de Chicago, em Illinois, e das fábricas de Detroit, em Michigan, até as planícies sem fim de Indiana, os generosos pastos de Wisconsin e os alagados de Minnesota, esse é um dos destinos mais empolgantes do país.

Espalhada para oeste a partir das colônias americanas originais, ultrapassando o rio Mississippi, a região dos Grandes Lagos estabeleceu a primeira fronteira dos Estados Unidos. Os próprios lagos – Ontário, Erie, Huron, Michigan e Superior – serviram de canal para o comércio e a exploração e como peça fundamental para o desenvolvimento da região. Colheitas abundantes dos solos férteis, madeira das florestas e minérios das minas dessa área contribuíram para sustentar o crescimento de cidades como Chicago, Cleveland, Detroit e Minneapolis. A partir de meados do século XIX, migrantes do país e imigrantes do mundo todo vieram para trabalhar nas fazendas e nas fábricas. Assim, estabeleceram-se as diferentes culturas e tradições que ainda influem na vida nos Grandes Lagos. Enquanto a indústria e a agricultura deram espaço aos serviços, a história e o legado da região se tornaram grandes atrações turísticas somadas às belezas naturais de lagos, rios e florestas.

História

Muito antes de os EUA existirem, a região em volta dos Grandes Lagos era habitada por vigorosos nativos, cuja cultura estava bem desenvolvida. Vestígios arqueológicos dos mais significativos da América do Norte podem ser vistos no sul de Ohio e Illinois, onde a enigmática cultura dos construtores de montículos ergueu as maiores povoações ao norte do México. Dessas, a mais impressionante fica em Cahokia. Mais ao norte, cobrindo a fronteira internacional entre os EUA e o Canadá (que atravessa o centro dos Grandes Lagos), os indígenas se reuniram em muitas

Fotografia da década de 1920 mostra automóveis estacionados na Cadillac Square de Detroit
◀ Igreja ao pôr do sol na Mackinac Island, com as luzes do porto ao fundo

tribos diferentes, mas aparentadas. Os hurons e os ojibwes, no norte, e os fox, shawnees e menominees, no sul e no oeste, desenvolveram estreitas relações comerciais e culturais. Contudo, após aproximadamente cem anos de contato com os europeus, uma enorme quantidade de nativos havia sido dizimada por doenças e guerras.

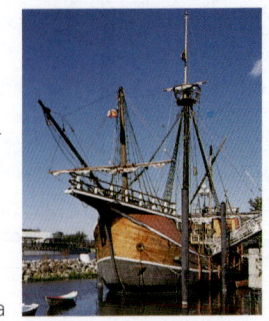

Réplica da Santa Maria de Cristóvão Colombo, em Columbus, Ohio

No início as primeiras explorações europeias dessa parte do Novo Mundo foram feitas por franceses. Partindo de sua colônia em Quebec, os primeiros exploradores foram logo seguidos por comerciantes de peles "voyageurs" que faziam escambo de ferramentas e armas por peles de castor. Ao mesmo tempo, missionários jesuítas franceses começaram a fundar postos religiosos, comerciais e militares em Sault Sainte Marie em 1668 e em Detroit em 1701. Até meados do século XVIII, a religião e o comércio de peles eram os principais pontos de contato entre índios e europeus. O ritmo da ocupação se acelerou depois do fim da Guerra dos Sete Anos na Europa em 1763, quando americanos e britânicos adquiriram o controle territorial da região. Em algumas décadas, Ohio, Indiana e Illinois haviam passado de territórios isolados de fronteira a estados. Depois do término do Erie Canal, em 1825, e da melhoria dos transportes nos lagos, os colonizadores podiam alcançar as terras antes distantes e de difícil acesso de Michigan e Wisconsin. Em 1858 Minnesota se tornou o último dos estados dos Grandes Lagos a se unir à nação.

Imigrantes e Indústria

A abertura da região dos Grandes Lagos para o povoamento coincidiu com um importante afluxo de imigrantes. A partir da década de 1840, a imigração se multiplicou, pois passaram a chegar mais de 200 mil pessoas anualmente, na maioria irlandesas e alemãs, que fugiam, respectivamente, da fome provocada pela praga nas batatas e da agitação política. Muitos formaram grupos étnicos em cidades de rápido crescimento, como Chicago, Detroit, Cincinnati

PRINCIPAIS DATAS HISTÓRICAS

1620 Etienne Brule é o primeiro europeu a explorar os atuais Michigan e Wisconsin

1673 O missionário jesuíta Jacques Marquette e o explorador Louis Jolliet cruzam o norte dos Grandes Lagos e descem o rio Mississippi

1750 A população de Detroit, única povoação grande nos Grandes Lagos, soma 600 pessoas

1763 A França cede o domínio dos Grandes Lagos à Grã-Bretanha

1783 Os EUA adquirem a região da Grã-Bretanha e criam o Território de Noroeste

1803 Ohio é o primeiro a se tornar estado

1903 Henry Ford funda a Ford Motor Company em Detroit

1911 Realizada a primeira corrida de fórmula Indy 500 em Indianápolis

1968 A polícia de Chicago ataca manifestantes contra a Guerra do Vietnã na convenção do Partido Democrata

1998 John Glenn, de Ohio, na época com 77 anos, torna-se o americano mais velho a viajar ao espaço

2000 O ex-campeão mundial de luta livre Jesse "The Body" Ventura é eleito governador de Minnesota

2009 Residente em Chicago, Barack Obama se tornou o 1º afro-americano a ocupar a presidência dos EUA

Historical Museum, em Winona, no rio Mississippi

e Cleveland, onde cerca de três quartos dos habitantes eram estrangeiros ou americanos de primeira geração. Grande número de outros imigrantes foi para fazendas de trigo ou de gado, em áreas desflorestadas recentemente, ou encontraram trabalho em indústrias. A mineração de cobre na Upper Peninsula de Michigan, por exemplo, produziu mais de 75% das necessidades do país entre 1850 e 1900. Num valor total de quase US$10 bilhões, essa explosão da mineração foi dez vezes mais lucrativa que a lendária Corrida do Ouro da Califórnia de 1849. Outra atividade importante foi a de processamento de alimentos. O acondicionamento de carnes, que estava concentrado em enormes estábulos de Chicago e Minneapolis, dependia das estradas de ferro para transportar milhões de cabeças de gado e de porcos desde o Meio Oeste. Os Grandes Lagos também passaram a dominar o processamento de cereais. Algumas das maiores empresas do país, entre as quais a Kellogg's e a General Mills, ainda estão sediadas na região.

O início do século XX presenciou o maior e mais duradouro *boom* industrial, principalmente por causa do crescimento das indústrias automobilística e siderúrgica, ambas baseadas na região dos Grandes Lagos e mutuamente dependentes. Dearborn e Detroit, pontos estratégicos da Ford Motor Company e também de outras empresas menores que cresceram para formar a gigante General Motors, transformaram-se na "Motor City". A indústria automobilística dos Grandes Lagos deu certo e sustentou uma rede de outras atividades, como minas de ferro em Minnesota, siderúrgicas em Indiana e fábricas de pneus em Ohio.

Política e Cultura

As indústrias permitiram que seus proprietários juntassem grandes fortunas, mas as condições de trabalho dos operários eram terríveis. Essa exploração levou a conflitos violentos, principalmente em Chicago, como os da Haymarket Square, em 1886, e a penosa greve contra a empresa Pullman Palace Car, em 1894. O fortalecimento dos sindicatos deu aos operários certa força política, que por sua vez sustentou diversos movimentos esquerdistas. Os Grandes Lagos em geral, e Minnesota e Wisconsin em particular, foram os pioneiros dos movimentos populistas e progressistas, que no início do século XX propuseram inovações como jornada de trabalho de oito horas e imposto de renda progressivo. Os sindicatos continuam muito ativos na região.

Essa consciência social também chegou às artes e à literatura. O enorme mural de Diego Rivera, na parede do Detroit Institute of Art, retrata operários em luta contra as exigências da industrialização. Entre as grandes obras literárias da região estão a descrição de Hamlin Garland sobre a fronteira de Wisconsin, *Winesburg, Ohio*, de Sherwood Anderson, os vívidos relatos de Sinclair Lewis e os contos de F. Scott Fitzgerald, nascido em St. Paul.

Edifícios de Detroit, entre os quais está o Renaissance Center, vistos do outro lado do rio Detroit

Como Explorar os Grandes Lagos

Os grandes lagos abrangem grandes cidades e também longos trechos de terras cultivadas ou apenas tomadas pela natureza, cobrindo uma ampla área que é mais bem explorada de carro. As cidades grandes e médias são ligadas por rodovias interestaduais e pelos trens da Amtrak, mas os transportes públicos são limitados. Há um ferryboat sazonal no lago Michigan. Chicago é a maior e mais cosmopolita cidade da região. Também se destacam Indianápolis, Detroit, Cleveland, Cincinnati, Milwaukee e as cidades gêmeas de Minneapolis e St. Paul, em Minnesota.

Visitantes perto do Old Mission Lighthouse, na praia do lago Michigan, em Michigan

Principais Atrações

Illinois
1. *Chicago pp. 384-95*
2. Rockford
3. Galena
4. Springfield
5. Southern Illinois

Indiana
6. New Harmony
7. Bloomington
8. Indiana Dunes National Lakeshore
9. South Bend
10. Shipshewana
11. Fort Wayne
12. Indianápolis
13. Columbus
14. Vale do rio Ohio

Ohio
15. Cincinnati
16. Dayton
17. Serpent Mound
18. Hopewell Culture National Historical Park
19. Columbus
20. Berlin
21. Cleveland
22. Lake Erie Islands
23. Sandusky
24. Toledo

Michigan
25. *Detroit pp. 406-7*
26. Ann Arbor
27. Lansing
28. *Grand Rapids*
29. Lake Michigan Shore
30. Mackinac Island
31. Upper Peninsula

Wisconsin
32. Milwaukee
33. Door County
34. Wisconsin Dells
35. Baraboo
36. Madison
37. Spring Green
38. La Crosse
39. Apostle Islands

Minnesota
40. *Minneapolis e St. Paul pp. 414-5*
41. Cidades do rio Mississippi
42. Rochester
43. Pipestone National Monument
44. Brainerd Lakes Area
45. Duluth
46. Iron Range
47. Boundary Waters Canoe Area Wilderness
48. Voyageurs National Park

Legenda dos símbolos *na orelha da contracapa*

INTRODUÇÃO AOS GRANDES LAGOS | 383

Tabela de Distâncias

Chicago, IL					10 = Distância em milhas	
181					10 = Distância em quilômetros	
291	Indianápolis, IN					
297	113	Cincinnati, OH				
478	182					
342	317	243	Cleveland, OH			
550	510	391				
283	317	256	160	Detroit, MI		
455	510	412	270			
93	278	395	435	375	Milwaukee, WI	
150	447	700	604			
409	595	707	751	695	336	Minneapolis, MN
658	958	1138	1207	1118	541	

Legenda
- Rodovia
- Estrada principal
- Ferrovia
- Fronteira estadual
- Fronteira internacional

● Chicago

Chicago, cidade com quase 3 milhões de pessoas, ocupa 614km² do estado de Illinois, no Meio-Oeste dos EUA. Situada na extremidade sudoeste do vasto lago Michigan, possui 42km de área à beira d'água. Apesar do incêndio devastador de 1871 e de ser palco de muita agitação social, a cidade logo se reergueu, surgindo como capital financeira do Meio-Oeste. Atualmente ela é a terceira maior cidade americana, mundialmente famosa pela arquitetura inovadora, pelas vibrantes instituições culturais e educacionais, pela história política e também por ser a residência do presidente Barack Obama.

Principais Atrações

① Chicago History Museum
② Newberry Library
③ Magnificent Mile
④ John Hancock Center
⑤ Navy Pier
⑥ Chicago Children's Museum
⑦ Millennium Park
⑧ Art Institute of Chicago
⑨ Willis Tower
⑩ *Loop pp. 388-9*
⑪ South Loop
⑫ Museum Campus

South Side
(veja área do mapa maior)
⑬ Museum of Science & Industry
⑭ University of Chicago
⑮ DuSable Museum of African American History

Grande Chicago
(veja detalhe)
⑯ Lincoln Park Zoo
⑰ *Oak Park pp. 394-5*

Como Circular

Embora Chicago seja uma grande metrópole, muitas atrações e os principais centros culturais ficam no centro, o que faz da cidade um paraíso para quem gosta de andar. O transporte público é barato e eficiente. O sistema de trens elevados (os "Ls", como são chamados) consiste no modo mais fácil de circular. Os ônibus cruzam toda a cidade e os condutores são prestativos. Bondes gratuitos percorrem pontos turísticos durante o verão.

Legenda

- Local de interesse
- Linha de trem
- Rodovia expressa

CHICAGO, ILLINOIS | 385

Grande Chicago
Área dos mapas principais

0 km 5
0 milhas 5

Legenda

- ▨ Área do mapa maior
- ▬ Rodovia
- ▬ Estrada principal
- ▭ Outra estrada

0 m 800
0 jardas 800

Marquise e luminoso do suntuoso Chicago Theater

Legenda dos símbolos *na orelha da contracapa*

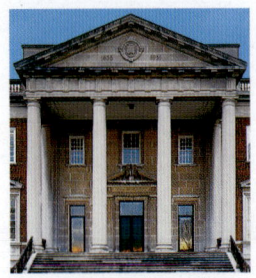

Entrada original neogeorgiana da Chicago Historical Society

① Chicago History Museum

Mapa D1. 1.601 N Clark St. **Tel** (312) 642-4600. Clark/Division depois ônibus 22, 36. 11, 151, 156. 9h30-16h30 seg-sáb; 12h-17h dom. 1º jan, Ação de Graças, 25 dez. ligar antes. Concertos, palestras, filmes.
w chicagohistory.org

Instituição cultural mais antiga da cidade, a Chicago Historical Society, de 1856, é um importante museu e centro de pesquisa. Traça a história de Chicago e de Illinois, desde os primeiros exploradores ao desenvolvimento da cidade até chegar à Chicago atual. Dioramas em miniatura retratam eventos marcantes, como o grande incêndio de 1871, o rio Chicago durante a Guerra Civil e a movimentada LaSalle Street em meados da década de 1860.

A American Wing conserva uma das 23 cópias da Declaração de Independência e uma cópia da Constituição americana de 1789, impressa por um jornal da Filadélfia. O prédio tem duas facetas – a estrutura original neogeorgiana de 1932 e um anexo de 1988, com três andares e entrada feita de aço e vidro.

② Newberry Library

Mapa D2. 60 W Walton St. **Tel** (312) 943-9090. Chicago ou Clark/Division (linha vermelha). horários variam; ligar antes. feriados. 15h qui; 10h30 sáb. Exposições, palestras, concertos.
w newberry.org

Criada em 1887 pelo banqueiro Walter Newberry, essa biblioteca independente de pesquisa humanística foi projetada por Henry Ives Cobb, arquiteto que usa o estilo românico richardsoniano. Seu rico acervo aborda cartografia, os nativos americanos, estudos renascentistas, a história da impressão, genealogia e raridades como as primeiras edições de *Paraíso perdido*, de John Milton, e uma edição de 1481 da *Divina comédia*, de Dante.

③ Magnificent Mile

Michigan Ave, entre E Walton Pl e E Kinzie St.

A magnificent mile, um trecho da Michigan Avenue ao norte do rio Chicago, é a rua mais elegante da cidade. Quase totalmente destruída no incêndio de 1871, tornou-se ponto de lojas de classe, após a abertura da ponte da Michigan Avenue, em 1920. Lojas exclusivas enchem o amplo bulevar, enquanto modernos outlets e arranha-céus disputam espaço com construções históricas.

Ao norte fica a **Fourth Presbyterian Church**, em estilo neogótico. Seus pilares expostos, agulha de pedra e janela principal em nicho refletem as influências das igrejas medievais europeias.

À direita ficam duas estruturas históricas, a **Water Tower** e a **Pumping Station**, algumas das poucas edificações que sobreviveram ao incêndio de 1871. A torre, que originalmente abrigava equipamento dos bombeiros, agora contém uma galeria de fotografias e um teatro. A estação ainda funciona como antes, bombeando água, e conta com o Visitor Information Center (Pearson St nº 163) e um café. Na frente, o **Water Tower Place** tem

O John Hancock Center conta com uma passarela a céu aberto

Arquitetura em Chicago

Chicago é famosa como centro de inovação arquitetônica, uma cidade em que os arquitetos romperam os limites da criatividade. Essa fama teve início no trágico incêndio de 1871. Arquitetos, trabalhando num quadro-negro, aceitaram o desafio de remodelar a cidade devastada. Foi em Chicago que se ergueu o primeiro arranha-céu e que Frank Lloyd Wright desenvolveu suas casas da pradaria.

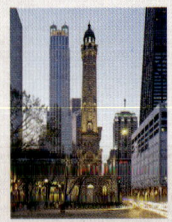

O estilo **neogótico**, representado pela Water Tower, inspirou-se na arquitetura medieval europeia.

O **desenho italiano** buscou inspiração nos palácios e *villas* do norte da Itália renascentista. O elegante Drake Hotel é um exemplo do estilo.

O estilo **richardsoniano românico** – com pedras de corte rústico, arcos redondos e janelas em nicho – é identificado na Newberry Library.

Veja hotéis e restaurantes dessa região nas pp. 422-7

oito andares de butiques e restaurantes chiques. Entre outros shoppings verticais da rua está o The Shops at North Bridge.

Um pouco ao sul, a **Tribune Tower**, em estilo gótico, abriga a redação do *Chicago Tribune* e tem incrustados em suas paredes externas fragmentos de pedras provenientes de lugares mundialmente famosos, como a Basílica de São Pedro, no Vaticano, a Cidade Proibida, em Pequim, e até uma rocha lunar com 3,3 bilhões de anos.

Na extremidade sul da rua fica o adorável **Wrigley Building**, de duas partes. Essa estrutura esbranquiçada possui um enorme relógio de quatro lados e um pátio tranquilo, aberto ao público.

Os Chicago Visitor Centers (www.explorechicago.org) oferecem informações sobre caminhadas e passeios de ônibus pela cidade.

④ John Hancock Center

Mapa D2. 875 N Michigan Ave. 360 Chicago: **Tel** (888) 875-8439. Chicago (linha vermelha). 145, 146, 147, 151. 9h-11h diariam. observatório (menores de 3 anos grátis).
jhochicago.com

Chamado carinhosamente de "Big John" pelos habitantes de Chicago, o John Hancock Center, de cem andares, com estrutura de aço, se destaca na silhueta dos prédios da cidade. A principal atração desse obelisco afilado é o observatório 360 Chicago (antigo Hancock Observatory), no 94º andar. Ali, uma passarela (telada) localizada 344m acima da Magnificent Mile, a céu aberto, oferece vistas espetaculares da cidade. O elevador sobe até o topo a 32km/h, um dos mais rápidos dos EUA. Projetado pelo arquiteto Bruce Graham, da empresa Skidmore Owings and Merrill, e pelo engenheiro Fazlur R. Khan, o edifício possui escritórios, condomínios e lojas, num espaço de 260.120m².

⑤ Navy Pier

Mapa D2. 600 E Grand Ave. **Tel** (800) 595-7437. 29, 56, 65, 66, 120, 121, 124. 10h; fechamento varia. Ação de Graças, 25 dez. Cruzeiros no lago.
navypier.com

O Navy Pier é um barulhento centro cultural e de diversões. Projetado por Charles S. Frost, o pier tem 915m de comprimento por 120m de largura. Ao ser construído, em 1916, era o maior do mundo. Mais de 20 mil pilares de madeira foram usados em sua construção. Originalmente, era um cais municipal, usado para treinamento naval durante a Segunda Guerra Mundial. Depois de quatro anos de reformas, o Navy Pier foi reaberto em 1995. O Navy Pier Park tem roda-gigante de 45m, carrossel antigo, anfiteatro ao ar livre, rinque de patinação e cinema IMAX® 3D. O Smith Museum apresenta vitrais vitorianos e contemporâneos.

⑥ Chicago Children's Museum

Mapa E3. 700 E Grand Ave. **Tel** (312) 527-1000. 29, 56, 65, 66, 120, 121, 124. 10h-17h diariam (até 20h qui). Ação de Graças, 25 dez. (grátis 1ª seg mês). Atividades especiais diariam.
chicagochildrensmuseum.org

O Chicago Children's Museum, um centro de atividades para toda a família, concentra-se em estimular o potencial intelectual e criativo de crianças de 1 a 12 anos, com muitas mostras interativas. Na Dinosaur Expedition, elas podem escavar ossos numa cova ou apenas escorregar, escalar ou pular por ali. Também é possível subir num navio, esconder-se em uma casa na árvore e produzir arte para levar.

A enorme roda-gigante do Navy Pier Park

O estilo **rainha Anne**, antes comum em residências de Chicago, é exemplificado nas *row houses* de Crilly Court.

A **Escola de Chicago** liderou uma revolução de estética e engenharia que produziu edifícios comerciais como o Reliance.

O estilo **neoclássico** usa elementos greco-romanos, como se vê no Chicago Cultural Center.

O estilo **internacional** segue um desenho estritamente geométrico e usa muito vidro. A Willis Tower é um bom exemplo.

A arquitetura **pós-moderna** tem um estilo eclético sem regras rígidas, como no Harold Washington Library Center.

⑦ Millennium Park

Mapa D4. 55 N Michigan Ave.
Tel (312) 742-1168. Ⓜ Madison.
🕐 6h-23h diariam. passeios grátis 11h30 e 13h diariam.
W millenniumpark.org

Esse premiado centro de arte, música, arquitetura e paisagismo foi inaugurado em 2004, e possui 10 hectares de área, que pertenciam a uma antiga ferrovia. O parque é contornado pela Michigan Avenue, Columbus Drive, Randolph e Monroe Streets. O Welcome Center, na 201 East Randolph Street, é um bom local para começar a explorar as atrações do parque.

Algumas obras do parque apresentam um design curioso, como o Jay Pritzker Pavilion, de Frank Gehry, que possui uma cobertura feita de tiras de aço inoxidável, e chega a 37 m de altura. Esse pavilhão aberto sedia os concertos do Grant Park Music Festival no verão, além de outros concertos e eventos. Também projetada por Gehry, uma tortuosa ponte de aço inoxidável de 282m de comprimento, conecta o parque ao Daley Bicentennial Plaza.

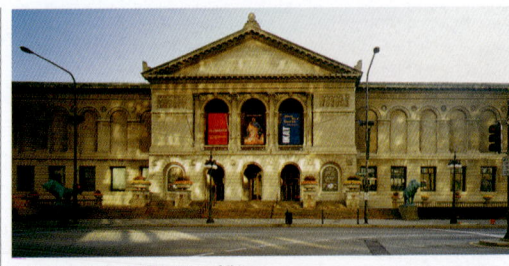

Fachada neoclássica do Art Institute of Chicago

Imagens de rostos de mil residentes da área são projetadas nas duas torres de vidro de 15m de altura, construindo o cenário interativo da Crown Fountain, projetada pelo artista espanhol Jaume Plensa. As fontes das torres funcionam da primavera ao outono, e muitas famílias frequentam seu raso espelho-d'água.

Outros destaques interessantes do parque são o Lurie Garden, de 2 hectares, com seu jardim de plantas perenes e suas paredes de arbusto; e a escultura Cloud Gate, do artista britânico Anish Kapoor, que parece uma gota gigante de mercúrio e reflete a imagem de seus admiradores, inserindo-os à paisagem de Chicago.

⑧ The Art Institute of Chicago

Mapa D4. 111 S Michigan Ave. **Tel** (312) 443-3600. Ⓜ Adams. 1, 3, 6, 7, 126, 145, 147, 151. Van Buren St.
🕐 10h30-17h diariam (até 20h qui). Ação de Graças, 25 dez, 1º jan. (menor de 14 anos grátis; admissão separada para algumas exposições).
P Exposições, palestras, filmes. W artic.edu

O variado acervo do Art Institute of Chicago representa quase 5 mil anos de criatividade, por meio de pinturas, esculturas, tapeçarias, fotografias, objetos culturais e decorativos. Fundado em 1879 por líderes do município e patrocinadores das artes com o nome de The Chicago Academy of Fine Arts,

⑩ Loop

Em razão do sistema de trens elevados com circuito circular pelo centro da cidade, a área ganhou o nome de Loop (circuito que volta sempre ao mesmo lugar). O barulho dos trens e a afluência de pessoas aumentam o burburinho. Por entre prédios históricos e edifícios modernos dá para vislumbrar as pontes sobre o rio Chicago. A recuperação de armazéns e de teatros históricos está animando o Loop à noite.

South LaSalle Street nº 190 (1987) tem projeto de Philip Johnson. Possui saguão de mármore branco com teto abobadado folheado a ouro.

The Rookery, projetado por Burnham e Root em 1888, apresenta estilo românico richardsoniano.

Chicago Board of Trade ocupa um edifício art déco de 45 andares, com uma estátua de Ceres no topo. Seu grande movimento pode ser observado de uma galeria interna.

Marquette Building, edifício antigo (1895), foi projetado por William Holabird e Martin Roche, figuras centrais da Escola de Chicago e arquitetos de mais de 80 prédios no Loop.

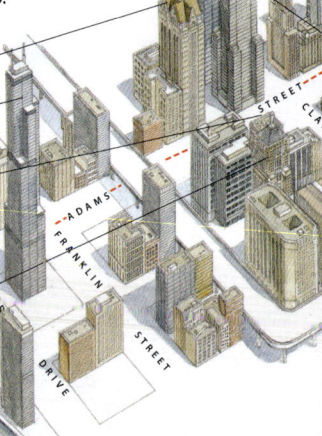

Willis Tower

Veja hotéis e restaurantes dessa região nas pp. 422-7

o museu passou a se chamar Art Institute of Chicago em 1882. Grande demais para as duas casas que ocupava, conforme ricos patrocinadores lhe doavam suas coleções de arte, foi por fim instalado na atual edificação neoclássica. A ala moderna fez desse o segundo maior museu dos Estados Unidos.

O acervo abrange desde objetos egípcios e chineses do terceiro milênio a.C. até arte moderna e contemporânea europeia e americana. Embora seja famoso pelas obras impressionistas e pós-impressionistas, com obras-primas como *A cesta de maçãs* (c. 1895) de Paul Cézanne, *Moulin Rouge* (1895) de Henri de Toulouse-Lautrec e de seis versões de campos de trigo de Claude Monet, o museu representa quase todos os movimentos artísticos dos séculos XIX e XX. São excelentes seus exemplares do Cubismo, Surrealismo e Expressionismo alemão.

A bela coleção de 35 mil peças de arte asiática contém xilogravuras japonesas e objetos históricos provenientes da Índia e da China.

Willis Tower

Mapa C4. 233 S Wacker Dr. Observatório: **Tel** (312) 875-9696. Quincy. 7, 126. abr-set: 9h-22h diariam; out-mar: 10h-20h diariam; última admissão 30min antes de fechar. (criança menor de 3 anos grátis). **theskydeck.com**

Com altura de 442m, a Sears Tower é um dos edifícios mais altos do mundo, que se orgulha de ter o mais elevado andar ocupado e a maior altura de telhado. Foi projetado pelo arquiteto Bruce Graham, da empresa Skidmore Owings and Merrill, e pelo engenheiro Fazlur Khan. Mais de 110 caixas de concreto, presas num leito de rochas, suportam as 222.500 toneladas da torre.

Atualmente a torre conta com 325.150m^2 de área para escritórios, mais de cem elevadores e cabos telefônicos que dariam para dar quase duas voltas na Terra. O elevador para a passarela envidraçada no 103º andar anda a 490m por minuto e oferece vistas magníficas. Perto, o *Rookery*, prédio de doze andares, era o mais alto do mundo quando foi erguido em 1888. É uma das construções mais fotografadas da cidade. Sua fachada de tijolo aparente dá passagem para um pátio em dois níveis, remodelado em 1907 por Frank Lloyd Wright, que, no auge de sua carreira, revestiu as colunas de ferro e as escadas com mármore branco.

Edifícios Willis Tower e Skydeck, vistos a partir do nordeste

The Rookery
209 S LaSalle St. ligar para Chicago Architectural Foundation, (312) 922-3432. feriados.

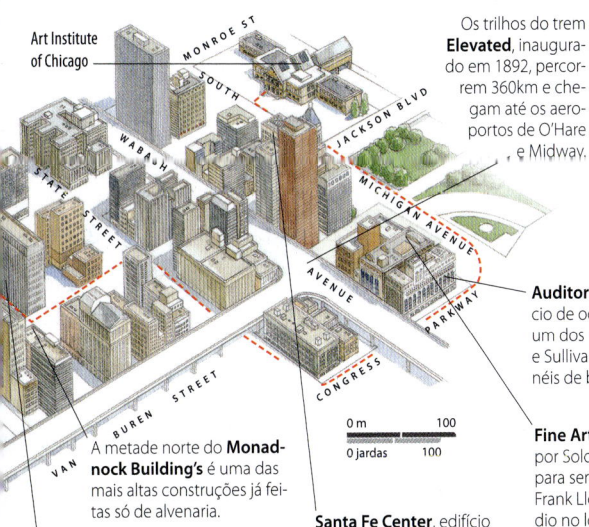

Art Institute of Chicago

Os trilhos do trem **Elevated**, inaugurado em 1892, percorrem 360km e chegam até os aeroportos de O'Hare e Midway.

Localize-se

Auditorium Building (1889), edifício de ocupação mista, apresenta um dos melhores interiores de Adler e Sullivan na sala de recitais com painéis de bétula, no sétimo andar.

A metade norte do **Monadnock Building's** é uma das mais altas construções já feitas só de alvenaria.

Fine Arts Building, projetado por Solon S. Beman em 1885, para ser showroom de vagões. Frank Lloyd Wright teve um estúdio no local.

Federal Center é um complexo de escritórios, com três prédios em volta de uma praça, de Ludwig Mies van der Rohe.

Santa Fe Center, edifício clássico da Escola de Chicago, com elegante átrio de dois andares. Abriga a Chicago Architecture Foundation.

Legenda

— Percurso sugerido

Rowe Building, no Printing House Row District

⑪ South Loop

Mapa D4. Ⓜ Harrison, Roosevelt. 🚌 ônibus nas State St e Dearborn St (perto de South Side: Michigan Ave ônibus 3).

Localizado perto do centro, o South Loop mudou muito, passando de bairro industrial a residencial, com área de lojas. O South Loop cresceu como área industrial no final do século XIX. Depois da Segunda Guerra Mundial, os industriais se mudaram e a área deteriorou. Na década de 1970, com a transformação de seus armazéns abandonados em lofts elegantes, os negócios expandiram, já que os cidadãos de Chicago resolveram aproveitar a proximidade dessa área com o centro.

Essa transformação é mais evidente nos dois quarteirões do **Printing House Row Historic District**, que na década de 1890 obteve para Chicago o título de capital gráfica dos EUA. Por volta da década de 1970, com o fechamento da vizinha Dearborn Station, os industriais se retiraram e a área entrou em declínio. Muitos dos grandes prédios construídos para as gráficas ainda existem. Sua transformação em apartamentos elegantes e lofts para escritórios trouxe a revitalização da área e a vinda de atividades comerciais. O Second Franklin Building possui em uma das entradas um trabalho de azulejos que ilustra a história das gráficas, enquanto o Rowe Building conta com a Sanameyer's, uma livraria especializada em escritores locais e em livros de viagem. Próxima, a Dearborn Station Galleria, em estilo românico richardsoniano, a mais antiga estação de trem para passageiros que ainda sobrevive, também foi transformada em shopping center.

Sua torre com relógio é uma referência. Dominando o South Loop, na State com Congress, fica o prédio da maior biblioteca pública do mundo: Chicago Public Library, Harold Washington Library Center, que dispõe de quase 9 milhões de livros e periódicos, com 113km de prateleiras. Esse gigante pós-moderno homenageia diversas construções históricas de Chicago, por seus aspectos arquitetônicos variados. Existem obras de arte por todo o prédio, como a do artista Cheyenne *Heap of Birds* (Bando de Pássaros). A biblioteca também tem mostras relacionadas à história de Chicago.

A sudeste, o **Museum of Contemporary Photography** contém fotografias americanas produzidas desde 1936, com 9 mil peças fixas e exibições temporárias. Na mesma quadra, o **Spertus Museum** é o museu judaico de Chicago. Parte do Spertus Institute of Jewish Studies, que mudou para um novo prédio em 2007, o museu convida o visitante a conhecer as experiências judaicas por meio de uma série de exposições que despertam a reflexão e programas sobre a história, a religião, a arte e a cultura dos judeus no decorrer de séculos e agora. Há exposições do excelente acervo de artes e objetos, como peças rituais, tapeçarias e joias. Um computador mostra a lista de nomes de pessoas que famílias de Chicago perderam no holocausto – leva um dia inteiro para ler a lista. Uma exposição transmite essa história para os jovens.

A Asher Library, no quinto andar, é uma das maiores bibliotecas públicas judaicas dos EUA, com mais de 110 mil livros e mil filmes judeus em vídeo ou DVD. O interativo Children's Center promove encontros literários com contadores de história.

Ao caminhar para leste chega-se à fonte Buckingham, no Grant Park, e à **South Michigan Avenue**, um ótimo local para apreciar os diversos estilos arquitetônicos que dão fama à cidade. Mais adiante fica o suntuoso Hilton Chicago. Decorado no estilo renascentista francês, esse hotel de 25 andares era o maior do mundo ao ser inaugurado em 1927. O Buddy Guy's Legends apresenta grandes nomes do blues e também artistas locais, a um quarteirão de distância, num *nightclub* ampliado que serve comida cajun. Buddy Guy, proprietário e lenda do blues, está sempre por ali.

Arte judaica mostrada no Spertus Museum

Chicago Public Library, Harold Washington Library Center
400 S State St. **Tel** (312) 747-4300. Ⓜ Library. 9h-21h seg-qui, 9h-17h sex-sáb, 13h-16h30 dom. feriados. ligar (312) 747-4050. Exposições, palestras, filmes. **w** chipublib.org

Spertus Museum
610 S Michigan Ave. **Tel** (312) 322-1700. Ⓜ Harrison. 10h-17h dom-qui. sáb, feriados públicos e judaicos. (crianças menores de 5 grátis; todos grátis 10h-12h qua, 14h-18h qui). Concertos, palestras, filmes. **w** spertus.edu

Veja hotéis e restaurantes dessa região nas pp. 422-7

⑫ Museum Campus

Mapa E5. S Lake Shore Dr. Ⓜ Roosevelt depois trolley grátis. 🚆 Roosevelt depois trolley grátis.

O Museum Campus é um amplo parque à beira do lago, que liga três museus de ciências naturais com fama mundial. Essa ampliação de 23ha do Burnham Park foi criada com a modificação da Lake Shore Drive, em 1996. Localizada na parte sudoeste do campo verdejante está uma edificação neoclássica projetada por Daniel Burnham que abriga o **Field Museum**. Esse museu de história natural contém um acervo enciclopédico de objetos zoológicos, geológicos e antropológicos do mundo todo. Criado em 1894 (com fundos de Marshall Field) para acolher os objetos da World's Columbian Exposition de 1893, o museu agora dispõe de 20 milhões de peças. Entre seus grandes destaques estão fósseis de dinossauros, como "Sue" – o mais completo esqueleto de Tiranossauro rex já encontrado –, objetos de indígenas americanos e do Egito Antigo, e uma extensa coleção de mamíferos e pássaros. A exposição permanente Ancient Americas mostra a cultura da Idade do Gelo até a asteca.

O Hall of Jades expõe mais de 500 objetos desde o período Neolítico até a Idade do Bronze e as dinastias chinesas. A grande atração é um vaso de 136kg do palácio do imperador Quanlong. A Underground Adventure é uma exposição subterrânea onde o visitante pode caminhar por túneis, encontrar insetos gigantes e ter a sensação de ser reduzido ao tamanho de um inseto.

Mais a nordeste, numa caminhada ao longo de esplanadas ajardinadas, chega-se ao **John G. Shedd Aquarium**, que conta com mais de 32.500 animais de água salgada e doce, representando 1.500 espécies de peixes, pássaros, répteis, anfíbios, invertebrados e mamíferos. O aquário foi aberto em 1930, numa construção neoclássica, com nome que homenageia seu benfeitor, famoso homem de negócios de Chicago. O Oceanarium possui uma magnífica parede curva de vidro que dá para o lago Michigan, cujas águas fluem pelo tanque. O pavilhão de mamíferos marinhos apresenta baleias belugas e golfinhos. As ações do aquário podem ser vistas de muitas perspectivas, algumas subaquáticas.

O Museum Campus também conta com o **Adler Planetarium and Astronomy Museum**, um dos melhores acervos astronômicos do mundo, com objetos persas que datam de doze séculos atrás. Entre os instrumentos está o relógio de sol mais antigo do mundo, instalado no peitoril de uma janela. Além disso, ali está o primeiro teatro de realidade virtual do mundo. Um céu espetacular exibe mostras complementares sobre a exploração e a navegação no espaço. Tecnologia de ponta permite que o visitante faça uma pesquisa interativa. Fundado por Max Adler, essa edificação art déco de doze lados foi projetada por Ernest Grunsfeld, em 1930, e agora é um marco histórico.

Xochpilli, deus asteca, no Field Museum

Baleia beluga no Oceanarium do John G. Shedd Aquarium

🏛 Field Museum
1.400 S Lake Shore Dr. **Tel** (312) 922-9410. 🕘 9h-17h diariam. ⬤ 25 dez. ♿ 🅿 pela entrada leste. 🎥 📷 🍴
🅿 Palestras, filmes, eventos.
🌐 fieldmuseum.org

🏛 John G. Shedd Aquarium
1.200 S Lake Shore Dr. **Tel** (312) 939-2438. 🕘 jul-set: 8h30-18h diariam; out-jun: 9h-17h seg-sex, 9h-18h sáb e dom. ⬤ 25 dez. 🎟 (grátis set-fev: seg e ter; exceto exposições especiais). ♿ 🎥 📷 🍴 🛍 🅿 Palestras.
🌐 shedd.org

🏛 Adler Planetarium & Astronomy Museum
1.300 S Lake Shore Dr. **Tel** (312) 922-7827. 🕘 10h-16h diariam (até 16h30 sáb e dom). ⬤ Ação de Graças, 25 dez. 🎟 (admissão separada para teatros). ♿ 🎥 📷 🍴 🅿
Palestras, filmes, shows de luz.
🌐 adlerplanetarium.org

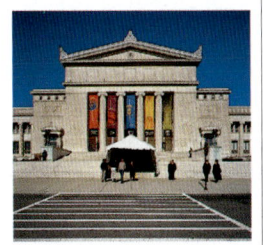

Monumental entrada neoclássica do Field Museum

Muito Dinheiro

Chicago soa bem porque significa dinheiro – como teria dito a falecida atriz Ruth Gordon. No início do século XX, moravam na cidade 200 milionários. Um dos mais famosos era o magnata Potter Palmer, dono de loja e negociante de imóveis que, com sua esposa, Bertha Honoré, sacudiu a vida cultural e econômica local. Em 1882, Palmer construiu uma suntuosa residência na Lake Shore Drive. Talvez nada resuma tão bem a riqueza da família quanto as portas dessa casa: as externas não tinham maçanetas do lado de fora, pois eram sempre abertas pelos empregados. Marshall Field, dono de uma loja de departamentos, era menos ostensivo. Embora fosse trabalhar de carruagem, descia dela a certa distância da loja a fim de caminhar pelos últimos quarteirões para que as pessoas não vissem seu meio de transporte. Com o mesmo espírito, ele pediu ao arquiteto de sua casa de 25 cômodos e US$2 milhões que não usasse ornamentos vistosos.

Potter Palmer

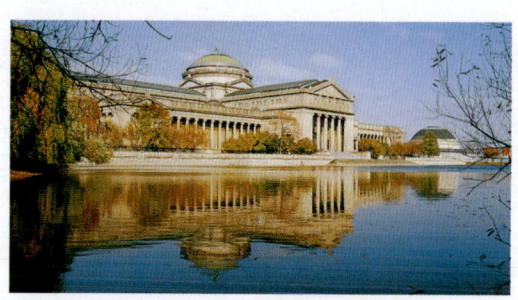

Museum of Science and Industry visto de Columbia Basin

⑬ Museum of Science and Industry

Mapa B5. 57th St e S Lake Shore Dr. **Tel** (773) 684-1414, (800) 468-6674. Ⓜ Garfield depois para leste ônibus 55. 🚌 1, 6, 10. 🚆 55th-56th-57th St, 59th St. 🕘 9h30-16h seg-sáb. ⦿ 25 dez. Filmes. **w** msichicago.org

O Museum of Science and Industry destaca as realizações científicas e tecnológicas, com ênfase nas conquistas dos séculos XX e XXI. Com um acervo de mais de 800 mostras e 35 mil objetos, o museu torna a exploração da ciência e da tecnologia uma experiência acessível.

Apesar de ser mais famoso por suas mostras sobre biologia, exploração e transporte no espaço, esse museu de ciência, que é o maior do ocidente, tem espaço mais que suficiente para manter os visitantes de todas as idades entretidos o dia inteiro.

O **Henry Crown Space Center** exibe o módulo de comando da Apollo 8, primeira espaçonave tripulada a dar a volta na Lua, em 1968; uma réplica do módulo lunar de treinamento da *Apollo*, da Nasa; e um pedaço de rocha da Lua com 185g. Um filme de 20 minutos simula a experiência da decolagem num ônibus espacial, com assentos que tremem, permitindo que os espectadores se sintam como astronautas.

A seção de transportes apresenta exemplos notáveis de veículos, de trens e aviões até carros. No **All Aboard the Silver Streak** o visitante pode subir a bordo de um trem da década de 1930 que revolucionou o desenho industrial. O **Take Flight** explora o funcionamento de um jato 727, exposto suspenso por uma viga na galeria do museu, e simula um voo de sete minutos. O visitante caminha dentro da réplica de um coração humano com 5m de altura, vendo-o do ponto de vista de uma célula sanguínea, e calcula o número de vezes que seu coração já bateu desde que nasceu ou observa o interior do corpo humano numa detalhada aula de anatomia.

A **Genetics: Decoding Life** explora as questões éticas, biológicas e sociais envolvidas nas pesquisas genéticas. Algumas exposições saem do tema principal do museu, mas agradam, como uma fábrica de brinquedos controlada por robôs e as cinco histórias exibidas no Omnimax Theater. O castelo de contos de fada de Colleen Moore é uma casa de bonecas requintada, com mais de 2 mil móveis em miniatura.

⑭ University of Chicago

Mapa A5. Limitado por 56th e 59th Sts, Ellis e Woodlawn Aves. Ⓜ Garfield (linha verde) depois ônibus 55. 🚆 59th.

A University of Chicago foi fundada em 1890, com doação de John D. Rockefeller, em terreno doado por Marshall Field (p. 391). Agora essa consagrada universidade particular conta com um dos maiores números de ganhadores do Prêmio Nobel, entre professores, ex-alunos e pesquisadores, se comparada a qualquer universidade dos EUA. É valorizada principalmente nos campos da economia, da química e da física.

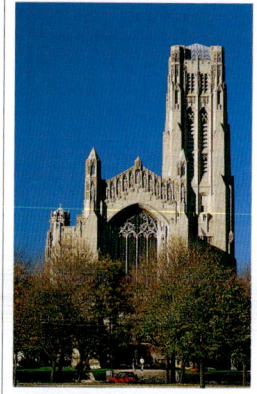

Do Reboco à Pedra

Construído para ser o Palace of Fine Arts na Feira Mundial de 1893, esse edifício se tornou a primeira sede do Field Museum of Natural History. Baseado no estilo neoclássico e revestido de reboco, foi projetado por Charles B. Atwood. Depois que o Field Museum se mudou, a obra ficou abandonada até meados da década de 1920, quando Julius Rosenwald, presidente da Sears Roebuck and Co., fez campanha para salvá-la e lançou um programa de reconstrução de US$1 milhão. O reboco foi substituído por 28 mil toneladas de pedra e mármore, em onze anos de reforma. O Museum of Science and Industry foi inaugurado em 1933, a tempo para a Century of Progress World's Exposition.

Prédio original durante a World's Columbian Exposition de 1893

The Rockefeller Memorial Chapel, University of Chicago

Veja hotéis e restaurantes dessa região nas pp. 422-4 e 425-7

CHICAGO | 393

Robie House, obra-prima da arquitetura das casas de pradaria

Henry Ives Cobb projetou dezoito dos prédios da universidade e desenvolveu seu plano quadrangular enclausurado (segundo as linhas de Cambridge e Oxford) até que a empresa Shepley Rutan and Coolidge, de Boston, assumiu os trabalhos de arquitetura, em 1901. Hoje o *campus* apresenta projetos de mais de 70 arquitetos.

Na entrada norte está o ornamentado Cobb Gate, um portal cerimonial com gárgulas, doado por Henry Cobb, em 1900. Na frente, a Regenstein Library tem livros raros e coleções de manuscritos, além de milhares de outros volumes.

Situado na ponta norte do *campus* está o **Smart Museum of Art**. Seu nome homenageia David e Alfred Smart, seus benfeitores. O museu conta com mais de 10 mil objetos, como antiguidades e gravuras dos velhos mestres, pinturas asiáticas, caligrafias e cerâmicas, que abrangem cinco séculos das civilizações ocidental e oriental. O café do museu, com janelas altas voltadas para o tranquilo jardim de esculturas, é ótimo para um almoço sossegado. No lado de fora, a escultura *Nuclear Energy*, de Henry Moore, marca o local em que, em 1942, um grupo de cientistas liderado por Enrico Fermi prenunciou a era atômica, com a primeira reação nuclear controlada.

Faraó Tutancâmon, no Oriental Institute Museum

A sudeste do *campus* fica o **Oriental Institute Museum**, que pertence ao Oriental Institute da universidade, cujos acadêmicos fizeram escavações em praticamente todas as regiões do Oriente Médio, a partir de 1919. Entre os destaques do museu estão a reconstrução de um palácio assírio (c. 721-705 a.C.) e uma escultura do faraó Tutancâmon com 5m, a estátua egípcia mais alta no hemisfério ocidental (c. 1334-25 a.C.). Na frente do museu fica a **Rockefeller Memorial Chapel**, em estilo gótico, com torre de carrilhão de 63m, o prédio está entre os mais altos do *campus*. John D. Rockefeller solicitou que essa estrutura de pedra e tijolo que representava a religião fosse um traço notável da universidade. A dois quarteirões para o norte fica a mundialmente famosa **Robie House** (1908-10), de Frank Lloyd Wright, atualmente fechada para reforma. Projetada para Frederick Robie, dono de indústrias de bicicletas e motos leves, a residência é uma das últimas casas de pradaria de Wright, que deixou a família e o escritório de Oak Parg durante essa construção. O desenho externo da casa capta perfeitamente a paisagem da pradaria, em planos retos e abertos. As águas do telhado incorporam a estética da casa com ousada simplicidade retilínea. Vigas de aço dão sustentação ao telhado em balanço. Igualmente ousado, mas simples, o interior é decorado com móveis desenhados por Wright. A casa é um todo orgânico, sublinhado pela interação harmoniosa entre o exterior e o interior.

Smart Museum of Art
5.550 S Greenwood Ave. **Tel** (773) 702-0200. 10h-16h ter-sex (até 20h qui), 11h-17h sáb, dom. principais feriados.
w smartmuseum.uchicago.edu

Oriental Institute Museum
1.155 E 58th St. **Tel** (773) 702-9514. 10h-18h ter e qui-sáb (antes 20h30 qua), 12h-18h dom. feriados. Eventos especiais.
w oi.uchicago.edu

Robie House
5.757 S Woodlawn Ave. **Tel** (312) 994-4000. qui-seg. 1º jan, Ação de Graças, 25 dez. (grátis: menores de 4 anos). 11h-14h (é aconselhável reservar). **w** gowright.org;
w oi.uchicago.edu

⑮ DuSable Museum of African American History

Mapa A5. 740 E 56th Pl. **Tel** (773) 947-0600. Garfield (linha verde) depois ônibus 55. 4, 10. 10h-17h ter-sáb, 12h-17h dom. feriados. (grátis: menores de 5 anos; grátis dom). fazer reserva. Palestras, filmes.
w dusablemuseum.org

Fundado em 1961 para preservar e interpretar as diferentes experiências históricas e as conquistas dos afro-americanos, o DuSable Museum destaca as realizações de pessoas comuns e também das extraordinárias. O importante mural de madeira Freedom Now, com 2,7m por 2,4m, retrata a experiência dos afro-americanos em 400 anos de história dos EUA. Entre outras mostras estão lembranças da vida e da carreira política do primeiro prefeito negro de Chicago, Harold Washington. O museu exibe obras de artistas locais, e os shows itinerantes já trataram da história dos filmes sobre negros e dos afro-americanos estampados em selos.

Grande Chicago

O visitante interessado em descobrir mais coisas sobre Chicago não ficará desapontado com a rica mistura de atrações históricas, diversões e subúrbios pitorescos que as áreas mais remotas têm a oferecer. Os apaixonados por arquitetura devem ir ao Oak Park pelos projetos de Frank Lloyd Wright. Outras regiões, como Wicker Park e Lakeview, são ideais para passeios de um dia. A grande área do Lincoln Park oferece um descanso do burburinho da cidade, com jardins viçosos, plantas floríferas e um zoológico famoso pelos hábitats naturalistas dos animais.

Casa e estúdio de Frank Lloyd Wright, em Oak Park

Gorila-das-planícies, no Regenstein Center for African Apes do zoo

⑯ Lincoln Park Zoo

2.200 N Cannon Dr. **Tel** (312) 742-2000. Fullerton, Armitage. 22, 36, 73, 151, 156. 9h-18h diariam (nov-mai: 9h-17h). em N Cannon Dr. Workshops, Eventos especiais. **lpzoo.org**

Localizado no coração do Lincoln Park, esse zoo fica perto do centro. Criado em 1868 com o presente de dois cisnes do Central Park de Nova York, o Lincoln Park Zoo é o mais antigo zoológico grátis do país. Agora mais de mil mamíferos, répteis e pássaros do mundo todo vivem no local, em hábitats semelhantes aos de origem. Líder mundial na preservação da vida selvagem, acolhe animais como a zebra-imperial africana, ameaçada, e o camelo bactriano da Mongólia, além de girafas, rinocerontes pretos, ursos-polares e outras espécies em seus muitos recintos a céu aberto. Uma construção histórica de 1912 abriga felinos raros, como os tigres amur. O grande grupo de gorilas-das-planícies confirma o sucesso do programa de reprodução. Uma fazendinha, com vacas, cavalos, porcos e galinhas, é muito procurada por crianças que assistem a demonstrações diárias de ordenha.

O Lincoln Park, o maior da cidade, oferece ciclovias, onde se pode caminhar, além de açudes, lagoas e praias de areia.

⑰ Oak Park

Limitado por North Ave, Roosevelt Rd, Austin Blvd e Harlem Ave. (708) 848-1500. Oak Park (linha verde); Harlem/Lake (linha verde). Oak Park (linha da Union Pacific/ West). Visitor Center: 158 N Forest Ave. 10h-15h30 seg-sex, 11h-15h30 sáb-dom. 1º jan, Ação de Graças, 25 dez. Frank Lloyd Wright Preservation Trust: 931 Chicago Ave. **Tel** (312) 994-4000. **gowright.org**, **visitoakpark.com**

Frank Lloyd Wright mudou-se para Oak Park em 1889, aos 22 anos. Nos vinte anos seguintes, criou muitas edificações pioneiras, à medida que desenvolvia seu estilo de casas de pradaria. Agora essa comunidade tranquila sedia 25 construções de Wright – o maior agrupamento de obras dele. O melhor local para apreciar as realizações desse arquiteto é o **Frank Lloyd Wright Home and Studio**, pro-

Flamingos cor-de-rosa na Waterfowl Lagoon do Lincoln Park Zoo

Veja hotéis e restaurantes dessa região nas pp. 422-7

CHICAGO | 395

Unity Temple, "pequena joia" de Frank Lloyd Wright, em Oak Park

jetado por ele em 1889 e muito bem restaurado. Foi ali que ele criou o estilo arquitetônico que influenciou tanta gente.

Nas proximidades ficam duas casas particulares que revelam a versatilidade de Wright. A **Arthur Heurtley House**, de 1902, tem estilo típico de pradaria, com conjunto de janelas abaixo da linha do telhado e um arco de entrada simples, mas elegante. A **Moore-Dugal House**, de 1895, do outro lado da rua, é uma mistura de estilos, rica em elementos neotudor e góticos.

Na ponta sul de Oak Park está a **Pleasant Home**, mansão no estilo de pradaria, com 30 cômodos, projetada em 1897 por George W. Maher, com o uso extraordinário do vidro em vitrais trabalhados. Também conta com intricados trabalhos de madeira com temas decorativos, além de um painel sobre a história da área.

Wright tinha muito orgulho do **Unity Temple**, seu projeto para a Unitarian Universalist Congregation. Ele dizia que essa igreja era um de seus projetos mais importantes, sua primeira expressão para uma "arquitetura totalmente nova". Foi erguida entre 1906 e 1908, usando concreto armado, técnica comum na época, em parte por causa do orçamento de apenas US$45 mil. O Unity Temple é uma obra-prima de simplicidade mesclada a uma ornamentação funcional.

Oak Park também é conhecido por ser o local de nascimento do famoso escritor Ernest Hemingway (1899-1960), que morou ali até os 20 anos. Embora (p. 323) rejeitasse o conservadorismo desse subúrbio de Chicago, dizendo que estava cheio de "gramados amplos e mentes estreitas", Oak Park continua a se orgulhar dele.

O **Ernest Hemingway Birthplace**, uma grande casa vitoriana decorada com móveis da virada do século XX, tem painéis sobre a vida desse ganhador do Prêmio Nobel.

O **Ernest Hemingway Museum** apresenta diversos objetos do início da vida de Hemingway.

Casa vitoriana onde nasceu Ernest Hemingway

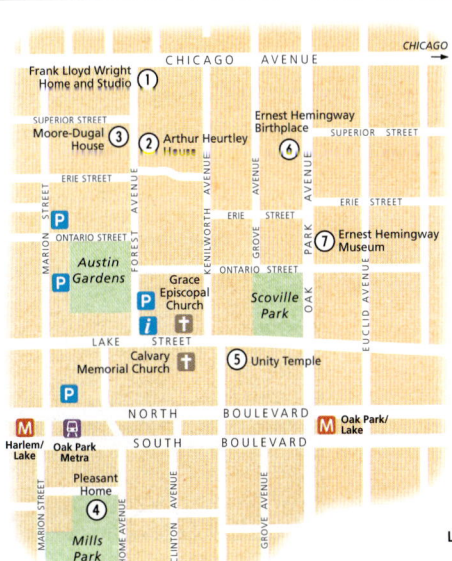

Oak Park

① Frank Lloyd Wright Home and Studio
② Arthur Heurtley House
③ Moore-Dugal House
④ Pleasant Home
⑤ Unity Temple
⑥ Ernest Hemingway Birthplace
⑦ Ernest Hemingway Museum

Legenda dos símbolos *na orelha da contracapa*

Illinois

A não ser pela área muito povoada ao redor de Chicago *(pp. 384-95)*, Illinois é um estado predominantemente rural. Longas extensões de terras planas cultivadas são pontilhadas por caminhos cênicos, cidades históricas pitorescas e rotas de vinho. Na chamada "Terra de Lincoln", a maioria dos locais relacionados ao presidente se situa em Springfield, no coração do estado. Algumas belas paisagens são encontradas a noroeste, na montanhosa "Driftless Region" (de formação geológica errática), junto ao Mississippi, e a sudoeste, nas escarpadas "Illinois Ozarks".

Rio Rock, com a estátua do herói sauk Black Hawk no alto, a sudoeste de Rockford

❷ Rockford

150.000. 102 N Main St, (800) 521-0849. **w** gorockford.com

Conhecida como "Forest City" no final do século XIX, a atual Rockford possui lindos jardins (públicos e particulares) e quilômetros de parques ao longo do rio Rock, que divide a cidade ao meio. Um dos três jardins mais visitados, o **Klehm Arboretum and Botanic Garden** dispõe de 61ha de plantas. Os **Anderson Japanese Gardens** possui uma casa de chá e uma hospedaria ao estilo do século XVI. Os **Sinnissippi Gardens** têm um aviário, lagoa e trilha de recreação com vistas para os prédios históricos do centro, como o Coronado Theater, um cinema dourado de 1927, ao estilo mourisco.

No lado leste, o **Midway Village and Museum Center** é um centro de história viva e museu da história local. As exposições falam da história de grupos étnicos que se reuniam nas manufaturas da cidade. A área se transformou num vilarejo no século XIX e tem construções restauradas.

O crescimento de Rockford ocorreu depois da trágica guerra de Black Hawk, na década de 1830, entre os índios sauk do norte de Illinois e o exército dos EUA, determinado a desalojar as tribos de suas terras. Após a derrota, os sauks foram reassentados em Iowa. Há uma estátua do chefe Black Hawk, guerreiro sauk, 43km a sudoeste de Rockford.

Anderson Japanese Gardens
318 Spring Creek Rd. **Tel** (815) 229-9390. mai-out: 9h-18h seg-sex, 9h-16h sáb, 10h-16h dom. **w** andersongardens.org

Klehm Arboretum & Botanic Garden
2.715 S Main St. **Tel** (815) 965-8146. 9h-16h diariam. **w** klehm.org

Sinnissippi Gardens
1.300 N 2nd St. **Tel** (815) 987-8858. Greenhouse: 9h-16h diariam. **w** rockfordparkdistrict.org

❸ Galena

3.600. 101 Bouthillier, (877) 464-2536. **w** galena.org

Assentada num costão voltado para o rio Galena, perto da confluência com o Mississippi, essa cidadezinha imaculadamente preservada é um pacato destino turístico, com casas do século XIX, marcos históricos e antiquários. Sua posição como embarcadouro para as muitas minas de chumbo da região fez de Galena o porto mais movimentado do vale do Mississippi, entre St. Louis e St. Paul, na década de 1840. A população da cidade chegou a 15 mil durante a Guerra Civil, quando a elite construiu residências magníficas numa ampla variedade de estilos.

Muitas das casas históricas de Galena estão agora abertas à visitação. **The Belvedere Mansion**, construída em 1857 por um dono de vapores, é uma estrutura ao estilo italiano, com 22 cômodos, e apresenta uma coleção variada de móveis de época e de aquisição mais recente, como as singulares cortinas do cenário do filme *E o vento levou*. Ulysses S. Grant, general da Guerra Civil e presidente dos EUA, morou na sossegada Galena entre os eventos marcantes de sua carreira militar e o período da Casa Branca. Sua pequena residência de 1860, em estilo federal, contém muitos objetos e móveis originais de Grant.

The Galena/Jo Daviess County History Museum conta a história da mineração de chumbo em Galena e dos dias da Guerra Civil. Passeios informativos, de uma hora, na Main Street, começam a partir das 10h aos sábados de maio e vão até outubro.

The Belvedere Mansion
1.008 Park Ave. **Tel** (815) 777-0747. meados mai-meados nov: 11h-16h.

Galena/Jo Daviess County History Museum
211 S Bench St. **Tel** (815) 777-9129. 9h-16h30 diariam. 1º jan, Páscoa, Ação de Graças, 24, 25, 31 dez. **w** galenahistorymuseum.org

Vista de Galena com seus marcos históricos

Veja hotéis e restaurantes dessa região nas pp. 422-7

ILLINOIS | 397

Cozy Dog Drive-in, famoso café na Route 66

❹ Springfield

🚇 111.000. 🚄 🚌 🚉 ℹ️ 109 N 7th St, (800) 545-7300.
🌐 visit-springfieldillinois.com

Springfield é a capital do estado desde 1837. Ganhou fama como cidade adotada pelo 16º presidente dos EUA, Abraham Lincoln, que nela morou 24 anos, até assumir a presidência em 1861. O **Abraham Lincoln Presidential Library and Museum** tem objetos, exposições interativas e shows de efeitos especiais. Com quatro quarteirões, o **Lincoln Home National Historic Site** é um bairro histórico apenas para pedestres, com casas restauradas do século XIX, lampiões de gás e calçadas de madeira em volta da casa de estrutura simples onde Lincoln e sua esposa, Mary, viveram dezesseis anos. Seu centro de visitantes oferece detalhes sobre outras atrações relacionadas a Lincoln, como seu escritório de advocacia, seu túmulo e o **Old State Capitol**, de 1853. Foi nesse local que ele fez o discurso "House Divided" (Casa Dividida), de 1858, em que aponta as diferenças regionais que logo levariam a nação à Guerra Civil. A carreira política de Lincoln começou em 1834, quando foi eleito para a Assembleia Geral de Illinois. A outra atração da cidade é a elegante **Dana-Thomas House**, residência de 1904 em estilo pradaria, projetada por Frank Lloyd Wright *(p. 394-5)*. Contém boa parte dos móveis originais de carvalho branco de Wright, acessórios leves, portas com vidros artísticos, janelas e painéis claros. Muitos especialistas em Wright consideram essa casa a mais bem conservada das que têm projeto do arquiteto. Springfield é igualmente rica nas tradições da Route 66 *(pp. 50-1)*. A velha estrada segue um traçado bem marcado pela cidade, levando ao **Cozy Dog Drive-in**, uma lanchonete famosa na rodovia, que afirma ser a inventora do *corndog* (cachorro-quente empanado com massa de fubá). O café do Route 66 Museum tem cachorros-quentes baratos, o que atrai turistas (fechado aos domingos e alguns feriados).

🏛️ Lincoln Home National Historic Site
413 S 8th St. **Tel** (217) 391-3226.
⏰ 8h30-17h diariam. ⬤ 1º jan, Ação de Graças, 25 dez. ♿
🌐 nps.gov/liho

🏛️ Old State Capitol
5th e Adams Sts, Springfield. **Tel** (217) 785-9363. ⏰ mai-set: 9h-17h diariam; set-abr: 9h-17h ter-sáb. ⬤ feriados.
♿ 🌐 oldstatecapitol.org

❺ Sul de Illinois

🚌 ℹ️ (800) 248-4373.
🌐 southernmostillinois.com

No sul de Illinois, os extensos campos agrícolas planos dão lugar a colinas e florestas ao longo dos rios Mississippi e Ohio. Essas formações fornecem pontos com visão estratégica, dos quais os indígenas e, depois, os comerciantes e missionários franceses monitoravam a movimentação nos rios. Perto da confluência dos rios Mississippi, Missouri e Illinois (145km a sudoeste de Springfield) encontram-se os vestígios do maior assentamento pré-histórico indígena norte-americano ao norte do México. O **Cahokia Mounds State Historic and World Heritage Site** contém mais de cem montículos feitos de terra, que datam de 1050 a 1250. Calcula-se que 15 mil pessoas da cultura do Mississippi ocupavam essa povoação. Os Monks Mound, com o topo achatado, cobrem 6ha e atingem a altura de 30m, em quatro terraços, oferecendo vistas panorâmicas dos vales vizinhos e do Gateway Arch *(p. 450)*, cerca de 19km do centro de St. Louis. O centro interpretativo desse sítio narra a história fascinante desses montículos, que foram abandonados misteriosamente por volta de 1500.

Mas existem abundantes indícios de habitações indígenas nas escarpadas "Illinois Ozarks", ou região do "Little Egypt", onde o rio Ohio faz a fronteira entre os estados de Illinois e Kentucky. As serras e depressões da vasta **Shawnee National Forest** podem ser observadas com mais detalhes no Garden of the Gods, uma área de afloramentos rochosos de arenito, e nas Shawnee Hills, que tem uma rota de vinícolas.

🏛️ Cahokia Mounds State Historic Site
30 Ramey St, Collinsville. **Tel** (618) 346-5160. ⏰ 8h-anoitecer diariam. Visitor Center: ⏰ 9h-17h diariam (fechado seg-ter de nov-abr). ⬤ feriados. ♿
🌐 cahokiamounds.com

Montículos cobertos de capim no Cahokia Mounds State Historic Site

Indiana

Ao contrário de outros estados dos Grandes Lagos, Indiana possui apenas uma estreita faixa de 72km de linha costeira à margem do lago Michigan. Por isso, sua história se concentra nos sistemas fluviais – o Maumee/Wabash no norte e o Ohio no sul – e no desenvolvimento de ferrovias e rodovias que ligaram Indiana aos importantes mercados do Meio-Oeste e do Leste. Agora Indiana é um lugar atraente para visitar de carro, ao longo de estradas secundárias montanhosas do rio Ohio e dos caminhos panorâmicos da região amish.

❻ New Harmony

900. Atheneum/Visitor Center, 401 N Arthur St, (800) 231-2168.
newharmony.org

Duas comunidades utópicas americanas floresceram nesse vilarejo simples, na margem leste do rio Wabash. A primeira, a Harmonie Society, foi fundada por um grupo separatista luterano alemão, em 1814, que veio da Pensilvânia. A seita seguia uma doutrina de perfeccionismo e celibato, antecipando-se à segunda vinda de Cristo e concentrando-se em empreendimentos lucrativos na agricultura e na manufatura.

Em 1825, os harmonistas voltaram para a Pensilvânia após vender a cidade e as terras em volta para Robert Owen, magnata escocês da indústria têxtil. Ele procurou criar uma sociedade ideal, baseada na educação livre e na abolição das classes sociais e da propriedade particular. Depois de dois anos, a colônia fracassou, mas os filhos de Owen, David e Robert, seguiram as ideias do pai e mais tarde criaram a Smithsonian Institution em Washington, DC.

Agora a cidadezinha arborizada é State Historic Site, com 25 construções bem conservadas, uma hospedaria e muitos jardins lindos e bem tratados. Entre eles está a reconstrução de um labirinto clássico, com passagens de cerca viva dispostas em círculos concêntricos em volta de um templo de pedra.

Historic New Harmony
603 West St. **Tel** (800) 231-2168.
mar-dez diariam. 10h e 14h diariam.

Monroe County Courthouse, em Bloomington, no estilo beaux-arts

❼ Bloomington

70.000. 2.855 N Walnut St, (800) 800-0037.
visitbloomington.com

Cercada por afloramentos de pedra calcária, essa cidade abriga o *campus* arborizado da Indiana University. A extração de pedra calcária alimentou o crescimento de Bloomington no século XIX, com resultados que ainda podem ser observados nos magníficos prédios públicos da cidade. Exemplo importante é a **Monroe County Courthouse**, de 1906, em estilo beaux-arts, no coração do Courthouse Square Historic District, no centro.

No *campus* existem diversas edificações históricas e espaços a céu aberto. O Auditorium de 1941 exibe vinte painéis de murais do *Century of Progress*, pintados em 1933 por Thomas Hart Benton para a World's Fair. Um refúgio para meditar, o **Tibetan Cultural Center** é o único do gênero nos EUA, e o **Indiana University Museum** foi projetado pelo arquiteto I. M. Pei. Nele estão obras de Henri Matisse, Claude Monet, Auguste Rodin e Andy Warhol, além de *O ateliê* (1934), de Picasso. É ótimo para praticar a meditação.

Indiana University Art Museum
1.133 E 7th St. **Tel** (812) 855-5445.
10h-17h ter-sáb, 12h-17h dom. feriados. artmuseum.iu.edu

❽ Indiana Dunes National Lakeshore

Dorothy Buell Memorial Visitor Center, Hwy 20 e Hwy 49. **Tel** (219) 926-7561. 8h30-16h30 diariam (18h no verão) 1º jan, Ação de Graças, 25 dez.
nps.gov/indu

Um dos grupos mais diferentes de ecossistemas do país está nesses 6.070ha do Indiana Dunes National Lakeshore. A apenas 30 minutos de carro de Chicago, esse refúgio muito bonito se localiza ao longo de uma faixa de 40km à beira do lago Michigan. Seus ecossistemas formam brejos, pântanos, charcos, morenas glaciais, pradarias, florestas, savanas e dunas, tudo ligado por estradas panorâmicas e uma rede de trilhas para caminhar ou andar de bicicleta. A Beyond the Beach Discovery Trail leva a tesouros naturais da área. O parque é também conhecido por paraíso para os observadores das aves que costumam ser vistas no local, como garças, cardeais, guarda-rios e pipilos.

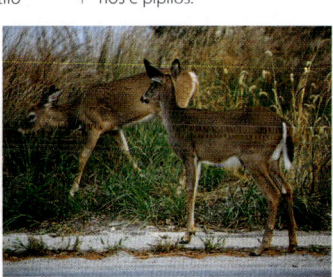

Veados no Indiana Dunes National Lakeshore

Veja hotéis e restaurantes dessa região nas pp. 422-7

INDIANA | 399

❾ South Bend

🏠 107.789. 🚗🚆✈ ℹ️ 401 E Colfax Ave, (800) 519-0577.
🌐 exploresouthbend.org

Hoje South Bend é famosa por sediar a **University of Notre Dame**. Essa instituição católica tem 11.400 alunos e foi criada em 1842 pelo padre Edward Sorin, sacerdote da Congregation of the Holy Cross. Embora a religião ainda seja importante, os estudantes e inúmeros ex-alunos são apaixonados pelo time de futebol de Notre Dame, o Fighting Irish, um dos mais bem-sucedidos da história do futebol universitário. Na realidade, uma das imagens mais famosas do *campus* é um enorme mural de Cristo chamado *The Word of Life*, que os alunos dizem ser "Touchdown Jesus" (*touchdown* é fazer seis pontos por entrar com a bola na linha de gol adversária).

Há visitas guiadas no **Morris Performing Arts Center**, construído em 1921 ao custo de US$1 milhão – era o teatro mais moderno do país quando inaugurado, na época como uma casa de *vaudeville*. Muitas celebridades, de Frank Sinatra a Jerry Seinfeld, fizeram apresentações no local, que passou por reforma em 2011.

Ao sul do centro, o **Studebaker National Museum** contém carruagens e os primeiros carros fabricados pela empresa Studebaker, que fechou. O acervo conta com uma carruagem que o presidente Lincoln usou para ir ao Ford's Theatre, na noite em que foi assassinado em Washington, DC, e um carro de 1909, que levava os senadores de seus escritórios até o Capitólio.

Morris Performing Arts Center
211 N Michigan St. **Tel** (800) 537-6415.
🕐 10h-17h (bilheteria).
🌐 morriscenter.org

Studebaker National Museum
201 S Chapin St. **Tel** (888) 391-5600.
🕐 10h-17h seg-sáb, 12h-17h dom.
⛔ feriados.
🌐 studebakermuseum.org

"Touchdown Jesus", mural de Notre Dame, em South Bend

❿ Shipshewana

🏠 525. ✈ ℹ️ 780 S Van Buren St, (800) 254-8090
🌐 backroads.org

Esse vilarejo, alojado nas terras cultivadas do nordeste de Indiana, conta com uma das maiores comunidades amish do mundo (p. 119). O **Menno-Hof Mennonite Anabaptist Interpretive Center** fornece um detalhado histórico sobre o movimento anabatista europeu, que deu origem às seitas menonita, huterita e amish. Perseguições religiosas no século XIX levaram a uma imigração em larga escala de anabatistas para os EUA e o Canadá. Exposições no centro recriam esse período difícil e examinam a seita e os costumes de seus praticantes atuais.

É comum avistar fazendeiros amish, com seus típicos chapéus pretos, camisas brancas e ternos pretos, andando em charretes em Shipshewana e nos vilarejos vizinhos de Bristol, Elkhart, Goshen, Middlebury, Nappanee e Wakarusa. Muitos turistas procuram essas vilas em busca de móveis, laticínios, pães e *quilts* (colchas).

Carruagem amish

Menno-Hof Mennonite Anabaptist Interpretive Center
510 S Van Buren St. **Tel** (260) 768-4117.
🕐 abr-dez: 10h-17h seg-sáb; jun-ago: até 19h seg-sex. ⛔ 1º jan, Ação de Graças, 25 dez.
🌐 mennohof.org

⓫ Fort Wayne

🏠 206.000. 🚗✈ ℹ️ 927 S Harrison St, (800) 767 7752.
🌐 visitfortwayne.com

A localização de Fort Wayne na confluência dos rios St. Mary's, St. Joseph e Maumee fez dele um local estratégico para indígenas, comerciantes de pele franceses, tropas britânicas e colonizadores americanos, todos querendo controlar o acesso aos Grandes Lagos. A prosperidade da cidade durante a época das ferrovias é exemplificada na fascinante Allen County Courthouse, erguida em 1902 no centro.

O **Fort Wayne Children's Zoo** é a maior atração da cidade. Os visitantes passeiam por sobre as árvores e animais no Sky Safari. Uma grande variedade de animais australianos são aclamados pelo público, e o African Journey leva o visitante a uma viagem por entre leões, hienas, mangustos e outras espécies do continente africano.

Fort Wayne Children's Zoo
3.411 Sherman Blvd. **Tel** (260) 427-6800. 🕐 abr-out: 9h-17h diariam.
🌐 kidszoo.org

Vista da Allen County Courthouse em Fort Wayne

Vista da arquitetura da moderna Indianápolis

⑫ Indianápolis

860.500. 200 S Capitol Ave, (800) 323-4639. visitindy.com

Conhecida como "Encruzilhada dos EUA", Indianápolis é muito mais que um centro de transportes onde se cruzam muitas ferrovias e rodovias interestaduais. Os diversos parques e monumentos da cidade e seus bairros vibrantes fazem dela um dos destinos mais surpreendentes e agradáveis da região.

Indicada para ser capital do estado em 1820, Indianápolis foi projetada na margem do rio White, com uma malha de amplas avenidas que partem do **Monument Circle**, bem no centro, dominado por um obelisco no estilo beaux-arts, de 1901, chamado Soldiers' and Sailors' Monument.

Os ótimos museus e teatros são complementados pelo grande interesse por esportes. No Memorial Day ocorre o maior evento mundial esportivo de um só dia: as 500 Milhas de Indianápolis, que enchem a **Indianapolis Motor Speedway** com uma plateia de cerca de 300 mil pessoas. Construída em 1909 como pista de testes de 4km, para a então nascente indústria automobilística, passou a receber as 500 Milhas em 1911. A corrida foi criada por Carl Fisher, que tinha uma montadora de carros e que, depois, ficou famoso como o incansável incentivador da Lincoln Hwy (hoje US 30), a primeira rodovia transcontinental do país, que vai de Nova York a São Francisco. O Hall of Fame da pista exibe mais de 70 carros e outras lembranças das 500 Milhas, além de exemplares de carros Cole, Stutz, Marmon, National e Duesenberg, construídos na cidade antes que a indústria se concentrasse em Detroit. O visitante também pode fazer um passeio de ônibus com guia pela famosa pista.

O **Children's Museum of Indianapolis**, com cinco andares, inaugurado em 1976, é o maior do mundo e foi classificado como um dos melhores do país. Suas dez galerias e 10% de seus 120 mil objetos estão dispostos de modo a incentivar a exploração interativa das ciências, da história, das culturas mundiais e das artes. Entre os muitos destaques figura um carro da fórmula Indy 500, um carrossel restaurado, uma mostra de dinossauro e o Anne Frank Peace Park, com esculturas das sete maravilhas do mundo. O **Indiana State Museum** fica dentro do **White River State Park**, um oásis urbano

Exposição no Indianapolis Motor Speedway Hall of Fame

de 101ha no centro da cidade. O amplo museu foi feito com material do local, a exemplo do calcário de Indiana, arenito, tijolo, aço, alumínio extrudado e vidro. Concentrando-se na história natural e cultural de Indiana, o museu exibe desde mostras de fósseis pré-históricos até ícones contemporâneos da cultura pop.

O **Lockerbie Square District**, a nordeste do centro, é o mais antigo bairro de imigrantes do século XIX que sobreviveu até hoje. Imortalizada pela poesia do morador James Whitcomb Riley (1849-1916), a praça preserva os modestos chalés dos operários e suas ruas calçadas com pedras e dos lampiões da época. De 1872, a casa de Riley, em estilo italiano, tornou-se museu.

Situado no terreno da propriedade Oldfields do pioneiro da indústria farmacêutica J. K. Lilly Jr., 8km ao norte do centro, o **Indianapolis Museum of Art** abriga amplo acervo de arte americana, europeia, asiática e africana. Entre as peças mais famosas do museu estão *The Boat Builders*, de Winslow Homer, *Hotel Lobby*, de Edward Hopper, e *Jimson Weed*, de Georgia O'Keeffe, e muitas obras que Paul Gauguin fez em sua visita de 1886 à colônia de artistas franceses de Pont-Aven.

A residência Oldfields-Lilly, restaurada, e seus belos jardins, projetados por Percival Gallagher, da famosa empresa de paisagismo Olmsted Brothers, foram muito bem restaurados para retomar seu esplendor da década de 1920. A casa e o amplo terreno, arborizado e com jardins, abrem para passeios.

O **Eiteljorg Museum of American Indians and Western Art**, também no White River State Park, dispõe de uma das coleções mais impressionantes de arte nativa e do oeste americano em todo o país. Criado em 1989 por Harrison Eiteljorg, homem de negócios bem-sucedido de Indianápolis e colecionador de arte, o museu está instalado num prédio

Veja hotéis e restaurantes dessa região nas pp. 422-7

The Greeting (1989), de George Carlson, no Eiteljorg Museum

de adobe inspirado em edificações do sudoeste, em consideração à grande coleção de obras reunidas por Eiteljorg a partir da Taos Society of Artists *(p. 538)*, do início do século XX, que incorporou temas de nativos, americanos do Oeste e hispânicos a seus trabalhos. Estão expostas pinturas de artistas célebres como Georgia O'Keeffe, Frederic Remington e Charles M. Russell, cuja tela *Indians Crossing the Plains* retrata a cultura indígena no final do século XIX, nas Grandes Planícies. Há também muitos objetos indígenas.

Indianapolis Motor Speedway
Hall of Fame, 4.790 W 16th St. **Tel** (317) 492-6784. 9h-17h diariam (horários estendidos em maio). Ação de Graças, 25 dez. (crianças menores de 6 anos grátis). **w** brickyard.com

Indianapolis Museum of Art
4.000 Michigan Rd. **Tel** (317) 920-2660. 11h-17h ter-sáb (até 21h qui, sex), 12h-17h dom. 1º jan, Ação de Graças, 25 dez. (qui grátis na Lilly House) **w** imamuseum.org

Eiteljorg Museum of American Indians & Western Art
500 W Washington St. **Tel** (317) 636-9378. exposições: 10h-17h seg-sáb, 12h-17h dom. 1º jan, Ação de Graças, 25 dez. (menores de 5 anos grátis). 13h diariam. **w** eiteljorg.org

ⓑ Columbus

39.000. 506 5th St, (800) 468-6564. **w** columbus.in.us

Uma das maiores concentrações mundiais de arquitetura moderna se encontra nessa pequena cidade no sul de Indiana. De 1942 em diante, depois de terminada a **First Christian Church**, do arquiteto Eliel Saarinen, Columbus passou a chamar a atenção internacional para mais de 60 igrejas, escolas, bancos e prédios comerciais e públicos nela construídos. Atualmente o empenho da cidade com projetos de alta qualidade fez Columbus se colocar em sexto lugar na lista de cidades marcadas pela inovação arquitetônica e de design do American Institute of Architects.

A fundação filantrópica mantida pelo maior empregador da cidade, o Grupo Cummins Engine, atraiu alguns dos arquitetos mais famosos do mundo. Entre os que deixaram sua marca na cidade estão Robert Trent Jones, Richard Meier, Robert Venturi, Alexander Girard e I. M. Pei, cuja Cleo Rodgers Memorial Library, de 1969, fica na 5th Street no 536. A **Columbus Architecture Tours** permite que o visitante tenha uma visão geral dessas atrações arquitetônicas.

Columbus Architecture Tours
506 5th St. **Tel** (800) 468-6564. diariam; horários e frequência dependem da época do ano.

⓭ Vale do Rio Ohio

601 W First St, (800) 559-2956. **w** visitmadison.org

A partir da fronteira sudeste de Indiana com Kentucky, as Routes 56 e 156 acompanham o sinuoso rio Ohio por quase 129km, conforme ele passa preguiçosamente pelas cidades ribeirinhas de Rising Sun, Patriot, Florence e Vevey. Essas duas rodovias consistem no melhor modo de explorar o vale do rio, assim como o interior montanhoso do sul.

De antes da guerra, o porto fluvial de **Madison**, 145km a sudeste de Indianápolis, é uma das cidades mais bem preservadas do rio. Muitas de suas edificações residenciais e comerciais se beneficiaram de uma generosa subvenção do National Trust for Historic Preservation. Entre os encantos arquitetônicos da cidade estão a **Lanier Mansion**, no estilo neoclássico, construída em 1844 para o magnata das ferrovias James Lanier, e a Shrewsbury-Windle House, de 1849, residência de um dono de barcos, com escadaria circular elegante. No centro fica o consultório do século XIX, restaurado, do médico William D. Hutchings.

Lanier Mansion State Historic Site
601 W 1st St Madison. **Tel** (812) 265-3526. 9h-17h qui-ter. feriados. a cada hora até 16h. crianças menores de 2 anos grátis.

A First Christian Church (1942) de Eliel Saarinen, em Columbus

Ohio

Ohio é uma terra de contrastes. Como um dos maiores produtores agrícolas do país, o estado está pontilhado de fazendas pitorescas, cidadezinhas impregnadas de história e áreas amish, de assentamento mais recente, onde charretes e celeiros são coisas atuais. Ohio também conta com diversos dos centros mais industrializados do país ao longo do rio Ohio – nas fronteiras sul e leste do estado – e com cidades portuárias junto às margens do lago Erie.

Fachada art déco do Union Terminal, em Cincinnati

⓮ Cincinnati

331.285. 525 Vine St, (800) 344-3445. cincyusa.com

Erguida sobre uma série de morros íngremes voltados para o rio Ohio, Cincinnati já foi chamada de "Porcópolis" pela quantidade de matadouros e de fábricas malcheirosas. Depois as ruas sinuosas e a bela vista da área do Mount Adams fizeram o primeiro-ministro britânico Winston Churchill chamá-la de "a cidade mais bonita do interior dos EUA". Agora é um vibrante centro econômico que teve a área beira-rio revitalizada com diversões e parques.

A localização de Cincinnati, na intersecção do Erie Canal com os rios Miami e Ohio, e sua posição estratégica elevada na fronteira do Sul escravista com o Norte industrializado fizeram dessa cidade um entroncamento cultural e comercial heterogêneo. Muitas celebridades locais, como a escritora **Harriet Beecher Stowe**, cuja casa é um ponto histórico do estado, defenderam o movimento abolicionista. O dinâmico **National Underground Railroad Freedom Center** concentra-se no passado heroico da cidade.

O marco mais famoso de Cincinnati é a ponte-pênsil de pedra e aço, de 1867, construída por John A. Roebling (que fez a Brooklyn Bridge) para ligar a cidade a Covington, no Kentucky, cruzando o rio Ohio. Outra referência é o Art Deco Cincinnati Museum Center no **Union Terminal**, de 1933, com teto abobadado, a oeste do centro. O terminal restaurado agora abriga atrações que tratam da história da cidade, de história natural e oferece atividades infantis.

O **Contemporary Arts Center** leva energia criativa ao centro da cidade. O inovador UnMuseum, no sexto andar, incentiva a interatividade, em especial das crianças. Na parte leste da cidade, o **Cincinnati Art Museum** está voltado para o Eden Park. Seu grande acervo conta com objetos romanos, gregos, egípcios, asiáticos e africanos. Entre as peças de arte contemporânea há um retrato do controvertido ídolo do beisebol Pete Rose, encomendado especialmente a Andy Warhol.

🏛 **The Cincinnati Art Museum**
953 Eden Park Dr. **Tel** (877) 472-4226. 11h-17h ter-dom. principais feriados. cincinnatiartmuseum.org

⓰ Dayton

166.000. 1 Chamber Plaza, Suite A, (800) 221-8235. daytoncvb.com

Essa cidade agradável no grande rio Miami ficou conhecida como "Terra da Aviação". Foi ali que os pioneiros da aviação Wilbur e Orville Wright *(p. 252)* realizaram boa parte de sua pesquisa e dos experimentos que levaram ao voo bem-sucedido em 1903, em Kitty Hawk, na Carolina do Norte. A 8km para nordeste fica o **Dayton Aviation Heritage National Historic Park**, no local onde os irmãos testaram o segundo e o terceiro aviões, em 1904 e 1905. O **Carillon Historical Park** contém o avião *Flyer III* de Wright, o primeiro capaz de executar uma curva. Mais de 300 aviões e mísseis do período pós-Wright estão expostos no **National Museum of the US Air Force**. Além disso, dentro da área está o **National Aviation Hall of Fame**.

Voltado para o grande rio Miami, o **Dayton Art Institute** apresenta um grande acervo de pinturas europeias e americanas, como *Nenúfares*, de Claude Monet, e *High Noon*, de Edward Hopper.

🏛 **Carillon Historical Park**
1.000 Carillon Blvd. **Tel** (937) 293-2841. 9h30-17h ter-sáb, 12h-17h dom e feriados. crianças menores de 3 anos grátis. carillonpark.org

🏛 **Dayton Art Institute**
456 Belmonte Park N. **Tel** (937) 223-5277. 10h-17h qua-dom (até 20h qui). crianças menores de 7 anos grátis. daytonartinstitute.org

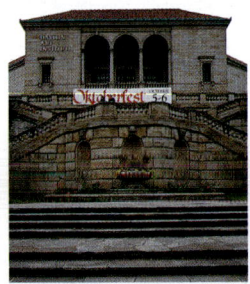

Dayton Art Institute, no estilo renascentista italiano, em Dayton

Veja hotéis e restaurantes dessa região nas pp. 422-7

OHIO | 403

Serpent Mound, com seus 411m

⓱ Serpent Mound

3.850 Rte 73, Peebles. **Tel** (800) 752-2757. Museu e Jardins: ⏰ abr-out: 10h-17h diariam; nov-meados dez, mar: 10h-16h sáb-dom. ♿

Maior montículo com efígie dos EUA em formato de serpente, com 411m de comprimento, o Serpent Mound está voltado para Brush Creek, no vale do rio Ohio. Embora não se saiba sua idade exata, pesquisas sugerem que esse montículo foi construído entre 800 a.C. e 400 d.C. pelo povo adena, comunidade agrícola ancestral nativa do Ohio. O montículo, com 1,5m de altura e 6m de largura, parece representar uma serpente esticada, com cauda enrolada em uma extremidade e, na outra, uma abertura semelhante a uma boca engolindo uma forma oval. No local, um museu descreve a história do montículo e sua proteção por lei, em 1888, a primeira nos EUA a salvaguardar sítios arqueológicos importantes.

⓲ Hopewell Culture National Historical Park

16.062 Rte 104, Chillicothe. **Tel** (740) 774-1126. ⏰ 8h30-17h diariam (até 18h Memorial Day-Labor Day). 🚫 1º jan, Ação de Graças, 25 dez. ♿
🌐 nps.gov/hocu

Localizado no vale do rio Scioto, esse parque de 48ha preserva 23 montículos funerários indígenas, construídos pelo povo hopewell, que viveu na área de 200 a.C. até 500 d.C. A cultura hopewell, que derivou da cultura adena, abrange uma ampla rede de crenças e práticas dentre diferentes grupos nativos espalhados pelo leste dos EUA. Típicos dessa cultura, os montículos têm formatos geométricos, cercados por uma parede de terra. Um centro de visitantes possibilita observar melhor a vida social e econômica dos hopewells (há muito desaparecidos), em razão do trabalho arqueológico realizado no local.

⓳ Columbus

🏠 711.000. ✈ 🚌 🚉
ℹ️ 277 W Nationwide Blvd, (614) 221-6623, (800) 354-2657.
🌐 experiencecolumbus.org

Capital de Ohio desde 1816, Columbus se desenvolveu a partir de um núcleo pacato, em terreno pantanoso da margem leste do rio Scioto, se tornou movimentado centro cultural, político e econômico. O centro apresenta a **Ohio Statehouse**, neoclássica. Construído entre 1839 e 1861, o prédio tem uma cúpula em forma de tambor, com claraboia de 9m de largura.

O **Ohio History Center** é o melhor lugar para começar a visita. Uma mostra interativa traça a evolução de Ohio desde posto avançado de fronteira no século XVIII até sua posição atual como centro urbano industrial. Entre as atrações de fama nacional estão o COSI (Center of Science and Industry), um parque de ciências ao ar livre e 300 mostras em recinto fechado. O Columbus Zoo and Aquarium abriga mais de 9 mil criaturas. O diretor emérito é Jack Hanna, uma celebridade da televisão.

O **Franklin Park Conservatory and Botanical Garden**, criado em 1895, tem um jardim de bonsais e outro de esculturas. Também dispõe de simulação de climas exóticos.

🏛 **Ohio History Center**
1.982 Velma Ave. **Tel** (614) 297-2300. ⏰ 10h-17h qua-sáb, 12h-17h dom. 🚫 principais feriados. 🎟 (menores de 6 anos grátis). ♿
🌐 ohiohistory.org/places/ohc

🌿 **Franklin Park Conservatory & Botanical Garden**
1.777 E Broad St. **Tel** (614) 645-8733, (800) 214-7275. ⏰ 10h-17h diariam (até 20h qua). 🚫 Ação de Graças, 25 dez. 🎟 (menores de 3 anos grátis). ♿ 🌐 fpconservatory.org

⓴ Berlin

🏠 3.100. 🚌 ℹ️ 35 N Monroe St, Millersburg, (877) 643-8824, (330) 674-3975 🌐 visitamishcountry.com

Boa parte da grande população amish de Ohio se concentra em Holmes County, no centro-norte do estado, cerca de 145km a nordeste de Columbus. Berlin é a vila mais antiga desse condado. A maioria de seus primeiros colonos, originalmente da Alemanha ou da Suíça, se estabeleceu em Ohio após uma passagem pela Pensilvânia.

Logo na saída do vilarejo de Berlin, a **Schrock's Amish Farm** fornece uma boa visão geral dos amish, que preferiram a reclusão e mantiveram seu modo de vida simples, do século XIX. A fazenda possui um centro de visitantes multimídia e oferece uma visita ao local, onde se compram pães e bolos e se fazem passeios de charrete. Pede-se que o visitante dirija com cuidado ao longo das estradas vicinais e vias públicas, em respeito às carruagens lentas dos fazendeiros amish.

Schrock's Amish Farm
4.363 SR 39. **Tel** (330) 893-3232. ⏰ abr-out: 10h-17h seg-sex, 10h-18h sáb. 🎟 ♿

Franklin Park Conservatory and Botanical Garden, em Columbus

Silhueta de Cleveland vista de The Flats

❷ Cleveland

🏙 478.000.
ℹ 334 Euclid Ave, (800) 321-1001.
🌐 positivelycleveland.com

Cleveland é uma cidade de trabalho, vibrante e sempre em mutação. Fundada em 1796 pelo especulador Moses Cleveland, a cidade passou de vilarejo de fronteira a movimentado porto comercial em 1832, quando foi feito um canal ligando o rio Ohio ao lago Erie.

Sua indústria siderúrgica surgiu depois da Guerra Civil, quando as ferrovias ligaram a cidade à Iron Range, em Minnesota, e à zona carbonífera do oeste da Pensilvânia. Essa indústria floresceu no início do século XX, atendendo à demanda de aço de fácil acesso para a indústria automobilística de Detroit. Porém, após a Segunda Guerra Mundial, as fortunas da cidade minguaram conforme as indústrias se mudaram, deixando para trás imensas extensões de terra poluídas e milhares de desempregados. Agora a imagem do "Rust Belt" (Cinturão de Ferrugem) de Cleveland é coisa do passado. Atualmente a cidade ocupa 7.689ha de terras. O Warehouse District, antiga zona industrial à beira do lago, e **The East 4th Street District** se tornaram movimentados bairros de diversões.

Local marcante desde 1927, dizia-se que **Terminal Tower**, em estilo beaux-arts e com 52 andares, era uma "cidade dentro da cidade". Ali, o uso do espaço vertical é maximizado e o prédio condensa uma área de escritórios, uma estação de trem e um hotel. O observatório do 42º andar oferece lindas vistas da cidade e, em dias claros, pode-se ver o Canadá.

De 1995, o **Rock and Roll Hall of Fame and Museum**, à beira do lago Erie, no centro, destaca Cleveland em meio às atividades de entretenimento do país. O museu, de 13.935m², foi projetado por I. M. Pei e traça o desenvolvimento do rock, começando com suas raízes no blues do delta do Mississippi (*pp. 360-1*) e nas velhas bandas de instrumentos de cordas dos Apalaches. Estão expostas lembranças que vão da guitarra elétrica Gibson de Chuck Berry à camiseta Cub Scout usada por Jim Morrison. A oeste, o **Great Lakes Science Center** usa mostras interativas para estimular o interesse do público pelo complexo ecossistema da região dos Grandes Lagos.

O **Greater Cleveland Aquarium** oferece uma fantástica oportunidade para observar a vida subaquático através de um túnel.

As principais atrações culturais de Cleveland ficam a 6km do centro, ao redor do University Circle. Em volta de uma grande área natural, perto do *campus* da Case Western Reserve University, fica uma série de prédios do início do século XX que hoje contêm diversos museus muito bons. Entre eles está o **Cleveland Museum of Art**, com excelente acervo de relíquias do Egito Antigo e objetos pré-colombianos. De sua coleção de pinturas europeias constam obras-primas como *Mãe e filho*, de Renoir, e *Paisagem com carrinho de mão*, de Van Gogh. Na frente do museu fica o concorrido **Botanical Garden**, que dispõe de 4ha de jardins a céu aberto, além de um jardim japonês e de um jardim da paz.

🏛 **Rock and Roll Hall of Fame & Museum**
110 Rock and Roll Blvd. **Tel** (216) 781-7625. 🕐 10h-17h30 diariam (até 21h qua). ● Ação de Graças, 25 dez. 🎟 menores de 12 grátis. ♿
🌐 rockhall.com

🏛 Greater Cleveland Aquarium 2000 Sycamore St. **Tel** (216) 298- 4918, (888) 262-4748. 🕐 10h-18h diariam, 10h-21h qua. 🎟 ♿ 🌐 greaterclevelandaquarium.com

🏛 **Cleveland Museum of Art**
11.150 East Blvd. **Tel** (216) 421-7340, (888) 262-4748. 🕐 10h-17h ter-dom (até 21h qua, sex, sáb). ● seg, 1º jan, 4 jul, Ação de Graças, 25 dez. ♿
🌐 clevelandart.org

Arredores

Situada 40km a oeste de Cleveland, **Oberlin** é a sede da Oberlin College, uma das primeiras faculdades a admitir alunos afro-americanos e mulheres. Conta com o Allen Memorial Art Museum, que expõe arte americana, asiática e europeia.

Centro siderúrgico, **Canton** fica 96km para o sul de Cleveland. É famosa pelo Pro Football Hall of Fame, que já foi visitado por mais de 8 milhões de fãs.

O Rock and Roll Hall of Fame and Museum, no centro de Cleveland

Veja hotéis e restaurantes dessa região nas pp. 422-7

Perry's Victory Memorial, em Put-in-Bay, nas Lake Erie Islands

㉒ Lake Erie Islands

770 SE Catawba Rd, Port Clinton, (800) 441-1271.
w shoresandislands.com

Localizadas ao largo da península de Marblehead, que separa Sandusky Bay do lago Erie, as Lake Erie Islands constituem um destino turístico excelente. Entre elas estão a Kelleys Island, bucólica e pacata, e a movimentada South Bass Island, com a vila de Put-in-Bay, que tem centro noturno animado.

Território das tribos indígenas erie, ottawa e huron até o século XIX, as Lake Erie Islands ganharam fama nacional durante a guerra de 1812.

Em 10 de setembro de 1813 o comodoro da marinha americana Oliver Hazard Perry derrotou a frota britânica, mais bem armada, na batalha do lago Erie, travada ao largo da South Bass Island.

Com centro de visitantes e uma coluna de granito de 107m de altura, o **Perry's Victory and International Peace Memorial** celebra a vitória do comodoro Perry e sua famosa mensagem para o general americano William Henry Harrison: "Encontramos o inimigo e o dominamos".

O **Kelleys Island State Park** dispõe das fascinantes Glacial Grooves, uma série de profundas estrias glaciais na rocha calcária causadas pelo movimento de uma pesada barreira de gelo. Esses sulcos são protegidos contra a mineração desde 1923.

De ferryboat chega-se a Sandusky e Marblehead. O Marblehead Lighthouse, construído em 1821, é muito famoso.

Perry's Victory & International Peace Memorial
93 Delaware Ave, Put-in-Bay, S Bass Island. **Tel** (419) 285-2184. fim abr-out: 10h-17h diariam ou com hora marcada. (menores de 16 anos grátis). **w** nps.gov/pevi

Kelleys Island State Park
Kelleys Island. **Tel** (419) 746-2546. 18h-22h diariam. **w** ohiostateparks.org

㉓ Sandusky

29.800. 4.424 Milan Rd, Sandusky, (800) 255-3743.
w shoreandislands.com

Sandusky já foi um dos maiores portos de embarque de carvão dos Grandes Lagos. Agora o terminal de ferryboat oferece acesso fácil às Lake Erie Islands. Mas a cidade é mais conhecida pelo **Cedar Point Amusement Park**, de 147ha. O parque afirma ter o maior conjunto de montanhas-russas do mundo. Vão desde os antigos e deteriorados até os de alta velocidade, como Magnum, Millennium Force e Top Thrill Dragster. O Windseeker, com 30m de altura, é outro brinquedo emocionante. O Cedar Point também possui um parque aquático, o Camp Snoopy para crianças e uma praia arenosa no lago Erie.

Cedar Point Amusement Park
1 Cedar Point Dr. **Tel** (419) 627-2350. meados mai-Labor Day: 10h-20h (ou pouco mais) diariam; Labor Day-fim out: varia, ligar antes. **w** cedarpoint.com

㉔ Toledo

314.000. 401 Jefferson Ave, (800) 243-4667.
w dotoledo.org

Um dos mais importantes centros mundiais da indústria do vidro e terceiro porto dos Grandes Lagos, Toledo ocupa uma área no rio Maumee com história rica. A batalha das Árvores Caídas, de 1794, ocorreu em seus arredores e abriu caminho para o povoamento branco do noroeste de Ohio e Indiana. A área também foi estratégica na guerra de 1812.

A cidade é famosa pelo **Toledo Museum of Art**, uma edificação neoclássica no histórico Old West End, criado pelo magnata local do vidro Edward Drummond Libbey. O museu exibe um dos maiores acervos mundiais de vidro ornamental, abrigado no Post-Modern Glass Pavilion, aberto em 2008.

Próximo, o **Fort Meigs State Memorial**, reconstrução de um forte de guerra de 1812, foi reinaugurado em 2003 e conta com museu e exposições interativas. Durante o verão, os funcionários vestem-se em roupas de época e conduzem reencenações históricas. Fort Meigs, cerca de 16km para o sul de Toledo, em Perrysburg, foi reconstruído para louvar a paliçada que resistiu a cercos britânicos e indígenas em 1813.

Toledo Museum of Art
2.445 Monroe St. **Tel** (419) 255-8000. 10h-16h ter-sáb (até 22h sex, 18h sáb), 12h-18h dom. 1º jan, 4 jul, Ação de Graças, 25 dez. **w** toledomuseum.org

Montanha-russa no Cedar Point Amusement Park, em Sandusky

Michigan

Esse estado do interior possui rica história naval. A principal massa de terra de Michigan, a chamada Lower Peninsula, tem forma de luva e é cercada por três dos Grandes Lagos: Michigan, Huron e Erie. Tem as maiores cidades, incluindo Detroit, e responde pela maior parte da economia e da população de Michigan. No século XIX, a Lower Peninsula, com suas dunas formadas pelo vento e pomares de cereja, era um destino excelente. A escarpada Upper Peninsula, a noroeste, cuja margem norte é o lago Superior, só se tornou parte do estado em 1834. As lindas vistas panorâmicas da Upper Peninsula contribuíram para transformá-la também num refúgio turístico.

Plateia assiste ao festival anual de jazz na Hart Plaza, em Detroit

❷ Detroit

951.270.
211 W Fort St, (800) 338-7648.
visitdetroit.com

Conhecida agora como "Motor City", Detroit (que em francês significa "o estreito") foi fundada em 1701 pelo francês Antoine de la Mothe Cadillac, comerciante de peles. De antigo centro de construção de embarcações, a cidade se transformou em líder da indústria de equipamentos ferroviários, carros e bicicletas. Seu grande crescimento industrial, porém, ocorreu só depois que Henry Ford começou a produzir automóveis em Detroit, em 1896. Por volta da década de 1920, a maioria das fábricas de carros americanas – Ford, General Motors, Pontiac e Chrysler – havia transferido suas sedes e instalações fabris para a cidade.

A indústria automobilística ainda domina Detroit. Uma malha de rodovias se irradia do centro revitalizado da cidade. Agora seu ponto focal é o enorme **Renaissance Center**, à beira do lago, sede atual da General Motors. Nas proximidades, a **Hart Plaza** acolhe festivais ao longo do ano, entre os quais o Detroit Jazz Festival, durante a semana do Labor Day. Bem na frente fica *Big Fist*, uma escultura de 8m de altura a céu aberto, um tributo ao boxeador afro-americano Joe Louis, conhecido como "The Brown Bomber" (A Bomba Negra). A leste do centro está o animado bairro grego e a área de restaurantes concentrada na Monroe Avenue. A norte do centro fica o Comerica Park e o Ford Field, famosos campos esportivos.

🏛 Charles H. Wright Museum of African American History
315 E Warren Ave. **Tel** (313) 494-5800.
9h-17h ter-sáb, 13h-17h dom.
seg, feriados.
thewright.org

Criado em 1997, esse centro homenageia as contribuições feitas pela grande população afro-americana de Detroit para o progresso cultural e comercial da cidade. Ele relata a travessia de africanos escravizados pelo Atlântico, a Underground Railroad, o movimento dos direitos civis e outros marcos da história dos afro-americanos. Há um programa interessante de exposições temporárias, além das mostras fixas. Uma delas, dirigida às crianças bem pequenas, chama-se "A de África" e tem 26 estações interativas e um "dicionário" tridimensional.

🏛 Detroit Institute of Arts
5.200 Woodward Ave, Detroit Cultural Center. **Tel** (313) 833-7900.
10h-16h qua-qui, 10h-22h sex, 10h-17h sáb-dom.
seg, ter, feriados. (menores de 6 anos grátis) dia.org

A grande atração do museu é um mural monumental de 27 painéis do artista Diego Rivera, da Cidade do México. Sua controvertida *Detroit Industry* relata o processo da indústria automobilística de modo inflexível, refletindo a visão esquerdista de Rivera sobre as relações entre aqueles que comandam e os operários.

O notável acervo do museu vai desde a arte pré-colombiana, indígena e africana até as pinturas holandesas e flamengas do século XVII. Há também uma grande coleção de telas americanas do século XIX.

🏛 Detroit Historical Museum Detroit Historical Museums & Society
5.401 Woodward Ave. **Tel** (313) 833-1805.
9h30-15h qua-sex, 10h-17h sáb, 12h-17h dom. feriados. (menores de 4 anos grátis).
detroithistorical.org

A mostra renovada das "Streets of Old Detroit", além das exposições permanentes sobre o legado automotivo de Detroit, é a principal atração do museu, situado no Detroit Cultural Corridor, perto da Wayne State University. Pertencente a essa sociedade, o **Historic**

Ninfa e Eros, expostos no The Detroit Institute of Arts

Veja hotéis e restaurantes dessa região nas pp. 422-7

MICHIGAN | 407

Fort Wayne and Tuskegee Airmen Museum, junto ao rio Detroit, no lado sudoeste da cidade, incorpora muitas das construções do forte Wayne que sobreviveram, nesse que foi o último bastião militar a defender Detroit. O forte funciona aos sábados e domingos; o museu só abre com hora marcada. A sociedade também opera o **Dossin Great Lakes Museum**, no Belle Isle Park

Meios de transporte antigos no Henry Ford Museum, em Dearborn

Motown Historical Museum

2.648 W Grand Blvd. **Tel** (313) 875-2264. 10h-18h ter-sáb (seg durante o verão). seg, feriados. motownmuseum.org

No início da década de 1960, o selo da gravadora Motown revolucionou a música popular americana com sua marca registrada "Motown Sound", que mistura pop, soul e r&b. O gênio criativo do inventor do selo, Berry Gordy Jr., e seu grupo de artistas talentosos, como Marvin Gaye, Smokey Robinson, Stevie Wonder, The Temptations e Diana Ross and The Supremes, são homenageados nesse museu, instalado no prédio original de tijolo, onde foram gravados sucessos como "Heard It Through the Grapevine" e "Baby Love". O prédio reformado, chamado Hitsville USA por Gordy, tem uma boa mostra de fotografias antigas, instrumentos e equipamento de gravação, incluindo o "Studio A" original, onde foram criados os primeiros sons clássicos. O material exposto conta a história da Motown como a única e bem-sucedida gravadora independente controlada por afro-americanos nos EUA. Hoje o selo pertence à PolyGram Corporation.

Arredores

O subúrbio de Dearborn, 13km a oeste de Detroit, é sede do **The Henry Ford**, um museu com áreas interna e externa que possui um dos mais expressivos acervos relacionados à história americana. Dentro do complexo fica o Henry Ford Museum, com exposições de transportes de época e outros objetos; é também o ponto de partida para o passeio high-tech Ford Rouge Factory Tour. Ao ar livre, a Greenfield Village exibe o eclético acervo de Ford, que inclui diversos itens: um catre usado por George Washington, a poltrona em que Abraham Lincoln foi baleado, o laboratório de Thomas Edison, a limusine presidencial de John F. Kennedy, o ônibus Rosa Parks, a casa de Dayton e a loja de bicicletas dos irmãos Orville e Wilbur Wright.

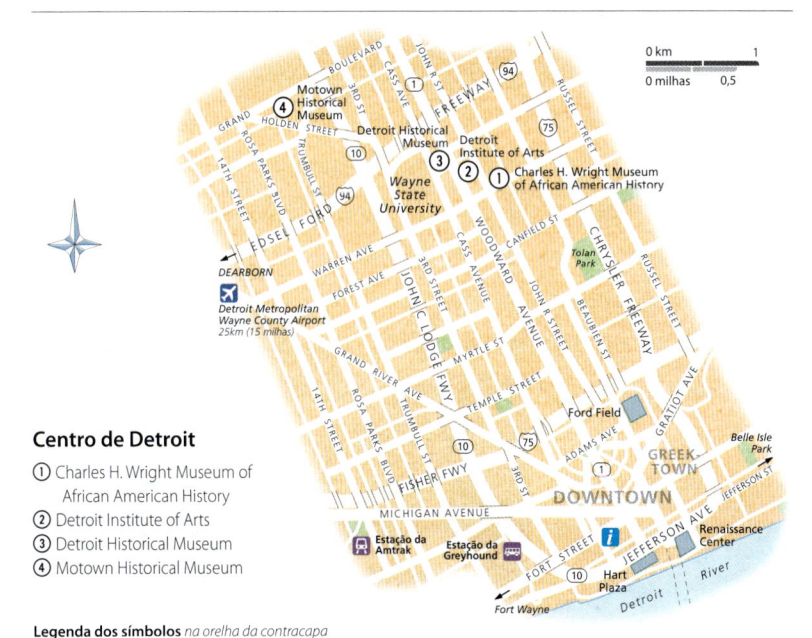

Centro de Detroit

① Charles H. Wright Museum of African American History
② Detroit Institute of Arts
③ Detroit Historical Museum
④ Motown Historical Museum

Legenda dos símbolos na orelha da contracapa

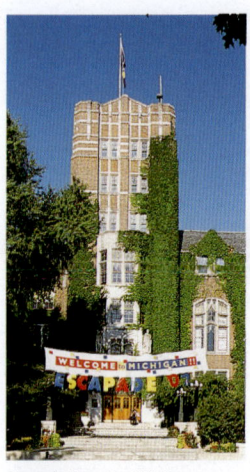

Campus da University of Michigan, em Ann Arbor

㉖ Ann Arbor

🅼 114.000. 🛈 120 W Huron St, (800) 888-9487.
🌐 visitannarbor.org

Cidade média e pitoresca, com centro para pedestres, Ann Arbor é um baluarte do liberalismo e do ativismo ambiental na extremidade oeste da conservadora Detroit. O caráter independente da cidade vem de professores e alunos ligados à **University of Michigan**, o maior empregador local. Festivais de música, cinema e arte ocorrem o ano todo. É realizada na cidade uma das maiores feiras de arte ao ar livre. Em julho, esse evento anual atrai mais de mil artistas e 500 mil comerciantes e adeptos da arte.

De maneira interativa, **The Hands On Museum** apresenta a ciência, a matemática e a tecnologia para as crianças. Em nove galerias, há cerca de 250 mostras dinâmicas. Em uma delas, os pré-escolares podem se vestir de bombeiros e chapinhar na água.

Com 1.133ha, o *campus* gótico da University of Michigan domina a Washtenaw Avenue, a sudeste do centro. O **Kelsey Museum of Archaeology**, no *campus* principal, exibe diversos objetos gregos, romanos, egípcios e do Oriente Médio.

㉗ Lansing

🅼 119.128. 🛈 500 E Michigan Ave, (888) 252-6746.
🌐 lansing.org

Essa cidade, sede de governo e centro industrial, tira vantagens de sua proximidade com a Michigan State University na vizinha East Lansing. Escolhida como capital do estado em 1847, a subsequente chegada das ferrovias, em 1871, e o término da Assembleia no centro, em 1879, incentivaram seu crescimento.

O **Michigan Historical Museum** relata a construção do segundo Capitólio estadual em estilo neorrenascentista e traça a história do estado desde o período pré-histórico até o presente, por meio de diversas mostras interativas.

A posição de Lansing como importante centro automotivo está ligada à empresa criada por Ransom E. Olds, que iniciou, ali, a fabricação de protótipos de veículos em 1885. Depois ele produziu o Curved Dash Olds, que muitos consideram o primeiro carro fabricado em massa no mundo. O **R. E. Olds Transportation Museum** expõe um Curved Dash Olds Runabout original, de 1901, e diversos Oldsmobiles clássicos da década de 1930 até a de 1940. Também se encontra na coleção o último modelo, produzido em 2004. As exibições mudam a cada três meses.

Carro exposto no Olds Museum

R. E. Olds Transportation Museum
240 Museum Dr. **Tel** (517) 372-0529.
🕙 10h-17h ter-sáb, 12h-17h dom.
⚫ nov-mar: seg.

㉘ Grand Rapids

🅼 197.800. 🛈 171 Monroe Ave, Suite 700, (800) 678-9859. 🌐 experiencegr.com

Grand Rapids deve sua fama de importante centro moveleiro ao rio Grand, que passa pelo coração da cidade. No século XIX, às margens desse rio, as marcenarias tinham máquinas movidas pela força da água. Elas formaram a base para o crescimento dos fabricantes de móveis finos, como Herman Miller e Steelcase.

A leste da cidade fica o elegante **Heritage Hill Neighborhood**, um bairro histórico. O **Grand Rapids Public Museum** explora a história da cidade e tem um planetário. O conjunto conta com o imponente **Voigt House Victorian Museum**, de 1895, que apresenta magníficos móveis de época, e com a **Meyer May House**, de 1909, uma das últimas casas no estilo Prairies de Frank Lloyd Wright. Não deixe de conferir o belo e espaçoso **Frederik Meijer Gardens and Sculpture Park**.

A cidade também conta com o **Gerald R. Ford Museum**, que acompanha a carreira do 38º presidente. Ele cresceu em Grand Rapids, onde o pai administrava uma empresa de tintas e vernizes. O museu dispõe de um passeio holográfico pela Casa Branca e por uma réplica do Salão Oval.

Grand Rapids Public Museum
272 Pearl St NW. **Tel** (616) 929-1700.
🕙 horários variam.
🌐 grmuseum.org

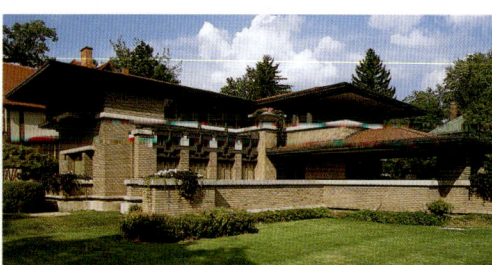

Meyer May House, de Frank Lloyd Wright, de 1909, em Grand Rapids

Veja hotéis e restaurantes dessa região nas pp. 422-7

MICHIGAN | 409

Visitantes na Sleeping Bear Dunes National Lakeshore, na Lake Michigan Shore

㉙ Lake Michigan Shore

741 Kenmoor Ave, Grand Rapids, (800) 442-2084. **wmta.org**

Importante destino turístico desde que os endinheirados de Chicago começaram a ir para lá, no final do século XIX, a Lake Michigan Shore é marcada por praias de areia, resorts do século XIX, portos em funcionamento e muitos faróis panorâmicos. A cidade balneária de Saugatuck é uma base ideal para explorar a margem do lago. Outra atração, 32km ao sul, é o excelente **Michigan Maritime Museum**, que conta a história da pesca, da navegação e da construção de embarcações ao redor dos Grandes Lagos.

Localizada a 322km para o norte, pela US 31, a **Sleeping Bear Dunes National Lakeshore** incorpora muitos ecossistemas e tem dunas de areia que chegam a atingir 140m acima das praias lacustres e de um lago interior. No parque, a floresta fantasma de árvores soterradas pela areia pode ser explorada por trilhas para caminhadas ou por um passeio de carro de 11km. O movimentado balneário de **Traverse City**, 48km ao norte das Sleeping Bear Dunes, é uma base prática para visitar a pitoresca Old Mission Peninsula. A norte, pela Route 37, estendem-se lindas vistas das colinas, dos pomares de cerejas e do lago. Na ponta fica o Old Mission Point Lighthouse, construído em 1870. A estrutura de madeira fica sobre o paralelo 45.

Sleeping Bear Dunes National Lakeshore
9.922 Front St, Empire. **Tel** (231) 326-5134. Parque: o ano todo. Visitor Center: Memorial Day-Labor Day: 8h-18h diariam; Labor Day-Memorial Day: 8h15-16h diariam. 1º jan, Ação de Graças, 25 dez.
nps.gov/slbe

Michigan Maritime Museum
260 Dyckman Rd, South Haven. **Tel** (800) 747-3810. mai-fim set: 10h-17h diariam; fora de temporada os horários variam, ligar antes.
michiganmaritimemuseum.org

㉚ Mackinac Island

500. Main St, (800) 454-5227. **mackinacisland.org**

O afloramento de rocha calcária da Mackinac Island atinge 10km² e fica no meio do estreito de Mackinac, que separa a Lower Peninsula da Upper Peninsula. Ferryboats partem regularmente de Mackinaw City e de St. Ignace e constituem o único meio de chegar à ilha, onde os carros não são permitidos. O principal marco local é o **Grand Hotel** *(p. 423)*, de 1887, um clássico resort de verão dos Anos Dourados, que possui a varanda mais comprida do mundo, com 201m. O Fort Mackinac, voltado para o porto, fica no **Mackinac Island State Park**. Esse forte restaurado homenageia o passado da ilha no século XVIII, como posto avançado de militares franceses, britânicos e americanos, com diversas demonstrações e espetáculos multimídia.

㉛ Upper Peninsula

Iron Mountain, (906) 774-5480, (800) 562-7134. **uptravel.com**
Soo Locks Boat Tours: Doca nº 1, 1,157 E Portage Ave, Sault Ste. Marie. **Tel** (800) 432-6301. 1º mai-15 out; ligar antes. (menores de 5 anos grátis). **soolocks.com**

A Upper Peninsula tem baixa densidade populacional em seus 618km de largura e é pontilhada de cidadezinhas antigas que viviam da extração de madeira, da mineração e da pesca. Nela estão algumas das mais fascinantes atrações naturais de Michigan. Chamada de "UP", a região foi descoberta por aventureiros franceses no século XVII. Um deles, Etienne Brule, fundou a mais antiga comunidade de Michigan, **Sault Sainte Marie**, na ponta norte.

Uma das atrações mais famosas, a **Pictured Rocks National Lakeshore**, se estende ao longo do lago Superior. Embora acessível por carro, pela Hwy 28, essa faixa de 64km com praias e costões pode ser vista com conforto em cruzeiros guiados, que partem de Munising.

Para ver uma paisagem mais escarpada, vá ao **Porcupine Mountains Wilderness State Park**, junto ao lago Superior, conhecido por florestas, lagos, rios e 145km de trilhas.

Canhão em British Landing, no Mackinac Island State Park

Wisconsin

Boa parte dos americanos associa Wisconsin a queijos, em razão de seu conhecido apelido de "America's Dairyland" (Terra Americana dos Laticínios), ou então a cervejas, pelas muitas cervejarias históricas de Milwaukee. Mas esse estado basicamente agrícola também se destaca como destino turístico de qualidade no Meio-Oeste. As atrações de Wisconsin vão das belas Apostle Islands, na margem norte do lago Superior, aos diversos parques estaduais bem mantidos, que permitem ao visitante caminhar ou usar a bicicleta para explorar morenas glaciais, rochedos lacustres escarpados, rios, florestas e vales verdejantes. A Ice Age National Scenic Trail alcança 1.600km.

Fachada da Pabst Mansion, de 1892, em Milwaukee

③② Milwaukee

597.000. 400 W Wisconsin Ave, (800) 554-1448 Summerfest. milwaukee.org

Como Chicago, sua vizinha famosa situada 145km ao sul, esse centro industrial e cervejeiro cresceu num terreno pantanoso do lago Michigan. Tratados assinados com os índios do local abriram a área ao povoamento branco na década de 1830. A forte influência alemã data da chegada dos "Forty-Eighters" (Os de 1848), revolucionários que fugiram da Alemanha após a tentativa fracassada de acabar com a monarquia, em 1848. Na década de 1870, Milwaukee tinha seis jornais diários em alemão.

Pabst, Blatz, Schlitz e Miller foram as cervejas que "tornaram Milwaukee famosa". Essa tradição ficou tão enraizada na cidade que até os times de beisebol passaram a ser chamados de Brewers (Cervejeiros). Os ricos magnatas da cerveja eram filantropos que investiram em artes, arquitetura e causas sociais. Na cidade, a linda margem do lago Michigan acolhe muitos festivais, dos quais o mais famoso é o Summerfest – são onze dias de uma mistura de culinária com música, do fim de junho ao início de julho.

O **Harley-Davidson Museum** fica situado em um terreno de 8ha. Ele comemora um século da fábrica de motocicletas de Milwaukee e é muito procurado por motociclistas. O edifício possui um design industrial, com torres de 24m feitas em aço galvanizado. No interior do museu, cerca de 140 motos Harley e 16 mil outras peças. Seções interativas atraem crianças e adultos.

A **Milwaukee County Historical Society** fica no centro. Instalada no restaurado prédio de um banco em estilo beaux-arts, a instituição faz uma excelente introdução à história social, política e econômica da cidade.

O **Milwaukee Public Museum**, de 13.935m, está situado a sudoeste. Parte dele é dedicada à ciência e parte à história local e cultural. As atrações interativas de ciências, voltadas para as crianças, contam com o maior crânio de dinossauro do mundo e com um jardim tropical envidraçado. As exibições pré-colombianas e indígenas fazem um retrato vívido e franco da cultura e do destino dos nativos do continente, enquanto as "Streets of Old Milwaukee" fornecem um vislumbre fascinante dessa metrópole cosmopolita.

O capitão Frederick Pabst, bem-sucedido cervejeiro de Milwaukee, fez fortuna com sua famosa cerveja Pabst Blue Ribbon e com investimentos imobiliários. Peça importante de seu império é a **Pabst Mansion**, de 1892, em estilo neorrenascentista flamengo, que fica a oeste da imponente Wisconsin Avenue. Na época, o palacete de 37 cômodos era considerado uma das residências que dispunham da tecnologia mais sofisticada do mundo, pois estava equipada com todos os tipos de serviços elétricos, sistema de aquecimento e nove banheiros.

Localizado na zona de armazéns do Historic Third Ward da cidade e uma meca de consumo e diversão de luxo, **The Eisner American Museum of Advertising and Design** faz uma avaliação crítica do impacto da publicidade sobre a cultura e a sociedade. No país, esse é um dos poucos museus dedicados a esse tema. As mostras temporárias se concentram em tópi-

Nova entrada espetacular do Milwaukee Art Museum

Veja hotéis e restaurantes dessa região nas pp. 422-7

cos tão diferenciados como o marketing dos presidentes e o uso de ídolos dos esportes para anunciar cervejas.

No leste, o **Milwaukee Art Museum**, à beira do lago, foi criado em 1888 e mantém um acervo de 20 mil peças, galerias renovadas e um novo hall de entrada imponente, projetado pelo arquiteto espanhol Santiago Calatrava. Esse pavilhão possui um quebra-sol que complementa o conjunto contra ventos do museu. Suas coleções mais marcantes são as peças de arte decorativa de Frank Lloyd Wright e as galerias moderna e contemporânea, que incluem os quadros *Verde, vermelho, azul*, de Mark Rothko, e *O galo da liberdade*, de Picasso. O recente acréscimo de arte asiática e africana aumenta o acervo já existente de arte popular do Haiti.

A Pabst Brewing Company fechou em 1996, mas seus catorze edifícios em estilo neorrenascentista alemão estão sendo restaurados. A antiga sede, chamada de **Best Place**, está aberta para visitas guiadas.

A Miller Brewing Company, única cervejaria antiga ainda em funcionamento na cidade, fica no lado oeste. Essa empresa, que produz as famosas cervejas Miller, abriu em 1855, quando Frederick Miller, cervejeiro imigrante, comprou a Plank Road Brewery, que estava em dificuldade. Agora é a segunda maior cervejaria do país, depois da Anheuser-Busch, sediada em St. Louis *(p. 451)*. A **MillerCoors Brewery Tour** leva o turista a uma visita pela cervejaria e ao vizinho Caves Miller, onde a cerveja era resfriada naturalmente no interior dos costões de Milwaukee. O passeio apresenta a rica história da companhia, assim como a tecnologia moderna usada hoje na fabricação da bebida. Outros produtos MillerCoors, como refrigerantes, são oferecidos para as crianças. Mais uma grande atração da cidade é a **Annunciation Greek Orthodox Church**, uma das últimas obras encomendadas ao arquiteto Frank Lloyd Wright. Projetada em 1956, foi inaugurada apenas em 1961, dois anos após a morte de Wright.

The Eisner: American Museum of Advertising & Design
208 N Water St. **Tel** (414) 847-3290. 11h-17h qua-sex, 12h-17h sáb, 13h-17h dom. feriados. (menores de 12 grátis). eisnermuseum.org

Harley Davidson Museum
400 Canal St. **Tel** (877) 436-8738. 10h-18h diariam (até 20h qui). (menores de 5 grátis). harley-davidson.com

Milwaukee Art Museum
700 N Art Museum Dr. **Tel** (414) 224-3200. 10h-17h ter-dom, (até 20h qui). Ação de Graças, 25 dez. (menores de 13 grátis). mam.org

Best Place
901 W Juneau Ave. **Tel** (414) 630-1609. qua-dom. bestplacemilwaukee.com

MillerCoors Brewery Tour
4.251 W State St. **Tel** (800) 944-5483. ligar (414) 931-2337 para marcar visita guiada gratuita. dom, feriados. millerbrewing.com

❸ Door County

1.015 Green Bay Rd, Sturgeon Bay, (920) 743-4456, (800) 527-3529. doorcounty.com

Com formato alongado como o bico de um bule, situada entre a Green Bay e o lago Michigan, a Door Peninsula é uma faixa de serras escarpadas, rochedos à beira do lago e belos vilarejos portuários. O condado cobre dois terços do norte da península, e seu nome vem do apelido que viajantes franco-canadenses davam ao traiçoeiro canal por onde navegavam para sair pelo norte da península: Porte des Morts, ou "Porta dos Mortos" (Death's Door, em inglês). As tradições de pesca e navegação da área estão expostas no **Door County Maritime Museum**, no centro de Sturgeon Bay, maior porto do condado e sua cidade mais meridional. Ao norte, na Hwy 57, fica **The Farm**, tradicional fazenda de gado do Wisconsin, com zoológico de animais domésticos, como vacas, cabras, porcos, galinhas, cavalos e até gatos para caçar ratos que atacam os celeiros. Os 402km de margem da península dispõem de mais de

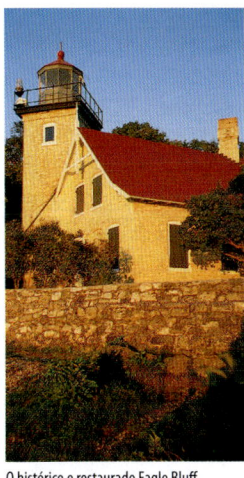

O histórico e restaurado Eagle Bluff Lighthouse, de 1868, em Door County

doze parques do condado e cinco magníficos parques estaduais. O maior é o **Peninsula State Park**, de 1.528ha, entre as pitorescas comunidades de Fish Creek e Ephraim, na margem noroeste. Depois de percorrer suas longas trilhas para caminhada ou bicicleta e ano todo por conhecer o Eagle Bluff Lighthouse, restaurado, no verão o visitante pode assistir a uma apresentação no Peninsula Players, a mais antiga companhia de teatro de repertório do país.

Ao atravessar o Porte des Morts Straits, a **Washington Island** fica 10km a nordeste do Newport State Park, onde se pode chegar o ano todo por ferryboat. A ilha pertencia aos índios potawatomi até a chegada de um grupo de imigrantes islandeses no século XIX, cujos descendentes continuam a cultivar o solo fértil do lugar e acolhem visitantes que vão em busca de paz, silêncio e belas vistas do lago.

Door County Maritime Museum
120 N Madison Ave, Sturgeon Bay. **Tel** (920) 743-5958. Memorial Day--Labor Day: 9h-18h diariam; 10h-17h diariam resto do ano. feriados. dcmm.org

Peninsula State Park
9.462 Shore Rd, Fish Creek. **Tel** (920) 868-3258. 6h-23h diariam. dnr.state.wi.us

Passeio de barco com guia pelo rio Wisconsin

🛈 Wisconsin Dells

🗺 2.400. ℹ️ 701 Superior St, (800) 223-3557. 🌐 wisdells.com

Wisconsin Dells está numa das localizações mais espetaculares ao longo do rio Wisconsin, à medida que ele serpenteia por um trecho de 24km de profundos desfiladeiros de arenito. A beleza natural da área e suas atrações variadas ajudam a transformá-la em importante destino turístico no verão. Entre os pontos altos estão as **Dells Boat Tours**, que oferecem excursões com guia pelos altos rochedos de Upper e Lower Dells.

A maior concentração de parques aquáticos do mundo – 22 cobertos – faz da área um atrativo para famílias mesmo durante o inverno.

A região deve parte de sua popularidade ao fotógrafo H. H. Bennett, cujas fotografias do final do século XIX sobre as paisagens escarpadas do rio Wisconsin ficaram famosas. Suas fotos estão no **H. H. Bennett Studio and History Center**, administrado pela Wisconsin Historical Society.

🚤 Dells Boat Tours
Upper e Lower Dells Docks. **Tel** (608) 254-8555. ⏰ abr-out: 10h-19h diariam (até 16h primavera e outono).
🌐 dellsboats.com

🏛 H. H. Bennett Studio & History Center
215 Broadway, Wisconsin Dells. **Tel** (608) 253-3523. ⏰ mai-out: 10h-16h diariam; algumas noites jun-ago. 📷 (menores 5 anos grátis). ♿
🌐 wisconsinhistory.org/hhbennett

🛈 Baraboo

🗺 10.700. ℹ️ 600 W Chestnut St, (800) 227-2266. 🌐 baraboo.com

Essa cidade minúscula foi a sede de inverno do Ringling Brothers Circus *(p. 319)* de 1884 a 1918. Depois a trupe se juntou ao grupo rival Barnum and Bailey, o que fez surgir o Ringling Brothers, Barnum and Bailey Circus, o maior dos EUA.

O **Circus World Museum**, localizado no terreno original da invernada da Ringling, tem uma das maiores coleções mundiais de carroças de circo, entalhadas e pintadas. Palhaços, trapezistas, um elefante e cavaleiros se apresentam na tenda durante o verão. A **International Crane Foundation** abriga quinze espécies de aves.

Peça do Circus World Museum, em Baraboo

🏛 Circus World Museum
550 Water St. **Tel** (866) 693-1500. ⏰ meados mar-meados mai, set-out: 10h-16h diariam; meados mai-meados jun: 9h-18h diariam; meados jun-set: 9h30-18h seg-sex. 📷 (menores 5 anos grátis). ♿
🌐 circusworldmuseum.com

🛈 Madison

🗺 240.000. ✈ 🚂 🚌 ℹ️ 21 N Park St, (800) 373-6376. 🌐 visitmadison.com

Aninhada num istmo estreito entre o lago Mendota e o lago Monona, Madison é uma das capitais de localização mais bonita no país. Criada para ser capital de território em 1836, transformou-se em capital do estado e sede da University of Wisconsin, à beira do lago, quando Wisconsin se tornou estado, em 1848.

A cúpula majestosa do **Wisconsin State Capitol**, com 60m de altura, se destaca no centro. Entre os destaques interiores estão a rotunda cercada por colunas coríntias de mármore e um primoroso mosaico de vidro, com quatro painéis, que simbolizam os temas da liberdade e da justiça. Madison é considerada uma das melhores cidades do país para viver e trabalhar. A University of Wisconsin e as tendências políticas liberais da cidade atraíram para a área muitos artistas, ambientalistas e devotos da alimentação saudável. Em consequência disso, o centro apresenta boa variedade de livrarias, galerias e restaurantes acolhedores para os vegetarianos. Uma rede de trilhas para caminhar e andar de bicicleta oferece acesso aos lagos em volta da cidade de Madison.

O **Monona Terrace Community and Convention Center**, terminado em 1997 a partir de plantas propostas por Frank Lloyd Wright *(p. 394-5)*, possui um jardim tranquilo na cobertura, de onde se descortinam lindas vistas do centro e do lago Monona. Esse centro tem um memorial a Otis Redding, cantor de soul, que morreu num acidente de avião no lago, em 1967.

🏛 Monona Terrace Community & Convention Center
2 quadras a leste da Capitol Square. **Tel** (608) 261-4000. ⏰ 8h-17h diariam. 📷 13h diariam. ♿
🌐 mononaterrace.com

Wisconsin State Capitol
2 E Main St. **Tel** (608) 266-0382. ⏰ 8h-18h seg-sex, 8h-16h sáb-dom. 📷 9h, 10h, 11h, 13h, 14h, 15h seg-sáb; 13h, 14h, 15h dom. 📷 ♿
🌐 wisconsin.gov

Majestosa cúpula do Wisconsin State Capitol, em Madison

Veja hotéis e restaurantes dessa região nas pp. 422-7

Taliesin, propriedade do arquiteto Frank Lloyd Wright, em Spring Green

❸ Spring Green

🚗 1.300. 🛏 ℹ️ 150 E Jefferson St, (800) 588-2042. 🌐 springgreen.com

Essa encantadora comunidade rural fica ao norte do rio Wisconsin. Em 1911 o arquiteto Frank Lloyd Wright, que passou a infância na vizinha Richland Center, construiu **Taliesin** ("Fisionomia Radiante", em galês) num costão voltado para o rio. A propriedade de 240ha foi a residência de Wright até sua morte em 1959 e incluía a escola em que passava aos discípulos a filosofia das casas de pradaria. Agora a Taliesin Fellowship administra a escola e uma empresa de arquitetura nesse local. Visitas guiadas levam o turista pela casa e pelos jardins de Wright. Cerca de 14km ao norte de Spring Green fica a **House on the Rock**. Esse amplo complexo balneário foi uma residência construída no topo de uma rocha de 18m de altura. A casa, erguida na década de 1940 pelo excêntrico arquiteto Alex Jordan, é a grande atração de um museu extravagante que exibe a vasta coleção de peças americanas de Jordan.

🏨 **Taliesin**
5.607 County Rd C, Spring Green.
Tel (608) 588-7900, (877) 588-7900.
⏰ mai-out: 9h-18h diariam. ♿
🌐 taliesinpreservation.org

🏨 **House on the Rock**
5.754 Hwy 23. **Tel** (608) 935-3639. ⏰ mar-out: 9h-17h diariam (até 18h jun-ago). ⛔ maioria dos fins de semana nov-mar, Ação de Graças, 25 dez.
♿ 🌐 houseontherock.com

❸ La Crosse

🚗 51.000. ✈ 🚂 🚌 ℹ️ 410 Veterans Memorial Dr, (800) 658-9424.
🌐 explorelacrosse.com

Fundada como entreposto comercial em 1842, La Crosse emergiu como entroncamento ferroviário importante após a Guerra Civil. O bairro central bem conservado e as áreas arborizadas ao redor do *campus* da University of Wisconsin-La Crosse enriquecem seus encantos. A cidade também funciona como base para explorar as cidades do rio Mississippi, ao longo da Great River Road (p. 51), no trecho que atravessa o estado.

A leste do centro, o **Grandad Bluff**, 180m acima da cidade, oferece vistas magníficas de La Crosse e do vale do rio Mississippi. Vapores restaurados, com roda de pá, proporcionam relaxantes passeios pelo rio. Uma alternativa é o **Perrot State Park**, 48km ao norte de La Crosse. Em Trempeleau, ao sul da entrada do parque, fica o Trempeleau Hotel, única construção da cidade que sobreviveu ao incêndio de 1888.

Bonecos de marujos à venda em Bayfield

Grandad Bluff, ponto de observação a leste do centro de La Crosse

❸ Apostle Islands

🚌 Bayfield. ℹ️ (800) 447-4094.
🌐 bayfield.org

Longe da margem norte do lago Superior está situado um grupo de 22 ilhas que surgiram na última era glacial. No século XVII elas receberam o nome de Apostle Islands dado por missionários franceses, que imaginaram erroneamente que o arquipélago era formado por apenas doze ilhas (número dos apóstolos). Agora 21 ilhas fazem parte do **Apostle Islands National Lakeshore**. Suas florestas centenárias são o hábitat de águias-carecas e ursos-negros, enquanto uma ampla faixa de praias arenosas, com cavernas cavadas pelo vento e pelo lago e que se transformaram em rochedos marrons, faz das Apostle Islands um destino procurado pelos interessados em ecoturismo.

Um serviço de cruzeiros sai de **Bayfield**, em terra firme, e leva o visitante às ilhas, uma delas é a Sand Island Light Station, de 1881, com torre octogonal construída com pedras do local. As ilhas oferecem a melhor prática de caiaque da área. Diversas lojas de Bayfield alugam caiaques e organizam passeios fretados com guia.

🏞 **Apostle Islands National Lakeshore**
415 Washington Ave, Bayfield.
Tel (715) 779-3397. Visitor Center:
⏰ 8h-16h30 seg-sex. ⛔ meados out-abr: sáb e dom; feriados nacionais.
♿ 🌐 nps.gov/apis

Minnesota

O estado de Minnesota, carinhosamente apelidado de "terra dos 10 mil lagos", tem muito mais que seus belos lagos para oferecer: é um famoso destino de baixo custo para atividades ao ar livre. Porém, foram os rios sinuosos que moldaram sua história como importante centro comercial e agrícola. Preservados, muitos desses rios e lagos são hoje refúgios incomuns, cheios de esplendor, que banham grandes trechos de terras selvagens.

A obra Spoonbridge and Cherry no Minneapolis Sculpture Garden, Walker Art Center

⓵ Minneapolis e St. Paul

Minneapolis: 368.400. 250 Marquette Ave S, (888) 676-6757. minneapolis.org
St. Paul: 287.150. 175 W Kellogg Blvd, (800) 627-6101. visitstpaul.com

Essas cidades gêmeas, separadas pelo Mississippi, são exemplos de contrastes. A exuberante Minneapolis, com edifícios modernos, é um centro urbano e comercial, onde se localiza a maioria das sedes de empresas, dos museus e das lojas mais sofisticadas de Minnesota.

Já St. Paul, capital do estado, é mais pacata, mas tem história rica, centro bem preservado e atrações culturais e arquitetônicas.

Como Explorar Minneapolis
O centro gira em torno do **Nicollet Mall**, espaço para pedestres que acolhe diversos eventos culturais, e as margens do Mississippi, que abrigam o aclamado Guthrie Theater, o peculiar Mill City Museum e a histórica Stone Arch Bridge. Também há trilhas para caminhada próximas à água. A área de **Uptown**, no sudoeste, está ligada à Chain of Lakes, que dispõe de uma rede de pistas para bicicleta e jogging.

O maior shopping center coberto do país, o **Mall of America**, fica no subúrbio de Bloomington, ao sul. Um trem intertiga o shopping, o aeroporto internacional e o centro de Minneapolis e St. Paul.

🏛 Walker Art Center
1.750 Hennepin Ave. **Tel** (612) 375-7600. 11h-17h ter-dom (até 21h qui). feriados. (grátis 17h-21h qui; crianças menores de 18 grátis). 14h qui-dom. walkerart.org

A arte performática, a arte visual e a arte dos meios de comunicação são as atrações das exposições do mais completo reduto de arte contemporânea das cidades gêmeas. Nas exposições destacam-se a obra minimalista do escultor Donald Judd, como *Untitled*, de 1971, restaurada, um conjunto de seis cubos grandes de alumínio e *Office at Night* (1940), do pintor realista Edward Hopper.

🏛 Minneapolis Institute of Arts
2.400 3rd Ave S. **Tel** (612) 870-3131, (888) 642-2787. 10h-17h ter-dom (até 21h qui). 4 jul, Ação de Graças, 24 e 25 dez. artsmia.org

Criado em 1915, esse é um dos maiores e mais respeitados museus da região. Seu acervo tradicional conta com grande variedade de estátuas gregas e romanas, quadros do Renascimento italiano e holandês, além de obras americanas de Georgia O'Keeffe e do regionalista Grant Wood.

A **Ulrich Architecture and Design Gallery** abriga uma coleção impressionante de móveis das casas de pradaria, fragmentos arquitetônicos, vitrais e trabalhos de prata.

Centro de Minneapolis
① Walker Art Center
② Minneapolis Institute of Arts
③ American Swedish Institute

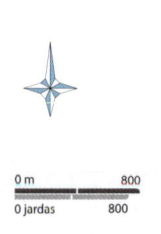

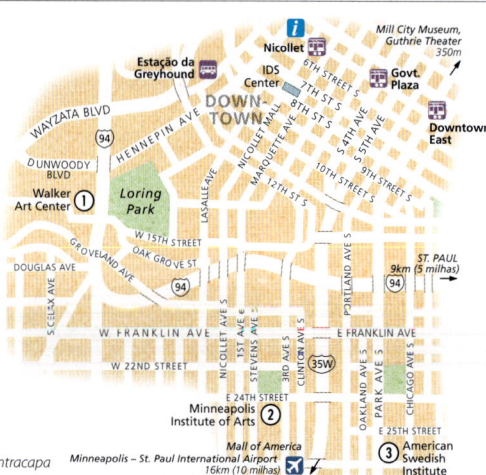

Legenda dos símbolos na orelha da contracapa

Veja hotéis e restaurantes dessa região nas pp. 422-7

MINNESOTA | 415

🏛 American Swedish Institute
2.600 Park Ave. **Tel** (612) 871-4907. 🕐 12h-17h ter-dom (até 20h qua, abre 10h sáb). ⬤ feriados. 📶 ♿
w americanswedinst.org

Instalado numa suntuosa mansão românica de 1907, esse instituto narra as contribuições dos sueco-americanos para a história e a cultura do estado. A casa, construída por Swan Turnblad, editor de jornal sueco, tem visitas guiadas que permitem ao turista ver sua coleção de *kakelugnar* (estufas de ladrilhos de porcelana), esculturas de madeira, tapeçarias e objetos de imigrantes.

Como Explorar St. Paul
Fundada em 1841 no Pig's Eye, famoso entreposto comercial franco-canadense, St. Paul cresceu como porto fluvial movimentado no alto Mississippi. No final do século XIX, a nova capital do estado havia florescido como centro ferroviário, estimulada pela conclusão da estrada de ferro entre St. Paul e Seattle, em 1893. As mansões imponentes em estilos românico, rainha Anne e jacobita ao longo da **Summit Avenue** datam daqueles tempos de prosperidade. O centro gira em torno da City Hall art déco e da Courthouse no Kellogg Boulevard e na St. Peter Street. O famoso programa *A Prairie Home Companion* da Minnesota Public Radio é gravado ao vivo, nos sábados, no **Fitzgerald Theater**, situado nas ruas Exchange e Wabasha. Esse era um teatro de *vaudeville* e cinema, de 1910, e foi muito bem restaurado. A Minnesota State Fair ocorre na cidade anualmente.

🏛 Minnesota State Capitol
75 Rev. Dr. Martin Luther King Jr. Blvd. 🚌 (651) 296-2881. 🕐 8h30-17h seg-sex, 10h-15h sáb, 13h-16h dom. ⬤ na maioria dos feriados. ♿

Com projeto de Cass Gilbert, arquiteto da US Supreme Court *(p. 203)*, esse monumental edifício abobadado, em estilo beaux-arts, exibe a escultura *Progress of the State*, um grupo de estátuas de cobre e aço folheadas a ouro.

A escultura Progress of the State, *no Minnesota State Capitol*

🏛 City Hall & Courthouse
15 W Kellogg Blvd. **Tel** (651) 266-8500. 🕐 8h-16h30 seg-sex. ♿

Essa obra-prima art déco, restaurada com apuro de 1990 a 1993, foi feita de pedra calcária e granito preto de Wisconsin. Sua base de três andares recua até a torre central, o que faz a estrutura parecer pairar acima do centro à sua volta. Nenhum detalhe foi ignorado na construção do prédio, onde tudo – desde acessórios elétricos, portas de elevadores, balaustradas, caixas de correio, até maçanetas e fechaduras – foi especialmente criado no estilo art déco.

🏛 Minnesota History Center
345 Kellogg Blvd W. **Tel** (800) 657-3773. 🕐 10h-20h ter-sáb, 11h-17h dom. ⬤ 4 jul, Ação de Graças, 25 dez. 📶 ♿ **w** mnhs.org/historycenter

Exposições interativas contam a história do estado no século XIX, nessa interessante edificação de granito e pedra calcária. Um enorme vagão de carga, um elevador de cereais, uma embaladora de carne igual à de verdade e uma réplica de uma fazenda de gado leiteiro da década de 1930 fazem o visitante reviver a história do ponto de vista do fazendeiro ou do operário. O destaque de cultura popular é o **Sounds Good to Me: Music in Minnesota**, que mostra a música originária do local.

🏛 Union Depot
214 4th St E. **Tel** (651) 202-2700. 🕐 diariam. 📶 ♿ **w** uniondepot.org

Construído em 1881, o entreposto reabriu em 2014, após uma grande restauração, como o terminal central do transporte público das cidades gêmeas. Ele aporta ônibus da Greyhound, trens da Amtrak e o trem que liga Minneapolis a St. Paul. Há visitas guiadas nessa joia arquitetônica de 13ha, próxima ao rio Mississippi.

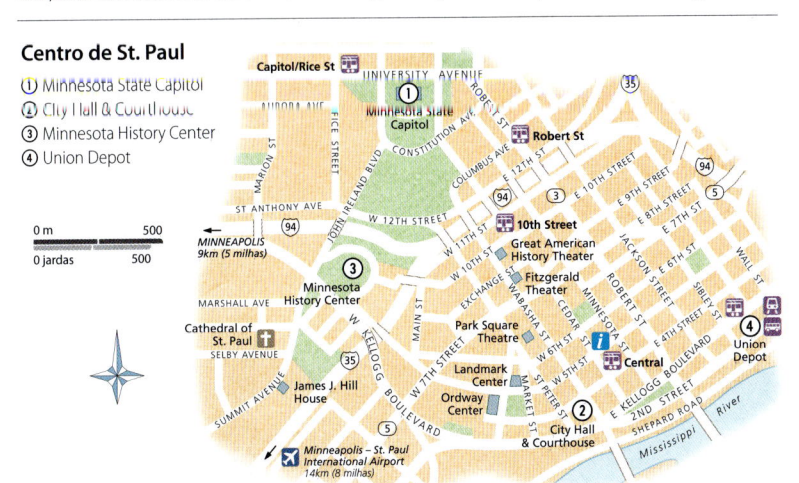

Centro de St. Paul
① Minnesota State Capitol
② City Hall & Courthouse
③ Minnesota History Center
④ Union Depot

Legenda dos símbolos *na orelha da contracapa*

O rio Mississippi visto do Great River Bluffs State Park, a sudeste da cidade ribeirinha de Winona

④ Cidades do Rio Mississippi

(763) 212-8556.
mnmississippiriver.com

O rio Mississippi atravessa 921km de Minnesota. Ele nasce na parte centro-norte do estado e segue até encontrar o rio St. Croix perto de Hastings. Ao sul da confluência, ele se alarga e ganha velocidade, correndo por longos vales, cheios de neblina, ao longo da fronteira entre Minnesota e Wisconsin. A Great River Road (p. 51), ou US 61, passa pela margem oeste do rio, oferecendo vistas maravilhosas de cidades e parques encantadores.

A cidade de **Red Wing** foi construída no século XIX, no local de uma vila agrícola dos dakota-sioux. Agora a cidade é sede da Red Wing Shoe Company, famosa fábrica de botas fundada em 1905. Um pequeno museu no centro explica seu processo de fabricação.

A cerca de 16km para sudeste de Red Wing fica o **Frontenac State Park**, um dos ótimos pontos para ornitófilos ao longo do rio, onde mais de 260 espécies de aves fazem uma pausa na jornada para o norte e para o sul todos os anos. Águias-carecas e pássaros canoros revoam pelos hábitats do lago Pepin, o trecho mais largo do rio.

O National Eagle Center, em Wabasha, acolhe as aves de rapina feridas que não podem voltar para a natureza. A pitoresca **Winona**, 105km a sudeste de Red Wing, e localizada numa ilha do rio, abriga o Minnesota Marine Art Museum.

O **Great River Bluffs State Park**, 32km a sudeste de Winona, avança por um dos trechos mais panorâmicos do rio.

④ Rochester

90.000. 30 Civic Center Drive SE, (800) 634-8277.
visitrochestermn.com

O destaque dessa cidade no sudeste de Minnesota é a **Mayo Clinic**, criada pelos irmãos e médicos Will e Charles Mayo no início do século XX. Eles iniciaram o primeiro trabalho médico em conjunto, integrando as descobertas de um grupo de especialistas para diagnosticar e tratar doenças graves com mais eficácia. Uma equipe de 3.700 médicos e cientistas e outros 49 mil especialistas do setor de saúde trabalham na região cuidando de mais de 1 milhão de pacientes por ano.

Mayo Clinic
200 1st St SW. **Tel** (507) 538-0440. visitas gerais: 10h seg-sex; visitas de arte: 13h30 seg-sex. grátis.
mayoclinic.org

④ Pipestone National Monument

4.600. 36 Reservation Ave, (507) 825-5464. Visitor Center: 8h-17h diariam. 1º jan, Ação de Graças, 25 dez. nps.gov/pipe

Pipestone está localizada no canto sudoeste do estado. Seu nome vem dos índios dakota-sioux que viviam ali, extraindo o quartzito vermelho macio da região para fazer elegantes cachimbos cerimoniais. A pedra é chamada no local de catlinita, em homenagem ao artista George Catlin, que retratou esse lugar em sua obra-prima de 1838 *Pipestone Quarry* (Pedreira de Pipestone). Artesãos indígenas continuam a tradição no que restou das pedreiras. Os cachimbos são vendidos no Cultural Center.

Visitantes em trilha que atravessa as pedreiras de Pipestone

Veja hotéis e restaurantes dessa região nas pp. 422-7

MINNESOTA | 417

⓮ Brainerd Lakes Area

🏘 65.000. ✈ 🚌 ℹ 124 N 6th St, Brainerd, (800) 450-2838.
🌐 explorebrainerdlakes.com

Fundada pela Northern Pacific Railroad, em 1871, Brainerd, no alto rio Mississippi, instalou-se no meio de uma floresta densa, a fim de atender à demanda do estado por madeira. Seu legado como cidade madeireira e ferroviária é personificado na figura barbuda, com camisa de flanela, de Paul Bunyan, lenhador mítico e hercúleo de Minnesota, e seu enorme bicho de estimação, Babe, o Boi Azul. O nome dele aparece em toda parte, a exemplo do percurso de bicicleta Paul Bunyan Trail e da Paul Bunyan Scenic Byway, para um passeio de carro.

A pista de Brainerd International Raceway é famosa como o local das corridas mais rápidas do mundo.

Brainerd também é o portal para a região dos lagos no centro-norte de Minnesota, onde foram instalados os primeiros balneários com hospedagem do estado, nas praias de mais de 500 lagos. O lago **Mille Lacs**, 64km a sudeste de Brainerd, cercado por belos parques estaduais, abriga a reserva indígena de Mille Lacs Band of Ojibwe. A Minnesota Historical Society colaborou com a tribo para criar o **Mille Lacs Indian Museum**, na praia sudoeste do lago.

Restaurado, o Depot da ferrovia é um marco no centro de Duluth

⓯ Duluth

🏘 87.000. ✈ 🚌
ℹ 21 W Superior St, (800) 438-5884.
🌐 visitduluth.com

Terceira maior cidade de Minnesota, Duluth é um dos destinos mais agradáveis do Meio-Oeste. Construída nas laterais de declives com até 240m de altura, que circundam seu centro animado, essa cidade conseguiu juntar diversas reservas naturais com indústrias em plena atividade, que alimentam seu porto movimentado. O grande destaque é a **Aerial Lift Bridge**, enorme estrutura de aço que liga a terra firme à foz do porto de Duluth, com vão de 115m. A ponte é erguida a uma velocidade de 41m por minuto, a fim de permitir a passagem dos grandes cargueiros até o porto. Um desses navios enormes, o SS *William A. Irwin*, de 186m, foi atracado e virou museu.

Babe, o Boi Azul

O **Great Lakes Aquarium**, um aquário só de água-doce, oferece uma visão de perto do movimento da ponte. A exposição Amazing Amazon apresenta criaturas do maior rio do mundo. No Canal Park, perto da ponte, o **Lake Superior Maritime Visitor Center** narra a história da navegação nos Grandes Lagos. Também relata a façanha do US Army Corps of Engineers para construir a Aerial Lift Bridge em 1930.

Uma grande atração do centro de Duluth é o **Depot, ou St. Louis County Heritage and Arts Center**, de 1892. Trata-se de um armazém da ferrovia que foi restaurado e abriga o **Duluth Art Institute**, o **Duluth Children's Museum**, o **Lake Superior Railroad Museum**, além de outras companhias artísticas. A Depot Square, uma recriação da Duluth do início do século XX, tem uma sala de espera onde os funcionários da imigração dos EUA examinavam os papéis de imigrantes escandinavos e alemães que vieram para o estado.

A **North Shore Scenic Railroad** oferece passeios turísticos que saem do Depot em trens de época (de maio até o início de outubro). Eles vão para o norte, ao longo da praia do lago Superior, com vistas espetaculares de cachoeiras e rochedos que despencam até a praia. Os motoristas também podem fazer esse belo passeio pela North Shore Scenic Drive, um trecho da antiga Hwy 61 que passa pelas praias, de Duluth até a fronteira com o Canadá.

🚌 **The Depot/St. Louis County Heritage & Arts Center**
506 W Michigan St. **Tel** (218) 727-8025.
🕐 jun-set: 9h30-18h diariam; set-mai: 10h-17h seg-sáb, 13h-17h dom.
♿ 🌐 duluthdepot.org

Lago Mille Lacs, segundo maior de Minnesota, a sudeste de Brainerd

Vista de Mesabi, uma das três serras que formam a Iron Range

🏔 Iron Range

📍 111 Station 44 Rd, Eveleth (800) 777-8497.

Na década de 1880, quando se descobriu minério de ferro no nordeste de Minnesota, muitos imigrantes vieram para os núcleos urbanos que surgiam ao longo de três serras: Vermilion, Mesabi e Cuyuna, que ficaram conhecidas como Iron Range. Por volta da década de 1960, a produtividade das minas diminuiu e muitas fecharam, dizimando as comunidades locais e deixando para trás os túneis vazios. Nas três últimas décadas, um crescente interesse turístico pelo período da mineração revitalizou a região de Iron Range. Mais de 360km ao norte de Minneapolis, a **Soudan Underground Mine** é a mina mais antiga e profunda do estado. Foi aberta em 1884 e fechou em 1962. Agora faz parte de um parque estadual de 13km². O visitante pode penetrar 1km pelo subterrâneo até o coração da mina, que também conta com laboratório de física atômica em funcionamento.

O **Minnesota Discovery Center** fica na cidade de Chisholm, 72km a sudoeste de Soudan. O centro apresenta um parque temático sobre a história de Iron Range, com atores para interpretá-la. Há também passeio de bondinho. Seu destaque é o Minnesota CCC History Museum, que homenageia os feitos do Civilian Conservation Corps do estado, um programa dos tempos da Grande Depressão que colocou 84 mil jovens para trabalhar em projetos de conservação do solo e das florestas.

Soudan Underground Mine State Park
1.379 Stuntz Bay Rd, Soudan. **Tel** (218) 753-2245. ◯ ligar antes para verificar horários.

Minnesota Discovery Center
1.005 Discovery Dr, Chisholm. **Tel** (800) 372-6437. ◯ 10h-17h ter-sáb (até 21h qui). 🎟 (menores de 3 anos grátis). ♿ 🌐 mndiscoverycenter.com

🏔 Boundary Waters Canoe Area Wilderness

📍 1600 E Sheridan St, Ely, (800) 777-7281, (888) 922-5000.
🌐 ely.org; 🌐 grandmarais.com

Maior e mais visitada reserva de área despovoada a leste das Montanhas Rochosas, a Boundary Waters Canoe Area Wilderness se estende por mais de 320km ao longo da fronteira com o Canadá, na ponta setentrional do estado. Uma das regiões de natureza mais intacta do país, essa vasta área atrai muitos aventureiros que desejam fugir da civilização. Esse também é um dos maiores destinos do mundo para pesca e canoagem, com mais de 1.930km de percursos para canoas, que serpenteiam por mil cursos d'água e lagos, na densa Superior National Forest.

Escultura externa em Ironworld

Para preservar o atrativo exclusivo da área, existe um limite para o número de campistas, além de restrições para o uso de embarcações motorizadas. A área não possui estradas, e os campistas têm de carregar seu equipamento de um lago para outro por meios iguais aos usados pelos índios ojibwe.

Muitos grupos de campistas começam o passeio em Ely, 386km ao norte de Minneapolis. Na entrada mais a oeste está o **Dorothy Molter Museum**, um memorial para a última moradora da área, que administrava um resort e morreu em 1986. Na cidade, o **International Wolf Center** promove a sobrevivência da população de lobos da região, antes ameaçada, por meio de exposições interativas e observações dos lobos cinza e ártico. Em Ely também fica o North American Bear Center, instituição para educação e reabilitação.

O visitante pode percorrer os 101km da Gunflint Trail, uma rodovia panorâmica no canto nordeste da área de Boundary Waters. O motorista é aconselhado a encher o tanque e comprar água e comida. Às vezes aparecem alces no caminho.

Dorothy Molter Museum
2.002 E Sheridan St. **Tel** (218) 365-4451. ◯ Memorial Day-Labor Day: 10h-17h30 seg-sáb, 12h-17h30 dom. 🎟 (menores de 5 anos grátis). ♿ 🌐 rootbeerlady.com

International Wolf Center
1.396 Hwy 169 Ely. **Tel** (218) 365-4695. ◯ 10h-17h (até 19h jun-ago). ◯ seg-qui (out-mai); dom (nov-mai). 🎟 (menores de 3 anos grátis). ♿ 🌐 wolf.org

Caiaques em Moose Lake, na Boundary Waters Wilderness

Veja hotéis e restaurantes dessa região nas pp. 422-7

㊽ Voyageurs National Park

🛈 3.131 Highway 53 S, International Falls, (218) 283-6600.
🌐 nps.gov/voya

A região fronteiriça de Rainy Lake, a oeste da Superior National Forest, contém a velha Voyageur Highway, uma antiga malha de lagos, rios e rotas de transporte usada por nativos e caçadores de peles franco-canadenses para levar as peles das florestas de Minnesota e norte de Ontário pelos Grandes Lagos até Montreal. A rota foi dominada pelos britânicos após a guerra entre franceses e indígenas, e se estendeu mais para oeste, até a província canadense de Alberta.

Atualmente 87.200ha dessas terras do Canadian Shield são preservados pelo Voyageurs National Park, um parque baseado nas águas, com 30 lagos, lagoas e ilhas – hábitat de grandes alcateias de lobos-cinza.

O Rainy, melhor lago para pesca no parque, tem muitos peixes, como lúcios e percas. O Rainy Lake Visitor Center, perto de International Falls, 475km ao norte de Minneapolis e 258km a oeste de Duluth, é um dos três pontos de acesso com funcionários e o único aberto o ano todo. O centro exibe exposições interativas relativas ao comércio de peles e dá informações sobre passeios ecológicos com guia. Embora a maioria dos visitantes atravesse a enorme área do parque de barco (são permitidas embarcações motorizadas) e de canoa, os que andam a pé tiram vantagem da rede de trilhas, entre as quais está um passeio sem guia até o lago Locater e a Cruiser Lake Trail. Essa trilha é o único meio de explorar a Kabetogama Peninsula, que não tem estradas. Passeios guiados mais curtos são organizados a partir dos centros de visitantes do parque.

Para quem gosta de andar de barco, a cidade fronteiriça de International Falls é a base para comprar suprimentos ou conseguir um barco ou uma canoa de aluguel. Na cidade, a Boise Paper Solutions tem o que a empresa diz ser a "maior e mais rápida máquina de fazer papel do mundo". No inverno, o Voyageurs National Park oferece oportunidades para andar de snowmobile, pescar no gelo, caminhar na neve e fazer esqui *cross-country*.

Pelicanos em um dos muitos lagos do Voyageurs National Park

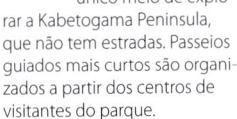

Litografia: cabana de caçador de pele

Lobos

Dentro do Voyageurs National Park há uma das maiores populações de lobos nos EUA. Os animais que vivem no local são lobos-cinza, uma das três espécies existentes. Os lobos formam alcateias em que há um casal adulto dominante, suas crias nos últimos dois ou três anos e outros não aparentados. Ao contrário do que diz o povo, os lobos costumam se esquivar dos humanos.

Lobo-cinza

Vista aérea de ilhotas no fantástico e selvagem Voyageurs National Park

Informações Úteis

Viajar pelos seis estados que compõem a região dos Grandes Lagos exige um bom planejamento, já que há muito para se ver numa área tão grande. Desde os altos edifícios de cidades maiores como Chicago até os campos bucólicos do Wisconsin, há atrações bastante variadas. Com suas serras arredondadas, infindáveis extensões agrícolas e lindas praias lacustres, o coração dos EUA está cheio de paisagens maravilhosas que oferecem muitas opções de atividades ao ar livre.

Informação Turística

Cada estado dos Grandes Lagos possui pelo menos um Welcome Center que oferece diversas informações ao turista, assim como toaletes limpas e café de graça.

A maioria dos aeroportos tem balcão de informações que distribui mapas e folhetos gratuitos. Todas as cidades grandes, e muitas das pequenas, dispõem de Convention and Visitors' Bureaus ou de Chambers of Commerce, que indicam atrações, acomodações e eventos.

Perigos Naturais

Os invernos no norte de Michigan, Minnesota e Wisconsin são bem frios, com muitas nevascas. O visitante deve usar roupas quentes, luvas e algum tipo de chapéu e, no carro, carregar uma pequena pá de neve, ao atravessar a região entre novembro e abril. O gelo e a neve podem ser muito traiçoeiros.

Como Circular

A maioria das cidades importantes tem sistemas limitados de ônibus públicos. Veículos leves sobre tilhos, metrô e/ou serviço de trens de subúrbio circulam apenas em Chicago, Minneapolis, St. Paul e Cleveland. Em Detroit, a partir de 2016 um bonde percorrerá a Woodward Avenue, expandindo o serviço People Mover, no centro.

O carro é o melhor meio de transporte na região. O cinto de segurança é obrigatório para todos os ocupantes do veículo. Cadeirinhas também são obrigatórias para crianças até 4 anos (até 7 anos em Indiana, Illinois, Minnesota e Michigan). Outra obrigação por lei é o uso de capacete para motociclistas com 20 anos ou menos, em todos os estados dos Grandes Lagos, exceto Michigan, onde todos devem usar capacete, e Illinois, que não faz restrições. Os limites de velocidade variam, mas em geral vão de 105 a 113km/h nas rodovias interestaduais.

O Clima dos Grandes Lagos

O clima dos estados dos Grandes Lagos é bem constante. As temperaturas são mais frias nos estados do norte, Michigan, Wisconsin e Minnesota, onde invernos frios e com neve chamam os moradores para esquiar. As regiões meridionais de Ohio, Indiana e Illinois contam com clima mais temperado. Os meses de verão são ideais para passear nas áreas à beira dos lagos em Ohio, Wisconsin, Michigan e Minnesota. O tempo mais frio e as cores do outono mostram que esse é o momento ideal para ir até Chicago e andar pelas estradas panorâmicas da Upper Peninsula de Michigan.

CHICAGO

mês	Abr	Jul	Out	Jan
°F/°C máx	59/15	86/30	66/19	32°F / 0°C ... 33/1
°F/°C mín	40/4	66/19	46/8	19/-7
dias de sol	15	20	17	14
chuva (mm)	91	91	66	43

Etiqueta

Os moradores dos Grandes Lagos são simpáticos e bem-educados – principalmente em Minnesota, onde a frase "you bet" (pode apostar) resume sua atitude solidária. Quem visitar as comunidades amish ficará impressionado com os modos tímidos e reservados de seus habitantes. Eles usam roupas pretas simples, andam em charretes e são sempre avistados. Muitos preferem não ser fotografados, portanto peça permissão.

Festivais

Nos grandes lagos, os estados apresentam uma série de festivais culturais anuais, de âmbito municipal, regional e estadual. Para expressar a forte tradição irlandesa de Chicago, a cidade pinta, literalmente, de verde o rio Chicago como parte do alegre **St. Patrick's Day Parade**. A população descendente de mexicanos que reside na região realiza festivais no **Cinco de Mayo** em muitas cidades dos Grandes Lagos; a comemoração é memorável em Chicago, Kansas City e St. Paul. O verão traz diversos eventos a céu aberto, a começar com o fim de semana do Memorial Day, com a corrida das 500 Milhas de Indianápolis. Fogos de artifício ocorrem em diversas feiras municipais e do estado durante as colheitas, em julho e agosto. A Minnesota State Fair (agosto), em St. Paul, é um dos maiores eventos de verão, junto com a concorrida **Summerfest**, em Milwaukee. Esse estado também tem vários festivais étnicos durante o verão, às margens do lago.

Esportes

Times profissionais e amadores enriquecem os esportes da região, com importantes equipes de beisebol, futebol (rúgbi) e basquetebol. A chegada da primavera marca o início da temporada de beisebol, e torcedores lotam o histórico **Wrigley Field**, sede do Chicago Cubs. Ohio se orgulha de algumas das melhores ligas menores em Toledo, Akron, Columbus, Cleveland, Niles e Dayton. Essa região também adora futebol. Os torcedores dos times profissionais Chicago Bears e Cleveland Browns se opõem aos dos Wisconsin "Cheeseheads" e arrancam a camisa no frio de gelar só para animar o time Green Bay Packers. Várias universidades da região competem no torneio dos **Big Ten** que atrai mais de 100 mil torcedores.

No inverno tem basquete e hóquei na região gelada, com dois times da National Hockey League (NHL) e muitos times amadores.

O Conseco Fieldhouse e o Lucas Oil Stadium realizam campeonatos no centro de Indianápolis.

Atividade ao Ar Livre

Verões curtos e invernos longos não impedem que os moradores dos Grandes Lagos aproveitem a vida ao ar livre. E parece que o clima da região até incentiva os mais apaixonados a buscar atividades recreativas. Veem-se entusiastas de ciclismo e mountain biking à procura de trilhas, desde abril até o começo de novembro. O norte de Minnesota e Wisconsin é o destino preferido para quem anda de canoa e caiaque, enquanto os barcos a vela e a motor estão por toda parte dos Grandes Lagos durante o verão. No inverno, muitos fãs das pescarias gostam de pescar no gelo. A prática de esqui e de snowmobile também é muito concorrida durante o inverno da região.

As melhores lojas de equipamentos para essas atividades ficam em Ely, na entrada do Boundary Waters Area Canoe Wilderness, e em Bayfield, portal para o Apostle Islands National Lakeshore. A lista dessas lojas pode ser obtida com **Ely Chamber of Commerce e Bayfield Chamber.**

Diversão

Chicago concentra o maior número de locais famosos que oferecem música ao vivo e teatro. **Buddy Guy's Legends** e **Kingston Mines** são os melhores lugares para escutar o autêntico blues de Chicago. O **Blue Chicago** foi o cenário do filme *Os irmãos cara de pau*. Os fãs de comédia lotam o **Second City**, em Chicago, que já foi palco de treinamento para muitos membros do elenco de *Saturday Night Live*, e o **Fitzgerald Theater**, em St. Paul, onde o humorista Garrison Keillor, de Minnesota, apresenta há muito tempo o programa de rádio *A Prairie Home Companion*. No verão, o **Big Top Chautauqua**, situado perto das Apostle Islands, em Wisconsin, apresenta shows cômicos e musicais. O visitante também pode conhecer os brinquedos da **Noah's Ark**, capital mundial dos parques aquáticos.

Compras

O principal destino de compras da região é o **Magnificent Mile** de Chicago. Esse trecho da Michigan Avenue, ao norte do rio Chicago, conta com algumas das melhores lojas do país, somando-se à clássica loja de departamentos **Macy's**, antiga Marshall Field's, na State Street, bem no coração do Loop. Outro ponto concorrido para compras é o **Nicollet Mall** para pedestres, em Minneapolis. Essa área central de planejamento agradável fica longe do ponto de compras mais movimentado das cidades gêmeas, o **Mall of America**, que é o maior shopping coberto do país. O turista pode visitar as comunidades amish no norte de Indiana. **Shipshewana** tem um animado mercado de pulgas, onde se compram **quilts** (colchas), tapetes, bolos e pães a bons preços. O **Fashion Outlets Chicago**, perto do centro da cidade, abriga inúmeras lojas.

AGENDA

Informação Turística

Illinois
Tel (800) 226-6632.
w enjoyillinois.com

Indiana
Tel (800) 677-9800.
w enjoyindiana.com

Michigan
Tel (888) 784-7328.
w michigan.org

Minnesota
Tel (888) 868-7476.
w exploreminnesota.com

Ohio
Tel (800) 282-5393.
w ohiotourism.com

Wisconsin
Tel (800) 432-8747.
w travelwisconsin.com

Esportes e Atividades ao Ar Livre

Bayfield Chamber of Commerce
Tel (800) 447-4094.

Ely Chamber of Commerce
Tel (800) 777-7281.

Diversão

Big Top Chautauqua
Ski Hill Rd.
Tel (888) 244-8368.
w bigtop.org

Blue Chicago
536 N Clark St.
Tel (312) 661-0100.

Buddy Guy's Legends
700 S Wabash Ave.
Tel (312) 427-1190.

Fitzgerald Theater
10 East Exchange St.
Tel (651) 290-1200.

Kingston Mines
2548 N Halsted St.
Tel (773) 477-4646.
w kingstonmines.com

Noah's Ark
1401 Wisconsin Dells Pkwy.
Tel (608) 254-6351.
w noahsarkwaterpark.com

Second City
1616 N Wells.
Tel (312) 337-3992.
w secondcity.com

Compras

Fashion Outlets Chicago
Tel (847) 928-7500.

Macy's
Tel (312) 781-1000.
w macys.com

Magnificent Mile
Tel (312) 642-3570.
w themagnificentmile.com

Mall of America
Tel (952) 883-8800.
w mallofamerica.com

Nicollet Mall
Tel (888) 676-6757.
w minneapolis.org

Shipshewana Flea Market
Tel (260) 768 4129.
w tradingplaceamerica.com

Onde Ficar

Illinois

ALTON: The Beall Mansion $$
B&B
407 E 12th St, 62002
Tel (618) 474-9100
w beallmansion.com
Esse B&B histórico com quartos bem mobiliados oferece um bufê 24 horas de chocolate para consumo grátis à vontade.

CHAMPAIGN-URBANA: I Hotel and Conference Center $
Econômico
1900 S 1st St, 61820
Tel (217) 819-5000
w stayatthei.com
Os quartos têm obras de arte exclusivas nesse hotel no Research Park da Universidade de Illinois.

CHICAGO: HI-Chicago $
Econômico   Mapa 4D
24 E Congress Pkwy, 60605
Tel (312) 360-0300
w hichicago.org
Esse albergue perto do lago Michigan tem dormitórios limpos, mas a maioria partilha banheiros.

CHICAGO: Hotel Burnham $$
Para negócios   Mapa 4D
1 W Washington St, 60602
Tel (312) 782-1111
w burnhamhotel.com
Projetado por Daniel Burnham, o Reliance Building abriga esse hotel clássico que oferece quartos elegantes, pisos com mosaico e recepção noturna com vinhos.

CHICAGO: Hotel Chicago $$
Para negócios   Mapa 3D
333 Dearborn St, 60610
Tel (312) 245-0333
w hotelsaxchicago.com
Hotel de luxo próximo às melhores lojas, restaurantes e bares. O serviço é excelente.

Destaque
**CHICAGO:
The Drake Hotel** $$
Para negócios   Mapa 2D
140 E Walton Pl, 60611
Tel (312) 787-2200
w thedrakehotel.com
Hotel com mais tradição em Chicago, esse destino histórico na Michigan Avenue tem vistas estupendas da cidade e das águas. Entre os restaurantes internos estão o Cape Cod Room, que serve frutos do mar e em cujo bar Marilyn Monroe gravou suas iniciais, e o Palm Court, para chá da tarde. Os hóspedes também tem acesso a uma academia completa.

CHICAGO: Ritz-Carlton Chicago $$$
Luxuoso   Mapa 2D
160 E Pearson St, 60611
Tel (312) 266-1000
w fourseasons.com
O hotel no alto do Water Tower Place prima pela elegância e apresenta móveis antigos de cerejeira e banheiros de mármore.

CHICAGO: Villa D' Citta $$$
B&B
2230 N Halsted St, 60614
Tel (312) 771-0696
w villadcitta.com
Na valorizada área do Lincoln Park, apresenta arquitetura italiana e quartos românticos com banheira de hidromassagem.

PEORIA: Mark Twain Hotel $$
Para negócios
225 NE Adams St, 61602
Tel (866) 325-6351
w marktwainhotel.com
Esse hotel-butique oferece quartos modernos para executivos e turistas. Café da manhã incluso.

Categorias de Preço
Diária de um quarto padrão para duas pessoas, na alta temporada, com taxas de serviço e impostos.
$	até US$150
$$	US$150-US$250
$$$	acima de US$250

ROCKFORD: Cliffbreakers Riverside Resort $
Para negócios
700 W Riverside Dr, 61103
Tel (815) 282-3033
w cliffbreakers.com
Acomodação acessível em quartos com decoração individual e café da manhã incluso.

SPRINGFIELD: Carpenter Street Hotel $
Econômico
525 N 6th St, 62702
Tel (217) 789-9100
w carpenterstreethotel.com
Confortável opção central com café da manhã de cortesia.

Indiana

FORT WAYNE: Don Hall's Guesthouse $
Econômico
1313 W Washington Center Rd, 46825
Tel (260) 489-2524
w donhalls.com
Essa pousada boa para famílias tem área de lazer aquático e um restaurante animado.

INDIANÁPOLIS: Residence Inn Indianapolis Downtown on the Canal $
Econômico
350 W New York St, 46202
Tel (317) 822-0840
w marriott.com
Junto a um canal histórico, onde os hóspedes podem alimentar patos e alugar barcos a remo, essas suítes têm cozinha completa.

Destaque
INDIANÁPOLIS: Conrad $$
Luxuoso
50 W Washington St, 46204
Tel (317) 713-5000
w conradhotels3.hilton.com
Os hóspedes saem rejuvenescidos desse hotel de luxo no centro. Visando o bem-estar, há uma moderna sala de exercícios e piscina coberta aquecida, além de três opções gastronômicas excelentes e dois andares onde estão expostas obras de arte de nível internacional.

Saguão em estilo europeu do Bell Tower Hotel, em Ann Arbor, Michigan

ONDE FICAR | **423**

O histórico Grand Hotel, na Mackinack Island, Michigan

INDIANÁPOLIS:
JW Marriott $$
Para negócios
10 S West St, 46204
Tel *(317) 860-5800*
- marriott.com

Hotel vasto no centro da cidade, com mais de mil quartos modernos, piscina e restaurante.

INDIANÁPOLIS: Nestle Inn $$
B&B
637 N East St, 46202
Tel *(317) 610-5200*
- nestleindy.com

Próximo a atrações centrais, esse B&B oferece café da manhã excelente, aulas de culinária mediante uma taxa e ótimo serviço.

SOUTH BEND: Inn at
Saint Mary's $$
B&B
53993 US 933, 46637
Tel *(574) 232-4000*
- innatsaintmarys.com

B&B elegante no campus do St. Mary's College, adjacente à Universidade de Notre Dame. Bufê de café da manhã incluso na diária.

Michigan

ANN ARBOR: Bell Tower Hotel $$
Para negócios
300 S Thayer St, 48104
Tel *(734) 769-3010*
- belltowerhotel.com

No campus da Universidade de Michigan, o Bell Tower exala elegância europeia.

DETROIT: The Atheneum
Suite Hotel $$
Para negócios
1000 Brush St, 48226
Tel *(313) 962-2323*
- atheneumsuites.com

Oferece suítes no meio do bairro grego, perto de restaurantes e da vida noturna.

DETROIT: Inn on Ferry Street $$
Inn/B&B
84 E Ferry St, 48202
Tel *(313) 871-6000*
- innonferrystreet.com

Quatro mansões vitorianas e dois casarões compõem essa opção de hospedagem.

DETROIT: The Westin Book
Cadillac Detroit $$
Luxuoso
1114 Washington Blvd, 48226
Tel *(313) 442-1600*
- starwoodhotels.com

Esse edifício de 1924 em estilo renascentista italiano está inscrito no National Register of Historic Places.

Destaque
MACKINAC ISLAND:
The Grand Hotel $$$
Luxuoso
1 Grand Ave, 49757
Tel *(906) 847-3331*
- grandhotel.com

Esse hotel elegante hospeda a elite do Meio-Oeste desde 1887. Localizado acima dos estreitos de Mackinac, tem vistas pitorescas do lago e quartos com decoração individual e muitas antiguidades. As tarifas incluem café da manhã e jantar. Veículos a motor são proibidos na ilha histórica, onde bicicletas e carroças puxados por cavalos são os meios de transporte.

MACKINAW CITY: Best Western
– Dockside Waterfront Inn $
Econômico
505 S Huron Ave, 49701
Tel *(231) 436-5001*
- bestwestern.com

Alguns quartos desse hotel indicado para famílias têm sacada. O local também oferece um parque aquático coberto e uma praia privativa.

TRAVERSE CITY:
Bayshore Resort $$
Resort
833 E Front St, 49686
Tel *(231) 935-4400*
- bayshore-resort.com

Esse resort litorâneo em estilo vitoriano revela lindas vistas da baía. O acesso é só de barco ou hidroavião.

Minnesota

DULUTH: Inn on
Lake Superior $$
Resort
350 Canal Park Dr, 55802
Tel *(218) 726-1111*
- theinnonlakesuperior.com

Resort diante do lago, com piscinas e fogueiras noturnas. Café da manhã de cortesia.

MINNEAPOLIS: Wales House $
Inn/B&B
1115 SE 5th St, 55414
Tel *(612) 331-3931*
- waleshouse.com

Perto da Universidade de Minnesota, essa casa histórica com decoração de bom gosto e áreas comuns amplas atrai acadêmicos visitantes.

MINNEAPOLIS:
Commons Hotel $$
Para negócios
615 Washington Ave SE, 55455
Tel *(612) 379-8888*
- commonshotel.com

Decoração industrial chique e galerias de arte internas distinguem esse hotel-butique no vasto campus da Universidade de Minnesota.

Destaque
MINNEAPOLIS: Le Meridien
Chambers $$
Luxuoso
901 Hennepin Ave, 55403
Tel *(612) 767-6900*
- lemeridienchambers.com

Hotel mais elegante do centro da cidade, Le Meridien Chambers reúne arte, design e culinária em dois edifícios *revival* marcantes. Há comodidades como massagem e serviços de beleza. O magnífico Marin Restaurant and Bar serve cozinha refinada do norte da Califórnia. Mais de 200 obras de arte originais estão expostas no hotel, e os hóspedes entram de graça no renomado Walker Art Center apresentando a chave de seus quartos, a qual foi desenhada por um artista.

Mais informações sobre hotéis *nas pp. 26-7*

Saguão bem-apresentado do luxuoso Ritz-Carlton, em Cleveland

ST. PAUL: Best Western Plus Kelly Inn $
Econômico
161 Saint Anthony Ave, 55103
Tel *(651) 227-8711*
bestwestern.com
Opção barata próxima a atrações. Apresenta quartos básicos limpos e equipe simpática.

ST. PAUL: Saint Paul Hotel $$$
Luxuoso
350 Market St, 55102
Tel *(651) 292-9292*
stpaulhotel.com
Hotel histórico fundado há mais de um século, tem decoração clássica e instalações modernas.

Ohio

CINCINNATI: The Cincinnatian Hotel $$
Luxuoso
601 Vine St, 45202
Tel *(513) 381-3000*
cincinnatianhotel.com
Datado de 1882, esse hotel abriga quartos com lareira, sacada e design contemporâneo.

CINCINNATI: 21c Museum Hotel $$$
Para negócios
609 Walnut St, 45202
Tel *(513) 578-6600*
21cmuseumhotels.com/cincinnati
Uma mescla de hotel-butique, museu de arte contemporânea e centro cultural.

CLEVELAND: Glidden House Inn $$
Inn/B&B
1901 Ford Dr, 44106
Tel *(216) 231-8900*
gliddenhouse.com
Mansão de 1910 que oferece ótimas acomodações e bufê de café da manhã incluso na tarifa.

Destaque

CLEVELAND: The Ritz-Carlton, Cleveland $$$
Luxuoso
1515 W 3rd St, 44113
Tel *(216) 623-1300*
ritzcarlton.com
O afamado Ritz-Carlton oferece quartos e suítes bem mobiliados, todos com banheiros luxuosos de mármore e vistas panorâmicas do lago Erie. Alta gastronomia e excelente academia 24 horas compõem a estrutura. Competente, a equipe se esmera no atendimento aos hóspedes, e a localização permite ir a pé às principais atrações no centro da cidade.

COLUMBUS: The Blackwell $
Econômico
2110 Tuttle Park Pl, 43210
Tel *(614) 247-4000*
theblackwell.com
Esse moderno hotel e centro de conferências fica no campus da Universidade Estadual de Ohio. Os quartos, estilosos, têm equipamentos tecnológicos.

COLUMBUS: The Lofts Hotel $$
Para negócios
55 E Nationwide Blvd, 43215
Tel *(614) 461-2663*
55lofts.com
Os quartos, em estilo de loft, ocupam um antigo armazém reformado; exibem móveis bonitos e janelões do teto ao chão que revelam vistas do centro da cidade.

SANDUSKY: Kalahari Resort $$
Resort
7000 Kalahari Dr, 44870
Tel *(419) 433-7200*
kalahariresorts.com/ohio
Esse resort com tema africano para famílias abriga um parque temático e outro aquático, kart, boliche e minigolfe.

Wisconsin

MADISON: Edgewater Hotel $$
Para negócios
666 Wisconsin Ave, 53703
Tel *(608) 256-9071*
theedgewater.com
Há quartos de luxo, terraço na cobertura e um spa nesse hotel sereno diante do lago Mondota.

MILWAUKEE: The Iron Horse Hotel $$
Para negócios
500 W Florida St, 53204
Tel *(414) 374-4766*
theironhorsehotel.com
Um armazém secular foi transformado nesse hotel refinado que atrai principalmente executivos e entusiastas de motociclismo de passagem pela cidade.

Destaque

MILWAUKEE: The Pfister Hotel $$
Luxuoso
424 E Wisconsin Ave, 53202
Tel *(414) 273-8222*
thepfisterhotel.com
Guido Pfister, um comerciante bem-sucedido de Milwaukee, gastou US$1 milhão para construir esse hotel central em 1893. O lugar passou por uma restauração completa e expõe uma das maiores coleções do mundo de arte vitoriana. O bar de martínis e vinhos no 23º andar tem belas vistas da cidade.

MILWAUKEE: Schuster Mansion Bed & Breakfast $$
B&B
3209 W Wells St, 53208
Tel *(414) 342-3210*
schustermansion.com
Uma joia arquitetônica no bairro histórico de Concordia, a poucos minutos do centro, tem suítes vitorianas amplas.

WISCONSIN DELLS: Black Hawk Motel $
Econômico
720 Race St, 53965
Tel *(608) 254-7770*
blackhawkmotel.com
Esse motel oferece casas ideais para famílias e suítes românticas com banheira de hidromassagem.

WISCONSIN DELLS: Cedar Lodge & Settlement $$
Resort
11232 Hillside Dr, 53965
Tel *(608) 253-6080*
cedarlodgedells.com
Há fogueiras animadas no verão nesse resort isolado.

Categorias de Preço *na p. 422*

Onde Comer e Beber

Illinois

CHICAGO: Carson's Prime Steaks $$
Churrasco americano   Mapa 3C
612 N Wells St, 60610
Tel *(312) 280-9200*
Churrascaria lendária, a Carson's serve desde 1976 deliciosas costelas suínas com molho ou grelhadas, frango e camarão.

Destaque

CHICAGO: Girl & The Goat $$
Americana moderna
809 W Randolph St, 60607
Tel *(312) 492-6262*
Com renome nacional, a chef Stephanie Izard se destaca por criações originais e uso de iguarias, como ravióli de escargô e carpaccio de cabra com ovas de truta defumadas. Prove cervejas e queijos locais no bar animado. Ambiente rústico convidativo.

CHICAGO: Heaven on Seven $$
Americana   Mapa 4D
111 N Wabash Ave, 60602
Tel *(312) 263-6443*   **Fecha** *dom*
Comida cajun e creole é servida no sétimo andar de um edifício histórico. Jambalaya, bolinho de caranguejo e po'boys são os mais pedidos. Abre para café da manhã e almoço.

CHICAGO: Russian Tea Time $$
Russa   Mapa 4D
77 E Adams St, 60603
Tel *(312) 360-0000*
Há borscht fria, panquecas de batata, bolinhos de carne e kebabs de frango nesse local que evoca um salão de chá de Moscou. Chá da tarde completo diariamente.

CHICAGO: Trattoria No. 10 $$
Italiana   Mapa 4D
10 N Dearborn St, 60602
Tel *(312) 984-1718*
Esse restaurante é conhecido pelas versões modernas de clássicos italianos como carne orgânica com purê de batata e mascarpone, e farfalle com confit de pato e aspargos.

CHICAGO: Everest $$$
Americana/Francesa   Mapa 4C
440 S LaSalle St, 40º andar, 60605
Tel *(312) 663-8920*   **Fecha** *dom e seg*
O renomado chef francês oferece deliciosos menus-degustação em salão de decoração refinada, com lustres de cristal e garçons de smoking.

CHICAGO: North Pond $$$
Americana moderna
2610 N Cannon Dr, 60614
Tel *(773) 477-5845*   **Fecha** *seg*
Esse restaurante moderno junto a um lago sereno no meio do Lincoln Park tem um dos cenários mais belos da cidade. Serve foie gras divino.

GALENA: Fried Green Tomatoes $$
Americana
213 N Main St, 61036
Tel *(815) 777-3938*   **Fecha** *seg*
Em um edifício histórico de 1838, o "Tomates Verdes Fritos" oferece a delícia que lhe dá nome, além de massas tradicionais e pratos com carne como piccata de frango e vitela ao vinho marsala. Carta de vinhos criteriosa.

OAK PARK: Winberie's Restaurant and Bar $$
Americana
151 N Oak Park Ave, 60301
Tel *(708) 386-2600*
Esse restaurante e bar de vinhos elegante propõe cardápio criativo e eclético e carta de vinhos extensa. Antiguidades e pôsteres adornam o interior.

PEORIA: One World Café $$
Internacional
1245 W Main St, 61606
Tel *(309) 672-1522*
O tradicional One World Café serve café da manhã e almoço o dia inteiro e jantar a partir das 16h. A cafeteria prepara drinques gourmets, e a área do bar e do lounge é muito frequentada pelo pessoal local.

ROCKFORD: D'Arcy's Pint $
Irlandesa/Americana
661 W Stanford Ave, 62703
Tel *(217) 492-8800*
Bom para famílias, é famoso pelos sanduíches regionais horseshoe, nos quais a carne é servida em pão de forma branco, com fritas e molho de queijo.

Indiana

FORT WAYNE: Biaggi's Ristorante Italiano $$
Italiana
4010 W Jefferson Blvd, 46804
Tel *(260) 459-6700*
Parte de uma rede bem conceituada, o Biaggi's seduz os clientes com seu delicioso filé, frutos do mar e massas. Peça o saboroso ravióli caseiro.

Categorias de Preço
Por pessoa, para uma refeição composta de três pratos e uma taça de vinho da casa, mais taxas.
$ até US$35
$$ US$35-US$70
$$$ acima de US$70

INDIANÁPOLIS: Bazbeaux Pizza $
Pizzaria
329 Massachusetts Ave, 46204
Tel *(317) 636-7662*
No centro, essa filial de uma rede local de pizzarias é boa opção para um almoço rápido à base de fatias de pizza. Há mesas na calçada e no salão informal, além de um bar agradável com uma carta eclética de cervejas artesanais.

INDIANÁPOLIS: Yats $
Cajun/Creole
5363 N College Ave, 46220
Tel *(317) 253-8817*
Instituição local com um quadro-negro atrás do caixa que informa o menu do dia de deliciosos pratos cajun e creole. Jambalaya e étouffée com lagostim, queijo e pimenta ainda fazem sucesso.

INDIANÁPOLIS: Santorini Greek Kitchen $$
Grega
1417 Prospect St, 46203
Tel *(317) 917-1117*   **Fecha** *dom*
Esse estabelecimento alegre, comandado pelo brilhante chef-proprietário, serve comida grega considerada a melhor da região. Garçons simpáticos explicam o cardápio em minúcias. Nas noites de sexta e sábado há apresentações de música ao vivo e dança do ventre.

Salão do North Pond no Lincoln Park, em Chicago

Mais informações sobre restaurantes *nas pp. 28-9*

Destaque

INDIANÁPOLIS:
St. Elmo's Steak House $$$
Churrascaria
127 S Illinois, 46225
Tel *(317) 635-0636*
Um marco local desde 1902, a St. Elmo's mantém o alto padrão. O menu clássico de *steakhouse* raramente varia, e, ao que parece, a maior parte da clientela continua pedindo o coquetel de camarão com molho picante, que foi uma coqueluche mundial.

SOUTH BEND: Sorin's at the Morris Inn $$
Americana moderna
N Notre Dame Ave, 46556
Tel *(574) 631-2000* **Fecha** *seg*
Instalado no campus da Universidade de Notre Dame, esse restaurante convidativo tem o nome do fundador da instituição. O cardápio, variado, tem opções para todos os gostos. Carta de vinhos extensa.

Michigan

ANN ARBOR: Zingerman's Delicatessen $
Americana/Delicatéssen
422 Detroit St, 48104
Tel *(734) 663-3354*
Outrora uma *deli* judaica tradicional, hoje o Zingerman's é renomado pelas comidas especiais. Peça algum dos sanduíches com pastrame e picadinho de fígado.

DETROIT: Lafayette Coney Island $
Americana
118 W Lafayette Blvd, 48226
Tel *(313) 964-8198*
Desde 1914 serve o sanduíche icônico da cidade, o cachorro-quente Coney Island com pão feito no vapor, pimenta, cebola e mostarda amarela.

Destaque

DETROIT: Slows Bar-B-Q $
Churrascaria
2138 Michigan Ave, 48216
Tel *(313) 962-9828*
Prepare-se para uma longa espera para provar churrasco e carnes defumadas considerados os melhores do país e servidos com favas assadas e mac 'n' cheese. O espaço Corktown tem um pátio ensolarado e um bar animado que serve mais de 50 cervejas artesanais de barril.

DETROIT: Cuisine $$
Francesa/Americana moderna
670 Lothrop Rd, 48202
Tel *(313) 872-5110* **Fecha** *seg*
Um dos restaurantes mais criativos da região, o Cuisine serve delícias como porções de embutidos, vieiras seladas, ravióli com lagosta e confit de pato em um ambiente acolhedor. A equipe, competente, ajuda a escolher um vinho da excelente carta.

GRAND RAPIDS:
San Chez Bistro $$
Espanhola
38 Fulton St W, 49503
Tel *(616) 774-8272*
Esse bistrô premiado é especializado em porções europeias e mediterrâneas. O ambiente divertido estimula os clientes a pintarem ou a aprenderem a manejar facas. A área do café é frequentada para café da manhã.

MACKINAC ISLAND:
The Yankee Rebel Tavern $$
Americana/Internacional
3 Astor St, 49757
Tel *(906) 847-6249*
Porções fartas de pratos clássicos americanos são servidas nesse lugar central, a poucos passos das filas dos barcos. O amplo salão, com mesas e reservados, é perfeito para reunir a família e os amigos.

MACKINAW CITY:
Dixie Saloon $
Americana
401 E Central St, 49701
Tel *(231) 436-5449*
Datado de 1890, esse restaurante histórico fica diante da balsa que leva à Mackinac Island, o que o torna conveniente para comer algo antes de fazer esse passeio. Mesas ao lado das janelas proporcionam belas vistas das águas.

Minnesota

DULUTH: New Scenic Café $$
Americana moderna
5461 N Shore Dr, 55804
Tel *(218) 525-6274*
Ande até a costa norte do lago Superior para conhecer esse café tranquilo, com menu sazonal de comida local. Há jardins coloridos e obras de artistas da região.

MINNEAPOLIS: Al's Breakfast $
Diner
413 14th Ave SE, 55414
Tel *(612) 331-9991*
Com poucos lugares, o *diner* Al's serve apenas café da manhã. Uma mescla de público local e turistas forma fila em busca de clássicos como panquecas de leitelho e omeletes substanciosos.

MINNEAPOLIS: Brasa Premium $
Creole/Latino-americana
600 E Hennepin Ave, 55414
Tel *(612) 379-3030*
No Brasa Premium há carnes e guarnições saborosas à moda creole, preparadas lentamente com ingredientes sustentáveis de boa procedência. Uma boa opção são os assados saborosos de rotisserie.

Destaque

MINNEAPOLIS: Nye's Polonaise Room $$
Polonesa/Americana
112 E Hennepin Ave, 55414
Tel *(612) 379-2021*
Em funcionamento desde 1949, esse restaurante serve comidas polonesas com um toque americano, como saborosos pastéis pierogi e linguiças com chucrute. Apresenta ambiente retrô interessante, coquetéis clássicos, piano ao vivo ou trilha sonora com polca.

ST. PAUL: Mickey's Diner $
Americana
36 W 7th St, 55116
Tel *(651) 222-5633*
Em operação desde 1937, esse *diner* fica aberto 24 horas por dia servindo café da manhã, hambúrgueres suculentos e sua especialidade, um cozido saboroso.

ST. PAUL: Forepaugh's Restaurant $$$
Internacional
276 S Exchange St, 55102
Tel *(651) 224-5606*
Culinária premiada é servida nessa mansão vitoriana elegante. Garçons eficientes ajudam os clientes a escolher uma boa opção da extensa carta de vinhos.

Carne de porco desfiada do Brasa Premium, em Minneapolis, Minnesota

Ohio

CINCINNATI: Skyline Chili $
Americana
1001 Vine St, 45202
Tel *(513) 721-4715*
Há cachorros-quentes saborosos, batatas assadas e fritas e até espaguete nessa filial de uma rede regional com raízes gregas que remonta a 1949.

CINCINNATI: The Celestial Restaurant $$$
Churrascaria
1071 Celestial St, 45202
Tel *(513) 241-4455*
Visite esse restaurante romântico com vistas panorâmicas da cidade e do rio Ohio para saborear carnes clássicas e frutos do mar frescos. A carta de vinhos é extensa.

CLEVELAND: Blue Point Grill $$
Frutos do mar
700 W St. Clair, 44113
Tel *(216) 875-7827*
Esse restaurante confortável tem um cardápio inovador de pratos modernos, incluindo peixes frescos como garoupa, salmão e robalo. Carta de vinhos variada.

Destaque
CLEVELAND: Lola Bistro $$$
Americana moderna
2058 E 4th St, 44115
Tel *(216) 621-5652* **Fecha** *dom*
O famoso chef e dono do Lola, Michael Symon, apresenta um programa de TV, mas escolheu sua cidade natal para montar esse bistrô refinado. O menu criativo à base dos melhores ingredientes locais inclui coração bovino e orelha de porco. O belo ambiente e o ótimo serviço propiciam encontros românticos e jantares de negócios.

COLUMBUS: Schmidt's German Village Restaurant $
Alemã
240 E Kossuth St, 43206
Tel *(614) 444-6808*
Garçons com trajes tradicionais atuam no farto bufê de almoço e servem schnitzel, salsichas e outros pratos tradicionais em um dos restaurantes alemães mais famosos do país.

COLUMBUS: Thurman Café $
Hambúrguer/Americana
183 Thurman Ave, 43206
Tel *(614) 443-1570*
Um marco desde 1942, o aconchegante Thurman Café serve hambúrgueres suculentos e cachorros-quentes Coney Island que estão entre os melhores da cidade. Equipe gentil.

LEBANON: The Golden Lamb Dining Room $$
Americana/Eclética
27 S Broadway, 45036
Tel *(513) 932-5065*
Esse restaurante histórico já foi uma taverna. Hoje em dia, serve pratos coloniais, como pernil assado de cordeiro, em um ambiente familiar no hotel mais antigo do estado.

Wisconsin

MADISON: Marigold Kitchen $
Americana
118 S Pinckney St, 53703
Tel *(608) 661-5559*
Essa casa próxima ao State Capitol serve café da manhã e almoço. A cozinha usa ingredientes orgânicos locais para criar variações de pratos comuns, como omelete com queijo artesanal e picadinho de pato assado.

MADISON: The Old Fashioned $
Americana
23 N Pinckney St, 53703
Tel *(608) 310-4545*
Esse lugar hospitaleiro serve carnes, queijos, produtos e especialidades de pequenos produtores do Wisconsin. O peixe no jantar de sexta-feira e os assados no fim de semana fazem sucesso. Há uma ampla seleção de cervejas locais, vinhos, destilados e drinques especiais.

MILWAUKEE: Balisteri's Bluemound Inn $$
Italiana
6501 W Bluemound Rd, 53213
Tel *(414) 258-9881*
O conhecido Balisteri's oferece pizzas extremamente saborosas, além de um amplo cardápio de frutos do mar frescos, aves e filés.

O local conta com mesas em um pátio ao ar livre. O serviço é bastante cordial.

Destaque
MILWAUKEE: Bartolotta's Lake Park Bistro $$$
Francesa
3133 E Newberry Blvd, 53211
Tel *(414) 962-6300*
Esse bistrô refinado e encantador fica em um pavilhão histórico no belo Lake Park, situado em um penhasco voltado para o lago Michigan. A cozinha premiada prepara delícias francesas como musse de foie gras, tartare de boeuf, musse de fígado de frango e steak-frites, além de pratos variados com carne. Há uma carta de vinhos bastante completa. O serviço elegante e o ambiente de alta classe são perfeitos para comemorar ocasiões especiais.

MILWAUKEE: Mader's $$$
Alemã
1041 N Old World 3rd St, 53203
Tel *(414) 271-3377*
O serviço sofisticado e a comida alemã gourmet desse restaurante continuam atraindo celebridades e famílias locais em ocasiões especiais. Há um museu histórico com artefatos da época em que um jantar na cidade custava apenas 20 centavos.

WISCONSIN DELLS: High Rock Café $$
Eclética/Internacional
232 Broadway, 53965
Tel *(608) 254-5677*
Um menu variado de pratos criativos é oferecido nesse café descontraído e muito movimentado. Há sopas, wraps, sanduíches, massas, pratos principais e sobremesas caseiras. O lugar fica ainda mais animado durante grandes eventos esportivos e nas sextas-feiras, quando serve peixes.

Interior do Blue Point Grill, no centro de Cleveland, Ohio

Mais informações sobre restaurantes *nas pp. 28-9*

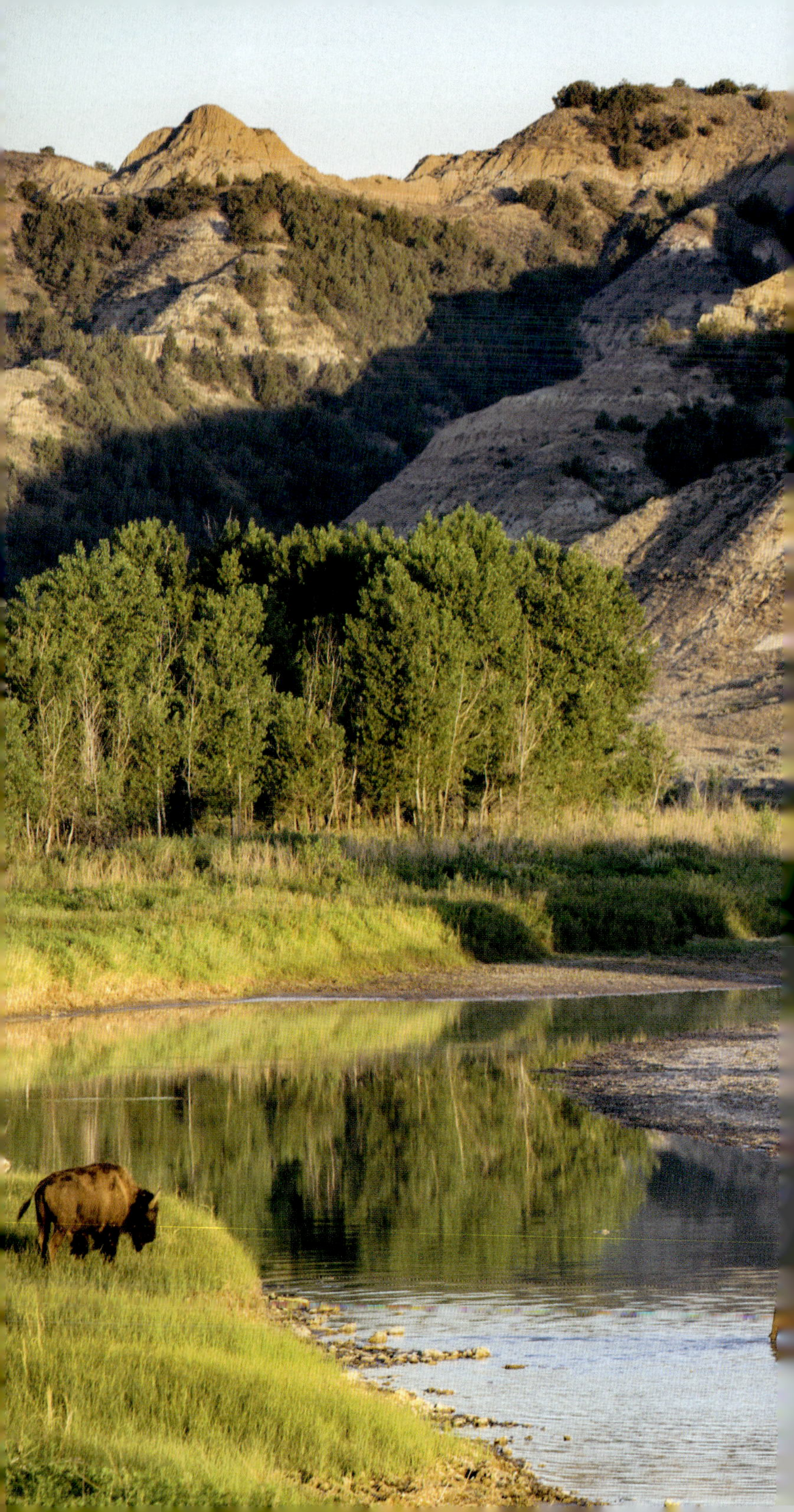

GRANDES PLANÍCIES

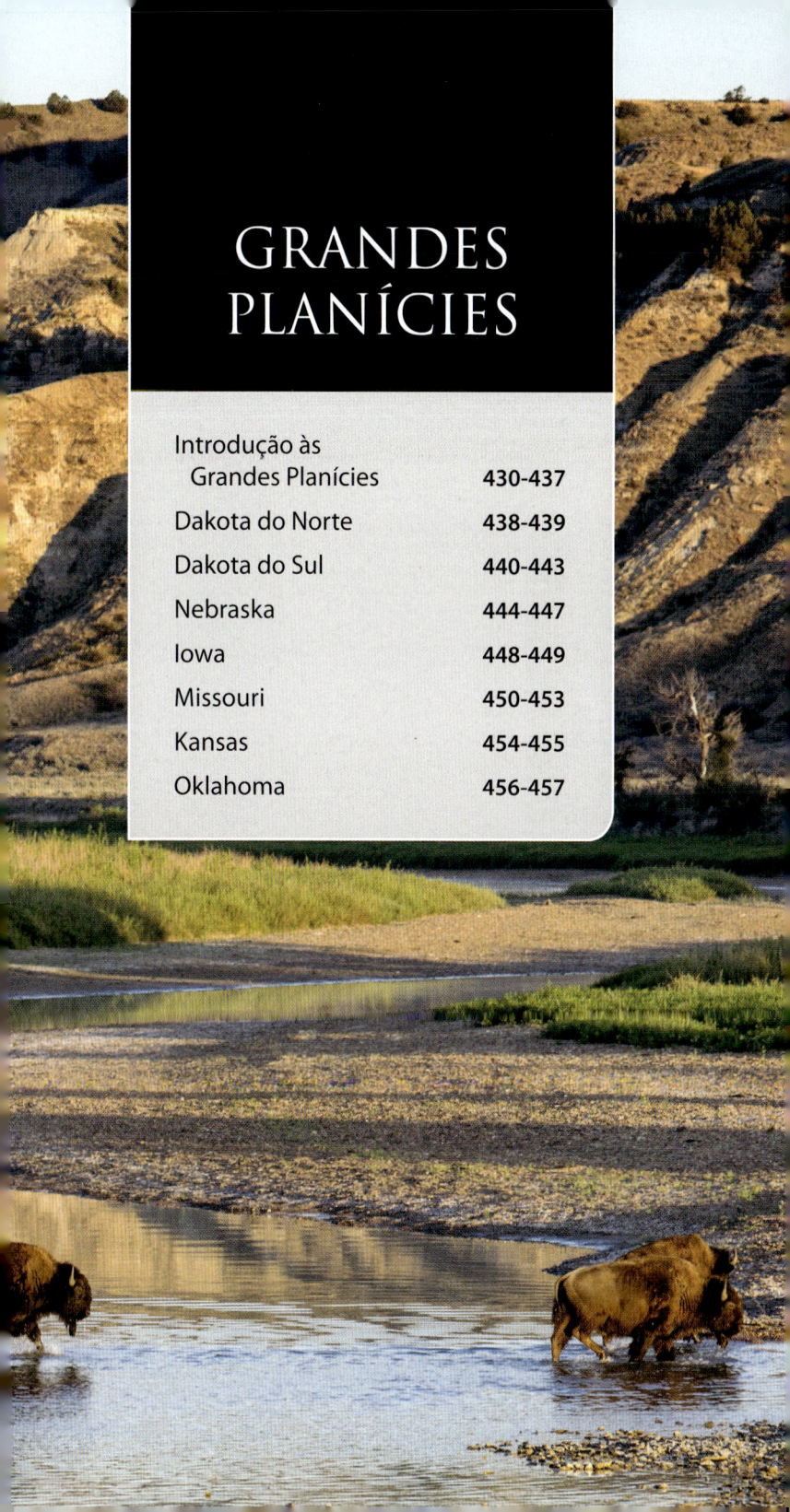

Introdução às Grandes Planícies	430-437
Dakota do Norte	438-439
Dakota do Sul	440-443
Nebraska	444-447
Iowa	448-449
Missouri	450-453
Kansas	454-455
Oklahoma	456-457

As Grandes Planícies em Destaque

Centralizada na longitude intermediária, o meridiano 100 – que divide os Estados Unidos aproximadamente em Leste e Oeste –, essa região é a essência do centro do país. Estendendo-se do Canadá ao Texas e subindo gradualmente dos pés das Montanhas Rochosas até a planície aluvial do Mississippi, as Grandes Planícies cobrem sete estados, das Dakotas do Norte e do Sul até Iowa, Nebraska, Missouri, Kansas e Oklahoma. É uma região basicamente rural e agrícola, com cidades pequenas, espaços abertos e vastos horizontes. Museus, atrações históricas e opções de entretenimento podem ser encontrados em cidades como Tulsa, St. Louis, Kansas, Sioux Falls e Oklahoma.

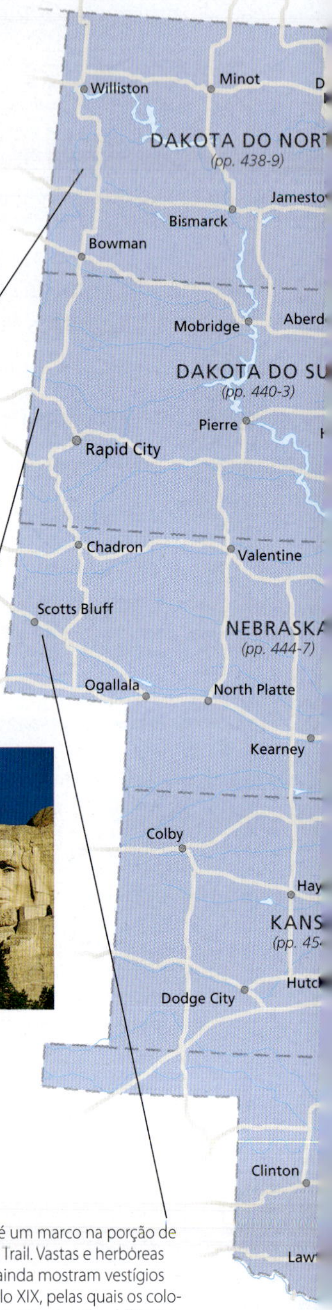

O **Theodore Roosevelt National Park** (p. 439), na Dakota do Norte, foi criado em 1947 para preservar a memória desse presidente. Hoje manadas de búfalos podem ser vistas nas rudes e belas terras áridas do parque.

As **Black Hills** (pp. 442-3), maior atração da Dakota do Sul, abriga o Mount Rushmore National Memorial, com as cabeças esculpidas de quatro ex--presidentes do país. O Crazy Horse Memorial é um tributo a heróis indígenas americanos.

Scotts Bluff (p. 446) é um marco na porção de Nebraska da Oregon Trail. Vastas e herbóreas extensões de serras ainda mostram vestígios das estradas do século XIX, pelas quais os colonos pioneiros viajavam para o oeste. A Oregon Trail partia de Independence, no Missouri, e seguia o curso do rio North Platte no sentido noroeste até as Montanhas Rochosas.

◀ Bisão atravessa o rio Little Missouri no Theodore Roosevelt National Park, Dakota do Norte

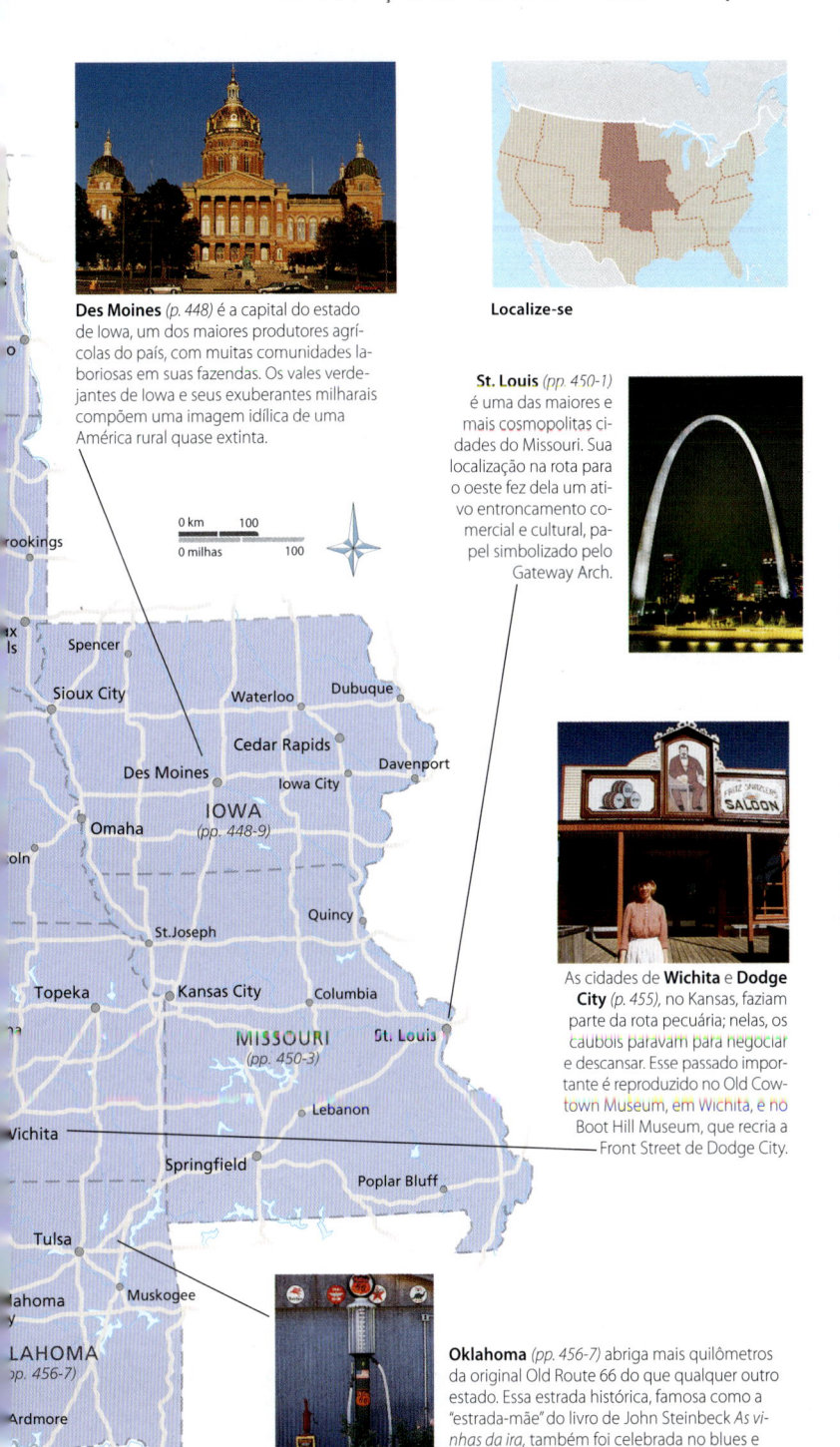

INTRODUÇÃO ÀS GRANDES PLANÍCIES | **431**

Des Moines (p. 448) é a capital do estado de Iowa, um dos maiores produtores agrícolas do país, com muitas comunidades laboriosas em suas fazendas. Os vales verdejantes de Iowa e seus exuberantes milharais compõem uma imagem idílica de uma América rural quase extinta.

Localize-se

St. Louis (pp. 450-1) é uma das maiores e mais cosmopolitas cidades do Missouri. Sua localização na rota para o oeste fez dela um ativo entroncamento comercial e cultural, papel simbolizado pelo Gateway Arch.

As cidades de **Wichita** e **Dodge City** (p. 455), no Kansas, faziam parte da rota pecuária; nelas, os caubóis paravam para negociar e descansar. Esse passado importante é reproduzido no Old Cowtown Museum, em Wichita, e no Boot Hill Museum, que recria a Front Street de Dodge City.

Oklahoma (pp. 456-7) abriga mais quilômetros da original Old Route 66 do que qualquer outro estado. Essa estrada histórica, famosa como a "estrada-mãe" do livro de John Steinbeck *As vinhas da ira*, também foi celebrada no blues e no jazz. Velhas bombas de gasolina, placas e outros itens estão em vários museus da Route 66, especialmente em Clinton.

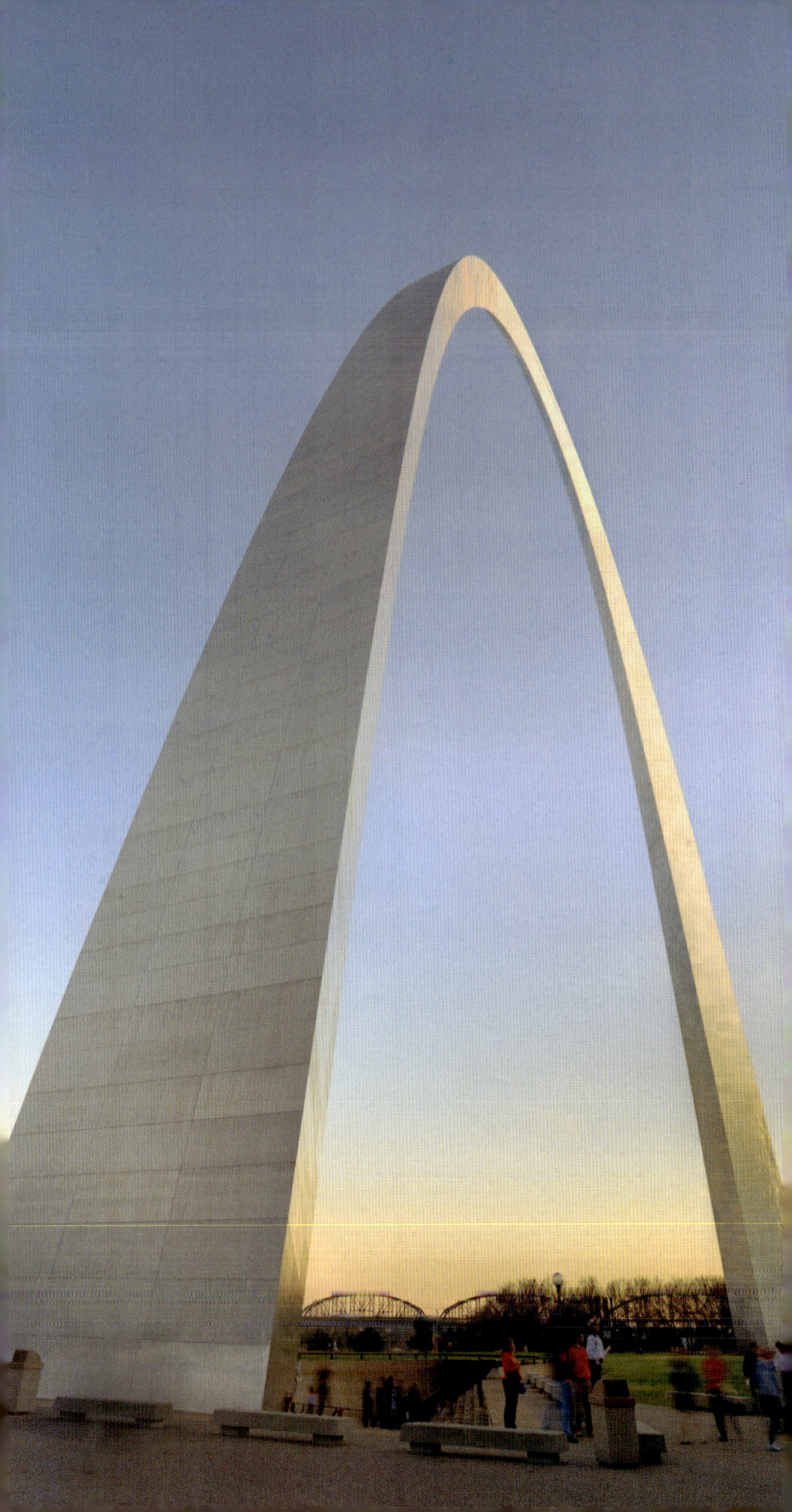

GRANDES PLANÍCIES

Vistas de um avião, as Grandes Planícies são um padrão repetido de campos retangulares e estradas, que levou os americanos urbanos a apelidarem-na de "campo em formação de esquadrilha". Região basicamente rural e agrícola, ela se estende no centro do país e engloba os ideais bem americanos de independência e autossuficiência conquistada com trabalho duro.

As Grandes Planícies têm raízes profundas, no sentido figurado e literal, no centro da psique americana. Quem mora nas cidades tanto do Leste como do Oeste pode zombar da falta de sofisticação da região em geral, mas o evidente orgulho de seus moradores pelos valores tradicionais e estilos de vida antigos explica por que essa área é a localização ideal de tudo o que seja essencialmente americano.

Na ficção e no cinema, a região gerou criações bem americanas, como o *Huckleberry Finn*, de Mark Twain, a Dorothy de *O mágico de Oz*, a família de *Os pioneiros* e o tom sentimental simplório de *Campo dos sonhos* e *As pontes de Madison*.

Suas áreas rurais, com vastas extensões de terras férteis, formam a base da identidade das Grandes Planícies. Cidades enormes, como Tulsa, St. Louis, Kansas e Oklahoma, abrigam o grosso da população, além dos museus, atrações históricas, hotéis e restaurantes. Os visitantes podem formar uma visão melhor da cultura da região passando algum tempo em cidades menores, bucólicas.

História

Nos séculos XVII e XVIII, comerciantes franceses e caçadores de pele exploraram a região, entrando em contato com as várias tribos indígenas americanas que viviam ali. Essas tribos iam das culturas sedentárias e agrícolas dos povos caddo e mandan aos índios pawnee, osage e comanche, cuja sobrevivência dependia da caça de manadas migratórias de bisões (ou búfalos). Conforme os europeus se instalaram ao longo da Costa Leste, outras tribos se transferiram para as Grandes Planícies, a oeste. A mais trágica das migrações em massa para essa região teve lugar em 1838, quando a nação cheroqui foi forçada a abrir mão de todas as terras a leste do rio Mississippi. Em troca, foram-lhes garantidas terras "enquanto a grama crescer e as águas correrem" no então chamado Território Indígena (atualmente, Oklahoma). Mais de 4 mil pessoas morre-

Pradaria no Buffalo Gap National Grassland, em Nebraska

◀ Crepúsculo no Gateway Arch, obra de Eero Saarinen e símbolo de St. Louis, no Missouri

Mural mostrando a expedição de Lewis e Clark

ram de fome, doenças e dos percalços na longa viagem, a "Trilha das Lágrimas", da Carolina do Norte até Oklahoma. A influência dos índios americanos na região é difícil de medir, mas sua herança sobrevive nos nomes de muitos lugares, incluindo os de seus Estados – Iowa, Missouri, Oklahoma, Kansas, Nebraska e as Dakotas.

PRINCIPAIS DATAS HISTÓRICAS

1738-43 O comerciante de peles francês Pierre Gaultier du Varennes, Sieur de la Verendrye, explora as Grandes Planícies do norte

1764 Fundação de St. Louis

1803 Os EUA compram da França boa porção da região, como parte da Compra da Louisiana

1833 O artista alemão Karl Bodmer retrata os estilos de vida dos nativos americanos

1882 "Buffalo Bill" encena o primeiro rodeio do mundo em North Platte, Nebraska

1890 Massacre de 300 índios sioux pelo exército dos EUA em Wounded Knee na reserva Pine Ridge, Dakota do Sul

1907 Nasce John Wayne, ator de Hollywood, em Winterset, Iowa

1930-37 Uma longa seca e ventos constantes criam a "Bacia de Pó" (Dust Bowl)

1941 É concluído o Mount Rushmore National Memorial

1948 Começa a construção do Crazy Horse Memorial nas Black Hills, Dakota do Sul

1965 O Gateway Arch é terminado em St. Louis no local do assentamento original de 1764

2000 O Oklahoma City National Memorial é dedicado ao quinto aniversário do atentado ao Federal Building

Entre os primeiros americanos a explorar as Grandes Planícies estavam os legendários Lewis e Clark, cuja expedição de ida e volta ao Pacífico levou quase três anos (1803-06). Por marcante que tenha sido essa viagem, a expedição posterior do príncipe alemão Maximiliano foi a que mais contribuiu para tornar a região conhecida. Os diários de Maximiliano, com desenhos e pinturas de índios do artista Karl Bodmer, foram publicados na Alemanha em 1838 e puseram as Grandes Planícies no mapa internacional.

Ambas as expedições saíram de St. Louis, a mais velha cidade da região, fundada como um distante posto fronteiriço francês de comércio de peles. Na metade do século XIX, Kansas se juntou a St. Louis como posto para pioneiros que cruzavam as Grandes Planícies nas legendárias trilhas de Santa Fé, Califórnia e Oregon.

Depois da Guerra Civil, uma série de ferrovias transcontinentais acompanhou muitas dessas estradas, diminuindo os tempos das viagens e os custos dos transportes. Mas as ferrovias dividiram as rotas de migração dos bisões, que de milhões chegaram quase à extinção. Conforme as ferrovias abriam caminho, os índios eram empurrados para reservas, e os colonos e suas pequenas propriedades rurais tomavam seu lugar. Essas pequenas fazendas geridas por famílias, baseadas em trigo, milho, gado e porcos, ainda são um emblema da região, embora hoje muitas sejam operadas em escala industrial por proprietários ausentes. O ponto alto da agricultura foi o período da Primeira Guerra Mundial, quando os preços eram altos e a mecanização substituiu os arados puxados por cavalos e outros métodos de trabalho intensivo. O ponto mais baixo na economia veio logo depois, quando uma súbita queda de preços no pós-guerra e uma década de seca transformaram a região na "Bacia de Pó", empurrando 200 mil fazendeiros e suas famílias para a Califórnia, saga contada de modo comovedor no livro de John Steinbeck *As vinhas da ira*.

Geologia e Clima

A terra define a vida nas Grandes Planícies. Há 500 milhões de anos, um profundo mar interior deitou as bases de camadas de rocha sedimentar, com sua rica coleção de fósseis, além dos fósseis líquidos que sustentam a indústria atual. Acima dessa rocha sólida, glaciares da Idade do Gelo, abrindo caminho para o sul a partir do Canadá, depositaram o solo pulverizado que forma a metade leste das Grandes Planícies – e o estado de Iowa em particular –, algumas das terras mais férteis do mundo. Exceções à paisagem tipicamente horizontal estão nas suas margens. As escarpadas Ozark Mountains ficam no sul do Missouri e de Oklahoma, e no oeste de Dakota do Sul há os picos de florestas densas e granitos ricos em ouro das Black Hills, que se erguem acima do arenito erodido do Badlands National Park.

Se a geologia contribui para um cenário monótono, o clima é tudo, menos ameno. As Grandes Planícies apresentam alguns dos climas mais extremos do país, com seus furiosos tornados. Essas fortes tempestades de vento formam-se sem aviso no fim da primavera e são mais comuns na chamada "Tornado Alley", que abrange o leste do Kansas, o Missouri e Oklahoma. Também ocorrem na região outras condições climáticas intensas, como chuvas alagadoras, altas temperaturas e umidade no verão e nevascas no inverno.

Povo e Cultura

Em geral, as Grandes Planícies são conservadoras – patriotismo e religião dominam os valores culturais –, mas também abrigam tradições culturais e políticas variadas. No século XIX, Kansas foi um dos principais focos da luta antiescravagista, mas na virada do século XXI o estado defende que as ideias bíblicas sobre a criação sejam ensinadas nas aulas de ciências das escolas.

Etnicamente, porém, a população surpreende pela diversidade e inclui até uma colônia sueca em Lindsborg. Muitos dos imigrantes originais foram atraídos para lá pela possibilidade de obter terrenos similares aos da Europa, especialmente as estepes da Europa do Leste. Um bom número era de adeptos de religiões não conformistas, como os menonitas, que vieram de regiões de fala alemã da Rússia para o Kansas e as Dakotas. Muitas confeitarias de estilo alemão funcionam em pequenas cidades tipicamente americanas.

Os indígenas americanos também têm um papel cada vez mais visível na identidade da região, graças tanto aos cassinos que brotam, operados pelas várias tribos, como ao crescente respeito por sua cultura e herança. Oklahoma, por exemplo, tem uma das maiores populações nativas do país – quase 10% da população do estado, de 3 milhões de habitantes.

Cão-de-pradaria, Badlands

Pine Ridge Indian Reservation, na Dakota do Sul

Como Explorar as Grandes Planícies

As grandes planícies atraem visitantes que procuram um sabor integral da América. Sua atração singular é o campo com seus espaços abertos, infindáveis, onde os visitantes viajam horas sem ver nada além de uns poucos trilhos de ferrovias, linhas de transmissão ou ocasionais moinhos de vento e silos de cereais. Entre as atrações das Grandes Planícies estão o Mount Rushmore National Monument, a paisagem estranha do Badlands National Park, as pradarias com relvas altas das Flint Hills no Kansas e postos históricos de fronteira como St. Louis e Kansas City, duas das maiores cidades da região. Um carro é essencial para aproveitar bem uma viagem às Grandes Planícies.

Principais Atrações

Dakota do Norte
1. Grand Forks
2. Devils Lake
3. Washburn
4. Theodore Roosevelt National Park
5. Bismarck & Mandan
6. Fargo

Dakota do Sul
7. Mitchell
8. Pierre
9. Badlands National Park
10. Wall
11. Pine Ridge Indian Reservation
12. *Black Hills pp. 442-3*

Nebraska
13. Chadron
14. Ogallala
15. North Platte
16. Lincoln
17. Nebraska City
18. Omaha

Iowa
19. Sioux City
20. Des Moines
21. Amana Colonies
22. Cedar Rapids
23. Dubuque
24. Quad Cities (Davenport)
25. Iowa City

Missouri
26. *St. Louis pp. 450-1*
27. Jefferson City
28. Branson
29. Kansas City
30. St. Joseph

Kansas
31. Lawrence
32. Topeka
33. Flint Hills
34. Wichita
35. Dodge City

Oklahoma
36. Bartlesville
37. Tulsa
38. Tahlequah
39. Oklahoma City

Legenda
- Rodovia
- Estrada principal
- Ferrovia
- Fronteira estadual

Legenda dos símbolos *na orelha da contracapa*

INTRODUÇÃO ÀS GRANDES PLANÍCIES | 437

Tabela de Distâncias

Bismarck, ND

10 = Distâncias em milhas
10 = Distâncias em quilômetros

350 / 563	Rapid City, SD					
607 / 977	524 / 843	Omaha, NE				
667 / 1073	624 / 1004	135 / 217	Des Moines, IA			
1039 / 1672	953 / 1534	434 / 698	434 / 698	St. Louis, MO		
786 / 1265	702 / 1130	183 / 295	194 / 312	247 / 397	Kansas City, MO	
1034 / 1664	952 / 1532	385 / 620	393 / 632	444 / 715	203 / 327	Wichita, KS
1123 / 1807	1040 / 1674	519 / 835	546 / 879	500 / 805	349 / 562	161 / 259	Oklahoma City, OK

Planícies de trigo perto de Washburn, Dakota do Norte

Dakota do Norte

Estado de inesperada variedade, a Dakota do Norte, com seu vasto céu azul, pequenas comunidades rurais e imensos campos de trigo na sua metade leste, mergulha os visitantes numa tranquila contemplação. A oeste, o escarpado e seco planalto do Missouri contém as terras áridas do Theodore Roosevelt National Park e diversos locais históricos visitados por Lewis e Clark *(pp. 561-2)* na expedição de 1803-06, subindo o rio Missouri. Eles passaram 146 dias na Dakota do Norte em suas viagens de ida e volta. Vastos trechos de áreas não desenvolvidas ao longo do rio, ao norte da agradável capital, Bismarck, ainda parecem muito com o que eram no início do século XIX.

❶ Grand Forks

98.000.
4.251 Gateway Dr,
(800) 866-4566.
visitgrandforks.com

Localizada na junção dos rios Red e Red Lake, a cidade atraiu a atenção do mundo em 1997, quando o rio Red inundou seu centro e destruiu vários locais históricos, provocando graves danos. Esforços de limpeza, controle da água e reconstrução ajudaram Grand Forks a superar muitos dos efeitos desastrosos da enchente.

O **Empire Arts Center**, alojado no Empire Theatre, de 1919, reformado, é agora um dinâmico centro de artes da cidade. O *campus* da University of North Dakota, 3km a oeste do centro, é a sede do **North Dakota Museum of Art**, com sua boa coleção de arte contemporânea.

Empire Arts Center
415 Demers Ave.
Tel (701) 746-5500.
ligar antes.
empireartscenter.org

❷ Devils Lake

7.000.
208 Hwy 2 W, (800) 233-8048.
devilslakend.com

A principal atração recreacional do nordeste da Dakota do Norte é o glacial Devils Lake, de 48.600ha, 150km a oeste de Grand Forks. Com quilômetros de praias e sem saídas naturais, o lago é um ótimo local para pescar e passear de barco.

Fort Totten State Historic Site, 22km ao sul, é uma das bases mais bem preservadas do exército dos EUA da era pós-Guerra Civil. Construído em 1867, permaneceu como reserva militar até 1890, quando se tornou colégio interno para nativos americanos. Os prédios restaurados em volta do campo de manobras contêm mobília da época.

Fort Totten State Historic Site
Rte 57. **Tel** (701) 766-4441.
8h-17h mai-set.
history.nd.gov/historicsites/totten

❸ Washburn

1.700.
(701) 462-8530.
washburnnd.com

A principal atração na área em volta dessa sonolenta cidade no rio Missouri é o **Lewis & Clark Interpretive Center**. Uma magnífica vista do vale do rio Missouri dá boas-vindas aos visitantes, que podem ainda vestir roupas de pele de búfalo, ouvir música de indígenas americanos e ver obras que retratam o sinuoso curso do rio durante os últimos 200 anos.

O centro da cidade é um ponto de partida ideal para um passeio pelos locais associados à histórica expedição de Lewis e Clark. Cerca de 3km a oeste do centro de visitas fica o reconstruído **Fort Mandan**. Foi perto dali que o Corpo de Descoberta de 44 homens de Lewis e Clark passou o inverno entre 1804 e 1805, em direção ao oceano Pacífico.

O **Knife River Indian Village National Historic Site**, 32km a oeste de Washburn, contém os restos das maiores aldeias das tribos inter-relacionadas de mandan, hidatsa e arikara. Entre eles está uma tenda restaurada de 15m x 4m. O caçador de peles francês Charbonneau e sua esposa indígena, Sacagawea, juntaram-se à expedição de Lewis e Clark perto desse local em 1804.

Lewis & Clark Interpretive Center
US 83 e Rte 200A. **Tel** (877) 462-8535.
9h-17h seg-sáb; 12h-17h dom.
fortmandan.com

Fachada reconstruída do Fort Mandan, com sua alta paliçada, perto de Washburn

Veja hotéis e restaurantes dessa região nas pp. 460-5

O Painted Canyon, no Theodore Roosevelt National Park

❹ Theodore Roosevelt National Park

Medora. **Tel** (701) 623-4466.
⬤ 8h-16h30 diariam. ⬤ 1º jan, Ação de Graças, 25 dez.
w nps.gov/thro

Pequena cidade do oeste da Dakota do Norte, Medora é a porta de entrada para o Theodore Roosevelt National Park e as distantes e belas terras áridas do estado. A lei que criou esse parque como um memorial a Roosevelt foi assinada em 25 de abril de 1947 pelo presidente Truman. Em 1978 a área ganhou *status* de parque nacional por meio de outra lei assinada pelo presidente Carter.

É um parque imenso (28.328 hectares), dividido em três áreas – as Unidades Norte e Sul, e o Elkhorn Ranch. A Unidade Sul contém o fantasmagórico **Painted Canyon** e pode ser explorado a cavalo ou visto a partir de um ponto mais alto situado a 58km, num passeio de carro guiado pelo próprio visitante. A Unidade Norte contém uma elevação curva no rio Little Missouri. Sua paisagem semelhante à lunar é pontuada por formações de pedra que parecem cogumelos e áreas de grama varridas por ventos. Ao contrário da mais visitada Unidade Sul, esse bolsão fica numa área bem isolada. Mas uma estrada de 22km que cruza essa paisagem escarpada dá acesso a trilhas naturais e a muitas vistas panorâmicas.

❺ Bismarck & Mandan

🏠 67.000.
ℹ 1.600 Burnt Boat Dr, Bismarck, (800) 767-3555.
w discoverbismarckmandan.com

O tráfego de barcos pelo rio, as ferrovias e a ação do governo foram cruciais para o desenvolvimento de Bismarck, capital do estado, fundada em 1872 na margem leste do rio Missouri.

O **North Dakota State Capitol**, prédio art déco de dezenove andares, domina o perfil da cidade. Chamado de "Aranha-céu das pradarias", esse edifício de 1933 é visível a quilômetros de distância, pois fica no alto de uma pequena elevação ao norte do centro da cidade. O **North Dakota Heritage Center**, encostado ao Capitólio, oferece uma fascinante introdução à herança e ao assentamento territorial dos índios americanos no estado, bem como a história da construção do Capitólio.

A cidade de Mandan, porta de entrada para o Oeste, fica bem junto ao Missouri. Ao sul do centro encontra-se o **Fort Abraham Lincoln State Park**, que contém a On-a-Slant Indian Village, com restos escavados de uma comunidade dos indígenas mandan do século XVII e vários outros edifícios reconstruídos. O forte foi a última base do imprudente George Armstrong Custer, que guiou a Sétima Cavalaria desse ponto para sua desastrosa derrota na batalha de Little Bighorn *(p. 573)* em 1876.

North Dakota Heritage Center
Capitol Mall, Bismarck. **Tel** (701) 328-2666. ⬤ 8h-17h seg-sex, 10h-17h sáb, dom.

Fort Abraham Lincoln State Park
4.480 Fort Lincoln Rd. **Tel** (701) 667-6340. ⬤ 1º abr-Memorial Day: 9h-17h diariam; Memorial Day-Labor Day: 9h-19h; Labor Day-30 set: 9h-17h.

❻ Fargo

🏠 210.000.
ℹ 2.001 44th St S, (800) 235-7654.
w fargomoorhead.org

Centro de processamento de cereais, Fargo fica às margens do rio Red, junto à sua cidade-irmã, Moorhead, em Minnesota. No centro histórico de Fargo fica o restaurado **Fargo Theatre**, de 1926, um edifício moderno que apresenta filmes de arte e de época, além de espetáculos ao vivo. A sudoeste do teatro fica o soberbo **Plains Art Museum**, num armazém restaurado de 1904 da International Harvester Company. Esse museu abriga a maior coleção pública de arte do estado, com obras de artistas indígenas e populares da região. O **Roger Maris Baseball Museum**, no West Acres Shopping Center, celebra os feitos do mais famoso nativo de Fargo, que fez 61 *home runs* em 1961, recorde do maior número de *home runs* numa só temporada.

Fargo Theatre
314 Broadway. **Tel** (701) 239-8385.

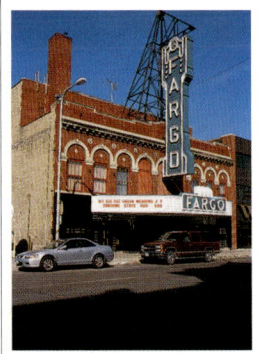

Exterior do histórico Fargo Theatre, em Fargo

Dakota do Sul

Rios, montanhas, rochedos, pradarias onduladas e terras áridas definem a geografia da Dakota do Sul. O rio Missouri divide o estado no sentido norte-sul, com campos de milho e soja nas planícies do leste dando lugar a pradarias de relva curta e terras áridas e rochosas conforme se vai para oeste pelo principal corredor leste-oeste do estado, a I-90. Culturalmente, predomina no estado a herança das tribos sioux dos dakotas, lakotas e nakotas, que caçavam búfalos na área até serem removidos para reservas no final do século XIX. Ainda vivem na área 60 mil indígenas americanos.

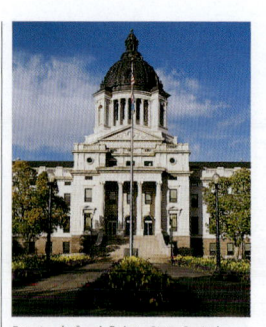

Exterior do South Dakota State Capitol, em Pierre

❼ Mitchell

16.000. 601 N Main St, (866) 273-2676. **w** cornpalace.com

Localizada no vale fértil do rio James, Mitchell é o centro do milho, cereais e gado do estado. Um destaque da cidade é o conhecido **Corn Palace**, um auditório mourisco construído em 1921 para abrigar a Corn Belt Exposition da cidade. Domos coloridos, minaretes e quiosques são o único aspecto permanente da fachada sempre mutável do palácio. Todo ano, artistas locais usam milhares de metros cúbicos de milho e capim para criar novos murais, que retratam cenas agrícolas e muitas outras.
A tradição remonta a 1892, quando a Corn Real Estate Association construiu o primeiro palácio para exibir as colheitas da região, a fim de atrair colonos.

Corn Palace
8h-21h diariam, exceto abr-mai e set-nov: 8h-17h diariam; dez-mar: 8h-17h seg-sáb.

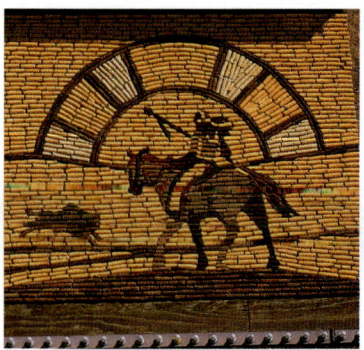

Mural no Corn Palace, em Mitchell

Veja hotéis e restaurantes dessa região nas pp. 460-5

❽ Pierre

14.000. 800 W Dakota Ave, (800) 962-2034. **w** pierre.org

Segunda menor capital dos EUA, Pierre fica no vale do rio Missouri e é um oásis de verde nas planícies centrais da Dakota do Sul, basicamente de relva curta e sem árvores. O **South Dakota State Capitol**, de 1910, tem uma grande escadaria de mármore e fica em frente a um lago visitado na primavera e no outono por milhares de aves migratórias. Uma grande exibição de árvores de Natal tem início no dia de Ação de Graças.

O excelente **South Dakota Cultural Heritage Center** foi construído numa ribanceira do rio Missouri. Suas peças contam a história das tribos sioux da Dakota do Sul e também mostram os variados antecedentes étnicos dos colonos brancos. Uma das peças expostas é uma placa de chumbo que foi enterrada numa barranca próxima do rio em 1743 pela expedição Verendrye, patrocinada pelos franceses, para marcar o local como território francês. O **Verendrye Museum**, cruzando o rio em Fort Pierre, relata atividades de comércio e exploração franceses.

South Dakota State Capitol
500 E Capitol Ave. **Tel** (605) 773-3765.
8h-19h seg-sex, 8h-17h sáb-dom.

South Dakota Cultural Heritage Center
900 Governors Dr. **Tel** (605) 773-3011.
9h-18h30 seg-sáb, 13h-16h30 dom. 1º jan, Ação de Graças, 25 dez.

❾ Badlands National Park

Ben Reifel Visitor Center, Rte 240, S da I-90 saída 131. **Tel** (605) 433-5361.
jun-ago: 7h-19h; set-out: 8h-17h; nov-mai: 8h-16h. **w** nps.gov/badl

A desolação do Badlands National Park assusta os viajantes não preparados para uma paisagem rude e árida como essa, depois de quilômetros de vistas agradáveis nas onduladas pradarias da Dakota do Sul. Formadas há 14 milhões de anos a partir de aluvião e sedimentos que desceram das Black Hills *(pp. 442-3)*, as terras áridas foram esculpidas até ganhar sua forma escarpada atual por sol e vento muito fortes.

Alguns dos rochedos e cumes mais erodidos da região estão nesse parque de 98.744ha. O **Ben Reifel Visitor Center** é a porta de entrada para várias caminhadas autoguiadas e para os 48km da Badlands Loop Road (Route 240). O panorâmico passeio segue a face norte da rochosa Badlands Wall (137m de altura) e leva a vários mirantes e trilhas que oferecem belíssimas vistas das gargantas

DAKOTA DO SUL | 441

Vista das gargantas erodidas a partir do mirante Changing Scenes Overlook, no Badlands National Park

erodidas embaixo. A estrada volta de novo para o norte para a I-90 perto da **Sage Creek Wilderness Area**, onde águias-douradas, falcões e aves canoras se reúnem numa vasta extensão de pastagens, cheias de flores silvestres no verão. A manada de búfalos sob os cuidados do parque pode ser vista pastando em extensas pradarias.

Wall Drug Store, shopping e complexo de diversões

❿ Wall

800. 501 Main St, (888) 852-9255. wall-badlands.com

Wall tem feito bons negócios com o turismo desde 1936, quando o farmacêutico local Ted Hustead espalhou placas pela estrada oferecendo água gelada de graça. Essa primitiva prática de anúncios na beira da estrada logo se espalhou pelo estado inteiro, que ainda tem placas alinhadas pela I-90 por toda a Dakota do Sul. A pequena farmácia de Hustead, **Wall Drug**, é hoje o grande Wild West, shopping e centro de diversões. Ao lado de suvenires de indígenas americanos e do Oeste há exposições interativas de caubóis, colonos, pistoleiros e mascates de remédios milagrosos.

As **Buffalo Gap National Grassland** espalham-se para o sul, oeste e leste de Wall. Seu centro de visitantes conta a história ecológica e cultural das pastagens. Peças mostram os diversos hábitats e a espantosa biodiversidade das pradarias de relva curta, mista e alta que um dia cobriram a maior parte da região.

Wall Drug
510 Main St. **Tel** (605) 279-2175.
7h-17h30 diariam (até mais tarde no verão). walldrug.com

Buffalo Gap National Grassland Visitor Center
708 Main St, (605) 279-2125.
Memorial Day-Labor Day: 8h-17h diariam; Labor Day-Memorial Day: 8h-16h seg-sex.

⓫ Pine Ridge Indian Reservation

Oglala Sioux Tribe, Pine Ridge, (605) 867-6075.

Lar da tribo sioux dos oglalas, a Pine Ridge Reservation é a segunda maior reserva indígena do país. As terras da reserva confinam a fronteira Dakota do Sul-Nebraska e adentram a oeste a região das terras áridas. Os oglalas e seu chefe, Red Cloud, foram realocados para ali em 1876. Em 29 de dezembro de 1890, a Sétima Cavalaria do exército dos EUA massacrou cerca de 300 homens, mulheres e crianças lakotas em **Wounded Knee**. Esse foi o último de uma série de mal-entendidos quanto à Dança Cerimonial dos Fantasmas, que a tribo acreditava iria reuni-la aos ancestrais, trazer de volta o búfalo e ajudá-la a recuperar as terras perdidas. Um solitário monumento de pedra, 16km a leste da aldeia de Pine Ridge, marca o local.

O **Red Cloud Heritage Center**, no *campus* da Red Cloud Indian School, perto de Pine Ridge, contém o local do túmulo do chefe Red Cloud. Também exibe vários artefatos e arte contemporânea dos indígenas americanos.

Red Cloud Heritage Center
7km N de Pine Ridge Village na Hwy 18. **Tel** (605) 867-8257.
9h-19h seg-sex, 11h-17h sáb-dom. feriados.
redcloudschool.org

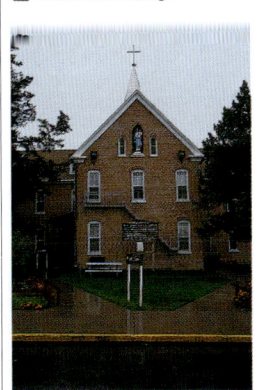

O Red Cloud Heritage Center na Pine Ridge Indian Reservation

Black Hills

Conhecidas pelos sioux lakotas como Paha Sapa, essas majestosas montanhas eram um lugar misterioso, sagrado, para onde os nativos americanos se retiravam em busca da orientação do Grande Espírito. Em 1874 a expedição de George Armstrong Custer *(p. 573)* descobriu indícios de ouro nas colinas de granito de formas estranhas e densa vegetação. Seguiu-se uma série de tratados enganosos, que forçaram os sioux a abrir mão de sua terra, já que mineiros, especuladores e colonos correram para essas colinas antes sagradas para aventurar-se. Hoje as Black Hills abrigam algumas das mais visitadas atrações do estado, como o Mount Rushmore National Memorial. A área de 201km x 105km é ligada pelas US 385 e US 16, que serpenteiam de Rapid City, principal centro da área, até Wyoming.

Localize-se
- Black Hills
- Área abrangida

Crazy Horse Memorial
Quando for completada, a estátua do grande guerreiro sioux Crazy Horse será a maior escultura do mundo. Até agora, apenas o rosto com altura de nove andares foi concluído.

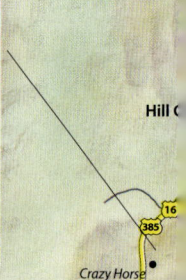

Jewel Cave National Monument
As atrações subterrâneas na segunda caverna mais longa do mundo são mais variadas que as da Wind Cave. Incursões exploratórias levam os participantes a áreas assombrosas. Um caminho pavimentado mais simples oferece uma visão geral.

Historic Deadwood
O centro restaurado recria a velha Deadwood – cidade mineradora sem lei. Em 1876 o pistoleiro Wild Bill Hickock foi morto no local, onde Calamity Jane também deixou sua marca. Hoje os visitantes tentam a sorte em salas de jogos históricas.

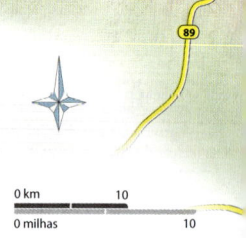

Veja hotéis e restaurantes dessa região nas pp. 460-5

Mount Rushmore National Memorial

Concluídas em 1941, as cabeças esculpidas dos presidentes George Washington, Thomas Jefferson, Theodore Roosevelt e Abraham Lincoln levaram catorze anos para ser criadas. O estúdio, ferramentas e modelos do escultor Gutzon Borglum estão preservados no local.

PREPARE-SE

Informações Práticas

Black Hills Visitor Information Center, Saída 61 da I-90, Rapid City, (605) 355-3600.
w blackhillsbadlands.com
Mount Rushmore National Memorial: **Tel** (605) 574-3165. Ligar antes. **w** nps.gov/moru
Crazy Horse Memorial: **Tel** (605) 673-4681. Ligar antes.
w crazyhorsememorial.org
Custer State Park: **Tel** (605) 255-4515. Ligar antes.
w custerstatepark.com
Wind Cave National Park: **Tel** (605) 745-4600. Ligar antes. **w** nps.gov/wica
Jewel Cave National Monument: **Tel** (605) 673-8300. Ligar antes. 1º jan, Ação de Graças, 25 dez. Apenas no centro de visitantes. **w** nps.gov/jeca
The Mammoth Site: **Tel** (605) 745-6017. Ligar antes.
w mammothsite.com
Deadwood: **Tel** (800) 999-1876. Ligar antes.
w deadwood.org

Transporte

Rapid City. Rapid City.

Custer State Park

Esse parque de 28.733ha é um dos hábitats naturais mais intactos da região, com formações de rocha como o Needles Eye, uma espiral com 9 a 12m de altura.

Legenda

— Divisa do Custer State Park
— Divisa do Wind Cave NP
▬ Estrada principal

Wind Cave National Park

O parque tem uma das mais longas cavernas de calcário do mundo, com um labirinto cheio de estranhas formações em forma de pipoca. Há passeios guiados, um deles histórico, à luz de velas, e o passeio da Entrada Natural.

The Mammoth Site

Descoberto em 1974, esse sítio tem a maior concentração mundial de fósseis de mamutes pré-colombianos. Originalmente um sumidouro onde os animais ficavam presos e preservados, só 30% desse sítio de 26 mil anos foi explorado até o momento.

Nebraska

As extensões de pastos do Nebraska e os sulcos das antigas estradas de terra sintetizam a geografia e a história das Grandes Planícies. A moderna rodovia I-80 estende-se para oeste junto ao amplo vale do rio Platte, das históricas trilhas de Oregon, Mormon e Pony Express e da Lincoln Hwy (hoje US 30). Mais ao norte, as pouco povoadas Nebraska Sandhills contêm algumas das maiores áreas ininterruptas de pradarias de relva mista, enquanto Panhandle, no noroeste, é cheia de afloramentos rochosos e cânions escarpados. As maiores cidades do estado, Omaha e Lincoln, ficam no sudeste.

⓭ Chadron

5.600. 706 W 3rd St, (800) 603-2937. chadron.com

Chadron é o ponto de partida ideal para passear pelas regiões de Pine Ridge e Sandhills, e também para explorar aspectos do fascinante passado do estado. Cerca de 5km a leste da cidade fica o **Museum of the Fur Trade**. Construído com base em um posto da American Fur Company de 1833-49, o museu conta a história do complexo comércio de peles da América do Norte e seus efeitos sobre as comunidades de nativos americanos. Um de seus destaques é um posto comercial reconstruído nas encostas de uma colina.

A principal atração histórica da área é o **Fort Robinson State Park**, a oeste de Crawford, que fica 37km a oeste de Chadron. O parque ocupa os campos de manobras, quartéis e escritórios de oficiais do Fort Robinson do exército dos EUA. O forte foi construído em 1874 para defender a Red Cloud Indian Agency, nas proximidades, para onde foram o chefe sioux Red Cloud e seus seguidores antes de serem realocados em Pine Ridge (p. 441). Em 1877, o grande chefe sioux oglala Crazy Horse (p. 442) e 900 de sua tribo renderam-se e acamparam fora do forte. Numa série de eventos trágicos, Crazy Horse foi morto por soldados federais que tentavam aprisioná-lo. Um fortim restaurado homenageia o local onde ele morreu.

O excelente Fort Robinson Museum detalha outros aspectos do forte, como a fazenda experimental de gado e o campo de treino para cães do exército na Segunda Guerra Mundial. Alojamentos reformados servem para acomodar visitantes, e há trilhas a cavalo para conhecer os arredores. O parque também abriga uma grande manada de gado bovino e 400 bisões.

O **Chadron State Park**, 13km ao sul de Chadron, é uma alternativa mais tranquila, com vistas mais bonitas, áreas amplas para acampar com banheiros. Trilhas para caminhadas e para bicicleta atravessam a crista da longa cadeia (370km) de Pine Ridge. Quem quer trilhas mais radicais, a pé ou de bicicleta, pode seguir pela Pine Ridge Trail (40km), um caminho íngreme e sinuoso por trechos de campinas e densas formações de pinheiros-ponderosa. A trilha é parte da Pine Ridge National Recreation Area, uma escarpada porção da vasta Nebraska National Forest, que corre ao longo dessa cadeia, ao sul da US 20, entre Chadron e Crawford.

Fort Robinson State Park
Pela estrada US 20, 5km a oeste de Crawford. **Tel** (308) 665-2900. diariam. outdoornebraska.ne.gov

Baía Martin, na Lake McConaughy State Recreation Area, em Ogallala

⓮ Ogallala

5.100. 204 E A St, (800) 658-4390. visitogallala.com

Localizada no rio South Platte perto da junção entre a I-80, a US 26 e a Route 92, Ogallala dá acesso à porção Panhandle do passeio pela Oregon Trail (p. 446). A cidade ganhou má fama como a "Gomorra das Planícies" após sua fundação em 1867, quando a ferrovia trouxe manadas de gado e hordas de caubóis texanos. Hoje os visitantes procuram locais para acampar, andar de barco, caçar e pescar na **Lake McConaughy State Recreation Area**, 14km ao norte.

Um oásis no meio das áridas planícies Panhandle, o lago McConaughy é o maior reservatório do estado.

Casas de oficiais restauradas no Fort Robinson State Park, em Chadron

Veja hotéis e restaurantes dessa região nas pp. 460-5

Conhecido localmente como "Big Mac", suas frias águas são perfeitas para a reprodução de trutas, bagres e outros peixes. A parte norte tem praias de areia fina, e os pântanos, bosques e prados na sua parte oeste atraem grande variedade de aves aquáticas. Mergulhões, patos e mergansos frequentam o Big Mac, um dos mais ricos locais em variedade de aves na região das Grandes Planícies.

Lake McConaughy State Recreation Area
1.475 Hwy 61 N. **Tel** (308) 284-8800. 8h-17h diariam; Memorial Day-Labor Day: 8h-17h dom-qui; 8h-20h sáb. só ao Centro de Visitantes. **w** ngpc.state.ne.us

⓯ North Platte
27.000.
219 S Dewey, (800) 955-4528.
w visitnorthplatte.com

Hoje um dos maiores centros ferroviários do país, North Platte era no século XIX o lar do célebre William "Buffalo Bill" Cody (p. 574). O confortável rancho que ele construiu nos arredores da cidade foi a base de operações para o seu show itinerante Wild West até 1902. A casa de Cody é hoje parte do **Buffalo Bill Ranch State Historical Park and State Recreation Area**, que inclui um estábulo e uma cabana de um de seus ranchos anteriores. Nas proximidades, o **Lincoln County Historical Museum** exibe uma réplica da famosa North Platte Canteen, que serviu inúmeras canecas de café e lanches para as tropas de passagem pela cidade durante a Segunda Guerra Mundial.

Buffalo Bill Ranch State Historical Park and State Recreation Area
2.921 Scouts Rest Ranch Rd. **Tel** (308) 535-8035.
diariam para acampamento; casa e celeiro: mai-set; verifique informação completa no site.
out-abr.
w outdoornebraska.ne.gov

Lincoln County Historical Museum
2.403 Buffalo Bill Ave. **Tel** (308) 534-5640. mai-set: 9h-17h seg-sáb, 13h-17h dom; inverno: marcar hora.

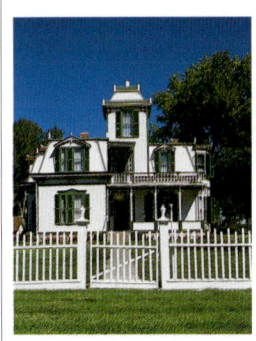

Casa de Cody em North Platte, no Buffalo Bill Ranch State Historical Park

⓰ Lincoln
260.000. 201 N 7th St, (402) 434-5348. **w** lincoln.org

Capital do estado e segunda maior cidade do Nebraska, Lincoln é também a sede da University of Nebraska, cujo time de futebol, a Cornhuskers, é tão popular que desde 1962 vende

Cartaz publicitário dá as boas-vindas aos visitantes de North Platte

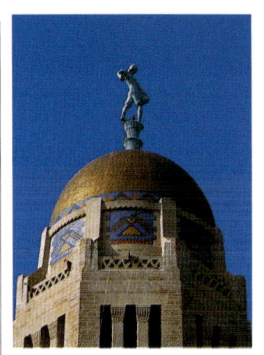

Estátua de bronze sobre o Nebraska State Capitol, em Lincoln

antecipadamente todos os 77 mil ingressos para os jogos em casa, no Memorial Stadium. O ícone da cidade é a torre Indiana de calcário (120m) no **Nebraska State Capitol**. Concluída em 1932, a "Torre das Planícies" é encimada por uma estátua de bronze de um semeador de grãos, visível a quilômetros. No interior há murais elaborados e tetos decorados. O edifício abriga a única legislatura unicameral do país, vestígio de medidas de contenção de custos introduzidas pelo Estado durante a Grande Depressão dos anos 1930.

A história política do estado é contada junto com sua rica herança dos nativos americanos no excelente **Nebraska History Museum**, localizado entre as 15th e P Streets. O **University of Nebraska State Museum**, no campus do centro, tem uma abrangente coleção de fósseis de elefante e artefatos das culturas nativas americanas. Nos arredores, no histórico Haymarket District, vários armazéns do século XIX foram convertidos em bares, restaurantes e lojas.

Nebraska History Museum
15th e P Sts. **Tel** (800) 833-6747.
9h-16h30 seg-sex, 13h-16h30 sáb e dom. feriados.
w nebraskahistory.org

University of Nebraska State Museum
Morrill Hall, 14th e Vine Sts. **Tel** (402) 472-2642. 9h30-16h30 seg-sáb (até 20h qui), 13h30-16h30 dom.
feriados. **w** museum.unl.edu

A Oregon Trail

Fundada pelo comerciante William Sublette em 1830, essa formidável trilha de 3.200km foi a principal estrada de carroças entre Independence, Missouri *(p. 453)*, no leste, e Oregon, no oeste. A estrada original virava para noroeste depois de cruzar o rio Missouri perto da atual Kansas City, cortando o Kansas a nordeste e o Nebraska a sudeste em direção ao rio Platte. Entre 1841 e 1866, nada menos que 500 mil colonos que rumaram para as férteis terras do Oregon e os campos de ouro do norte da Califórnia passaram pelo Nebraska, seguindo as margens norte do Platte, passando por uma série de fortes do exército até Ogallala. Conforme a trilha virava para noroeste, deixando a plana paisagem do vale do rio Platte e subindo o escarpado planalto Panhandle ao longo do rio North Platte, os pioneiros vislumbravam as massivas formações rochosas que apontavam para as Rochosas.

Localize-se
A Oregon Trail

A Oregon Trail no Nebraska

Mais de 689km da Oregon Trail original passavam pelas planas pradarias do Nebraska antes de ir para noroeste. Hoje a maioria das velhas estradas é facilmente acessível, com marcos históricos guiando os viajantes pela I-80, junto ao rio Platte, ou pelas Route 92 e US 26, que seguem a noroeste a trilha do North Platte. Essa ilustração não datada de William H. Jackson mostra a primeira caravana de carroças cobertas, guiada por Smith-Jackson-Sublette, formada por dez carros, cada um puxado por cinco mulas, rumo ao vale do rio Wind, perto da atual Lander, no Wyoming.

Chimney Rock, a leste de Scottsbluff, ergue-se 152m acima das planícies de relva mista. Essa foi uma das vistas mais frequentemente citadas nos diários de viajantes e em seus cadernos de desenhos.

O **Scotts Bluff National Monument** tem um bem-equipado centro de visitantes, que exibe vários programas. Entre eles está uma excelente visão geral da história da Oregon Trail e também peças sobre a Mormon Trail. Pode-se subir até o pico de uma rocha de arenito de 244m e andar por caminhos ainda visíveis da Oregon Trail.

Veja hotéis e restaurantes dessa região nas pp. 460-5

Mansão Morton no Arbor Lodge State Historical Park, em Nebraska City

⓱ Nebraska City

🗺 7.200. ℹ 806 1st Ave, (800) 514-9113. 🌐 nebraskacity.com

Calma, arborizada, a antiga Nebraska City era uma rústica estação do rio Missouri, de onde famílias e aventureiros partiam para a Oregon Trail ao lado de caçadores, comerciantes e empregados dos barcos do rio. Hoje a cidade é mais conhecida como local de nascimento do Arbor Day (Dia da Árvore), criado pelo político e jornalista Julius Sterling Morton (1832-1902). Quando secretário da Agricultura do presidente Grover Cleveland, Morton criou uma resolução que tornava o dia 10 abril feriado estadual, para incentivar os fazendeiros do Nebraska a plantar árvores como proteção contra os ventos das altas planícies e a erosão do solo. Mais tarde mudou-se a data para 22 de abril, data de nascimento de Morton. O Arbor Day ainda é celebrado nos EUA, embora a data varie conforme o estado.

A cidade também é conhecida pela **Arbor Day Farm**, fazenda experimental de 105ha, com centros de conferências e pesquisa florestal. Trilhas panorâmicas para caminhadas e passeios guiados permitem explorar pomares de maçãs, bosques de proteção contra ventos e uma estação de energia renovável.

O **Arbor Lodge State Historical Park** abriga casa, estufa e terrenos da mansão *revival* georgiana de Morton. O parque oferece passeios pelo jardim italiano e pelos 52 quartos da mansão, concluída em 1902, e uma carruagem que foi guiada pelo empresário do show Wild West, Buffalo Bill *(p. 582)*.

🏛 **Arbor Day Farm**
2.611 Arbor Ave. **Tel** (402) 873-8717. 🕘 9h-17h seg-sáb, 10h-17h dom (10h-17h no inverno; a partir das 11h dom). ⬤ 1º jan, 25 dez. ♿
🌐 arbordayfarm.org

⓲ Omaha

🗺 421.600. ✈ 🚆 🚌 ℹ 1.001 Farnam St, Ste 200, (402) 444-4660.
🌐 visitomaha.com

Omaha evoluiu de uma turbulenta cidadezinha e entreposto à beira do Missouri para um grande terminal ferroviário, com a construção da ferrovia transcontinental em 1868 *(p. 562)*. Old Market, o bairro de armazéns restaurados ao sul do centro, preserva as raízes históricas da cidade. Seus velhos edifícios comerciais e ruas de pedra abrigam agora alguns dos melhores restaurantes, livrarias e antiquários da região. Poucas quadras para o sul, a Art Déco Union Station de 1931, um marco da cidade, foi reformada e convertida no **Durham Western Heritage Museum**. Esse esplêndido museu de história local mostra a herança da ferrovia e dos transportes de Omaha.

Logo a oeste do centro fica o **Joslyn Art Museum**, em mármore rosa, afiliado ao Smithsonian e principal atração cultural de Omaha. O museu abriga arte europeia e americana dos séculos XIX e XX. Também é um tesouro de arte do oeste americano, com pinturas, esculturas e fotografias de George Catlin, Frederic Remington, George Caleb Bingham e Edward S. Curtis. O destaque de sua coleção sobre o Oeste são as aquarelas e estampas do artista suíço Karl Bodmer *(p. 434)*, que documentou a vida nas altas planícies ao viajar pelo norte do país com o príncipe naturalista alemão Maximiliano de Wied, em 1833.

Ao norte do centro, o **Great Plains Black History Museum** focaliza a raramente contada história da migração e povoamento afro-americanos nas Grandes Planícies, começando pelo grupo Exoduster de escravos libertos, que deixou o Tennessee devastado pela Reconstrução em 1870 para se instalar no Kansas. O **Mormon Trail Center**, cerca de 8km ao norte, celebra a migração dos mórmons de 1846-48, do Midwest para Utah *(p. 511)*. Localizado no campo Winter Quarters de pioneiros do final do século XIX, esse centro de informações ao visitante explica a perseguição religiosa que originou a migração. Também exibe uma carroça e um carrinho de mão da Mormon Trail reconstruídos.

🏛 **Durham Western Heritage Museum**
801 S 10th St. **Tel** (402) 444-5071. 🕘 10h-20h ter, 10h-17h qua-sáb, 13h-17h dom. 🅿 ♿
🌐 durhammuseum.org

🏛 **Joslyn Art Museum**
2.200 Dodge St. **Tel** (402) 342-3300. 🕘 10h-16h ter-sáb (até 20h qui), 12h-16h dom. 🅿 ♿ 🌐 josyln.org

O Art Déco do Durham Western Heritage Museum, em Omaha

Iowa

Estendendo-se do Mississippi a leste até o rio Missouri a oeste, Iowa oferece extensas paisagens de colinas ondulantes, exuberantes campos de milho, celeiros antigos e igrejas rurais, revestidas de madeira. É um dos maiores produtores agrícolas do país, com muitas comunidades rurais bem organizadas. São essas imagens que fazem do estado um cenário perfeito para filmes de Hollywood que tentam captar uma América rural quase desaparecida. Iowa tem ainda algumas cidades dinâmicas, como a capital, Des Moines, com seus excelentes museus de arte e história.

⑲ Sioux City

83.000.
801 4th St, (800) 593-2228.
visitsiouxcity.org

Um agitado centro ferroviário e porto do rio Missouri, Sioux City fica no vértice norte das verdes e inóspitas Loess Hills de Iowa. Esse ecossistema único é explicado no **Dorothy Pecaut Nature Center**, no Stone State Park, cerca de 5km ao norte da cidade. O vértice norte do Loess Hills Scenic Byway (320km), que atravessa essas montanhas, pode ser acessado do parque. Esse também tem uma das poucas extensões de pradaria de relva alta que sobreviveram no estado e uma rede de trilhas para caminhadas e bicicleta.

Logo ao sul do centro, o **Floyd Monument**, sobre uma elevação de Loess, marca o enterro em 1804 do sargento Charles Floyd, membro do Corpo de Descoberta de Lewis e Clark *(p. 562)*. Floyd foi o único membro que morreu na viagem transcontinental dessa expedição de três anos. Exposições dessa viagem podem ser vistas no **Sargeant Floyd River Museum & Welcome Center**, na margem do rio.

🏛 Dorothy Pecaut Nature Center
4.500 Sioux River Rd. **Tel** (712) 258-0838. 9h-16h ter-sex, 13h-16h sáb e dom. feriados.

Floyd Monument

⑳ Des Moines

203.400. 400 Locust St, Suite 265 (800) 451-2625.
catchdesmoines.com

A capital do estado leva o nome dos viajantes franceses que exploraram os vales do Raccoon e do rio Des Moines, dando a esse último o nome de *La Rivière des Moines*, "Rio dos Monges". A cidade é hoje um importante centro cultural e de entretenimento, e sede da enorme Iowa State Fair, que atrai mais de 1 milhão de visitantes todo mês de agosto.

Dominando a área leste do centro fica o domo central dourado do **Iowa State Capitol**. Perto temos o **Iowa Historical Building**, com suas mostras da história dos indígenas americanos, geologia e cultura do estado. A oeste do Capitólio, o **Des Moines Art Center**, projetado por Eliel Saarinen, exibe uma impressionante coleção de pinturas de Henri Matisse, Jasper Johns, Andy Warhol e Georgia O'Keeffe. A galeria de escultura moderna do centro foi projetada por I. M. Pei.

🏛 Des Moines Art Center
4.700 Grand Ave. **Tel** (515) 277-4405. 11h-16h ter, qua, sex 11h-21h qui, 10h-16h sáb, 12h-16h dom.
desmoinesartcenter.org

Arredores
Winterset, 56km para o sul, é a atraente sede do **Madison County**, é o local de nascimento do astro de filmes de faroeste de Hollywood John Wayne. A casa de quatro aposentos onde o ator cresceu é hoje um museu muito visitado. A Câmara de Comércio local fornece um mapa das seis pontes cobertas que inspiraram o célebre romance de Robert Waller, de 1992, *As pontes de Madison*.

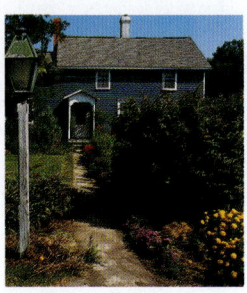

Uma típica casa de família nas Amana Colonies

㉑ Amana Colonies

622 46th Ave, Amana, (800) 579-2294. amanacolonies.com

As sete Amana Colonies, junto ao rio Iowa, foram fundadas na década de 1850 pelos inspiracionistas, seita religiosa de maioria alemã. Os colonos prosperaram com uma lucrativa fiação de lã e uma série de cozinhas, lojas e fábricas comunitárias. Em 1932 votou-se pelo fim do estilo de vida comunitário, criando-se uma sociedade com divisão de lucros.

Um dos negócios da comunidade evoluiu desde então e virou a fábrica de utensílios de Amana, enquanto a Amana Woolen Mill, de 1857, é a única fiação do estado ainda em operação. O **Amana Heritage Society & Museums** celebra o sucesso das empresas da colônia e de sua história em seis museus separados e sítios históricos preservados.

🏛 Amana Heritage Society & Museums
705 44th Ave. **Tel** (319) 622-3567. abr-out: 10h-17h seg-sáb, 12h-16h dom; mar, nov, dez: sáb.
amanaheritage.org

Veja hotéis e restaurantes dessa região nas pp. 460-5

IOWA | **449**

㉒ Cedar Rapids

🚗 126.600.
ℹ️ 119 1st Ave SE, (800) 735-5557.
🌐 cedar-rapids.com

O centro dessa cidade ocupa ambas as margens do rio Cedar. O artista de Iowa Grant Wood morou em Cedar Rapids boa parte de sua vida adulta e criou um estilo regionalista que exalta as pessoas e paisagens de seu estado natal. O **Cedar Rapids Museum of Art** tem uma das maiores coleções de pinturas de Wood do país, incluindo a bem conhecida *Young Corn*.

O Carl and Mary Koehler History Center detalha a história antiga da área, e o **National Czech and Slovak Museum & Library** celebra a grande população de imigrantes tchecos e eslovacos. Czech Village, um corredor ao longo da 16th Avenue SW, é cheio de lojas que vendem iguarias tchecas.

㉓ Dubuque

🚗 57.500.
ℹ️ 300 Main St, (800) 798-8844.
🌐 traveldubuque.com

A cidade mais antiga de Iowa foi fundada em 1788 por um viajante francês, Julian Dubuque. No século XIX, os novos-ricos da cidade construíram casas luxuosas em cima dos montes que cercam a cidade. Esses cidadãos subiam e desciam para o centro, 90m abaixo, usando o **Fenelon Place Eleva-**

Vista de Dubuque, a partir do Fenelon Place Elevator

tor, um funicular que é hoje uma grande atração turística.

A principal atração da cidade é o **National Mississippi River Museum and Aquarium**, um complexo junto ao rio com exposições sobre a importante história e a ecologia do rio. Aquários reproduzem o hábitat e o ecossistema de diferentes rios do país.

㉔ Quad Cities (Davenport)

🚗 480.000. ℹ️ 1.601 River Dr, Moline, IL (800) 747-7800.
🌐 visitquadcities.com

Davenport é uma das quatro comunidades do rio Mississippi compreendidas na esparramada área das "Quad Cities", com 400 mil pessoas, de ambos os lados da fronteira entre Iowa e Illinois. É a única cidade não bloqueada do rio por muros de controle de inundação. O excelente **Figge Art Museum** a oeste do centro tem uma das melhores coleções de pinturas regionalistas americanas do início do século XX. Exibe obras de Thomas Hart Benton, do Missouri, e de John Steuart Curry, do Kansas, além do único autorretrato de Grant Wood. O **Putnam Museum of History and Natural Science** trata da história antiga do vale do Mississippi e inclui um aquário e um cinema com tela gigante.

🏛 **Figge Art Museum**
225 W 2nd St. **Tel** (563) 326-7804.
10h-17h ter, qua, sex, sáb, 10h-21h qui, 12h-15h dom. ⬤ seg, feriados.
🌐 figgeartmuseum.org

㉕ Iowa City

🚗 68.000. ℹ️ 900 1st Ave, Coralville, (800) 283-6592.
🌐 iowacitycoralville.org

A serena Iowa City é sede do *campus* da University of Iowa (9km²) e do importante Iowa Writers' Workshop patrocinado pela instituição. A cidade foi capital territorial e do estado até 1857, e o antigo Capitólio, hoje **Old Capitol Museum**, fica no *campus*.

A 16km de Iowa City fica o **Herbert Hoover National Historic Site**. A casa em que o presidente viveu quando rapaz foi restaurado, junto com vários edifícios construídos pela comunidade quacre local.

Barcos navegam sob a ponte que se estende pelo amplo rio Mississippi em Davenport

Missouri

O rio Missouri e a I-70 Interstate Highway dividem o estado do Missouri, ligando as duas maiores cidades do rio – St. Louis e Kansas City – e proporcionando acesso rápido à capital do estado, Jefferson, localizada no centro. No sudoeste do Missouri, a escarpada região das Ozark Mountains é regada por belas corredeiras e rios, o que faz da área um destino muito popular para camping e canoagem.

Gateway Arch, símbolo da cidade de St. Louis

❷ St. Louis

320.000. 308 Washington Ave, (314) 241-1764.
w explorestlouis.com

Localizada logo ao sul do ponto em que o Missouri deságua no Mississippi, St. Louis tem sido um dos centros mais ativos do país. Fundada por um comerciante de peles francês em 1764, essa cidade de fronteira tornou-se parte dos EUA com a Compra da Louisiana em 1803. Ela logo virou o "Portal para o Oeste", conforme os barcos a vapor subiam o rio Missouri entrando em territórios abertos pela expedição de Lewis e Clark.

Placa para Scott, na Old Courthouse

🏛 Gateway Arch-Jefferson National Expansion Memorial
Memorial Dr e Market St. **Tel** (314) 655-1700. ◯ Labor Day-Memorial Day: 9h-18h diariam; Memorial Day-Labor Day 8h-22h diariam. ⬤ 1º jan, Ação de Graças, 25 dez. Old Courthouse: 11 N 4th St. **Tel** (314) 655-1700. ◯ 8h-16h30 diariam. ⬤ 1º jan, Ação de Graças, 25 dez. **w** nps.gov/jeff
Museum of Westward Expansion: **Tel** (314) 655-1600. ◯ jun-set: 8h-22h; out-maio: 9h-18h.
w gatewayarch.com

Concluído em 1965 no local do assentamento original de 1764 do comerciante de peles Pierre Laclede, o **Gateway Arch**, de Eero Saarinen (192m de altura), simboliza o papel da cidade como portal comercial e cultural entre o leste colonizado dos EUA e as terras inexploradas do oeste. O excelente **Museum of Westward Expansion** na base do arco promove várias exposições detalhadas da expedição de 1803-06 dos exploradores Lewis e Clark *(p. 562)* e de outras expedições do século XIX. O museu inclui ainda dois cinemas. Um bondinho-elevador transporta os visitantes para o alto do arco, e as pitorescas vistas dos arredores da cidade e dos campos de Illinois compensam o passeio de cerca de uma hora.

A majestosa **Old Courthouse** (1839-62), com seu domo, é um dos prédios mais antigos de St. Louis. Essa estrutura de inspiração grega clássica foi o local de dois dos julgamentos iniciais no célebre caso Dred Scott, que resultou numa decisão de 1857 da Suprema Corte dos EUA, segundo a qual os afro-americanos não eram cidadãos do país e não tinham direitos pelas leis dos EUA. A decisão derrubou um processo anterior movido por Scott, um escravo afro-americano que havia voltado para St. Louis com seus proprietários depois de nove anos em estados livres, para obter sua liberdade. Ela também aprofundou as diferenças raciais que eclodiram na Guerra Civil (1861-65).

Um museu sediado no interior da Old Courthouse relata os eventos do famoso julgamento de Dred Scott e mostra como deve ter sido a vida das pessoas comuns que viviam na St. Louis do século XVIII sob o jugo dos franceses e dos espanhóis.

🏛 Laclede's Landing
Morgan St e Lucas St entre I-70 e o rio Mississippi. **Tel** (314) 241-5875. ◯ área aberta o ano todo; horários do restaurante e do clube variam.
w http://lacledeslanding.org

Esse vibrante bairro de restaurantes e entretenimento é formado por várias quadras de armazéns de algodão, tabaco e comida do século XIX restaurados, situados ao longo do rio. Restaurantes e clubes de blues costumam atrair muita gente, especialmente durante o Big Muddy Blues Festival, realizado todo ano no fim de semana do Labor Day.
O Raeder Place Building, um prédio de seis andares de ferro fundido, na N 1st Street no 719-727, foi construído em 1873 e é um dos mais bem preservados armazéns de St. Louis. A Eads Bridge de 1874 define o limite sul do Landing.

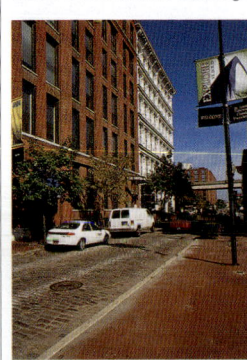

O Raeder Building, em Laclede's Landing

Veja hotéis e restaurantes dessa região nas pp. 460-5

MISSOURI | 451

🟢 Forest Park

St. Louis Art Museum 1 Fine Arts Dr. **Tel** (314) 721-0072. 🕙 10h-17h ter-sáb (até 21h sex). ⬤ 1º jan, Ação de Graças, 25 dez. ♿ 🌐 slam.org
Missouri History Museum: Jefferson Memorial Building. **Tel** (314) 746-4599. 🕙 10h-17h qua-seg, 10h-20h ter. ♿ 🌐 mohistory.org

Projetado em 1876 pelo arquiteto de paisagens educado na Alemanha Maximilian Kern, esse parque de 5km² é um dos maiores espaços verdes urbanos do país. A Feira Mundial de 1904, conhecida oficialmente como Louisiana Purchase Exposition, foi realizada nesse terreno, atraindo cerca de 20 milhões de visitantes. Após a feira, quase todas as estruturas beaux-arts projetadas por Cass Gilbert foram demolidas. A única exceção foi o Palace of Fine Arts, hoje sede do **St. Louis Art Museum**. Sua vasta coleção de arte americana inclui pinturas de artistas do Missouri como George Caleb Bingham e Thomas Hart Benton, além de Georgia O'Keeffe, Winslow Homer e Andy Warhol. O **Missouri History Museum** fica no local da entrada principal da feira de 1904. O edifício beaux-arts abriga importantes exposições que retratam a história multicultural de St. Louis.

Exterior de tijolos da Anheuser-Busch Brewery

Entre suas peças há um documento original de transferência da Compra da Louisiana, uma réplica do aeroplano de 1927 do aviador Charles Lindberg *Spirit of St. Louis* e muitas exibições sobre a Feira Mundial. Uma galeria de arte interativa explora a rica história musical da cidade.

🏭 Anheuser-Busch Brewery

1.127 Pestalozzi St. **Tel** (314) 577-2626. 🕙 jun-ago: 9h-17h seg-sáb, 11h30-17h dom; set-mai: 10h-16h seg-sáb, 11h30-16h dom. ♿
🌐 budweisertours.com

A maior cervejaria do mundo, Anheuser-Busch, foi fundada em 1860 por imigrantes alemães empreendedores. Sua famosa marca Budweiser *lager* ainda é muito popular. O complexo contém muitas das estruturas de tijolos do século XIX da empresa. Os passeios incluem uma visita aos famosos estábulos Clydesdale.

🟢 Missouri Botanical Garden

4.344 Shaw Blvd. **Tel** (800) 642-8842, (314) 577-5100. 🕙 9h-17h diariam; jun-ago: até 20h qua (térreo).
⬤ 25 dez. 🅿️ ♿ 🌐 mobot.org

Esse jardim foi criado em 1859 por um próspero homem de negócios de St. Louis nos terrenos de sua propriedade. Ele contém um jardim inglês, um jardim japonês, um jardim turco-otomano e um jardim aromatizado para os deficientes visuais. O domo geodésico Climatron® tem pássaros exóticos e cerca de 1.200 espécies de plantas tropicais, incluindo bananeiras, orquídeas e epífitas.

Centro de St. Louis

① Old Courthouse
② Gateway Arch e Museum of Westward Expansion
③ Laclede's Landing

Legenda dos símbolos *na orelha da contracapa*

O neoclássico Missouri State Capitol, em Jefferson City

㉗ Jefferson City

🚹 43.000.
ℹ️ 100 E High St, (800) 769-4183.
🌐 visitjeffersoncity.com

Logo após sua fundação como capital do estado em 1821, Jefferson City cresceu e tornou-se um dinâmico porto no rio Missouri. O **Jefferson Landing State Historic Site** preserva muitas estruturas de sua zona portuária, incluindo o Lohman Building de 1839. O neoclássico **Missouri State Capitol**, concluído em 1917, abriga agora o Missouri State Museum e um mural de Thomas Hart Benton. Seu ousado *A Social History of the State of the Missouri*, de 1935, foi criticado pelos mais conservadores por sua crua representação da pobreza das classes mais baixas do estado.

🏛 **Jefferson Landing State Historic Site**
ℹ️ Jefferson St **Tel** (573) 751-2854.
🕐 10h-16h ter-sáb. ⚫ 1º jan, Ação de Graças, 25 dez.

㉘ Branson

🚹 7.000. ℹ️ 269 State Hwy 248, (800) 214-3661.
🌐 explorebranson.com

Esse sonolento resort das Ozark Mountains se transformou radicalmente desde 1960, graças ao fenomenal sucesso de várias atrações turísticas voltadas para a família. Um cortejo musical baseado no romance *The Shepherd of the Hills*, ambientado em Ozark, foi um dos primeiros grandes sucessos da área. Ainda é encenado numa pitoresca arena ao ar livre, parte de uma fazenda na montanha.

O parque de diversões **The Silver Dollar City** tem montanhas-russas *hi-tech* e passeios aquáticos num cenário de pioneiros das Ozark do século XIX, cerca de 14km a oeste da cidade. Mas a maior atração de Branson são as noitadas musicais, em mais de 30 casas com bebida alcoólica à vontade, na chamada "The Strip" (Route 76 W).

🏛 **Shepherd of the Hills Homestead**
5.586 W Hwy 76, 3km O de Branson. **Tel** (800) 653-6288. 🕐 mai-out: 9h-16h. 🌐 oldmatt.com

㉙ Kansas City

🚹 2.000.000.
ℹ️ 1.100 Main St, (800) 767-7700.
🌐 visitkc.com

Cidade de deliciosos contrastes, Kansas City é cheia de imagens associadas ao Velho Oeste. Essa cidade vibrante tem hoje belos parques e bulevares, museus sofisticados, excelente arquitetura pública e bairros urbanos ótimos para compras.

Nos montes de onde se avista o rio Missouri, logo ao norte do centro, o **City Market** ocupa o local do Westport Landing, antigo bairro de negócios. Os armazéns de tijolo e ferro fundido do século XIX junto ao rio foram transformados em lofts e restaurantes nos anos 1970. Hoje o prédio do City Market, da década de 1930, abriga um eclético conjunto de lojas, mercados para fazendeiros, pontas de estoque e o Arabia Steamboat Museum, que exibe artefatos salvos de um naufrágio de 1856.

A nordeste do City Market fica o **Kansas City Museum**, alojado numa mansão de 50 quartos numa das áreas do século XIX mais nobres e preservadas da cidade. Suas coleções mostram a evolução da cidade de posto de comércio de peles a importante centro ferroviário e agrícola. Passeios guiados estão à disposição no centro de visita e mostram as poucas exposições que continuam abertas durante a reforma. Atualmente, o Corinthian Hall e a Carriage House estão fechados.

O **Crossroads Arts District** abrange uma área que se estende ao sul do centro para o Penn Valley Park e o Crown Center, mais ou menos limitado a leste e oeste pela Main Street e pela Broadway. Os dois mais destacados marcos arquitetônicos da cidade, a **Union Station** e o **Liberty Memorial**, ficam ali. A magnífica Union Station, construída em 1914 em estilo beaux-arts, era um dos mais agitados e charmosos terminais ferroviários do país. Ganhou destaque nacional em 1933, quando o bandido Pretty Boy Floyd baleou um cúmplice e vários policiais no que ficou conhecido como o massacre da Union Station. Reformada depois de anos de abandono, a estação é hoje museu histórico local, museu

Panorama de Kansas City com a Union Station em primeiro plano

Veja hotéis e restaurantes dessa região nas pp. 460-5

MISSOURI | 453

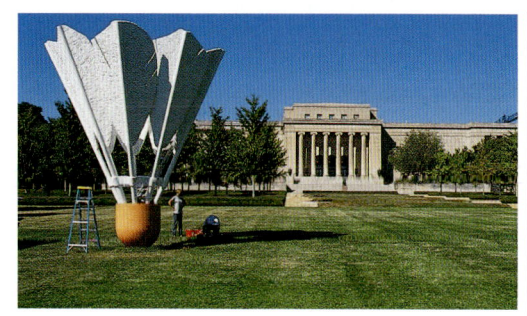

O amplo gramado do Nelson-Atkins Museum of Art, em Kansas City

de ciências para crianças e complexo de restaurantes.

O Liberty Memorial (66m) fica em frente à velha estação de trem nas encostas gramadas do Penn Valley Park e abriga o único museu do país sobre a Primeira Guerra Mundial. A torre de observação "Torch of Liberty" oferece uma visão abrangente da cidade. Ao sul dela, o **Hallmark Visitors Center** conta a história da Hallmark, conhecida empresa de cartões de felicitação.

A sudeste do centro, o **18th & Vine Historic Jazz District** exalta a rica herança afro-americana da cidade. Na década de 1930, clubes de jazz abertos a noite inteira mostravam o som inovador de músicos locais como Count Basie, Lester Young e Charlie Parker. Foi o apogeu de Kansas City, que sob o "governo" liberal de Tom Pendergast, fornecedor local de concreto, ficou conhecida como uma cidade "aberta" que ficava acordada a noite inteira. Restaurado para formar o pano de fundo do filme *Kansas City* (1996), de Robert Altman, o bairro tem atrações como o **American Jazz Museum**, que recria a era do *swing* da cidade, e o **Negro Leagues Baseball Museum**, sobre estrelas afro-americanas do beisebol que batalharam numa obscuridade mal remunerada por equipes só de negros nos EUA, Canadá e América Latina. Em 1945, o *shortstop* do Kansas City Monarchs, Jackie Robinson, quebrou a barreira da cor ao assinar contrato com o time só de brancos Brooklyn Dodgers na National League.

Antigo entreposto para viajantes nas trilhas de Santa Fé e do Oregon, o povoado de **Westport** tornou-se parte de Kansas City em 1899. No bairro atacadista ao longo da Westport Road, lojas e restaurantes ocupam alguns dos prédios mais antigos da cidade, entre eles o Kelly's Westport Inn, uma taverna de 1837. Várias quadras ao sul de Westport, o **Country Club Plaza** é o primeiro bairro suburbano de compras planejado do país, projetado em 1922. A leste dele, o **Nelson-Atkins Museum of Art** tem uma preciosa coleção de pinturas de George Caleb Bingham e Thomas Hart Benton, artistas do Missouri. O jardim ao ar livre mostra treze esculturas do inglês Henry Moore.

Mural do American Jazz Museum

American Jazz Museum
1.616 E 18th St. **Tel** (816) 474-8463. 9h-18h ter-sáb, 12h-18h dom. feriados. americanjazzmuseum.com

Nelson-Atkins Museum of Art
45th St e Oak St. **Tel** (816) 751-1278. 10h-16h qua, 10h-21h qui e sex, 10h-17h sáb, 12h-17h dom. feriados. nelson-atkins.org

Kansas City Museum
3.218 Gladstone Blvd. **Tel** (816) 483-8300. 10h-16h qua-sáb, 12h-16h dom. 1º jan, Ação de Graças, 25 dez. gratuito durante a reforma.

Arredores
O subúrbio de **Independence**, 24km a leste do centro de Kansas City, tem um dos melhores museus do país sobre a expansão para oeste, o National Frontier Trails Center. É também a terra natal de Harry S. Truman, 33º presidente dos EUA. Sua casa simples no centro é hoje um local histórico nacional.

ⓛ St. Joseph

77.000. 109 S 4th St, (800) 785-0360. stjomo.com

Como muitas comunidades do rio Missouri, St. Joseph passou de posto de comércio de peles para centro de abastecimento de comboios. Sua posição de terminal ferroviário mais a oeste do país estimulou empreendedores locais a criar o Pony Express em meados do século XIX. Esse serviço entregava correspondência de St. Joseph a Sacramento – uma viagem de 3.214km – em menos de dez dias. Painéis no **Pony Express Museum** contam a história dessa empresa de vida curta, enquanto o Patee House Museum preserva um hotel de 1858 que serviu de quartel-general do Express. Em seu terreno fica a casa onde o célebre fora-da-lei do Missouri Jesse James foi morto por um dos seus ex-membros do bando em 1882.

Pony Express Museum
914 Penn St. **Tel** (800) 530-5930. 9h-17h seg-sáb, 13h-17h dom. 1º jan, Ação de Graças, 24-25 e 31 de dez. ponyexpress.org

Bronze de um cavaleiro do Pony Express, em St. Joseph

Kansas

Para a maioria dos americanos, o Kansas desperta imagens de campos de trigo, planícies, girassóis e cenas do filme *O mágico de Oz*, de 1939. Mas o Kansas real é bem mais interessante, histórica e geograficamente. Vestígios da turbulenta história do estado no século XIX, como território de realocação indígena, campo de batalha da luta antiescravagista e destino de gado, podem ser vistos com frequência ao viajar pelas Interstate Highways I-335 e I-35 e pelas estradas secundárias. O Kansas também abriga a maior extensão ininterrupta de pradaria de relva alta remanescente na América do Norte, preservada nas onduladas Flint Hills, e o Museum at Prairiefire, um museu de história natural, em Overland Park.

Entrada do Kansas Natural History Museum, em Lawrence

㉛ Lawrence

88.000. **i** 402 N 2nd St, (785) 865-4499.
w visitlawrence.com

Fundada por abolicionistas da Nova Inglaterra em 1854, a forte vocação de Lawrence como "estado livre" fez dela um alvo dos pró-escravagistas do Missouri, os "malfeitores da fronteira", apenas 64km a leste. O belo bairro varejista do centro é cheio de prédios comerciais de pedra e tijolo do século XIX, vestígios do grande esforço de reconstrução após o massivo ataque de 1863, liderado pelo guerrilheiro confederado William Quantrill.

Uma garagem de trens de 1889 abriga o **Lawrence Visitor Information Center**, que relata episódios da história da cidade e dá informação sobre o *campus* da University of Kansas, logo a sudoeste do centro. Situado numa montanha, conhecida localmente como Mount Oread, o *campus* sedia o **Kansas Natural History Museum**, o **Spencer Museum of Art** e o Dole Institute of Politics, que promove debates políticos de uma forma bipartidária e equilibrada por meio de eventos e palestras.

Spencer Museum of Art
1.301 Mississippi St. **Tel** (785) 864-4710. 10h-16h ter-sáb (até 20h qui), 12h-16h dom. feriados.
w spencerart.ku.edu

㉜ Topeka

125.000. **i** 1.275 SW Topeka Blvd, (800) 235-1030.
w visittopekatravel.us

Tranquilo centro governamental, Topeka tem como mais significativa atração histórica o mural do pintor regionalista John Steuart Curry, no **Kansas State Capitol**. O mural, *The Settlement of Kansas*, mostra o abolicionista John Brown em dramático confronto com as forças pró-escravagistas que ameaçaram fazer do Kansas um estado de escravos na década de 1850. Há mais sobre esse tenso período no soberbo **Kansas Museum of History**, a oeste da cidade.

Kansas Kansas Museum of History
6.425 SW 6th Ave.
Tel (785) 272-8681.
9h-17h ter-sáb, 13h-17h dom. feriados.
w kshs.org

㉝ Flint Hills

i Manhattan CVB, 501 Poyntz Ave, (800) 759-0134.
w manhattancvb.org

As ondulantes e rudes Flint Hills estão entre os mais espetaculares cenários naturais do Kansas. A melhor maneira de explorar a área é ir de carro pelo panorâmico trecho (137km) da Route 177, do sul da cidade universitária de **Manhattan**, cruzando a I-70, e descendo para Cassody na I-35. Em Manhattan, o Flint Hills Discovery Center explora a biologia, a geologia e a história cultural das pradarias de relva alta. Cerca de 10km a sudeste da cidade fica a **Konza Prairie**, maior parcela de pradaria de relva alta remanescente no país. Essa área preservada de 3.482ha contém uma variedade de espetaculares trilhas para caminhadas.

A Route 177 corta a US 56 em **Council Grove** (64km ao sul de Manhattan). O nome da cidade vem de um imenso carvalho, o Council Oak, que homenageia o ponto em que as tribos kansa e osage aceitaram permitir que a velha Santa Fe Trail passasse por suas terras ancestrais. A **Kaw Mission School**, hoje um local histórico do estado, foi fundada por metodistas de 1851 a 1854, numa tentativa de "ocidentalizar" meninos da tribo kaw (também conhecida como kansa ou kanza). Esse experimento não deu certo. Hoje o local mostra arte-

A Chase County Courthouse e suas telhas vermelhas, em Cottonwood Falls, nas Flint Hills

Veja hotéis e restaurantes dessa região nas pp. 460-5

KANSAS | 455

Caminhada pela Tallgrass Prairie National Preserve, nas Flint Hills

fatos da escola missionária. A **Tallgrass Prairie National Preserve**, 32km ao sul de Council Grove, protege o que resta de um rancho de gado de 4.451ha, do século XIX. Uma trilha para caminhadas leva os visitantes da casa de fazenda do Segundo Império por um longo trecho de pradaria nativa. A comunidade rural de **Cottonwood Falls**, cerca de 5km ao sul pela Route 177, contém outra importante edificação do Segundo Império. Construída em 1873, a **Chase County Courthouse**, de calcário e telhas vermelhas, é a mais antiga ainda ativa no Kansas.

Artefato indígena, Indian Center Museum, Wichita

de aeronaves e de refino de petróleo. O vívido passado da cidade é recriado no **Old Cowtown Museum**. A cadeia original e casas de época, além de lojas e *saloons* das comunidades rurais dos arredores, estão expostos no local. A sudeste do museu fica o **Mid-America All-Indian Center**, que retrata o estilo de vida dos kiowas, cheyennes e lakotas nas Grandes Planícies do século XIX. A principal atração desse centro é uma aldeia reconstruída. A Gallery of Nations exibe mais de quinhentas bandeiras de nações indígenas.

🏛 **Konza Prairie**
McDowell Creek Rd. **Tel** (785) 587-0441. 🕐 amanhecer-anoitecer diariam. 🌐 naturalkansas.org/konza

🏕 **Tallgrass Prairie National Preserve**
Hwy 177, 3km N de Strong City. **Tel** (620) 273-8494 🕐 9h-16h30 diariam. 🌐 nps.gov/tapr

③④ Wichita
👥 660.000. ✈ 🚌 🚏 ℹ 515 S Main St, (800) 288-9424.
🌐 visitwichita.com

Wichita desenvolveu-se em 1865 como uma cidade sem lei de fim de linha férrea, onde caubóis levando gado do Texas para o norte pela Chisholm Trail *(p. 475)* paravam para descansar nos tumultuados *saloons* e bordéis da cidade. A Wichita de hoje tornou-se um dinâmico centro de fabricação

🏛 **Old Cowtown Museum**
1.865 Museum Blvd. **Tel** (316) 219-1871. 🕐 abr-out: 9h-16h30 seg-sáb, 12h-16h30 dom; nov-abr: 10h-16h ter-sáb. 🌐 oldcowtown.org

🏛 **Mid-America All-Indian Center**
650 N Seneca St. **Tel** (316) 350-3340. 🕐 10h-16h ter-sáb. ⬤ feriados. 🌐 theindiancenter.org

③⑤ Dodge City
👥 27.000. ✈ 🚌 ℹ 400 W Wyatt Earp Blvd, (800) 653-9378.
🌐 visitdodgecity.org

Os dois personagens mais pitorescos do Velho Oeste, os homens da lei Wyatt Earp e Bat Masterson, ganharam sua firme reputação em Dodge City durante seu breve e violento apogeu. De 1872 a 1884, a cidade cresceu como centro ferroviário, de caça de búfalos e de comércio de gado das Grandes Planícies. O **Boot Hill Museum** recria a infame Front Street, com seus *saloons* e casas de diversões, que deu a Dodge City o apelido de "Inferno das Planícies". Oferece shows e passeios de charrete. No terreno do museu fica o cemitério Boot Hill.

Antes que hordas de caubóis e caçadores de búfalos com suas armas chegassem à cidade, Dodge City era apenas mais uma parada da Santa Fe Trail. Sulcos de rodas das velhas carroças ainda são vistos 14km a oeste de Dodge City ao longo da US 50 e no **Fort Larned National Historic Site**, 88km a leste de Dodge City. O local contém edificações originais de arenito restauradas do forte do exército dos EUA que protegia viajantes ao longo da Santa Fe Trail de 1859 a 1878.

🏛 **Boot Hill Museum**
Front St e 5th Sts. **Tel** (620) 227-8188. 🕐 jun-ago: 8h-20h diariam; set-mai: 9h-17h seg-sáb, 13h-17h dom. ⬤ 1º jan, Ação de Graças, 25 dez. 🌐 boothill.org

Fort Larned National Historic Site, a leste de Dodge City

Oklahoma

Fazendo fronteira com seis outros estados, Oklahoma é uma encruzilhada de aspectos culturais, geográficos e históricos, com cadeias de montanhas que se misturam a florestas, campos de trigo e pastagens. O estado tem a maior população de indígenas americanos do país – 250 mil pessoas de 67 tribos –, resultado das migrações forçadas no século XIX para a região, conhecida então como o Território Indígena. Várias "corridas atrás de terras" entre 1889 e 1895 trouxeram muitos colonos brancos e afro-americanos para a área, agregada aos EUA em 1907 depois da descoberta de petróleo.

Praying Hands, na Oral Roberts University, Tulsa

❸ Bartlesville

36.000. 201 SW Keeler, (800) 364-8708. bartlesville.com

O primeiro poço de petróleo comercial do estado foi perfurado nesse local em 1897, desencadeando uma exploração em larga escala. Uma réplica do poço original, o Nellie Johnstone #1, serve agora de memorial num parque do centro. O maior empregador da cidade ainda é a Conoco-Phillips, fundada em 1917 como Phillips Petroleum por dois especuladores de Iowa.

Arredores
Grande propriedade rural da Frank Phillips (1.456ha), o **Woolaroc Museum and Wildlife Preserve** fica 19km a sudoeste de Bartlesville. O pitoresco rancho inclui uma rica coleção de arte do Oeste, o Native American Heritage Center, e uma área de preservação ambiental. Cerca de 72km a noroeste de Bartlesville (por Pawhuska) fica o santuário ecológico de **Tallgrass Prairie**

Preserve. Nessa vasta extensão de pradaria ondulante uma manada de bisões pasta a relva e flores silvestres.

Woolaroc Museum and Wildlife Preserve
Rte 123, 19km a sudoeste de Bartlesville. **Tel** (918) 336-0307. 10h-17h qua-dom (também ter do Memorial Day até o Labor Day). seg, Ação de Graças, 25 dez. woolaroc.org

❸ Tulsa

394.000. Williams Center Tower 2, 2 W 2nd St, (800) 558-3311. visittulsa.com

Originalmente uma cidade ferroviária, Tulsa prosperou depois da descoberta de petróleo em 1901. Foram feitas fortunas literalmente da noite para o dia, levando à construção de edifícios comerciais art déco, estradas e pontes sobre o rio Arkansas. Embora Tulsa seja ainda um grande centro petrolífero, também tem numerosos lagos artificiais, parques e trilhas de bicicleta pelo rio Arkansas. Sua principal atração é o **Thomas Gilcrease Institute**, um abrangente museu de arte fundado por um rico empresário de petróleo local. Sua coleção inclui pinturas nativas e do Oeste americano, por artistas conhecidos, como George Catlin e Frederic Remington. As duas vistas mais populares, a partir da estrada, são o Prayer Tower Visitor Center e uma torre de bronze de 24m, que inclui um par de mãos em oração na entrada da **Oral Roberts University**, em Tulsa.

Thomas Gilcrease Institute
1.400 N Gilcrease Museum Rd, de US 64. **Tel** (918) 596-2700. 10h-17h ter-dom. seg e 25 dez. gilcrease.org

❸ Tahlequah

17.000. 123 E Delaware St, (800) 456-4860. tourtahlequah.com

Capital da nação cheroqui, Tahlequah fica nas fraldas leste da parte de Oklahoma das Ozark Mountains, lar da tribo desde 1839. A cidade preserva vários edifícios do fim do século XIX, incluindo a prisão e o Cherokee National Capitol Building.

O foco de interesse local é o **Cherokee Heritage Center**. Entre suas atrações estão uma aldeia da época do Território Indígena de 1875-90 e uma recriação de um assentamento do século XVII das ancestrais terras da tribo nos montes Apalaches. As peças do Che-

Carruagem exposta no Woolaroc Museum and Wildlife Preserve, perto de Bartlesville

Veja hotéis e restaurantes dessa região nas pp. 460-5

OKLAHOMA | 457

Cabanas de terra no Cherokee Heritage Center, Tahlequah

rokee National Museum relatam a marcha forçada da tribo pela "Trilha das Lágrimas", da Carolina do Norte até Oklahoma, na década de 1830 (p. 434). Esse trágico evento é encenado todo ano em junho.

Cherokee Heritage Center
21.192 S Keeler Dr, 5km ao sul de Tahlequah. **Tel** (888) 999-6007. 9h-17h seg-sáb. feriados.
w cherokeeheritage.org

⓷ Oklahoma City

599.000. 123 Park Ave, (800) 225-5652. **w** visitokc.com

Oklahoma City foi construída e fundada no mesmo dia, 22 de abril de 1889, como parte da primeira corrida por terras no Oklahoma Territory. Cerca de 10 mil concessões de terra foram registradas nesse dia, criando uma cidade a partir do zero. A cidade virou capital do estado em 1910 e teve sua primeira descoberta de petróleo em 1928. Hoje há mais de 2 mil poços de petróleo ativos, incluindo um no terreno do Oklahoma State Capitol, nos limites da cidade.

O **Oklahoma History Center** retrata a estreita relação do estado com o petróleo e sua história pré-colonização. O **National Cowboy Museum** contém uma das mais abrangentes coleções de arte do Oeste do país. Entre suas peças há obras de artistas como Charles Russell e Albert Bierstadt, uma estátua gigante da famosa figura do Velho Oeste Buffalo Bill e uma coleção de objetos do ator de faroestes John Wayne. Um lado mais sombrio é a homenagem da cidade aos 168 mortos no trágico atentado a bomba em 1995 ao Federal Building (p. 434), no **Oklahoma City National Memorial.** Esse memorial no centro, com 1,3ha, inclui um museu, um lago refletor e um olmo americano dos anos 1950.

National Cowboy Museum
1.700 NE 63rd St. **Tel** (405) 478-2250. 10h-17h sáb, 12h-17h dom. 1º jan, Ação de Graças, 25 dez.
w nationalcowboymuseum.com

Oklahoma History Center
2.401 N Laird Ave. **Tel** (405) 521-2491. 10h-17h seg-sáb. 1º jan, Ação de Graças, 25 dez.
w okhistorycenter.org

O lago refletor no Oklahoma City National Memorial

Route 66: a Histórica "Mother Road"

A Route 66 foi imortalizada como a "Mother Road" (estrada-mãe) percorrida pela família migrante do Oklahoma no romance de 1939 de John Steinbeck *As vinhas da ira*, em sua fuga da "Bacia de Pó", atingida pela seca, rumo à Califórnia. Essa estrada histórica, construída em 1928, foi a primeira a ligar Chicago a Los Angeles. A velha Route 66 segue para sudoeste a partir da ponta nordeste do estado em direção a sua fronteira oeste com o Texas, serpenteando a maior parte do tempo pelo traçado original de duas pistas, e frequentemente pode ser vista das modernas interestaduais I-44 e I-40, paralelas ao seu trajeto original. A oeste de Oklahoma City, a estrada corre ao longo da I-40, com vários trechos da estrada velha desviando-se da interestadual. O **Oklahoma Route 66 Museum** em Clinton fica junto ao Best Western Motel, onde Elvis Presley dormiu em quatro ocasiões. O museu tem uma das melhores coleções do país sobre a Route 66. O **National Route 66 Museum** em Elk City (48km a oeste de Clinton) abriga uma série menor mas igualmente atraente de peças, inclusive uma picape que segue o modelo usado pelo diretor John Ford em 1940 na adaptação para o cinema de *As vinhas da ira*. Outras vistas ao longo da estrada são o Totem Pole Park (6km a leste de Foyil) e o **Will Rogers Memorial Museum** em Claremore (43km a leste de Tulsa). Filho dileto de Oklahoma, o humorista Will Rogers nasceu numa cabana perto de Oologah. O museu conta a vida desse ator e colunista de jornal, e exibe vários de seus filmes.

Totem Pole Park

Informações Úteis

Informação atualizada é essencial ao planejar um itinerário pelas Grandes Planícies, onde as cidades e atrações estão separadas por quilômetros de pradarias ondulantes. Região de cidades pequenas, espaços abertos e horizontes distantes, a bela paisagem das Grandes Planícies atrai visitantes que buscam um sabor integral da América. A melhor época para viajar é de meados de abril a fim de outubro, mas leve em conta que muitas das atrações históricas abrem só do Memorial Day (fim de maio) ao Labor Day (fim de agosto).

Informação Turística

Quem entra nas Grandes Planícies por uma grande Interstate Highway vê placas anunciando um "Welcome Center" estadual. Esses centros de boas-vindas oferecem toda a informação turística, além de salas de descanso limpas e café. A maioria dos grandes aeroportos e estações de trem da região tem balcões de informação com folhetos e mapas gratuitos. Todas as cidades, grandes e pequenas, operam Convention & Visitors' Bureaus, que dão de graça agendas de eventos, atrações, acomodações e restaurantes, impressos e on-line.

Perigos Naturais

Tornados ocorrem em geral no verão, em especial no leste de Oklahoma e Kansas, a chamada "Tornado Alley". Em caso de alerta de tornado, procure abrigo no térreo de um edifício sólido e sintonize uma rádio local para informação adicional.

Como Circular

A maioria das cidades nas Grandes Planícies tem sistemas de ônibus, e o serviço é de preço acessível, embora limitado. Mas o cômodo sistema St. Louis Metrorail é o único sistema público de trânsito por trem na região.

Como Dirigir nas Grandes Planícies

Dirigir é a melhor maneira de explorar a região, pois as atrações costumam ficar longe uma da outra. Por isso certas precauções são necessárias para uma viagem segura. Cinto de segurança é obrigatório para quem dirige e para quem vai no assento dianteiro, em todos os estados. A maioria dos estados também exige cinto de segurança para quem viaja no assento traseiro. Assentos para crianças são obrigatórios, mas as restrições de idade variam conforme o estado. Motociclistas têm de usar capacete em alguns estados, especialmente se o condutor tiver menos de 18 anos.

Os limites de velocidade variam, mas em geral situam-se entre 70-75mph (112-120km/h) nas Interstate Highways, que ficam fora das áreas urbanas congestionadas. Radares são permitidos em todos os estados.

Etiqueta

Os residentes nas Grandes Planícies tendem a ser amistosos e educados. Quem dirige nas estradas secundárias vazias em geral sinaliza que um carro ou caminhão se aproxima erguendo um ou dois dedos do volante numa versão modificada de um aceno. A resposta educada é devolver o mesmo sinal.

Eventos e Festivais

Os estados das Grandes Planícies promovem todo ano uma ampla variedade de festas comunitárias, regionais e estaduais. A maior das muitas feiras da região é a **Iowa State Fair**, realizada em agosto em Des Moines, e uma das mais animadas festas do Independence Day do país ocorre na histórica Independence, no Missouri. Durante todo o verão, os indígenas americanos da Dakota do Sul realizam vários dos tradicionais encontros "pow-wow". Outros eventos de verão são as históricas produções encenadas pela Great Plains Chautauqua Society.

Também há muitos festivais de música na região, com festivais de blues no verão em Kansas City, St. Louis e Lincoln disputando a atenção. O festival de *bluegrass* de Walnut Valley em Winfield, Kansas, e o **Woody Guthrie Free Folk Festival** em sua cidade natal, Okemah, Oklahoma, são também muito populares. Polcas, cerveja e comida alemã encerram a estação de festas na **Oktoberfest**, no Missouri, na comunidade de Hermann, no rio Missouri.

Esportes

O Missouri tem o monopólio das equipes esportivas profissio-

O Clima das Grandes Planícies

A região é de extremos, com verões bem quentes e invernos bem frios, em especial na Dakota do Norte e do Sul. Os estados mais ao sul – Kansas, Missouri e Oklahoma – têm clima mais ameno. Com noites mais frescas e dias de sol, junho é perfeito para conhecer as atrações históricas da região. Flores silvestres têm mais cor em maio e setembro, e mudam de cor em outubro, mês ideal para passear pelas Ozark Mountains.

KANSAS CITY

mês	Abr	Jul	Out	Jan
°F/°C máx	66/19	91/33	71/22	49/9
°F/°C mín	45/7	71/22	39/4	22/6
dias de sol	22	26	17	18
mm chuva	76	91	76	25

nais na região, com Kansas City e St. Louis operando as únicas franquias de beisebol (Kansas City Royals e St. Louis Cardinals) e de futebol (Kansas City Chiefs e St. Louis Rams). Vários estados têm também equipes nas ligas menores, o que dá aos viajantes oportunidade de ver em ação jogadores em ascensão em locais mais cômodos. Iowa é uma meca para fãs das ligas menores, com equipes de nível A em Burlington, Cedar Rapids, Clinton e Davenport, e os filiados da AAA do Chicago Cubs em Des Moines.

Futebol e basquete universitários também são muito populares, especialmente nos estados do sul das Planícies. A partida de futebol anual **Kansas-Kansas State** é o auge da temporada, juntando dois grandes rivais interestaduais do futebol universitário.

Atividades ao Ar Livre

Contrariando a imagem estereotipada das Grandes Planícies como área plana, os fãs de caminhadas, ciclismo e mountain bike amam as partes montanhosas da região. A área de Pine Ridge, no Nebraska, as Badlands e as Black Hills da Dakota do Sul e as Flint Hills, no Kansas, são o paraíso para quem acampa ou faz caminhadas. A **Katy Trail**, trilha para bicicleta de 320km, acompanha boa parte do rio Missouri. As 500 milhas de **RAGBRAI**, evento ciclístico de sete dias em Iowa, é um dos maiores do mundo, e a Maah Daah Hey Trail, nas Badlands, Dakota do Norte, é uma épica corrida internacional de mountain bike. O rali e a corrida de motocicletas de agosto em Sturgis, Dakota do Sul, atraem milhares de pessoas. Quem gosta de pesca e de barcos conta com muitos lagos, na maioria artificiais, como o lago McConaughy, no Nebraska. Corredeiras e rios nas Missouri Ozarks perto de Branson oferecem oportunidades para pesca e canoagem.

Diversão

Os locais mais agitados das Grandes Planícies ficam em Kansas City e St. Louis, com uma série de teatros e clubes com música ao vivo espalhados por cidades como Tulsa, Lawrence, Lincoln, Omaha, Grand Forks e Des Moines. Os locais de eventos ao ar livre mais espetaculares da região incluem **The Muny**, no Forest Park de St. Louis; o **Starlight Theater**, em Kansas City, no bucólico Swope Park; e o **Medora Musical**, na Dakota do Norte, que apresenta programas musicais ao vivo sobre o Velho Oeste nas noites de verão, tendo como pano de fundo as terras áridas do Theodore Roosevelt National Park. Uma espantosa série de passeios e atividades espera por aqueles que gostam de aventura nos maiores parques de diversões da região, o Kansas City's Worlds of Fun e o Six Flags St. Louis.

Compras

A principal opção para compras é o chique Country Club Plaza, em Kansas City. Esse bairro de compras urbano de 1920 tem várias lojas especializadas de alto nível. Uma alternativa popular para compras nos subúrbios é o sofisticado Galleria em Clayton.

As Amana Colonies de Iowa oferecem alguns dos melhores produtos locais no Amana Woolen Mill e no Millstream Brewing Company. O melhor local para artesanato de indígenas americanos é a Dakota do Sul. O Native American Educational and Cultural Center, no Crazy Horse Memorial nas Black Hills, e o Red Cloud Heritage Center, na Pine Ridge Reservation, oferecem tapetes feitos à mão, enfeites e outros itens. Para suvenires do Velho Oeste, a maior variedade está na Wall Drug, em Wall, Dakota do Sul.

AGENDA

Informação Turística

Dakota do Norte
Tel (800) 435-5663.
w ndtourism.com

Dakota do Sul
Tel (605) 773-3301,
(800) 732-5682.
w travelsd.com

Iowa
Tel (888) 472-6035.
w traveliowa.com

Kansas
Tel (800) 252-6727.
w travelks.com

Missouri
Tel (800) 411-5110.
w visitmo.com

Nebraska
Tel (800) 228-4307.
w visitnebraska.gov

Oklahoma
Tel (800) 652-6552.
w travelok.com

Condições das Estradas

Dakota do Norte
Tel (701) 328-2500.

Dakota do Sul
Tel (866) 697-3511.

Iowa
Tel (800) 288-1047.

Kansas
Tel (800) 585-7623.

Missouri
Tel (573) 751-2551.

Nebraska
Tel (800) 906-9069.

Oklahoma
Tel (405) 425-2385.

Festas

Iowa State Fair
PO Box 57130,
Des Moines, IA 50317.
Tel (515) 262-3111.
w iowastatefair.org

Oktoberfest
Hermann, MO.
Tel (800) 932-8687.
w visithermann.com

Woody Guthrie Free Folk Festival
Okemah Industrial Park,
Okemah, OK.
Tel (918) 623-2440.
w woodyguthrie.com

Diversão

Medora Musical
Burning Hills Amphitheater, Medora, ND.
Tel (800) 633-6721.
w medora.com

The Muny
1 Theatre Dr, Forest Park,
St. Louis, MO.
Tel (314) 361-1900.
w muny.org

Starlight Theater
4600 Starlight Rd,
Kansas City, MO.
Tel (800) 776-1730.
w kcstarlight.com

Onde Ficar

Dakota do Norte

BISMARCK: Wingate by Wyndham Bismarck $
Econômico
1421 Skyline Blvd, 58503
Tel *(701) 751-2373*
w wingatehotels.com
Piscina coberta e quartos amplos com área de estar e frigobar. Café da manhã incluso na diária.

FARGO: Howard Johnson Inn Fargo $
Econômico
301 3rd Ave, 58102
Tel *(701) 232-8850*
w hojo.com
Quartos confortáveis e boa estrutura, como um pátio e uma piscina coberta, fazem dessa uma boa opção para famílias.

Destaque

FARGO: The Hotel Donaldson $$
Hotel-butique
101 Broadway, 58102
Tel *(701) 478-1000*
w hoteldonaldson.com
Esse hotel-butique em estilo europeu fica no centro revitalizado de Fargo. O edifício histórico oferece acomodação de alto padrão e um restaurante de culinária renomada. Os quartos são distintos e inspirados em artistas. Usufrua a hospitalidade excepcional, a recepção noturna com queijos e vinhos e os doces artesanais servidos de manhã. Há uma banheira de hidromassagem na cobertura.

FORT TOTTEN: Fort Totten Trail Historic Inn $
Econômico
4 Historic Sq, 58335
Tel *(701) 766-4874*
w tottentrailinn.com
Dentro do Fort Totten Historic Site, os quartos ocupam ex-alojamentos de oficiais. Decoração de época, chá vitoriano e café da manhã. Abre de maio a setembro.

GRAND FORKS: Staybridge Sultes $
Econômico
1175 42nd St S, 58201
Tel *(701) 772-9000*
w ihg.com
Os hóspedes contam com quartos confortáveis dotados de cozinha, café da manhã e recepção com drinques e petiscos de terça a quinta-feira à noite.

Dakota do Sul

Destaque

BADLANDS NATIONAL PARK: Cedar Pass Lodge $
Lodge
20681 SD Hwy 240, 57750
Tel *(605) 443-5460*
w cedarpasslodge.com
Esse belo lodge no meio do Badlands National Park é ideal para explorar os morros erodidos e a pradaria com gramíneas da área. Construídas em 1928, as rústicas cabanas ecológicas são belamente mobiliadas com peças de pinho e têm instalações modernas. Aprecie a natureza ao redor enquanto percorre as trilhas. Funciona entre abril e outubro.

CUSTER: Sylvan Lake Lodge & Resort $$
Lodge
24572 Hwy 87, 57730
Tel *(605) 574-2561*
w custerresorts.com
Há a opção de cabanas com cozinha e lareira ao lado do lago ou quartos na sede. Esse é um bom lugar para caminhar, nadar e observar aves.

DEADWOOD: The Lodge at Deadwood $$$
Lodge
100 Pine Crest Ln, 57732
Tel *(605) 584-4800*
w deadwoodlodge.com
Os quartos, confortáveis, muitos deles com deque, descortinam vistas panorâmicas das Black Hills. Há diversas atividades ao ar livre.

Quarto bom para famílias no Howard Johnson Inn, em Fargo, Dakota do Norte

Categorias de Preço
Diária de um quarto padrão para duas pessoas, na alta temporada, com taxas de serviço e impostos.

$	até US$150
$$	US$150-US$250
$$$	acima de US$250

PIERRE: Governor's Inn $
B&B
700 W Sioux Ave, 57501
Tel *(605) 224-4200*
w govinn.com
Os amplos quartos do Governor's dispõem de micro-ondas e frigobar. O café da manhã está incluso na diária.

RAPID CITY: Hotel Alex Johnson $$
Hotel-butique
523 6th St, 57701
Tel *(605) 342-1210*
w alexjohnson.com
A decoração indígena e as instalações modernas distinguem esse local histórico e agradável perto do monte Rushmore.

SIOUX FALLS: Hilton Garden Inn $$
Hotel-butique
5300 South Grand Circle, 57108
Tel *(605) 444-4500*
w hiltongardeninn3.hilton.com
Acomodações confortáveis e mobiliadas com bom gosto. Traslado grátis de/para o aeroporto.

Nebraska

LINCOLN: Cornhusker Hotel $
Econômico
333 S 13th St, 68508
Tel *(402) 474-7474*
w thecornhusker.com
Elegantes, os quartos exibem charme europeu e instalações modernas. Serviço simpático.

LINCOLN: The Rogers House $$
B&B
2145 B St, 68502
Tel *(402) 476-6961*
w rogershouseinn.com
Essa mansão histórica repaginada tem quartos distintos com móveis antigos. Serviço acolhedor.

OMAHA: Cornerstone Mansion $
B&B
140 North 39th St, 68131
Tel *(402) 558-7600*
w cornerstonemansion.com
Nessa casa histórica construída em 1894 os quartos têm decoração de época e banheiro privado.

O cenário estupendo do Chateau on the Lake, em Branson, Missouri

OMAHA: Element Omaha Midtown Crossing $$
Hotel-butique
3253 Dodge St, 68131
Tel (402) 614-8080
W elementomahamidtown crossing.com
Quitinetes e suítes com cozinha em hotel ecológico. O café da manhã está incluso na tarifa.

Destaque
OMAHA: Magnolia Hotel $$
Histórico
1615 Howard St, 68102
Tel (402) 341-2500
W magnoliahotels.com
Essa propriedade histórica inspirada em um palácio de Florença tem quartos bem equipados e suítes elegantes. Café da manhã, recepção noturna e leite e cookies na hora de dormir estão inclusos na tarifa.

SCOTTS BLUFF: Barn Anew Bed & Breakfast $
B&B
170549 County Rd L, 69351
Tel (308) 632-8647
W barnanew.com
Celeiro reformado com vistas para o Scotts Bluff Monument.

Iowa

Destaque
CEDAR FALLS: The Blackhawk Hotel $
Histórico
115 Main St, 50613
Tel (319) 277-1161
W blackhawk-hotel.com
Quartos exclusivos exibem obras de arte originais em um dos hotéis mais antigos do oeste do Mississippi. O Motor Lodge anexo é de meados do século XX e tem quartos modernos. Há trilhas de ciclismo por perto.

CEDAR RAPIDS: The Hotel at Kirkwood Center $
Hotel-butique
7725 Kirkwood Blvd SW, 52404
Tel (319) 848-8700
W thehotelatkirkwood.com
Nesse hotel e escola de hotelaria a equipe recebe auxílio de estudantes aplicados. Há quartos elegantes, suítes de luxo e business center.

DES MOINES: Hotel Fort Des Moines $
Histórico
1000 Walnut St, 50309
Tel (515) 243-1161
W hotelfortdesmoines.com
Propriedade reformada com bela decoração, quartos amplos e boas opções gastronômicas.

DUBUQUE: Hotel Julien Dubuque $$
Hotel-butique
200 Main St, 52001
Tel (563) 556-4200
W hoteljuliendubuque.com
Elegância e atendimento sofisticado complementam os quartos bonitos, aconchegantes e bem equipados.

MASON CITY: Historic Park Inn Hotel $$
Histórico
7 W State St, 50402
Tel (641) 423-0689
W wrightonthepark.org
Bem restaurado, esse hotel com projeto de Frank Lloyd Wright é um ímã para fãs de arquitetura.

Missouri

BRANSON: Chateau on the Lake $$
Econômico
415 N Hwy 265, 65616
Tel (417) 334-1161
W chateauonthelake.com
A maioria dos quartos tem sacada privativa. Amplo, o átrio ostenta cascatas e plantas.

BRANSON: Hilton Promenade at Branson Landing $$
Econômico
3 Branson Landing Blvd, 65616
Tel (417) 336-5500
W www3.hilton.com
Os quartos amplos e modernos desse hotel na área de entretenimento têm vistas estupendas.

Destaque
KANSAS CITY: Hotel Savoy $
B&B
219 W 9th St, 64105
Tel (816) 842-3575
W savoyhotel.net
Essa propriedade histórica já teve muitos hóspedes famosos, incluindo Teddy Roosevelt e John D. Rockefeller. O edifício, do fim do século XIX, apresenta mármore importado e janelas originais com vitrais. Nos banheiros dos quartos há banheiras com pés de garra e pias de pedestal. Saboreie o café da manhã de cortesia no famoso Savoy Grill, o restaurante mais antigo da cidade.

KANSAS CITY: Hotel Phillips $$
Histórico
106 W 12th St, 64105
Tel (816) 221-7000
W hotelphillips.com
Serviço excelente, quartos elegantes e muitas comodidades caracterizam esse hotel-butique.

KANSAS CITY: The Raphael Hotel $$
Hotel-butique
325 Ward Pkwy, 64112
Tel (816) 756-3800
W marriott.com
Quartos luxuosos, ótimo serviço e ambiente romântico são charmes do Raphael, inspirado em hotéis europeus pequenos.

SPRINGFIELD: Holiday Inn Express $
Econômico
1117 E Saint Louis St, 65806
Tel (417) 862-0070
W ihg.com
Os quartos grandes e bem decorados desse hotel central acomodam móveis em estilo Mission. O café da manhã de cortesia é servido no Great Room.

ST. LOUIS: Moonrise Hotel $$
Hotel-butique
6177 Delmar Blvd, 63112
Tel (314) 721-1111
W moonrisehotel.com
Esse hotel diferenciado tem quartos bem mobiliados, instalações luxuosas e obras de arte com tema lunar.

Mais informações sobre hotéis nas pp. 26-7

ST. LOUIS: Napoleon's Retreat Bed & Breakfast $$
B&B
1815 Lafayette Ave, 63104
Tel *(314) 772-6979*
w napoleonsretreat.com
Mansão elegante com quartos amplos no centro da St. Louis vitoriana. O café da manhã pode ser servido no pátio.

Kansas

COTTONWOOD FALLS: Grand Central Hotel $$
Histórico
215 Broadway, 66845
Tel *(620) 273-6763*
w grandcentralhotel.com
Há quartos confortáveis com comodidades de luxo nessa propriedade antiga.

Destaque
LAWRENCE: The Eldridge Hotel $
Histórico
701 Massachusetts St, 66044
Tel *(785) 749-5011*
w eldridgehotel.com
Construído em 1855, esse lugar era uma hospedaria que recebia abolicionistas de graça e foi atacado e destruído duas vezes na Guerra Civil. Na "esquina mais histórica do Kansas", o Eldridge Hotel tem suítes confortáveis com boa estrutura e Wi-Fi de cortesia. Há também um business center.

TOPEKA: Hyatt Place $
Econômico
6021 SW 6th Ave, 66615
Tel *(785) 273-0066*
w topeka.place.hyatt.com
O Hyatt oferece quartos bons, limpos e bem equipados, perto de lojas. A equipe assegura um atendimento excelente.

TOPEKA: Senate Luxury Suites $
Histórico
900 SW Tyler St, 66612
Tel *(785) 233-5050*
w senatesuites.com
Os espaçosos quartos dispõem de sacada com lindas vistas nesse edifício vitoriano permeado por pátios convidativos.

WICHITA: Hotel at Old Town $
Histórico
830 E 1st St N, 67202
Tel *(316) 267-4800*
w hotelatoldtown.com
Nesse hotel-butique com elegância vitoriana os quartos dispõem de cozinha bem equipada.

O Skirvin Hilton ocupa um edifício histórico em Oklahoma City

WICHITA: Courtyard Wichita at Old Town $$
Hotel-butique
820 E 2nd St N, 67202
Tel *(316) 264-5300*
w marriott.com
Os quartos bonitos têm várias comodidades e há um átrio chique e um pátio arejado.

Oklahoma

NORMAN: Montford Inn B&B $$
Romântico
322 W Tonhawa St, 73069
Tel *(405) 321-2200*
w montfordinn.com
Banheiras de hidromassagem para dois, deques e lareiras nos quartos inspiram romance nessa pousada tranquila.

OKLAHOMA CITY: Marriott Waterford $
Econômico
6300 Waterford Blvd, 73118
Tel *(405) 848-4782*
w marriott.com
Esse hotel de rede acolhedor oferece vôlei e squash, piscina ao ar livre e bar. Serviço excelente.

Destaque
OKLAHOMA CITY: Colcord Hotel $$
Histórico
15 N Robinson Ave, 73102
Tel *(405) 601-4300*
w colcordhotel.com
Um marco histórico reformado, esse hotel majestoso apresenta quartos elegantes com toques modernos e instalações luxuosas. As roupas de cama e os móveis são de alto padrão. A decoração no saguão, em mármore e madeira, remete ao estilo art déco. O excepcional serviço e o delicioso café da manhã complementam a experiência.

OKLAHOMA CITY: Rusty Gables Guest Lodge $$
B&B
3800 NE 50th St, 73121
Tel *(405) 424-1015*
w rustygables.com
As suítes grandes têm lareira e hidromassagem nesse B&B rústico no alto de uma colina fora da cidade. Passeios a cavalo e serviços de spa disponíveis.

OKLAHOMA CITY: The Skirvin Hilton $$
Hotel-butique
1 Park Ave, 73102
Tel *(405) 272-3040*
w www3.hilton.com
Esse edifício histórico restaurado abriga quartos e suítes elegantes. Está localizado nas proximidades dos bairros de negócios e entretenimento.

TULSA: Hilton Garden Inn Tulsa South $
Econômico
8202 S 100th E Ave, 74133
Tel *(918) 392-2000*
w hiltongardeninn.hilton.com
Quartos confortáveis e todas as instalações de praxe são oferecidos nesse hotel de rede. Há também serviços de lavanderia e babá disponíveis.

TULSA: The Campbell Hotel $$
Hotel-butique
2636 E 11th St, 74104
Tel *(918) 744-5500*
w thecampbellhotel.com
Esse hotel luxuoso com glamour retrô e charme sulista garante quartos confortáveis e ótima localização.

TULSA: Hotel Ambassador $$
Hotel-butique
1324 S Main St, 74119
Tel *(918) 587-8200*
w hotelambassador-tulsa.com
Os quartos do sofisticado e romântico Ambassador são espaçosos e contam com banheiro de mármore.

Onde Comer e Beber

Dakota do Norte

BISMARCK: Peacock Alley $
Americana
422 E Main St, 58501
Tel *(701) 255-7917* **Fecha** *dom*
Instalado em um hotel histórico de 1915 repleto de antiguidades, fotos e móveis de madeira originais, esse restaurante tem um cardápio lendário de pratos clássicos e filés, além de mais de vinte cervejas de barril.

FARGO: Café Aladdin $
Mediterrânea
530 6th Ave N, 58102
Tel *(701) 298-0880* **Fecha** *dom*
Esse café informal é apreciado na cidade pelo serviço bom e pelo menu de pratos mediterrâneos. Os gyros saborosos são muito bem recheados, servidos em porções fartas.

FARGO: Doolittles Woodfire Grill $$
Americana moderna
2112 25th St S, 58103
Tel *(701) 478-2200*
No Doolittles há carnes suculentas e saborosas preparadas em grelhas a lenha. O ambiente é sempre muito animado. A carta de vinhos extensa complementa o cardápio moderno.

FARGO: HoDo Lounge $$
Americana moderna
101 N Broadway, 58102
Tel *(701) 478-6969* **Fecha** *dom*
No refinado Hotel Donaldson, o HoDo Lounge tem menu sazonal eclético, que inclui pratos feitos com ingredientes orgânicos locais. Os destaques são bisão, filé e pato. Garçons competentes.

Destaque
GRAND FORKS: Sanders 1907 Dakota Cuisine $$$
Americana
22 S 3rd St, 58201
Tel *(701) 746-8970*
Fecha *dom e seg*
Esse lugar central é um favorito na cidade há décadas. Os donos se empenham para agradar com a saborosa cozinha de Dakota servindo pratos como salmão grelhado, walleye (peixe), filé grelhado de costela bovina, costeleta de cordeiro e chuletas bovinas da raça suíça Eiger. A comida refinada, a equipe cordial e a atmosfera acolhedora merecem a visita.

Dakota do Sul

CUSTER: State Game Lodge $$$
Americana
13389 US Hwy 16A, 57730
Tel *(605) 255-4541* **Fecha** *nov-abr*
Esse estabelecimento elegante serve comida tradicional, além de truta, faisão e alce da região. Os sanduíches e o cozido Custer State Park Buffalo são ótimos.

Destaque
**DEADWOOD:
Jake's Fine Dining** $$
Americana moderna
677 Main St, 57732
Tel *(605) 578-3656*
Esse restaurante refinado pertence ao ator Kevin Costner, e sua cozinha premiada e criativa se baseia em ingredientes locais. Procure na extensa carta de vinhos uma opção que se harmonize com pratos como salmão, pato, cordeiro e búfalo. Há uma mostra com figurinos usados pelo ator em seus filmes.

PIERRE: La Minestra $$
Italiana
106 E Dakota Ave, 57501
Tel *(605) 224-8090*
Experimente o walleye (peixe) com crosta de pistache, um dos carros-chefes do La Minestra. Outras boas pedidas são os frutos do mar e as aves. Faça reserva.

RAPID CITY: Firehouse Brewing Company $
Cervejaria
610 Main St, 57701
Tel *(605) 348-1915*
Vá a sede do corpo de bombeiros de 1915 para tomar ales artesanais de barril e comer massa, asas de frango picantes ou gumbo e sobremesas divinas.

SIOUX FALLS: Parker's Bistro $$
Americana/Creole
210 South Main Ave, 57105
Tel *(605) 275-7676* **Fecha** *dom*
Esse restaurante oferece cozinha excepcional à base de ingredientes locais. O cardápio inovador muda sazonalmente. Os peixes frescos e os pratos do dia são bons. Carta de vinhos completa.

SIOUX FALLS: Foleys $$$
Churrascaria/Frutos do mar
2507 S Shirley Ave, 57106
Tel *(605) 362-8125*
O Foleys é um sucesso local devido aos filés e frutos do mar bem preparados. Entre os destaques do menu estão filé de costela bovina e truta Asiago. Seleção excelente de vinhos. A atmosfera e o serviço ótimos ajudam a compor uma experiência memorável.

Categorias de Preço
Por pessoa, para uma refeição composta de três pratos e uma taça de vinho da casa, mais taxas.
$ — até US$35
$$ — US$35-US$70
$$$ — acima de US$70

Nebraska

Destaque
LINCOLN: Billy's $
Americana moderna
1301 H St, 68508
Tel *(402) 474-0084* **Fecha** *dom*
Instalado em uma casa histórica, esse restaurante elegante evoca uma época grandiosa na história dos EUA. Cada um dos três salões tem o nome de um luminar do Nebraska. O menu tem pratos com carne bovina e caprina, pato, vitela e frutos do mar, além de opções vegetarianas. A carta de vinhos é excelente, assim como o serviço.

LINCOLN: The Green Gateau $
Francesa
330 S 10th St, 68508
Tel *(402) 477-0330*
O Green Gateau exibe decoração eclética inspirada em hotéis europeus e serve cozinha francesa contemporânea. O brunch atrai muitos clientes. Peça sopa, queijo brie assado e sobremesas caseiras.

Mesas externas da Firehouse Brewing Company, em Rapid City, Dakota do Sul

Mais informações sobre restaurantes *nas pp. 28-9*

OMAHA: The Grey Plume $$
Americana moderna
220 S 31st Ave, 68131
Tel *(402) 763-4447* **Fecha** *dom*
Pratos sazonais feitos com produtos e carnes locais figuram sempre no menu variável de massas, carnes e frutos do mar.

OMAHA: Flatiron Café $$$
Americana moderna
1722 St. Marys Ave, 68102
Tel *(402) 344-3040* **Fecha** *dom*
Oferece jantar refinado perto do velho mercado. O menu tem fritas com cogumelos portobelo e robalo marinado com saquê.

YORK: Chances R $
Americana
124 W 5th St, 68467
Tel *(402) 362-7755*
Os diversos salões do Chances R apresentam decoração da virada do século XX e móveis antigos. A comida caseira tradicional vai desde opções campestres substanciosas de café da manhã até frango frito e bufê de carnes.

Iowa

CEDAR RAPIDS: The Class Act $$
Americana moderna
7725 Kirkwood Blvd SW, 52404
Tel *(319) 848-8777*
Esse restaurante gourmet encantador também é um local de ensino de artes culinárias. O cardápio criativo apresenta ingredientes sazonais e abordagens inovadoras.

Destaque

CORALVILLE: Iowa River Power Restaurant $
Americana moderna
501 1st Ave, 52241
Tel *(319) 351-1904*
Em uma antiga usina elétrica com vistas fantásticas do rio, esse favorito do público local tem um menu refinado e espaços como um lounge, nichos tranquilos e um pátio. Carnes e frutos do mar são as grandes atrações. O brunch aos domingos é sempre disputado.

DES MOINES: Flying Mango $
Caribenha
4345 Hickman Rd, 50310
Tel *(515) 255-4111* **Fecha** *dom e seg*
Versões inovadoras de churrasco, carnes defumadas e opções cajun e creole, assim como coquetéis inventivos, são servidos nesse lugar informal. Música ao vivo.

Salão atraente do Class Act, em Cedar Rapids, Iowa

DES MOINES: Jethro's BBQ $
Churrascaria
3100 Forest Ave, 50311
Tel *(515) 279-3300*
Serve carnes defumadas, molhos saborosos e hambúrgueres suculentos, além de fritas com waffles e creme de milho com jalapeño.

DES MOINES: Christopher's Restaurant $$
Italiana
2816 Beaver Ave, 50310
Tel *(515) 274-3694* **Fecha** *dom*
Essa instituição local tem um menu de clássicos como espaguete com almôndegas e pratos criativos como camarão com tequila e frango com azeitonas.

DUBUQUE: Caroline's Restaurant $$
Americana moderna
200 Main St, 52001
Tel *(563) 588-5595*
Restaurante elegante no Hotel Julien, o Caroline's serve ótimo café da manhã. O almoço conta com sopas, saladas e sanduíches, e o menu de jantar tem filés e frutos do mar deliciosos.

Missouri

BRANSON: Billy Gail's Café $
Americana
5291 Hwy 265, 65616
Tel *(417) 338-8883*
Cafeteria recomendada para café da manhã e brunch, pois oferece panquecas grandes, biscoitos quentes com molho e hambúrgueres suculentos.

BRANSON: Vasken's Deli $
Mediterrâneo/Deli
3200 Gretna Rd, 65616
Tel *(417) 334-9182* **Fecha** *dom*
Essa *deli* charmosa serve opções caseiras deliciosas, inclusive para viagem. Há gyros, saladas, petiscos e sanduíches. O baclava é formidável.

Destaque

KANSAS CITY: Arthur Bryant's $
Churrascaria
1727 Brooklyn Ave, 64127
Tel *(816) 231-1123*
Fundado nos anos 1920, esse lugar lendário com decoração espartana faz os clientes se concentrarem nos sabores das carnes defumadas. Peça costelas, carne de peito ou porco desfiada e linguiça com molho normal ou picante. As guarnições e os nuggets também são bons.

KANSAS CITY: Blue Bird Bistro $
Americana
1700 Summit St, 64108
Tel *(816) 221-7559*
Com peças decorativas dos anos 1890, esse bistrô prepara suculentas carnes orgânicas e saborosos pratos vegetarianos. Ótimo para o brunch.

KANSAS CITY: EBT $$$
Churrascaria/Frutos do mar
1310 Carondelet Dr, 64114
Tel *(816) 942-8870* **Fecha** *dom e seg*
A decoração oriunda de uma loja de departamentos evoca a época vitoriana. O cardápio destaca linguado com recheio de caranguejo, carne de Kobe e peito de pato defumado.

SPRINGFIELD: Springfield Brewing Company $
Americana/Cervejaria
301 S Market Ave, 65806
Tel *(417) 832-8277*
Ótima cervejaria e restaurante, Springfield é um pilar no centro da cidade. Tem vasta seleção de cervejas artesanais e comida de pub (hambúrgueres e massas).

ST. LOUIS: Cunetto House of Pasta $
Italiana
5453 Magnolia Ave, 63139
Tel *(314) 781-1135* **Fecha** *dom*
O pessoal local vai a esse restaurante familiar devido à variedade de massas e outros pratos. O ravióli tostado é delicioso.

ST. LOUIS: Imo's Pizza $
Pizzaria
904 S 4th St, 63102
Tel *(314) 421-4667*
A pizza St. Louis, feita com um queijo processado especial, é a atração no Imo's. Há também saladas, sanduíches e massas. Fica aberto até tarde da noite.

ST. LOUIS: Remy's Kitchen & Wine Bar $$
Mediterrânea
222 S Bemiston Ave, 63105
Tel (314) 726-5757 Fecha dom
Oferece porções e pratos principais e possui uma carta de vinhos excelente. O pudim de pão é uma sobremesa muito pedida.

Kansas

LAWRENCE: Free State Brewing Company $
Americana
636 Massachusetts St, 66044
Tel (785) 843-4555
Sede da cervejaria além de restaurante, a Free State atrai fãs de cerveja artesanal com um cardápio de comida de pub que inclui quesadillas e fish 'n' chips.

Destaque

LAWRENCE: Pachamama's $$$
Americana moderna
800 New Hampshire St, 66044
Tel (785) 841-0990
Fecha dom e seg
O refinado Pachamama's é um sucesso local graças à gama eclética de pratos apetitosos, com no mínimo uma opção vegetariana por noite. O menu sazonal de saborosa "cozinha de mercado" utiliza apenas os melhores ingredientes à disposição.

TOPEKA: Carlos O'Kelly's $
Mexicana
3425 S Kansas Ave, 66611
Tel (785) 266-3457
Pratos mexicanos tradicionais e americanizados e margaritas são as especialidades desse restaurante de rede. Peça fajitas com carne, burritos, chimichangas e, por fim, buñuelos de sobremesa.

TOPEKA: Rowhouse Restaurant $
Americana moderna
515 SW Van Buren St, 66603
Tel (785) 817-6052 Fecha dom-ter
Os menus com quatro pratos desse restaurante mudam a cada semana dependendo dos ingredientes sazonais e da inspiração do chef. Faça reserva com bastante antecedência.

WICHITA: Redrock Canyon Grill $
Sudoeste
1844 N Rock Rd, 67206
Tel (316) 636-1844
Esse lugar informal e animado oferece sanduíches, carnes assadas e guarnições como broa de milho e lula rancheira.

WICHITA: Chester's Chophouse and Wine Bar $$
Churrascaria
1550 N Webb Rd, 67206
Tel (316) 201-1300
Os filés são feitos em uma grelha a lenha de carvalho, e peixes frescos chegam diariamente. A adega tem mais de mil garrafas de vinho. Há mesas internas e externas com vistas das águas.

Oklahoma

Destaque

CATOOSA: Molly's Landing $$
Churrascaria/Frutos do mar
3700 N Old Hwy 66, 74015
Tel (918) 266-7853 Fecha dom
Junto ao rio e perto das matas, essa casa de madeira é uma atração desde 1979. O salão rústico exibe peças de couro e tesouros colecionados pelos donos. O filé é a atração principal, mas há também frutos do mar grelhados e bons pratos com frango.

OKLAHOMA CITY: Flint $
Americana moderna
15 N Robinson Ave, 73102
Tel (405) 605-0657
Restaurante elegante, o Flint's sustenta um menu com carnes, frutos do mar e sanduíches deliciosos, além de opções contemporâneas feitas com ingredientes locais. O lounge externo tem uma cascata e uma lareira.

OKLAHOMA CITY: Ted's Café Escondido $
Tex-mex
2836 NW 68th St, 73116
Tel (405) 848-8337
Delícias padrão como fajitas, burritos e enchiladas são oferecidas por essa rede tex-mex regional. No almoço há tortilhas com vinagrete de cortesia e sopapillas.

Destaque

OKLAHOMA CITY: The Coach House $$$
Americano
6437 Avondale Dr, 73116
Tel (405) 842-1000 Fecha dom
Com salão revestido de painéis de carvalho, esse é um dos restaurantes mais sofisticados do estado. O menu sazonal reflete os melhores produtos locais e especialidades da região. O salmão com crosta de nozes-pecãs e broa de milho é fantástico. Carta de vinhos extensa.

TULSA: White River Fish Market $
Frutos do mar
1708 N Sheridan Rd, 74115
Tel (918) 835-1910 Fecha dom
Esse mercado e restaurante tem os peixes mais frescos e tanques de 3,5m com frutos do mar vivos. A cozinha é especializada em receitas à moda caseira.

TULSA: Villa Ravenna $$
Italiana
6526 E 51st St, 74145
Tel (918) 270-2666 Fecha seg
Massas caseiras, carnes e frutos do mar são as especialidades desse restaurante familiar com ambiente romântico à luz de velas, uma gama ampla de vinhos finos e música clássica ao vivo nos fins de semana.

TULSA: Warren Duck Club $$$
Americana
6110 S Yale Ave, 74136
Tel (918) 495-1000
Restaurante requintado, famoso pelo pato servido com uma seleção de cinco molhos. Há uma carta longa de vinhos e um bufê com sobremesas deliciosas.

O Caroline's Restaurant no Hotel Julien, em Dubuque, Iowa

Mais informações sobre restaurantes nas pp. 28-9

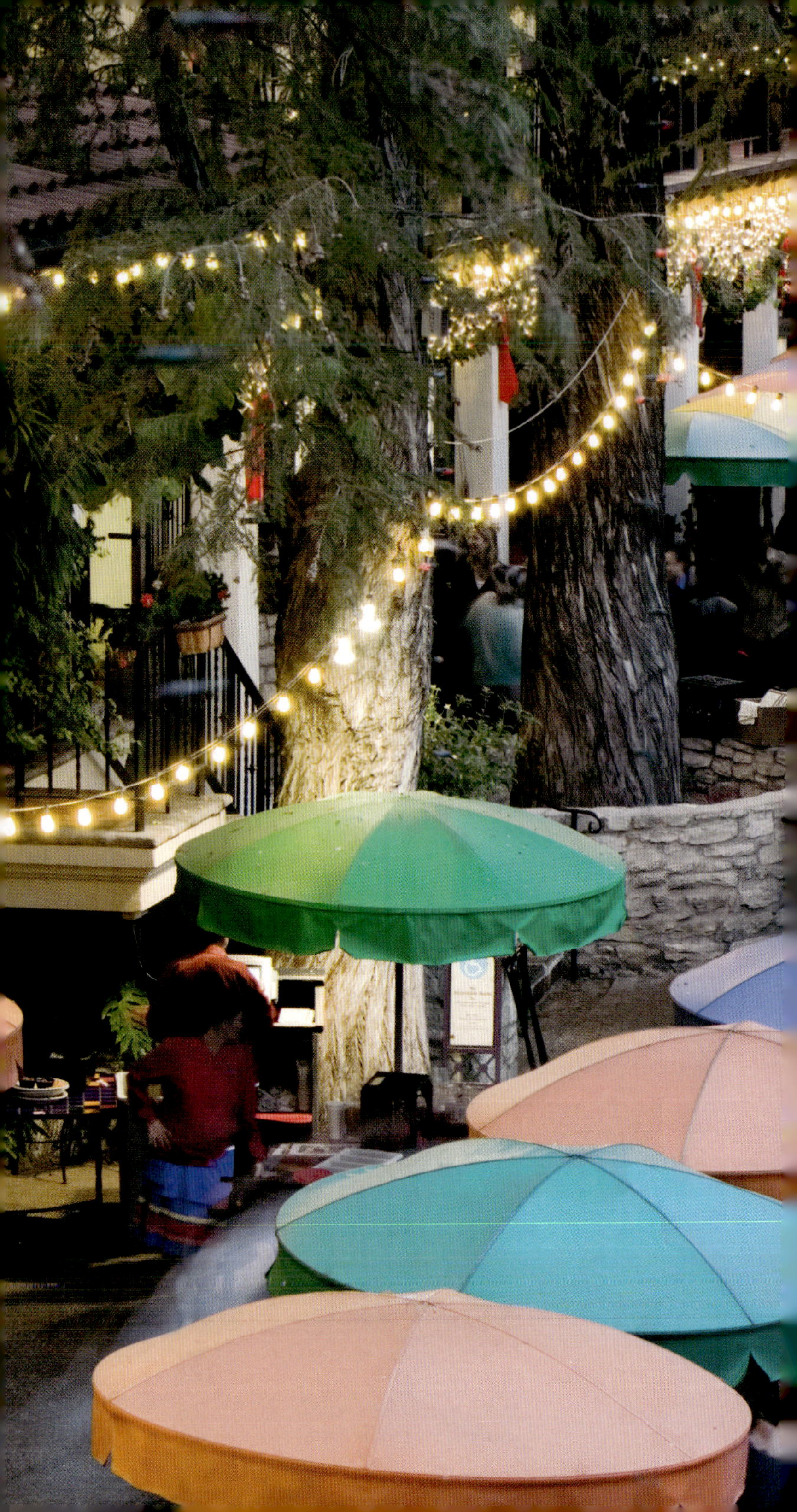

TEXAS

Introdução ao Texas	468-471
Dallas	472-473
Fort Worth	474-475
Austin	476-477
San Antonio	478-479
Houston	480-481

TEXAS

Segundo quase qualquer padrão, o Texas é grande. Com cerca de 1.600km de largura, e maior ainda de norte a sul, é de longe o maior dos 48 estados e também um dos mais populosos (25 milhões de habitantes). Seu tamanho inspirou um amor por tudo o que é grande, e seu passado como nação independente deu ao Texas um senso de orgulho e um espírito de liberdade evidentes na bandeira do estado, que traz ainda a Estrela Solitária, emblema da República.

A escala imensa do Texas estimulou uma cultura do exagero. Para os texanos, tudo o que se refere ao estado é maior, melhor e mais ousado do que nos outros lugares. Os chifres no emblemático gado, as grandes fortunas derivadas das reservas de petróleo do estado e mesmo o papel que já teve a equipe de futebol do Dallas Cowboys como o "America's Team" – quase todo aspecto da vida está imbuído de um senso de superioridade. Se isso é merecido ou não, é questão de opinião, mas contra-argumentos não são bem-vindos por muitos texanos. Como se alardeia por todo o estado: "Don't mess with Texas" ("Não mexa com o Texas").

Domo do Texas State Capitol, Austin

História

No Texas, a história começa no Álamo, uma antiga missão espanhola e forte mexicano. "Lembre-se de Álamo" era o grito de batalha na guerra de independência do Texas contra o México. Em dezembro de 1835, um bando de colonos americanos rebeldes tomou o forte. Dois meses depois, o exército mexicano reagiu atacando o forte durante treze dias, até que todos os 189 americanos fossem mortos. Apesar desse revés, os franco-atiradores dos EUA, comandados pelo general Samuel Houston, derrotaram os mexicanos em 1836 e declararam a República do Texas, que incluía partes dos atuais Novo México, Oklahoma, Colorado e Wyoming, e foi anexada pelos Estados Unidos em 1845. Isso desencadeou a Guerra do México. Depois de dois anos de esporádicas lutas, o México foi forçado a aceitar a perda do Texas e do restante do Oeste, em 1848.

A segunda metade do século XIX foi o auge das grandes conduções de gado no Velho Oeste. Imensas manadas de gado de chifres longos do Texas, descendentes

Placa retratando cena da Guerra de Independência do Texas, no Alamo Complex, em San Antonio

◀ *O colorido Riverwalk (Paseo del Rio), em San Antonio*

Escultura de gado de chifres longos na parte externa do Dallas Convention Center

de animais trazidos pelos colonos espanhóis séculos antes, vagavam pelas pastagens naturais. Reunidos e conduzidos por caubóis até cidades como Fort Worth e Dallas, esses animais eram carregados em trens e enviados a diversos mercados do leste dos EUA. Depois de trabalharem semanas nas pastagens, os caubóis iam para as cidades e se envolviam em tiroteios, criando uma desordem generalizada.

Economia e Cultura

O Texas tem uma das economias mais diversificadas do país, mas historicamente dependeu de dois setores: petróleo e agricultura. Desde a descoberta de petróleo no início do século XX, o estado comanda o setor petrolífero dos EUA, com quase 25% da produção do país e o controle da maior parte do grande volume de importações. Na verdade, é difícil falar do Texas sem lembrar do petróleo, graças a imagens de poços jorrando, do "Texas Tea" e das maquinações da família Ewing no seriado de tevê *Dallas,* da década de 1980.

A agricultura também é muito importante. O setor pecuário ainda é um grande negócio, tão identificado com a "cowboy culture" que as botas, jeans e o chapéu Stetson parecem ser o traje oficial do estado. Mas o Texas também produz algodão e cítricos. A indústria de alta tecnologia do estado é liderada pela Texas Instruments e pela Dell Computer, sediada em Austin, enquanto a imensa presença militar dá suporte a uma grande indústria de engenharia aeronáutica, particularmente na "Mission Control" da Nasa, em Houston.

Esses setores, sempre em expansão, mas com frequentes falências, criaram muitas fortunas. A riqueza do Texas sustenta não só lojas e restaurantes finos, mas vários excelentes museus em Houston, Fort Worth e outras cidades. Mas as mais autênticas imagens do Texas não são as de sofisticação urbana, e sim as da informalidade doméstica e dos amplos espaços da sua área rural. Talvez o melhor jeito de descobrir sua essência seja pegar uma poeirenta estrada do interior, parar num café de cidade pequena, com o estacionamento cheio de picapes, ou ver o pôr do sol num sempre longínquo horizonte.

PRINCIPAIS DATAS HISTÓRICAS

1519 O explorador espanhol Alonso Alvarez de Pineda chega ao atual Texas

1528 Cabeza de Vaca e um escravo africano viajam pelo Texas durante seis anos

1685 Rene-Robert Cavelier, Sieur de la Salle, funda uma colônia francesa de curta duração no golfo do México, em Matagorda Bay

1716 A Espanha funda missões católicas no sul do Texas

1822 O imigrante americano Stephen F. Austin funda um povoado no rio Brazos

1836 Batalha de Álamo; Texas vira república

1845 O Texas torna-se um estado

1870 O Texas é readmitido na União

1900 Furacão atinge Galveston; 6 mil mortos

1962 "Mission Control" da Nasa em Houston

1963 O presidente John F. Kennedy é assassinado em Dallas; o vice, nativo do Texas, Lyndon B. Johnson, assume o cargo

1986 Cai o preço do petróleo cru, com danos à economia

2001 O governador do Texas, George W. Bush, é eleito 43º presidente dos EUA

2009 Termina o mandato de Bush e começa o de Obama

Caubóis num rancho do Texas ao pôr do sol

Como Explorar o Texas

O Texas é tão grande que vê-lo por inteiro é um desafio. O transporte público é ínfimo nesse estado movido a petróleo, onde dirigir é parte essencial da vida. Muitos visitantes voam entre as grandes cidades de Dallas, Austin e Houston, e então alugam um carro. Cerca de 90% dos 20 milhões de residentes no estado moram nas cidades, equipadas com restaurantes, hotéis e atrações para turistas. No campo, onde fica o Texas "real", as comodidades são menores e distantes entre si. Mesmo nas áreas mais populares como o Hill Country, em Austin, hotéis e restaurantes são mais básicos, e as distâncias tão grandes que a viagem pode tomar boa parte do dia.

Principais Atrações

1. *Dallas pp. 472-3*
2. *Fort Worth pp. 474-5*
3. Austin
4. Fredericksburg
5. Kerrville
6. New Braunfels
7. *San Antonio pp. 478-9*
8. *Houston pp. 480-1*
9. Big Thicket National Preserve
10. Galveston
11. Aransas National Wildlife Refuge
12. Corpus Christi
13. Padre Island National Seashore
14. Laredo
15. Rio Grande Valley
16. Big Bend National Park
17. Fort Davis
18. El Paso
19. Guadalupe Mountains National Park
20. Lubbock
21. Canyon
22. Amarillo
23. Abilene

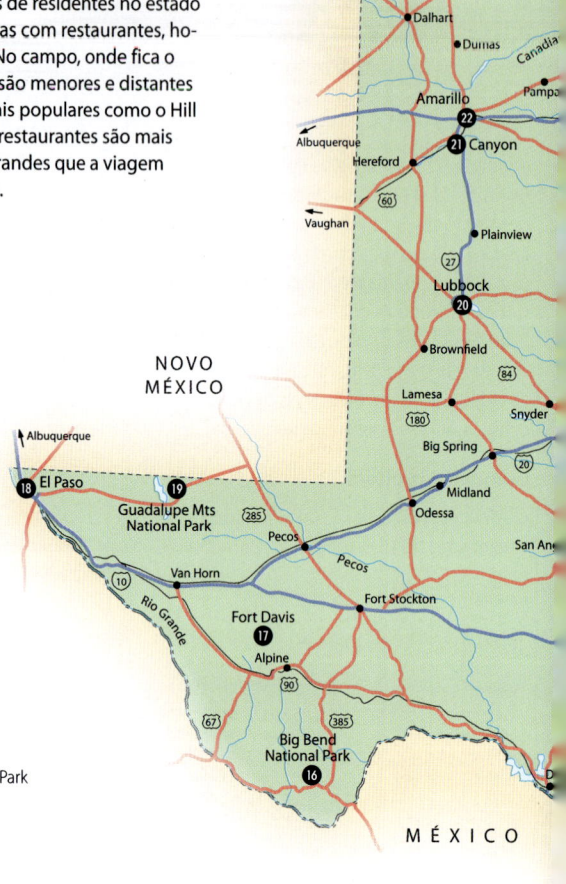

Torres de escritórios de vidro dominam o cenário de Dallas

Legenda dos símbolos *na orelha da contracapa*

Legenda
— Rodovia
— Estrada principal
— Ferrovia
– – Fronteira estadual
— Fronteira internacional

INTRODUÇÃO AO TEXAS | 471

Tabela de Distâncias

Dallas

10 = Distância em milhas
10 = Distância em quilômetros

33 53	Fort Worth						
196 315	187 301	Austin					
260 418	232 373	78 126	Fredericksburg				
273 439	264 425	79 127	71 114	San Antonio			
239 385	269 433	164 264	240 386	197 317	Houston		
289 465	321 517	217 349	293 472	251 404	51 82	Galveston	
634 1020	608 978	577 929	497 800	551 887	747 1202	802 1291	El Paso
360 579	340 547	506 814	444 715	512 824	599 964	649 1044	432 695	Amarillo

Amarillo's Cadillac Ranch, uma mostra de pop-art no norte do Texas

Vista de Dallas a partir da área de observação da Reunion Tower

❶ Dallas

🏛 1.888.000. ✈ 🚆 Union Station, 400 S Houston St. 🚌 Greyhound, 205 S Lamar St. ℹ 100 S Houston St, (214) 571-1300. 🎉 Cotton Bowl Parade (1º jan); Dallas Blooms (meados mar-meados abr); Texas State Fair (setout). **w** visitdallas.com

Quando pensa no Texas, a maioria das pessoas lembra de Dallas, embora não seja nem a capital do estado nem sua maior cidade. Ela fica no nordeste do estado, onde os campos de algodão e os poços de petróleo do leste encontram as terras de extensas pastagens do oeste. Com uma floresta de cintilantes torres de vidro em sua área central, Dallas é o centro comercial e financeiro do estado da "Lone Star" ("Estrela Solitária"), papel que ela desempenha desde seus dias de entroncamento entre as duas principais ferrovias do sudoeste. Essa metrópole de crescimento acelerado dedicada aos negócios tem uma imensa concentração de empresas de tecnologia, corporações e mercados atacadistas. Mal-afamada por ser o local onde o presidente Kennedy foi assassinado, ela é mesmo assim dinâmica, agradável, com muitos museus, restaurantes e locais de cultura.

Dallas é uma cidade esparramada que se funde com a vizinha Fort Worth *(pp. 474-5)*. Nona maior cidade do país, tem um centro agitado, onde ficam as principais atrações para visitantes. Uma grade de 1,5km² de ruas, centrada na Main Street, abriga o principal bairro comercial, que é também onde estão alguns dos melhores museus do Texas. O agitado West End e o moderno Deep Ellum são bairros que ficam em volta do centro. Andar por Dallas é uma alternativa, mas um carro, táxi ou os DART são úteis para aproveitar melhor a visita.

🗼 Reunion Tower
300 Reunion Blvd E. **Tel** (214) 712-7180. ⏰ ligue para obter horários. ⛔ pode fechar para eventos especiais. 🅿 ♿
w reuniontower.com

Situado no lado oeste do centro, esse marco de 50 andares é alçado por uma esfera geodésica que abriga um restaurante giratório chefiado por Wolfgang Puck, um bar e uma área de observação. Embora não seja o prédio mais alto da cidade, honra que cabe à Bank of America Tower, de 72 andares, localizada na Main Street, a Reunion Tower oferece uma inesquecível vista panorâmica de Dallas e de seus subúrbios, e ainda é um dos marcos da cidade.

🏛 Sixth Floor Museum
411 Elm St. **Tel** (214) 747-6660. ⏰ 12h-18h seg, 10h-18h ter-dom. ⛔ Ação de Graças. 🅿 ♿ **w** jfk.org

No extremo oeste do centro de Dallas, esse museu privado recria em detalhes o contexto e os controvertidos eventos do dia 22 de novembro de 1963, quando o presidente Kennedy foi assassinado. Sediada no antigo armazém do qual Lee Harvey Oswald baleou e matou o presidente, a exposição focaliza a vida e a época de Kennedy.

A janela do canto, de onde vieram os tiros, foi reconstruída para ficar como era no dia do assassinato. Uma parte do andar térreo documenta as várias teorias conspiratórias que rebatem a versão oficial sobre o assassinato.

🏙 West End Historic District
Limitado por estradas e trilhos de ferrovias, esse compacto bairro de armazéns centenários foi revitalizado e é hoje o principal centro de diversões da cidade. Tem cafés com mesas na calçada, restaurantes e bares, assim como lojas e butiques. O Dallas World Aquarium abriga exemplares de vida marinha, plantas e animais, e o Old Red Museum apresenta a história da cidade.

🏛 Dallas Museum of Art
1.717 N Harwood St. **Tel** (214) 922-1200. ⏰ 11h-17h ter-dom (até 21h qui). ⛔ 1º jan, Ação de Graças, 25 dez. 🅿 ♿ **w** dma.org

Alojado num moderno e amplo edifício ao norte do centro, esse museu dispõe de uma abrangente coleção que ofere-

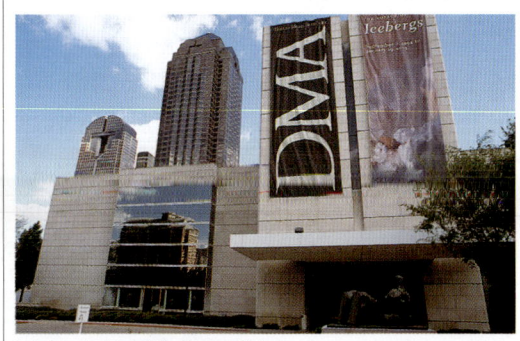

Fachada modernista do Dallas Museum of Art

Veja hotéis e restaurantes dessa região nas pp. 490-1

ce uma ótima visão geral da história da arte. As principais galerias são organizadas por continente. O destaque é a galeria sobre arte das Américas, que mostra tesouros das antigas civilizações maia e inca por meio de pinturas de artistas americanos de porte, como Frederic Church e Thomas Hart Benton, com foco especial na arte do Velho Oeste produzida no Texas. A galeria sobre pintura e escultura europeias traça a evolução da arte a partir de antiguidades da Grécia e de Roma, passa pela Renascença e termina com uma excelente mostra de pinturas modernistas. Está em exibição também a maior coleção do mundo de obras do influente artista holandês Piet Mondrian (1872-1944).

Thanks-Giving Square
Pacific Ave. **Tel** (214) 969-1977.
thanksgiving.org

Um tranquilo oásis no agitado centro, esse pequeno parque está cheio de cascatas, jardins, além de um campanário e uma capela ecumênica. Um pequeno museu conta a história da tradição americana do Dia de Ação de Graças e expressa a gratidão pela vida de inúmeras formas.

Fair Park
First Ave. **Tel** (214) 426-3400.

Esse centro de exposições de 111ha é o local onde se realiza anualmente a Texas State Fair. Ele abriga o famoso jogo de futebol anual do Cotton Bowl, além de muitos concertos e festivais de teatro. Há um aquário, um museu de história natural e outro de história afro-americana. Por fim, destaca-se também no Fair Park o Hall of State, um imenso repositório art déco de exposições que fazem um retrato de todos os aspectos texanos.

Nasher Sculpture Center
2.001 Flora St. **Tel** (214) 242-5100.
11h-17h ter-dom.
nashersculpturecenter.org

O Nasher Sculpture Center oferece um oásis de paz no centro urbano de Dallas. A coleção, de reputação internacional, possui mais de 300 esculturas modernas e contemporâneas, adquiridas por Raymond e Patsy Nasher. Trabalhos de artistas famosos como Joan Miró, Jeff Koons e Anish Kapoor são exibidos nesse elegante edifício de pedra travertina, com teto de vidro. O espaço externo conta com mais esculturas, em uma espécie de jardim, com fontes e árvores.

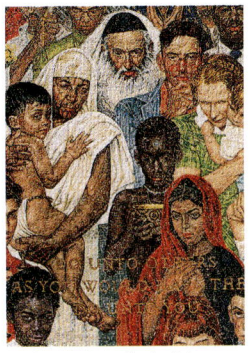

Mural em mosaico na Thanks-Giving Square, no centro

Centro de Dallas
① Reunion Tower
② Sixth Floor Museum
③ West End Historic District
④ Dallas Museum of Art
⑤ Thanks-Giving Square
⑥ Nasher Sculpture Center

Legenda dos símbolos *na orelha da contracapa*

❷ Fort Worth

🚹 1.702.625. ✈ 🚌 Greyhound Lines, 901 Commerce St. ℹ 415 Throckmorton St, (817) 336-8791.
🎪 **Fort Worth Stock Show & Rodeo** (fim jan-início fev); **Main St Fort Worth Arts Festival** (abr). 🌐 **fortworth.com**

Ao contrário da sua vistosa vizinha Dallas, 40km a leste, Fort Worth é menor, mais calma e mais pé no chão. Sob muitos aspectos, é mais fiel às suas raízes texanas. Fundada em 1849 como posto avançado do exército dos EUA, Fort Worth expandiu-se após a Guerra Civil, quando o gado trazido pela Chisholm Trail transformou a cidade num dos maiores mercados pecuaristas do país. Embora a cultura caubói se mostre viva no Stockyards District e no Amon Carter Museum, Fort Worth é também uma capital de "alta" cultura, com alguns dos melhores espaços e organizações para espetáculos de arte do país.

Fort Worth tem três áreas de interesse principais. O centro gira em torno da Sundance Square, que compreende mais de uma dúzia de quadras de edifícios históricos no centro da cidade. Ao norte fica o Stockyards District, onde a cultura do Velho Oeste é forte. Cerca de 3km a oeste, o Fort Worth Cultural District tem alguns dos melhores museus do país. Eles ficam em volta de um marco, o Kimbell Art Museum, que junto com o Amon Carter Museum focaliza os pontos altos das artes europeia e americana. Há mais museus, como o ótimo Modern Art Museum e

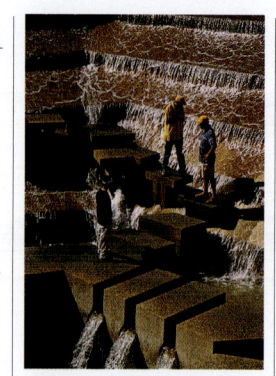

Os Water Gardens, projetados pelo arquiteto Philip Johnson

o Museum of Science and History, que também abriga um planetário.

Embora seja agradável caminhar pelo centro, é essencial contar com um carro para rodar pelo resto da cidade.

🏛 Sundance Square
Tel (817) 255-5700.
Coração do centro de Fort Worth, a Sundance Square relembra em seu nome o passado de Velho Oeste da cidade, quando as manadas trazidas pela Chisholm Trail costumavam atravessar a cidade, e caubóis e foras da lei como Butch Cassidy e Sundance Kid frequentavam os muitos *saloons* da cidade. Cheia de bem-restaurados edifícios comerciais da virada do século XIX para o XX,

Anúncio de roupa Western no Stockyards District

as ruas de pedra de Sundance Square são hoje ocupadas por teatros, lojas e restaurantes. A sinfônica, o balé e a ópera da cidade estão todos ali. Um importante museu nessa área é o **Sid Richardson Collection of Western Art**, na Main Street. Sediado numa réplica de um edifício de 1895, o museu exibe 60 pinturas dos artistas Frederic Remington e Charles M. Russell. Também na Main Street fica o mural *trompe l'oeil* da Chisholm Trail, de Richard Haas.

🌊 Water Gardens
Houston e Commerce Sts.
Tel (817) 392-7111.
Localizado no local do histórico bairro de prostituição e de *saloons* do Velho Oeste de Fort Worth, esse parque de 2ha tem cachoeiras, cascatas, corredeiras e fontes. Construído em concreto e projetado pelo arquiteto Philip Johnson, os Water Gardens proporcionam um alívio muito bem-vindo nos dias quentes de verão.

🏛 Fort Worth Stockyards National Historic District
Tel (817) 624-4741.
🌐 **fortworth stockyards.org**

Com suas ruas de pedra, calçadas de madeira elevadas e luminárias projetadas para parecer a antiga iluminação a gás, essa pequena e sedutora área de dez quadras fica 3km ao norte do centro. Conhecida como Stockyards District, ela cresceu ao longo dos extensos Fort Worth Stockyards, onde todo dia mais de 1 milhão de cabeças de gado eram vendidas e despachadas para mercados do leste dos EUA. Embora os currais tenham deixado de ser comercialmente viáveis há muitos anos, o complexo preserva os velhos recintos de madeira e abriga leilões de gado diários.

Hoje o local dá uma vaga ideia de como era a vida no Texas há um século. Alguns animados *saloons* com temá-

Um dos muitos sallons temáticos do Stockyards District

Veja hotéis e restaurantes dessa região nas pp. 490-1

FORT WORTH | 475

Gado de chifres longos desfila no Stockyards National Historic District

tica caubói e casas noturnas no estilo cabaré, muitas com música ao vivo, também ficam ali. O mais velho e mais bem ambientado deles é o White Elephant Saloon. Também perto ficam o Longhorn Saloon e o **Billy Bob's Texas** *(p. 495)*. Considerada a maior casa noturna do mundo, o Billy Bob's Texas fica num imenso galpão e dispõe de 42 bares. Nas noites de fim de semana também há shows ao vivo de montaria de touros. O bairro tem ainda um pequeno museu e um trem a vapor. Outras atrações são os rodeios de fim de semana e um desfile diário de gado de chifres longos pela Exchange Avenue. Hoje essa é uma área de passeio, onde bares e cafés da moda surgem praticamente todo dia.

Placa do *nightclub* Billy Bob's Texas

Kimbell Art Museum
3.333 Camp Bowie Blvd. **Tel** (817) 332-8451. 10h-17h ter-qui, 12h-20h sex, 10h-17h sáb, 12h-17h dom. 1º jan, 4 jul, Ação de Graças, 25 dez. só nas exposições.
kimbellart.org

Um dos mais inesquecíveis museus e coleções de arte dos EUA, o Kimbell Museum é uma obra-prima de arquitetura, projetado por Louis Kahn em 1971 com uma série de tetos arqueados que parecem flutuar no ar. Os espaços da galeria são banhados por luz natural, o que destaca a variada beleza das diversas coleções, que incluem cerâmica e joalheria maia pré-colombiana, bem como antigos e raros bronzes asiáticos. As pinturas expostas vão de obras-primas do Barroco e do Renascimento, de Rubens, Rembrandt, Tiepolo e Tintoretto, a uma coleção de primeira linha de pinturas pós-impressionistas e dos primórdios do Modernismo, de mestres consagrados como Cézanne, Picasso e outros.

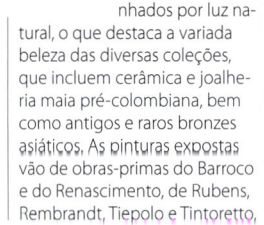

Amon Carter Museum
3.501 Camp Bowie Blvd. **Tel** (817) 738-1933. 10h-17h ter, qua, sex e sáb, 10h-20h qui, 12h-17h dom. 1º jan, 4 jul, Ação de Graças, 25 dez.
cartermuseum.org

Junto com o Kimbell Art Museum do outro lado da rua, o Amon Carter Museum dá suporte ao tão alardeado Cultural District de Fort Worth, que fica 4km a oeste do centro. O Amon Carter Museum concentra-se na arte americana do Velho Oeste, com pinturas, desenhos e esculturas de Thomas Moran, Frederic Remington, Charlie Russell e Georgia O'Keeffe, entre outros. Considerado detentor de uma das principais coleções de *cowboy art*, o Amon Carter Museum também conta com a distinção de possuir a maior biblioteca do mundo, com mais de 100 mil fotos documentando a descoberta, exploração e estabelecimento da fronteira oeste do país.

O Amon Carter Museum, que destaca a *cowboy art*

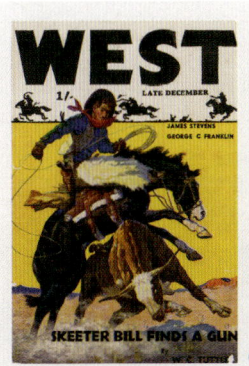

Caubóis

A idealizada imagem do caubói, como retratada nos filmes de faroeste de Hollywood, é bem distante da realidade. Na década de 1880, a demanda de carne no Leste e Meio-Oeste levou à criação das trilhas de gado do Texas, que ligavam as pastagens abertas às ferrovias. A mais famosa era a Chisholm Trail para Abilene, Kansas. Os caubóis cruzavam o país por trilhas cheias de perigos. Esses jovens mal remunerados rodeavam os flancos da manada para evitar que o gado se desgarrasse. Os que iam na retaguarda enfrentavam dificuldades ainda maiores: ataques de índios, engasgar com poeira, jornadas longas e malfeitores. Dessa vida dura emergiu o mito do caubói, celebrado em filmes, na literatura, na música e na moda. O primeiro astro caubói foi Buffalo Bill *(p. 582)*. A partir de então, os papéis de durão vividos por John Wayne e Clint Eastwood moldaram o imaginário popular do caubói e da vida no Velho Oeste.

Capa de revista mostrando um caubói em ação, de 1913

Exterior do Texas State Capitol, em Austin

❸ Austin

🚗 735.000. ✈ 🚆 🚌
ℹ️ 209 E 6th St; (512) 478-0098, (866) 462-8784.
🌐 austintexas.org

A capital do Texas, Austin, é também um movimentado centro de alta tecnologia e sede da principal universidade do estado. No entanto é mais conhecida por abrigar um dos mais vivos cenários musicais do país desde a década de 1960. Músicos tão diversos como Janis Joplin e Willie Nelson ganharam destaque em Austin. O êxodo de músicos de New Orleans depois do furacão Katrina tornou a cena musical na cidade ainda mais vibrante.

Uma amostra do amor dos texanos por tudo o que é grandioso, o **Texas State Capitol**, no coração do centro, é a maior estrutura do tipo nos EUA. Construído em 1888, tem 500 quartos em sua metragem total de 3,5ha de piso. Com seu alto domo de granito cor-de-rosa (92m) dominando o perfil da cidade, o edifício é mais alto que o Capitólio de Washington *(pp. 202-3)*. Na rotunda embaixo do domo, o chão contém os escudos oficiais de seis nações – Espanha, França, México, República do Texas, a Confederação e os EUA –, cujas bandeiras já tremularam sobre o Texas.

Ao norte do complexo do Capitólio, o amplo *campus* da **University of Texas** estende-se a leste a partir da Guadalupe Street. Centrado numa torre-marco, o *campus* tem vários museus e bibliotecas. O novo **Blanton Museum of Art** tem mais de 17 mil obras de arte, da Renascença ao Expressionismo Abstrato, muitas delas doadas pelo romancista James Michener. A **Lyndon Baines Johnson Presidential Library**, no lado nordeste do *campus*, reúne todos os documentos oficiais do texano Johnson (1908-73), que foi senador, vice-presidente e presidente dos EUA depois do assassinato de John F. Kennedy *(p. 472)*. Vídeos narram o Movimento pelos Direitos Civis, a Guerra do Vietnã e outros eventos-chave de sua tumultuada carreira. Uma reprodução em escala 7/8 de seu Escritório Oval é exibida no último andar desse monumental edifício.

Nightclub em Austin

🏛 Texas State Capitol
11th St & Congress Ave. **Tel** (512) 463-0063. ⏰ 7h-22h seg-sex, 9h-20h sáb-dom. ● 1º jan, Páscoa, Ação de Graças, 24-25 dez. ♿

🏛 Blanton Museum of Art
200 E MLK at Congress. **Tel** (512) 471-7324. ⏰ 10h-17h ter-sex (até 19h toda terceira qui do mês), 11h-17h sáb, 13h-17h dom. ● feriados.
🎟 (grátis qui). ♿ 📷 🏪
🌐 blantonmuseum.org

❹ Fredericksburg

🚗 8.400. ℹ️ 302 E Austin St, (830) 997-6523.
🌐 visitfredericksburgtx.com

Uma das mais belas pequenas cidades do Texas, de localização central no ondulante Hill Country que se estende por 64.749km² a oeste de Austin, Fredericksburg foi colonizada por imigrantes alemães em 1846. A forte herança germânica da cidade é mantida viva nos biergartens e edifícios em estilo bávaro, como o reconstruído Vereinskirche (igreja comunitária) no Marktplatz, fora da Main Street.

A cidade também abriga o **National Museum of the Pacific War**, que narra a história das atividades militares dos EUA no Pacífico Sul durante a Segunda Guerra Mundial. O museu fica no Nimitz Hotel, em formato de barco a vapor. Esse hotel foi construído na década de 1850 pela família do almirante dos EUA Chester Nimitz, comandante em chefe das forças americanas, nascido em Fredericksburg. Ele funcionou como hotel até o início da década de 1960 e abriu como museu em 1967. O museu cresceu muito desde então, mas a aparência do antigo hotel foi preservada. O tranquilo Japanese Peace Garden, doado pelo governo japonês, fica nos fundos.

A meio caminho entre Fredericksburg e Austin, a casa de juventude do 36º presidente dos EUA, da era da Guerra do Vietnã,

Tanque exibido no National Museum of the Pacific War, Fredericksburg

Veja hotéis e restaurantes dessa região nas pp. 490-1

foi preservada como o **Lyndon B. Johnson National Historical Park**. Outros aspectos do parque, que inclui locais espalhados pela área dos arredores, são a pequena escola rural de Johnson, o rancho que serviu como sua "Casa Branca no Texas" e seu túmulo.

National Museum of the Pacific War
340 E Main St. **Tel** (830) 997-8600. 9h-17h diariam. Ação de Graças, 25 dez.
w nimitz-museum.org

Lyndon B. Johnson National Historical Park
US 290 in Johnson City. **Tel** (830) 868-7128. 9h-17h diariam. 1º jan, Ação de Graças, 25 dez.
w nps.gov/lyjo

❺ Kerrville

21.000. 2.108 Sidney Baker St, (830) 896-1155. **w** kerrvilletx.com

Uma pitoresca estância e comunidade retirada nas escarpadas colinas acima do rio Guadalupe, Kerrville é uma das maiores cidades do Texas Hill Country. Essa cidade amigável é famosa pelo festival de música folk de 18 dias que ela sedia todo ano no Quiet Valley Ranch, logo ao sul da cidade, e que começa na quinta-feira que antecede o Memorial Day. Embora o festival atraia hoje cantores e fãs do mundo inteiro, ainda preserva a atmosfera familiar e íntima dos primeiros anos.

Outro destaque na cidade é o **Museum of Western Art**, que mostra pinturas e esculturas contemporâneas que retratam a vida de trabalho dos caubóis. As várias galerias do museu exibem desde ilustrações feitas para romances Western a aspectos mais cotidianos da vida dos caubóis. O Folk Festival, no fim de maio, atrai centenas de músicos.

Museum of Western Art
1.550 Bandera Hwy. **Tel** (830) 896-2553. 10h-16h ter-sáb. dom, seg, alguns feriados.
w museumofwesternart.

❻ New Braunfels

28.000. 390 S Seguin St, (800) 572-2626. **w** nbcham.org

Opção popular para quem quer viajar e voltar no mesmo dia partindo de San Antonio *(pp. 478-9)*, New Braunfels foi uma das muitas cidades colonizadas por imigrantes alemães na tumultuada década de 1840, quando o Texas era uma república independente que oferecia terras a colonos anglo-saxões. A herança germânica é visível na arquitetura, cozinha, língua e festas. Há muitos edifícios históricos e restaurados de estilo germânico pela cidade. Mas a influência alemã é mais evidente nas numerosas festas anuais celebradas, como as festas da salsicha e da cerveja e o Polka Festival, todos buscando preservar as raízes germânicas da cidade.

Construído no local que o fundador da cidade, o príncipe alemão Carl of Solms-Braunfels, escolheu para seu castelo (que nunca foi construído), o **Sophienburg Museum and Archives** conta a história da cidade. As mostras exibem artefatos locais e recriações de casas e lojas de pioneiros, como uma antiga padaria, o consultório de um médico e uma farmácia.

Sophienburg Museum and Archives
401 W Coll St. **Tel** (830) 629-1572. 10h-16h ter-sáb. feriados.
w sophienburg.com

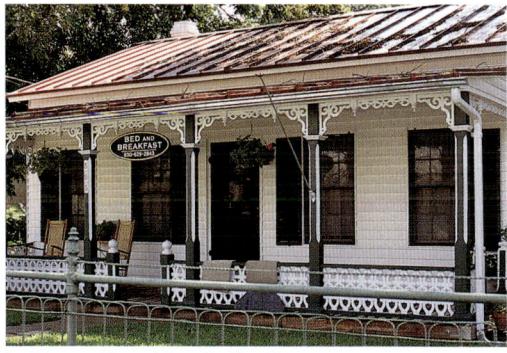

Arquitetura em estilo germânico em New Braunfels

Galeria no interior do Museum of Western Art, de Kerrville, mostrando pinturas e esculturas que exemplificam a vida dos caubóis

❼ San Antonio

Cidade mais histórica do Texas, San Antonio é também a mais popular, tanto por seu crucial papel histórico como por sua beleza natural. Antigo lar dos comanches, esse local à beira do rio chamou a atenção dos missionários espanhóis, que fundaram a Missão San Antonio de Valero em 1718. Mais tarde convertida em posto militar e renomeada como Álamo, foi o local do mais heroico episódio da revolução texana. Predominantemente hispânica e mexicana no caráter, San Antonio equilibra uma economia dinâmica com uma cuidadosa preservação do seu passado. A maioria das atrações históricas fica numa quadra da Riverwalk, no coração da cidade.

O Arneson River Theater

★ Riverwalk (Paseo del Rio)
Esse caminho arborizado ao longo do rio San Antonio foi construído para conter as enchentes durante a era de depressão do New Deal. Hoje um passeio ao ar livre cercado de lojas, Riverwalk é um tranquilo oásis no meio da cidade.

Arneson River Theater

★ La Villita
Foi nessa antiga "pequena vila" do século XIX que os mexicanos oficialmente se renderam à República do Texas. A graciosa vila com casas de pedra e adobe hoje abriga lojas de artesanato e butiques.

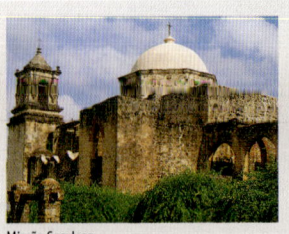

Missions National Historical Park

Esse parque histórico com 331ha preserva quatro missões espanholas de fronteira, que junto com o Álamo formavam o limite norte das colônias norte-americanas da Espanha no século XVIII. Ainda em uso como igrejas paroquiais católicas, as antigas missões de San Jose, San Juan, Espada e Concepcion espalharam-se para o sul a partir do centro de San Antonio, ao longo dos 14km da "Mission Trail". A mais bela do grupo, a Missão San Jose é conhecida pelo intricado entalhe de pedra da sua roseácea ao lado da sacristia.

Missão San Jose

Veja hotéis e restaurantes dessa região nas pp. 490-1

SAN ANTONIO | 479

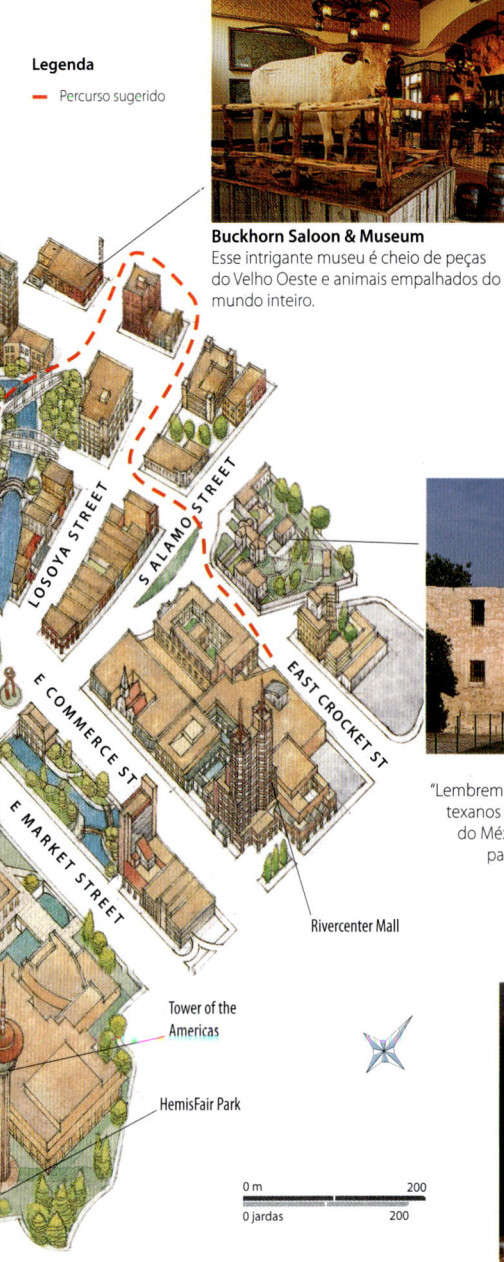

Legenda
— Percurso sugerido

Buckhorn Saloon & Museum
Esse intrigante museu é cheio de peças do Velho Oeste e animais empalhados do mundo inteiro.

PREPARE-SE

Informações Práticas
1.592.000. 317 Alamo Plaza, **Tel** (210) 207-6700.
Riverwalk Mud Festival (jan), Fiesta San Antonio (fim abr).
w visitsanantonio.com
set-mai: 9h-17h30 diariam; jun-ago: 9h-1/h30 dom-qui, 9h-19h sex-sáb. 24, 25 dez.
doações.
The Alamo: 300 Alamo Plaza, **Tel** (210) 225-1391. **w** thealamo.org

Transporte
224 Hoefgren Ave.
Greyhound Lines, 500 N St. Mary's St. **Tel** (210) 223-3226.

LOSOYA STREET
S ALAMO STREET
E COMMERCE ST
EAST CROCKET ST
E MARKET STREET

Rivercenter Mall

Tower of the Americas

HemisFair Park

0 m 200
0 jardas 200

★ **O Álamo**
"Lembrem-se de Álamo" era o grito de batalha dos texanos durante sua guerra pela independência do México (1835-36). A missão secularizada foi palco de um longo e sangrento cerco que ceifou a vida de 189 americanos, pouco antes de nascer a República do Texas.

Institute of Texas Cultures
Na área do HemisFair Park, esse amplo museu trata do passado e do presente de 27 diferentes grupos étnicos e culturais proeminentes no Texas.

❽ Houston

🏙 1.953.000. ✈ 🚌 902 Washington Ave. 🚍 Greyhound Lines, 2.121 S Main St. ℹ 901 Bagby St, (713) 437-5200. 🎉 Houston Livestock Show (fim fev-início mar); Art Car Parade (mai); Thanksgiving Day Parade (nov).
🌐 visithoustontexas.com

Cidade em constante mudança e de grande diversidade, a trajetória de Houston é uma típica história texana de sucesso. Fundada em 1836 no que era então um brejo, a cidade ganhou o nome do herói texano general Samuel Houston (p. 468) e foi capital da República do Texas até 1839. Centro de escoamento de algodão, as fortunas de Houston declinaram após a Guerra Civil, mas ela se desenvolveu e virou um grande porto após a construção de um canal de navegação para o golfo do México. A descoberta de petróleo fez da cidade um grande produtor petroquímico e a tornou a maior cidade do Texas e a quarta maior dos EUA. Tem alguns dos melhores museus de arte do mundo.

Cidade imensa, Houston cresceu até cobrir 1.554km² e hoje é um lugar confuso, que se ressente da falta de planejamento. A ausência de qualquer ordem visual, a frequente mudança nos nomes das ruas, o transporte público deficiente e o tráfego congestionado das estradas pioram as coisas.

Em suma, para ver Houston os visitantes devem estar preparados para dirigir e se perder mais de uma vez. As principais atrações ficam a sudoeste do centro, dentro e em volta do *campus* da Rice University.

Amplos jardins na mansão de Ima Hogg, em Bayou Bend

🏛 Menil Collection
1.533 Sul Ross.
Tel (713) 525-9400. 🕒 11h-19h qua-dom. ⛔ 1º jan, Páscoa, 4 jul, Ação de Graças, 25 dez.
♿ 🌐 menil.org

Uma das melhores junções de pintura e escultura do mundo, essa coleção foi patrocinada pela família do filantropo de Houston Dominque de Menil, falecido em 1997. Fica num edifício de ousada modernidade do arquiteto italiano Renzo Piano. A seção mais extensa é a de pinturas surrealistas, com destaque para Magritte e Max Ernst. O museu tem ainda uma coleção de primeira linha de pinturas cubistas, Picasso e Braque em particular, além de um vasto panorama da pintura americana do século XX, com Jackson Pollock, Jasper Johns, Robert Rauschenberg e Cy Twombly. Galerias separadas exibem arte antiga e medieval do Mediterrâneo. Também estão expostas obras de povos nativos da África, do Pacífico Sul e da região noroeste do Pacífico da América do Norte.

A coleção do museu que cresce mais rapidamente engloba obras modernas e contemporâneas em papel, com nomes como Paul Cézanne, Marlene Dumas, Jasper Johns, Piet Mondrian, Andy Warhol e outros artistas notáveis. O Menil Drawing Institute, que abrigará tais trabalhos, deve abrir em 2017.

A uma curta caminhada para leste do museu principal fica a ecumênica **Rothko Chapel**, um espaço de concreto projetado em torno de uma série de grandes pinturas abstratas em cores escuras do artista americano Mark Rothko. Encomendada pela família Menil e concluída pelo arquiteto Philip Johnson em 1971, a capela fica aberta a partir das 10h e fecha às 18h diariamente.

🏛 Museum of Fine Arts
1.001 Bissonnet St. **Tel** (713) 639-7300. 🕒 10h-17h ter-qua, 10h-21h qui, 10h-19h sex-sáb, 12h15-19h dom. ⛔ 1º jan, Ação de Graças, 25 dez.
📷 ♿ 🌐 mfah.org

O mais antigo museu de arte do Texas, e um dos maiores dos EUA, tem coleções que vão de antiguidades gregas e romanas a esculturas do Velho Oeste, de Frederic Remington. O impactante Beck Building tem arte europeia do fim do século XIX e início do XX, com uma série de obras de Manet, Pissarro, Renoir e outros mestres.

🌳 Bayou Bend
6.003 Memorial Dr com Wescott St.
Tel (713) 639-7750. 🕒 10h-17h ter-sáb, 13h-17h dom. ⛔ 1º jan, Ação de Graças, 25 dez. 📷 ♿

Os maiores jardins públicos de Houston ficam em volta da mansão em estuque rosa da herdeira do petróleo Ima Hogg

O Memorial Park, aos pés da cidade de Houston

Veja hotéis e restaurantes dessa região nas pp. 490-1

HOUSTON | 481

Luzes de néon no agitado Montrose District

(1882-1975), que se tornou uma das maiores benfeitoras de Houston. Essa rica filantropa ficou famosa como patrocinadora das artes, mas também era intensamente preocupada com o bem-estar da cidade. Hoje gerida pelo Museum of Fine Arts, sua casa exibe uma coleção de artes decorativas, com destaque para um açucareiro feito pelo herói colonial Paul Revere *(p. 148)*, e 5 mil peças de mobília, cerâmicas e tecidos. Também há retratos feitos pelos antigos artistas americanos John Singleton Copley e Charles Willson Peale.

Montrose District

"Montrose" é o nome pelo qual ficou conhecido esse agitado local de galerias, lojas, casas noturnas, cafés e restaurantes com um sabor de contracultura que fica ao longo da Montrose Street no cruzamento com a Westheimer Road. Afastado dos grandes shoppings e do bairro de negócios do centro, Montrose District é um dos poucos locais de Houston onde dá para andar a pé. Fica cheio nas noites de fim de semana.

Space Center Houston

1.601 Nasa Pkwy. **Tel** (281) 244-2100. 10h-17h seg-sex, 10h-19h sáb e dom. 25 dez.
W spacecenter.org

Junto ao Johnson Space Center, missão de controle das explorações espaciais tripuladas dos EUA desde 1965, essa atração narra toda a história da corrida espacial. Peças que podem ser tocadas agradam aos visitantes mais jovens e permitem que eles usem capacetes espaciais, toquem rochas lunares ou espiem dentro de naves espaciais, como as dos programas Mercury, Gemini e Apollo. Simulações de computador deixam o visitante pilotar um ônibus espacial ou pousar na Lua. Também há exposições temporárias. Mas a principal atração do Space Center é a visita pelas instalações ainda em uso da missão de controle, de onde as históricas missões de ida e volta à Lua foram controladas.

San Jacinto Battleground

Hwy 134, 34km SE do centro. **Tel** (281) 479-2431. 9h-18h diariam.

Vários quilômetros das vastas planícies do Texas podem ser vistos do pé desse monumento de 184m, considerado um dos mais altos do mundo. Ele assinala o local da batalha final pela independência da República do Texas em 1836. O esguio eixo tem no topo uma "Estrela Solitária". Na base há um museu sobre a história e a cultura do estado, e uma sala que exibe projeções de slides.

Torre San Jacinto

Centro de Houston

① Menil Collection
② Museum of Fine Arts
③ Bayou Bend
④ Montrose District

Legenda dos símbolos *na orelha da contracapa*

Pântano com ciprestes na Big Thicket National Preserve

❾ Big Thicket National Preserve

Cruzamento da US 69 com a Hwy 420, 7 milhas (11km) N de Kountze. **Tel** (409) 951-6700. 9h-17h diariam.
w nps.gov/bith

Mantendo uma combinação única de montanhas, planícies, brejos e florestas, a Big Thicket National Preserve protege quinze áreas biológicas diferentes (nove unidades de terra e seis corredores de água), abrangendo 393km² na fronteira Texas-Louisiana.

Embora boa parte da reserva seja relativamente inacessível, a área serviu de esconderijo para escravos fugidos e bandidos. Hoje é mais conhecida por abrigar uma vasta coleção de plantas e animais. Uma série de trilhas curtas para caminhadas permitem ver de perto densos bosques de carvalhos, cactos, plantas insetívoras e milhões de mosquitos.

❿ Galveston

60.000. ✈ 🚌 **i** 2.328 Broadway. ((888) 425-4753. **w** galveston.com

Embora bem menor que outras cidades do Texas, Galveston rivaliza com elas em importância histórica e interesse. Originalmente um sabido esconderijo do pirata Jean Lafitte *(p. 348)*, comerciante de escravos da Costa do Golfo, Galveston foi arrasada pelas forças dos EUA em 1821. Mas, por volta de 1890, o porto havia crescido e Galveston havia se tornado a maior e mais rica cidade do Texas. A economia logo declinou após um devastador furacão em 1900, que matou 6 mil pessoas. A subsequente ascensão de Houston também contribuiu para o declínio.

Muitas das grandes mansões e fachadas de lojas do século XIX foram restauradas, recuperando a beleza original. Vários edifícios de projeto exuberante desse período sobrevivem no Strand National Historic Landmark District, junto ao rio. O **Ashton Villa** é um deles, que hoje abriga um dos Galveston Island Visitor Centers.

Considerada uma das melhores estâncias do estado no golfo do México, a charmosa cidade oferece mais de 48km de belas praias de areia. Os visitantes podem também aproveitar a diversão familiar dos **Moody Gardens**, com seu parque aquático, uma pirâmide florestal de dez andares que cria um incrível ambiente tropical e uma série de grandes aquários que mostram a vida dos oceanos do mundo.

Ashton Villa
2.328 Broadway. **Tel** (409) 765-7834. ligue para obter informações sobre visitas e eventos especiais.

Moody Gardens
1 Hope Blvd. **Tel** (800) 582-4673. abr-out: 10h-20h diariam; nov-mar: 10h-18h diariam. 25 dez.
w moodygardens.com

⓫ Aransas National Wildlife Refuge

Hwy 239. 105km NE de Corpus Christi. **Tel** (361) 286-3559. amanhecer-anoitecer. Ação de Graças, 25 dez.
w fws.gov/refuge/aransas

Enquanto quem gosta de sol vai para as praias da Costa do Golfo no inverno, pássaros e observadores de pássaros reúnem-se mais para o interior no Aransas National Wildlife Refuge (283km²). Criado em 1937 para proteger a vida selvagem em extinção na costa do Texas, Aransas abriga hoje jacarés, tatus, javalis, coiotes, gamos e outras espécies selvagens. Os mais famosos visitantes do local são os grous em extinção, as aves nativas mais altas da América do Norte. Com 1,5m de altura, corpo branco, asas de ponta preta

Observação de pássaros em Aransas

Estufa em forma de pirâmide no Moody Gardens, Galveston

Veja hotéis e restaurantes dessa região nas pp. 490-1

Padre Island National Seashore – local de férias muito procurado

e cabeça vermelha, os grous migram para lá do Canadá de novembro a março, fazendo dos brejos de água salgada seu terreno alimentar de inverno.

Cercado de brejos que oscilam com a maré e cortado por longas e estreitas lagoas, Aransas é um terreno mutante que ainda está sendo moldado pelas águas azul-turquesa da baía de San Antonio e pelas tormentas do golfo do México. Pastos verdes, carvalhos e matagais de baía vermelhos que cobrem o solo arenoso criam um cenário de fundo espetacular.

⓬ Corpus Christi

380.000. ✈ 🚌 ℹ 1.823 N Chaparral, (800) 766-2322.
W visitcorpuschristitx.org

O fato de ser o porto comercial mais fundo do Texas e a forte projeção militar dos EUA tem feito de Corpus Christi uma das cidades que mais crescem no estado. Sua importância militar é indicada pelo famoso porta-aviões de 277m de comprimento, o USS *Lexington*, ancorado ao longo dos 3km da orla do centro. Ao sul, o **Texas State Aquarium** mostra a vida marinha do golfo do México com baleias, arraias, tubarões e recriações de recifes similares aos que crescem em volta dos muitos equipamentos de petróleo offshore do golfo. Lontras-de-rio do Texas e a tartaruga marinha de Kemp's Ridley também vivem ali. Do outro lado do porto de "Corpus", como os moradores chamam a cidade, fica o **Mustang Island State Park**, onde 8km de praia de areia se estendem pelo golfo do México. No extremo norte do parque, modernos resorts aviltam o cenário natural, ofuscando a histórica comunidade de Port Aransas, na ponta norte da ilha.

Texas State Aquarium
2.710 N Shoreline Blvd. **Tel** (361) 881-1200. 9h-17h diariam (até 18h, Memorial Day e Labor Day). Ação de Graças, 25 dez.
W texasstateaquarium.org

⓭ Padre Island National Seashore

ℹ Malaquite Visitor Center, (361) 949-8068. **W** nps.gov/pais

Limitado por dois hotéis de turistas nas suas pontas sul e norte, Padre Island é uma estreita faixa de areia que se estende por mais de 177km entre Corpus Christi e a fronteira mexicana. Os 105km centrais têm sido preservados como a Padre Island National Seashore, que, com poucas estradas e nenhum desenvolvimento comercial, está entre as mais longas extensões selvagens de litoral do país. O parque fica aberto o ano inteiro para acampar, fazer passeios pela praia, surfar, nadar, fazer caminhadas, pescar e outras atividades. Coiotes e outros animais selvagens nativos ainda vagam pelo coração da ilha.

Esse é um dos mais populares pontos de férias do país. Ele recebe em média 800 mil visitantes por ano, especialmente durante o chamado Spring Break, quando universitários dos climas mais frios da parte norte do Meio Oeste vão para lá para relaxar e se divertir. South Padre Island marca o extremo sul da costa do Golfo do Texas.

Barcos a vela na orla de Corpus Christi

Republic of the Rio Grande Museum, na San Augustin Plaza, em Laredo

⓮ Laredo

200.000. 501 San Augustin St, (800) 361-3360.
w visitlaredo.com

Localizada na margem norte do legendário rio Grande (ou rio Bravo, como é conhecido no México), Laredo é muitas vezes chamada de "Portal do México". Ela opera duas pontes internacionais para o México e é portanto um dos principais portos dos EUA para entrar no México.

Localizado ao norte do rio Grande, o centro original de Laredo foi bem preservado em torno da histórica San Augustin Plaza. Nele, o intrigante **Republic of the Rio Grande Museum** está alojado num edifício que já foi a sede da efêmera república independente que em 1840 incluía o sul do Texas e os três estados mais ao norte do México. O museu descreve o papel de Laredo sob seis diferentes bandeiras nacionais.

Republic of the Rio Grande Museum
1.005 Zaragoza St. **Tel** (956) 727-3840.
9h-16h ter-sáb. feriados.

⓯ Rio Grande Valley

FM 1.015 Expressway 83, Welasco, (956) 968-2102.

Estendendo-se ao longo do rio Grande por 322km entre Laredo e o golfo do México, o Rio Grande Valley é um dinâmico corredor de comunidades agrícolas, comerciais e de retiro, misturadas numa geografia complicada. Ligadas pela US 83 de leste a oeste, que fica cada vez mais congestionada conforme se aproxima do golfo, o vale tem aspecto muito diferente do resto do Texas, graças em parte ao clima temperado, suavizado por brisas úmidas. Inúmeras tendas de beira de estrada vendem cestas de *grapefruits* e pencas de *red chili peppers* (pimenta-vermelha), enquanto comboios de caminhões se atravancam nos armazéns e fábricas dos dois lados do rio.

A história da região, do banditismo de fronteira ao comércio bilateral, é contada com exposições permanentes e móveis no **Harlingen Arts and Heritage**, enquanto numerosos parques tentam proteger a variada herança natural da região. O **Sabal Palm Audubon Sanctuary**, com 212ha, preserva a última extensão da densa palmeira Sabal nativa, que outrora guarnecia a margem do rio.

Harlingen Arts and Heritage Museum
2.425 Boxwood e Raintree Sts, Harlingen. **Tel** (956) 216-4901. 10h-16h ter-sáb, 13h-16h dom. marcar hora.

Sabal Palm Audubon Sanctuary
International Blvd, 10km SE de Brownsville. **Tel** (956) 541-8034.
7h-17h diariam. 1º jan, Ação de Graças, 25 dez.

⓰ Big Bend National Park

Panther Junction, (432) 477-2251.
w nps.gov/bibe

Um dos mais selvagens e isolados recantos dos EUA, esse parque diferente cobre 324.154ha do sudoeste do Texas. O nome "Big Bend" vem da curva de 90 graus feita pelo rio Grande em seu caminho para o golfo do México pela rocha vulcânica das montanhas de San Vicente e da Sierra del Carmen. Indo dos 457m de profundidade dos cânions ao longo do rio Grande até as Chisos Mountains cobertas de pinheiros, Big Bend oferece uma experiência completa dos rios, montanhas, cânions e desertos que definem o Sudoeste americano. Esses contrastes de topografia criaram uma diver-

Formações rochosas fascinantes no Big Bend National Park

Veja hotéis e restaurantes dessa região nas pp. 490-1

TEXAS | 485

sidade única de hábitats de plantas e animais. Coiotes, javalis e *roadrunners* vagueiam livres entre flores silvestres de primavera e cactos.

⓱ Fort Davis
600. Town Square, (432) 426-3015. ftdavis.com

Situado nas belas Davis Mountains a 1.494m de altitude, Fort Davis é um local procurado por aqueles que buscam se refugiar de um típico verão texano. Local-chave durante as Guerras Indígenas do século XIX, foi fundado originalmente em 1854 como um forte do exército dos EUA junto à estrada principal entre El Paso e San Antonio (pp. 478-9). Hoje é preservado como **Fort Davis National Historic Site**. No verão, guias vestidos a caráter ajudam os visitantes em passeios autoguiados por algumas das instalações restauradas do local.

A altitude da área e seu isolamento das grandes cidades também fez dele um ótimo local para pesquisa astronômica. Localizado no topo do Mount Locke (2.070m) e 27km a noroeste da cidade, o **McDonald Observatory** dá aos visitantes a oportunidade de ver estrelas e planetas. O espectroscópio Hobby-Eberle tem um espelho de 1.092cm, o maior do mundo.

Fort Davis National Historic Site
Hwy 17. **Tel** (432) 426-3224.
8h-17h diariam. feriados.
nps.gov/foda

McDonald Observatory
Hwy 118. **Tel** (432) 426-3640. 10h-17h30 diariam (ligue para horário da noite). 1º jan, Ação de Graças, 25 dez. mcdonaldobservatory.org

Guia vestido como um soldado de cavalaria de 1880, em Fort Davis

⓲ El Paso
722.000. 1 Civic Center Plaza, (915) 534-0600. visitelpaso.com

Situado na margem norte do rio Grande, num dos pontos naturais mais seguros do rio, El Paso há tempos faz parte da maior e mais dinâmica comunidade internacional ao longo da fronteira EUA-México. Em 1598 o explorador espanhol Juan de Onate cruzou o rio vindo do México e deu ao lugar o nome de "El Paso del Rio del Norte". Levou mais 80 anos para que a cidade fosse fundada com três missões católicas em Ysleta, Socorro e San Elizario. Ainda operantes, as missões estão entre as comunidades mais antigas do Texas. A história do curso varia do do rio Grande e da fronteira internacional, até que um canal de concreto foi construído em 1963, é detalhada num museu no **Chamizal National Memorial**, um parque de 22ha no lado americano. Por fora, uma trilha para caminhar de 2,9km circunda o parque.

A missão católica Ysleta, em El Paso

Chamizal National Memorial
800 S San Marcial St. **Tel** (915) 532-7273. Exposições: 10h-17h ter-sáb. Área externa: 5h-22h diariam. 10h-ter, qua. 1º jan, Ação de Graças, 25 dez. nps.gov/cham

---

Visitando o México

Uma curta caminhada pela "International Bridge" a partir da San Augustin Plaza, em Laredo, leva os visitantes até a típica cidade mexicana de fronteira de Nuevo Laredo. O passeio dá uma melhor visão da interdependência desses dois países muito diferentes, mas cada vez mais semelhantes. São tantos os aspectos culturais compartilhados que, pelo menos nas áreas de fronteira, as diferenças entre EUA e México ressaltam menos que as semelhanças. Graças à "mexicanização" do lado americano, onde mais de 80% da população é latina, comida, música e língua são em grande parte as mesmas. Nuevo Laredo, Juarez e outras cidades mexicanas são bem maiores e mais dinâmicas do que suas correlativas americanas, com muitas lojas, restaurantes e bares oferecendo o sabor do México. Já ao longo dos mais de 1.600km de fronteira, dezenas de pequenas cidades e povoados menos agitados permitem ao visitante provar um taco e se embeber do clima *south-of-the-border*. Para cidadãos dos EUA, cruzar a fronteira requer uma prova de identidade e cidadania. Mas para não cidadãos é vital confirmar sua condição legal e garantir que irão voltar para os EUA. Para todos os viajantes, é mais fácil e rápido cruzar a fronteira a pé.

A International Bridge, que cruza o rio até Nuevo Laredo, no México

El Capitan, nas Guadalupe Mountains

⓳ Guadalupe Mountains National Park

ℹ US 62/180, (915) 828-3251.
🌐 nps.gov/gumo

Região quase sem estradas na fronteira Texas-Novo México, esse parque tem 34.398ha de montes escarpados que abrigam o maior recife fóssil de calcário permiano do mundo, El Capitan, e o pico Guadalupe (2.667m), ponto mais alto do Texas. Formado com parte do mesmo calcário pré-histórico do Carlsbad Caverns National Park *(p. 552)*, perto delas (e mais popular), as Guadalupe Mountains oferecem picos soberbos, vistas espetaculares, flora e fauna incomuns e um vívido registro do passado.

Uma curta trilha a partir do centro de visitantes leva às ruínas de um muro e de alicerces de pedra de uma antiga estação de diligências da fronteira. Ela foi erguida como parte da **Butterfield Trail**, primeira via de acesso entre St. Louis e a Califórnia em 1858.

Poucos quilômetros a nordeste do centro de visitantes, uma floresta de árvores de madeira de lei segue a trilha do **McKittrick Canyon**. Trata-se da mais famosa atração do parque: a espetacular folhagem vermelha e laranja de outubro e novembro. As trilhas para caminhadas entre as paredes do cânion que abrigam uma corredeira também são muito populares.

⓴ Lubbock

🏙 258.000.
ℹ 1500 Broadway, (806) 747-5232.
🌐 visitlubbock.org

Lar de 30 mil estudantes loucos por esporte da Texas Tech University, Lubbock é uma cidade de ranchos de gado e culturas de algodão que talvez seja mais conhecida por seus frutos musicais. Músicos locais como Roy Orbison, Joe Ely, Waylon Jennings e Tanya Tucker são lembrados no **Buddy Holly Center**, um Hall da Fama musical em forma de guitarra que tem o nome do filho dileto da cidade, Charles Hardin Holley. Uma estátua de Buddy Holly, um dos maiores ícones do rock, ergue-se na junção da 8th Street com a Avenue Q.

Outros aspectos da história de Lubbock são mostrados no **Ranching Heritage Center**, da Texas Tech University, uma reunião ao ar livre de estruturas históricas de todas as partes do Texas. Nele há mais de 30 ranchos originais, de cabanas de caubói a majestosas mansões de capatazes.

🏛 Buddy Holly Center
1.801 Crickets Ave. **Tel** (806) 775-3560.
🕙 10h-17h ter-sáb, 13h-17h dom.
⊗ 1º jan, Páscoa, 4 jul, Ação de Graças, 25 dez.
🌐 buddyhollycenter.org

🏛 Ranching Heritage Center
3.121 4th St. **Tel** (806) 742-2498.
🕙 10h-17h seg-sáb, 13h-17h dom.
⊗ 1º jan, Ação de Graças, 24-25 dez.
🌐 nrhc.ttu.edu

㉑ Canyon

🏙 13.000. ℹ 1.518 5th Ave, (806) 655-7815.

Tomando seu nome emprestado da bela geologia do Palo Duro Canyon, nas proximidades, essa cidade de dimensões médias do Texas é também sede do maior e mais conhecido museu histórico do estado. O **Panhandle-Plains Historical Museum**, sediado num majestoso complexo de 1930 no *campus* da West Texas A&M University, abriga cerca de 3 milhões de peças que contam a história do centro-norte do Texas. Pontas de flecha de sílex da pedreira Alibates, ao norte de Amarillo, enfatizam a cultura do povo pré-histórico da região, enquanto a geologia e a paleontologia se reúnem em exposições que exploram dinossauros e sua relação com o principal produto da região, o petróleo.
A história de outra grande tradição do Texas, a criação de gado, é explorada por meio

---

Buddy Holly (1936-59)

Cantor, instrumentista e compositor, Buddy Holly foi um dos primeiros grandes artistas do rock'n'roll. Influenciado pelo blues e pela música country local, começou a cantar em grupos country quando fazia o colegial. Nos anos 1950, Holly tocava em pequenos clubes do Sudoeste. Atraído cada vez mais para o rock, a exemplo de Elvis Presley, ele gravou tanto sozinho como liderando a banda Crickets. O estilo enérgico do grupo, combinando elementos da música country com uma forte base rítmica, aliado ao singular estilo vocal soluçado de Holly, logo o levou ao sucesso. Canções como "Maybe Baby" e o hit-solo de Holly "Peggy Sue" tornaram-se grandes sucessos. A fenomenal carreira de Holly teve um fim súbito em 1959, quando ele morreu num desastre de avião em Iowa.

Estátua de Buddy Holly em Lubbock

Veja hotéis e restaurantes dessa região nas pp. 490-1

A beleza do Palo Duro Canyon, o "Grand Canyon do Texas"

da vida do rancheiro do Velho Oeste Charles Goodnight, que foi dono de um rancho de 202.344ha e depois liderou a luta para salvar o bisão nativo da extinção. Sua casa está hoje preservada na agradável "Pioneer Town", localizada atrás do museu.

Cerca de 20km a leste da cidade, o **Palo Duro Canyon State Park** protege a profunda garganta de arenito vermelho e amarelo de 97km de extensão, conhecida como "Grand Canyon do Texas". Vários trajetos panorâmicos e trilhas de caminhadas entre a beira e o chão do cânion oferecem vistas de raridades geológicas, como a "Lighthouse", uma pedra de 91m de altura. Palo Duro tem ainda uma variada flora e fauna. No verão, um dos rochedos do cânion de 183m serve de cenário para a apresentação do desfile *Texas*, uma peça popular na história do estado.

Panhandle-Plains Historical Museum
2.503 4th Ave. **Tel** (806) 651-2244. jun-ago: 9h-18h seg-sáb; set-mai: 9h-17h ter-sáb. 1º jan, Ação de Graças, 24-25 dez **panhandleplains.org**

Palo Duro Canyon State Park
Hwy 217. **Tel** (806) 488-2227. 8h-18h diariam (fecha mais tarde mar-nov). **tpwd.state.tx.us/state-parks/palo-duro-canyon**

㉒ Amarillo
185.000. 1.000 S Polk St, (800) 692-1338. **visitamarillotx.com**

Principal núcleo comercial da região de Panhandle e centro-chave para a agricultura e para os setores de petróleo, gás natural e energia nuclear, Amarillo foi fundada em 1887 junto à Ferrovia Santa Fe. A cidade cresceu graças à sua localização ao longo da lendária Route 66 *(p. 50)*. A estrada foi imortalizada no **Cadillac Ranch**, uma obra de arte pop criada a partir de dez clássicos automóveis Cadillac com a frente enterrada numa pastagem a oeste do centro. Outra experiência típica do Texas é o **Amarillo Livestock Auction**, onde caubóis de nossos dias compram e vendem seu gado.

Cadillac Ranch
Lado sul da I-40 entre as saídas de Hope Rd e Arnot Rd. 24 horas.

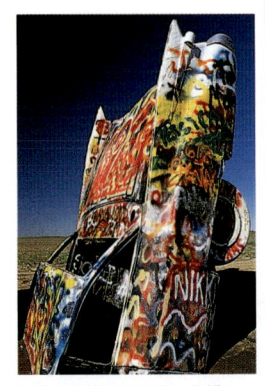

Cadillac pintado e enterrado no Cadillac Ranch, Amarillo

㉓ Abilene
116.000. 1.101 N 1st St, (325) 676-2556. **abilenevisitors.com**

Batizada com o nome da famosa cidade do Velho Oeste do Kansas, Abilene começou como posto de fronteira e virou uma comunidade estável. Chamada de "Fivela da Cinta da Bíblia" graças às suas muitas escolas católicas, frequentadas por 8 mil estudantes, Abilene tem seu passado contado na **Buffalo Gap Historical Village**, 23km a sudoeste do centro. Fundada em 1878, Buffalo Gap tem mais de uma dúzia de edifícios antigos, como um tribunal, uma estação de trem e uma escola. Entre as peças em exposição há artefatos indígenas e uma coleção de armas da fronteira.

Buffalo Gap Historical Village
133 William St. **Tel** (325) 572-3365. 10h-17h seg-sáb, 12h-17h dom (até 18h jun-ago). Ação de Graças, 25 dez. **buffalogap.com**

Caubói no Buffalo Gap Historical Village, em Abilene

Informações Úteis

Num estado imenso como o Texas, é muito útil que a informação aos viajantes seja prontamente acessível. Imagens de petróleo e ranchos de gado vêm logo à mente e, embora isso seja válido para a maior parte do estado, o Texas tem muita variedade a oferecer. Estendendo-se por quase 1.300km de leste a oeste, o estado oferece tudo, de rios, florestas e pradarias a planícies varridas pelo vento e belas praias. Grandes e dinâmicas cidades como Dallas e Houston contrastam com o charme tímido da capital, Austin, de exuberantes parques à beira do rio e com a histórica San Antonio, com sua cultura predominantemente hispânica.

Informação Turística

Ao longo das principais rodovias do Texas há "Welcome Centers" (Centros de Boas-vindas) operados pela **Travel Division** do Texas Department of Transportation. Abertos das 8h às 17h todo dia, eles dão toda informação turística, inclusive sobre condições do tempo e das estradas, atrações e acomodações. O Texas publica ainda a revista Texas Monthly, com relatos de viagem e fotografias das maravilhas do estado.

A maioria dos aeroportos tem guichês de informações, e nas grandes cidades há Centros de Visitantes ou Câmaras de Comércio orientadas para o turista.

Perigos Naturais

O Texas tem a sua cota de acidentes naturais. No inverno, nevascas bloqueiam as estradas e empacam os motoristas; na primavera, chuvas torrenciais, que vêm junto com tornados e grandes tempestades, inundam cidades ao longo de ribeirões e rios. Os acidentes mais perigosos são os furacões, que podem atingir a Costa do Golfo de junho a dezembro. Os ventos dos furacões alcançam velocidades de 121 a 241km/h, ou mais, porém, mais perigosos ainda que os fortes ventos são as altas ondas de tempestade, que podem causar graves enchentes ao longo dos rios e baías da costa. Felizmente, há sofisticados sistemas de alarme para dar aos visitantes tempo de sobra para saírem dos locais perigosos. As estações de rádio e tevê transmitem informes sobre tempestades e avisos para evacuação.

Como Circular

O transporte público é quase desprezível nesse estado, embora umas poucas linhas **Greyhound** cubram algumas grandes cidades. Uma única linha **Amtrak** também percorre a parte sul do estado. Existe uma excelente rede de aeroportos em todo o estado, e muitos visitantes voam entre as grandes cidades e lá alugam um carro para conhecer a região.

Dirigir é essencial no Texas e o baixo preço do combustível torna o carro uma opção cômoda e barata. Exige-se cinto de segurança para o motorista e passageiros de todas as idades. Assentos infantis são obrigatórios para crianças com 8 anos ou menos, a menos que a criança tenha 1,45m de altura. Motociclistas com menos de 21 anos de idade devem usar capacete, e os caronas com mais de 21 anos devem provar que têm seguro saúde para andar sem capacete. Há radares nas estradas.

Os limites de velocidade para veículos variam no Texas, com um máximo estadual de 70mph (113km/h) permitido nas Interstate Highways durante as horas diurnas.

Eventos e Festas

Uma das melhores maneiras de sentir o sabor do Texas é participar de um dos inúmeros eventos e festas do estado. No início do ano, a limpeza anual do Riverwalk Canal em San Antonio abre o Mud Week, um festival de artes e diversão que dura dez dias. Em março, Austin sedia o festival de música popular South by Southwest.

A estação de festas deslancha no verão, começando no fim de maio com o **Kerrville Folk Festival**, de prestígio nacional. Há muitas outras festas, feiras e eventos locais em todo o estado, culminando na grande **Texas State Fair**, uma das maiores feiras estaduais do país, realizada em outubro no imenso Fair Park de Dallas. Além dos feriados nacionais, o Texas celebra o Confederate Heroes Day (19 jan), o Emancipation Day (19 jun) e o Aniversário de Lyndon Johnson (27 ago).

O Clima do Texas

Apesar de o clima ser em geral suave, ele varia muito nesse vasto estado. A primavera é ideal para viajar: os dias são frios e as flores silvestres estão florindo. O verão costuma ser muito quente e úmido, com fortes chuvas que podem causar inundações ao longo de rios e áreas mais baixas. Outubro também é bom para viajar, com temperaturas suaves e céu claro. No inverno, descem nevascas das Grandes Planícies e furacões atingem a Costa do Golfo.

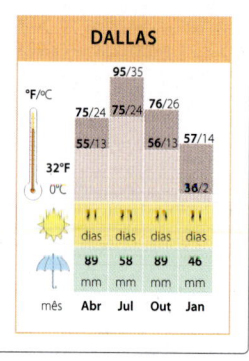

DALLAS

mês	Abr	Jul	Out	Jan
°F/°C máx	75/24	95/35	76/26	57/14
°F/°C mín	55/13	75/24	56/13	36/2
dias	11	11	11	11
mm	89	58	89	46

Esportes

Primavera no Texas é sinônimo de beisebol, jogado em diversas categorias por todo o estado. Os representantes do beisebol na Premier League são o Houston Astros e o Texas Rangers. Ambos jogam em estádios belíssimos, embora os Astros não jogue mais no Astrodome – que já foi o maior espaço coberto do mundo. Mas os ingressos para os jogos da primeira divisão podem ser caros e difíceis de conseguir. Seja como for, pode-se ter uma melhor noção do jogo e da sua importância para o Texas assistindo a uma partida da Texas League, que talvez não seja tão boa, mas costuma ser mais divertida. É disputada em pequenos campos diante de um público animado, com equipes como **San Antonio Missions**.

Na passagem do verão para o outono, começa a temporada de futebol americano. A divisão universitária é animada por intensas rivalidades estaduais, como entre a University of Texas e a Texas A&M University. Na National Football League (NFL) de nível profissional, o orgulho do Texas são os Dallas Cowboys, que se autoproclamam o "America's Team". O Ano-Novo começa em Dallas com o Cotton Bowl, um jogo de futebol entre duas das melhores universidades do país.

O inverno é também a estação do basquete, e disputam-se partidas em todas as categorias por todo o estado. Na National Basketball Association, de nível profissional, o Texas tem os Houston Rockets, os Dallas Mavericks e os San Antonio Spurs.

Atividades ao Ar Livre

Os visitantes podem participar de uma série de atividades ao ar livre por todo o Texas. De golfe a pesca, de rafting a ciclismo, o Texas tem sempre alguma coisa a oferecer, para todos os níveis e habilidades. Há campos de golfe em todo o estado, a maioria aberta ao público. A pesca, em vários lagos de água-doce e no golfo do México, é regulamentada pelo **Texas Parks Department**. O rafting pelo rio Grande através do **Big Bend National Park** atrai gente do mundo todo, por isso é bom reservar com certa antecedência. Pedalar também é uma atividade popular, e é fácil alugar bicicletas, capacetes e outros acessórios em lojas na maioria das cidades do Texas.

Diversão

Situado no agitado Stockyard District de Fort Worth, o **Billy Bob's**, maior cabaré do mundo, é apenas uma das centenas de casas noturnas e locais de espetáculos desse estado que adora música. Pode-se também ouvir música refinada graças às muitas orquestras do Texas. Fort Worth tem um dos melhores locais para música, o **Bass Performance Hall**, sede da sinfônica, ópera e balé da cidade.

Compras

Visitantes que queiram trazer para casa um suvenir do Texas devem experimentar as botas de caubói. Lojas de roupa *western* por todo estado com certeza têm o par perfeito, mas alguns visitantes podem querer aproveitar os descontos oferecidos próximo à fonte, no **Tony Lama Boots**, de El Paso, um dos maiores e mais famosos fabricantes de botas do país. Para artigos mais finos, a imbatível **Neiman-Marcus** é uma das mais exclusivas lojas de departamentos do país, fundada em Dallas e que ainda tem loja no centro. O imposto de vendas no Texas é de 6,25%. Algumas cidades e condados podem impor uma taxa adicional de 2%.

AGENDA

Informação Turística

Travel Division
Centro de Visitantes do Texas:
w traveltex.com
Condições das Estradas:
Tel (800) 452-9292.
w drivetexas.org

Perigos Naturais

National Hurricane Center
w nhc.noaa.gov

Como Circular

Amtrak
Tel (800) 872-7245.

Greyhound
Tel (800) 231-2222.

Eventos e Festas Anuais

Kerrville Folk Festival
w kerrville-music.com

Texas State Fair
w bigtex.com

Esportes

Dallas Cowboys
Tel (972) 556-9900.

Dallas Mavericks
Tel (214) 747-6287.

El Paso Chihuahuas
Tel (915) 533-2273.

Houston Astros
Tel (713) 259-8000.

Houston Rockets
Tel (713) 627-3865.

San Antonio Missions
Tel (210) 675-7275.

San Antonio Spurs
Tel (210) 554-7787.

Texas Rangers
Tel (817) 273-5100.

Atividades ao Ar Livre

Big Bend National Park
Tel (432) 477-2251.

Texas Parks Department
Tel (512) 389-4800.

Diversão

Bass Performance Hall
525 Commerce St, Fort Worth.
Tel (817) 212-4200.

Billy Bob's
Texas Rodeo Plaza, Fort Worth.
Tel (817) 624-7117.

Compras

Neiman-Marcus
1618 Main St, Dallas.
Tel (214) 741-6911.
w neimanmarcus.com

Tony Lama Boots
7156 E Gateway, El Paso.
Tel (915) 772-4327.

Onde Ficar

AUSTIN: Austin Motel $
Econômico
1220 S Congress Ave, 78704
Tel *(512) 441-1157*
w austinmotel.com
Esse motel pertence à mesma família desde 1938. A piscina no estilo dos anos 1950 faz sucesso com artistas e músicos que circulam pela badalada avenida South Congress.

Destaque

AUSTIN: Driskill Hotel $$$
Luxuoso
604 Brazos St, 78701
Tel *(512) 474-5911*
w driskillhotel.com
Esse hotel histórico foi construído em 1886 como um dos caprichos de um famoso barão da pecuária. Os quartos, belos e confortáveis, garantem roupas de cama luxuosas, roupões felpudos e instalações de alto nível. Pisos de mármore, colunas de três andares e cúpula com vitral proporcionam mais opulência ao ambiente. A boa localização no centro da cidade permite ir a pé a várias atrações. Uma opção excelente.

AUSTIN: Hotel San Jose $$$
Hotel-butique
1316 S Congress, 78704
Tel *(512) 852-2350*
w sanjosehotel.com
Construído em 1939 para funcionar como um "motel ultramoderno", esse hotel urbano em estilo de bangalô é muito tranquilo. Oferece quartos minimalistas e suítes luxuosas.

BIG BEND NATIONAL PARK: Chisos Mountains Lodge $
Econômico
Basin Rural Station, 79834
Tel *(432) 477-2292*
w chisosmountainslodge.com
A única opção de hospedagem no Big Bend National Park oferece quartos confortáveis na bacia das montanhas Chisos.

DALLAS: Corinthian Bed & Breakfast $$
B&B
1125 Junius St, 75216
Tel *(214) 818-0400*
w corinthianbandb.com
Essa casa antiga no Peak-Suburban Historic District oferece conforto, uma atmosfera convidativa e entorno tranquilo. Não é distante do centro da cidade.

O hotel de luxo Tremont House ocupa um edifício histórico em Galveston

DALLAS: The Magnolia $$
Histórico
1401 Commerce St, 75201
Tel *(214) 915-6500*
w magnoliahoteldallas.com
Hotel descolado no famoso edifício Magnolia Petroleum Company, de 1922, no centro da cidade. Espaçosos, os quartos exibem decoração de época.

DALLAS: Rosewood Mansion on Turtle Creek $$$
Luxuoso
2821 Turtle Creek Blvd, 75219
Tel *(214) 559-2100*
w rosewoodhotels.com
Nesse hotel chique, na mansão palaciana que pertenceu ao magnata do algodão Sheppard King, os quartos são grandes e têm banheiros elegantes de mármore e sacadas privativas.

EL PASO: Camino Real Hotel $
Histórico
101 S El Paso St, 79901
Tel *(915) 534-3000*
w caminoreal.com
Esse marco de 1912 prima pela imponência – ostenta uma escadaria magnífica, detalhes em mármore italiano e uma estupenda cúpula de vidro de Tiffany.

FORT WORTH: Stockyards Hotel $$$
Histórico
109 E Exchange Ave, 76164
Tel *(817) 625-6427*
w stockyardshotel.com
Situado no Stockyards National Historic District, esse hotel apresenta quartos com móveis do Oeste, obras de arte, antiguidades e instalações modernas.

Categorias de Preço
Diária de um quarto padrão para duas pessoas, na alta temporada, com taxas de serviço e impostos.

$	até US$150
$$	US$150-US$250
$$$	acima de US$250

FREDERICKSBURG: Inn on Barons Creek $$
B&B
308 South Washington St, 78624
Tel *(830) 990-9202*
w innonbaronscreek.com
Essa opção acolhedora no Texas Hill Country tem quartos e suítes bem equipadas. O café da manhã é cortesia. Há spa e aparelhos de ginástica.

GALVESTON: Tremont House $$$
Luxuoso
2300 Ship's Mechanic Row, 77550
Tel *(409) 763-0300*
w wyndham.com
Em um edifício vitoriano de 1879 no Strand Historic District, esse hotel apresenta móveis de época, elevadores de porta pantográfica e terraço na cobertura.

HOUSTON: Hilton Americas $$
Econômico
1600 Lamar, 77010
Tel *(713) 739-8000*
w hilton.com
Duas pontes elevadas ligam esse complexo ecológico ao centro de convenções da cidade. Próximo às atrações em *downtown*.

HOUSTON: Hotel ZaZa $$$
Hotel-butique
5701 Main St, 77005
Tel *(713) 526-1991*
w hotelzaza.com
Próximo ao Museum of Fine Arts, esse hotel em um edifício histórico tem quartos excelentes.

SAN ANTONIO: Best Western Plus Sunset Suites $
Econômico
1103 E Commerce St, 78205
Tel *(210) 223-4400*
w bestwesternsunsetsuites.com
Suítes com tarifas acessíveis ocupam um belo edifício da virada do século XX, próximo ao Álamo e ao Riverwalk.

SAN ANTONIO: Menger Hotel $$
Histórico
204 Alamo Plaza, 78205
Tel *(210) 223-4361*
w mengerhotel.com
Construído em 1859 ao lado do Álamo, o Menger oferece quartos modernos e confortáveis. Tem um saguão vitoriano fantástico.

Mais informações sobre hotéis *nas pp. 26-7*

Onde Comer e Beber

AUSTIN: Chuy's $
Tex-mex
1728 Barton Springs Rd, 78704
Tel *(512) 474-4452*
Esse restaurante de uma rede de Austin serve comida tex-mex barata. Saboreie porções fartas de enchiladas, nachos e tacos acompanhadas de saborosos chilis verdes Hatch. Fãs de Elvis vão adorar as homenagens.

AUSTIN: Salt Lick BBQ $
Churrascaria
18300 FM 1826, Driftwood, 78619
Tel *(512) 858-4959*
Churrascaria lendária que serve peito bovino, costela, linguiça, peru e frango preparados em uma grelha aberta. Há grande variedade de guarnições.

AUSTIN: Threadgill's $
Sulista
6416 N Lamar Blvd, 78752
Tel *(512) 451-5440*
Essa casa dos anos 1930 serve comida de *diner* americano com um toque texano. Bagre e frango fritos e torta de pecã são boas escolhas. Observe as placas de néon e as antiguidades.

AUSTIN: Uchi $$$
Japonesa
801 S Lamar Blvd, 78704
Tel *(512) 916-4808*
Em uma casa antiga reformada, serve excelente cozinha japonesa contemporânea. Ingredientes locais são combinados com frutos do mar do mundo inteiro.

DALLAS: El Fenix $
Tex-mex
1601 McKinney Ave, 75202
Tel *(214) 747-1121*
Informal e barato, o El Fenix foi fundado em 1918. As porções bem servidas de fajitas, burritos e enchiladas são as favoritas da casa. Ambiente acolhedor.

Destaque

DALLAS: Sonny Bryan's Smokehouse $
Churrascaria
2202 Inwood Rd, 75235
Tel *(214) 357-7120*
Essa rede serve o lendário churrasco do Texas desde 1910. As carnes defumadas, acompanhadas de molhos saborosos, são formidáveis. A carne de peito tradicional é um sucesso. Carne de porco desfiada, costelas e linguiças também são boas.

DALLAS:
Mansion Restaurant $$$
Americana moderna/Francesa
2821 Turtle Creek Blvd, 75219
Tel *(214) 443-4747*
Na histórica Sheppard King Mansion, esse restaurante americano moderno tem influências francesas. O Chef's Room é para refeições formais.

EL PASO: Café Central $$
Americana moderna
109 N Oregon St, 79901
Tel *(915) 545-2233*   **Fecha** *dom*
Esse restaurante elegante serve cozinha sazonal com um toque do Sudoeste. Há opções como sopa de chili verde, atum ahi e torta de "mango colada".

FORT WORTH:
Cattlemen's Steak House $$
Churrascaria
2458 N Main St, 76164
Tel *(817) 624-3945*
Filés grelhados suculentos são o destaque da Cattlemen's. Peça lombinho, filé de costela ou chuleta. Há também frango, camarão e lagosta.

HOUSTON: Torchy's Tacos $
Tex-mex
2411 S Shepherd Dr, 77019
Tel *(713) 595-8226*
Famoso entre o público local pelos tacos saborosos. O menu criativo inclui queso e tacos crocantes com charque de frango, abacate frito e salmão enegrecido.

HOUSTON: Américas $$$
Latino-americana
2040 W Gray St, TX 77019
Tel *(832) 200-1492*
Esse lugar fino com toques rústicos oferece culinária latina vibrante, incluindo ceviche e carnes grelhadas.

Categorias de Preço
Por pessoa, para uma refeição composta de três pratos e uma taça de vinho da casa, mais taxas.

$	até US$35
$$	US$35–US$70
$$$	acima de US$70

HOUSTON: Underbelly $$$
Americana moderna
1100 Westheimer Rd, 77006
Tel *(713) 528-9800*   **Fecha** *dom*
Estabelecimento chique com interpretações criativas de receitas da cozinha sulista. O menu muda a cada semana e inclui frutos do mar e carnes como de cabra ou de boi preparadas pelo açougue interno. Há um bar de vinhos.

SAN ANTONIO: Chris Madrid's $
Hambúrguer
1900 Blanco Rd, 78212
Tel *(210) 735-3552*   **Fecha** *dom*
Essa cantina serve hambúrgueres enormes, nachos, cervejas geladas e mais. O apreciado hambúrguer tostada leva queijo, feijão, fritas e vinagrete.

SAN ANTONIO: Boudros $$
Americana moderna
421 E Commerce St, 78205
Tel *(210) 224-8484*
Esse restaurante no Riverwalk serve carne do Texas, frutos do mar do golfo e produtos do Hill Country. Prove a costela enegrecida e o atum marinado.

SAN ANTONIO: Mi Tierra Café & Bakery $$
Mexicana
218 Produce Row, 78207
Tel *(210) 225-1262*
O lendário Mi Tierra se destaca pela decoração festiva e pelas margaritas e fajitas. A padaria interna prepara uma ampla variedade de doces.

Vinhos expostos no salão do Underbelly, em Houston

Mais informações sobre restaurantes *nas pp. 28-9*

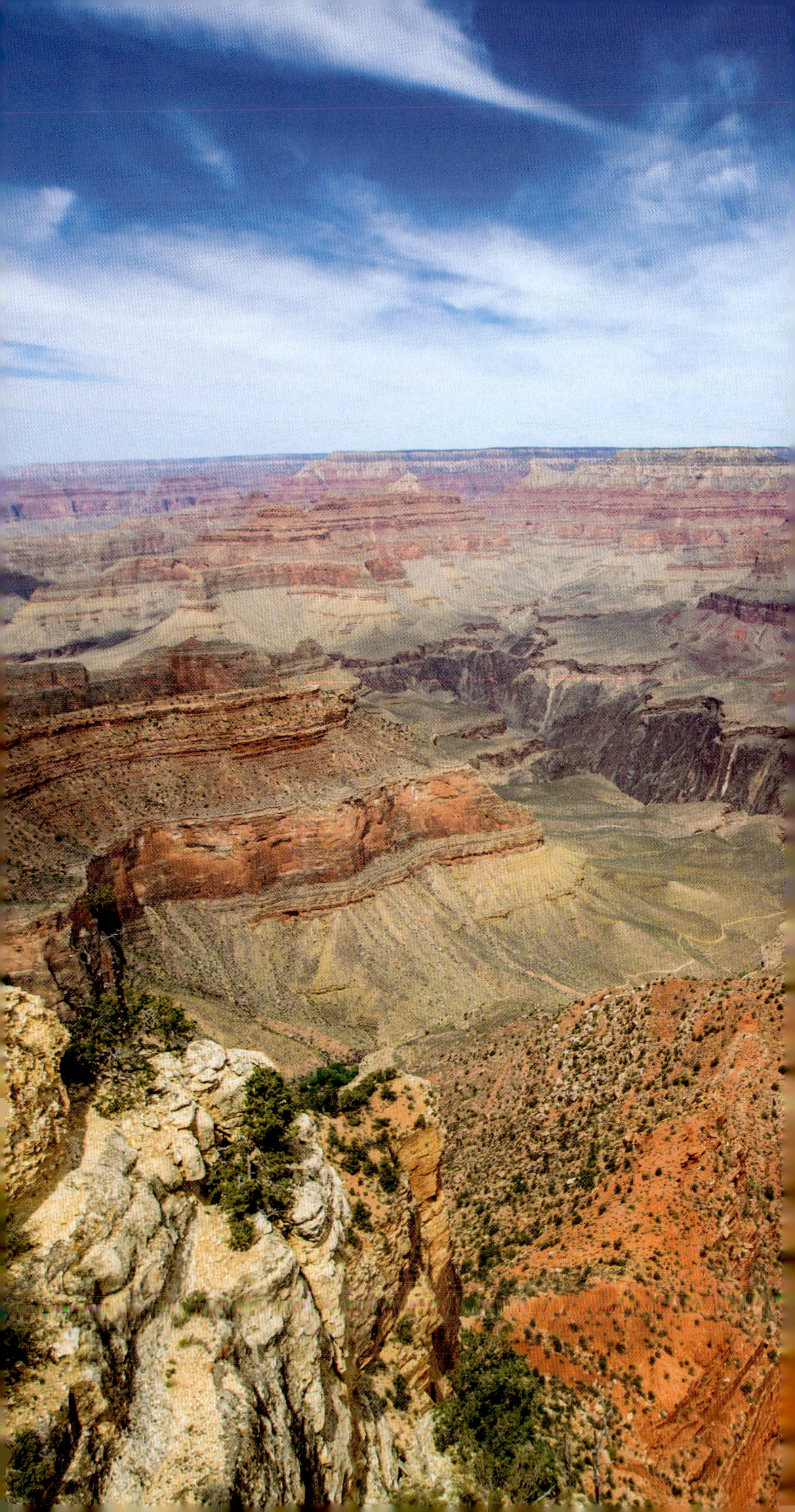

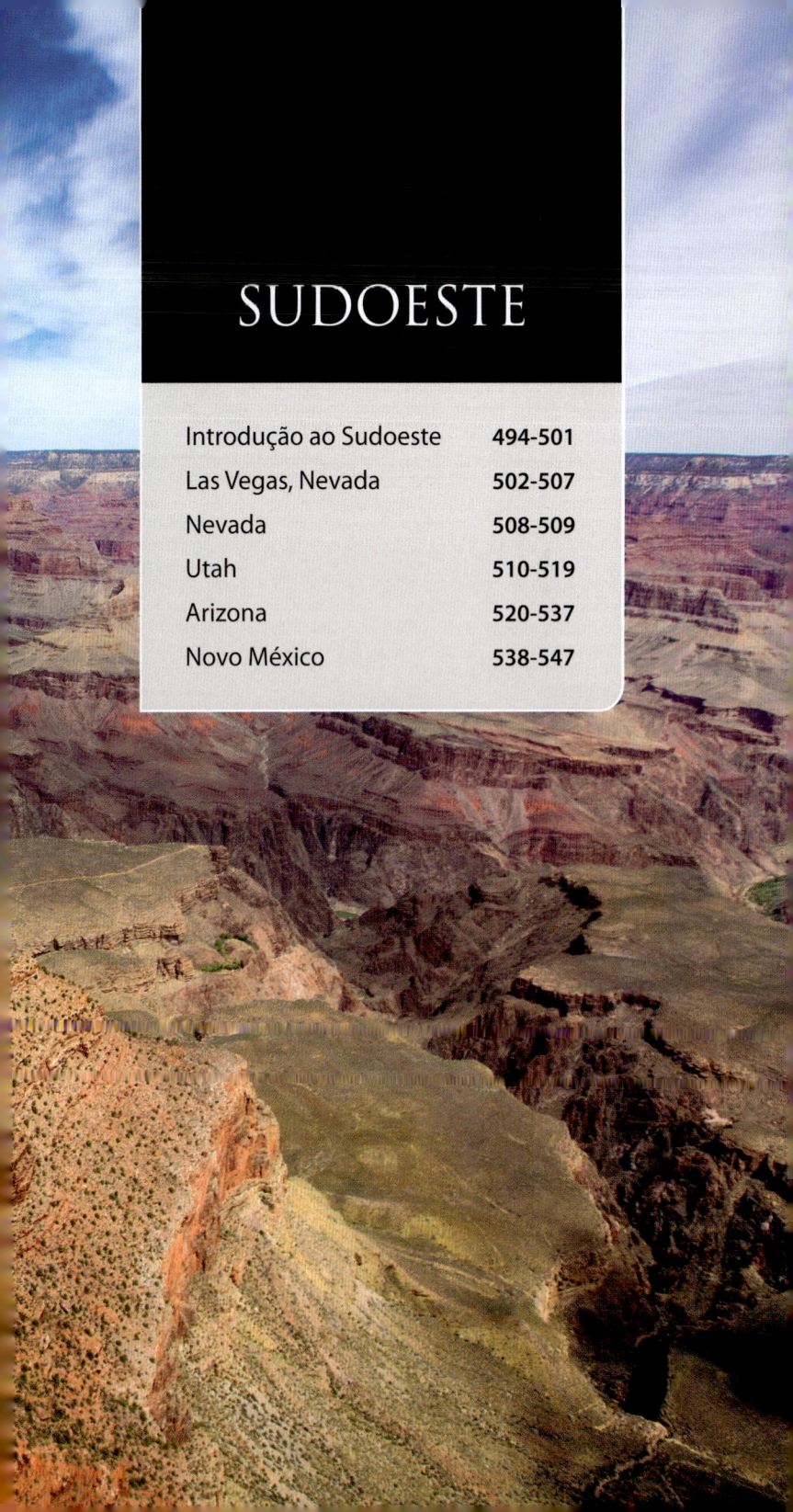

SUDOESTE

Introdução ao Sudoeste	494-501
Las Vegas, Nevada	502-507
Nevada	508-509
Utah	510-519
Arizona	520-537
Novo México	538-547

Sudoeste em Destaque

O sudoeste dos Estados Unidos é formado pelos estados de Nevada, Utah, Arizona e Novo México, e inclui a área dos Four Corners (Quatro Cantos), único lugar do país em que quatro estados – partes de Utah, Arizona, Novo México e Colorado – se encontram num ponto central. A região tem paisagens espetaculares, dominadas por desertos, profundos cânions e planaltos. Também fascinante é a herança multicultural, influenciada por indígenas americanos, hispânicos e colonos anglo-americanos. Hoje essa região oferece aos visitantes muitas atrações, a maioria delas nas cidades de Phoenix, Tucson, Albuquerque, Santa Fe e Las Vegas.

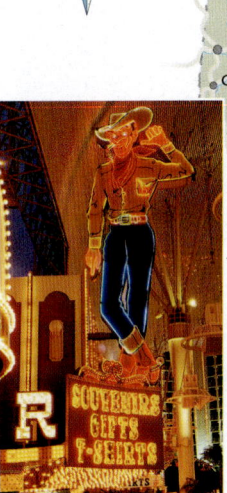

Cesta hopi feita de folhas de salgueiro ou iuca

Las Vegas (pp. 502-7), em Nevada, atrai mais de 39 milhões de visitantes por ano. As atrações são os fantásticos hotéis e cassinos, com suas promessas de milhões de dólares em prêmios.

O **Grand Canyon** (pp. 530-3), no Arizona, é o segundo parque nacional mais visitado do país. No entanto, é apenas uma das muitas maravilhas naturais num estado conhecido por suas paisagens incríveis de desertos, colinas e férteis campinas.

◄ A extraordinária paisagem do Grand Canyon, no Arizona

INTRODUÇÃO AO SUDOESTE | 495

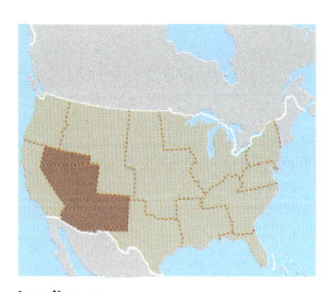

Cactos e pimentas secas numa loja de flores em Tucson

Localize-se

O Arches National Park *(pp. 512-3)* é apenas uma das muitas maravilhas geológicas de Utah, estado com a maior concentração de parques nacionais do país. A paisagem dramática e inóspita de Utah tornou-se também a base mundana e espiritual dos mórmons. Salt Lake City, a capital do estado, fica a noroeste do parque.

O Novo Mexico *(pp. 538-47)* é um dos destinos mais populares do Sudoeste. Suas paisagens e a rica herança cultural têm seduzido gerações de artistas, que fizeram de Santa Fe e Taos vibrantes centros criativos. Albuquerque, a maior cidade, tem excelentes museus.

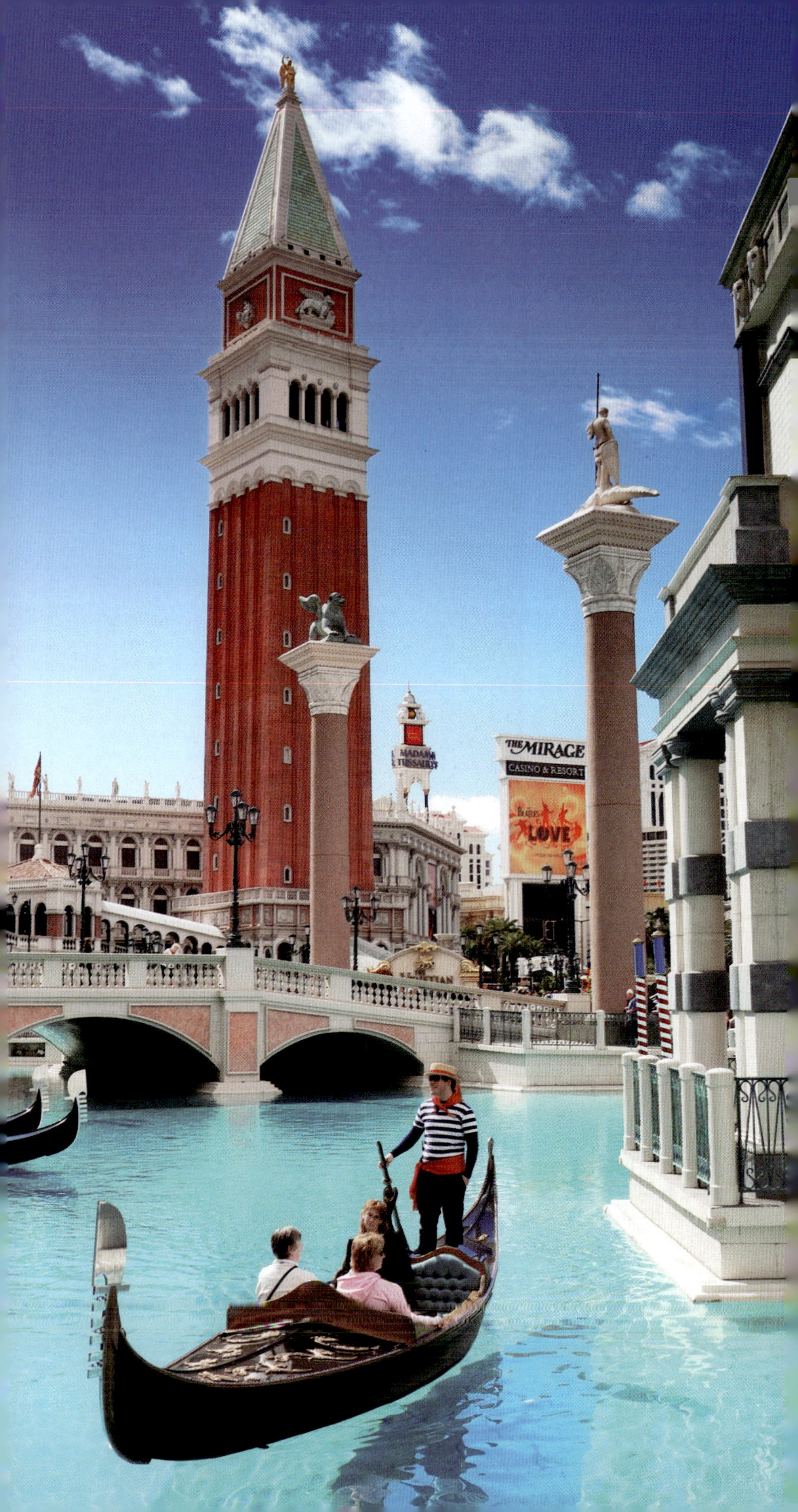
THE MIRAGE
CASINO & RESORT
LOVE

SUDOESTE

Destacando-se por sua paisagem singular, o Sudoeste é uma terra de cânions sinuosos, desertos com cactos e montanhas escarpadas. Por mais de 15 mil anos, a região foi habitada por indígenas americanos, mas por volta do século XX as tradições anglo-americanas se misturaram às dos hispânicos e dos povos nativos criando a herança multicultural da região.

Os estados de Nevada, Utah, Arizona e Novo México compõem o Sudoeste dos EUA. A imagem que se tem da região é influenciada pelas paisagens – os planaltos de areia vermelha do Monument Valley, os altos cactos saguaro do deserto de Sonora no Arizona, as espantosas dimensões do Grand Canyon e a arquitetura de adobe do Novo México. No centro da região fica seu aspecto geológico definidor – o Planalto do Colorado –, formação de rocha a mais de 3.660m acima do nível do mar, com uma área de 337 mil km^2. Esse planalto foi criado pelas mesmas elevações geológicas que formaram as Montanhas Rochosas. A subsequente erosão pelo vento, água e areia moldou tanto a rocha dura como a branda para formar mesas, cânions e montanhas. Muitas dessas maravilhas naturais foram preservadas como parques naturais.

A principal cidade da região, Las Vegas, é sinônimo de *glamour* e diversão desde que Nevada legalizou o jogo em 1931. Mobster Bugsy Siegel abriu o primeiro hotel de luxo, o Flamingo, em 1946, e logo proliferaram os cassinos. Grandes nomes do mundo do espetáculo, como Frank Sinatra e Elvis Presley, além do excêntrico milionário Howard Hughes, contribuíram para a imagem de Las Vegas como cidade de diversão e limusines, coristas e estilos de vida fulgurantes. Essa cidade de mega-hotéis e cassinos também é popular por suas capelas de casamento, onde mais de 100 mil pessoas se casam por ano.

História

O primeiro povo indígena do Sudoeste foi uma sociedade de caçadores que habitou a região entre 10.000 e 8.000 a.C. A introdução de novas técnicas agrícolas e plantios, especialmente o milho do México, produziu o assentamento de comunidades agrícolas em cerca de 800 a.C. Por volta de 500 d.C. uma sociedade agrária já estava estabelecida e grandes povoados ou pueblos começaram a se desenvolver. Em 700 d.C. as três principais culturas da região eram os hohokam, os mogollon e os pueblos ancestrais. Esses construíram elaboradas moradias que cresceram até virar

Deserto pontuado por artemísias, em Monument Valley, Arizona

◀ Turistas fazem um passeio de gôndola pelo Venetian Resort Hotel Casino, em Las Vegas, Nevada

grandes cidades como Chaco Canyon. No entanto, nos séculos XII e XIII, esses assentamentos foram misteriosamente abandonados. Acredita-se que os povos migraram para as colônias de índios pueblos ao longo do Rio Grande Valley e no noroeste do Novo México, onde seus descendentes ainda vivem. No século XV vieram os navajos, caçadores, e os impetuosos guerreiros apaches do Canadá.

Antiga tigela de cerâmica

No século XVI, a busca de riquezas pelos espanhóis, em especial o ouro, levou à fundação de uma colônia permanente chamada Novo México, que incluía os atuais estados do Novo México e do Arizona, além de partes do Colorado, Utah, Nevada e Califórnia. Quando o México se declarou independente da Espanha em 1821, foi aberto o caminho para comerciantes anglo-americanos. Os primeiros anglos (povos europeus não hispânicos) no Sudoeste eram "mountain men", ou caçadores de peles, que ajudaram a abrir as trilhas de comércio para oeste. Com a criação das trilhas da Velha Espanha e de Santa Fe, essa remota região ficou acessível. A vigorosa expansão do governo dos EUA levou ao conflito com o México, e a região virou parte dos EUA em 1848. Logo os colonos passaram a confiscar terras indígenas, e mais de 8 mil navajos foram obrigados à "Longa Caminhada" até uma reserva no Novo México em 1864. O resentimento contra os anglos levou às Guerras Indígenas, que terminaram com a rendição do chefe apache Jerônimo em 1886.

Ao mesmo tempo, ricos filões de ouro, prata e cobre foram descobertos no Arizona, e campos de mineração como Bisbee e Tombstone tornaram-se cidades em grande expansão. Esse era o Velho Oeste de mineradores, caubóis e foras da lei célebres, como Billy the Kid, cujas façanhas fazem parte do folclore americano.

Sociedade e Cultura

O Sudoeste é um cruzamento de três grandes culturas que moldaram a América – indígenas, hispânicos e anglo-americanos. A língua espanhola sobressai, não apenas no bilíngue Novo México, mas também no Arizona. Também são faladas várias línguas de nativos americanos, refletindo a bem mais longa história dos habitantes nativos da região. Os ancestrais dos hopi e de outros povos pueblos remontam aos povos pueblos ancestrais, enquanto os navajos ocupam a maior reserva do país, que se estende ao longo do extremo norte tanto do Arizona como do Novo México. Os apaches e muitas outras tribos também têm terras na região. Hoje, as populações nativas participam do governo de suas próprias terras, e muitas diversificaram seus interesses comerciais a fim de poder regenerar sua economia e estão envolvidos no turismo, em cassinos e na produção de cerâmica e tapetes. Várias religiões coexistem no Sudoeste. A mais visível é o catolicismo, introduzido no século XVI pelos colonizadores espanhóis. Hoje é a principal religião, embora também existam várias denomi-

PRINCIPAIS DATAS HISTÓRICAS

800 a.C. O milho é levado do México à região
800 d.C. Construção do Chaco Canyon
1400 Migrações de navajos e apaches
1540-2 Francisco Vasquez de Coronado lidera a procura de ouro no Novo México
1610 Nasce Santa Fe, capital do Novo México
1680 Revolta dos pueblos contra os espanhóis
1821 Abertura da Santa Fe Trail
1848 Tratado de Guadalupe-Hidalgo cede o território mexicano aos EUA
1868 Fundação de reserva navajo na região de Four Corners
1869 Chegada da ferrovia
1912 O Novo México e o Arizona tornam-se os 47º e 48º estados dos EUA
1931-6 Represa de Hoover é criada no Arizona
1945 Teste da primeira bomba atômica no Novo México
1974 O Central Arizona Project começa a extrair água do rio Colorado
1996 O presidente Clinton assina o Acordo navajo-hopi para a disputa de terra
2000 Incêndios florestais devastam grandes áreas do norte do Novo México e do Arizona
2009 Trecho de 4 milhas (7km) da Las Vegas Boulevard é declarado National Scenic Byway

Um típico tapete navajo

nações protestantes. No Utah, porém, predominam os mórmons. As crenças dos indígenas americanos são complexas e cada tribo tem sua prática.

Um dos mais famosos atributos da região é a qualidade da luz encontrada nas colinas do norte do Novo México. As pinturas de Georgia O'Keeffe de paisagens locais na década de 1940 ajudaram a transformar a área em torno de Santa Fe numa meca para artistas. Hoje a cidade tem o segundo maior comércio de arte do país depois de Nova York. A pequena Taos, cidade turística, também é famosa pelos pintores e escultores que moram lá. Além de Phoenix, Santa Fe, Tucson e Albuquerque também oferecem grandes produções de ópera, balé, música erudita e teatro. A Phoenix Symphony e a New Mexico Symphony Orchestra, sediadas em Albuquerque, são conhecidas por seus concertos, e pode-se ouvir jazz e música country em quase todas as grandes cidades.

Placa na Route 66

Economia e Turismo

Hoje, Novo México e Arizona são o quinto e o sexto maiores estados do país. Embora a população da região esteja crescendo, ela continua sendo uma das menores dos Estados Unidos. As cidades de Phoenix, Tucson, Santa Fe e Albuquerque respondem por cerca de 60 por cento da população da região. Essa intensa urbanização colocou tremenda pressão nos recursos da região, particularmente a água, que virou uma das questões mais prementes do Sudoeste.

O legado das duas guerras mundiais alterou o curso da economia da região. Na década de 1940, a área deserta de Los Alamos, no Novo México, escassamente povoada e remota, foi escolhida como local do altamente secreto Manhattan Project, que desenvolveu a primeira bomba atômica. Desde então, a região tem sido um grande centro de pesquisa da defesa nacional e de desenvolvimento da tecnologia de armas nucleares, assim como de pesquisa para viagens espaciais, tendo os governos estadual e federal como principais empregadores. Hoje, outros projetos de pesquisa, incluindo os de biotecnologia, como o Projeto Genoma (que mapeia todos os genes humanos) e de tecnologia de computação, atraem cientistas para o Sudoeste.

O turismo é outro dos grandes empregadores da região. Imensas áreas selvagens e o clima quente tornam o lazer ao ar livre popular no Sudoeste. Seus parques nacionais, fundados no início do século XX, atraem cada vez mais turistas. Também há muitas trilhas para caminhadas, rios para prática de rafting, lagos para esportes aquáticos, estações de esqui e alguns dos melhores campos de golfe do país. Uma das melhores maneiras de conhecer a paisagem é passear pelas trilhas, e os caubóis de poltrona podem assistir ao grande evento do Sudoeste – o rodeio.

O Sudoeste é também um estado de espírito, não apenas uma região geográfica. As atrações da paisagem e um sentido romântico do passado permitem resgatar as lendas do "Velho Oeste". Para muitos visitantes, o sudoeste oferece a oportunidade de entrar em contato com seu lado caubói.

Andar a cavalo, um passatempo popular no deserto de Sonora, perto de Tucson, no Arizona

Como Explorar o Sudoeste

Os quatro estados do Sudoeste abrigam muitas maravilhas naturais, como o Grand Canyon e o Monument Valley, no Arizona, e o Zion National Park, em Utah. Além das paisagens, há os povoados pueblo ao longo do Rio Grande, no Novo México, e o brilho de Las Vegas, a cidade que mais cresce em Nevada. Acima de tudo, a região traz à mente imagens do Velho Oeste, como retratadas por Hollywood e preservadas pelos mitos em torno de velhas cidades de mineração, como Bisbee e Tombstone.

Grinalda de pimentas, Santa Fe

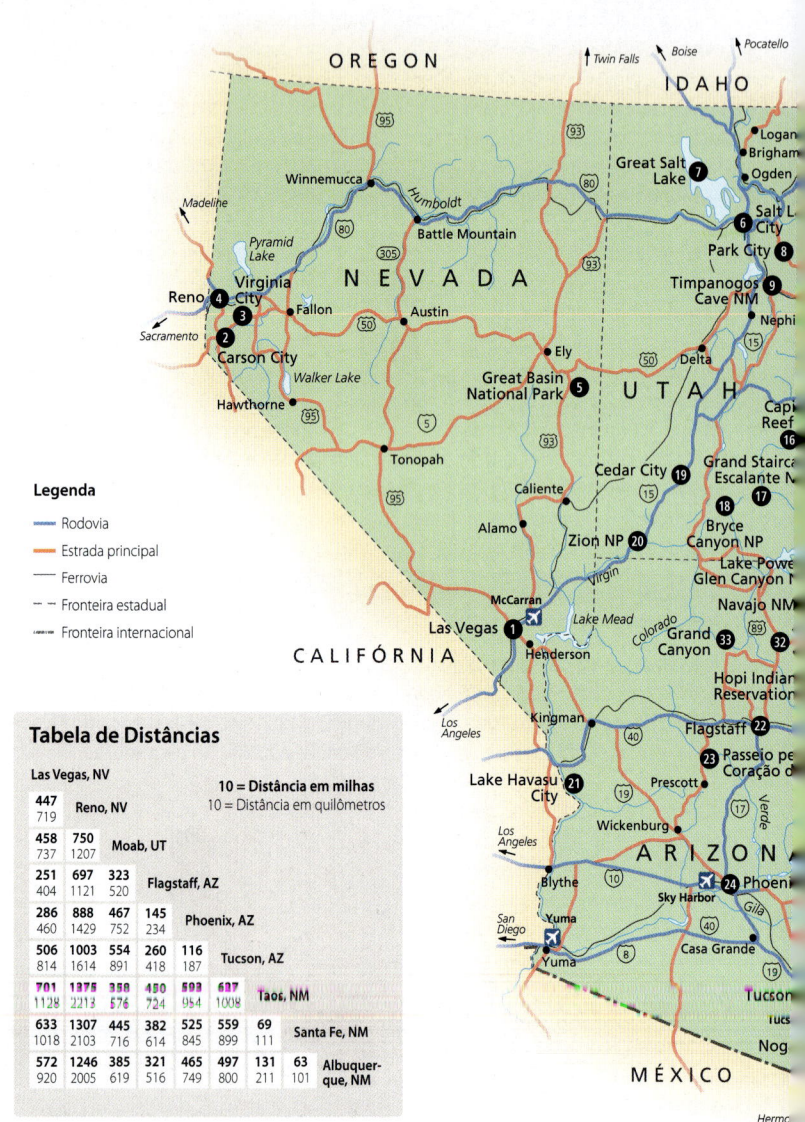

Legenda
— Rodovia
— Estrada principal
— Ferrovia
– – Fronteira estadual
– – Fronteira internacional

Tabela de Distâncias

Las Vegas, NV

10 = Distância em milhas
10 = Distância em quilômetros

447	Reno, NV							
719								
458	750	Moab, UT						
737	1207							
251	697	323	Flagstaff, AZ					
404	1121	520						
286	888	467	145	Phoenix, AZ				
460	1429	752	234					
506	1003	554	260	116	Tucson, AZ			
814	1614	891	418	187				
701	1375	358	450	593	627	Taos, NM		
1128	2213	576	724	954	1008			
633	1307	445	382	525	559	69	Santa Fe, NM	
1018	2103	716	614	845	899	111		
572	1246	385	321	465	497	131	63	Albuquerque, NM
920	2005	619	516	749	800	211	101	

Legenda dos símbolos *na orelha da contracapa*

INTRODUÇÃO AO SUDOESTE | 501

Principais Atrações

Nevada
1. *Las Vegas pp. 502-7*
2. Carson City
3. Virginia City
4. Reno
5. Great Basin National Park

Utah
6. Salt Lake City
7. Great Salt Lake
8. Park City
9. Timpanogos Cave National Monument
10. *Arches National Park pp. 512-3*
11. Moab
12. *Canyonlands National Park p. 514*
13. Green River
14. Hovenweep National Monument
15. Lake Powell & Glen Canyon National Recreation Area
16. Capitol Reef National Park
17. Grand Staircase – Escalante National Monument
18. *Bryce Canyon National Park pp. 518-9*
19. Cedar City
20. *Zion National Park p. 517*

Arizona
21. Lake Havasu City
22. Flagstaff
23. *Passeio pelo Coração do Arizona p. 521*
24. *Phoenix pp. 522-3*
25. Tucson
26. Nogales
27. Bisbee
28. Amerind Foundation
29. Petrified Forest National Park
30. Window Rock
31. Hopi Indian Reservation
32. Tuba City
33. *Grand Canyon pp. 530-3*
34. Navajo National Monument
35. *Monument Valley pp. 534-5*
36. *Cânion de Chelly National Monument pp. 536-7*

Novo México
37. Chaco Culture National Historical Park
38. Taos
39. *Northern Pueblos Tour p. 539*
40. *Santa Fe pp. 540-1*
41. *Albuquerque pp. 542-4*
42. Roswell
43. Carlsbad Caverns National Park
44. White Sands National Monument
45. Gila Cliff Dwellings National Monument

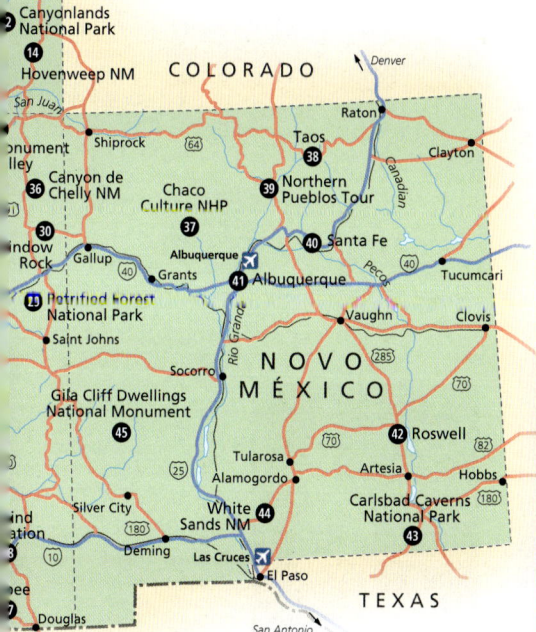

Mummy Cave Overlook no Canyon de Chelly, Arizona

❶ Las Vegas

O coração de Las Vegas, a mais famosa cidade de Nevada, é o Las Vegas Boulevard, uma cintilante vista de néon conhecida como "the Strip" ("a Faixa"). A parte sul dessa longa rua (6km) que corta a cidade no sentido nordeste abriga um conjunto de hotéis temáticos de luxo, com suas próprias lojas, restaurantes e cassinos. Eles atraem 37 milhões de pessoas por ano, o que faz de Las Vegas a capital mundial do entretenimento. Quando as luzes são acesas no início da noite, esses mega-hotéis viram uma terra da fantasia, de design e arquitetura extravagantes, como é o caso do Luxor, com sua imensa pirâmide e esfinge. O Aladdin Hotel é prova da capacidade da cidade de se reinventar rapidamente – foi construído em apenas dois anos.

Deslumbrante visão noturna da Strip

New York New York
Uma réplica da Estátua da Liberdade faz parte da fachada desse hotel, composta por vários marcos de Manhattan, como o Empire State Building.

Luxor
O hotel tem uma pirâmide de 111m de altura, o equivalente a 30 andares, envolta em vidro cor de bronze.

The Monte Carlo está repleto de colunas coríntias e arcos.

O interior do **Mandalay Bay's**, com suas palmeiras e bambus, recria um paraíso tropical do século XIX.

As torres do **Excalibur's** são uma fantasia *kitsch* da Inglaterra medieval.

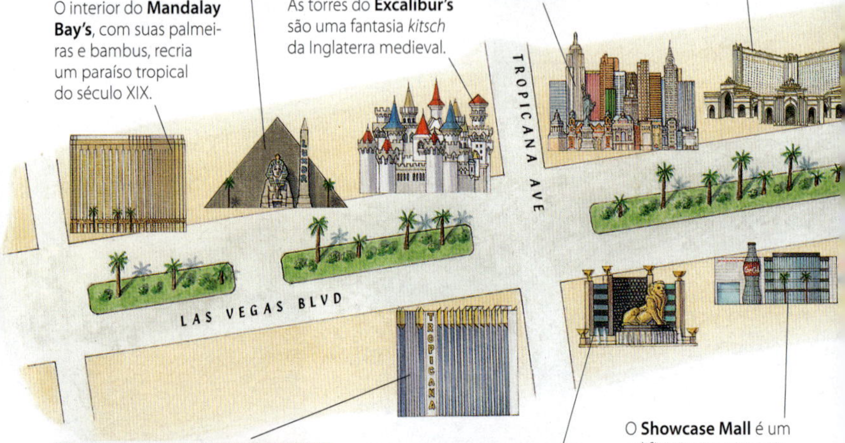

O **Showcase Mall** é um edifício impressionante, com sua imensa garrafa de Coca-Cola em néon. Nele estão o M&M's World, o World of Coca-Cola e o Grand Canyon Experience.

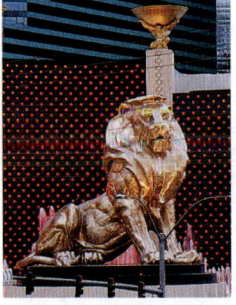

MGM Grand Hotel
Um dos maiores hotéis dos EUA, com 5 mil quartos, o Grand exibe uma grande estátua de 15m do leão Leo, símbolo do estúdio de cinema MGM.

Tropicana
Os quartos, suítes e *villas* reformados do Tropicana contam com decoração em tons claros no estilo de South Beach.

Veja hotéis e restaurantes dessa região nas pp. 550-5

LAS VEGAS, NEVADA | 503

Caesars Palace
Reproduções de estátuas romanas enfeitam o Caesars Palace. Um dos mais antigos e glamourosos hotéis da Strip, o Caesars é de 1966. Dentro, nas luxuosas lojas do Forum Shops, há estátuas que se movimentam.

Bellagio
Construído em 1998, o elegante lobby desse hotel de luxo tem flores de vidro no teto, desenhadas pelo artista Dale Chihuly (p. 628).

Em **CityCenter** fica uma série de hotéis altos e resorts com jogos.

No resort **Cosmopolitan**, o Chandelier oferece três bares distintos.

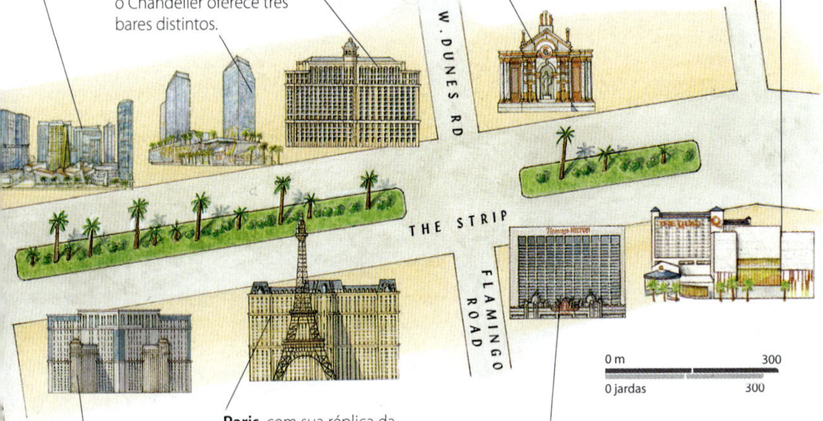

Quad Resort & Casino
Com design contemporâneo, é famoso por sua coleção de automóveis clássicos, aberta a todos os visitantes.

Paris, com sua réplica da Torre Eiffel, é um hotel de US$760 milhões, inspirado na capital da França.

Planet Hollywood Resort & Casino
Inaugurado em 1963 com nome de Aladdin Hotel, ficou famoso por ser o local onde Elvis Presley se casou com Priscilla, em 1967. Atualmente o resort e cassino conta com ambiente hollywoodiano elegante e moderno.

Flamingo
A flamante pluma de néon cor-de-rosa e laranja da fachada do Flamingo Hotel é um ícone da Strip. O gângster de Nova York Bugsy Siegel criou esse cassino e hotel em 1946. Ele foi morto, apenas um ano depois, por colegas investidores.

Las Vegas (continuação da Strip)

A legalização do jogo em Nevada abriu caminho para Las Vegas crescer a partir dos cassinos. O primeiro hotel-cassino, o El Rancho Vegas Hotel-Casino, abriu em 1941 e ficava na parte norte da Strip. Um *boom* na construção civil na década de 1950 resultou numa grande concentração de hotéis. The Sands, Desert Inn, Sahara e Stardust iniciaram o processo que transformou a Strip num parque temático para adultos. Ainda há muitos desses hotéis na parte norte, mas eles estão hoje irreconhecíveis graças a programas de reforma de milhões de dólares. Os novos cassinos são planejados para estimular o visitante a entrar e desfrutar dos jogos, lojas, shows e restaurantes.

O Venetian, com sua réplica do campanário de São Marcos

Treasure Island
Sofisticado e moderno, o Treasure Island oferece restaurante fino, diversão, cassino e um shopping center de três andares.

The Fashion Show Mall é hoje o maior centro de compras de Las Vegas, com mais de 200 lojas, um complexo de diversões e uma praça de alimentação com fast-food e restaurantes.

The Mirage tem estilo, embora ande um pouco negligenciado – seus belos jardins mostram um vulcão em "erupção".

SPRING MOUNTAIN RD

LAS VEGAS BLVD

SANDS AVE

Wynn Las Vegas & Encore
Esse resort tem tudo: cassinos, campo de golfe exclusivo, amplos quartos de luxo, restaurantes com chefs premiados, *nightclubs* e várias lojas de grife.

Guardian Angel Cathedral
Localizada na Desert Inn Road, essa capela elegante tem piso de mármore e colunata imponente.

⓰ Venetian
Um dos hotéis mais luxuosos do mundo, ele tem canais artificiais em sua área de compras. O Museu de Cera de Madame Tussaud fica dentro do hotel.

Veja hotéis e restaurantes dessa região nas pp. 550-5

LAS VEGAS, NEVADA | 505

㉑ Circus Circus
Lucky the Clown acena para os visitantes desse hotel, que oferece números de circo e brincadeiras tradicionais de parques de diversão no mezanino situado sobre o cassino.

㉒ Stratosphere Tower
Uma área de observação no alto dessa torre de 350m oferece ótimas vistas da cidade e do anel de montanhas que se elevam do deserto.

Riviera
A fachada colorida e iluminada por néon do hotel Riviera, um dos pontos de referência da parte norte da Strip, chama a atenção para seu show mais famoso.

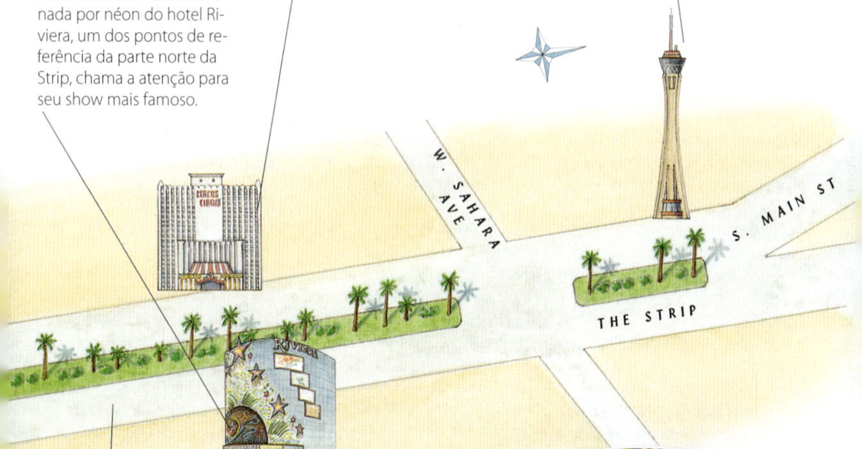

Trânsito movimentado em Strip
Apesar de muito movimentada, a Strip é muito convidativa aos pedestres.

Luzes de néon no Riviera Hotel

O Néon de Las Vegas

Luminosos de néon são o principal ícone de Las Vegas, embora vários dos novos mega-hotéis tenham optado por uma aparência mais discreta. O néon é um gás descoberto pelo químico inglês Sir William Ramsey em 1898. Mas foi o inventor francês Georges Claude que, em 1910, descobriu que uma corrente elétrica passando por um tubo de vidro com néon emite uma luz poderosa. Nas décadas de 1940 e 1950 a elaboração de luminosos de néon foi elevada ao *status* de arte em Las Vegas.

Como Explorar Las Vegas

Elevando-se como uma miragem do belo deserto do sul de Nevada, Las Vegas é uma cidade fascinante que promete diversão para todos. Fora da sedução da Strip ficam os atraentes shoppings e museus da área do centro. Para quem consegue escapar da cidade, cânions, montanhas, desertos e parques em volta dela oferecem muita beleza natural e prazeres ao ar livre. Além do turismo e do jogo, Las Vegas é famosa por suas capelas de casamento, que realizam cerimônias para todos os gostos.

Siegfried & Roy's Secret Garden and Dolphin Habitat
Mirage Hotel, 3.400 S Las Vegas Blvd S. **Tel** (702) 791-7111. 11h-18h30 seg-sex; 10h-18h30 sáb e dom.
w mirage.com

A principal atração é o Dolphin Habitat, com um aquário que comporta mais de 7 milhões de litros de água salgada para golfinhos-nariz-de-garrafa do Atlântico. Quatro tanques interligados, um sistema artificial de recifes de coral e um leito arenoso simulam seu ambiente natural. Quase todos os golfinhos nasceram nesse aquário, exceto alguns que foram transferidos de outras instituições. O visitante pode observá-los através de janelas enquanto nadam ou brincam com bolas. O Secret Garden é um lugar sombreado por palmeiras, com tigres brancos, leões, leopardos e panteras negras. Os recintos dos animais são pequenos, mas os felinos fazem rodízio entre a propriedade e ambientes mais amplos fora do local.

Fremont Street Experience
Light Shows: 18h-24h diariam.
w vegasexperience.com Binion's: 128 E Fremont St. **Tel** (702) 382-1600. 24 horas. **w** binions.com Four Queens: 202 E Fremont St. **Tel** (702) 385-4011.

Conhecida como "Glitter Gulch" ("Ravina Reluzente"), a Fremont Street era o local dos primeiros cassinos com luzes de néon. Mas a Strip foi ficando mais glamourosa nas décadas de 1980 e 1990, e a rua começou a decair. Para reverter o processo, foi iniciado em 1994 um ambicioso projeto de US$70 milhões para reerguer a área. Hoje é uma agitada rua para pedestres, com uma grande cobertura de aço que se estende por cinco quarteirões, e da qual é projetado toda noite o espetacular show de som e luzes. Olhe para o alto para apreciar as imagens em alta resolução geradas por mais de 12 milhões de módulos LED com som de qualidade.

Fundado pelo contrabandista e jogador de Dallas Benny Binion, o lendário **Binion's** mantém a atmosfera da antiga Las Vegas. Hoje gerido pela MTR Gaming, continua com mesas de jogo, caça-níqueis, víspora e pôquer. Outro cassino histórico na Street é o Four Queens. O nome faz referência às quatro filhas do proprietário, e o cassino tem lustres e espelhos remanescentes da New Orleans do século XIX, além do maior caça-níqueis do mundo.

Fachada da Binion's

Discovery Children's Museum
360 Promenade Place. **Tel** (702) 382-5437. jun-Labor Day: 10h-17h seg-sáb, 12h-17h dom; set-mai: 9h-16h ter-sex, 10h-17h sáb, 12h-17h dom. seg (exceto férias escolares), 1º jan, Páscoa, Ação de Graças, 24 e 25 dez.
w discoverykidslv.org

Nove galerias interativas proporcionam atividades educativas e divertidas sobre ciências, artes, cultura e desenvolvimento na primeira infância. Há também uma galeria que recebe exposições temporárias dos principais museus.

The Las Vegas Natural History Museum
900 Las Vegas Blvd. **Tel** (702) 384-3466. 9h-16h diariam. 1º jan, Ação de Graças, 25 dez.
w lvnhm.org

Uma escolha popular entre as famílias que querem dar um tempo dos hotéis da Strip, esse museu tem atrações muito interessantes. Dioramas recriam a savana da África, com leopardos, chimpanzés e antílopes. A exposição marinha permite ver tubarões e enguias bem de perto. As crianças adoram as reproduções de animatronics de dinossauros e a sala onde podem cavar fósseis e operar um dinossauro bebê robótico.

Boulder City e Hoover Dam
12.500. **Tel** (702) 494-2517. 9h-17h15 verão, 9h-16h15 inverno.

Batizada com o nome de Herbert Hoover, 31º presidente dos EUA, a histórica represa de Hoover fica 48km a leste de Las Vegas. Antes da sua construção, o rio Colorado costumava inundar terras cultivadas no México e sul da Califórnia. Depois de muito estudo, a represa foi construída entre 1931 e 1935 cruzando o Black Canyon do rio Colorado. Tida como uma maravilha da engenharia, ela deu a essa região desértica água confiável e eletricidade barata para Nevada, Arizona e Califórnia. Esse colosso de concreto é hoje uma imensa atração turística. Passeios guiados levam os visitantes até o fundo da represa. O alto do centro

Um Tyrannosaurus rex de animatronic ensaia um rugido no Las Vegas Natural History Museum

Veja hotéis e restaurantes dessa região nas pp. 550-5

LAS VEGAS, NEVADA | 507

Vista da Hoover Dam

de visitantes oferece belas vistas.

Apenas 13km a oeste da represa, Boulder City foi erguida para alojar os trabalhadores na construção da represa. Hoje é uma das cidades mais atraentes e organizadas de Nevada. Ainda há vários prédios da década de 1930, incluindo o histórico Boulder Dam Hotel, onde fica o Hoover Dam Museum.

Lake Mead National Recreation Area

Las Vegas. **Tel** (702) 293- 8906, (702) 293-8990. Parque: 24h. Centro de Visitantes: 9h-16h30 qua-dom. 1º jan, Ação de Graças, 25 dez. restrito. **nps.gov/lame**

Após a conclusão da Hoover Dam, as águas do rio Colorado encheram os profundos cânions, que antes se erguiam acima do rio, criando o lago Mead. Esse imenso reservatório é o maior feito pelo homem nos EUA. Seu perímetro de 1.130km abriga florestas, cânions e pradarias floridas. Pontuado por praias, marinas e áreas para camping, a área do reservatório oferece esportes aquáticos como vela, esqui, natação e pesca. Peixes como a truta-arco-íris garantem boa pescaria.

Valley of Fire State Park

29.450 Valley of Fire Rd. Las Vegas. **Tel** (702) 397-2088. restrito. **http://parks.nv.gov/vf.htm** Lost City Museum of Archaeology: 721 S Moapa Valley Blvd, Overton. **Tel** (702) 397-2193. 8h30-16h30 diariam. 1º jan, Ação de Graças, 25 dez.

Esse espetacular parque estadual fica num local deserto e remoto, 97km a nordeste de Las Vegas. Seu nome vem das formações vermelhas de arenito que começaram como imensas dunas há cerca de 150 milhões de anos. As extremas temperaturas de verão tornam a primavera e o outono as melhores épocas para explorar o local. Das quatro trilhas bem mantidas, a Petroglyph Canyon Trail é um anel de 800m que inclui vários entalhes em pedra pré-históricos dos povos pueblo ancestrais. Um dos mais famosos retrata um *atlatl*, um bastão entalhado usado para ganhar velocidade e distância ao arremessar uma lança. Os povos pueblos ancestrais instalaram-se na cidade de Overton, perto do parque, ao longo do rio Muddy, cerca de 300 a.C. Eles foram embora 1.500 anos mais tarde, talvez por causa de uma seca prolongada. Arqueólogos descobriram centenas de artefatos pré-históricos na área, muitos dos quais estão no **Lost City Museum of Archaeology**, na saída de Overton. Sua grande coleção tem ainda cerâmica, contas, cestos trançados e joias delicadas em turquesa, uma especialidade local.

Placa na Hoover Dam

Red Rock Canyon

Las Vegas. **Tel** (702) 515-5350. 8h-16h30 diariam. feriados. restrito. **nv.blm.gov/redrockcanyon/**

Saindo do centro de Las Vegas, após um curto passeio de carro (16km) para oeste, chega-se às baixas montanhas e abruptas gargantas da Red Rock Canyon National Conservation Area. Requeimada pelo sol do verão, uma retorcida escarpa eleva-se do deserto. Seu calcário cinza e seu arenito vermelho são o resíduo geológico de um antigo oceano e das imensas dunas de areia que o sucederam. O cânion pode ser facilmente explorado por uma panorâmica estrada de 21km, que sai da Hwy 159 e proporciona uma boa visão geral, além de abrigar excelentes pontos para piqueniques. Mas a melhor maneira de explorar esses cânions sinuosos e abruptos é a pé. Ao caminhar, atente para os carneiros de chifre longo e as tartarugas do deserto.

Extraordinárias formações rochosas no Valley of Fire State Park

Nevada

Nevada era conhecido como "Silver State" ("Estado de Prata"), principalmente pela imensa riqueza gerada no fim do século XIX pelas minas de prata de Comstock Lode, a leste de Reno. Hoje é sinônimo de diversão adulta, graças à presença do maior centro de jogo e entretenimento, a cintilante Las Vegas *(pp. 502-7)*. Fora das suas poucas cidades, Nevada é basicamente um deserto, com cristas e cristas de montanhas escarpadas dividindo as infindáveis planícies de artemísias.

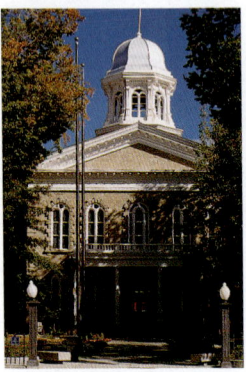

Fachada do imponente State Capitol em Carson City

❷ Carson City

55.000. 1.900 S Carson St Suite 100, (775) 687-7410. visitcarsoncity.com

Capital e terceira maior cidade de Nevada, Carson City deve seu nome ao explorador do Velho Oeste Kit Carson. Aninhada na base da vertente leste da Sierra Nevada, a cidade foi fundada em 1858, um ano após a descoberta das minas de Comstock Lode. Ela ainda preserva uns poucos cassinos à moda antiga no seu centro.

O excelente **Nevada State Museum**, descendo a rua a partir do imponente State Capitol, fica dentro do edifício de 1870 do US Mint, onde eram feitas moedas com a prata de Comstock.

O museu conserva uma réplica em escala real de uma mina, além de peças sobre a história natural de Nevada e da Grande Bacia.

No lado sul de Carson City, o **Nevada State Railroad Museum** preserva 60 motores a vapor e vagões de carga da velha ferrovia Virginia & Truckee Railroad, que carregava minério de Comstock Lode entre 1869 e 1930. Mais tarde usados em filmes de Hollywood, os trens oferecem excursões nos fins de semana de verão.

🏛 **Nevada State Museum**
600 N Carson St. **Tel** (775) 687-4810.
8h30-16h30 ter-dom. 1º jan, Ação de Graças, 25 dez.
museums.nevadaculture.org

🏛 **Nevada State Railroad Museum**
2.180 S Carson St. **Tel** (775) 687-6953.
9h-17h qui-seg. 1º jan, Ação de Graças, 25 dez.
museums.nevadaculture.org

❸ Virginia City

1.000. 86 S C St, (800) 718-7587. visitvirginiacitynv.com

Garimpeiros que seguiam os veios de ouro pelas encostas do Mount Davidson descobriram um dos mais ricos depósitos do mundo, o Comstock Lode, em 1859. Da noite para o dia, o agitado campo de Virginia City virou o maior assentamento entre Chicago e São Francisco. Tinha

Tradicionalistas num *saloon* do Velho Oeste em Virginia City

cerca de cem *saloons* e 25 mil moradores, entre eles um jornalista do Missouri que mais tarde ficou famoso com o pseudônimo de Mark Twain.

Nos vinte anos seguintes, toneladas de ouro e prata foram extraídas de Virginia City, mas na virada do século XX a cidade decaiu. Porém, a popular série de tevê da década de 1960 *Bonanza* deu à cidade um novo sopro de vida como um dos destinos mais apreciados de Nevada. Marco Histórico Nacional, a cidade fica numa elevação de 1.896m; suas ruas inclinadas oferecem ótimas vistas das montanhas em volta. A antiga rua principal, **C Street**, é cheia de atrações históricas, situadas entre *saloons* com temas do Velho Oeste e lojas de suvenires. Subindo a B Street, o elegante **Castle** é a mansão mais bem preservada do estado. Foi erguida em 1863-8 e no seu auge era uma das mansões mais ricas do oeste. Embora o interior esteja agora fechado ao público, pode-se mesmo assim ter uma ideia da riqueza que fluía pela cidade por volta de 1860.

O principal museu histórico da cidade fica na velha **Fourth Ward School**, um marco do gótico vitoriano na ponta sul da C Street. Ele mostra bem a agitada história da cidade com peças que vão de ferramentas de mineração a objetos de Mark Twain, que iniciou sua carreira no *Territorial Enterprise* local. Uma sala de aula é preservada como era em 1936, quando a última turma se formou.

🏛 **Fourth Ward School**
537 South C St. **Tel** (775) 847-0975.
mai-out:10h-17h diariam. nov-abr.
fourthwardschool.org

❹ Reno

190.000. Virginia St, (775) 687-7410.
visitrenotahoe.com

Autoproclamada "A Maior Pequena Cidade do Mundo", Reno foi o principal centro de jogo de Nevada até ser superada por Las Vegas na década de

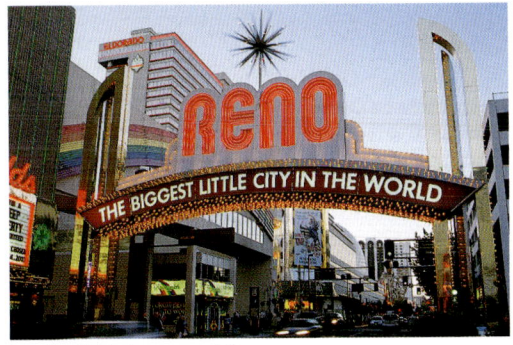

Arco sobre a Virginia Street no centro de Reno

1950. A cidade também ganhou fama nacional na década de 1930 como local para divórcios rápidos. Embora menor que Las Vegas, Reno tem uma oferta similar de cassinos 24 horas por dia.

Também oferece uma grande variedade de esportes de inverno e atividades ao ar livre, incluindo dezoito resorts de esqui, a 1h de Tahoe. O **Truckee River Whitewater Park**, no centro de Reno, é um dos primeiros parques aquáticos do país, contando com onze piscinas. Oferece passeios de caiaque e rafting pra todos os níveis de experiência. O equipamento completo para a prática de esportes pode ser alugado no parque.

O **National Automobile Museum**, na margem sul do rio Truckee, tem uma das maiores coleções de automóveis do país. De clássicos antigos a carros envenenados dos anos 1960, o museu – no estilo Chrysler do final da década de 1940 – exibe os carros em palcos em forma de "ruas", que atuam como cenário evocativo da época.

Truckee River Whitewater Park
Wingfield (em frente à W 1st St).
Tel (775) 657-4634.

National Automobile Museum
10 S Lake St. **Tel** (775) 333-9300. 9h30-17h30 seg-sáb, 10h-16h dom Ação de Graças, 25 dez.
automuseum.org

Arredores

A oeste de Reno, a beleza do **Lake Tahoe** (p. 706) recebe os visitantes na fronteira Nevada-Califórnia. O lago, rodeado de hotéis de verão e áreas de esqui de inverno, é um dos destinos mais populares do oeste dos EUA.

❺ Great Basin National Park

100 Great Basin Hwy, Baker, (775) 234-7331. 8h-16h30 diariam. 1º jan, Ação de Graças, 25 dez. restrito. **nps.gov/grba**

Quem viaja pela "Mais Solitária Estrada dos EUA" é recebido pela altiva silhueta do pico Wheeler (3.982m), que se ergue no centro do Great Basin National Park. Abaixo do pico fica a principal atração do parque, as **Lehman Caves**, descobertas quando o proprietário rural Absalom Lehman tropeçou na sua pequena entrada em 1885. Suas fantásticas formações calcárias, com milhares de estalactites, podem ser vistas em vários passeios guiados.

Os passeios começam no centro de visitantes do parque, que promove caminhadas e acampamentos, além de expor itens da vida selvagem da Grande Bacia. A bem conservada **Wheeler Peak Scenic Drive** começa perto do centro de visitantes e passa pela maior parte das zonas climáticas da Grande Bacia, enquanto sobe de 1.982m até mais de 3.048m em 19km de trecho íngreme. A localização remota do Great Basin National Park fez dele um dos parques nacionais menos visitados do país, por isso quem caminha ou acampa pode curtir um perfeito isolamento entre as cavernas de calcário, florestas alpinas, velhos pinheiros e lagos glaciais.

O belíssimo Wheeler Peak no Great Basin National Park

A Mais Solitária Estrada dos EUA

Um dos passeios mais desafiadores do país, o trecho de Nevada da transcontinental US 50, que vai do lago Tahoe, no oeste, até o Great Basin National Park, na fronteira com Utah, corta mais de 644km de terreno crispado. Os antigos exploradores mapearam essa região, os cavaleiros do Pony Express correram por ela, que foi por fim dominada pela extensa Lincoln Highway. Mas a US 50 há tempos foi preterida pela movimentada I-80, a rota mais popular para cruzar o estado. Hoje a Nevada Commission on Tourism patrocina uma irônica promoção que oferece a quem viaja pela US 50 um certificado dizendo "Eu sobrevivi à mais solitária estrada dos EUA".

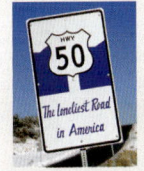

Placa na rodovia US 50

Utah

Mais conhecido como quartel-general mundial da igreja mórmon, Utah abriga algumas das mais belas paisagens dos Estados Unidos. Os inóspitos e escarpados cânions de arenito do Planalto do Colorado, que cobre a metade sul do estado, foram preservados numa série de belíssimos parques nacionais, florestas e monumentos. Os altos picos nevados das Wasatch Mountains na metade norte do estado, um paraíso para esquiadores do mundo todo, foram a sede dos Jogos Olímpicos de Inverno de 2000. A oeste das montanhas fica a capital, Salt Lake City, única grande cidade do estado, dominada pelos mórmons, junto ao lago de mesmo nome.

Visitantes apreciam a vista no Great Salt Lake

❻ Salt Lake City

181.700. 90 South West Temple St, (801) 534-4900.
w visitsaltlake.com

A agradável e acolhedora Salt Lake City é um bom ponto de parada para quem quer descansar da viagem entre Denver e São Francisco. Embora seu nome derive do Great Salt Lake, de água não potável e alcalina, que se estende para oeste, a cidade tem hoje água em abundância graças às chuvas e à neve derretida da serra Wasatch, que se eleva a leste. Fundada e controlada pelos mórmons desde 1847, a cidade se espalha por muitos quilômetros ao longo da base dos picos nevados.

Além de sua espetacular localização natural, Salt Lake City é conhecida como base espiritual da igreja mórmon, que tem seu quartel-general mundial na Temple Square, no centro. Ali, as seis agulhas do principal templo mórmon e o famoso auditório oblongo do **Mormon Tabernacle**, de 1867, ficam lado a lado. Os ensaios do coro do Mormon Tabernacle são abertos ao público.

A oeste da Temple Square, a impressionante **Family History Library** preserva registros da genealogia de famílias mórmons desde meados do século XVI. A leste, a Beehive House de 1850 foi preservada como era quando o líder mórmon Brigham Young morava nela. Na sua entrada fica o majestoso (23m) Eagle Gate, alçado por uma águia de 2 toneladas com envergadura de 6m. Ao norte, o **Utah State Capitol**, inspirado no Capitólio dos EUA, abriga exposições sobre a história de Utah.

Mormon Tabernacle
Temple Square. **Tel** (801) 240-1706.
9h-21h diariam.
w visittemplesquare.com

Family History Library
35 NW Temple St. **Tel** (866) 406-1830.
8h-17h seg, 8h-21h ter-sex, 9h-17h sáb. Ligar antes.
dom, 1º jan, 4 jul, Ação de Graças, 24, 25 dez.
w familysearch.org

A impressionante "Eagle Gate", com o Utah State Capitol ao fundo

❼ Great Salt Lake

Great Salt Lake State Park, I-80 saída 104. (801) 250-1898. abr-set: amanhecer-anoitecer diariam; out-mar 9h-17h diariam. restrito.

Maior lago salgado da América do Norte, o Great Salt Lake é um remanescente raso do pré-histórico lago Bonneville. Dependendo do tempo, o lago cobre uma área que vai de 2.590km² a 6.477km². As salinas que se estendem para oeste a partir do lago em direção à fronteira de Nevada são tão duras e vastas que há tempos servem como campos de teste para corredores de automóveis. Além de algumas algas e microscópicos camarões de água salgada, o lago em si quase não abriga vida. No entanto, o **Antelope Island State Park**, no meio do lago, é o lar de rebanhos de carneiros de chifre longo nativos, gamos, bisões e do animal que lhe dá nome, a antilocapra. O acesso à ilha, que fica cerca de 64km ao noroeste de Salt Lake City, é por uma estrada elevada de 11km. Os visitantes podem acampar ou nadar na praia ou fazer cruzeiros guiados pelo lago.

A oeste de Salt Lake City, em direção à praia sul do lago, o **Great Salt Lake State Park** oferece uma praia ampla e arenosa, com marina e deque de observação.

Antelope Island State Park
I-15 saída 335. **Tel** (801) 773-2941.
out-abr: 6h-18h diariam; mai-set: 6h-22h diariam. restrito.

Veja hotéis e restaurantes dessa região nas pp. 550-5

❽ Park City

🏔 7.300. ℹ 1.794 Olympic Parkway e 528 Main Street (435) 649-6100.
🌐 **visitparkcity.com**

A uma hora de carro para o leste partindo do centro de Salt Lake City e cruzando as Wasatch Mountains, chega-se a essa estância popular. A cidade começou na década de 1860 como uma mina de prata e ainda tem vários edifícios da virada do século XX na sua fotogênica Main Street. Park City ganhou fama mundial ao sediar o prestigioso **Sundance Film Festival**. Criado pelo ator e diretor Robert Redford em 1981, esse festival anual exibe filmes e documentários independentes e tornou-se um dos principais eventos para cinema inovador nos EUA. A popularidade do festival está associada às excelentes instalações de esqui de Park City, sede dos Jogos Olímpicos de Inverno de 2000. A história da cidade pode ser vista no **Park City Museum**, no antigo City Hall.

🏛 **Park City Museum**
528 Main St. **Tel** (435) 649-7457. 🕐 10h-19h seg-sáb, 12h-18h dom (mai e nov: 11h-17h seg-sáb, 12h-18h dom).
⬤ 1º jan, Ação de Graças, 25 dez.
♿ restrito. 🌐 **parkcityhistory.org**

❾ Timpanogos Cave National Monument

Hwy 92, American Fork. **Tel** (801) 756-5238. 🕐 meados mai-meados set: horários variam, ligar. ⬤ meados set-meados mai 🌐 **nps.gov/tica**

Um dos destinos mais populares perto de Salt Lake City, o Timpanogos Cave National Monument fica bem abaixo do cume de 3.581m do monte Timpanogos. O local preserva três grandes cavernas de calcário que se estendem por cerca de 549m montanha adentro. Alcançadas após uma caminhada de 2km colina acima a partir do centro de visitantes, e unidas por túneis abertos pelo homem, as três cavernas são bastante frias (6°C), úmidas e cheias de formações de calcário espetaculares. Luz elétrica ilumina as estalactites, estalagmites e outras formações esculpidas pela água, todas elas ainda em formação. Permite-se a entrada de um número limitado de pessoas de cada vez, por isso os visitantes devem chegar cedo ou no início da semana (ou ligar e fazer reserva).

A Caverna Timpanogos é um dos muitos destaques do passeio ao longo dos 64km do **Alpine Loop**, que segue a Highway 92 em torno dessa importante montanha. Muitos terrenos para acampar, pontos para piquenique, vistas panorâmicas e trilhas para caminhadas podem ser apreciados ao longo do caminho.

Vista cênica ao longo do Alpine Loop pela Highway 92

Casas históricas ao longo da Main Street, em Park City

Os Mórmons

A Igreja de Jesus Cristo dos Santos dos Últimos Dias, uma grande seita cristã, foi fundada por Joseph Smith (1805-44), um peão de fazenda do estado de Nova York. Em 1820, Smith declarou ter tido visões do anjo Moroni, que o levou a um conjunto de tábuas de ouro, que ele traduziu e publicou como *Livro dos Mórmons*, fundando a Igreja Mórmon. A nova fé cresceu rapidamente, mas atraiu hostilidade devido a suas crenças políticas e econômicas e à prática da poligamia. Buscando refúgio, os mórmons foram para Illinois em 1839, onde Smith foi morto por uma multidão enfurecida. A liderança passou para Brigham Young, que conduziu os membros por uma árdua jornada para oeste, tentando escapar à perseguição e instalar um paraíso seguro na paisagem inóspita do Salt Lake Valley. Os pioneiros cruzaram pradarias e montanhas áridas em carroças primitivas, num clima duríssimo. Os seguidores de Young por fim fundaram comunidades agrícolas bem-sucedidas em Utah. Hoje, os mórmons são 60% da população do estado.

Retrato de Brigham Young (1801-77)

⑩ Arches National Park

O Arches National Park tem a mais alta concentração de arcos naturais de arenito do mundo. Mais de 80 por cento dessas maravilhas naturais têm milhões de anos. O parque "flutua" sobre uma cama de sal, que outrora se liquefez pela pressão exercida pela rocha acima dela. Há 300 milhões de anos, essa camada de sal subiu, rachando o arenito. Com o tempo as rachaduras erodiram, criando longas "aletas" de rocha. Quando essas sofreram erosão, a rocha dura de cima formou arcos, do aparentemente sólido Turret Arch aos graciosos Delicate e Landscape Arches.

Devil's Garden
Essa área contém alguns dos mais belos arcos do parque, incluindo o Landscape Arch, uma fina curva de arenito com 91m de comprimento, considerada o mais longo arco natural do mundo.

Pôr do sol no Delicate Arch
Um anfiteatro natural circunda o arco, criando assentos a partir dos quais ficam emolduradas as La Sal Mountains.

A Windows Section

Na Windows Section do parque, uma trilha em anel de 1,5km leva ao Turret Arch e depois aos North e South Windows Arches, lado a lado. Há bons pontos de observação, e muitos fotografam os arcos North e South emoldurados pelo Turner Arch, como se vê ao lado.

Como Explorar o Parque

O passeio panorâmico até esses arcos começa no centro de visitantes, no sul do parque, saindo da Highway 191. Várias trilhas fáceis começam dos estacionamentos nos mirantes da estrada. Em Balanced Rock há uma trilha boa para crianças, e a Delicate Arch Viewpoint Trail tem acesso para deficientes. Não é costume acampar.

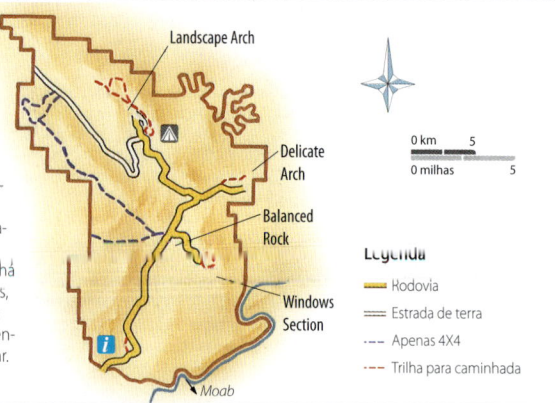

Legenda
— Rodovia
═ Estrada de terra
--- Apenas 4X4
--- Trilha para caminhada

Legenda dos símbolos *na orelha da contracapa*

UTAH | 513

Delicate Arch
É o mais festejado dos arcos da região e um símbolo do estado de Utah. É alcançado por uma caminhada de 45 minutos em passo moderado, sobre arenito.

PREPARE-SE

Informações Práticas
Tel (435) 719-2299.
Centro de Visitantes: abr-out: 8h-18h diariam; nov-mar: 8h-16h30 diariam. (campground, Park Avenue Viewpoint, Delicate Arch Viewpoint Trail e Balanced Rock Trail.)
nps.gov/arch

Os arcos se formam por um processo que leva milhões de anos; os arcos atuais ainda sofrem erosão e algum dia irão desabar.

Balanced Rock
Essa pedra em equilíbrio precário sobre uma espira de arenito é um dos marcos do parque. Há boas vistas dela a partir da trilha e também da estrada panorâmica.

Loja coberta de tábuas, em estilo western, na Main Street, em Moab

⓫ Moab

6.500. Main & Center Sts, (435) 259-8825.
discovermoab.com

Cidade com grandes altos e baixos, Moab vive agora seu segundo surto de expansão desde os anos 1950. Antes uma tranquila colônia mórmon, com a descoberta em 1952 de depósitos de urânio fora da cidade, Moab virou uma das comunidades mais ricas dos EUA. Quando o mercado de urânio declinou em 1970, a cidade foi salva pelo turismo e pela proximidade do Arches Park e do Canyonlands National Park. Muitos filmes, como alguns faroestes de John Wayne e os clássicos de Indiana Jones, foram rodados em Moab.

Hoje a cidade é uma boa opção para quem gosta do ar livre. Mountain bikers vão para o desafiador trajeto de Moab Rim, acessado pelo Moab Skyway, passeio de bondinho com vistas panorâmicas. Muitas trilhas para caminhada e para veículos off road contêm fabulosas paisagens. Moab é também um grande centro de rafting no rio Colorado. A **Matheson Wetlands Preserve**, fora do Kane Creek Boulevard, tem 3km de trilhas para caminhadas à beira do rio, com pássaros e animais selvagens nativos.

Matheson Wetlands Preserve
Off Kane Creek Blvd. **Tel** (435) 259-4629. amanhecer-anoitecer.

Park Avenue and the Courthouse Towers
Os grandes monólitos de pedra das Courthouse Towers têm alguma semelhança com arranha-céus. Elas podem ser vistas da Park Avenue, uma trilha curta e fácil.

Veja hotéis e restaurantes dessa região nas pp. 550-5

⑫ Canyonlands National Park

Há alguns milhões de anos, os rios Colorado e Green cortaram sinuosos caminhos bem fundo na rocha, criando um labirinto de cânions que formam o cerne dessa assombrosa formação. No seu centro, a confluência dos rios divide os 1.365km² do parque em três distritos – Needles, Maze e o verde planalto de Island in the Sky. Desde que foi criado, em 1964, o Canyonlands National Park vem ganhando popularidade. A maioria dos passeios dentro do parque requer autorização.

PREPARE-SE

Informações Práticas

2.282 South West Resource Blvd, Moab, (435) 719-2313.
centro de visitantes: 8h-17h diariam (período estendido fim mar-fim out). 1º jan, Ação de Graças, 25 dez.
w nps.gov/cany

Mesa Arch
Uma trilha de 455m, fácil e bonita, leva até Mesa Arch, uma longa e baixa curva de pedra que emoldura os picos nevados das La Sal Mountains a distância.

Legenda
— Rodovia
— Apenas 4x4
--- Trilha para caminhadas
— Fronteira do parque
❊ Vista panorâmica

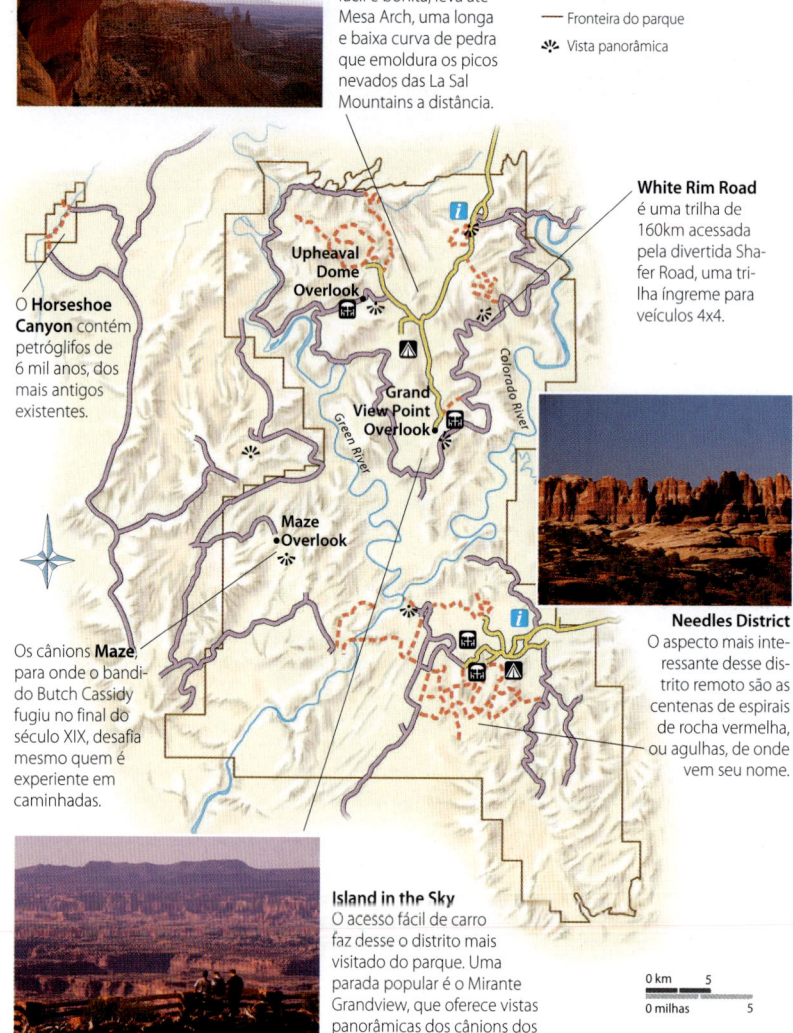

White Rim Road é uma trilha de 160km acessada pela divertida Shafer Road, uma trilha íngreme para veículos 4x4.

O **Horseshoe Canyon** contém petróglifos de 6 mil anos, dos mais antigos existentes.

Os cânions **Maze**, para onde o bandido Butch Cassidy fugiu no final do século XIX, desafia mesmo quem é experiente em caminhadas.

Needles District
O aspecto mais interessante desse distrito remoto são as centenas de espirais de rocha vermelha, ou agulhas, de onde vem seu nome.

Island in the Sky
O acesso fácil de carro faz desse o distrito mais visitado do parque. Uma parada popular é o Mirante Grandview, que oferece vistas panorâmicas dos cânions dos rios Green e Colorado.

Legenda dos símbolos *na orelha da contracapa*

As profundas fendas dos cânions no amplo vale em torno do rio Green

⓭ Green River

🏠 1.000. ℹ️ 885 E Main St, (435) 564-3427. 🕐 abr-out: 8h-20h; nov-mar: 8h-17h diariam.

Localizada num amplo vale em forma de tigela, a cidade cresceu em torno de um vau do rio Green no século XIX e início do século XX. Hoje é ponto de partida para rafting nos rios Green e Colorado.

Em Green River, o **John Wesley Powell River History Museum** tem 1.860m² de exposições que retratam a história da exploração da região, com foco principalmente nas pesquisas e descobertas feitas pelo geólogo e etnólogo americano John Wesley Powell (1834-1902).

🏛️ John Wesley Powell River History Museum

1.765 E Main St. **Tel** (435) 564-3427. 🕐 abr-out: 8h-19h diariam; nov-mar: ligue para horários. ⓿ feriados. 🅿️ 🌐 jwprhm.com

⓮ Hovenweep National Monument

L da Hwy 191. **Tel** (970) 562-4282. 🕐 8h-17h diariam (até 18h mai-set). ⓿ 1º jan, Ação de Graças, 25 dez. 🅿️ 🌐 nps.gov/hove

Os seis conjuntos de ruínas nesse sítio dos pueblos ancestrais foram descobertos por W. D. Huntington, líder de uma expedição mórmon, em 1854. A cultura em Hovenweep, palavra ute que significa "Vale Deserto", teve seu auge entre 1200 e 1275. Sabe-se pouco dos utes, além das pistas deixadas em torres redondas, quadradas e em forma de D, e na cerâmica e nas ferramentas.

Pesquisadores acreditam que as torres poderiam ser fortificações de defesa, observatórios astronômicos, silos ou estruturas religiosas para toda a comunidade.

⓯ Lake Powell & Glen Canyon National Recreation Area

3 km ao norte de Page na Hwy 98, pela Hwy 160. 🚗 ℹ️ Carl Hayden Visitor Center, (928) 608-6404. 🕐 abr-out: 8h-17h diariam; nov-mar: 8h-16h30 diariam. ♿ só no centro de visitantes. 🅿️ só Page e Wahweap. 🌐 nps.gov/glca, 🌐 lakepowell.com

A Glen Canyon National Recreation Area (NRA), criada em 1972, cobre uma extensa área de desertos e cânions em volta do longo lago Powell (298km), nomeado em homenagem a John Wesley Powell. O lago foi criado pelo represamento do Colorado e seus afluentes e fornece eletricidade para a crescente população da área.

A construção da represa de Glen Canyon, concluída em 1963, foi controvertida desde o início. A enérgica campanha liderada pelo Sierra Club, ambientalista, continua defendendo a restauração do Glen Canyon, acreditando que os antigos ecossistemas estão sendo arruinados. Os defensores da represa, no entanto, acreditam em sua capacidade de armazenar água, gerar energia e oferecer recreação.

A área de recreação em forma de "Y" segue o rio San Juan a leste quase até a cidade de Mexican Hat, e vai para nordeste junto ao Colorado em direção ao Canyonlands National Park. Dentro da área fica o **Antelope Canyon**, um famoso cânion de "fenda" profunda. Outros destaques incluem Lees Ferry, colônia mórmon do século XIX que hoje oferece instalações para turismo, e o **Rainbow Bridge National Monument**. Com altura de 94m, é a maior ponte natural do mundo.

Hoje o lago fica cheio de praticantes de esportes aquáticos e de barcos-moradia, que exploram os inúmeros cânions laterais de arenito. Glen Canyon também é um dos mais populares locais de caminhadas, *mountaim bike* e trilhas *off-road* do país.

Arenito cor-de-rosa no Antelope Canyon, na Glen Canyon NRA

Veja hotéis e restaurantes dessa região nas pp. 550-5

⓰ Capitol Reef National Park

16km L de Torrey, pela Hwy 24.
(435) 425-3791. jun-set:
8h-16h30 diariam; out-mai: 8h-16h30
diariam. feriados.
nps.gov/care

Cobrindo 980km², esse espetacular parque abriga uma pitoresca parede de rocha de 160km de extensão que aflorou da terra há 65 milhões de anos. Os estratos se dobraram sobre si mesmos, represando água no processo. Há mais ou menos cem anos, trabalhadores em prospecção que cruzavam o deserto foram obrigados a parar nessa Waterpocket Fold entalhada pelo vento. Eles associaram a barreira de rocha a um recife, e seus domos brancos e redondos ao edifício do Capitólio, daí o nome do parque.

Um emocionante passeio de carro pela parcialmente não pavimentada Notom-Bullfrog Road dá uma visão geral da área. Pode-se ir de carro se não chover, mas é essencial levar gasolina e água de reserva. Capitol Gorge, ao norte, pode ser alcançada por uma estrada panorâmica de 16km no meio do parque. Passeios guiados a pé estão disponíveis durante o verão, mas lembre-se de que apenas caminhantes experientes devem tentar explorar a área.

Para o norte fica a **Gifford Farmhouse**, de 1908. Hoje um centro cultural, é dedicado à colônia mórmon da década de 1880 que floresceu no local.

Fremont Canyon, à sua direita, inclui os famosos Fremont Petroglyphs, petroglifos criados pelos povos pueblos ancestrais entre 700 e 1250. Bem mais ao norte, fica o Cathedral Valley, cujo nome vem de seus monólitos de pedra que se elevam do deserto.

⓱ Grand Staircase--Escalante National Monument

755 W Main St, Escalante, (435)
826-5499. mar-out: 8h30-16h30
diariam; nov-abr: 8h30-16h30 seg-sex.
ut.blm.gov/monument

Criado pelo presidente Clinton em 1996, esse monumento abrange 769.000ha de cânions na rocha, montanhas e altos planaltos desertos. Seu nome vem das suas quatro faces de rochedos de 12 milhões de anos que se elevam em degraus pelo planalto do Colorado. Para preservá-los, evitou-se construir novas estradas, instalações ou áreas de camping ali. Essa vasta área intocada é mais bem explorada em passeios panorâmicos combinados com caminhadas que levam o dia inteiro. Cerca de 14km ao sul da Highway 12 fica o **Kodachrome Basin State Park**, paisagem distinta que se destaca pelos seus 67 tubos de areia, formados há milhões de anos como gêiseres.

Carroça no exterior do museu de Cedar City

Kodachrome Basin State Park
Tel (435) 679-8562.
amanhecer-anoitecer.

⓲ Bryce Canyon National Park

pp. 518-9.

⓳ Cedar City

20.500. 581 N Main St,
(435) 586-5124. utah.com/cedarcity

Fundada por mórmons em 1851, Cedar City cresceu como centro de mineração e fundição de ferro. Uma ideia desse espírito pioneiro pode ser obtida no Frontier Homestead State Park Museum, que abriga ainda uma coleção de veículos antigos. A cidade tem vários hotéis a uma hora de carro do Zion National Park. Cedar City é popular por seu Shakespeare Festival, anual, sediado numa réplica do Globe Theatre de Londres. A leste da cidade, o espetacular **Cedar Breaks National Monument** tem rochas de calcário e um lago com uma vasta floresta. No inverno, a área é uma estância de esqui.

Cedar Breaks National Monument
Tel (435) 586-9451. diariam. Visitor Center: fim mai-meados out
9h-18h diariam. nps.gov/cebr

Pescando no lago do Cedar Breaks National Monument, perto de Cedar City

Veja hotéis e restaurantes dessa região nas pp. 550-5

Zion National Park

No coração desse belo parque nacional fica o Zion Canyon, talvez a mais popular das maravilhas naturais de Utah. Ele foi cavado pelas poderosas águas do rio Virgin e depois alargado e esculpido por vento, chuva e gelo. Suas majestosas paredes elevam-se a até 600m e formam picos escarpados em nuances de vermelho e branco. Campinas silvestres e folhagem exuberante ao longo do rio garantem a abundante vida selvagem da área. O ônibus do parque é o único meio de acesso ao cânion. Várias caminhadas curtas, partindo das paradas do ônibus, seguem trilhas sinalizadas até a árdua caminhada de 26km pelo cânion, que exige cruzar o rio em alguns pontos.

PREPARE-SE

Informações Práticas
Hwy 9, perto de Springdale. Zion Canyon Visitor Center, (435) 772-3256. meados abr-meados out: 8h-18h diariam (19h30 no verão); meados out-meados abr: 8h-17h diariam. restrito. nps.gov/zion

A espetacular Zion - Mt. Carmel Highway

Zion Canyon

O rio Virgin se insinua tranquilo por margens de flores silvestres, choupos, carvalhos e salgueiros, que crescem atrás das íngremes paredes do cânion. Atenção: as tempestades de verão podem causar inundações, por isso é sempre bom checar as condições do tempo previamente.

Como Explorar o Zion Canyon

Uma trilha guiada leva os visitantes por uma estrada panorâmica de 10km junto ao rio Virgin até um cânion cada vez mais estreito. No verão um ônibus circula pela Zion Canyon Scenic Drive e do centro de visitantes até o desvio para Springdale.

Legenda
— Rodovia
- - - Trilha de caminhada

Weeping Rock
Emerald Pools
Entrada Sul
Centro de Visitantes de Zion Canyon
Springdale
O Great Arch

0 m 500
0 jardas 500

Caminhadas

Vários passeios a pé ou de bicicleta pela geologia e história de Zion saem todo dia do centro de visitantes. A Emerald Pools Trail e a Canyon Overlook Trail são as mais procuradas.

Legenda dos símbolos na orelha da contracapa

Bryce Canyon National Park

Uma série de profundos anfiteatros cheios de formações rochosas cor de chama, as *hoodoos*, são a marca do Bryce Canyon National Park. Bryce fica em elevada altitude, com elevações de 1.829 a 2.438m e 30km de estrada panorâmica ao longo da borda do planalto Paunsaugunt. Entre as atrações estão vistas de vastos campos de espiras cor-de-rosa, laranja e vermelho; os índios paiute, que outrora caçavam nessa área, descreviam-nas como "pedras vermelhas como homens em pé dentro de bacias". O melhor é apreciar a pé o labirinto de pilares e canais do cânion.

Sunrise Point
Desse mirante entende-se por que o colono mórmon Ebenezer Bryce, que dá nome ao parque, se referiu a ele como "um péssimo lugar para perder uma vaca".

Navajo Loop
Essa trilha circular de 2km serpenteia montanha abaixo por 150m e termina num lento labirinto entre cânions profundos e plataformas de pedra. A volta dessa trilha é particularmente desgastante.

Legenda

① O **Sunset Point** é um dos principais mirantes de Bryce Canyon. Apesar do nome, é voltado para leste, com um nascer do sol espetacular e um pôr do sol que pode ser decepcionante.

② **Queen's Garden Trail**

③ **Fairyland Point**

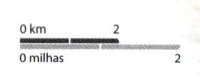

Legenda dos símbolos na orelha da contracapa

Thor's Hammer
Esculpida nas rochas do mais alto "degrau" da Grand Staircase (p. 516), essa insólita paisagem é de arenito erodido. *Hoodoos* como esse se formam quando chuva e vento erodem "aletas" de rocha mais dura, que viram colunas e depois *hoodoos* de estranhas formas. Altitude, gelo e vento prosseguem o trabalho de "esculpir" atualmente.

UTAH | **519**

Bryce Amphitheater
Essa vista panorâmica de espiras de rocha nevadas é das mais populares no parque. No inverno, como no verão, é melhor apreciá-la a partir do Inspiration Point.

PREPARE-SE

Informações Práticas
Hwy 63, na saída da Hwy 12.
PO Box 640201, UT 84764.
Tel (435) 834-5322.
diariam. 1º jan, Ação de Graças, 25 dez. Visitor Center:
abr e out: 8h-18h; mai-set: 8h 20h; nov-mar: 8h-16h30.
restrito.
W nps.gov/brca

Transporte
serviço regular de ônibus entre a entrada e o Bryce Point, do Memorial Day ao Labor Day.

Ponte Natural
Essa graciosa ponte natural fica a metros da estrada panorâmica do parque. Ela emoldura uma pitoresca vista do vale distante ao fundo. Trata-se de um arco natural e não de uma ponte, já que foi formado não por um rio, mas pelas mesmas forças naturais (vento, chuva e gelo) que criaram os *hoodoos* do parque.

Agua Canyon
Esse mirante permite ver algumas das mais delicadas e belas formações do parque, além das rochas em camadas de arenito cor-de-rosa, típicas do planalto Paunsaugunt.

Cão-da-Pradaria de Utah
Esse animal ameaçado de extinção vive apenas no sul de Utah; os do parque formam o maior grupo remanescente.

Legenda
— Rodovia expressa
-- Trilha de caminhada

Veja hotéis e restaurantes dessa região nas pp. 550-5

Arizona

Muitas vezes chamado de "estado do Grand Canyon" por sua famosa atração, o Arizona possui muitas belezas naturais. Sua ponta sudoeste abriga o hostil e belo deserto de Sonora, junto ao eixo econômico do estado, Phoenix, e à cidade de Tucson. Ao norte, a paisagem muda, elevando-se por planaltos desertos, até cânions e montanhas, no decantado "Velho Oeste" dos filmes de caubói. A cidade de Flagstaff e as pitorescas Sedona e Jerome atraem milhares de turistas. Cerca de 25% do Arizona é formado por reservas de nativos americanos. O estado também abriga várias ruínas dos antigos povos pueblos.

A London Bridge sobre um canal artificial em Lake Havasu City

㉑ Lake Havasu City

45.000. 314 London Bridge Rd, (928) 453-3444.
w golakehavasu.com

O empresário californiano Robert McCulloch fundou Lake Havasu City em 1964. Essa estância que ele construiu no rio Colorado ficou popular entre os cidadãos do Arizona, que não dispõem de saída para o mar. Mas sua ideia brilhante surgiu quatro anos depois: ele comprou a London Bridge e transportou-a pedra por pedra da Inglaterra para o lago Havasu. Alguns riram dele, dizendo que pensava estar comprando a gótica Tower Bridge de Londres, e não essa, mais comum. Houve mais deboche ainda quando se soube que não havia lugar em Havasu City para colocar uma ponte. Sem se abalar, McCulloch simplesmente criou um curso de água abrindo um canal para desviar água do lago Havasu. Atualmente, a Lake Havasu City é uma das áreas de recreação a céu aberto mais visitadas do Arizona, e atrai famílias e fãs de esportes.

㉒ Flagstaff

58.000. Amtrak Flagstaff Station, 1 E Rte 66. Flagstaff bus station, 399 S Malpais Lane. Amtrak depot, 1 E Rte 66, (928) 774-9541. 8h-17h seg-sáb, 9h-16h dom. feriados. Flagstaff Festival of the Arts (início jul-meados ago).
w flagstaffarizona.org

Apertada entre as florestas de pinheiros dos San Francisco Peaks, no norte do Arizona, Flagstaff é uma das cidades mais atraentes da região. Seu centro histórico, um conjunto de edifícios de tijolo vermelho que abrigam bares e restaurantes, data da década de 1890, quando a cidade evoluiu como centro madeireiro. A vida cultural de Flagstaff deve muito aos alunos da **Northern Arizona University**, que sedia duas galerias de arte em seu *campus*. A Beasley Gallery faz exposições temporárias e de obras de estudantes, e o Northern Arizona University Art Museum tem a coleção Weiss permanente, que inclui obras do mexicano Diego Rivera.

Situado na Mars Hill fica o **Lowell Observatory**, de 1894, que leva o nome de seu benfeitor, Percival Lowell, membro de uma das famílias mais ricas de Boston. Lowell pesquisou a vida em Marte e, embora não tenha tido sucesso, o observatório ganhou reputação com suas provas de um universo em expansão, junto com a descoberta de Plutão pelo astrônomo Clyde Tombaugh.

Poucos quilômetros a noroeste do centro, no cenário de uma floresta de pinheiros, fica o **Museum of Northern Arizona**. Ele tem uma das mais abrangentes coleções do sudoeste de artefatos arqueológicos da região, além de promover ótimas exposições de arte e ciência natural. O museu dá uma excelente visão geral da história dos anasazi e das culturas contemporâneas dos navajo, hopi e pai.

As coleções estão dispostas numa série de galerias em volta de um pátio central. A Archaeology Gallery proporciona uma ótima introdução às culturas históricas da região. A premiada exposição de antropologia na Ethnology Gallery documenta 12 mil anos de cultura tribal dos hopi, zuni, navajo e pai no Planalto do Colorado. A loja do museu vende arte e artesanato dos nativos americanos. Há uma seção com exposições sobre a variedade de plantas e animais encontrada no planalto do Colorado através das eras.

Museum of Northern Arizona
3.101 N Fort Valley Rd.
Tel (928) 774-5213. 9h-17h diariam. feriados.
w musnaz.org

Peças indígenas no Museum of Northern Arizona, em Flagstaff

Veja hotéis e restaurantes dessa região nas pp. 550-5

… ARIZONA | 521

㉓ O Coração do Arizona

O rio verde cruza as colinas de bosques e as férteis campinas do centro do Arizona antes de adentrar um amplo e verde vale entre Flagstaff e Phoenix. O coração do Arizona tem cidades charmosas como Sedona, escondida entre cenários belíssimos, e o ex-centro de mineração de Jerome. Nas montanhas fica Prescott, antiga capital e hoje uma agitada e agradável cidade pequena com um centro cheio de prédios vitorianos. A história antiga da área pode ser vista em duas belas ruínas pueblo, Montezuma Castle e Tuzigoot.

Dicas para o Passeio

Saída: Em Sedona, pegue a Hwy 89A até Tuzigoot, Jerome e Prescott. A Hwy 69 vai para leste, de Prescott até a Interstate Hwy 17, que vai para Camp Verde, Fort Verde e Montezuma Castle.
Extensão: 137km.
Quando ir: Primavera e outono; o verão é bem quente.

Legenda

— Percurso sugerido
⋯ Outras estradas

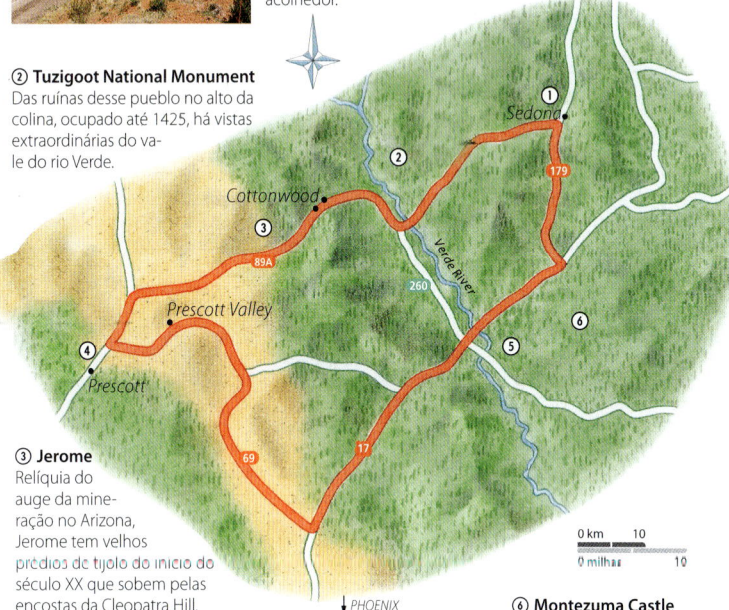

① Sedona
No meio de rochas vermelhas, Sedona é uma estância popular, conhecida por suas lojas e galerias New Age e por seu ambiente acolhedor.

② Tuzigoot National Monument
Das ruínas desse pueblo no alto da colina, ocupado até 1425, há vistas extraordinárias do vale do rio Verde.

③ Jerome
Relíquia do auge da mineração no Arizona, Jerome tem velhos prédios de tijolo do início do século XX que sobem pelas encostas da Cleopatra Hill.

④ Prescott
Tranquila cidade de montanha entre os picos escarpados e bosques da Prescott National Forest, é muito popular como centro de atividades ao ar livre.

⑤ Camp Verde
Um dos destaques é o Fort Verde, erguido pelo exército dos EUA em 1865. Seus guias vestem trajes da época.

⑥ Montezuma Castle National Monument
É possível ver ruínas dos pueblos ancestrais que datam de 1100, num dos mais belos locais do Sudoeste.

Legenda dos símbolos *na orelha da contracapa*

❷ Phoenix

1.300.000 (somente cidade). Greyhound Bus, 2.115 E Buckeye Rd. 50 North 2nd St, (602) 254-6500. The PGA's Phoenix Golf Open (Jan). musnaz.org

Estendendo-se por todo o Salt River Valley, a capital do Arizona, Phoenix era uma cidade agrícola na década de 1860 e logo virou um eixo econômico do estado. Ao crescer, ela gradualmente absorveu as vizinhas Scottsdale, Mesa e Tempe, e tem hoje cerca de 1 milhão de pessoas dentro da cidade e quase 3 milhões na sua região metropolitana. O centro de Phoenix tem muitas atrações históricas, enquanto a área metropolitana, famosa pelo estúdio de design Taliesin West, também é popular entre os turistas pelos seus spas e hotéis nos quentes meses de inverno.

Explorando o Centro de Phoenix

O centro, onde a cidade começou no século XIX, abrange algumas quadras a leste e oeste da Central Avenue e ao norte e sul da Washington Street. Essa abriga o **Arizona Capitol Museum**, com seu domo de cobre, que era originalmente a assembleia legislativa. O museu documenta a história política do estado.

Mais detalhes sobre a história da cidade podem ser vistos nas casas vitorianas muito bem restauradas da arborizada **Heritage Square**. Algumas delas foram transformadas em casas de chá e em pequenos museus. A **Rosson House**, construída em 1895 e decorada com móveis da época, está aberta à visitação. Na Stevens House, o pequeno **Arizona Toy and Doll Museum** exibe mostras periódicas de bonecas históricas, casinhas mobiliadas e brinquedos.

Adjacente a essas atrações históricas fica o ultramoderno **Arizona Science Center**, com cerca de 300 exposições de ciência interativas que oferecem viagens de realidade virtual pelo corpo humano.

Um curto passeio de carro para o norte do centro leva ao prestigioso **Phoenix Art Museum**, renomado por suas estimulantes exposições temporárias. O segundo andar do museu abriga obras de artistas americanos dos séculos XVIII e XIX, particularmente de pintores ligados ao Sudoeste. Entre as peças há obras de Georgia O'Keeffe e Gilbert Stuart, cujo celebrado *Retrato de George Washington* (1796) é visto em todas as cédulas de dólares.

O **Heard Museum**, mais ao norte, foi fundado em 1929 por Dwight Heard, um rico fazendeiro e dono de jornal, cuja esposa, Maie, reuniu uma extraordinária coleção de arte de nativos americanos do Sudoeste. O museu exibe cerca de 40 mil obras, mas sua atração principal é a exposição de mais de 500 bonecas *kachina*. Além das bonecas, há uma mostra premiada de cerâmica, joalheria e tecidos de nativos americanos, chamada "Home: Native Peoples In The Southwest". A Sandra Day O'Connor Gallery exibe exposições temporárias.

Boneca *kachina*, Heard Museum

Heard Museum
2.301 North Central Ave. **Tel** (602) 252-8840. (602) 252-8848 9h30-17h seg-sáb, 11h-17h dom. 25 dez. musnaz.org

Arredores

Cerca de 7 milhas (11km) ao leste do centro fica o **Papago Park**, com suas distintas formações de rochas vermelhas, atividades e museus. Imediatamente ao sul do parque, o **Hall of Flame Fire Museum** abriga uma grande coleção de equipamentos de bombeiros que datam desde o início do século XVIII. No centro do Papago Park, o **Desert Botanical Garden** apresenta cerca de 4 mil espécies de plantas do deserto, entre elas 139 raras ou em extinção. Algumas milhas ao norte do parque fica a antiga cidade de **Scottsdale**, fundada no final do século XIX. Repleta de shoppings com ar-condicionado, lojas de grife, hotéis, cafés e restaurantes, ela é famosa também por seus campos de golfe de alto nível. As ruas calmas e arborizadas de Scottsdale e seus arredores desertos atraíram o visionário arquiteto Frank Lloyd Wright *(p. 394)*, que aí montou seu estúdio de inverno **Taliesin West** em 1937. Esse complexo de 240ha é hoje uma escola de arquitetura e um estúdio de design. Os tons suaves de seus prédios baixos e o uso de pedras locais para construir muros irregulares refletem o amor de Wright pelo cenário do deserto.

A **Cosanti Foundation**, 6km a oeste de Taliesin West, foi

① Arizona State Capitol Museum

Fachada do Arizona State Capitol Building, em Phoenix

Veja hotéis e restaurantes dessa região nas pp. 550-5

ARIZONA | 523

O inigualável Taliesin West, projetado para compor com a paisagem do deserto

instituída pelo arquiteto italiano e aluno de Wright, Paolo Soleri (1919-2013), para incrementar seu estudo do que chamou de "arcology": uma combinação de arquitetura e ecologia, para criar novos hábitats urbanos. Hoje, o local consiste de estruturas simples, baixas, com estúdios, uma galeria e oficinas de arte, onde os auxiliares de Soleri faziam e vendiam sinos de vento e bronzes fundidos.

Ao sul da Cosanti Foundation encontra-se a **Camelback Mountain**, assim chamada pelo seu formato em corcova. Um dos marcos da cidade, a montanha é um afloramento de granito e arenito formado por forças vulcânicas pré-históricas. Uma íngreme subida, que vence 390m em apenas 1,5km, leva ao pico.

Mais detalhes do passado nativo americano podem ser vistos no **Pueblo Grande Museum.** Localizado próximo às ruínas de um povoado Hohokam de 1.500 anos, é dedicado ao estudo do povo que viveu no local entre os séculos VIII e XIV. Reproduções em tamanho real das casas originais de adobe podem ser vistas ao longo do museu, assim como artefatos antigos como utensílios de cozinha e peças de porcelana. Muitos desses artefatos são oriundos do Archaeological Park, local do povoado descoberto em 1887. O museu apresenta um programa variado de atividades educativas para adultos e crianças, com o objetivo de promover a cultura dos Hohokam.

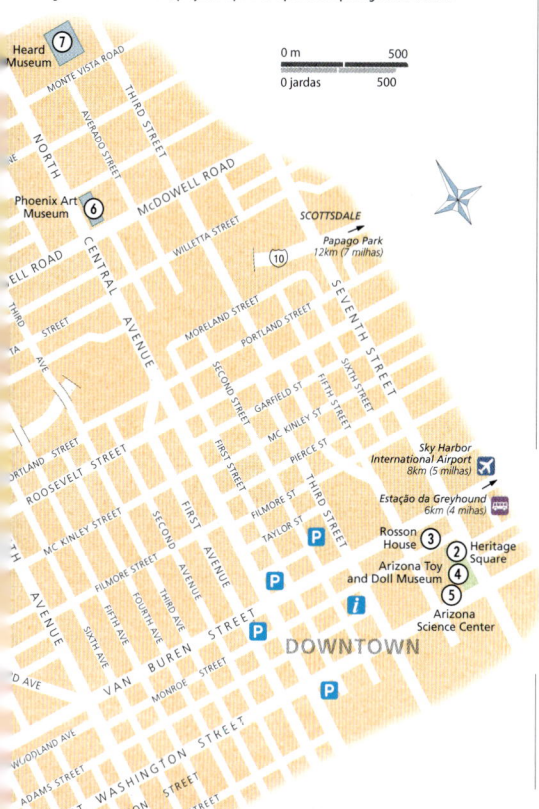

Desenho inovador da loja da Cosanti Foundation, em Scottsdale

Principais Atrações

① Arizona State Capitol Museum
② Heritage Square
③ Rosson House
④ Arizona Toy and Doll Museum
⑤ Arizona Science Center
⑥ Phoenix Art Museum
⑦ Heard Museum

Legenda dos símbolos *na orelha da contracapa*

㉕ Tucson

🏠 750.000. 🚆 Estação da Amtrak, 400 E Toole Ave. 🚌 linhas Greyhound, 2 S 4th Ave. ℹ️ 100 S Church Ave, (520) 624-1817, (800) 638-8350. 🎉 La Fiesta de los Vaqueros (fim fev); Tucson Folk Music Festival (mai). 🌐 visittucson.org

Segunda maior cidade do Arizona, Tucson fica na fronteira norte do deserto de Sonora, numa bacia rodeada por cinco cadeias de montanhas. O passado colonial da cidade data de 1770, quando uma forte resistência das tribos nativas locais tohono o'odham e pima forçou os espanhóis a mudar sua fortaleza regional, ou presidio, de Tubac, perto dali, para Tucson.

As principais atrações da cidade ficam reunidas em volta do *campus* da University of Arizona e da área do centro antigo. Os bairros históricos **Barrio** e **El Presidio** estão localizados ali. El Presidio ocupa a área onde ficava o forte espanhol original. Hoje, muitos dos edifícios históricos foram convertidos em restaurantes, lojas e escritórios. Cinco das mais antigas moradias de El Presidio, incluindo a J. Knox Corbett House, estão localizadas no Historic Block. Elas fazem parte do **Tucson Museum of Art**, com sua excelente coleção de artefatos pré-colombianos e exposições de obras americanas e europeias contemporâneas. A sudeste do museu, a Pima County Courthouse, construída em 1927, é um ótimo exemplo do estilo colonial espanhol revisitado.

A **St. Augustine Cathedral**, com sua imponente fachada de arenito, fica a sudoeste de El Presidio. Iniciada em 1896, a catedral segue o estilo colonial espanhol da catedral de Querétaro no centro do México. O histórico Barrio, mais ao sul, já foi um bairro de negócios. Hoje, suas ruas tranquilas são ladeadas por casas de adobe pintadas em cores vivas. Perto dele, na Main Street, fica o "santuário de desejos" de El Tiradito, onde um jovem foi morto em consequência de um triângulo amoroso. As pessoas do local acreditam que se uma vela acesa no santuário queimar por uma noite seus desejos serão realizados.

Vitral na St. Augustine Cathedral

O *campus* da University of Arizona abriga vários museus. O principal é o **Arizona State Museum**, renomado por suas coleções de artefatos que cobrem 2 mil anos de história nativa. Mais além do centro, o Metropolitan Tucson estende-se para dentro das montanhas circundantes. O **Mount Lemmon** (2.790m), o pico mais alto, fica ao norte, e a oeste fica uma parte do Saguaro National Park (a outra fica a leste), onde se podem ver os altos cactos saguaro.

Cerca de 22km a oeste da universidade fica o fascinante **Arizona-Sonora Desert Museum**. Cobrindo mais de 8,5ha, ele inclui um jardim botânico, um zoo e um museu de história natural com exposições que mostram a história, a geologia e a flora e a fauna do deserto de Sonora.

Perto dele fica o **Old Tucson Studios**, um parque temático do Velho Oeste construído originalmente como cenário para um filme de faroeste de 1939. Alguns dos faroestes mais famosos de Hollywood, como *Gunfight at the OK Corral* (1957) e *Rio Bravo* (1958), foram rodados ali.

A mais antiga e bem preservada igreja de missões fica ao sul de Tucson. A **San Xavier del Bac Mission,** concluída em 1797 por missionários franciscanos, é feita de adobe e constitui um dos melhores exemplos da arquitetura colonial espanhola nos EUA. Entre os seus destaques está uma fachada barroca ornamentada com figuras entalhadas de santos, um glorioso teto pintado e um altar principal espetacular.

🏛️ San Xavier del Bac Mission
1.950 W San Xavier Rd, 16 km ao sul de Tucson pela I-19. **Tel** (520) 294-2624. 🕐 7h-17h diariam. 🌐 sanxaviermission.org

---

Arquitetura do Sudoeste

O Sudoeste testemunhou vários estilos arquitetônicos, do pueblo ancestral de adobe ao colonial espanhol e ao revisitado das missões e pueblos, dos séculos XIX e início do XX. Os colonizadores trouxeram suas próprias formas que se misturaram às nativas, criando um painel único de estilos multiculturais.

Canale (cano de água)   Tijolos de adobe

Essa casa de adobe no El Rancho de las Golondrinas Museum de Santa Fe é em adobe (tijolos queimados ao sol, feitos de barro, areia e palha), cimentado com material similar e rebocado com barro.

Janelão gradeado   Teto plano   Parapeito arredondado

O Santa Fe Museum of Fine Arts foi o primeiro edifício da cidade no estilo pueblo revisitado, com paredes de adobe, parapeitos arredondados, janelões gradeados e andares no estilo pueblo.

Veja hotéis e restaurantes dessa região nas pp. 550-5

ARIZONA | 525

Estátua da Virgem Maria na San Xavier del Bac Mission, Tucson

㉖ Nogales

20.800. 123 W Kino Park, (520) 287-3685.
w thenogaleschamber.com

Local de nascimento do astro do jazz Charles Mingus, Nogales é formada por duas cidades separadas pela fronteira dos EUA com o México. É um agitado porto de entrada de enormes volumes de carga, incluindo 75 por cento de todas as frutas de inverno e legumes e verduras vendidos na América do Norte. Nogales atrai muitos visitantes que procuram ofertas nos bairros de compras de ambos os lados da fronteira. Há forte contraste entre as ruas calmas do lado americano e as casas degradadas e as ruas comerciais agitadas do outro lado. Exige-se visto apenas dos que cruzam os limites da cidade. Cidadãos americanos devem levar passaporte ou certidão de nascimento para se identificar, e os estrangeiros devem apresentar passaporte e ter certeza que seu visto lhes permite voltar para os EUA.

㉗ Bisbee

6.500. 478 Dart Road, (520) 432-3554. **w** discoverbisbee.com

A descoberta de cobre na década de 1880 criou uma febre de mineração, e na virada do século Bisbee era a maior cidade entre St. Louis e São Francisco. Hoje, é uma das cidades de mineração mais charmosas do Sudoeste. Edifícios vitorianos como o Copper Queen Hotel ainda dominam o centro histórico, e há grupos de casas atraentes pelas encostas das montanhas em volta. Pode-se passear pelas minas que floresceram, e o Bisbee Mining and Historical Museum mostra como era a mineração e a vida na fronteira.

Arredores
Cerca de 40km ao norte de Bisbee fica **Tombstone**, uma das mais turbulentas cidades do oeste. Fundada por um garimpeiro em 1877, seu nome vem da advertência que ele recebeu, que dizia "tudo o que você vai encontrar lá é sua lápide". Em vez disso, a prata que ele encontrou levou a uma corrida de garimpeiros. Hoje, Tombstone é uma lenda viva, famosa como local do duelo de 1881 no OK Corral entre os irmãos Earp e a gangue de Clanton. O OK Corral é hoje um museu, onde o fatídico duelo é reencenado. O velho tribunal de justiça, a Tombstone Courthouse, é uma atração histórica.

Cerâmica mexicana, em Nogales

㉘ Amerind Foundation

Dragoon Road, saída 318 da I-10.
Tel (520) 586-3666. 10h-16h ter-dom. jun-set: seg e ter; feriados.
w amerind.org

O Amerind Foundation é um dos mais importantes museus arqueológicos e etnológicos do país. O termo "amerind" é uma contração de "american indian" ("índio americano", "ameríndio") e a coleção mostra aspectos da vida dos nativos americanos por meio de milhares de peças de diversas culturas. Essas incluem máscaras inuit, ferramentas cree e efígies das casas grandes do México.

A Amerind Art Gallery adjacente tem uma ótima coleção de arte do Oeste, de artistas como William Leigh e Frederic Remington. Os belos edifícios cor-de-rosa, projetados no estilo colonial espanhol revisitado, também são muito interessantes.

Domo em estilo mourisco
Ferro trabalhado
Entalhes em madeira

Telhas vermelhas
Reboco branco

A J. Knox Corbett House, em Tucson, foi projetada no estilo do século XX Missões Revisitado, pelo arquiteto de Chicago David Holmes em 1906. Tem paredes de estuque branco, teto plano, pátios e ornamentação mínima.

San Xavier del Bac Mission é um ótimo exemplo da tradição barroca das igrejas coloniais espanholas. O estilo ressurgiu no século XX como Colonial Espanhol Revisitado, com telhas vermelhas, ornamentos de terracota, ferro trabalhado e paredes brancas.

㉙ Petrified Forest National Park

Saindo da I-40. **Tel** (928) 524-6228.
7h-18h diariam (inverno: 8h-17h).
25 dez. restrito.
nps.gov/pefo

Essa pré-histórica floresta fóssil é uma das atrações mais singulares do Arizona. Há milhões de anos, os rios varreram as árvores até um amplo alagado que outrora cobria toda essa área. A água do solo introduziu dióxido de silício na madeira derrubada, transformando-a nas toras de quartzo que vemos hoje, com cristais coloridos preservando a forma das árvores.

Percorrendo todo o comprimento da floresta fica o famoso Painted Desert. Essa é uma área de faixas de areia e pedra que mudam de azul para vermelho ao longo do dia conforme a luz captura os diferentes depósitos minerais.

Uma estrada panorâmica de 45km que começa no centro de visitantes corta a extensão do parque. Há nove mirantes pelo caminho, incluindo o Kachina Point, onde fica a trilha Painted Wilderness. Exige-se autorização para acampar na área inóspita. Perto do extremo sul da estrada fica o ótimo **Rainbow Forest Museum**.

Rainbow Forest Museum
Fora Hwy 180 (S entrance).
Tel (928) 524-6228.
8h-17h diariam.

Abertura de arenito erodido da Window Rock, perto da Highway 12

㉚ Window Rock

4.500. Hwy 264, (928) 871-6436.

Window Rock é a capital da Navajo Nation, a maior reserva de nativos americanos do Sudoeste. A cidade deriva seu nome do arco natural encontrado nos rochedos de arenito que ficam cerca de 1,5km ao norte da faixa principal pela Highway 12.

O **Navajo Nation Museum**, localizado em Window Rock, é um dos maiores museus de nativos americanos do país. O imenso edifício em forma de *hogan* abriga mostras que cobrem a história dos pueblos ancestrais e dos navajos.

Navajo Nation Museum
Hwy 264 & Post Office Loop Rd. **Tel** (928) 871-7941. 8h-17h seg, 8-18h ter-sex, 8h-17h sáb. feriados.
navajonationmuseum.org

㉛ Hopi Indian Reservation

10.000. Hwy 264, Second Mesa, (928) 734-0044. 9h-17h diariam (horário estendido no verão). 1º jan, Ação de Graças, 25 dez. hopiculturalcenter.com

Considerados descendentes diretos dos pueblos ancestrais, os índios hopi vivem e cultivam essa árida área de reserva há quase mil anos. Eles fazem seu culto por meio da *kachina* – o espírito vivo de plantas e animais –, que acreditam visitar a tribo na estação de cultivo. A maioria das vilas hopi fica nas ou perto das mesas (elevações de topo plano), chamadas de First, Second e Third Mesa. Artesãos de cada mesa especializam-se em artes particulares.

Visitantes podem fazer um passeio a pé com guia pelo impressionante pueblo **Walpi**, na First Mesa. Habitado no

A histórica cidade pueblo de Walpi na First Mesa, dentro da Hopi Indian Reservation

Veja hotéis e restaurantes dessa região nas pp. 550-5

Ruínas dos pueblos ancestrais de Keet Seel no Navajo National Monument

século XII, ele foi construído para facilitar a defesa contra possíveis ataques de espanhóis ou navajos. Fica numa afiada aresta de rocha, estendendo-se a partir da ponta da First Mesa. Walpi tem menos de 33m de largura e uma queda de dezenas de metros de ambos os lados. O passeio por Walpi inclui várias paradas onde os visitantes podem comprar bonecas *kachina*, cerâmica, tapetes e cestos ou provar o pão hopi *piki*. Artesanato e arte hopi podem ser encontrados nas galerias e lojas da Second Mesa. O Hopi Cultural Center tem um restaurante e o único hotel num raio de quilômetros, além de um museu com uma ótima coleção de fotos que retratam aspectos da vida hopi.

Boneca *kachina*

Na Third Mesa, o pueblo Old Oraibi, que se acredita ter sido fundado no século XII, é fascinante, pois constitui o assentamento humano que foi ocupado continuamente por mais tempo na América do Norte.

Walpi
(928) 737-2670.
Passeios a pé: 9h30-15h diariam.
experiencehopi.com

㉜ Tuba City

17.300. Tuba City Trading Post, (928) 283-5441. diariam. 1º jan, Ação de Graças, 25 dez.

O nome da cidade deriva de Tuuvi, nativo hopi covertido à fé mórmon. Mas Tuba City é mais conhecida pelas pegadas de dinossauro de 65 milhões de anos, encontradas perto da principal rodovia, 8km a sudoeste da cidade. Também é a maior comunidade na seção oeste da Navajo Reservation e é um bom ponto de partida para explorar tanto o Navajo National Monument como a Hopi Reservation.

㉝ Grand Canyon

pp. 530-3.

㉞ Navajo National Monument

Tel (928) 672-2700. 9h-17h diariam (verão horário estendido). 1º jan, Ação de Graças, 25 dez. grátis.
nps.gov/nava

Apesar de o nome derivar da sua localização na Navajo Reservation, esse monumento é na verdade conhecido por suas ruínas de pueblos ancestrais. Entre elas, a mais acessível é o bem preservado pueblo de Betatakin, de 135 aposentos, num grande nicho curvo nos rochedos do Tsegi Canyon. Uma trilha fácil de 1,6km partindo do centro de visitantes leva até um mirante que oferece uma cativante vista de Betatakin. Para ver mais de perto essas antigas casas, os visitantes podem fazer um vigoroso passeio, diário, de cinco horas a pé, de fim de maio até início de setembro e alguns fins de semana no inverno.

Uma caminhada mais árdua (27km) leva até **Keet Seel**, uma ruína mais impressionante. Expede-se um número limitado de autorizações diárias para visitá-la. Essa caminhada exige um pernoite num camping com instalações bem básicas. Keet Seel era uma comunidade maior e mais bem-sucedida do que Betatakin. Começou a ser construída por volta de 1250, e acredita-se que foi abandonada por volta de 1300.

Ruínas de Keet Seel no Navajo National Monument

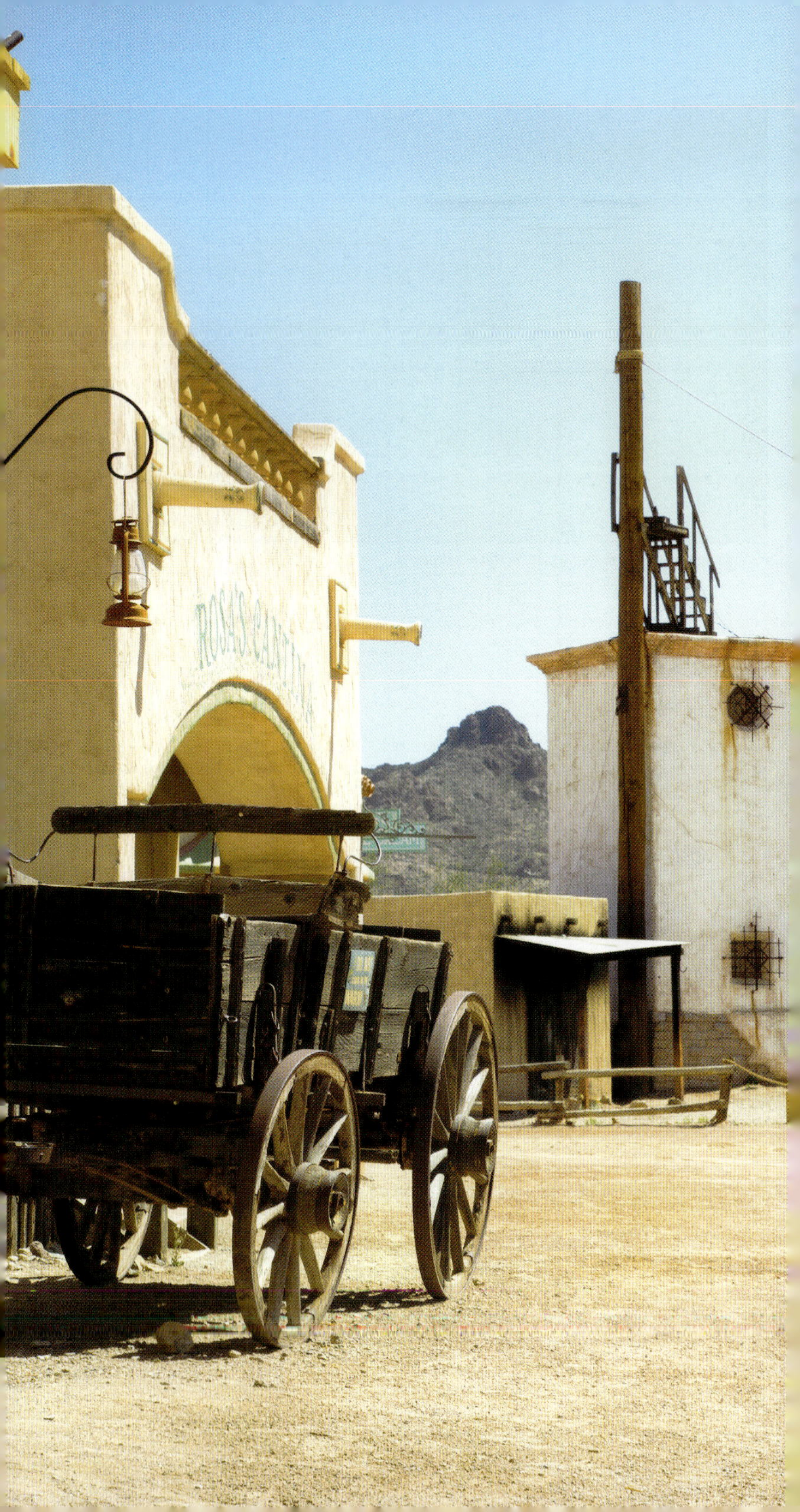
ROSA'S CANTINA

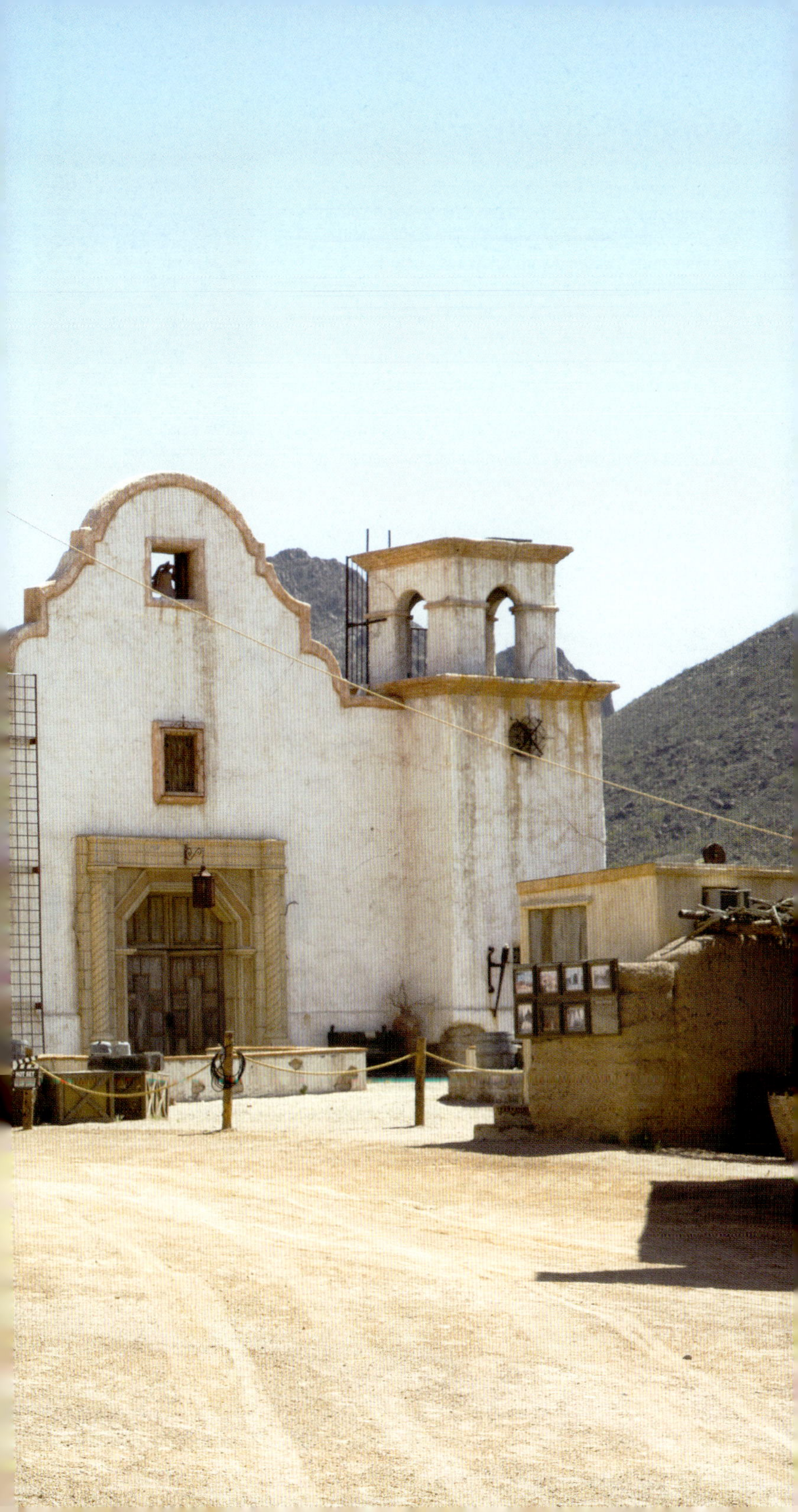

ⓉGrand Canyon

Uma das grandes maravilhas naturais do mundo, o Grand Canyon é um símbolo prontamente reconhecível do Sudoeste. Correndo pelo Grand Canyon National Park *(pp. 532-3)*, tem 349km de extensão, de 6 a 29km de largura e mais de 1.500m de profundidade. Foi formado durante 6 milhões de anos pelo rio Colorado, cujas águas rápidas cortaram o Planalto do Colorado, que inclui a garganta, bem ao norte do Arizona, e a região de Four Corners. As extravagâncias geológicas do planalto definiram o curso do rio, e os grandes rochedos são cobertos por pedras de diferentes cores, variados tons de calcário, arenito e argila. Sob qualquer aspecto, o cânion, com suas vastas dimensões, é espetacular. Mas sua beleza especial está nos sempre mutantes padrões de luz e sombra e nas cores das rochas, de branco brilhante ao meio-dia, mas com tons vermelho e ocre ao pôr do sol.

Comboio de Mulas
Muito procurados para explorar as estreitas trilhas do Grand Canyon, os passeios de mula na Borda Sul devem ser reservados com antecedência.

Havasu Canyon
Desde 1300 o Havasu Canyon tem sido o lar dos índios havasupai. Cerca de 500 índios vivem na Havasupai Reservation e ganham a vida a partir do comércio com turistas.

Grandview Point
Com 2.250m de altitude, esse é um dos pontos mais altos da Borda Sul. É uma das paradas do impressionante Desert View Drive *(p. 532)*. Acredita-se que foi a partir desse ponto que os espanhóis tiveram sua primeira visão do cânion em 1540.

◀ Old Tuscon Studios, em Tuscon, onde muitos faroestes foram filmados

ARIZONA | 531

Borda Norte
O North Rim recebe cerca de um décimo dos visitantes do South Rim. Embora menos acessível, é um destino mais tranquilo que dá uma sensação de vida selvagem inexplorada. Caminhadas incluem a North Kaibab Trail, uma íngreme descida até o Phantom Ranch, único alojamento no chão do cânion.

PREPARE-SE

Informações Práticas
Mather Point, **Tel** (928) 638-7888. Borda Sul: diariam; Borda Norte: só no verão. Passeios de mula: Borda Sul: agendar (303) 297-2757; Borda Norte: marcar no Grand Canyon Lodge (435) 679-8665. Instalações na Borda Norte: meados out-meados mai. restrito.
w nps.gov/grca

Transporte
Grand Canyon Airpt., Tusayan. Grand Canyon Railway a partir de Williams. Flagstaff e Williams.

Bright Angel Trail
Usada pelos nativos americanos e pelos primeiros colonizadores, a Bright Angel Trail segue um caminho natural ao longo de uma das enormes fissuras do cânion. É uma boa opção para quem quer caminhar de dia; ao contrário de outras trilhas, oferece muita sombra e minas de água.

Yavapai Point na Borda Sul
Situado 8km ao norte da Entrada Sul do cânion, junto a um trecho da Rim Trail, fica o Yavapai Point. Sua estação de observação oferece vistas deslumbrantes, e um painel de visualização identifica vários marcos da parte central do cânion.

Como o Cânion se Formou
O rio Colorado, que mudou seu curso há 4 milhões de anos, responde pela profundidade do cânion, mas sua largura e formações são obra de forças ainda maiores. O vento causa erosão do calcário e do arenito, e a chuva que cai sobre as bordas faz fundos cortes nas paredes do cânion em suas rochas macias. Mas talvez a maior força seja o gelo. A água da chuva e da neve derretida entra pelas fissuras da rocha. Ao congelar, expande-se e força a rocha para fora das paredes do cânion. As camadas macias sofrem erosão mais rápido e criam faces inclinadas, e as rochas duras resistem mais, criando faces verticais.

A erosão pela água forma fissuras

Veja hotéis e restaurantes dessa região nas pp. 550-5

Como Explorar o Grand Canyon National Park

Patrimônio da humanidade, o Grand Canyon National Park cobre 4.930km² e é formado pelo próprio cânion, que começa quando o rio Paria deságua no Colorado, indo de Lees Ferry até o lago Mead *(p. 507)*. O parque tem duas entradas principais, na orla Norte e na orla Sul do cânion. Suas estradas principais, a Hermit Road e a Desert View Drive, ambas acessíveis a partir da entrada sul, dão vista para o cânion. Também é possível entrar no parque pelo norte, mas essa estrada (Hwy 67) fica fechada no inverno. Trilhas a pé ao longo das bordas Norte e Sul (North e South Rims) oferecem vistas maravilhosas, mas para sentir bem a fascinação do cânion deve-se explorar as trilhas que descem até o chão. A Bright Angel Trail, na Borda Sul, e a North Kaibab Trail, na Borda Norte, descem até lá e são caminhadas bastante árduas que exigem uma parada para pernoitar.

Arquitetura pueblo em adobe da Hopi House, na Grand Canyon Village

🏨 Grand Canyon Village
Grand Canyon National Park. **Tel** (928) 638-7888. ♿ restrito.

A Grand Canyon Village tem suas raízes no fim do século XIX. A construção extensiva de acomodações para visitantes começou depois que a Santa Fe Railroad abriu uma estrada de Williams até esse local em 1901, embora já houvesse alguns hotéis no fim da década de 1890. A Fred Harvey Company construiu um conjunto de edifícios bem projetados e atraentes. O mais destacado é o El Tovar Hotel *(p. 551)*. Aberto em 1905, leva o nome de exploradores espanhóis que alcançaram a garganta em 1540. A Hopi House também é de 1905 – uma réplica de uma moradia hopi tradicional, onde os locais podiam vender seu artesanato como suvenires. Foi construída por artesãos hopi e projetada por Mary E. J. Colter, uma ex-professora e arquiteta que usou influências do Sudoeste, combinando os estilos espanhol e dos nativos americanos. Ela é responsável por muitas das estruturas históricas que hoje enfeitam a Borda Sul, como o Lookout Studio and Hermits Rest, de 1914, e o rústico Phantom Ranch de 1922 no chão do cânion.

Hoje, a Grand Canyon Village tem muitos hotéis, restaurantes e lojas. É muito fácil se perder, pois os edifícios estão espalhados em áreas de bosques. A vila é o ponto de partida da maioria dos passeios de mula pelo cânion. Também é a parada final da Grand Canyon Railway, com trens a vapor restaurados que fazem a viagem de 103km a partir de Williams.

A Borda Sul

A maioria dos 4,4 milhões de visitantes anuais do Grand Canyon vai para a Borda Sul, pois, ao contrário da Borda Norte, ela fica aberta o ano inteiro e tem acesso fácil pela Highway 180/64 a partir de Flagstaff *(p. 520)* ou de Williams. A **Hermit Road e a Desert View Drive** (Hwy 64) começam na Grand Canyon Village e incluem algumas das melhores vistas da garganta. A Hermit Drive é vedada a carros particulares de março a novembro, mas há ônibus grátis, e a Desert View Drive fica aberta o ano todo.

A partir da vila, a Hermit Road corre ao longo da Borda Sul, estendendo-se por 13km. Seu primeiro mirante é o **Trailview Overlook**, que oferece uma visão geral do cânion e do sinuoso curso da Bright Angel Trail. Seguindo em frente, o **Maricopa Point** tem vistas panorâmicas do cânion, mas não do rio Colorado, mais visível a partir do **Hopi Point**, perto dali. No final da Hermit Road fica o **Hermits Rest**, onde há uma loja de presentes em estilo rústico, em outro edifício projetado por Mary Colter. A mais longa Desert View Drive corre na direção oposta e cobre 42km. Ela serpenteia por 20km antes de alcançar o **Grandview Point**, onde os espanhóis devem ter tido sua primeira visão do cânion em 1540. Seguindo mais 16km ficam as ruínas pueblo da Tusayan Ruin, onde um pequeno museu

Interior da loja de presentes de Hermits Rest, com artesanato à venda ao longo das paredes

Veja hotéis e restaurantes dessa região nas pp. 550-5

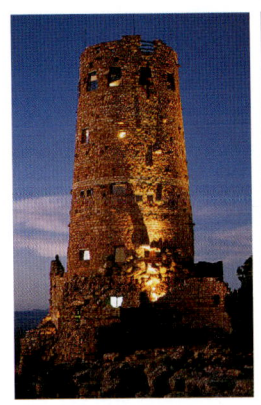

ARIZONA | 533

A torre de vigia no mirante Desert View, no Desert View Drive

Condores da Califórnia

Maior ave dos EUA, o condor da Califórnia tem uma envergadura de 2,7m. Próximo da extinção na década de 1980, os últimos 22 condores foram capturados para acasalamento em cativeiro. Em 1996, os primeiros filhotes nascidos em cativeiro foram soltos no norte do Arizona. Hoje, cerca de 70 condores cruzam os céus dessa região e do sul do Utah. Eles costumam dar suas voltas pela Borda Sul, mas os visitantes não devem se aproximar nem tentar alimentá-los.

Casal de condores da Califórnia

conta a vida dos pueblos ancestrais. A estrada finalmente termina no impressionante mirante de **Desert View**. Sua torre de vigia foi a criação mais ousada de Colter, com o andar superior decorado com murais hopi do início do século XX.

A leste da Grand Canyon Village fica o **Yavapai Point**, de onde se vê o Phantom Ranch. Essa é a única acomodação coberta disponível no chão do cânion, para lá do rio Colorado.

A Borda Norte

Situado a 2.400m, a Borda Norte é mais alta, mais fria e tem mais vegetação que a Borda Sul – densas florestas de pinheiros-ponderosa, álamos e coníferas. É mais provável vislumbrar vida selvagem na Borda Norte. Os mais comuns de ver são o veado, o esquilo kaibab e o peru-selvagem.

O acesso à Borda Norte é pela Highway 67, saindo da Highway 89A, chegando ao **Grand Canyon Lodge**, onde há serviços aos visitantes, uma área para acampar, posto de gasolina, restaurante e um armazém. Perto fica um centro de informações do National Park Service, que fornece mapas da área. A Borda Norte e todas as suas instalações fecham de meados de outubro a meados de maio, quando costuma ficar nevado. A Borda Norte está duas vezes mais longe do rio do que a Borda Sul, e o cânion de fato se afasta dos mirantes dando uma ideia melhor de sua largura de 16km. Há cerca de 45km de estradas panorâmicas ao longo da Borda Norte, além de trilhas para caminhadas até mirantes ou para descer até o chão do cânion (em especial a North Kaibab Trail, que se liga à Bright Angel Trail da Borda Sul).

O pitoresco **Cape Royal Road** começa ao norte do Grand Canyon Lodge e percorre 37km até Cape Royal no Planalto Walhalla. Dali veem-se vários rochedos e picos famosos, como o Wotans Throne e o Vishnu Temple. Também há trilhas a pé curtas e fáceis em volta de Cape Royal, ao longo do topo.

Um retorno de 5km leva até **Point Imperial**, o ponto mais alto na beira do cânion. Pelo caminho, a **Vista Encantada** tem paisagens bonitas e mesas de piquenique com vistas para a garganta.

Veado na Borda Norte do cânion

A Bright Angel Trail

Essa é a mais popular das trilhas para caminhadas do Grand Canyon. O começo da Bright Angel fica na Grand Canyon Village, na Borda Sul. A trilha começa perto do Kolb Studio no lado oeste da vila. Então ela desce abruptamente pelo lado do cânion por 13km. A trilha cruza o rio sobre uma ponte suspensa e termina pouco adiante no Phantom Ranch. Há dois pontos de descanso e um local para acampar bem equipado no caminho. Não é aconselhável tentar fazer a viagem toda em um dia. Muitos andam da Borda Sul até um dos pontos de descanso e depois voltam até a beira. As temperaturas no fundo do cânion podem chegar a 43 °C ou até mais no verão. Quem caminha de dia deve consumir cerca de 1 litro de água por hora de caminhada no verão. Também é aconselhável carregar um kit de primeiros-socorros.

Início da caminhada pela Bright Angel Trail

⑳ Monument Valley

A partir da panorâmica Highway 163, que cruza a fronteira entre Utah e Arizona, é possível ver os famosos morros e mesas de Monument Valley. Essas velhas rochas, elevando-se de um deserto aparentemente infindável, viraram símbolos do Oeste americano, pois vêm sendo usadas como cenário de inúmeros filmes e seriados de televisão.

O centro de visitantes da área fica dentro dos limites do Monument Valley Tribal Park, mas muitas das espetaculares formações rochosas do vale e outras atrações ficam fora de seus limites.

Passeios Guiados
Quiosques no centro de visitantes oferecem passeios pelo vale em veículos 4x4 guiados por navajos. O marketing pode ser agressivo, mas os passeios são um excelente meio de ver locais do parque que de outro modo seriam inacessíveis.

Three Sisters
Uma das formações mais características do vale, pode-se ter a visão mais próxima de Three Sisters a partir do John Ford's Point. É uma das atrações mais fotografadas do parque.

Arte e Ruínas
Petróglifos como esse veado são vistos em passeios guiados por navajos até locais de arte na rocha, espalhados pelas ruínas do vale.

Left Mitten

Monument Valley
O Monument Valley não é de fato um vale. Os topos das mesas marcam o que já foi uma planície, que há milhões de anos rachou por sublevações dentro da terra. As fissuras se alargaram e erodiram e as formações se ergueram do chão do deserto.

Como Explorar o Vale

A assombrosa beleza dos rochedos e mesas do Monument Valley pode ser vista a partir da Highway 163. Visitantes podem também pagar uma taxa para fazer um passeio autoguiado de 27km por uma estrada de terra bem sinalizada (paga-se a taxa no centro de visitantes). Uma opção é pagar guias navajo para caminhadas, passeios a cavalo ou em 4x4 até locais menos visitados do vale.

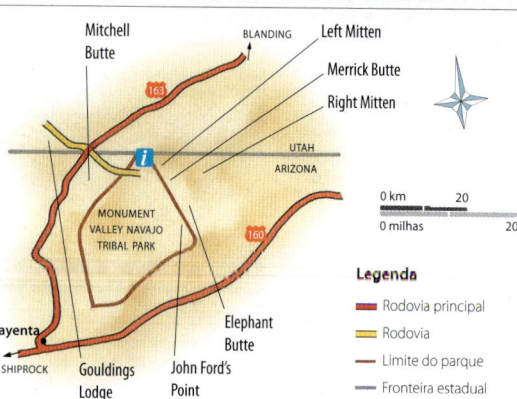

Legenda
- Rodovia principal
- Rodovia
- Limite do parque
- Fronteira estadual

Legenda dos símbolos na orelha da contracapa

ARIZONA | 535

John Ford's Point
A parada mais popular no passeio pelo vale é o John Ford's Point, tido como a vista do vale preferida pelo diretor de cinema. Várias barracas oferecem artesanato navajo. Uma *hogan* (moradia navajo) nativa serve de loja de presentes; nela, tecelões navajos demonstram sua arte.

PREPARE-SE

Informações Práticas
PO Box 360289, Monument Valley, 🅿️ ♿ só no centro de visitantes. 🎟️ 📷 ⚠️ ⛰️
Tel (435) 727-5870.
🕐 amanhecer-anoitecer diariam.
⬤ 25 dez.
🌐 navajonationparks.org

Right Mitten
Merrick Butte

Tecelã Navajo
As mulheres navajos são as melhores tecelãs do Sudoeste. Tecer um tapete pode levar meses, e ele é vendido por milhares de dólares. Usando as cores naturais da terra, as tecelãs costumam acrescentar uma "linha de espírito" à sua obra para que seu espírito não fique "preso" ao tapete.

O Velho Oeste
Idealizado em filmes de caubói, o "Velho Oeste" traz imagens de homens durões guiando gado pelo país e depois relaxando num *saloon*. Mas a vida nesses locais inóspitos não era romântica como nos filmes. Colonos travavam uma dura batalha pioneira por terra e riqueza, lutando entre si e contra indígenas pela terra. A vida rústica de garimpeiros e caubóis ajudou a criar a ideia do Oeste. Hoje, os visitantes ainda podem ver antigas cidades de mineração como Bisbee ou curtir reencenações de duelos nas ruas de Tombstone (p. 525), local de uma das mais famosas histórias do Velho Oeste. Mas no fim do século XIX talentos para sobreviver como a pontaria com frequência coexistiam com a ética de matar ou morrer. Passeios guiados por trilhas, oferecidos em muitos ranchos, são uma boa maneira de explorar o Velho Oeste contemporâneo.

Passeios guiados por trilhas são um bom modo de explorar o Velho Oeste

Veja hotéis e restaurantes dessa região nas pp. 550-5

Cânion de Chelly National Monument

Os impressionantes rochedos de centenas de metros do Cânion de Chelly têm uma longa história de ocupação humana. Arqueólogos encontraram provas de quatro períodos de cultura nativa, começando por povos feitores de cestos de 300 a.C., seguidos pelos grandes construtores pueblos, que criaram as moradias nas pedras no século XII. Depois chegaram os hopi, que viveram ali alguns períodos durante 300 anos, aproveitando o solo fértil do cânion. Hoje o cânion é o coração cultural e geográfico da Navajo Nation, onde fazendeiros navajo ainda vivem cuidando de carneiros, introduzidos pelos espanhóis, e as mulheres tecem tapetes em teares ao ar livre. Chelly é uma corruptela espanhola do termo nativo *tsegi*, que significa "cânion de pedra".

Ruína de Casa Yucca
No topo da mesa, essa ruína de uma casa dos pueblos ancestrais fica num vão da rocha e se equilibra precariamente sobre um abismo do vale.

Vegetação do Cânion
Dentro do cânion, choupos e carvalhos margeiam o rio; a terra ali é um fértil oásis de campinas, campos de milho e alfafa e pomares de frutas.

Casas na rocha, de pedra e adobe, foram o lar dos pueblos ancestrais do século XII ao XIV. Foram construídas com a face sul voltada para o Sol e áreas internas mais frescas.

Fortaleza Navajo
Essa imponente torre de pedra sofreu um cerco de três meses em 1863, quando um grupo de navajos tomou o cume usando escadas. Eles fugiam de uma patrulha dos EUA liderada por Kit Carson *(p. 538)*, que reprimia os ataques dos navajos. A persistência de Carson levou-os à rendição e eles foram conduzidos a um campo no Novo México.

Veja hotéis e restaurantes dessa região nas pp. 550-5

ARIZONA | 537

Caminhada pelo Cânion
O Cânion de Chelly é uma opção popular para caminhadas, mas, exceto na White House Ruins Trail, os visitantes só podem entrar nos cânions com um guia navajo.

PREPARE-SE

Informações Práticas
3,5km a leste de Chinle e da Hwy 191. *i* PO Box 588, Chinle. **Tel** (928) 674-5500.
8h-17h diariam. 1º jan, Ação de Graças, 25 dez. passeios dentro do cânion só com guia, exceto na White House Ruins Trail.
nps.gov/cach

As paredes claras do rochedo White House caem 160m em direção ao chão do cânion.

Interior do Hogan
O *hogan* é o centro da vida familiar dos navajo. É feito de toras, com uma chaminé no meio que o liga ao céu e um chão sem piso que o liga à terra. A porta fica a leste para receber o sol nascente.

Ruínas White House
Esse grupo de quartos, enfiados num estreito buraco na rocha, parece intocado pelo tempo. As moradias originalmente ficavam situadas sobre um pueblo maior, a maior parte do qual já desapareceu. É o único local do cânion que pode ser visitado sem um guia navajo, e chega-se a ele por uma trilha íngreme de 5km, que vai até o chão do cânion e oferece vistas magníficas.

Caverna do Massacre
A época mais triste do cânion foi em 1805, quando a tropa espanhola do tenente Antonio Narbona entrou na área. Os espanhóis queriam subjugar os navajos, alegando que eles atacavam seus assentamentos. Alguns navajos escaparam para a beira do cânion, outros se refugiaram numa caverna no alto dos rochedos. Os espanhóis abriram fogo e Narbona declarou ter matado 115 navajos, incluindo 90 guerreiros. As contas dos navajos diferem: eles afirmam que a maioria dos guerreiros estava ausente (caçando) e que a maioria dos mortos era de mulheres, crianças e idosos. A única baixa espanhola ocorreu quando um espanhol tentou galgar a caverna, foi atacado por uma mulher navajo e ambos caíram do rochedo, chamado de a "Caverna do Massacre" ou, em navajo, "Dois Caídos".

Pictograma na parede do cânion com soldados espanhóis invasores

Novo México

A rica herança cultural do Novo México e sua singular mistura de nativos americanos, hispânicos e anglo-americanos torna-o um lugar fascinante. Os picos verdes das Montanhas Rochosas têm estâncias de esqui no inverno e retiros frescos no verão. O norte do Novo México, com suas cores suaves e paisagens desérticas, atraiu gerações de artistas para os criativos centros de Santa Fe e Taos. No vasto e inóspito sul, podem-se explorar ruínas de nativos no Bandelier National Monument e os fascinantes labirintos das cavernas Carlsbad.

O morro Fajada no Chaco Culture National Historical Park

㊲ Chaco Culture National Historical Park

25 milhas (5 km) SE de Nageezi, saindo da US 550. **Tel** (505) 786-7014. 8h-17h diariam. feriados. nps.gov/chcu

Um dos sítios culturais mais impressionantes do Sudoeste, Chaco Canyon reflete bem a sofisticação da civilização pueblo ancestral que viveu ali. Com suas seis "casas grandes" (pueblos com centenas de quartos) e vários sítios menores, o cânion foi um dia o centro político, religioso e cultural dos assentamentos que se difundiram por boa parte dos Four Corners.

Os visitantes podem acessar o local por uma estrada de terra de 26km que sofre inundações repentinas em tempo de chuva. Uma estrada pavimentada em anel no local passa por várias das atrações do Chaco. A parada principal é **Pueblo Bonito**, a maior das "casas grandes", uma estrutura em D, de quatro andares, com mais de 600 quartos, e 40 kivas, quartos redondos como buracos usados em cerimônias religiosas. Iniciado por volta de 850 d.C., foi construído em estágios ao longo de 300 anos. **Casa Riconada**, maior câmara religiosa do Chaco, mede 19m de diâmetro e fica a sudeste.

Uma trilha curta saindo de Pueblo Bonito leva a outra casa grande, **Chetro Ketl**, que cobre 2ha. A alvenaria usada para construir as últimas partes dessa estrutura é das mais sofisticadas entre os pueblos ancestrais. Uma caminhada de duas horas para o norte leva a **Pueblo Alto**, construída sobre a mesa na junção de várias antigas estradas do Chaco.

Elaborado trabalho em pedra no Chaco Canyon

㊳ Taos

6.000. Greyhound, Taos Bus Center, Hwy 68. 1.139 Paseo del Pueblo Sur (575) 751-8800, (800) 348-0696. **taoschamber.com**

A cidade de Taos, onde vivem índios há cerca de mil anos, é hoje um agitado centro artístico. Em 1898, os artistas Ernest Blumenschein e Bert Phillips pararam lá para consertar a roda de uma carroça e nunca mais saíram. Em 1915, fundaram a Taos Society of Artists, para promover obras de artistas locais. Algumas delas estão no **Harwood Museum of Art**, num sereno conjunto de adobe do século XIX. Há mais obras de artistas da sociedade no **Blumenschein Home and Museum**, perto dali.

A velha **Plaza**, praça espanhola arborizada no coração de Taos, vale o passeio. A leste dela, o **Kit Carson Home and Museum** conta a notável vida desse comerciante de peles e soldado, que viveu de 1809 a 1868.

Poucos quilômetros ao norte do centro da cidade pelo Paseo del Pueblo Norte, principal rua de Taos, chega-se ao **Millicent Rogers Museum**, com sua brilhante coleção de arte e artesanato nativo e cerâmica preto sobre preto da artista Maria Martinez. Essa estrada leva à bela Rio Grande Gorge Bridge, segunda mais alta ponte suspensa do país, de 1965. Ela oferece deslumbrantes vistas da garganta do rio e do vasto planalto em volta.

Taos Pueblo fica ao norte da cidade e abriga duas casas comunitárias de adobe de vários andares, ainda habitadas por gente do povoado, o que faz dela uma das mais antigas comunidades do país.

A Hacienda Martínez *(p. 545)* no **Rancho de Taos**, ao sul da cidade, é uma bem preservada casa colonial espanhola com grossas paredes de adobe e pesados portões. A igreja San Francisco de Asis, do século XVIII, de adobe, foi pintada várias vezes por Georgia O'Keeffe, uma das artistas mais reconhecidas do Novo México.

Veja hotéis e restaurantes dessa região nas pp. 550-5

㊴ Passeio pelos Pueblos do Norte

O fértil vale do Rio Grande entre Santa Fe e Taos abriga oito dos dezenove pueblos de nativos americanos no Novo México. Embora geograficamente próximos, cada pueblo tem seu próprio governo e tradições, e muitos deles oferecem atrações para os visitantes. Nambe tem excelentes vistas das montanhas, das mesas e do deserto em volta. San Ildefonso é famoso por sua ótima cerâmica, e outras vilas produzem joias e tapetes artesanais.

Dicas para o Passeio

Saída: Tesuque Pueblo, norte de Santa Fe pela Hwy 84.
Extensão: 70km. Muitas estradas locais para os pueblos são de terra. **Atenção:** Visitantes são bem-vindos, mas respeite os costumes locais (p. 548).
Indian Pueblo Cultural Center, (505) 843-7270 (9h-17h).
w indianpueblo.org

⑤ Santa Clara Pueblo
Pequeno pueblo conhecido pelo trabalho de seus artesãos. Como muitos pueblos, tem lojas de artesanato e pequenos ateliês, em geral geridos pelos próprios artesãos nativos.

⑥ Puye Cliff Dwellings
Hoje deserto, esse local contém 700 quartos, com entalhes na pedra, que foram lar de povos nativos até 1500.

⑦ Ohkay Owingeh
Primeira capital do Novo México (1598), a vila é hoje um centro para artes visuais, uma vez chamada de San Juan Pueblo.

④ San Ildefonso Pueblo
Ocupado desde 1300 d.C., esse pueblo é conhecido por sua cerâmica preta, que salvou seu povo durante a Depressão dos anos 1930.

② Pojoaque Pueblo
O novo Peoh Cultural Center and Museum oferece uma excelente introdução ao estilo de vida dos pueblos nessas comunidades.

③ Nambe Pueblo
Situada num vale fértil, a vila é rodeada por uma trilha de caminhadas junto ao lago, com cachoeiras e um rancho de búfalos.

① Tesuque Pueblo
O povo tewa desse pueblo dedica-se à agricultura e à cerâmica há séculos.

Legenda
■■■ Percurso sugerido
── Outra estrada

Legenda dos símbolos *na orelha da contracapa*

⑩ Santa Fe

Mais antiga capital da América do Norte, Santa Fe foi fundada pelo conquistador espanhol Don Pedro de Peralta, que iniciou uma colônia em 1610. A colônia foi abandonada em 1680 após a rebelião pueblo, mas retomada mais tarde. Quando o México conquistou a independência em 1821, comerciantes e colonos do Missouri vieram para a área pela Santa Fe Trail. Encravada num alto planalto, essa bela cidade é rodeada de montanhas. O ponto focal, desde sua fundação, é a Plaza central, o melhor local para começar a explorar a cidade. Hoje, ela abriga um mercado de indígenas sob o portal do Palace of the Governors, e é cheia de lojas, cafés e galerias.

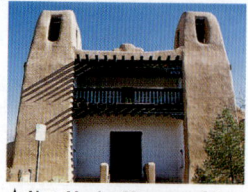

★ **New Mexico Museum of Art**
Construído em adobe em 1917, esse museu focaliza pinturas e esculturas de artistas do Sudoeste.

★ **Palace of the Governors**
Esse edifício de um andar, construído em 1600, foi a sede do governo regional por 300 anos. Hoje parte do New Mexico History Museum, ele abriga exposições sobre a história da cidade.

Legenda

— Percurso sugerido

0 m   100
0 jardas   100

○ **Original Trading Post**
vende antiguidades, arte hispânica e artesanato indígena.

A Plaza
O obelisco no centro dessa praça principal homenageia os veteranos de guerra de Santa Fe. A Plaza é cercada de edifícios coloniais, como o Palace of Governors.

Veja hotéis e restaurantes dessa região nas pp. 550-5

NOVO MÉXICO | 541

Saint Francis Cathedral
Essa bela estátua da Virgem de madeira fica numa capela lateral, que pertencia à igreja original do século XVII sobre a qual a atual catedral foi construída em 1869.

PREPARE-SE

Informações Práticas
🅰 65.000. ℹ 201 W Marcy St. **Tel** (505) 955-6200, (800) 777-2489. 🎭 Spanish Market (jul); Temporada de Ópera (jul e ago); Indian Market (ago); Fiestas de Santa Fe (set).
w santafe.org

Transporte
✈ Santa Fe Municipal Airport, 16km a sudoeste de Santa Fe.
🚆 Lamy, 29km ao sul da cidade.
🚌 858 St. Michael's Drive.

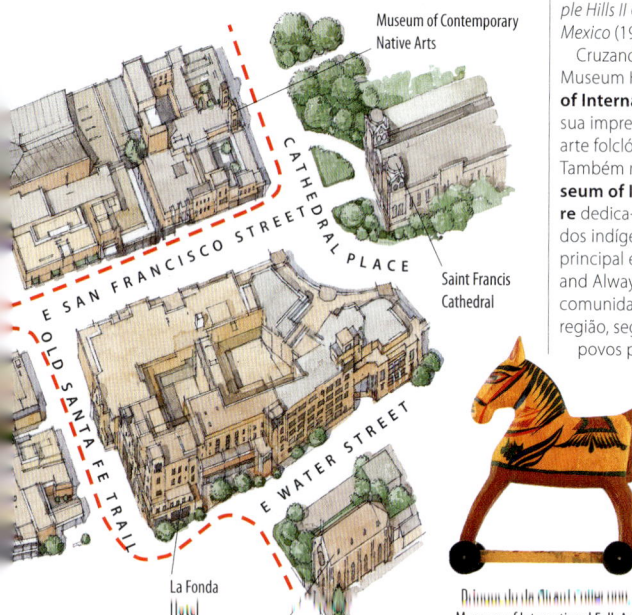

Museum of Contemporary Native Arts

CATHEDRAL PLACE

E SAN FRANCISCO STREET

OLD SANTA FE TRAIL

Saint Francis Cathedral

E WATER STREET

La Fonda Hotel

Museum of International Folk Art

Loretto Chapel
Construída em estilo gótico por arquitetos franceses por volta de 1870, a Loretto Chapel é inspirada na Sainte-Chappelle de Paris. Sua elegante escada em caracol não tem pregos nem eixo central: sustenta-se graças à perfeição de sua construção.

Como Explorar Santa Fe

A rica história e a bela arquitetura dessa cidade fazem dela um dos destinos mais populares do país. Santa Fe é famosa por seus edifícios de adobe, galerias de arte e pelos quatro museus que integram o New Mexico History Museum. Além do Palace of the Governors e do New Mexico Museum of Art, há o **Georgia O'Keeffe Museum**, a noroeste da Plaza. Ele tem a maior coleção do mundo de obras de O'Keeffe, que inclui várias de suas mais apreciadas pinturas, como *Jimson Weed* (1932), *Purple Hills II* e *Ghost Ranch, New Mexico* (1934).

Cruzando o rio Santa Fe, no Museum Hill, fica o **Museum of International Folk Art**, com sua impressionante coleção de arte folclórica do mundo todo. Também no Museum Hill, o **Museum of Indian Art and Culture** dedica-se à arte e à cultura dos indígenas americanos. Sua principal exposição, "Here, Now and Always", conta a história das comunidades mais antigas da região, segundo as palavras dos povos pueblo, navajo e apache. Paralela ao rio, a **Canyon Road** era originalmente uma trilha indígena entre o Rio Grande e o pueblo pecos. A oeste dela, na Old Santa Fe Trail, fica a **San Miguel Mission**, construída em 1610.

A noroeste, o **Santuario de Guadalupe**, de 1795, dedicado à Virgem de Guadalupe, padroeira dos povos pueblo e mexicano, marca o término do Camino Real, principal rota comercial vinda do México. Cerca de 24km ao sul de Santa Fe, **El Rancho de las londrinas**, hoje um museu de história, era um tradicional ponto de parada no Camino Real.

🏛 **Museum of International Folk Art**
706 Camino Lejo. **Tel** (505) 476-1200. ⏰ 10h-17h ter-dom. ⊘ feriados.

⓰ Albuquerque

580.000. 401 2nd St NW, (505) 842-9918, (800) 284-2282. itsatrip.com

Depois dos povos indígenas que a ocuparam de 1100 a 1300, Albuquerque foi habitada por um pequeno grupo de colonos instalados junto ao rio Grande na esteira dos exploradores espanhóis do fim do século XVI. Em 1706, dezoito famílias conseguiram aprovação formal da Coroa espanhola para sua cidade ao lhe darem o nome do duque espanhol de Alburquerque (o primeiro "r" do nome mais tarde caiu). Hoje a Old Town de Albuquerque tem ainda vários edifícios originais de adobe da década de 1790, mas a parte leste do centro é bem mais contemporânea. Muitas das lojas, museus e indústrias de alta tecnologia da cidade estão localizadas nessa área.

Como Explorar Albuquerque

Dominando a histórica Old Town fica a Plaza, que foi o centro da cidade por mais de 200 anos. Hoje, ela é um agradável espaço aberto onde as pessoas relaxam em bancos, cercadas por belos edifícios de adobe. Em frente fica a imponente **San Felipe de Neri Church**. Concluída em 1793, foi a primeira estrutura cívica da cidade. Apesar das reformas, preserva as paredes originais de adobe. As ruas próximas são cheias de museus, lojas de artesanato e restaurantes, como o Church Street Café (*p. 555*), que ocupa a mais antiga casa da cidade e serve a excelente nova cozinha mexicana. Mais adiante, há uma loja de artesanato, a Agape Pueblo Pottery, com amplo estoque de cerâmica pueblo feita à mão.

ⓧ ABQ BioPark

2.601 Central Ave NW.
Tel (505) 764-6200.
9h-17h diariam. 1º jan, Ação de Graças, 25 dez.
cabq.gov/biopark

Esse belo parque abriga o Albuquerque Aquarium e o Rio Grande Botanic Garden. O Rio Grande Zoological Park fica perto. O jardim botânico ocupa 4ha de bosques ao longo do rio Grande e tem uma ampla variedade de plantas e jardins raros.

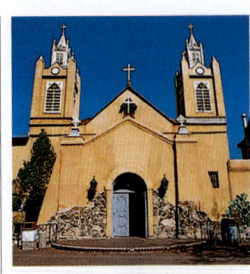

Igreja de San Felipe de Neri, na ponta norte da Old Town Plaza

O aquário está centrado na vida marinha do rio Grande, um dos maiores rios da América do Norte, e tem uma caverna de enguias que pode ser atravessada a pé. Outro destaque é um impressionante tanque de tubarões que vai do teto ao chão.

Estufa do Rio Grande Botanic Garden, no ABQ BioPark

🏛 Turquoise Museum

2.107 Central Ave NW.
Tel (505) 247-8650.
para visitas guiadas 11h e 13h seg-sáb; reservar. Ação de Graças, 25 dez.

As fascinantes mostras desse museu voltam-se à educação do consumidor, ajudando os visitantes a julgar a qualidade de joias de turquesas. A entrada é uma réplica de um túnel de mina que leva à "abóbada", onde se pode apreciar uma insuperável coleção de espécimes de turquesa raros e variados do mundo todo.

Veja hotéis e restaurantes dessa região nas pp. 550-5

New Mexico Museum of Natural History and Science

1.801 Mountain Rd NW. **Tel** (505) 841-2800. 9h-17h diariam. feriados.
nmnaturalhistory.org

Esse divertido museu tem várias exposições interativas. Os visitantes entram num vulcão ativo simulado ou exploram uma caverna no gelo. O "Evolator" é um passeio por 38 milhões de anos de evolução da região usando a mais recente tecnologia de vídeo. Réplicas de dinossauros, um planetário e um cinema de tela imensa fazem a festa das crianças.

Albuquerque Museum of Art and History

2.000 Mountain Rd NW. **Tel** (505) 242-4600. 9h-17h ter-dom. feriados.
cabq.gov/museum

Esse excelente museu narra quatro séculos de história do vale do rio Grande. Peças escolhidas são muito bem arranjadas para criar o máximo impacto. As exposições focalizam o período colonial espanhol (1598-1821) e incluem uma casa e capela do século XVIII reconstruídos. De março a meados de dezembro, o museu organiza passeios a pé pela Old Town.

Jardim de esculturas no Albuquerque Museum of Art and History

American International Rattlesnake Museum

202 San Felipe Ave NW. **Tel** (505) 242-6569. 10h-18h seg-sáb, 14h-17h dom; set-mai: 11h30-17h30 seg-sex, 10h-18h sáb, 13h-17h dom. feriados.
rattlesnakes.com

Esse museu de preservação animal explica os ciclos vitais e a importância ecológica de algumas das criaturas mais incompreendidas da Terra. Ele contém a maior coleção do mundo de cascavéis vivas, com espécies nativas das Américas do Norte, Central e do Sul. As cobras são exibidas em tanques de vidro que simulam seu hábitat natural, com explicações por escrito adequadas tanto para adultos como para crianças. O museu também destaca outros animais venenosos, como a tarântula e o lagarto-de-gila.

KiMo Theatre

423 Central Ave NW. **Tel** (505) 768-3522. ligar antes.
cabq.gov/kimo

Construído em 1927, o KiMo Theatre é um dos muitos locais de entretenimento construídos na cidade durante as décadas de 1920 e 1930. O desenho diferente do edifício foi inspirado nos pueblos de nativos americanos, e é uma fusão dos estilos pueblo revisitado e art déco. Hoje o local apresenta uma eclética programação de eventos musicais e de teatro.

Rio Grande Zoological Park

903 10th St SW **Tel** (505) 764-6200. 9h-17h diariam (até 18h sáb-dom no verão). Ação de Graças, 25 dez.

O Rio Grande Zoo é parte do Albuquerque BioPark. Tem apresentação criativa, com jaulas que simulam o hábitat natural dos animais, inclusive a savana africana. Entre as espécies mais populares do parque estão os gorilas-das-planícies e os tigres-de-bengala brancos.

Principais Atrações

1. ABQ BioPark
2. Turquoise Museum
3. New Mexico Museum of Natural History and Science
4. Albuquerque Museum of Art and History
5. American International Rattlesnake Museum
6. KiMo Theatre
7. Rio Grande Zoological Park

Pátio do Indian Pueblo Cultural Center

Albuquerque: Fora do Centro
Maior cidade do Novo México, Albuquerque cresceu até preencher o vale que se estende a oeste do pé das montanhas Manzano e Sandia pelas margens do rio Grande. A chegada da ferrovia durante a década de 1880 trouxe cada vez mais colonos e grande prosperidade. Hoje, a melhor maneira de explorar a cidade é de carro. As principais atrações, incluindo a histórica Old Town *(p. 542)*, ficam todas perto das saídas das rodovias.

Indian Pueblo Cultural Center
2.401 12th St NW. **Tel** (505) 843-7270. 9h-17h diariam. 1º jan, Ação de Graças, 25 dez. **indianpueblo.org**

Esse impressionante museu e centro cultural é gerido pelos dezenove pueblos indígenas que ficam junto ao rio Grande em volta de Albuquerque e Santa Fe. Ele retrata a complexa história e a variada cultura dos povos pueblos por meio de sua história oral e os apresenta a partir de seu próprio ponto de vista.

O edifício é projetado para lembrar o *layout* de uma moradia pueblo e fica em volta do Puebloan Central Courtyard. Esse amplo pátio, com suas paredes vermelhas de adobe decoradas com murais e pimenteiras dependuradas, simula uma moradia pueblo. Nos fins de semana, são apresentados exuberantes espetáculos de dança. O centro também tem um restaurante que serve cozinha pueblo e um ótimo conjunto de lojas com cerâmica, joias e outros artesanatos de alta qualidade de cada pueblo.

University of New Mexico & Art Museum
Welcome Center, Central & Cornell, (505) 277-1989. **unm.edu** University Art Museum **Tel** (505) 277-4001. 10h-16h ter-sex, 13h-16h sáb. férias escolares. Maxwell Museum of Anthropology **Tel** (505) 277-4405. 10h-16h ter-sáb. seg, dom.

O *campus* da maior universidade do Novo México (UNM) é conhecido por seu estilo de arquitetura Pueblo Revisitado e por seus museus. O **University Art Museum** tem uma das melhores coleções de arte do estado, com pinturas e esculturas de grandes mestres e outras obras do século XVII até o século XX.

O **Maxwell Museum of Anthropology**, um dos melhores em sua área nos EUA, enfatiza a cultura do Sudoeste, com uma importante coleção de arte e artefatos. O museu também tem exposições itinerantes sobre temas regionais e internacionais, além de uma exposição permanente intitulada "Ancestors" ("Ancestrais"), sobre o desenvolvimento humano.

Cavalo no Museum of Anthropology, UNM

The Anderson – Abruzzo Albuquerque International Baloon Museum
9.201 Balloon Museum Dr NE. **Tel** (505) 768-6020. 9h-17h ter-dom. feriados. **cabq.gov/balloon**

Batizado em homenagem aos pioneiros balonistas de Albuquerque, Maxie Anderson e Ben Abruzzo, esse museu conta a história do balonismo. Balões coloridos espalham-se pelo teto, e gôndolas e cestos que conquistaram recordes históricos são exibidos. Diversos estandes apresentam peças que ajudam a contar a história dessa arte.

National Museum of Nuclear Science and History
601 Eubank Blvd SE. **Tel** (505) 245-2137. 9h-17h diariam. 1º jan, Páscoa, Ação de graças, 25 dez **nuclearmuseum.org**

As exposições desse museu contam a história da era atômica e da ciência nuclear, do início de seu desenvolvimento, passando por armas e energia atômica, e chegando ao uso pacífico da tecnologia nuclear. Na parte externa, o Heritage Park exibe aeronaves, mísseis, trens e submarinos nucleares.

Petroglyph National Monument
4.735 Unser Blvd NW, (505) 899-0205. 8h-17h diariam. feriados. restrito. **nps.gov/petr**

Esse local, na periferia oeste de Albuquerque, foi criado em 1990 para preservar cerca de 24 mil imagens gravadas na pedra ao longo dos 27km da encosta da West Mesa. A mais antiga data de 1.000 a.C., mas o período mais prolífico é de 1300 a 1680. Os desenhos vão de figuras humanas, como músicos e dançarinos, até animais, como cobras, pássaros e insetos. Espirais e outros símbolos geométricos são comuns, assim como mãos, pés e pegadas de animais. O sentido de alguns petróglifos se perdeu no tempo, mas outros têm grande significado cultural para os pueblos atuais.

Centenas de petróglifos são acessíveis seguindo o Boca Negra Canyon, 3km ao norte do centro de visitantes do parque, onde três trilhas passeiam por eles. Visitantes não devem tocar nos petróglifos, pois esses podem sofrer danos facilmente.

A Cultura Hispânica no Novo México

O cerne da cultura hispânica no Sudoeste é encontrado no Novo México. No estado, a população hispânica, descendente dos colonizadores espanhóis do século XVI, é maior que a de anglo-americanos. Os espanhóis introduziram carneiros e cavalos na região, e também trouxeram o catolicismo, com todas as suas festas de santos e coloridas decorações de igrejas.

Séculos de miscigenação com as culturas anglo-americana e dos nativos do Sudoeste também influenciaram todos os aspectos da sociedade hispânica atual, da língua e da cozinha às festas e arte. Os atuais residentes do Novo México têm os sobrenomes de seus ancestrais e falam inglês com sotaque espanhol. Mesmo falantes do inglês temperam sua fala com termos espanhóis.

Herança Hispânica

O restaurado El Rancho de las Golondrinas (p. 541) é hoje um museu vivo, centrado na hacienda, *levada ao Sudoeste pelos colonizadores espanhóis. Numa* hacienda, *cerca de vinte quartos são dispostos em volta de um ou dois pátios, refletindo o estilo de vida familiar cultuado pelos espanhóis.*

Poços ficavam no meio do pátio principal para facilitar o acesso.

Fornos de adobe *(hornos)* foram introduzidos pelos espanhóis para assar o pão. Eles tinham um desenho original mourisco.

A Hacienda Martínez *(p. 538)* foi construída ao sul de Taos em 1804 por Don Antonio Martínez, prefeito da cidade. É uma das poucas *haciendas* espanholas preservadas mais ou menos em sua forma original. Hoje está aberta a visitantes que podem ver artesãos locais realizando seu trabalho.

Artesanato

Os tapetes navajo são considerados artesanato nativo, mas seus desenhos também mostram padrões mouriscos levados da Espanha pelos colonizadores. Outras formas de arte popular são a cerâmica artística, prata trabalhada e figuras entalhadas na madeira conhecidas como *bultos*, que mesclam religião e expressão artística.

O milho, alimento básico da região desde a era pré-colombiana, é usado nas *tortilla chips*, servidas com guacamole (molho de abacate).

Tapete navajo

Bulto em madeira de São José

④² Roswell

50.000. 912 N Main St, (575) 624-7704. 8h30-17h seg-sex, 8h30-16h sáb, 9h-15h dom.
w roswellvisitorscenter.com

Essa pequena cidade rural é sinônimo de extraterrestres desde a noite de 4 de julho de 1947, quando um OVNI supostamente caiu ali. Jim Ragsdale, que acampava perto, declarou em 1995 ter visto um clarão e uma nave colidindo com as árvores e os corpos de quatro "pessoas pequenas" com pele como se fosse de cobra. A Força Aérea dos EUA emitiu comunicado dizendo que um disco voador havia sido resgatado e, apesar de negar mais tarde, a história seduziu a imaginação das pessoas.

Diz-se que as testemunhas foram coibidas a manter segredo, alimentando até hoje boatos de que houve acobertamento do caso. O **International UFO Museum and Research Center** tem uma coleção de recortes e fotos de jornal do local em que a nave caiu e um filme com entrevistas de várias pessoas ligadas ao incidente.

O **Museum and Art Center** de Roswell abriga uma coleção de artefatos sobre a história do Oeste americano. A fascinante Robert H. Goddard Collection detalha onze anos de experimentos do famoso cientista de foguetes.

Colunas de calcário no Big Room das Carlsbad Caverns

④³ Carlsbad Caverns National Park

3.225 National Parks Hwy, Carlsbad. para Carlsbad. para White's City. **Tel** (575) 785-2232, (800) 967-2283 (reserve passeios). mai-ago: 8h-15h30 diariam; set-meados mai: 8h-14h (Natural Entrance). Ligue para saber o último horário de entrada. 25 dez. restrito.
w nps.gov/cave

Símbolo da Roswell's Alien Zone

Localizado no canto sudeste mais remoto do estado, esse parque protege um dos maiores sistemas de cavernas do mundo. Forças geológicas escavaram esse complexo de câmaras, e sua decoração começou a se formar há 500 mil anos quando água pingando depositou gotas de calcita, um mineral cristalizado. Pictogramas nativos perto da Natural Entrance indicam que elas foram visitadas por povos nativos, mas foi o caubói Jim White que chamou a atenção do país para elas em 1901. Trilhas de concreto e luz elétrica foram dispostas ao longo dessa galeria subterrânea de cavernas de calcário. A partir do centro de visitantes, elevadores descem 229m até o Big Room. Esse espaço pode também ser alcançado pela **Natural Entrance Route**, que exige uma caminhada de meia hora por uma íngreme trilha pavimentada.

Um passeio autoguiado leva ao Big Room, com altura de 25 andares, 3,3ha de área, cheio de estalagmites, estalactites e outras formações. O passeio guiado **King's Palace Tour** inclui a caverna mais profunda aberta ao público, 250m abaixo do solo. À sua direita, uma seção pavimentada abriga o popular **Underground Lunchroom**, loja de suvenir e lanchonete.

Os recessos das cavernas são refúgio de verão de quase 1 milhão de morcegos. Eles saem no início da noite para cruzar o deserto atrás de alimento.

④⁴ White Sands National Monument

Hwy 70. **Tel** (575) 679-2599. 9h-17h diariam (meados mar-set: horários estendidos). 25 dez.
w nps.gov/whsa

As cintilantes dunas do White Sands National Monument ficam na Bacia Tularosa, no norte do deserto de chihuahua. São as maiores dunas de gipsita do mundo, com quase 800km². A gipsita é um

Flora e Fauna do Deserto

A maior parte do Sudoeste é coberta por quatro desertos, mas não é uma terra árida. O deserto de Sonora, de rica fauna e flora, é famoso pelo cacto saguaro. Os climas extremos do deserto de Chihuahua abrigam os resistentes agaves e coiotes. Mais fria, a Grande Bacia tem muitos tipos de capim e animais do deserto. A chuva de inverno no deserto de Mojave produz belas flores silvestres na primavera.

Escorpião do deserto

Carneiros de chifre longo são tímidos e não é fácil localizá-los. Hoje são uma espécie protegida, gradualmente reintroduzida nas áreas de deserto.

Cactos espinhudos como esse florescem na primavera e estão entre os maiores cactos do deserto de Sonora.

Veja hotéis e restaurantes dessa região nas pp. 550-5

A iúca, planta usada para fazer sabão, no White Sands National Monument

mineral solúvel em água, e é raro encontrá-la como areia. Mas nesse local sem saída de drenagem para o mar, o sedimento levado pela chuva até a bacia fica aprisionado. Quando a chuva evapora, formam-se lagos secos e fortes ventos sopram a gipsita para os vastos campos de dunas.

Pode-se explorar White Sands de carro pela Dunes Drive, estrada em anel de 26km. Quatro trilhas bem delimitadas partem de pontos ao longo do caminho, incluindo a Interdune Boardwalk, com acesso para cadeira de rodas. O ano inteiro, caminhadas guiadas mostram a flora e a fauna das dunas. Só plantas que crescem rápido o suficiente para não ser enterradas sobrevivem, caso da iúca, da qual se faz sabão. A maioria dos animais é noturna, e inclui raposas, coiotes e porcos-espinhos.

O parque é rodeado pelo White Sands Missile Range, área de testes militar. Por segurança, o parque e a estrada de acesso (Hwy 70) fecham por até três horas quando há testes. Vários dos mísseis testados, além dos foguetes V-2 da Segunda Guerra Mundial, estão expostos no **White Sands Missile Range**.

⑮ Gila Cliff Dwellings National Monument

Tel (575) 536-9461. 8h-16h30 diariam. 1º jan, 25 dez.
w nps.gov/gicl

As Moradias nos Rochedos de Gila são um dos mais remotos sítios arqueológicos do Sudoeste, localizadas entre os pinheiros, zimbros e ponderosas da Gila National Forest. As moradias ocupam cinco cavernas naturais ao lado de um rochedo de arenito bem acima do rio Gila.

Caçadores-coletores e agricultores chamados de tularosa mogollon fundaram sua vila de 40 aposentos ali no fim do século XIII. O povo mimbres mogollon, famoso pelos desenhos abstratos em branco e preto de sua cerâmica, também viveu nessa área. Os moradores do rochedo viviam da caça local, que incluía o veado-galheiro e o veado-chifrudo. É provável que plantassem os campos ao longo do rio Gila, com milho e abóbora. Um silo ainda preserva um lote seco de milho. As ruínas são acessadas por uma trilha de 1,6km partindo da ponte que cruza a bifurcação oeste do rio Gila. Reserve duas horas para rodar pelos 64km de estrada até o sítio, partindo de Silver City. A estrada segue sinuosa subindo entre as montanhas e os canions da floresta.

A Joshua Tree deve seu nome aos mórmons, que viram os braços erguidos de Josué em seus galhos.

A iúca é uma planta colhida há séculos e tem vários usos: o fruto é comestível e das raízes é feito xampu.

A javelina é um mamífero semelhante ao porco que vaga em bandos pelos desertos de Chihuahua e Sonora.

Águias-douradas podem ser vistas no alto do céu de dia, atrás de presas pelo Deserto da Grande Bacia.

Informações Úteis

Pontuado por belíssimas formações rochosas, cânions, sítios antigos e desertos, o Sudoeste oferece muitos prazeres ao ar livre. As cidades têm excelentes museus, restaurantes e acomodações, e um ambiente tranquilo. Uma das grandes atrações para os visitantes são os cassinos de Las Vegas. O Sudoeste atrai gente o ano inteiro. As áreas mais altas do Arizona, Novo México e Utah têm invernos frios, com neve, o que as torna populares para esqui, enquanto o sul dos estados oferece invernos quentes e ensolarados. Com menos gente, primavera e outono são ideais para uma visita.

Informação Turística

Cada estado e as principais cidades têm departamentos de turismo. Muitas atrações do Sudoeste em reservas indígenas são geridas por conselhos tribais de nativos americanos. Informe-se a respeito no escritório do **Navajo Tourism Department**.

Segurança

A maioria das áreas turísticas do Sudoeste é tranquila, mas tenha cuidado. Descubra que partes da cidade são pouco seguras à noite. Não carregue muito dinheiro e deixe os objetos de valor no cofre do hotel.

Perigos Naturais

Mudanças rápidas no tempo no Sudoeste podem criar situações perigosas. Em partes do sul de Utah e do Arizona, tempestades de verão podem causar inundações repentinas. Os visitantes costumam subestimar o calor seco dos verões da região. Em caminhadas, leve pelo menos 4 litros de água potável por pessoa para cada dia.

Os sertões do Sudoeste abrigam criaturas venenosas – escorpiões, cobras e o lagarto-monstro-de-gila; mas é pouco provável que você seja atacado se evitar seus hábitats. Picadas de inseto podem doer, mas raramente são fatais para adultos. Se for picado, procure um médico.

Como Circular

Embora mais lentos do que o carro ou o avião, trens e ônibus são boas opções para explorar a região. Há roteiros de trem especiais para os mais belos cenários do Sudoeste. As viagens da Grand Canyon Railway, a diesel e a vapor, vão de Williams ao Grand Canyon e há pacotes que incluem diversões com temas do Velho Oeste.

Ônibus para longas distâncias são o meio mais barato de viajar. Um tour de ônibus é a melhor opção para conhecer as principais atrações de uma cidade e também os cenários mais distantes do Sudoeste. Nas grandes cidades, ônibus locais cobrem a maior parte das atrações. Táxis também são um bom modo de conhecer as cidades.

Como Dirigir

O carro costuma ser o único meio de chegar até às áreas remotas. Há agências de aluguel de carros por toda a região, mas em cidades como Las Vegas é melhor fazer um acerto de acordo com a sua necessidade. Preste especial atenção à sinalização em áreas remotas, onde pode haver avisos sobre riscos locais. Cheque seu trajeto para ver se é necessário contar com um veículo 4x4, com tração nas quatro rodas. Ao viajar entre destinos remotos, informe alguém a respeito de seus planos. Leve em conta riscos sazonais, como inundações nos cânions de Utah. Leve sempre bastante comida e água, e um celular como precaução. Se seu veículo quebrar, fique perto dele, já que pode oferecer proteção contra frio, calor e chuva, e peça ajuda por telefone.

Etiqueta

No Sudoeste as pessoas se vestem de modo informal, prático, de acordo com o clima. Algumas atrações famosas da região ficam em área preservadas. Visitantes são bem-vindos, mas devem ser sensíveis ao que pode ser ofensivo. É ilegal entrar com bebida alcoólica nesses locais – mesmo uma garrafa que fique à vista num carro fechado pode lhe trazer problemas. Pergunte antes de fotografar qualquer coisa, como danças cerimoniais ou casas de nativos, pois às vezes se exige algum pagamento. Não se afaste de trilhas sinalizadas, pois isso é proibido.

O Clima do Sudoeste

O clima nessa região vai do calor do deserto ao gelo e neve das montanhas. As temperaturas geralmente variam com a altitude. Assim, as elevações ao norte, especialmente Utah, norte do Arizona e Novo México, têm invernos frios, nevados. Já as áreas ao sul têm invernos suaves, ensolarados, e verões quentes e secos.

As temperaturas de verão no deserto com frequência passam de 38 °C, mas podem cair até quase 10 °C depois do pôr do sol. Exceto por alguma forte tempestade de verão, a chuva é escassa no Sudoeste.

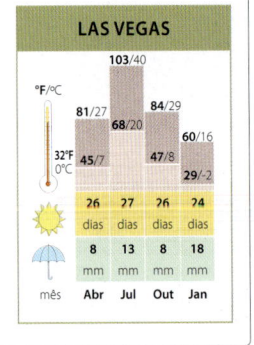

LAS VEGAS

°F/°C	Abr	Jul	Out	Jan
máx	81/27	103/40	84/29	60/16
mín	45/7	68/20	47/8	29/-2
dias de sol	26	27	26	24
chuva (mm)	8	13	8	18

32°F / 0°C

Atividades ao Ar Livre

Com muitos cânions, desertos e picos nevados, o Sudoeste atrai alpinistas, mountain bikers, esquiadores e veículos off-road. Os parques nacionais têm trilhas bem sinalizadas e promovem caminhadas com guias para conhecer a flora, a fauna e a geologia locais.

Utah alardeia ser a capital mundial do mountain bike, e Moab é a meca dos bikers. A **Poison Spider Bicycles** vende e conserta bicicletas e promove os Nichols Tours, que leva grupos para áreas inóspitas.

Os rios Green, San Juan e Colorado são ideais para rafting. Uma emocionante viagem de rafting de 6 a 16 dias pelo rio Colorado, cortando o Grand Canyon, é oferecida por várias empresas, como a **Canyon Explorations**. Esportes aquáticos, como powerboating, jet ski e pesca são populares nos lagos artificiais.

Tours aéreos são uma boa opção para quem tem pouco tempo e quer ver atrações remotas. A **Slickrock Air Guides of Moab** oferece *tours* de três horas para as Canyonlands, o lago Powell, o Capitol Reef National Park e a borda norte do Grand Canyon. Mas as viagens de helicóptero pelo Grand Canyon têm fama de não oferecer boa segurança. Os 420 campos de golfe do Arizona fazem do Sudoeste um paraíso dos golfistas. Scottsdale, maior ponto de golfe dos EUA, é famoso pelo seu **Boulders Resort**. A estação de esqui vai de novembro a abril. Utah tem alguns dos melhores esquis da região, e as encostas do **Taos Ski Valley** do Novo México são de nível internacional.

Diversão

A mistura de culturas do Sudoeste torna a região um agitado centro de artes e diversão. Phoenix, Santa Fe, Tucson e Albuquerque sediam ópera, balé, música clássica e produções teatrais. As pequenas estâncias de Sedona e Taos, famosas por seus artistas residentes, oferecem produções itinerantes e espetáculos de teatro e música. A maioria das cidades tem uma vida noturna agitada, que inclui música country, jazz e rock, shows e comédias.

O Sudoeste é uma meca para diversões no estilo do Velho Oeste, como rodeios. Cidades históricas de fronteira, como Tombstone, também encenam duelos. Veja detalhes no **Tombstone Visitor Center**. Fãs de esportes podem ver partidas da liga principal e da universitária de futebol americano, de beisebol e de basquete.

Jogo em Las Vegas

Apesar de sua crescente fama como capital mundial do entretenimento, Las Vegas é popular acima de tudo por seus cassinos. Eles intimidam no início, mas, para quem entende as regras básicas, a maioria dos jogos é relativamente fácil. Alguns hotéis têm guias para jogos em seus canais de tevê interna, e há cassinos que oferecem lições de graça nas suas mesas. Se estiver ganhando, é usual dar gorjeta aos funcionários.

Compras

A grande variedade de produtos indígenas, hispânicos e anglo-americanos faz das compras uma aventura cultural. Artesanato nativo, incluindo tapetes e joias, pode ser comprado em reservas ou lojas pueblo.

Santa Fe é famosa por suas galerias que vendem paisagens inspiradas em quadros de Georgia O'Keeffe, arte contemporânea e esculturas de caubóis de bronze.

Na região há mercearias especializadas com produtos como molhos de pimenta-vermelha e *blue corn chips*.

Nas grandes cidades, há os shoppings, principalmente em Phoenix, e seu **Metrocenter Mall** é o maior da região. Em Las Vegas há shoppings temáticos, que são uma das suas muitas atrações.

AGENDA

Informação Turística

Arizona
Tel (602) 364-3700, (866) 298-3795.
W arizonaguide.com

Colorado
Tel (800) 265-6723.
W colorado.com

Navajo Tourism Department
PO Box 663, Window Rock, AZ 86515.
Tel (928) 871-6436.
W discovernavajo.com

New Mexico
Tel (505) 827-7400, (800) 545-2070.
W newmexico.org

Utah
Tel (801) 538-1030.
W visitutah.com

Mountain Biking

Poison Spider Bicycles
497 N Main St, Moab, UT 84532.
Tel (800) 635-1792, (435) 259-7882.

Rafting em Rios

Canyon Explorations
PO Box 310, Flagstaff, AZ 86002.
Tel (928) 774-4559, (800) 654-0723.

Passeios Aéreos

Red Tail Aviation of Moab
Tel (435) 259-6216.

Esqui

Taos Ski Valley
PO Box 90 Taos
Ski Valley, NM 87525.
Tel (866) 968-7386.

Golfe

Boulders Resort
34631 N Tom Darlington Dr, Carefree,
AZ 85377.
Tel (866) 397-6520.

Rodeios e Shows do Velho Oeste

Tombstone Visitor Center
Tel (520) 457-3929.

Compras

Metrocenter Mall
9617 Metro Pkwy,
Phoenix, AZ 85051.
Tel (602) 997-8991.

Onde Ficar

Nevada

LAS VEGAS: Golden Nugget Hotel & Casino $
Histórico
129 E Fremont St, 89101
Tel *(702) 385-7111*
w *goldennugget.com*
Favorito de executivos e famílias, esse hotel apresenta a maior pepita de ouro do mundo e um aquário com tubarões.

LAS VEGAS: New York New York Hotel & Casino $
Econômico
3790 Las Vegas Blvd S, 89109
Tel *(702) 740-6969*
w *newyorknewyork.com*
Complexo bom para famílias, com réplicas de marcos de Nova York, incluindo até a Estátua da Liberdade.

LAS VEGAS: Cosmopolitan of Las Vegas $$
Luxuoso
3708 Las Vegas Blvd S, 89109
Tel *(702) 698-7000*
w *cosmopolitanlasvegas.com*
Hotel elegante que oferece um cassino, vários restaurantes e bares, três piscinas e um spa premiado.

LAS VEGAS: Hard Rock Hotel & Casino $$
Resort
4455 Paradise Rd, 89109
Tel *(702) 693-5000*
w *hardrockhotel.com*
Músicos famosos se apresentam com frequência nesse hotel, que também tem muitas relíquias musicais e piscina animada.

O View Hotel, na orla do Monument Valley

LAS VEGAS: MGM Grand Hotel & Casino $$
Luxuoso
3799 Las Vegas Blvd S, 89109
Tel *(702) 891-1111*
w *mgmgrand.com*
Use calçados confortáveis para circular pelo vasto cassino e pela arena de eventos desse complexo imenso. Quartos modernos.

LAS VEGAS: Paris Las Vegas $$
Luxuoso
3655 Las Vegas Blvd S, 89109
Tel *(702) 946-7000*
w *parislv.com*
Esse hotel abriga spa, bar, doze restaurantes e réplicas da Torre Eiffel e do Arco do Triunfo.

Destaque
LAS VEGAS: Bellagio $$$
Luxuoso
3600 Las Vegas Blvd S, 89109
Tel *(702) 693-7111*
w *bellagio.com*
Com a Toscana como tema, o Bellagio é decorado com mármore e tem fontes famosas que dançam ao som da música. Esse resort completo oferece também muitas opções de compras e gastronomia. Sua Gallery of Fine Art organiza exposições notáveis.

LAS VEGAS: Wynn Las Vegas $$$
Luxuoso
3131 Las Vegas Blvd S, 89109
Tel *(702) 770-7777*
w *wynnlasvegas.com*
Esse resort e cassino de luxo oferece regalias como um campo de golfe profissional e uma concessionária da Maserati.

Utah

BRYCE CANYON: The Lodge at Bryce Canyon $$
Histórico
Bryce Canyon National Park, 84764
Tel *(435) 834-8700*
w *brycecanyonforever.com*
Construído nos anos 1920 com arenito e pinho, esse hotel tem quartos e cabanas com lareira.

MOAB: The Gonzo Inn $$
B&B
100 W 200 South St, 84532
Tel *(435) 259-2515*
w *gonzoinn.com*
Pousada boa com uma mescla de toques retrô e regionais. Piscina e banheira ao ar livre.

Categorias de Preço
Diária de um quarto padrão para duas pessoas, na alta temporada, com taxas de serviço e impostos

$	até US$150
$$	US$150-US$250
$$$	acima de US$250

Destaque
MOAB: Sorrel River Ranch Resort & Spa $$$
Luxuoso
Hwy 128, Mile 17, 84532
Tel *(435) 259-4642*
w *sorrelriver.com*
Esse resort campestre de alto luxo e spa completo no lindo cenário do Castle Valley é um destino ideal para relaxar. Entre as diversas atividades disponíveis estão passeios a cavalo. Os quartos exibem móveis de madeira, cozinha, área de estar e varanda com cadeiras Adirondak ou um balanço.

Destaque
MONUMENT VALLEY: The View Hotel $$
B&B
Hwy 163 Monument Valley Tribal Park, 84536
Tel *(435) 727-5555*
w *monumentvalleyview.com*
No View Hotel, que pertence aos navajos e é o único na orla do Monument Valley, os hóspedes apreciam vistas estupendas. Os quartos, confortáveis e mobiliados com bom gosto, têm sacada privilegiada para apreciar o pôr do sol. Passeios guiados e viagens de um dia podem ser agendados.

PARK CITY: St. Regis Deer Valley $$$
Luxuoso
2300 Deer Valley Dr E, 84060
Tel *(435) 940-5700*
w *stregisdeervalley.com*
Resort de alto padrão com quartos, suítes e casas elegantes, algumas com direito a mordomo. Acesso ao esqui.

SALT LAKE CITY: Inn on the Hill $$
B&B
225 N State St, 84103
Tel *(801) 328-1466*
w *inn-on-the-hill.com*
Quartos de bom gosto apresentam roupas de cama finas, hidromassagem e lareira a gás nesse B&B em um bairro histórico.

ONDE FICAR | 551

SALT LAKE CITY:
Grand America Hotel $$$
Luxuoso
555 S Main St, 84111
Tel *(801) 258-6000*
w grandamerica.com
Hotel central cujos quartos têm banheiro de mármore italiano e, em sua maioria, vistas da montanha, além de direito a um relaxante dia de spa.

ZION NATIONAL PARK:
Zion Lodge $$
B&B
Springdale, 84767
Tel *(303) 297-3175*
w zionlodge.com
Cabanas e quartos cercados por paredões de arenito em uma mata dentro do cânion Zion.

Arizona

BISBEE: Shady Dell $
Histórico
1 Douglas Rd, 85603
Tel *(520) 432-3567*
w theshadydell.com
Fique em um trailer Airstream de 1949 ou em um Spartanette de 1950 no alto das montanhas.

FLAGSTAFF: Weatherford Hotel $
Histórico
23 N Leroux St, 86001
Tel *(928) 779-1919*
w weatherfordhotel.com
Elegante edifício de arenito de 1897, com uma varanda ampla. Perto da estação local da Amtrak.

FLAGSTAFF:
Little America Hotel $$
Resort
2515 E Butler Ave, 86004
Tel *(928) 779-7900*
w littleamerica.com/flagstaff
Em meio a pinheirais, esse hotel tem quartos e suítes opulentas. Organiza atividades e passeios.

GRAND CANYON (ORLA SUL):
Bright Angel Lodge $
Histórico
Grand Canyon Village, 86023
Tel *(928) 638-2631*
w grandcanyonlodges.com
Cabanas de madeira e pedra criadas por Mary Elizabeth Colter em 1935, na beira do cânion.

GRAND CANYON (ORLA SUL):
Maswik Lodge $
Histórico
Grand Canyon Village, 86023
Tel *(928) 638-2631*
w grandcanyonlodges.com
Bom para famílias, o Maswik conta com dois edifícios em meio a muitos pinheiros.

Saguão do histórico Hotel Valley Ho, em Scottsdale

GRAND CANYON (ORLA SUL):
El Tovar Hotel $$
Histórico
Grand Canyon Village, 86023
Tel *(928) 638-2631*
w grandcanyonlodges.com
O design luxuoso desse local marcante conta com pedras naturais e madeira de abeto.

JEROME: Ghost City Inn
Bed & Breakfast $
B&B
541 N Main St, 86331
Tel *(928) 634-4678*
w ghostcityinn.com
Pensão de garimpeiros de cobre nos anos 1890, esse B&B exibe bons quartos reformados.

LAKE HAVASU CITY: Heat $$
Luxuoso
1420 Mcculloch Blvd, 86403
Tel *(888) 898-4328*
w heathotel.com
Os quartos modernos desse hotel de bom nível têm sacada com vista para o lago e acesso à internet.

PHOENIX: Clarendon
Hotel and Suites $$
Para negócios
401 W Clarendon Ave, 85013
Tel *(602) 252-7363*
w goclarendon.com
Localizado no distrito financeiro da cidade, esse hotel para executivos apresenta iluminação elaborada e um restaurante de fusão francês.

PHOENIX: Hotel Palomar
Phoenix $$$
Luxuoso
2 E Jefferson St, 85004
Tel *(602) 253-6633*
w hotelpalomar-phoenix.com
Esse hotel contemporâneo chique tem localização privilegiada no CityScape, que reúne lojas, gastronomia e entretenimento.

PHOENIX:
Ritz-Carlton Hotel $$$
Luxuoso
2401 E Camelback Rd, 85016
Tel *(602) 468-0700*
w ritzcarlton.com
O Ritz ostenta decoração refinada e vistas que se estendem ao skyline do centro da cidade e às montanhas.

Destaque

SCOTTSDALE: Hotel
Valley Ho $$
Luxuoso
6850 E Main St, 85251
Tel *(480) 248-2000*
w HotelValleyHo.com
Construído em 1956, o sofisticado Valley Ho já hospedou Humphrey Bogart e Marilyn Monroe. Após uma restauração completa, essa propriedade histórica ganhou quartos retrô chiques, um estúdio de ioga e pilates e uma piscina. Perto do centro da cidade, possibilita ir a pé a várias lojas, restaurantes e galerias de arte.

SCOTTSDALE:
The Phoenician $$$
Resort
6000 E Camelback Rd, 85251
Tel *(480) 941-8200*
w thephoenician.com
Resort de fama mundial que oferece serviço e comodidades de alto nível, incluindo opções gastronômicas e golfe.

SEDONA: Cozy Cactus B&B $$
B&B
80 Canyon Circle Dr, 86351
Tel *(928) 284-0082*
w cozycactus.com
Esse B&B bom para famílias tem decoração atraente com toques regionais e vistas estupendas. Há trilhas nos arredores.

Mais informações sobre hotéis *nas pp. 26-7*

SEDONA: Enchantment Resort $$$
Resort
525 Boynton Canyon Rd, 86336
Tel *(928) 282-2900*
w enchantmentresort.com

As acomodações de adobe apresentam interior típico do Sudoeste nesse resort luxuoso situado entre os rochedos vermelhos do cânion Boynton.

TOMBSTONE: Landmark Lookout Lodge $
B&B
781 N Hwy 80 W, 85638
Tel *(520) 457-2223*
w lookoutlodgeaz.com

O Landmark Lookout Lodge é uma boa base para visitar as atrações de Tombstone. Cobra diárias acessíveis.

TUCSON: Hotel Congress $
Econômico
311 E Congress St, 85701
Tel *(520) 622-8848*
w hotelcongress.com

Esse hotel histórico no centro da cidade abriga quartos antigos com móveis retrô e diversos bares e restaurantes.

TUCSON: Hacienda del Sol Ranch Resort $$
Resort
5501 N Hacienda del Sol Rd, 85718
Tel *(520) 299-1501*
w haciendadelsol.com

Nesse hotel de luxo relaxante os quartos em estilo colonial espanhol têm cores quentes típicas do Sudoeste.

Novo México

Destaque

ALBUQUERQUE: Casas de Sueños $
B&B
310 Rio Grande Blvd SW, 87104
Tel *(505) 247-4560*
w casasdesuenos.com

As Casas de Sueños compunham uma colônia de artistas nos anos 1930. Hoje, são casinhas charmosas de adobe aninhadas entre pátios e jardins verdejantes. Cada quarto tem decoração singular, alguns com lareira kiva ou pisos com ladrilhos de saltillo; outros exibem pátio ou hidromassagem. O café da manhã completo é servido no ensolarado estúdio no jardim.

Mesas no terraço do Enchantment Resort, em Sedona

ALBUQUERQUE: MCM Eleganté Hotel $
Econômico
2020 Menaul Blvd NE, 87107
Tel *(505) 884-2511*
w mcmelegantealbuquerque.com

Opção barata perto do centro da cidade, o MCM Eleganté tem quartos modernos, alguns com sacada e vista da montanha.

ALBUQUERQUE: Nativo Lodge $
Econômico
6000 Pan American Freeway NE, 87109
Tel *(505) 798-4300*
w nativolodge.com

Esse lodge perto do Balloon Fiesta Park mescla cultura indígena com comodidades modernas. Os quartos apresentam murais e tapetes navajos.

ALBUQUERQUE: Crowne Plaza Albuquerque $$
Luxuoso
1901 University Blvd NE, 87102
Tel *(505) 884-2500*
w ihg.com

Resort amplo com decoração do Novo México e instalações como piscina, hidromassagem, academia e sauna.

SANTA FE: Don Gaspar Inn $$
B&B
623 Don Gaspar, 87505
Tel *(505) 986-8664*
w dongaspar.com

Três edifícios históricos perto das atrações locais oferecem quartos amplos e jardins e pátios agradáveis.

SANTA FE: Hotel Chimayo $$
B&B
125 Washington Ave, 87501
Tel *(505) 988-9100*
w hotelchimayo.com

Os quartos do Hotel Chimayo têm móveis feitos à mão e lareira, assim como sacada panorâmica ou pátio.

Destaque

SANTA FE: La Fonda on the Plaza $$$
Luxuoso
100 E San Francisco St, 87501
Tel *(505) 982-5511*
w lafondasantafe.com

O hotel mais tradicional de Santa Fe ocupa o local de uma estalagem de adobe de 1610. Há obras de arte em profusão. As cabeceiras das camas, as arcas com mantas e até os interruptores de luz foram pintados por um artista que mora no hotel. As modernas instalações contam com piscina, academia e spa excelentes.

SANTA FE: The Inn of the Five Graces $$$
Luxuoso
150 E DeVargas, 87501
Tel *(505) 992-0957*
w fivegraces.com

Esse hotel de luxo tem design de padrão internacional, oferece apenas suítes e fica diante da San Miguel Mission.

SANTA FE: Rosewood Inn of the Anasazi $$$
Luxuoso
113 Washington Ave, 87501
Tel *(505) 988-3030*
w innoftheanasazi.com

Elegante, o Rosewood apresenta tapeçarias indígenas fantásticas, camas com dossel e móveis rústicos de madeira.

TAOS: Palacio de Marquesa $$$
Luxuoso
405 Cordoba Rd, 87571
Tel *(575) 758-4777*
w marquesataos.com

Hotel clássico de adobe com decoração contemporânea sofisticada. Cada quarto homenageia uma personalidade feminina admirável da cidade.

Categorias de Preço *na p. 550*

//
Onde Comer e Beber

Nevada

LAS VEGAS: The Buffet $
Americana
Golden Nugget, 129 E Fremont St, 89101
Tel *(702) 385-7111*
Restaurante agradável de consumo à vontade com clientela jovem que se senta em reservados confortáveis. A comida é bem variada, e há um bufê de saladas.

LAS VEGAS: Harley Davidson Café $
Americana
3725 Las Vegas Blvd S, 89109
Tel *(702) 740-4555*
Esse café de três andares que cultua o motociclismo se destaca pela enorme réplica da Heritage Softail e pela moto Captain America, do filme *Sem destino*. Os melhores churrascos são os de costela, frango e linguiça.

LAS VEGAS: In-N-Out Burger $
Americana
4888 Dean Martin Dr, 89103
Tel *(800) 786-1000*
Essa filial da conhecida rede de fast-food californiana serve boas opções a preços baixos, incluindo muitas variedades de hambúrguer, batata frita e milk-shake.

LAS VEGAS: Pink Taco $
Mexicana
Hard Rock Hotel, 4455 Paradise Rd, 89109
Tel *(702) 693-5525*
Cantina colorida com vários pratos clássicos mexicanos e uma carta extensa de margaritas e tequilas. Ambiente animado.

LAS VEGAS: Lotus of Siam $$
Tailandesa
953 E Sahara Ave, 89104
Tel *(702) 735-3033*
O chef prepara receitas do norte da Tailândia que são transmitidas ao longo de gerações. Escolha algo do cardápio de cozidos e curries picantes feitos com ervas e temperos autênticos.

LAS VEGAS: Mizumi $$$
Japonesa
Wynn Las Vegas, 3131 Las Vegas Blvd S, 89109
Tel *(702) 248-3463*
O premiado chef do Mizumi mescla sabores japoneses com técnicas francesas para preparar robatayaki, teppanyaki e sushi, harmonizados com vinhos e saquês de alta qualidade.

Destaque

LAS VEGAS: Picasso $$$
Americana moderna
Bellagio, 3600 Las Vegas Blvd S, 89109
Tel *(702) 693-8865* **Fecha** *ter*
Veja obras originais de Picasso nesse salão florido enquanto saboreia comida americana atual com influências francesas e espanholas. Os menus-degustação podem incluir foie gras salteado com figos assados com mel e nozes ou pombo assado com risoto de arroz selvagem. Carta de vinhos caros.

LAS VEGAS: Restaurant Guy Savoy $$$
Francesa
Caesars Palace, 3570 Las Vegas Blvd S, 89109
Tel *(702) 731-7286* **Fecha** *seg, ter*
Cozinha francesa sazonal em um cenário que evoca o restaurante do chef Guy Savoy em Paris. Carta de vinhos esmerada.

LAS VEGAS: Top of the World $$$
Americana moderna
Stratosphere Tower, 2000 Las Vegas Blvd S, 89104
Tel *(702) 380-7111*
Nesse salão a 254m de altura que gira lentamente revelando belas vistas há especialidades como salmão escocês glaceado com mostarda e bordo.

Utah

BRYCE CANYON: The Lodge at Bryce Canyon Restaurant $$
Americana moderna
The Lodge at Bryce Canyon, Bryce Canyon National Park, 84764
Tel *(435) 834-8760*
Restaurante rústico elegante em meio a pinheiros. As lareiras criam um ambiente aconchegante, e o menu interessante inclui truta com crosta de amêndoas e panko.

Destaque

MOAB: Moab Diner $
Americana
189 S Main St, 84532
Tel *(435) 259-4006*
Esse *diner* com decoração despojada tem clientela fiel e atrai turistas. Abre 24 horas e serve de café da manhã a jantar. O carro-chefe é o cheeseburguer com chili verde, mas reserve espaço para um sundae ou um milk-shake, disponíveis em mais de doze sabores.

MOAB: Sunset Grill $$
Americana
900 N Route 191 na Main St, 84532
Tel *(435) 259-7146* **Fecha** *dom*
O Sunset Grill fica em uma colina, na ex-casa de Charlie Steen, o descobridor do urânio. As atrações são as vistas do poente e a comida fina. A torta de musse de chocolate é uma especialidade.

MONUMENT VALLEY: Stagecoach Dining Room $$
Regional/Americana
Goulding's Lodge, 84536
Tel *(435) 727-3231*
No alto de uma colina com vistas panorâmicas, o Stagecoach atrai sobretudo turistas que visitam o Monument Valley. O bufê de saladas, os tacos navajo e os filés são muito apreciados.

Categorias de Preço
Por pessoa, para uma refeição composta de três pratos e meia garrafa de vinho da casa, mais taxas.
$	até US$35
$$	US$35–US$70
$$$	acima de U$$70

O icônico Harley Davidson Café, em Las Vegas

Mais informações sobre restaurantes nas pp. 28-9

PARK CITY: High West Distillery & Saloon $$
Americana
703 Park Ave, 84060
Tel *(435) 649-8300*
Comida inspirada no Velho Oeste é servida em um salão antigo. O balcão é feito com a madeira usada na ponte Trestle, de 1904. Os coquetéis levam destilados premiados próprios.

SALT LAKE CITY: Red Iguana $
Mexicana
736 W North Temple, 84116
Tel *(801) 322-1489* **Fecha** *dom*
Um dos restaurantes mais emperiquitados da área, destaca-se pela variedade de pratos quentes. Sente-se no salão colorido, coma bem e tome margaritas caprichadas.

SALT LAKE CITY: The Copper Onion $$
Americana
111 E Broadway, 84111
Tel *(801) 355-3282*
Esse estabelecimento de localização central serve almoço, jantar e drinques para uma clientela grande e fiel. O cardápio apresenta desde porções de embutidos e queijo a massas caseiras e pratos com carne.

ZION NATIONAL PARK: Red Rock Grill $$
Regional
Zion Lodge, Springdale, 84767
Tel *(435) 772-7760*
Em meio a choupos no parque, o Red Rock Grill dispõe de um terraço ao ar livre com vistas esplêndidas. Interessante, o menu inclui tilápia com chipotle e berinjela navajo com molho cremoso de tomatillo.

Arizona

FLAGSTAFF: Downtown Diner $
Americana
7 E Aspen Ave, 86001
Tel *(928) 774-3492*
Fotos de paisagens locais enfeitam as paredes desse sucesso de bairro que tem bom café. Serve desjejum e hambúrgueres enormes e truta fresca no almoço.

FLAGSTAFF: Black Bart's Steak House $$$
Churrascaria
2760 E Butler Ave, 86004
Tel *(928) 779-3142*
Com o nome de um ladrão de diligências dos anos 1870, esse restaurante fino serve carne orgânica e frutos do mar frescos. À noite, a equipe faz um show musical.

GRAND CANYON (ORLA NORTE): Grand Canyon Lodge $$$
Americana
North Rim Grand Canyon, 86052
Tel *(928) 638-2611*
Esse restaurante belo e remoto tem lindas vistas do platô Kaibab e pratos sofisticados. Na alta temporada é preciso fazer reserva com um ou dois meses de antecedência.

GRAND CANYON (ORLA SUL): El Tovar $$
Regional
Grand Canyon Village, 86023
Tel *(928) 638-2631*
Essa é a opção mais refinada do parque. Seu cardápio apresenta uma mescla de comida clássica e regional. Faça uma refeição leve na varanda apreciando as belas vistas.

LAKE HAVASU CITY: Mudshark Brewing Co. $
Americana
210 Swanson Ave, 86403
Tel *(928) 453-2981*
Conhecido pela cerveja artesanal de barril, o Mudshark tem menu eclético de hambúrgueres, sanduíches e costeletas suínas cozidas lentamente. Os murais dão mais charme ao ambiente.

PARADISE VALLEY: El Chorro $$$
Americana moderna
5550 E Lincoln Dr, 85253
Tel *(480) 948-5170*
Há alguns favoritos regionais perenes no cardápio variado do El Chorro, que dá prioridade a ingredientes orgânicos frescos locais. O brunch descontraído aos domingos inclui os lendários rolinhos de amora da casa.

PHOENIX: Matt's Big Breakfast $
Americana
825 N 1st St, 85004
Tel *(602) 254-1074* **Fecha** *seg*
Vá de manhã ao Matt's para um café da manhã caprichado, com carnes orgânicas, caipiras e outros produtos sustentáveis. A decoração tem mesas dos anos 1950, um balcão alaranjado e obras de arte antigas.

PHOENIX: Barrio Café $$
Mexicana
2814 N 16th St, 85004
Tel *(602) 636-0240* **Fecha** *seg*
Pratos bons do sul do México e criações da casa são servidos em três ambientes informais com obras de arte vibrantes. O bar oferece margaritas e mais de 250 tequilas.

Jantar ao cair da noite no El Chorro, Paradise Valley, deserto do Arizona

Destaque

PHOENIX: Pizzeria Bianco $$
Pizzaria
623 E Adams St, 85004
Tel *(602) 258-8300* **Fecha** *dom*
O menu simples de pizzas assadas em forno a lenha e saladas incorpora diversos ingredientes sazonais locais, como linguiça com erva-doce e mozarela defumada. Entusiastas culinários do mundo todo vão a esse lugar no centro da cidade para provar as pizzas gourmets que muitos consideram as melhores do país.

PHOENIX: Durant's $$$
Churrascaria
2611 N Central Ave, 85004
Tel *(602) 264-5967*
Veja celebridades locais saborearem porções de petiscos, filés e frutos do mar nessa movimentada *steakhouse* aberta nos anos 1950.

SCOTTSDALE: Cowboy Ciao $$$
Americana moderna
7133 E Stetson Dr, 85251
Tel *(480) 946-3111*
Comida criativa servida em ambiente sofisticado. Vinhos internacionais raros se harmonizam com pratos como confit de pato relleno e costelas defumadas.

SEDONA: El Rincon Restaurante Mexicano $
Mexicana
Tlaquepaque Village, 336 S I Hwy 179, 86336
Tel *(928) 282-4648*
Portas em arco e móveis em estilo espanhol conferem charme especial ao El Rincon. Saboreie delícias mexicanas, de burritos a tamales, com uma influência sutil dos navajos.

Categorias de Preço *na p. 553*

ONDE COMER E BEBER | 555

SEDONA: Barking Frog Grille $$
Regional
2620 W Arizona 89A, 86336
Tel *(928) 204-2000*
O menu variado conta com versões criativas de pratos clássicos. Há três salões informais, pátios ao ar livre e um bar. A carta de vinhos impressiona.

> ### Destaque
> **SEDONA: Shugrue's Hillside Grill** $$$
> Americana
> *Hillside Courtyard, 671 Hwy 179, 86336*
> **Tel** *(928) 282-5300*
> No Shugrue's, os clientes podem pedir filés e frutos do mar preparados de três maneiras: grelhados, salteados ou enegrecidos. O cardápio eclético incorpora ingredientes orgânicos sazonais locais. Café da manhã gourmet e almoço são servidos diariamente. Os janelões do teto ao chão revelam vistas bonitas, e há também um terraço com mesas ao ar livre.

TUCSON: El Charro Café $
Mexicano
311 N Court Ave, 85701
Tel *(520) 622-1922*
Um dos restaurantes de gerência familiar mais antigos do país, o El Charro Café serve uma famosa carne-seca de Angus marinada em alho e sumo de limão.

TUCSON: Café Poca Cosa $$
Mexicana
110 E Pennington St, 85701
Tel *(520) 622-6400* **Fecha** *dom, seg*
Esse bistrô chique serve cozinha mexicana caprichada com um toque regional. O menu bilíngue em inglês e espanhol muda a cada dia e é exposto em um quadro-negro.

Novo México

> ### Destaque
> **ALBUQUERQUE: Church Street Café** $
> Regional
> *2111 Church St NW, 87104*
> **Tel** *(505) 247-8522*
> Esse café apresenta arte e tapetes indígenas. Sente-se perto da lareira kiva ou ao ar livre entre as parreiras. No menu há comida regional bem preparada como carne adovada al horno (carne suína marinada em chilis vermelhos e assada).

ALBUQUERQUE: Frontier Restaurant $
Regional/Americana
2400 Central Ave SE, 87106
Tel *(505) 266-0550*
Café da manhã barato, burritos, hambúrgueres e pão doce são servidos em um salão repleto de relíquias. Fica diante da Universidade do Novo México.

ALBUQUERQUE: Garduño's $
Mexicana
2100 Louisiana Blvd, 87110
Tel *(505) 880-0055*
Conhecida rede local que serve pratos saborosos. O guacamole é feito na hora, e os burritos e as enchiladas são cobertos por chilis verdes. As rodadas de margarita e o som dos mariachis criam um clima festivo.

ALBUQUERQUE: Jennifer James 101 $$$
Americana moderna
4615 Menaul Blvd NE, 87110
Tel *(505) 884-3860* **Fecha** *dom, seg*
A elogiada chef Jennifer James investe no básico com receitas imbatíveis. Os pratos sazonais são feitos com produtos orgânicos locais.

SANTA FE: The Shed $
Regional/Mexicana
113½ E Palace Ave, 87051
Tel *(505) 982-9030*
Peça uma sopa fria de framboesa com um toque de vinho rosé, um frango picante e encerre com suflê de limão nesse restaurante instalado em uma casa de adobe do século XVII.

SANTA FE: Tomasita's $
Mexicana
500 S Guadalupe St, 87501
Tel *(505) 983-5721* **Fecha** *dom*
Sucesso local, o Tomasita's fica em uma estação de trem construída em 1904. Como não aceita reservas, a espera é longa.

SANTA FE: Maria's New Mexican Kitchen $$
Regional/Mexicana
555 W Cordova Rd, 87505
Tel *(505) 983-7929*
O Maria's serve pratos fumegantes com frango e carne ou vegetarianos, com pico de gallo e guacamole. Há mais de cem tipos de margarita.

SANTA FE: Anasazi Restaurant $$$
Regional/Americana moderna
Anasazi Hotel, 113 Washington Ave, 87501
Tel *(505) 988-3236*
Restaurante com teto de vigas em um hotel. Há pratos inovadores como salmão com crosta de amêndoas e costeleta suína de Berkshire ao molho de bourbon.

> ### Destaque
> **SANTA FE: The Compound** $$$
> Americana moderna
> *635 Canyon Rd, 87501*
> **Tel** *(505) 982-4353*
> Nesse restaurante instalado em uma casa histórica que se chamava McComb Compound, o elegante menu está à altura do salão com obras de arte e do pátio luxuoso. Entre os pratos emblemáticos estão atum tartare coberto por caviar Oestra e rack de cordeiro assado com salsa verde e romesco.

TAOS: Orlando's New Mexican Café $$
Regional
1114 Don Juan Valdez Ln, 87571
Tel *(575) 751-1450*
Fãs de chili adoram a comida do Novo México servida nesse café colorido cujo pátio agradável tem *ombrelones*. Em noites frias é melhor tomar cerveja perto da grelha.

Mesas ao ar livre no Church Street Café, em Albuquerque

Mais informações sobre restaurantes *nas pp. 28-9*

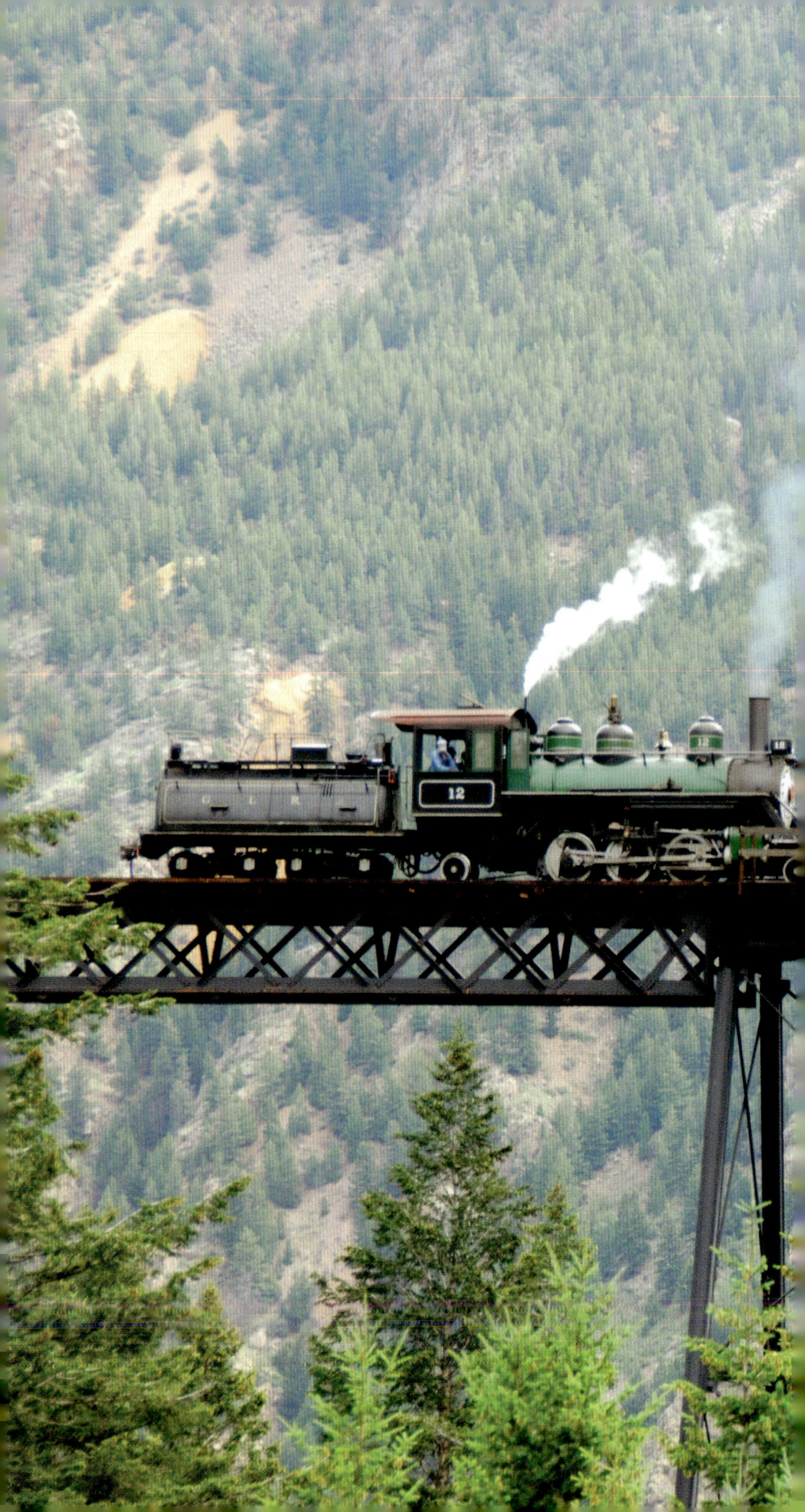
12

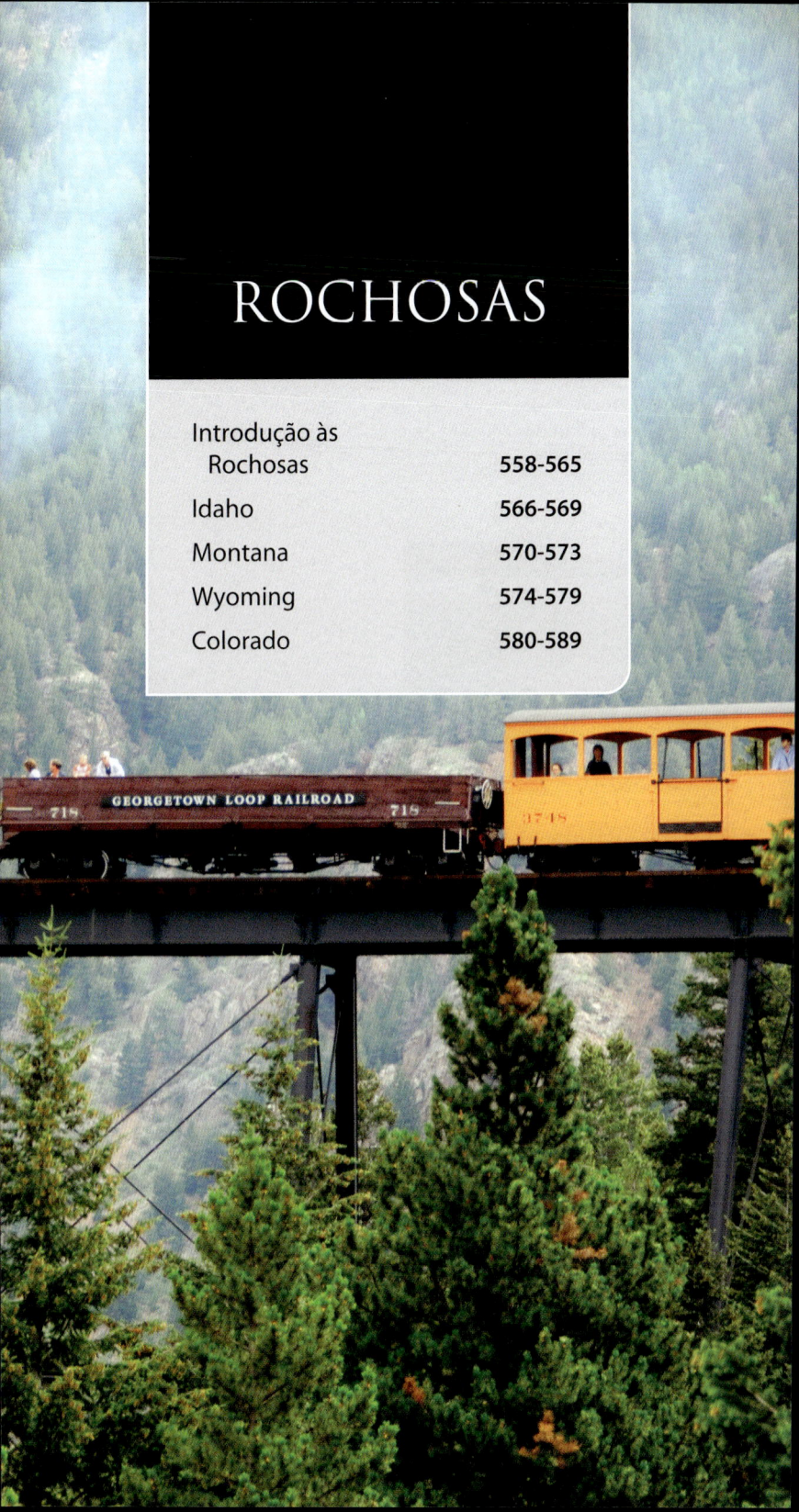

ROCHOSAS

Introdução às Rochosas	**558-565**
Idaho	**566-569**
Montana	**570-573**
Wyoming	**574-579**
Colorado	**580-589**

As Rochosas em Destaque

Os quatro estados de Montana, Idaho, Wyoming e Colorado formam o coração das Rockies, ou Rochosas, a cadeia de montanhas que domina a paisagem do norte dos Estados Unidos. Essa bela e pouco populosa região abrange uma riqueza de maravilhas naturais como os gêiseres do Yellowstone National Park do Wyoming, as paisagens variadas do Glacier National Park de Montana e as moradias nas rochas do Mesa Verde National Park do Colorado. O Colorado também é celebrado como a capital do esqui dos Estados Unidos. Mas a história humana da área destaca-se tanto quanto sua terra. Ao longo das Rochosas há sinais tangíveis de indígenas americanos e caubóis legendários do século XIX, como Touro Sentado e "Buffalo Bill" Cody.

Coeur d'Alene *(p. 566)*, em Idaho, fica situada ao longo do lago Coeur d'Alene. Esse conhecido local de férias é famoso por seu singular décimo quarto buraco de golfe flutuante.

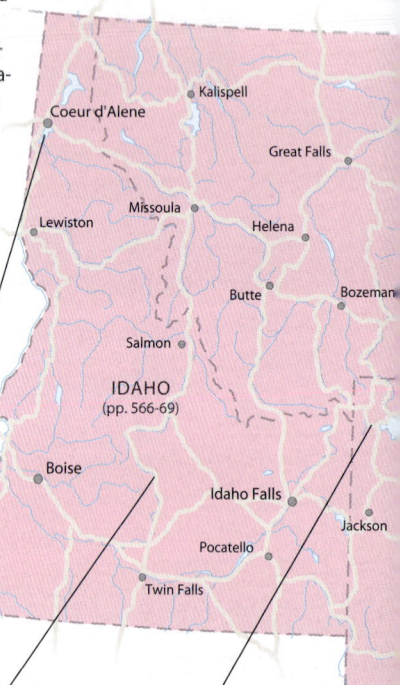

Sun Valley *(p. 568)*, no sul de Idaho, é uma das mais antigas e mais exclusivas estâncias de inverno do país. Seus pitorescos arredores também oferecem muitas opções de lazer.

O Yellowstone National Park *(pp. 576-7)* é talvez um dos parques mais visitados do país. O destaque dessa incrível maravilha são as fontes termais, em especial o Old Faithful Geyser e seus vapores.

◀ Colorado & Southern Railway no Clear Creek County, em Georgetown, Colorado

INTRODUÇÃO ÀS ROCHOSAS | 559

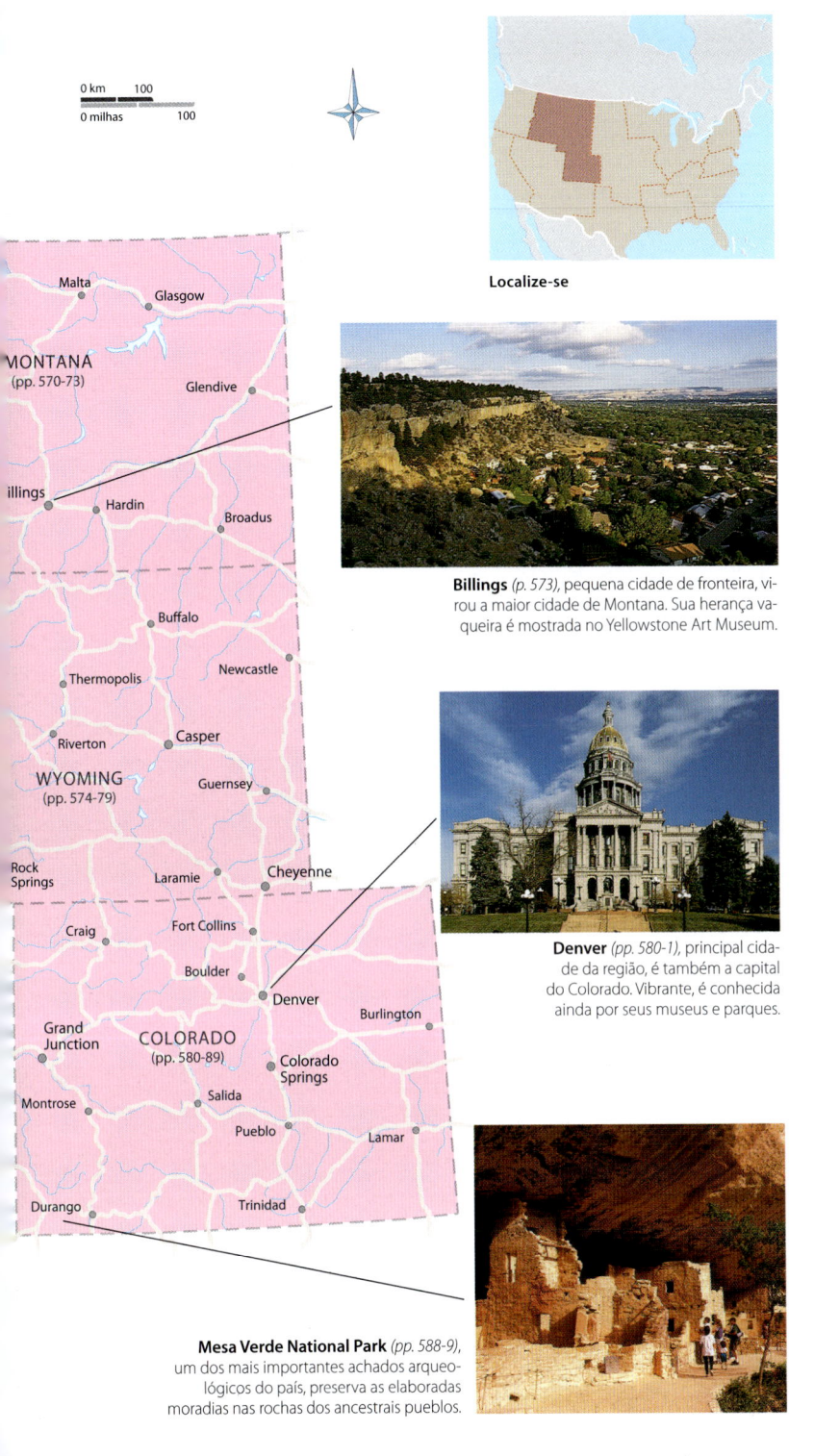

Localize-se

Billings *(p. 573)*, pequena cidade de fronteira, virou a maior cidade de Montana. Sua herança vaqueira é mostrada no Yellowstone Art Museum.

Denver *(pp. 580-1)*, principal cidade da região, é também a capital do Colorado. Vibrante, é conhecida ainda por seus museus e parques.

Mesa Verde National Park *(pp. 588-9)*, um dos mais importantes achados arqueológicos do país, preserva as elaboradas moradias nas rochas dos ancestrais pueblos.

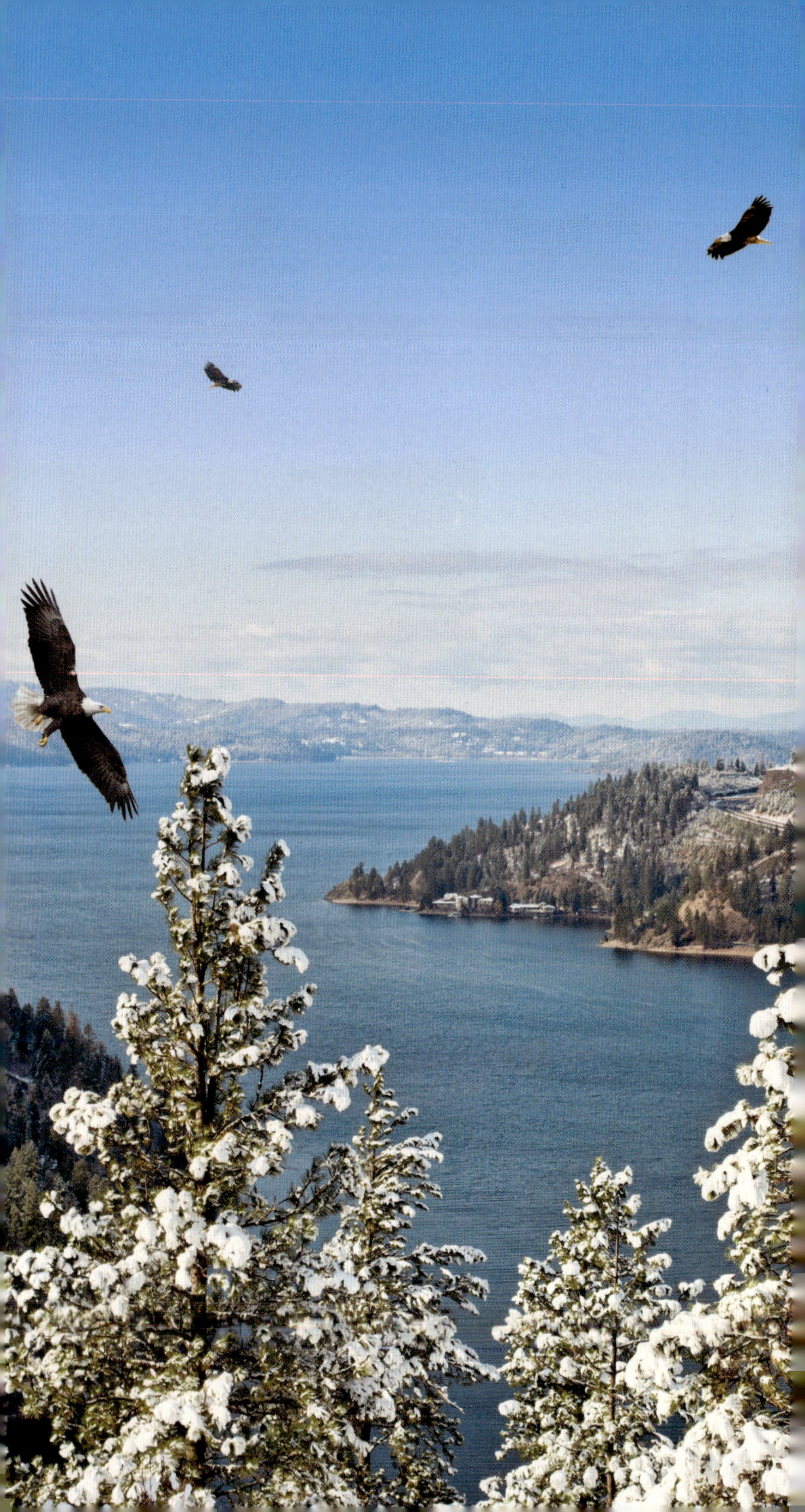

AS ROCHOSAS

Uma das maiores atrações ao ar livre do mundo, as Rochosas oferecem experiências que não se encontram em nenhum outro lugar. As dimensões da paisagem são assombrosas, e é difícil expressar em palavras a emoção de ver pela primeira vez a amplidão das planícies do Wyoming, os profundos cânions dos rios de Idaho, os picos do Colorado ou a rústica vastidão de Montana.

A geologia das Montanhas Rochosas é antiga, com algumas das rochas mais velhas do país formando os altamente estratificados picos e vales pré-cambrianos do Glacier National Park. O resto da cadeia é variado, com batólitos de granito ricos em minério dividindo espaço com as vastas mesas de rocha vermelha do Planalto do Colorado. Evidências de atividade vulcânica, formando e reformando a paisagem desde as profundezas, também são onipresentes, principalmente no Craters of the Moon National Monument, de Idaho, e nos famosos gêiseres, depósitos de lama e fontes termais do Yellowstone National Park, no Wyoming.

A região também foi modelada por alguns dos maiores rios da América do Norte. Além das terríveis corredeiras do Snake e de outros acidentados rios, as Rochosas formam as cabeceiras de muitos grandes rios do oeste, como Colorado, Missouri, Columbia e Grande. Esses rios e seus muitos tributários abrigam algumas das melhores reservas de peixe do mundo. Há muitas flores silvestres, em especial nas campinas de montanha, e as densas florestas são o hábitat de animais selvagens. Alces e águias são vistos com frequência ao longo de trilhas e estradas, e as áreas remotas abrigam algumas das últimas populações de carnívoros, incluindo lobos, leões-da-montanha e o imenso urso-cinza.

História

A história das Rochosas é tão incrível como a própria terra. A partir do final do século XVIII, intrépidos "homens de montanha" – caçadores de peles americanos e franco-canadenses – viajaram pelas Rochosas, caçando castores e outros animais de pele valiosa. Após a Compra da Louisiana em 1803, o nascente país ganhou o controle das Rochosas e a primeira presença americana oficial foi estabelecida entre 1803 e 1806 pelos exploradores Meriwether Lewis e William Clark. Esses homens ousados eram acompanhados por um "Contingente de Descoberta" composto de 29 soldados e caçadores de peles, e seguido pelo legendário guia indígena Sacagawea e seu filho

Lagoa ao longo do Firehole Lake Drive, no Yellowstone National Park, no Wyoming

◀ Vista do Coeur d' Alene Lake no inverno, a partir da trilha de Mineral Ridge, em Idaho

pequeno. Eles subiram o rio Missouri do posto de fronteira de St. Louis, viajando de barco e depois a pé pelos estados de Montana e Idaho numa épica jornada de 8.047km até o oceano Pacífico e de volta. Também em 1806, Zebulon Pike liderou uma expedição ao Colorado pelo rio Arkansas e localizou a majestosa montanha que leva seu nome.

Esses exploradores publicaram relatos, descrevendo a sublime paisagem e sua abundância de animais selvagens, e atraíram assim um crescente número de caçadores. Por volta de 1830 vários postos comerciais haviam sido fundados, em geral na confluência de grandes rios. Suas trilhas que cruzavam o que antes era considerado uma barreira intransponível abriram de maneira lenta mas segura o caminho para viajantes transcontinentais. Em meados do século XIX, milhares de pioneiros, pela trilha do Oregon e outros caminhos, cruzaram as Montanhas Rochosas em direção ao Pacífico Noroeste, aos campos de ouro da Califórnia e às terras mórmons de Utah. Com isso, cresceram muito os conflitos entre imigrantes e indígenas. Nas montanhas, os nez percé e outras pequenas tribos viviam de modo comparativamente pacífico e sedentário, enquanto a leste das montanhas havia bandos migratórios de índios das planícies, com tribos tão diferentes e rivais como os sioux, cheyenne, crow, arapahoe e shoshone.

Lewis & Clark National Historic Trail Interpretive Center, Great Falls, Montana

A maioria dessas tribos do leste eram elas mesmas recém-chegadas. Vivendo em acampamentos móveis de tendas, eles dominavam a arte de montar a cavalo e caçar búfalos. Conforme caubóis e rancheiros se mudaram para as ricas terras de pastos, cerca de 50 milhões de bisões nativos foram exterminados, e as tribos cuja cultura inteira se baseava nessas grandes manadas ficaram sob uma ameaça desesperada de extinção.

Por volta do início do século XX, todas as tribos haviam sido confinadas em pequenas reservas, distantes de seus anteriores lares. Ironicamente, um dos maiores repositórios de cultura de indígenas do país é o Buffalo Bill Historical Center, em Wyoming, um memorial ao homem que, como caçador de búfalos e inimigo dos índios, contribuiu muito para a sua destruição.

Progresso e Desenvolvimento

A primeira ferrovia transcontinental cruzou o sul do Wyoming no fim da década

PRINCIPAIS DATAS HISTÓRICAS

1200 Índios pueblos ancestrais abandonam moradias na rocha em Mesa Verde, Colorado

1700-1800 Caçadores de peles franco-canadenses exploram as Rochosas

1803 Os EUA adquirem boa parte da região por meio da Compra da Louisiana

1803 Começa a expedição de Lewis e Clark

1806 Zebulon Pike explora o rio Arkansas ao sul do Colorado

1843 É aberta a Oregon Trail

1858 Descoberta de ouro perto de Denver

1869 Wyoming concede voto às mulheres

1872 Congresso dos EUA funda o primeiro parque nacional do mundo em Yellowstone

1876 Batalha de Little Bighorn

1915 A Lincoln Highway, primeira estrada transcontinental de Nova York a São Francisco, corta o sul do Wyoming

1951 A Warren Air Force Base em Cheyenne é declarada a base de operações de todos os Mísseis Balísticos Intercontinentais dos EUA

2003 Memorial comemorativo da vitória dos nativos americanos na Batalha de Little Bighorn é erguido no local da batalha em Montana

2013 Incêndio florestal na região de Colorado Springs é o mais devastador na história do Colorado

Tendas no Buffalo Bill Historical Center, Wyoming

A antiga cidade de mineração de prata de Wallace, perto de Coeur d'Alene, em Idaho

de 1860, seguida nas duas décadas seguintes por outras ferrovias, como a Northern Pacific e a Great Northern. Carregando gado para os mercados do Leste e levando armas e suprimentos para o Oeste, essas ferrovias consolidaram a colonização dos EUA.

A procura e descoberta de minérios valiosos, como ouro, prata e cobre, foi outro impulso básico para a colonização. Graças às grandes florestas da região, o setor madeireiro também foi um esteio econômico desde os tempos dos pioneiros, e no século XX os depósitos de petróleo e carvão sustentaram muitas explosões de crescimento, em especial no Colorado e no Wyoming.

O Turismo e a Economia

Setores baseados em recursos naturais ainda são ativos na região, embora hoje a principal força econômica seja o turismo. Esses quatro estados abrigam as montanhas mais altas, as florestas mais densas, os rios mais agitados e os cânions mais escarpados do país. Isso torna as Rochosas mágicas, com cenários sublimes e atrações como passeios históricos de trem, "ranchos" de verão e locais históricos. Há também festivais de música, cerimônias *pow-wows* indígenas ou recriações teatrais de duelos do Velho Oeste.

As Rochosas são também o melhor lugar para apreciar a vida ao ar livre. Guias intrépidos oferecem viagens inesquecíveis, descendo de barco em corredeiras ou pescando trutas. A proliferação de estâncias de esqui também incrementou o turismo estadual. Com a descoberta de ouro perto de Denver em 1850, vários campos de mineração surgiram em locais com nomes evocativos como Silverton e Cripple Creek, no Colorado, e "Last Chance Gulch" ("Garganta da Última Chance"), hoje Helena, Montana. Muitos desses antigos centros de mineração são hoje luxuosas estâncias de inverno, como Crested Butte, Telluride e Aspen, no Colorado, e Sun Valley, em Idaho.

Letreiro de néon em bar de Jackson, Wyoming

Como Explorar as Rochosas

A vastidão da paisagem das Montanhas Rochosas e o período relativamente curto da estação de turismo implica que os visitantes planejem tudo com antecedência. Muitas atrações dessa fileira de 1.609km de montanhas ficam em tal altitude que são inacessíveis durante o longo inverno, já que a neve bloqueia as estradas do final de outubro até junho. Porém, as fortes precipitações de neve estimulam os esportes de inverno na região, e Denver, a principal cidade, é um ponto de partida para a maioria dos visitantes. O carro é o melhor meio para explorar a área, pois o transporte público é limitado e os parques nacionais e a maioria das outras atrações ficam longe.

Legenda
- Rodovia
- Estrada principal
- Ferrovia
- Fronteira estadual
- Fronteira internacional

Principais Atrações

Idaho
1. Coeur d'Alene
2. Hells Canyon National Recreation Area
3. Salmon
4. Sawtooth National Recreation Area
5. Boise
6. Sun Valley
7. Three Island Crossing State Park
8. Bruneau Dunes State Park
9. Twin Falls
10. Craters of the Moon National Monument
11. Idaho Falls

Montana
12. Big Hole National Battlefield
13. Missoula
14. Flathead Valley
15. *Glacier National Park p. 571*
16. Great Falls
17. Helena
18. Butte
19. Bozeman
20. Virginia City
21. Billings
22. Little Bighorn Battlefield National Monument

Wyoming
23. Cody
24. *Yellowstone National Park pp. 576-7*
25. Jackson
26. *Grand Teton National Park p. 575*
27. Bighorn Mountains
28. Devil's Tower National Monument
29. Casper
30. Guernsey
31. Laramie
32. Cheyenne

Colorado
33. *Denver pp. 580-81*
34. Boulder
35. Golden
36. Idaho Springs e Georgetown
37. Rocky Mountain National Park
38. Manitou Springs
39. Colorado Springs
40. Cripple Creek
41. Cañon City
42. *Colorado Ski Resorts pp. 586-7*
43. Great Sand Dunes National Monument & Preserve
44. Durango
45. Mesa Verde National Park
46. Ouray
47. Black Canyon of the Gunnison National Park
48. Colorado National Monument

Legenda dos símbolos *na orelha da contracapa*

INTRODUÇÃO ÀS ROCHOSAS | 565

Tabela de Distâncias

Denver, CO

| 29 | Boulder, CO | | | | 10 = Distância em milhas |
| 47 | | | | | 10 = Distância em quilômetros |

832	822	Boise, ID			
1339	1323				
792	784	550	Helena, MT		
1274	1261	885			
528	518	367	379	Jackson, WY	
850	834	591	610		
279	269	912	516	279	Casper, WY
449	433	1468	830	449	

Telluride, aninhada ao pé do Mount Crested Butte

Trilha em Maroon Bells, Aspen, Colorado

Idaho

Um dos estados menos populosos, Idaho tem muitos trechos de áreas inexploradas – cadeias de montanhas, densas florestas, lagos gelados e profundas gargantas de rios. É um local de férias ideal para quem gosta de esportes de aventura, oferecendo muitas opções para caminhadas, mountain biking e rafting. Ao norte há estâncias como Coeur d'Alene; no centro ficam as majestosas Sawtooth Mountains; e o sul é formado basicamente por campos de cultivo, o que leva as placas dos carros do estado a declararem o orgulho de Idaho por seu principal produto: "Famous Potatoes".

❶ Coeur d'Alene

44.000. 105 N First St, (208) 664-3194. coeurdalene.org

Importante destino de férias, Coeur d'Alene foi fundada por volta de 1870 como posto do exército dos EUA. As atuais "quatro estrelas" da cidade devem-se ao luxo do seu mundialmente famoso **Coeur d'Alene Resort** (p. 592). Situado junto ao belo lago Coeur d'Alene, esse hotel exclusivo é famoso por seu singular campo de golfe flutuante no décimo quarto buraco. A leste do hotel ficam os 49ha do **Tubbs Hill Park**, reserva natural com trilhas para caminhadas, florestas de pinheiros e grandes vistas. O lago Coeur d'Alene abriga uma das maiores populações de águias do país, vistas com frequência no inverno mergulhando atrás de salmões nas águas da baía Wolf Lodge. Há um século, a cidade era um agitado centro de serviço para as prósperas minas de prata nas montanhas a leste do lago. Várias cidades da era vitoriana ainda são vistas nos antigos distritos de mineração, e os museus e passeios por minas dão uma ideia desse período. Wallace, 84km a leste, oferece o **Sierra Silver Mine Tour**, que leva os visitantes por uma mina de prata de 1890.

Tubbs Hill Park
Tel (208) 769-2252.
5h-23h diariam.

Sierra Silver Mine Tour
420 5th St, Wallace. Tel (208) 752-5151. mai-set: diariam. Primeiro tour às 10h, depois a cada meia hora.
silverminetour.org

❷ Hells Canyon National Recreation Area

PO Box 907, Baker City, OR 97814.
Tel (541) 523-6391.
fs.fed.us/hellscanyon

Garganta de rio mais profunda da América do Norte, o Hells Canyon foi escavado no granito das montanhas Seven Devils pelo rio Snake. Com cerca de 1,6km de profundidade e espalhada pela fronteira em que se juntam os estados de Idaho, Washington e Oregon, o cânion e seus arredores são hoje uma área de lazer que inclui perto de 870km^2 de vida selvagem, onde são proibidos veículos a motor. Cerca de 161km de águas turbulentas atraem os fãs de caiaque, rafting e outros amantes da aventura. O Hells Canyon fica abaixo da represa Hells Canyon. O principal centro de visitantes fica do lado do Oregon (pp. 628-9) da represa, e em Idaho a melhor maneira de adentrar a área é a partir de Riggins, onde é possível alugar equipamento.

Caiaque no Hells Canyon

❸ Salmon

3.120. 200 Main St, (208) 756-2100. Sacajawea Center: **Tel** (208) 756-1222. Memorial Day-set: diariam. salmonidaho.com

Situado às margens do belo e agitado rio Salmon, esse foi um ponto importante da trilha de Lewis e Clark (p. 561-2). Basicamente uma cidade de suprimentos e centro hoteleiro, Salmon é uma ótima base para explorar a região. Entre as atividades oferecidas estão viagens de barco, caiaque, esqui, passeios a cavalo, mountain biking e passeios na neve. Também é possível caminhar por trechos da legendária rota seguida pelos exploradores Lewis e Clark no início do século XIX, quando iam pelo Illinois à procura de uma rota navegável para o Pacífico. Salmon é a terra natal de Sacajawea, o guia de Lewis e Clark, e há um centro na Main Street que mostra a sua importância para a expedição.

A principal estrada, a bela US 93, serpenteia junto ao rio Salmon, com estradas menores seguindo os afluentes em áreas mais inóspitas. Na aldeia de North Fork, a Salmon River Road sai da rodovia para oeste, e desce ao longo das intransponíveis corredeiras que Lewis e Clark apelidaram de "River of No Return" ("Rio sem Volta").

O belíssimo lago Coeur d'Alene, perto do balneário famoso

Veja hotéis e restaurantes dessa região nas pp. 592-5

Vista das montanhas Sawtooth a partir das praias do lago Redfish

❹ Sawtooth National Recreation Area

Hwy 75, 8 milhas (13 km) N de Ketchum. ℹ️ (208) 737-3200. Campground: ⭕ o ano todo. ♿ 📷

Esse lindo local para caminhadas e camping abrange 3.096km², com rios, campinas de montanha, florestas e os picos serrilhados da cadeia Sawtooth. Para quem chega pela Hwy 75 de Sun Valley *(p. 568)*, a melhor introdução à área são os 2.652m do **Galena Summit**, um pico com espetacular vista voltada para norte, para o rio Salmon.

Numa elevação de 1.890m, rodeada pelas montanhas Sawtooth, a pequena aldeia de **Stanley** (75 habitantes) é uma das cidades de localização mais bonita do país. Ruas de terra e casas no estilo fronteira com fachada de madeira fazem os visitantes sentirem que por fim chegaram ao Velho Oeste, apesar de terem a deslumbrante estância de Sun Valley a menos de uma hora em direção ao sul. Outra atração é o **Lago Redfish**, 16km ao sul de Stanley, onde fica o rústico alojamento Redfish Lake Lodge, perto das fraldas do Mount Heyburn.

❺ Boise

🏠 205.000. ✈️ 🚌 ℹ️ 250 S 5th St (800) 635-5240. 🌐 boise.org

Caçadores de pele franceses no século XIX deram a esse posto avançado o nome de "Boise", que quer dizer "de madeira". Mesmo hoje, essa cidade simples e pacata mais parece um cartão-postal. Gente local e visitantes andam a pé, de bicicleta ou curtem um piquenique à tarde na grama do amplo parque Greenbelt, que fica junto ao rio Boise, no centro da cidade.

Boise é também a capital e a maior cidade do estado de Idaho, basicamente rural. Seu ponto focal é o abobadado **State Capitol**, concluído em 1920 depois de quinze anos de construção. O diferencial do edifício é que se trata do único capitólio americano aquecido por água geotermal natural. Ele foi construído com blocos de arenito cortados por reclusos da **Old Idaho Penitentiary**, que fica 3km a leste do capitólio.

Hoje aberta a visitantes, a penitenciária estadual operou de 1870 a 1970. Além da prisão, o terreno abriga uma série de museus dedicados a assuntos como transportes, eletricidade e mineração. O centro histórico da cidade fica três quadras ao sul do capitólio. Ali uma dúzia de edifícios comerciais no estilo vitoriano tardio foram restaurados e abrigam um animado conjunto de cafés, bares, restaurantes e butiques. O edifício mais antigo de Boise, concluído em 1864, abriga hoje o **Basque Museum and Cultural Center**, que trata da presença de pastores de ovelhas bascos em Boise e no oeste dos EUA e é conhecido também por celebrar a cultura basca. Um conjunto de museus e centros culturais está instalado no **Julia Davis Park**, uma área verde de 16ha que se estende às margens do rio Boise no coração do Greenbelt.

A 15 minutos de carro da cidade fica o **Peregrine Fund World Center for Birds of Prey**. Uma das organizações mais bem-sucedidas na criação e estudo de aves de rapina, esse centro foi muito importante na recuperação de populações em risco de extinção de falcões-peregrinos, uma espécie quase extinta por pesticidas letais na década de 1970. Os visitantes também têm a oportunidade de ver uma variedade de pássaros, como águias, condores e falcões, e apreciar a vista das planícies ao redor.

🦅 Peregrine Fund World Center for Birds of Prey

5.668 West Flying Hawk Lane. **Tel** (208) 362-3716. ⭕ jun-ago: 9h-17h diariam; set-mai: 10h-16h ter-sex. ⛔ 1º jan, Páscoa, Ação de Graças, 25 dez 📷

A bela fachada do State Capitol de Idaho, em Boise

Patinadores diante do Sun Valley Lodge, em Sun Valley

● Sun Valley

491 Sun Valley Rd, Ketchum. **Tel** (208) 726-3423. **W** visitsunvalley.com

Desenvolvido no fim da década de 1930 pelo barão da Union Pacific Railroad, Averell Harriman, Sun Valley é uma das mais antigas e exclusivas estâncias de inverno dos EUA. A construção do **Sun Valley Lodge** *(p. 592)* em estilo tirolês e da área de esqui adjacente data de 1936, e depois Harriman teve a inspiração de convidar estrelas de cinema de Hollywood e outras celebridades para conhecer o local. A fama de Sun Valley foi então garantida pela presença de gente famosa como Errol Flynn, Gary Cooper, Clark Gable e Ernest Hemingway. Desde então, o esqui de nível olímpico nas vertentes da Bald Mountain (2.789m) continuou a atrair uma clientela exclusiva de novembro a abril. Sun Valley também patrocinou a primeira rampa de esqui do mundo.

Antes da década de 1930, no entanto, a área era um centro de mineração e de criação de carneiros, com sua base na cidade adjacente de Ketchum, que ainda preserva muitos de seus aspectos rústicos de fronteira, apesar do influxo de casas de férias de milhões de dólares. A história da região é contada no **Ketchum Sun Valley Heritage &**

O Hemingway Memorial, em Sun Valley

Ski Museum. Embora a maioria dos visitantes nunca se afaste de Sun Valley e de Ketchum, os arredores são cheios de opções de lazer. Quem gosta de bicicleta pode andar pelos 32km da **Wood River Trail**, junto à antiga Union Pacific Railroad. O rio Wood também é uma ótima opção para pescar trutas, e para o norte a majestosa Sawtooth National Recreation Area *(p. 567)* oferece campos intactos para caminhadas e camping.

Ketchum Sun Valley Heritage & Ski Museum
180 1st Ave E. **Tel** (208) 726-8118.
12h-16h seg-sex, 13h-16h sáb.
W ksvhs.com

● Three Island Crossing State Park

Na I-84, Saída Glenns Ferry. Glenns Ferry. **Tel** (208) 366-2394. Camping: **W** parksandrecreation.idaho.gov

Uma das paisagens mais evocativas ao longo da histórica Oregon Trail *(p. 446)* é a famosa Three Islands Crossing, um dos poucos locais seguros por onde os imigrantes podiam cruzar o perigoso rio Snake. A passagem foi usada até 1869, quando Gus Glenn colocou uma balsa 3km acima. Mas nem todas as tentativas de atravessar eram bem-sucedidas. Conforme a época do ano e o nível da água, às vezes ela revelava-se fatal para os pioneiros das carroças que iam para o Oeste. Alguns empacavam diante dos perigos e desistiam de atravessar. Então seguiam ao longo da árida margem sul do rio até a trilha principal a oeste de Boise.

Hoje, o parque oferece uma área de camping e vários locais para piqueniques. No Oregon Trail History and Education Center, os visitantes aprendem sobre a vida dos pioneiros e nativos americanos da região. Há réplicas das carroças cobertas utilizadas pelos colonizadores e as trilhas originais deixadas por elas.

● Bruneau Dunes State Park

Hwy 78 (fora State Hwy 51), Moutain Home. **Tel** (208) 366-7919. 9h-17h diariam. Camping: **W** parksandrecreation.idaho.gov

Logo ao sul do rio Snake, ao pé das montanhas Owyhee, uma vista surpreendente ergue-se das planícies dos arredores. Entre as maiores dunas de areia da América do Norte, as dunas Bruneau alcançam altura de cerca de 152m. Elas ficam protegidas do impacto destrutivo de carros, motocicletas e bugues de dunas num dos maiores parques estatais de Idaho.

Um centro de visitantes explica como essas dunas de areia de quartzo e feldspato se formaram, e porque não são varridas pelo vento. A razão é simples: a maioria dos ventos sopra em direções opostas por períodos de tempo mais ou menos iguais, mantendo as dunas estáveis. Há também espécimes de vida animal local expostas, incluindo uma coruja de orelhas curtas. Um observatório astronômico costuma ficar aberto ao público.

O parque abrange uma variedade de hábitats, como pântanos, pradarias e desertos. A fauna inclui cobras e lagartos e aves como corujas e águias. Há alguns pequenos lagos ao pé das dunas, onde os visitantes podem pescar em canoas ou barcos de borracha. Outras atividades oferecidas são camping e passeios a cavalo.

Veja hotéis e restaurantes dessa região nas pp. 592-5

IDAHO | **569**

A incrível paisagem da Snake River Gorge, em Twin Falls

⓽ Twin Falls

44.000. Hwy 93. **Tel** (208) 733-3974. **w** twinfallschamber.com

As cachoeiras que dão nome à cidade foram reduzidas por represas e irrigação, mas Twin Falls ainda abriga uma esplêndida cachoeira. Chamadas de "Niagara do Oeste", as **Shoshone Falls**, de 65m de altura e 305m de largura, são uma bela atração, em especial na primavera, quando o volume de água é maior.

Localizadas 8km a nordeste da cidade, as quedas são emolduradas pela profunda **Snake River Gorge**, famosa pela malsucedida tentativa do motociclista Evel Knievel de atravessá-la em 1974. Ele sobreviveu, mas com muitas contusões. A cidade se estende ao longo das planícies para o sul da garganta, e é um centro de cultivo de batatas e ranchos de gado.

⓾ Craters of the Moon National Monument

US 20. **Tel** (208) 527-1335. (somente no local de camping). **w** nps.gov/crmo

Espalhado por 215km² no centro de Idaho, o Craters of the Moon National Monument exibe uma das mais extraordinárias paisagens do país. A parte mais acessível pode ser explorada pelas numerosas trilhas que cortam campos de lava ondulados, cheios de cones e crateras. Eles têm entre 15 mil e 2 mil anos de idade. Os campos se formaram por lava derretida, que vazou por brechas na crosta terrestre durante um período de 13 mil anos. Apesar de sua aparência escura e intimidadora, os campos de lava abrigam mais de 50 espécies de mamíferos, 170 espécies de pássaros e milhões de flores silvestres esplendorosas, que florescem no verão. Numerosas cavernas e tubos de lava também correm abaixo da superfície.

O nome "Craters of the Moon" ("Crateras da Lua") foi cunhado por volta de 1920, quando se fundou o monumento. O centro de visitantes perto da entrada conta a história geológica e natural do parque. Os visitantes podem ainda melhorar seu vocabulário havaiano sobre lava, aprendendo os termos científicos para lava cortante *(a'a)*, lava em camadas *(kipukas)* e lava lisa *(pa'hoe'hoe)*.

Na década de 1960, astronautas da missão espacial *Apollo 14* visitaram o monumento para aprender mais sobre geologia vulcânica, que é similar à geologia da Lua.

No verão, o parque também oferece áreas de camping, e a principal estrada em declive atrai muitos esquiadores de *cross-country* no inverno.

⓫ Idaho Falls

57.000. 630 W Broadway. **Tel** (866) 365-6943. **w** visitidahofalls.com

Situadas às margens do rio Snake, tendo as montanhas Grand Teton de Wyoming a leste, Idaho Falls é uma cidade charmosa e predominantemente agrícola, com uma grande população mórmon *(p. 511)*. Dominada pelo altivo templo mórmon, a cidade tem um amplo "Cinturão Verde" onde as pessoas correm e brincam com skate in-line. Embora as cataratas Idaho que deram nome à cidade tenham sido represadas, elas ainda compõem um belo cenário para o parque. O **Museum of Idaho** conta a história do estado e possui exposições sobre viagens. O **Idaho National Laboratory** (INL), situado 80km a oeste da cidade, foi fundado em 1949 para o projeto, construção e teste nuclear de reatores com objetivos civis e militares. O primeiro reator do mundo, o EBR-1, foi construído ali em 1951 e está exposto à visitação. Em 17 de julho de 1955, o INL fez o primeiro uso pacífico da energia atômica, quando os engenheiros do INL enviaram 2.000 kilowatts de eletricidade para iluminar a cidade próxima de Arco.

Museum of Idaho
200 N Eastern Ave. **Tel** (208) 522-1400.
9h-17h seg-sáb (20h seg-ter).
w museumofidaho.org

Idaho National Laboratory
Hwy 20/26. **Tel** (208) 526-0050.
somente com hora marcada.
4 jul. **w** inl.gov

Cones vulcânicos, no Craters of the Moon National Monument

Montana

Estado mais ao norte das Rochosas, Montana é cheio de montanhas altas, escarpadas, picos nevados, vales soberbos e planícies infindáveis que se estendem sob sua marca registrada, o "big sky" ("grande céu"). A magnitude de seus espaços abertos e o temperamento positivo de seus habitantes, passados e presentes, levou o escritor, vencedor do Prêmio Nobel, John Steinbeck a escrever "Montana para mim parece ser o que um menino acharia que é o Texas ao ouvir os texanos. De todos os estados é o meu favorito, o meu amor".

Big Hole National Battlefield, rodeado de montanhas

⓬ Big Hole National Battlefield

Hwy 43 perto de Wisdom. **Tel** (406) 689-3155. mai-out: 9h-17h diariam; nov-abr: 10h-17h diariam. feriados. nps.gov/biho

Perto da fronteira de Idaho a uma altitude de 2.134m nas montanhas Bitterroot, esse local de batalha fica no extremo do exuberante Big Hole Valley, famoso por seus ranchos de gado e pela pesca de truta. Esse sereno cenário pastoral está bem distante do sofrimento nele experimentado em 9 de agosto de 1877. Nesse dia, a fuga para o norte de 750 índios nez percé, a maioria mulheres e crianças, foi interrompida por um ataque surpresa de soldados do exército dos EUA e voluntários civis, que levou à morte cerca de cem índios. A tribo continuou sua jornada em direção ao Canadá, viajando mais 2.414km antes de por fim se render em outubro, a apenas 48km da fronteira do Canadá.

⓭ Missoula

67.000. Higgins e Main. **Tel** (800) 526-3465. destinationmissoula.org

A brigada junto às Montanhas Rochosas no oeste de Montana, Missoula ainda depende dos setores tradicionais do estado, como madeira e transporte. Essa dinâmica cidade é também a sede da University of Montana.

Cercada por vida selvagem, essa pitoresca cidade é o cenário do livro e do filme *Nada é para sempre* e abriga também o **Smokejumpers Base**, centro nacional para o combate a incêndios florestais nas Rochosas. As peças expostas mostram técnicas e equipamentos de combate ao fogo, e conforme a época do ano (o verão é a estação dos incêndios florestais) os visitantes podem viajar nos aviões com os bombeiros.

Ao sul, o vale Bitterroot tem ranchos e pequenas cidades, ladeados por um par de altas cadeias de montanhas.

Smokejumpers Base Visitor Center
Aerial Fire Depot, oeste do Missoula Int'l Airport, Hwy 93. **Tel** (406) 329-4934. Memorial Day-Labor Day (1ª seg set): diariam; Labor Day-Memorial Day: reservar.

⓮ Flathead Valley

Bigfork Chamber of Commerce, 8.155 Hwy 35. **Tel** (406) 837-5888. Salish & Kootenai Tribal Council: **Tel** (406) 675-2700. bigfork.org

A maior parte da área do vale, que se estende entre o lago Flathead (64km de comprimento e 24km de largura) e Missoula, pertence à Flathead Indian Reservation. Desde 1855 ela abriga os descendentes das tribos indígenas salish, kootenai e pend d'oreille da região. No verão, comunidades como a elmo e a arlee celebram tradições nativas em numerosos *pow-wows*, reuniões tradicionais com competições de rodeio e demonstrações de artesanato.

O **People's Center** em Pablo conta a história da região de Flathead do ponto de vista dos nativos americanos. Para oeste, cerca de 7.487ha de pastos ondulantes foram reservados em 1908 para o National Bison Range, que abriga bisões, cervos, carneiros e antilocapras.

Maior lago natural de água-doce a oeste do Mississippi, o Flathead é uma joia de azul profundo nas fraldas ocidentais da Montanhas Rochosas. Pomares de cerejas e cidades como Bigfork ladeiam a Hwy 35 na praia leste do lago, e a oeste a movimentada US 93 beira a água por 56km. Alugue bicicletas ou caiaques, ou faça um passeio guiado de barco pelo belíssimo lago.

People's Center
53.253 Hwy 93, Pablo. **Tel** (406) 883-5344. 9h-17h seg-sex; também 10h-17h sáb-dom somente do Memorial Day ao Labor Day. peoplescenter.org

O lago Flathead, aninhado ao pé das Montanhas Rochosas

Veja hotéis e restaurantes dessa região nas pp. 592-5

⓯ Glacier National Park

Norte da W Glacier. ☏ (406) 888-7800. ⏰ a maioria das instalações para visitantes abre de fim mai-meados set. 🌐 nps.gov/glac

Espalhado por cerca de 404.690ha pelo norte das Montanhas Rochosas, o Glacier National Park tem alguns dos cenários mais sublimes do mundo. Com elevações que vão de 975m ao longo do rio Flathead a picos que alcançam 3.048m, o parque tem uma grande variedade de paisagens. Além de quatro dúzias de glaciares (que dão nome ao parque) e de rochedos de calcário antigo, há ainda lagos, cachoeiras e muita vida selvagem, como alces, lobos e ursos. A flora vai de planícies de grama alta à tundra alpina. Em julho, as maiores altitudes do parque mostram campinas cobertas de gencianas azuis, lírios amarelos, urzes cor-de-rosa e camásias brancas.

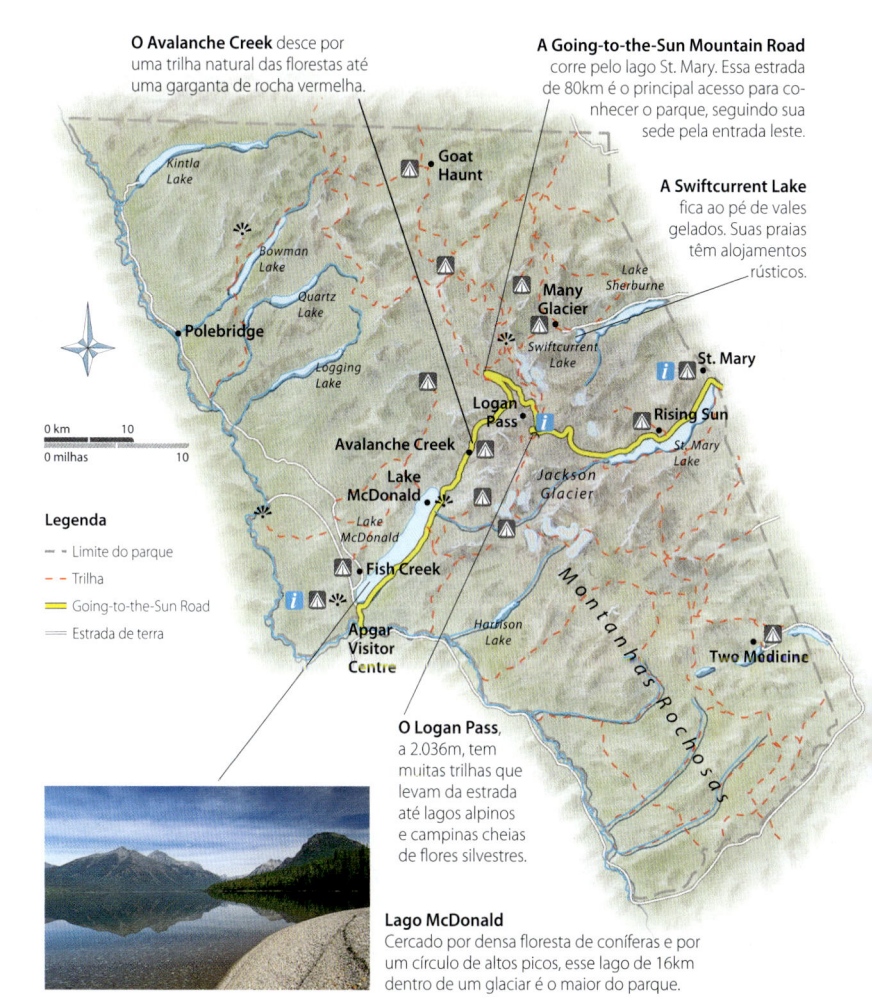

Caminhada, atividade muito popular no Glacier National Park

O Avalanche Creek desce por uma trilha natural das florestas até uma garganta de rocha vermelha.

A Going-to-the-Sun Mountain Road corre pelo lago St. Mary. Essa estrada de 80km é o principal acesso para conhecer o parque, seguindo sua sede pela entrada leste.

A Swiftcurrent Lake fica ao pé de vales gelados. Suas praias têm alojamentos rústicos.

O Logan Pass, a 2.036m, tem muitas trilhas que levam da estrada até lagos alpinos e campinas cheias de flores silvestres.

Lago McDonald
Cercado por densa floresta de coníferas e por um círculo de altos picos, esse lago de 16km dentro de um glaciar é o maior do parque.

Legenda
- – – Limite do parque
- – – Trilha
- ━━ Going-to-the-Sun Road
- ══ Estrada de terra

Legenda dos símbolos *na orelha da contracapa*

⓰ Great Falls

🏠 59.000. ✈ 🚌 ℹ️ 15 Overlook Drive, (406) 771-0885.
🌐 greatfallsmt.net

Abrigada de modo pitoresco entre as magníficas montanhas Rochosas a oeste e as montanhas Little Belt a leste, essa cidade rural deve seu nome à sua localização ao longo do rio Missouri. Depois de cortar a cidade, o rio desce 152m numa série de corredeiras e cinco cachoeiras de tirar o fôlego, descritas pela primeira vez pelos exploradores Lewis e Clark *(p. 561-2)* em 1805.

A cidade é mais conhecida por seus dois excelentes museus. O **Charles M. Russell Museum** narra a história do Oeste americano, com ênfase na vida e no trabalho de caubóis locais e na figura do fértil Velho Oeste "Charlie" Russell, que deu à cidade muito de seu sabor cultural. Sua casa e seu estúdio feito de toras ficam junto ao museu.

Num penhasco com vista para o rio Missouri, 3km a nordeste do centro, fica o **Lewis and Clark National Historic Trail Interpretive Center**, museu que trata da épica exploração do Corpo de Descoberta, expedição que cruzou o país liderada por Meriwether Lewis e William Clark de 1803 a 1806.

Descendo 72km a partir do centro, o rio Missouri corre por uma de suas extensões virgens, seguido por uma trilha de bicicleta e por uma estrada paralela à US 87, que termina em Fort Benton, ponto de partida histórico para a navegação do Missouri.

🏛 Charles M. Russell Museum
400 13th St N. **Tel** (406) 727-8787. 🕐 jun-set: 9h-17h ter-dom; out-maio: 10h-17h qua-sáb. 🔴 1º jan, Páscoa, Ação de Graças, 25 dez.
🌐 cmrussell.org

🏛 Lewis and Clark National Historic Trail Interpretive Center
4.201 Giant Springs Rd. **Tel** (406) 727-8733. 🕐 Memorial Day-set: 9h-17h ter-dom; out-Memorial Day: 9h-17h ter-sáb, 12h-17h dom.
🔴 1º jan, Ação de Graças, 25 dez.
🌐 fs.usda.gov/lcnf

⓱ Helena

🏠 28.000. ✈ 🚌 ℹ️ 225 Cruse Ave, (406) 442-4120.
🌐 helenamt.com

Capital do estado, Helena é uma ótima base para explorar Montana. Conhecida antes como "Last Chance Gulch" ("Garganta da Última Chance"), Helena nasceu como campo de mineração na década de 1860. Felizmente muito da riqueza gerada ficou por ali, como atestam as mansões construídas pelos milionários da mineração. Várias dessas exuberantes casas da era vitoriana foram convertidas em hotéis. O edifício principal de Helena é o **Montana State Capitol**, com seu domo de cobre, decorado com murais históricos, inclusive um dos exploradores Lewis e Clark pintado por Charlie Russell. No jardim há uma estátua de uma residente de Helena, Jeanette Rankin, que em 1917 foi a primeira mulher eleita para o Congresso dos EUA.

Estátua de Jeanette Rankin, no State Capitol de Montana

⓲ Butte

🏠 34.000. ✈ 🚌 ℹ️ 1.000 George St. (406) 723-3177, (800) 735-6814.
🌐 buttecvb.com

Localizado no coração das Montanhas Rochosas, Butte derivou seu nome do penhasco cônico, o Big Butte, que fica no seu extremo noroeste. Pode-se ver que Butte teve algumas das mais ricas reservas minerais do mundo nos ostensivos sinais da mineração de ouro, prata e cobre que agitou a cidade de 1870 até meados do século XX. Traços da cultura multiétnica dos imigrantes de Butte são também visíveis em eventos como as celebrações do St. Patrick's Day pela população católica irlandesa. Um dos vários excelentes museus de Butte, o **World Museum of Mining** ocupa o local de uma antiga mina de ouro. Sua soberba coleção de espécimes minerais, maquinaria de mineração e objetos que lembram a herança industrial da cidade inclui ainda mostras do papel importante da cidade no desenvolvimento de sindicatos de trabalhadores nas minas. Do lado de fora, 30 edifícios históricos que datam de 1880 a 1910 recriam um antigo campo de mineração, com igreja, escola, bordéis e pensões.

O **Granite Mountain Mine Memorial** homenageia os 168 homens mortos em 1917 num acidente numa mina. No alto da cidade, uma estátua de 27m de "Nossa Senhora das Rochosas" ergue-se como símbolo da força da cidade.

Lewis and Clark National Historic Trail Interpretive Center, em Great Falls

Veja hotéis e restaurantes dessa região nas pp. 592-5

MONTANA | 573

Parte externa do Museum of the Rockies, em Bozeman

World Museum of Mining
155 Mining Museum Way, saída da Park St. **Tel** (406) 723-7211. abr-out: 9h-18h diariam. **W** miningmuseum.org

⓳ Bozeman
37.000. 2.000 Commerce Way. **Tel** (800) 228-4224. **W** bozemancvb.com

Situada no centro do Vale Gallatin, Bozeman fica sobre um terreno sagrado de caça dos índios sioux, que é hoje a mais produtiva região agrícola do estado. Fundada na década de 1860, a cidade é uma das poucas de Montana onde a economia e a história não se baseiam em mineração e ferrovias. Sua importância deve-se à Montana State University. Fundada em 1893, é a maior universidade do estado e abriga o **Museum of the Rockies**. Esse museu leva os visitantes a anos de história da Terra e abrange de exibições de dinossauros desenterrados nas planícies de Montana até a história dos pioneiros, artefatos indígenas e arte do Velho Oeste. Um planetário exibe shows de astronomia e de luzes a laser.

As ruas arborizadas do centro oferecem passeios agradáveis. Os visitantes podem também conhecer a história local no **Gallatin Pioneer Museum**, situado na antiga cadeia do condado.

Museum of the Rockies
600 W Kagy Blvd no *campus* da Montana State University. **Tel** (406) 994-2251. mai-set: 8h-20h diariam; out-abr: 9h-17h diariam (12h-17h dom). 1º jan, Ação de Graças, 25 dez.

Gallatin Pioneer Museum
317 W Main St. **Tel** (406) 522-8122. Memorial Day-Labor Day: 10h-16h30 seg-sáb; Labor Day-Memorial Day: 11h-16h ter-sex, 13h-16h sáb. feriados. **W** pioneermuseum.org

⓴ Virginia City
100. 300 Wallace St. **Tel** (800) 829-2969. **W** virginiacity.com

Ouro foi descoberto nesse local em 1863, dando origem à cidade. Mais de cem prédios históricos são preservados, e o visitante pode passear de carruagem e reviver a corrida do ouro. Na Alder Gulch Short Line Railroad, um trem a vapor de 1910 faz um passeio de 30 minutos à cidade-museu de Nevada City.

㉑ Billings
105.000. 815 S 27th St. **Tel** (406) 245-4111. **W** visitbillings.com

Fundada pela Northern Pacific Railroad em 1882 e hoje a maior cidade de Montana, Billings leva o nome do presidente da ferrovia. Em poucos meses, tornou-se uma agitada comunidade de 2 mil pessoas. Os visitantes podem ter uma ideia do seus dias de cidade de fronteira e das tradições de Montana a partir das pinturas e esculturas com tema do Velho Oeste exibidas na **Yellowstone Art Museum**, situada no local da antiga cadeia da cidade.

Mas a atração de maior impacto em Billings são as Rimrocks, um paredão de arenito de 122m de altura que acompanha a extensão da cidade ao longo do rio Yellowstone.

Fora da cidade o cenário é ainda mais espetacular, em especial ao longo da Beartooth Highway que corre para sudoeste em direção ao Yellowstone National Park (*pp. 576-7*). O trecho de 105km da estrada entre Red Lodge e a fronteira do Wyoming é belíssimo.

Yellowstone Art Museum
401 N 27th St. **Tel** (406) 256-6804. 10h-17h seg (somente no verão), 10h-17h ter-dom (20h qui-sex, 16h dom). feriados. **W** artmuseum.org

㉒ Little Bighorn Battlefield National Monument
Saída 510 da I-90, Hwy 212, Crow Agency. (406) 638-2621. **W** nps.gov/libi

Localizado na Crow Indian Reservation, esse monumento preservava o local de um momento-chave da história americana, conhecido como "Custer's Last Stand" ("Última Parada de Custer"). Em 1876, o impetuoso coronel do exército dos EUA George Armstrong Custer (*p. 442*) atacou com 210 soldados da sétima cavalaria um grande acampamento indígena ao longo do rio Little Bighorn. Quase imediatamente eles foram cercados por mais de 2 mil guerreiros sioux e cheyenne sob a liderança do legendário chefe Touro Sentado. Os soldados de Custer foram dizimados. Há um marco de arenito sobre o túmulo coletivo dos soldados, e um pequeno museu descreve a desastrosa batalha.

Memorial do Custer's Last Stand, em Little Bighorn Battlefield

Wyoming

A insígnia do estado do Wyoming, a imagem de um caubói agitando seu chapéu Stetson do lombo de um cavalo empinado, já diz tudo. É um local clássico de caubóis, terra de planícies abertas que se estendem por quilômetros em todas as direções, onde meio milhão de pessoas habitam uma área de aproximadamente 260 mil km². Para os visitantes, as principais atrações do Wyoming ficam em seu canto noroeste, onde o Yellowstone e o Grand Teton National Parks atraem perto de 6 milhões de visitantes por ano.

Buffalo Bill Museum, em Cody

㉓ Cody

9.000. 836 Sheridan Ave. **Tel** (307) 587-2297.
w yellowstonecountry.org

Cody foi fundada pelo empresário do Velho Oeste "Buffalo Bill" Cody em 1896. Por muito tempo o símbolo do Oeste americano, a cidade preserva seu ar de cidade remota e tem dois museus que documentam a época da colonização. O menor dos dois é o **Trail Town**, uma coleção simples de artefatos e edifícios reunidos no local da fundação de Cody. Um de seus destaques é a cabana de troncos usada como esconderijo por bandidos como Butch Cassidy e Sundance Kid.

Mas a principal atração de Cody é o **Buffalo Bill Museum**, um complexo com 22.300m² de galerias que contam a história natural, cultural e militar do Velho Oeste. Ele abriga mais de 500 armas, uma rica coleção de arte do Velho Oeste, artefatos indígenas, além de um museu sobre Buffalo Bill.

Mantendo o gosto de Buffalo Bill pelo espetáculo, a outra grande atração de Cody é o **Cody Nite Rodeo**, o rodeio de maior duração nos EUA, realizado diariamente entre junho e agosto.

🏛 Buffalo Bill Museum
720 Sheridan Ave. **Tel** (307) 587-4771. 10h-17h diariam (mai-meados set: 8h-18h diariam; meados set-out: 8h-17h diariam; dez-fev: 10h-17h qui-dom). 1º jan, Ação de Graças, 25 dez. centerofthewest.org

㉔ Yellowstone National Park
pp. 576-7.

㉕ Jackson

10.000. 532 N Cache St. **Tel** (307) 733-3316.
w jacksonholechamber.com

Uma parada muito popular desde os dias dos caçadores de pele das montanhas, Jackson é talvez a cidade mais visitada do Wyoming. Situada na entrada sul para os parques nacionais de Grand Teton e Yellowstone, muito de sua beleza natural está dando lugar a estâncias de esqui. Mas Jackson mantém seu ar de Velho Oeste, apesar de todas as lojas e galerias em volta de sua arborizada praça central e do tráfego intenso no verão.

Além dos parques nacionais, dos ranchos para turistas e das encenações do Velho Oeste, a grande atração é a vida selvagem. Os 10.120ha do **National Elk Refuge**, entre Jackson e o Grand Teton National Park, abrigam perto de 7.500 alces nativos que se reúnem ali no inverno. Sua entrada fica 1,6km ao nordeste de Jackson. Pode-se passear em trenós a cavalo entre meados de dezembro e início de abril. No verão, o bondinho aéreo da Jackson Hole Ski Area (um dos mais emocionantes do país) leva turistas para ver a bela paisagem do pico Rendezvous (1.219m).

🦌 National Elk Refuge
E Broadway com Elk Refuge Rd. **Tel** (307) 733-9212. 9h-17h diariam (8h-19h Memorial Day-Labor Day). Ação de Graças, 25 dez. passeios de trenó. **w** fws.gov/refuge/national_elk_refuge

---

Buffalo Bill

Uma das figuras mais interessantes do Velho Oeste, William Frederick Cody (1846-1917) começou adolescente como cavaleiro do Pony Express. Depois foi batedor do exército dos EUA na guerra civil. Com o fim da guerra em 1865, passou a fornecer carne de búfalo a trabalhadores da ferrovia transcontinental, ganhando o apelido de "Buffalo Bill". Cody inspirou as histórias de jornal e folhetins escritos por Ned Buntline, e capitalizou isso na vida real para obter fama e fortuna. Estrela de um espetacular circo no qual cenas históricas eram encenadas por caubóis e índios, incluindo figuras como o chefe Touro Sentado, Cody fez turnês mundiais entre 1883 e a Primeira Guerra Mundial. Apesar de sua fortuna, por volta de 1913 foi à falência, e morreu quatro anos depois em Denver *(pp. 588-9).*

Estátua de Buffalo Bill

Veja hotéis e restaurantes dessa região nas pp. 592-5

㉖ Grand Teton National Park

Moose. Grand Teton National Park Headquarters. **Tel** (307) 739-3300. **nps.gov/grte**

Picos mais jovens das Rochosas, os Grand Tetons estão entre os montes mais escarpados do mundo. Seus picos de granito prateados erguem-se 1,6km acima do exuberante vale do rio Snake no Jackson Hole, protegido nos limites dos 1.256km² do Grand Teton National Park. Há muitas trilhas para caminhadas que levam a vários glaciares e lagos, além de animais selvagens como alces, bisões e ursos. No verão, pratica-se canoagem e *rafting* no rio Snake, enquanto barcos a motor e canoas fazem cruzeiros de lazer nos lagos Jackson e Jenny. No inverno, todas as trilhas para caminhadas ficam abertas a esquiadores que se embrenham no ambiente natural.

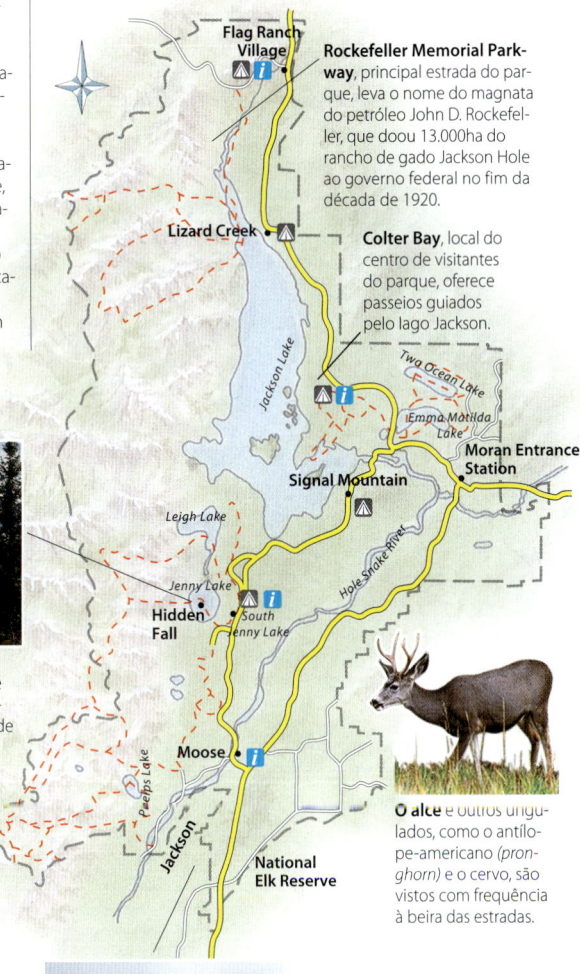

Vista dos picos do Grand Teton e das cores do outono

Rockefeller Memorial Parkway, principal estrada do parque, leva o nome do magnata do petróleo John D. Rockefeller, que doou 13.000ha do rancho de gado Jackson Hole ao governo federal no fim da década de 1920.

Colter Bay, local do centro de visitantes do parque, oferece passeios guiados pelo lago Jackson.

Lago Jenny
O popular lago Jenny fica ao pé do Grand Teton (4.197m). As trilhas seguem pela orla coberta de florestas até tranquilas praias, onde as montanhas se refletem em suas águas.

O alce e outros ungulados, como o antílope-americano (*pronghorn*) e o cervo, são vistos com frequência à beira das estradas.

Jackson Hole
Caçadores de peles chamavam os vales cercados de montanhas de "holes" ("buracos"). Esse vale do rio Snake corre entre as montanhas Grand Teton e Gros Ventre, saindo de Jackson.

Legenda dos símbolos *na orelha da contracapa*

Legenda
- – – Limite do parque
- - - - Trilha
- ▬▬ Estrada principal
- ═══ Estrada de terra

❷ Yellowstone National Park

Uma das maravilhas do mundo e o mais antigo parque nacional do país, essa terra selvagem estende-se pelos estados de Wyoming, Montana e Idaho. No seu centro há um planalto vulcânico a uma altitude média de 2.438m, com cerca de 10 mil fontes termais e gêiseres – mais da metade das existentes no mundo. Além do espetáculo da atividade geotermal, há densas florestas, altos picos, profundos cânions de rios e inúmeras atividades recreativas ao ar livre. Os 282km da Grand Loop Road percorrem o circuito completo das principais atrações. O alojamento tem muita procura, por isso é bom reservar com antecedência.

Um alce cruza a estrada do parque

★ Mammoth Hot Springs
As fontes geotermais de Yellowstone formam tanques coloridos de água quente, rica em minerais; esses criam delicadas cortinas de travertino (similar ao mármore) sobre terraços de pedra que caem como cascatas.

Grand Prismatic Spring
A larga Grand Prismatic Spring (113m de largura) fica perto do Old Faithful. Essa fonte quente da cor do arco-íris, ao longo da margem do rio Firehole, é uma das maiores do mundo.

★ Old Faithful Geyser
Assim chamado pelo ciclo de erupção de exatos 90 minutos, Old Faithful é o ícone do parque. Seu jorro de vapor sobe até uma altura de 36-55m e dura de dois a cinco minutos. Os visitantes fazem fila sobre a passarela de madeira para vê-lo expelir cerca de 31.797 litros de água por erupção.

Veja hotéis e restaurantes dessa região nas pp. 592-5

Bisão

Yellowstone tem o maior rebanho de bisões do mundo – cerca de 4.500 animais soltos pelo parque, que muitas vezes atrapalham o trânsito. Apesar do aspecto dócil, eles oferecem risco aos visitantes, que devem evitar contato com todos os animais.

PREPARE-SE

Informações Práticas
US 26, em Moose.
YNP Headquarters, Mammoth Hot Springs
Tel (307) 344-7381.
O ano todo, mas a maioria das instalações e estradas fecha de outubro a maio por causa da neve. A única estrada aberta é a US 212, no lado norte, entre Gardiner e Cooke City, Montana.
w nps.gov/yell

★ Grand Canyon

Descendo 152m em duas quedas – a Upper e a Lower Falls –, o rio Yellowstone escavou esse cânion de 32km na rocha de riólito amarela e laranja, rica em minério. Várias trilhas ao longo de sua borda oferecem belíssimas vistas. A Uncle Tom's Trail desce por uma escadaria íngreme até uma plataforma, de onde se veem as quedas de perto.

Ursos

Há muitos ursos no parque. Os ursos-negros são os mais comuns, e mais de 600 ursos-cinzentos habitam os locais mais selvagens. A maioria dos animais evita contato com gente, e os guias orientam as pessoas a não chegarem perto deles.

Legenda
- - Limite do parque
— Estrada principal
- - Fronteira do estado

Legenda dos símbolos na orelha da contracapa

Medicine Wheel, na Medicine Mountain, a estrada panorâmica de Bighorn (US 14)

㉗ Bighorn Mountains

Bighorn National Forest: **Tel** (307) 674-2600. **W** fs.usda.gov/bighorn

No lado ocidental das históricas planícies da Powder River Basin, as montanhas Bighorn têm esse nome devido aos muitos carneiros de chifre longo que havia por ali. Coroadas pelo Cloud Peak (4.016m), as montanhas são cortadas por duas estradas panorâmicas, a US 16 ao sul (antiga Yellowstone Trail) e a US 14 ao norte, que se bifurca. Na sua seção norte, a US 14 sobe por um dos sítios arqueológicos mais enigmáticos do país, o **Medicine Wheel**, um círculo de pedra de 24m de diâmetro, 43km a leste de Lovell. Esse antigo círculo era considerado sagrado pelos índios nativos sioux e cheyenne e oferece um amplo panorama desde os seus 3.048m de altitude.

㉘ Devil's Tower National Monument

(307) 467-5283. **W** nps.gov/deto

Erguendo-se 366m acima das planícies em volta, a Devil's Tower é uma formação vulcânica que parece um cepo de uma árvore gigante. Mostrada no filme de 1977 de Steven Spielberg *Contatos imediatos do terceiro grau*, esse marco geológico fica no canto nordeste do Wyoming, junto ao rio Belle Fourche. Preservada como monumento nacional pelo presidente Theodore Roosevelt em 1906, Devil's Tower (conhecida também como Bear's Lodge) é um local sagrado para os nativos americanos. As colinas ondulantes desse parque de 5km² são cheias de florestas de pinheiros, bosques decíduos e pastos, e abrigam muitos cervos, marmotas e outros animais selvagens. As paredes verticais de pedra do local e as trilhas panorâmicas atraem escaladores e amantes das caminhadas.

㉙ Casper

55.000. 992 N Poplar e 500 N Center, (307) 234-5362. **W** casperwyoming.info

Localizada no coração do Wyoming, Casper tem sido o centro do maior setor de produção de petróleo do estado desde 1890. Cercada por quilômetros de amplas planícies, essa cidade grande e agitada cresceu em volta do Fort Caspar, de 1860, hoje um local histórico e um museu, conhecido como **Fort Caspar Museum**. Muitas das edificações do forte foram reconstruídas no ponto em que a histórica Oregon Trail *(p. 446)* cortava o rio North Platte, a oeste do centro. O museu sedia exposições culturais e de história natural sobre o Wyoming central.

Ao norte e oeste de Casper ficam quilômetros de terras áridas, incluindo locais como o legendário "Hole in the Wall" ("Buraco na Parede"), onde bandidos como Butch Cassidy se escondiam. Mais acessível aos visitantes é a estranha floresta de figuras erodidas conhecida como "Hell's Half Acre" ("Meio Acre do Inferno"), 56km a oeste de Casper, no lado sul da US 20.

Fort Caspar Museum
4.001 Fort Caspar Rd. **Tel** (307) 235-8462. 8h-17h ter-sáb (mai e set; 8h-17h diariam; jun-ago: 8h-18h diariam).

Vista do exterior do Fort Caspar Museum, em Casper

Veja hotéis e restaurantes dessa região nas pp. 592-5

⓷⓪ Guernsey

🏠 1.150. ℹ️ 90 S Wyoming St (somente verão).

Situada às margens do rio North Platte, essa pequena cidade tem um rico passado histórico. Ao sul da cidade há dois palpáveis vestígios das migrações de pioneiros para o Oeste ao longo da Oregon Trail. O **Oregon Trail Ruts State Historic Site** preserva um conjunto de profundas trilhas (1-1,8m) cavadas pelas rodas das carroças no arenito mole das margens do rio. Menos de 2km ao sul, o Register Cliff mostra nomes gravados de centenas de exploradores, caçadores de peles e pioneiros da Oregon Trail que cruzaram a área no século XIX.

Por evocativas que sejam essas atrações, o principal local histórico de Guernsey é o **Fort Laramie National Historic Site**, reconstrução de um posto de peles e da cavalaria dos EUA. Entre sua criação na década de 1830 e seu abandono na de 1890, o forte foi um importante ponto de contato entre europeus, americanos e indígenas. Muitos dos edifícios foram restaurados, e guias em trajes da época desempenham personagens da história do forte.

🏛 Fort Laramie National Historic Site
US 26. **Tel** (307) 837-2221. 🕐 amanhecer-anoitecer. ⛔ 1º jan, Ação de Graças, 25 dez. 🅿️ ♿
🌐 nps.gov/fola

⓷① Laramie

🏠 31.000. 🚉 🚌 ℹ️ 800 S 3rd St, (800) 445-5303. 🌐 visitlaramie.org

Sede do *campus* da principal universidade do estado, a pequena Laramie exala uma contagiante vitalidade, rara em outras cidades do Wyoming. Situada a leste do centro numa elevação de 2.195m, a University of Wyoming é a maior do país. O *campus* é dominado pelo surpreendentemente moderno **University of Wyoming Art Museum**, um museu de arte e biblioteca que documenta a história e a cultura do Wyoming. A cidade também abrigou a primeira prisão do estado, hoje restaurada como era em 1880, quando Butch Cassidy e outros fora da lei cumpriram pena nela. Situada a oeste do centro, a antiga prisão é hoje uma peça importante do **Wyoming Territorial Prison State Historic Park**, que inclui uma recriação de uma cidade da época dos pioneiros.

A área em torno de Laramie é rica em paisagens e história. O trecho de 80km da Lincoln Highway entre Laramie e Cheyenne preserva parte da primeira estrada transcontinental dos EUA. A oeste de Laramie, a Hwy 130 segue a Snowy Range Scenic Byway através das belas montanhas Medicine Bow.

🏛 University of Wyoming Art Museum
22nd St e Willett Dr. **Tel** (307) 766-6622. 🕐 10h-17h seg-sáb (21h seg). ⛔ feriados.
🌐 uwyo.edu/artmuseum

🏛 Wyoming Territorial Prison State Historic Park
975 Snowy Range Rd. **Tel** (307) 745-6161. 🕐 mai-out: 8h-19h diariam.
🅿️ ♿ 🌐 wyomingterritorialprison.com

⓷② Cheyenne

🏠 59.000. ✈️ 🚉 🚌 ℹ️ 121 W 15th St, Suite 202, (307) 778-3133.
🌐 cheyenne.org

Fundada em 1867 como um forte do exército dos EUA junto à recém-construída Union Pacific Railroad, Cheyenne amadureceu e passou de uma típica cidade do Velho Oeste a capital do Wyoming e maior cidade da área.

Os dez dias do festival Cheyenne Frontier Days, que acontece todo mês de julho, revivem os velhos dias com desfiles, *pow-wows* indígenas, corridas de cavalos e o maior rodeio ao ar livre do mundo. Visitantes também podem ter uma ideia da herança de Cheyenne no **Cheyenne Frontier Days Old West Museum**, que mostra centenas de selas e carroças antigas, como a histórica Deadwood Stage. Nas décadas de 1870 e 1880, essa carroça levava três dias para viajar entre Cheyenne e as minas de ouro de Deadwood, na Dakota do Sul *(p. 442)*. O centro de Cheyenne tem dois edifícios que são marcos – o State Capitol, de 1917, e o antigo Union Pacific Depot, uma elaborada estrutura em estilo romântico que foi restaurada ao seu esplendor original de 1886. O lado oeste de Cheyenne abriga a Warren Air Force Base, principal centro de comando do arsenal americano de mísseis balísticos intercontinentais, conhecidos como ICBMs.

Estátua de caubói no Old West Museum, em Cheyenne

🏛 Cheyenne Frontier Days Old West Museum
Frontier Park na N Carey Ave. **Tel** (307) 778-7290. 🕐 10h-16h diariam. ⛔ feriados. 🅿️ ♿
🌐 oldwestmuseum.org

A prisão do Wyoming Territorial Park, em Laramie

Colorado

O nome "colorado" data do século XVI, quando os exploradores espanhóis o usaram pela primeira vez para se referir às formações de rocha vermelha da cadeia frontal das Montanhas Rochosas. Cerca de 400 anos depois, o termo desperta imagens de picos majestosos e rampas de esqui cobertas de neve, e com boas razões. O Colorado é o estado mais montanhoso dos EUA, com 54 picos que chegam a mais de 4.267m acima do nível do mar. Oficialmente um estado desde 1876, no século passado o Colorado deixou de ser uma área de mineração e caça pouco habitada e virou o maior centro de negócios da região das Rochosas.

Panorama de Denver tendo as Montanhas Rochosas como fundo

❸ Denver

600.000. 1.600 California St. **Tel** (303) 892-1112.
denver.org

Fundada em 1858, na junção do rio Platte e do córrego Cherry como base de suprimentos para mineiros, Denver, com seu clima suave, atraiu os colonizadores. Logo se tornou o principal centro de comércio da região, até virar capital do estado em 1876.

No novo milênio, destaca-se por seus muitos parques, pelo centro vibrante e por vários museus de renome. Denver localiza-se ao pé das Montanhas Rochosas, e continua a crescer.

Civic Center Park

Entre Colfax Ave e 14th Ave Pkwy, Broadway e Bannock St.
History Colorado Center 12th e Broadway. acesse o site para horários.
coloradohistory.org
Denver Art Museum 100 W 14th Ave Pkwy. **Tel** (720) 865-5000. 10h-17h ter-qui, 10h-20h sex, 10h-17h sáb e dom. Ação de Graças, 25 dez.
denverartmuseum.org

Centro governamental, geográfico e político de Denver, o Civic Center Park é dominado pela cúpula dourada do **Colorado State Capitol**. Essa estrutura abriga a Assembleia Legislativa e a sede do governo. Ao sul do parque está o **History Colorado Center**, antigo Colorado History Museum, onde as mostras se concentram em diversos aspectos do passado do Colorado. Continuando no sentido horário pelo parque, vemos o **Denver Art Museum**, de sete andares. É um dos melhores museus da cidade e tem importantes coleções tanto de objetos do Velho Oeste como de indígenas. Seu último acréscimo foi o ultramoderno Frederic C. Hamilton Building. Por fim, uma quadra a oeste do parque fica o **Denver Mint**, uma das quatro casas da moeda do país, que prensa mais de 10 bilhões de moedas por ano.

Molly Brown House

1.340 Pennsylvania St. **Tel** (303) 832-4092. 10h-16h ter-sáb, 12h-16h dom. feriados.
mollybrown.org

Essa mansão restaurada, hoje um museu, era a casa da "Unsinkable Molly Brown", assim chamada por ter sobrevivido ao *Titanic* em 1912. Margaret Tobin Brown era uma mulher vistosa e persistente cuja história de vida reflete os altos e baixos que marcam a história do Colorado. Nascida em 1867 em Hannibal, Missouri, ela veio para o Oeste, para a cidade emergente de Leadville, Colorado, em 1886, onde se casou com um conhecido minerador, J. J. Brown. Quando o mercado da prata desabou, J. J. perseverou até achar um dos mais ricos veios de ouro do Colorado em 1893. O casal então foi para Denver, onde vivia no luxo, apesar de não ser aceito pela elite da cidade. Mas os corajosos esforços de salvamento durante o naufrágio do *Titanic* fizeram dela uma celebridade nacional. Com isso veio a aprovação da sociedade. No entanto, ela morreu em Nova York em 1932, sozinha e pobre. Na década de 1960, foi imortalizada nos palcos e na tela.

Larimer Square & Lower Downtown (LoDo)

Larimer Square Larimer St entre 14th e 15th Sts. (303) 685-8143.
larimersquare.com
LoDo District Limitado por Market e Wynkoop St.
(303) 628-5428.

Local de nascimento de Denver, a Larimer Square continua sendo o eixo comercial e cultural da cidade. Do lado do Confluence Park, onde o rio Platte e o córrego Cherry se encontram, foi ali que os primeiros colonos brancos se instalaram. A praça fervilha de atividade, de noite e de dia, com suas muitas lojas, galerias, bares e restaurantes.

Depois de um desastroso incêndio em 1863, as estruturas de madeira foram proibidas. Como resultado, a arquitetura vitoriana de tijolos vermelhos predomina tanto na praça como na vizinha Lower Downtown (apelidada de "LoDo"). Cen-

A Larimer Square, local onde nasceu Denver

Veja hotéis e restaurantes dessa região nas pp. 592-5

trada na Union Station, a LoDo teve um renascimento na década de 1990, com a chegada do time de beisebol profissional da cidade e seu estádio Coors Field. Hoje, é um bairro conhecido por seus esfumaçados bares de jazz, dancetarias e famosas microcervejarias.

City Park
Entre 17th e 26th Avenues da York St indo para o Colorado Blvd.
24 horas. Denver Zoo: 2.300 Steele St. **Tel** (303) 337-1400.
mar-out: 9h-18h diariam; nov-fev: 10h-17h diariam.
denverzoo.org Denver Museum of Nature & Science: 2.001 Colorado Blvd. **Tel** (303) 370-6000.
9h-17h diariam. 25 dez.
dmns.org

Cerca de 3km a leste do centro fica o maior parque de Denver, que oferece diversas atividades. Tem um bem equipado lago de pesca, pistas de corrida, um campo de golfe, áreas sombreadas para piqueniques e quadras de esporte. O parque também abriga as duas atrações mais populares da cidade – o **Denver Zoo e o Denver Museum of Nature and Science**. O zoo destaca-se principalmente por seus recintos inovadores, como a LEED Platinum Certified Elephant Passage, um dos maiores do mundo para elefantes. O Denver Museum of Nature and Science, no lado leste do City Park, promove muitas exposições.

Black American West Museum & Heritage Center
3.091 California St. **Tel** (720) 242-7428. 10h-16h ter-sáb
1º jan, Páscoa, Ação de Graças, 25 dez. **blackamericanwestmuseum.com**

Uma joia oculta nas vizinhanças de Five Points, esse fascinante museu fica numa casa vitoriana, ex-domicílio de Justina Ford. Em 1902 ela tornou-se a primeira doutora afro-americana de Denver. O museu foi fundado por Paul Stewart em 1971 para homenagear a vida de Ford e educar o povo sobre a contribuição afro-americana para o Oeste dos EUA. O acervo do museu inclui cartas, fotos e objetos diversos que efetivamente recriam a incrível história dos afro-americanos nos tempos pioneiros.

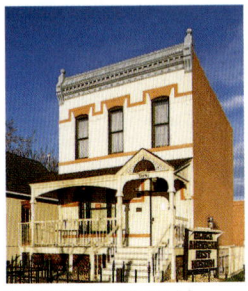

Museo de las Americas
861 Santa Fe Dr.
Tel (303) 571-4401.
10h-17h ter-sáb.
1º jan, 4 jul, Ação de Graças, 25 dez. **muse.org**

Fundado no início da década de 1990, o Museo de las Americas é uma pedra de toque para a grande população hispânica de Denver. Primeiro museu desse tipo na região, ele trata da história mexicana e latino-americana, e oferece uma fascinante visão de suas tradições artísticas e culturais. As coleções permanentes são dedicadas aos astecas pré-colombianos e ao período colonial. Entre as peças expostas está uma réplica de uma Pedra do Sol asteca e um mural de parede inteira da metrópole asteca de Tenochtitlán.

Black American West Museum & Heritage Center

Centro de Denver

1. Civic Center Park
2. Molly Brown House
3. Larimer Square & Lower Downtown (LoDo)
4. Black American West Museum & Heritage Center

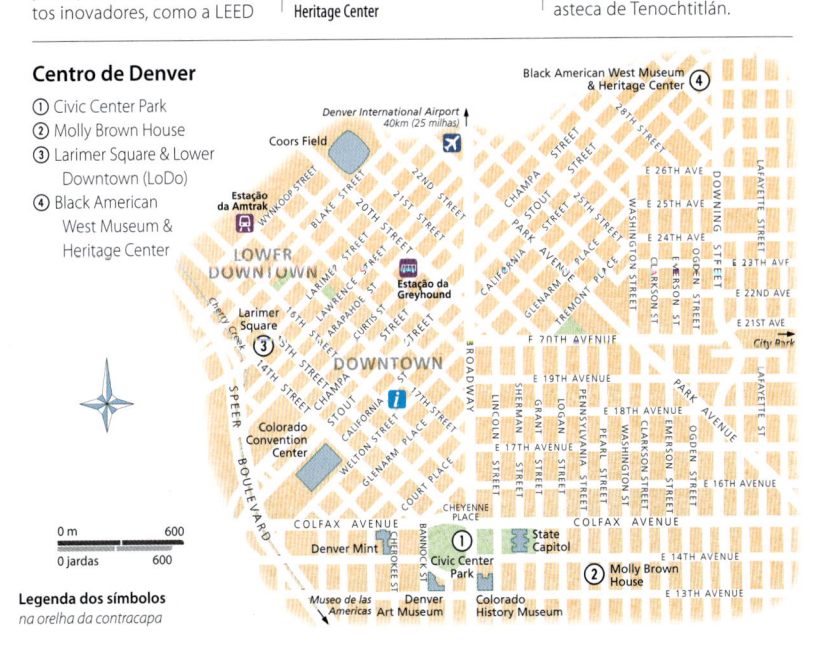

Legenda dos símbolos
na orelha da contracapa

A atraente University of Colorado, em Boulder

③④ Boulder

97.000.
2.440 Pearl St, (303) 442-2911.
bouldercoloradousa.com

Uma idílica cidade de estudantes ao pé das Rochosas, Boulder é mais conhecida por sua cultura boêmia, pela política liberal e pelo dinâmico setor de alta tecnologia. A cidade foi fundada em 1858 como eixo comercial para mineradores e fazendeiros que se instalaram nas proximidades. Depois que o Colorado ganhou a condição de estado, a **University of Colorado** (CU) foi estabelecida a uma altitude de 1.646m. Desde então, o atraente *campus* da era vitoriana e sua vibrante vida cultural definiram Boulder, atraindo intelectuais, radicais e individualistas.

A noroeste do *campus*, a Pearl Street Mall, só para pedestres, cheia de bares, lojas e restaurantes, é o palco de muitos artistas de rua. Perto dela, o Hill District é o núcleo da agitada vida noturna e cena musical de Boulder. O **National Center for Atmospheric Research**, projeto de I. M. Pei, fica a sudeste. O centro apresenta exposições sobre o clima e é o ponto de partida de trilhas para curtir a natureza.

A oeste de Boulder, os penhascos escarpados das Rochosas criam um cenário para a cidade embaixo. Nos arredores, Flatiron Range, Eldorado Canyon e a Indian Peaks Wilderness Area são procurados por escaladores, *hikers* e mochileiros.

National Center for Atmospheric Research
1.850 Table Mesa Dr. **Tel** (303) 497-1174. 8h-17h seg-sex, 9h-16h sáb-dom. spark.ucar.edu

Indian Peaks Wilderness Area
32km O de Boulder, US Forest Service. **Tel** (303) 444-6600. 24 horas diariam.

Cruzando o Boulder Canyon, a minutos do centro de Boulder

③⑤ Golden

19.000. 1.010 Washington Ave, (303) 279-3113, (800) 590-3113. visitgolden.com

A história de Golden como antigo centro de comércio e política ainda é visível hoje. Suas origens remontam ao início da década de 1840, quando o caçador Rufus Sage, um dos primeiros ingleses a chegar a essa área, localizou vestígios de ouro nas águas do arroio Clear. Seu achado provocou uma afluência de gente do leste por volta de 1850, e na década seguinte a cidade emergiu como eixo ferroviário regional e foi declarada capital do recém-criado território do Colorado. O Territorial Capitol original no Loveland Building, que forma o coração do centro, data desse período.

O passado de Golden é visível no **Golden History Center Astor** e no **House Museum**, impecavelmente restaurado. Várias salas recriam a era de 1867 a 1908, quando ele era uma pensão. A **Old Armory** perto dali, é o maior edifício de pedra do lado oeste do rio Mississippi. A área de 1,2ha do **Clear Creek History Park** abriga muitas estruturas históricas, como uma escola de 1876. A cidade também abriga a **Coors Brewery**, onde os visitantes podem ver os processos de maltação, fermentação e envasamento da famosa cerveja, bem como prová-la.

O túmulo e o museu de William "Buffalo Bill" Cody *(p. 574)* ficam no alto da cidade, na montanha Lookout. Um mirante oferece belas vistas.

Golden History Center
923 10th St. **Tel** (303) 278-3557. 11h-16h30 ter-sáb, 12h-16h30 dom. feriados. goldenhistory.org

Astor House Museum
822 12th St. **Tel** (303) 278-3557. 11h-16h30 ter-sáb, 12h-16h30 dom. feriados. goldenhistory.org

Clear Creek History Park
11th St entre Arapahoe e Cheyenne St. **Tel** (303) 278-3557. diariam. goldenhistory.org

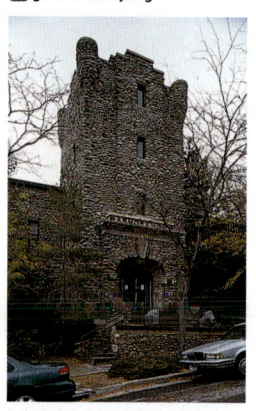

Fachada de pedra da Old Armory, perto da Astor House, em Golden

❸⓺ Idaho Springs e Georgetown

🏠 2.000. 🚌 ℹ️ 2.060 Miner St, (303) 567-4382. 🌐 visitidahosprings colorado.com

Situadas a uma hora de carro do centro de Denver, as bem preservadas cidades mineradoras da década de 1860, Idaho Springs e Georgetown, são mais conhecidas por sua impecável arquitetura vitoriana, pelas belas montanhas e por alguns ótimos museus.

Idaho Springs foi fundada em 1859 e logo cresceu como centro de mineração quando os riachos e montanhas da área se revelaram ricas fontes de ouro. A história de mineração da cidade é contada em exposições que mostram equipamentos, registros de pagamentos, recibos e fotos no **Argo Gold Mine, Mill & Museum**.

Georgetown, outra cidade mineradora nascida na Corrida do Ouro de meados do século XIX, fica 24km a oeste de Idaho Springs. É um local de elegância vitoriana encravado num vale alpino, 2.591m acima do nível do mar.

O **Hamill House Museum**, construído em 1867 e ampliado em 1879, apresenta ao público o opulento estilo de vida de um magnata da mineração da prata. Conta ainda com cocheira, chalé de madeira e moinho. A histórica ferrovia elevada **Georgetown Loop Railroad**, com 4km, termina no Clear Creek Canyon e proporciona vistas espetaculares das montanhas.

Ao sul, partindo de Idaho Springs, os motoristas no verão podem serpentear pela mais alta estrada dos Estados Unidos. A Mount Evans Scenic Byway segue a Hwy 103 e a Hwy 5 através da Pike National Forest até o pico do Mount Evans (4.347m).

🏛️ **Argo Gold Mine, Mill & Museum**
S da I-70, saída 241A.
Tel (303) 567-2421. 🕐 meados abr-meados out: 9h-18h diariam. 🅿️ 🎫
🌐 **historicargotours.com**

Hamill House Museum
305 Argentine St. **Tel** (303) 569-2840.
🕐 fim mai-jun: 12h-16h seg e sex, 11h-16h sáb-dom; jul-ago: 11h-17h diariam; set-meados dez: 11h-17h sáb-dom. 🅿️ 🎫
🌐 **historicgeorgetown.org**

❸⓻ Rocky Mountain National Park

1.000 US Hwy 36. **Tel** (970) 586-1206.
🕐 24h diariam (Trail Ridge Road fechada nov-mai). 🅿️ ♿ ⚠️
🌐 **nps.gov/romo**

Esse parque nacional oferece algumas das mais espetaculares vistas de montanha dos EUA. Criado em 1915, o parque ocupa 1.077km² e inclui 114 picos nomeados que alcançam mais de 3.048m. O mais alto deles, Longs, tem 4.345m de altura. No meio do cenário alpino fica o Continental Divide, que separa a parte oeste dos EUA da parte leste, e onde as neves derretidas descem e deságuam nos oceanos Atlântico e Pacífico. Quase 150 lagos se originam no local, alguns ocupando cenários pastorais, florestais, outros embutidos em platôs quase inacessíveis, altos e inóspitos.

A maioria dos três milhões de visitantes anuais do parque guiam 80km pela **Trail Ridge Road**, um trecho espetacular de rodovia que mostra as deslumbrantes paisagens do parque. Depois de deixar o ambiente de estância de Esses Park, a estrada sobe até seu ponto mais alto (3.713m) perto do centro do parque, antes de descer até um belo vale ao norte da pequena cidade de Grand Lake. A tundra na parte mais alta do parque é uma ilha de vegetação ártica cercada por plantas de latitudes mais baixas. Ali é possível ver alces, ursos-negros e carneiros de chifre longo.

Entre as atividades de verão populares no parque estão as caminhadas, os passeios de bicicleta, as excursões e a pesca, ao passo que o inverno atrai esquiadores e praticantes de caminhadas. Embora não haja hotéis dentro do parque, há cinco áreas de camping pagas e numerosas acomodações, tanto no Esses Park como em Grand Lake.

Arquitetura vitoriana no centro de Georgetown

Vista dos inúmeros picos do ponto mais alto da Trail Ridge Road, no Rocky Mountain National Park

A Pikes Peak Cog Railway no alto da montanha, em Manitou Springs

③⑧ Manitou Springs

5.500. 354 Manitou Ave, (719) 685-5089. **manitousprings.org**

Essa charmosa comunidade vitoriana atrai visitantes de fim de semana que vão para ver suas galerias de arte, lojas e restaurantes. Fruto da Corrida do Ouro da década de 1850, a cidade depois virou um spa popular por causa de suas fontes minerais. Manitou (que significa "cheio de espírito", em algonquiano) é um dos maiores locais históricos do país. É famosa por duas atrações que sofreram predações durante séculos, a **Cave of the Winds**, uma impressionante caverna de calcário (hoje com show de luzes e passeios), e as **Manitou Springs Cliff Dwellings**, que datam de 1100-1300.

Manitou Springs é também a porta de entrada para Pikes Peak. A **Pikes Peak Cog Railway**, uma linha de trem histórica que vai até o pico da montanha (4.300m), parte dali.

🎿 Cave of the Winds
Saída 141 da US 24. **Tel** (719) 685-5444. 10h-17h diariam (jun-ago: 9h-21h). **caveofthewinds.com**

🏛 Pikes Peak Cog Railway
515 Ruxton Ave. **Tel** (719) 685-5401. abr-out: diariam; nov-mar: horários restritos. **cograilway.com**

🎿 Manitou Springs Cliff Dwellings
10 Cliff Dwellings Rd. **Tel** (800) 354-9971. mar-nov: 9h-17h diariam (mai-set: 18h); dez-fev: 10h-16h diariam. **cliffdwellingsmuseum.com**

③⑨ Colorado Springs

415.000. 515 S Cascade Ave, (719) 635-7506. **visitcos.com**

Fundada pelo magnata da ferrovia William Jackson Palmer em 1871, Colorado Springs aninha-se ao pé de Pikes Peak. Primeira cidade-estância do Oeste dos EUA, foi no início apelidada de "Little London" por causa dos turistas ingleses que atraía. O **Garden of the Gods**, no lado oeste da cidade, atrai quem gosta de caminhadas e de escalar, com suas espantosas formações de arenito vermelho, cheias de arcos, saliências, paredes majestosas e rochas oscilantes. Uma das formações mais conhecidas e fotografadas é Kissing Camels, assim chamada porque parece um par de dromedários. Ali fica também o Rock Ledge Ranch Historic Site, um rancho preservado da década de 1880. O **Broadmoor Resort**, em estilo renascentista italiano no lago Circle, aberto em 1918, é o símbolo dessa era. Na década de 1950, a cidade foi escolhida como sede da prestigiosa **US Air Force Academy** e do National Missile Defense Headquarters (Norad). Esse último fica na fenda sudoeste da cidade, enterrado na montanha Cheyenne, à prova de bomba.

Culturalmente mais conservadora do que Denver *(pp. 580-1)*, a atual Colorado Springs é uma das cidades que mais crescem nos EUA, com fileiras de casas espalhando-se até as fraldas das montanhas a oeste e até as vastas planícies a leste. O espírito do Velho Oeste continua vivo no **Pro Rodeo Hall of Fame**, que documenta as origens do rodeio e histórias de estrelas do rodeio americano através dos tempos. O **Colorado Springs Pioneers Museum** conta a história da região no restaurado El Paso County Courthouse de 1903.

Torre do relógio, Manitou Springs

🎿 Garden of the Gods
1.805 North 30th St. **Tel** (719) 634-6666. Memorial Day-Labor Day: 8h-19h diariam; resto do ano: 9h-17h sex-dom. 1º jan, Ação de Graças, 25 dez. para o Rock Ledge Ranch Historic Site (somente no verão). **gardenofgods.com**

🏛 Broadmoor Resort
1 Lake Dr. **Tel** (719) 634-7711. diariam, mas pode variar. Ligue antes. **broadmoor.com**

🏛 Pro Rodeo Hall of Fame
101 Pro Rodeo Dr. **Tel** (719) 528-4764. 9h-17h diariam (out-abr: somente qua-dom). 1º jan, Páscoa, Ação de Graças, 24, 25 e 31 dez. **prorodeohalloffame.com**

🏛 Colorado Springs Pioneers Museum
215 S Tejon St. **Tel** (719) 385-5990. 10h-17h ter-sáb. **cspm.org**

Formações de Kissing Camels, Garden of the Gods, Colorado Springs

Veja hotéis e restaurantes dessa região nas pp. 592-5

A magnífica vista sobre a Royal Gorge Bridge and Park, localizada em Cañon City

⓯ Cripple Creek

1.200. 513 E Bennett Ave, (719) 689-3315. visitcripplecreek.com

Conhecida como "Poverty Gulch" ("Garganta da Pobreza") a cidade se transformou com a descoberta de ouro em 1890. É uma das cidades mineradoras do século XIX mais bem preservadas do estado. A **Mollie Kathleen Gold Mine** é o melhor lugar para explorar a sua história de mineração. Descoberta por Mollie Kathleen Gortner em 1891, essa mina no lado sudoeste do Pikes Peak é a única mina vertical do país que oferece passeios. Parou de operar em 1961, mas os veios de ouro são ainda visíveis.

A área em volta da cidade ainda tem minas de ouro ativas, embora a mineração já tenha cessado na maioria das outras cidades do Colorado. Jogos de azar foram legalizados em 1990, com cassinos sediados nos edifícios de tijolos, de 1896. O histórico **Butte Theater** exibe peças teatrais no verão.

Mollie Kathleen Gold Mine
Hwy 67. **Tel** (719) 689-2466.
abr-meados set: 9h45-16h.
goldminetours.com

Butte Theater
139 E Bennett Ave. **Tel** (719) 689-6402.
buttetheater.com

⓰ Cañon City

16.000. 403 Royal Gorge Blvd, (719) 275-2331, (800) 876-7922.
canoncity.com

Lugar pitoresco, com muito sol, céu claro e um cenário espetacular, Cañon City, surpreendentemente, é também a "Capital das Prisões do Colorado". Ela ganhou esse título em 1876, quando escolheu sediar a prisão estadual em vez da universidade. Hoje as prisões continuam sendo um componente-chave da economia regional. O **Museum of Colorado Prisons** fica numa antiga prisão feminina, de 1935. Cerca de 19km a oeste da cidade fica o **Royal Gorge Bridge & Park**. Gravada no leito de granito por 3 milhões de anos pelo rio Arkansas, essa garganta de tirar o fôlego chega a medir 305m da borda até o rio, mas tem apenas 12m de largura em sua base. Atravessado pela ponte suspensa mais alta do mundo e por 19km de ferrovia – a **Royal Gorge Route Railroad** –, o parque também atrai praticantes de rafting para o desafiador trecho inferior do rio.

Museum of Colorado Prisons
201 N 1st St. **Tel** (719) 269-3015.
fim mai-set: 10h-18h diariam; out-fim mai: 10h-17h qua-dom.
prisonmuseum.org

Royal Gorge Bridge & Park
US Hwy 50. **Tel** (888) 333-5597.
variável. royalgorgebridge.com

Royal Gorge Route Railroad
Tel (888) 724-5748. fim mai-out: diariam; resto do ano: ligue antes.
royalgorgeroute.com

Interior da Mollie Kathleen Gold Mine, em Cripple Creek

Rafting no Colorado

A melhor maneira de apreciar a beleza selvagem do Colorado é fazer uma viagem de bote pelo rio Arkansas. As pitorescas cidades de Salida e Buena Vista, 42km ao norte, oferecem passeios guiados pelo rio. Com cerca de cem empresas de rafting em operação, esse é o rio mais percorrido por botes dos EUA. A Colorado River Outfitters Association (303-280-2554) é uma das melhores fontes de informações para os amantes do rafting.

Rafting no rio Arkansas, no Colorado

Estâncias de Esqui do Colorado

Um dos símbolos do Colorado são as montanhas brancas com esquiadores. O esqui recreativo do estado data de 1935, quando Berthoud Pass, a noroeste de Denver, se tornou a estância de esqui preferida por esquiadores novatos. O potencial econômico do esporte cresceu depois da Segunda Guerra Mundial, e muitas antigas cidades de mineração viraram estâncias de esqui. Hoje o estado é a capital do esqui do país, com mais de 24 estâncias. Recentemente, outros esportes de inverno, como snowboarding, popularizaram-se, e a maioria das montanhas hoje aceita seus praticantes.

Steamboat Springs, primo caubói do luxo conservador de Aspen, ostenta seu turbulento espírito do Velho Oeste com orgulho. Tem algumas das melhores neves do estado (um pó seco, como pluma), uma descida vertical de 1.118m e 165 pistas.

Altitude máxima: 3.220m
Esquipada para: todos os níveis
Nível: 13% 56% 31%

Aspen, a favorita dos ricos e famosos, tem mais de 200 rotas em quatro montanhas notáveis. Ela cresceu quando a Aspen Skiing Company abriu seu primeiro elevador em 1947. Belos restaurantes e lojas com fachadas vitorianas complementam o esplêndido terreno para esqui. Aspen tem também uma vibrante cena artística e cultural.

Altitude máxima: 3.559m
Esquipada para: todos os níveis
Nível: 16% 61% 23%

Snowmass, a apenas 30 minutos de carro de Aspen, é por si só uma estância completa. Maior que as três áreas de esqui de Aspen juntas, tem muitas pistas desimpedidas.

Crested Butte atrai esquiadores habilidosos para o seu inigualável terreno. A cidade fica na base do monte Crested Butte, com uma descida vertical de 846m e 333ha para esqui "radical".

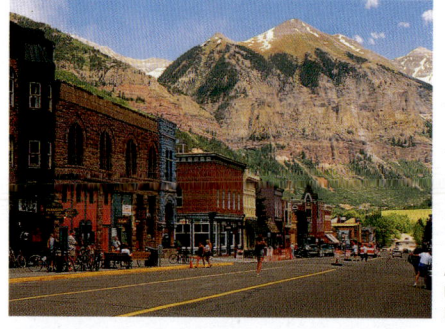

Telluride, antiga cidade mineradora, virou estância de esqui em 1971. O vale próximo já foi esconderijo do bandido Butch Cassidy. A cidade é conhecida também por sua agitada vida noturna e por trilhas que levam a belos locais, como Bridal Veil Falls.

Altitude máxima: 3.736m
Equipada para: todos os níveis
Nível: 22% 38% 40%

Veja hotéis e restaurantes dessa região nas pp. 592-5

COLORADO | 587

Winter Park, a mais antiga estância de esqui completa do Colorado, é ligada a Denver pelo Ski Train – 108km, das encostas à LoDo's Union Station. As cinco montanhas de esqui da estância têm descidas para todos os níveis de habilidade, e há trilhas de *cross-country* bem perto.
Altitude máxima: 3.676m
Equipada para: especialistas

Nível: 9% 21% 70%

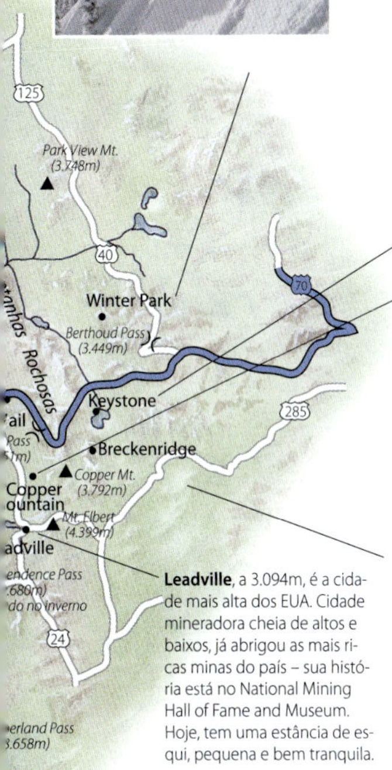

Keystone, com sua jornada de esqui de 12 horas, é hoje famosa por ser a melhor estância de esqui noturno do Colorado. Aberta oito meses por ano, tem três montanhas para esquiar e oferece várias atividades, como snowboarding, patinação no gelo, passeios de trenó e tênis em quadra coberta.

Copper Mountain oferece ótimos terrenos para esqui avançado e snowboarding, assim como áreas para esquiadores novatos e intermediários. Venceu a antiga má reputação e hoje tem novas lojas, bares e restaurantes.

Leadville, a 3.094m, é a cidade mais alta dos EUA. Cidade mineradora cheia de altos e baixos, já abrigou as mais ricas minas do país – sua história está no National Mining Hall of Fame and Museum. Hoje, tem uma estância de esqui, pequena e bem tranquila.

Breckenridge tem instalações de recreação que incluem patinação no gelo *(acima)* e boa vida noturna. A estância se estende por quatro picos no lado oeste da cidade.
Altitude máxima: 3.962m
Equipada para: todos os níveis
Nível: 13% 32% 55%

Vail, maior estância de esqui de uma só montanha dos EUA, atrai esquiadores e snowboarders. Reduto de tribos nativas até o *boom* da mineração de 1870, a cidade cresceu de fato quando a montanha Vail abriu para esquiadores em 1962. Tem mais de 2 mil trilhas e uma descida vertical de 1.052m.
Altitude máxima: 3.527m
Equipada para: todos os níveis
Nível: 18% 29% 53%

Estâncias e Empresas de Esqui

Aspen Skiing Company (Aspen-Snowmass)
Tel (970) 925-1220, (800) 308-6935. dez-meados abr: 9h-16h diariam. aspensnowmass.com

Breckenridge Ski Resort
Tel (970) 453-5000. início nov-fim abr: 8h30-16h diariam. breckenridge.com

Keystone
Tel (800) 427-8308. nov-fim abr: 8h30-20h na maioria dos dias. keystoneresort.com

Steamboat Ski Corp.
Tel (970) 879-6111. meados nov-meados abr: 8h30-16h diariam. steamboat.com

Telluride Ski Company
Tel (800) 778-8581. fim nov-meados abr: 8h30-16h diariam. tellurideskiresort.com

Vail Mountain
Tel (800) 404-3535, (970) 476-5601. fim nov-fim abr: 8h30-16h diariam. vail.snow.com

Winter Park
Tel (970) 726-5514. meados nov-fim abr: 8h30-16h diariam. winterparkresort.com

Wolf Creek
Tel (970) 264-5639. início nov-início abr: 8h30-16h diariam. wolfcreekski.com

Legenda
— Estrada principal
═ Estrada secundária
▸ Para iniciantes no esqui
▸ Para esqui de nível médio
▸ Para esquiadores avançados
△ Pico
)(Passagem

Great Sand Dunes National Monument & Preserve

⓭ Great Sand Dunes National Monument & Preserve

11.500 Colorado Hwy 150, NE de Alamosa. **Tel** (719) 378-6399. 24 horas diariam.
w nps.gov/grsa

As maiores dunas de areia dos EUA ficam ao pé das nodosas montanhas Sangre de Cristo, e suas areias foram carregadas até esse belo local por glaciares derretidos e pelo Rio Grande, criando uma área de dunas de 78 quilômetros quadrados. Esse ecossistema peculiar abriga animais e insetos igualmente peculiares, como uma espécie de rato-canguru que nunca bebe água e o besouro-tigre das Grand Sand Dunes, que só existe nessa parte do planeta.

O parque tem uma área de camping que costuma lotar nos fins de semana de verão, e uma combinação de trilhas longas e curtas. Muitos visitantes escalam as dunas, que chegam a 229m.

⓮ Durango

Tel 17.000. 802 Main Avenue, (800) 525-8855, (970) 247-3500. **w** durango.org

Já descrita pelo humorista americano Will Rogers como "fora de mão e satisfeita com isso", Durango foi fundada no vale do rio Animas em 1881 como estação de trem para as minas das vizinhas montanhas San Juan. Após o final do *boom* da mineração, Durango virou um grande centro turístico e símbolo cultural do Oeste. Essa cidade moderna é hoje um modelo de preservação histórica, com *saloons* e hotéis do final do século XIX ao longo da Main Avenue e mansões elegantes do mesmo período na Third Street. Uma coisa, no entanto, mudou – mountain bikers, empresários e artistas substituíram os rústicos mineiros.

Muitos visitantes fazem a viagem de um dia pela **Durango & Silverton Narrow Gauge Railroad**. Numa unidade a vapor de 1882 em perfeito funcionamento, eles fazem a viagem panorâmica de 80km, indo do chão do vale até saliências da rocha, em direção à ex-cidade mineradora de Silverton. Outra atração de Durango é a grande área da **San Juan National Forest**, onde o mountain biking é o esporte principal. Outras atividades populares são caminhadas, passeios a cavalo, excursões, escaladas e rafting.

Durango & Silverton Narrow Gauge Railroad & Museum
479 Main Ave. **Tel** (970) 247-2733, (888) 872-4607. início mai-fim out: diariam; resto do ano: ligar antes.
w durangotrain.com

San Juan National Forest
15 Burnett Court. **Tel** (970) 247-4874. 24h. **w** fs.usda.gov/sanjuan

⓯ Mesa Verde National Park

Leste de Cortez via US Hwy 160. **Tel** (970) 529-4465. 8h-19h diariam; abre até o pôr do sol no verão (moradias na rocha fechadas 5 nov-10 abr).
w nps.gov/meve

Fundado em 1906, Mesa Verde foi o primeiro sítio arqueológico dos EUA a ganhar *status* de parque nacional. Situadas nas reentrâncias do cânion, as atrações do parque são 600 fascinantes moradias na rocha, habitadas por último pelos indígenas pueblos, que as abandonaram em 1300. Elas vão de pequenas casas até o **Cliff Palace** de 150 quartos, e são um dos mais importantes achados arqueológicos dos EUA.

Guardas-florestais guiam passeios entre abril e novembro até as moradias mais impressionantes, como o Cliff Palace. Os visitantes podem explorar várias estruturas por sua conta, como a preservada Spruce Tree House. A Square Tower House, a ruína mais alta do parque, pode ser avistada dali. **O Chapin Mesa Archaeological Museum** exibe uma fascinante coleção de cerâmica e outros artefatos usados pelos pueblos em sua vida diária.

Há ainda 29km de trilhas para caminhadas dentro do parque. Uma delas, a **Petroglyph Point**

Durango & Silverton Narrow Gauge Railroad

Veja hotéis e restaurantes dessa região nas pp. 592-5

Trail, oferece aos visitantes a chance de apreciar arte rupestre. Camping e observação da vida animal (raposas, leões-da-montanha e alces) são outras atividades. No inverno, há esqui *cross-country* e caminhadas na neve.

Chapin Mesa Archaeological Museum
Tel (970) 529-4631.
8h-17h diariam (até 19h verão).

Square Tower House, no Mesa Verde National Park

㊻ Ouray

1.000. 1.230 N Main, (970) 325-4746, (800) 228-1876.
ouraycolorado.com

Apelidada de "Suíça da América" por sua semelhança com uma aldeia dos Alpes, Ouray fica 128km ao norte de Durango. A cidade recebeu o nome do chefe ute cujo povo caçava na área antes que os garimpeiros de ouro e prata chegassem ali em 1876. Hoje a cidade inteira faz parte do National Register of Historic Places, o que prova o número de estruturas do século XIX bem preservadas que ainda existem. Duas maravilhas naturais — a imensa **Ouray Hot Springs Pool**, abastecida por águas geotermais, e as impressionantes **Box Canyon Falls**, quedas-d'água de 87m – têm acesso fácil a partir da cidade.

Ouray também fica na **San Juan Skyway**, uma estrada de 380km que inclui a "Million Dollar Highway" ("Estrada de Um Milhão de Dólares") até Silverton. Suas terras inóspitas nos arredores atraem escaladores de pedra e de gelo, jipeiros e outros fãs de aventuras ao ar livre.

Ouray Hot Springs Pool
US Hwy 550, no extremo norte de Ouray. **Tel** (970) 325-7073. Memorial Day-Labor Day: 10h-22h diariam; resto do ano: 12h-21h seg-sex, 11h-21h sáb-dom. feriados.

Box Canyon Falls & Park
S de Ouray pela US Hwy 550.
Tel (970) 325-7080. Visitor Center:
15 mai-15 out: 8h-20h diariam.
16 out-14 mai.

㊼ Black Canyon of the Gunnison National Park

Leste de Montrose, via US Hwy 50. **Tel** (970) 641-2337. 24 horas diariam (North Rim Road fechada fim meados abr). nps.gov/blca

Embora não tão grande quanto o Grand Canyon do Arizona *(pp. 530-3)*, o Black Canyon tem profundidade impressionante e lados íngremes. Ele foi criado pelo rio Gunnison, que cavou a rocha por 2 milhões de anos. Suas bordas norte e sul têm ecossistemas totalmente diferentes e são separadas por uma fenda de 732m no seu ponto mais profundo e de apenas 12m no seu ponto mais estreito.

A **South Rim Road** passeia 11km por vários mirantes, que incluem uma fantástica vista de uma parede de rocha multicolorida conhecida como Painted Wall, que tem duas vezes a altura do Empire State Building de Nova York *(p. 83)*. Embora o lado norte do parque seja mais isolado, ele tem uma área de camping e oferece magníficas vistas do pôr do sol.

A escalada é um esporte popular no parque, assim como caminhadas, camping e pesca. Entre as várias trilhas, há uma especialmente difícil até o chão do cânion.

A vida animal é variada e abundante, e inclui aves como os falcões-peregrinos, que fazem ninho nas paredes escarpadas do cânion. Gatos-selvagens e ursos também vagam pelo imenso parque.

㊽ Colorado National Monument

Oeste da Grand Junction pela I-70 ou 11km ao sul de Fruita na US Hwy 340. **Tel** (970) 858-3617. 24h diariam. Centro de visitantes: verão: 8h-18h; inverno: 9h-16h30 diariam.
nps.gov/colm

Escavado por vento e água nos últimos 225 milhões de anos, esse imenso monumento nacional (83km²) foi moldado até virar uma desolada paisagem desértica de cânions espetaculares e arcos vermelhos de arenito. Um passeio de carro pelos 35km da **Rim Rock Drive** oferece vistas belíssimas, e muitas trilhas levam os visitantes até o centro das paisagens. Os dois destaques geológicos do parque são os incríveis arcos de arenito do Rattlesnake Canyon e a Miracle Rock, a maior rocha oscilante do mundo.

Impressionante paisagem de deserto do Colorado National Monument

Informações Úteis

Explorar os quatro estados das montanhas Rochosas exige planejamento antecipado, simplesmente devido às grandes dimensões e diversidade das paisagens da área. Os limites dessa região montanhosa estendem-se da fronteira canadense, ao norte, até o Novo México, ao sul. A oeste, a área é limitada pelos planaltos e bacias da região entre montanhas. O cenário impressionante, o terreno rústico, os recursos escassos e a população esparsa das Rochosas espalham-se por altitudes que vão de menos 305m a 4.267m acima do nível do mar.

Informação Turística

Quem entra nos estados das Rochosas por uma rodovia interestadual vê placas anunciando um "Welcome Center". Esses centros de boas-vindas oferecem informação turística, toaletes limpos e café de graça. O Aeroporto Internacional de Denver (DIA) e a maioria dos outros grandes aeroportos e estações de trem da região têm balcões de informações, com folhetos e mapas gratuitos. A maioria das cidades tem **Convention & Visitors Bureaus** ou **Chambers of Commerce**, que dão informação de viagem grátis.

Perigos Naturais

Os curtos verões da região das Rochosas são muito quentes e podem trazer tempestades repentinas, especialmente nas montanhas. Deslizamentos de pedras, insetos e animais selvagens são outras ocorrências possíveis. A altitude nos quatro estados varia bastante. Nas mais altas altitudes, em áreas como o Yellowstone National Park, as estradas podem ficar interditadas pela neve entre outubro e início de junho. As estradas interestaduais e as de acesso às muitas áreas de esqui ficam abertas o ano todo.

As altas altitudes implicam raios de sol mais intensos, portanto é essencial o uso de protetor solar e o consumo de líquidos. É também importante ficar atento ao desconforto e aos perigos causados pela altitude. Os sintomas típicos são falta de ar, tontura, letargia, dor de cabeça e desidratação. Procure consumir água sempre, evite o excesso de álcool e não hesite em procurar um médico.

Os invernos são longos e muito frios, com pesadas neves de inverno e primavera. Os motoristas devem ter e saber instalar correntes para a neve ou outros dispositivos de tração, exigidos por lei. Tome cuidado ao dirigir por superfícies geladas. Em áreas remotas, quem faz caminhadas deve estar preparado para enfrentar o tempo, seja no inverno ou no verão. Leve o básico para emergências, incluindo água e comida, e roupa extra, para o caso de o tempo piorar.

Como Circular

Para quem chega da costa leste ou oeste, Denver é um bom ponto de partida. Cidades menores das Rochosas têm aeroportos, como o Missoula (MT) County International Airport. Exceto pelos passeios turísticos de ônibus, o transporte público é limitado. Denver tem ônibus urbanos, bondes e ônibus turísticos gratuitos. É fundamental contar com carro nessa região, pois a maioria dos parques nacionais e outras atrações ficam a longas distâncias das grandes cidades.

Cinto de segurança é obrigatório para o motorista e para o carona, nos quatro estados. Assentos infantis também, para crianças até 8 anos. Motociclistas com menos de 18 anos têm de usar capacete.

O limite de velocidade varia entre 70-75mph (112-120 km/h) nas rodovias interestaduais fora das áreas urbanas. Há radares de velocidade em toda a região das Rochosas.

Etiqueta

Algumas das atrações mais famosas da região ficam em reservas indígenas. Visitantes são bem-vindos, mas devem ser sensíveis às coisas que podem constituir ofensa. É ilegal entrar com bebida alcoólica nas reservas, e às vezes não se permite tirar fotos.

Eventos e Festas

O verão nas Rochosas traz uma série de eventos ao ar livre, de feiras locais e estaduais a festivais de arte e música regional e nacional. Há muitos fogos de artifício, bandas e festas nas comemorações do 4 de julho, e a forte herança dos nativos americanos também é celebrada com inúmeros *pow-wows* em julho e agosto, em várias reservas. Músi-

---

O Clima das Rochosas

O clima na região das Rochosas traz invernos longos, com neve, primaveras e outonos curtos e verões quentes. O principal fator do clima é a altitude – quanto mais alto, mais baixa a temperatura e mais pesadas as neves. Os visitantes devem se preparar para enfrentar o tempo em qualquer época do ano. Já meses como outubro têm tempo firme, ideal para passeios pelas paisagens das montanhas, apreciando as cores de outono dos álamos.

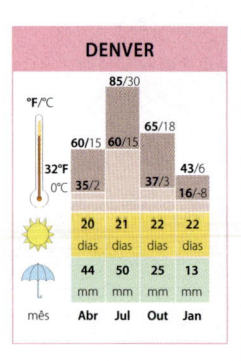

DENVER

mês	Abr	Jul	Out	Jan
°F/°C (máx)	60/15	85/30	65/18	43/6
°F/°C (mín)	35/2	60/15	37/3	16/-8
dias de sol	20	21	22	22
chuva (mm)	44	50	25	13

32°F / 0°C

ca e eventos culturais diversos, como o sempre popular **Telluride Bluegrass Festival**, o mundialmente famoso Aspen Music Festival & School (970-925-3254) e o Big Sky Arts Festival, têm lugar ao longo do verão.

Esportes

Os estados das Rochosas oferecem grande variedade de esportes ao longo do ano. Denver é sede de vários times profissionais da região. O **Colorado Rockies** joga beisebol o verão inteiro no tradicional Coors Field do centro. Os **Colorado Rapids** jogam futebol e os **Denver Broncos** futebol americano. No inverno pode-se assistir aos **Denver Nuggets** na quadra de basquete. Muitas das universidades da região jogam torneios regionais, frequentemente com acirrada rivalidade.

Um espetáculo típico das Rochosas é o rodeio, e muitas competições nacionais são realizadas na região. Concursos de montar touros e cavalos xucros e laçar bezerros mostram as aptidões de um vaqueiro. Cheyenne, no Wyoming, sedia o World's Largest Outdoor Rodeo, assistido por mais de 250 mil fãs nos **Frontier Days** do final de julho (800-227-6336). Ranchos para turistas promovem rodeios especiais para os seus hóspedes.

Atividades ao Ar Livre

A atividade ao ar livre mais popular é o esqui de montanha, que atrai muitos adeptos e bilhões de dólares para as estâncias de alta categoria da região. O Colorado tem muitas das maiores e mais prestigiosas estâncias dos EUA, mas também há esqui de primeira no Sun Valley, em Idaho, no Jackson Hole, no Wyoming, e em estâncias menores por toda a região. O snowboarding também é popular, e o esqui *cross-country* pode ser praticado na bela paisagem dos parques e florestas da região. A temporada de esqui vai de dezembro a março, mas muitas estâncias ficam abertas até maio ou junho, dependendo do tempo.

Montana tem muitos pontos famosos para pesca de truta, como os rios Madison e Yellowstone, enquanto Idaho, Wyoming e Colorado também oferecem excelente pesca com isca. Exigem-se licenças e estimula-se a pesca com soltura imediata do peixe. Os visitantes podem contatar o **Montana Fish, Wildlife & Parks Department** ou o **Idaho Fish & Game Department** para detalhes.

Outras atividades populares quando o tempo é quente são as caminhadas, o mountain biking e o rafting. Há muito rafting no rio Snake, no Grand Teton National Park e no agitado rio Salmon, em Idaho. A Colorado River Outfitters Association é uma das melhores fontes de informação para viagens guiadas. A Lewis & Clark Trail Adventures promove viagens de rafting pelos rios de Idaho. O **Snow King Ski Resort** perto de Jackson, Wyoming, também oferece caminhadas por locais históricos e *rafting*. A moto e a bicicleta estão ficando tão populares quanto as caminhadas, a pesca e o esqui. A Open Road Bicycles em Missoula, Montana, aluga bicicletas por dia ou semana (406-549-2453). Eles também ajudam a programar viagens.

Diversão

As estâncias de esqui e os ranchos turísticos da área oferecem diversão noturna, de teatro e música a estreias de cinema. Mas também é usual passar as noites nessas estâncias em banheiras quentes, relaxando no bar ou em cassinos. Cidades de estudantes, como Bozeman e Missoula, Montana, têm outras opções que faltam às cidades mais afastadas: boas livrarias, cervejarias, museus e eventos que agradam a urbanos e a adeptos da cultura do Velho Oeste.

AGENDA

Informação Turística

Colorado
1675 Broadway, Suite 1700
Denver, CO 80202.
Tel (000) 265-6723.
W colorado.com

Idaho
700 W State St, Boise.
Tel (208) 334-2470.
W visitidaho.org

Montana
301 S Park Ave, Helena.
Tel (800) 847-4868.
W visitmt.com

Wyoming
5611 High Plains Road, Cheyenne.
Tel (307) 777-7777.
W wyomingtourism.org

Condições das Estradas

Idaho
Tel (888) 432-7623.

Montana
Tel (800) 226-7623.
W mdt511.com

Festas

Colorado State Fair
Tel (719) 561-8484.
W coloradostatefair.com

Eastern Idaho State Fair
Tel (208) 785-2480.
W idaho-state-fair.com

Montana State Fair
Tel (406) 727-8900. W montanastatefair.com

Telluride Bluegrass Festival
Tel (800) 624-2422.
W bluegrass.com

Wyoming State Fair and Rodeo
Tel (307) 358-2398.
W wystatefair.com

Esportes

Colorado Rapids
Tel (303) 727-3500.
W coloradorapids.com

Colorado Rockies
Tel (303) 292-0200.
W rockies.com

Denver Broncos
Tel (303) 649-9000.
W denverbroncos.com

Denver Nuggets
Tel (303) 405-1111.
W nba.com/nuggets

Pesca

Idaho Fish & Game Department
600 S Walnut St Boise, ID 83712. **Tel** (208) 334-3700.

Montana Fish, Wildlife & Parks Department
1420 E 6th Ave
Helena, MT 59620.
Tel (406) 444-2535.

Onde Ficar

Idaho

BOISE: Hotel 43 $
Hotel-butique
981 Grove St, 83702
Tel *(208) 342-4622*
w hotel43.com
Quartos de luxo que descortinam belas vistas da cidade e das montanhas ocupam esse hotel próximo a atrações da cidade.

BOISE: The Grove Hotel $$
Luxuoso
245 S Capitol Blvd, 83702
Tel *(208) 333-8000*
w grovehotelboise.com
O único hotel quatro estrelas da região oferece quartos confortáveis com decoração à europeia. O bar-restaurante proporciona vista para o centro da cidade.

COEUR D'ALENE: Coeur d'Alene Resort $$
Resort
115 S 2nd St, 83814
Tel *(208) 765-4000*
w cdaresort.com
Esse resort diante do lago proporciona vistas das montanhas, serviços de spa e hospedagem de luxo. Entre as atividades disponíveis estão golfe, parasail e passeio de barco.

KETCHUM: Knob Hill Inn $$$
Hotel-butique
960 N Main St, 83340
Tel *(208) 726-8010*
w knobhillinn.com
O Knob Hill Inn oferece transporte para a estação de esqui do Sun Valley. Tem quartos aconchegantes, vistas da montanha, banheiras de spa e outras regalias.

Gaynor Ranch and Resort, em Whitefish, interior de Montana

Destaque
SUN VALLEY: Sun Valley Lodge $$$
Luxuoso
Sun Valley, 83353
Tel *(208) 622-2151*
w sunvalley.com
Esse hotel de alto padrão na primeira estação de esqui do país funciona o ano todo. Há várias opções de esqui e, nos meses de verão, caminhadas. Os quartos são elegantes e confortáveis. A estrutura conta com piscina ao ar livre, rinque de patinação no gelo, o elegante restaurante Konditorei, spa e boliche. Há diversas atividades para crianças.

Montana

BILLINGS: Best Western Plus Clocktower Inn $
Motel
2511 1st Ave N, 59101
Tel *(406) 259-5511*
w bestwestern.com
Perto de atrações locais, esse motel com equipe cortês tem quartos limpos e um restaurante que serve café da manhã e almoço.

BOZEMAN: Fox Hollow B&B $$
B&B
545 Mary Rd, 59718
Tel *(406) 582-8440*
w bozeman-mt.com
Esse B&B informal abriga quartos acolhedores que descortinam vistas das montanhas e dos prados. O café da manhã e os cookies à noite são cortesias da casa.

GLACIER NATIONAL PARK: Glacier Park Lodge $$
Lodge
US-2, E Glacier Park, 59912
Tel *(406) 892-2525*
w glacierparkinc.com
Esse hotel centenário traz saguão com lareira de pedra e quartos confortáveis e rústicos. Fecha de outubro ao Memorial Day.

GLACIER NATIONAL PARK: Lake McDonald Lodge $$
Lodge
Lake McDonald, 59916
Tel *(406) 888-5431*
w glacierparkinc.com
Tem quartos na sede, cabanas e um motel, todos charmosos, distribuídos por um estupendo cenário arborizado. Fecha de outubro ao Memorial Day.

Categorias de Preço
Diária de um quarto padrão para duas pessoas, na alta temporada, com taxas de serviço e impostos.
$	até US$150
$$	US$150-US$250
$$$	acima de US$250

Destaque
WHITEFISH: Gaynor Ranch and Resort $$$
Rancho
1992 KM Ranch Rd, 59937
Tel *(406) 862-3802*
w gaynorsresorts.com
Esse retiro de 1.214ha prima pela hospitalidade típica do Velho Oeste. Escolha por se hospedar em uma cabana bem equipada com cozinha na fazenda ou nas matas. Há atividades como pesca, passeio a cavalo, caminhadas e, no inverno, esqui. É possível avistar diversos animais selvagens por perto.

Wyoming

GRAND TETON NATIONAL PARK: Jackson Lake Lodge $$$
Lodge
Hwy 89, 5 milhas N de Moran, 83013
Tel *(307) 543-2811*
w gtlc.com
Quartos de altíssimo padrão, cabanas básicas e vistas do lago Jackson e dos montes Tetons. Fecha entre outubro e maio.

JACKSON: Parkway Inn $$
B&B
125 N Jackson St, 83001
Tel *(307) 733-3143*
w parkwayinn.com
Peça um dos quartos bem mobiliados e usufrua o café da manhã de cortesia. Traslado para esqui.

JACKSON: Inn on the Creek $$$
B&B
295 N Milward, 83001
Tel *(307) 739-1565*
w innonthecreek.com
Charmoso e romântico. A diária inclui café da manhã e deliciosos cookies à tarde.

YELLOWSTONE NATIONAL PARK: Bill Cody Ranch $$
Rancho
2604 Yellowstone Hwy, 82414
Tel *(307) 587-2097*
w billcodyranch.com
Ideal para famílias, oferece café da manhã e trilhas. Fecha de outubro a meados de maio.

YELLOWSTONE NATIONAL PARK: Old Faithful Inn $$
Lodge
Old Faithful, 59758
Tel *(307) 344-7311*
🌐 yellowstonenationalpark lodges.com
Hospedagem variada com vista para Old Faithful. Fecha entre outubro e maio.

Colorado

ASPEN:
Aspen Mountain Lodge $$$
B&B
311 W Main St, 81611
Tel *(970) 925-7650*
🌐 aspenmountainlodge.com
Esse B&B confortável tem mordomias como queijos e vinhos, café da manhã e traslado para esqui.

Destaque

ASPEN: The St. Regis $$$
Resort
315 E Dean St, 81611
Tel *(970) 920-3300*
🌐 stregisaspen.com
Agradável o ano todo e com toques vitorianos, o St. Regis oferece quartos com vistas das montanhas, design alpino europeu e móveis modernos. Os pátios e a piscina ao ar livre são ideais para relaxar. Uma opção perfeita para esquiadores, adeptos de caminhadas e conhecedores de gastronomia e vinho.

BOULDER: Alps Boulder Canyon Inn $$
B&B
38619 Boulder Canyon Dr, 80302
Tel *(303) 444-5445*
🌐 alpsinn.com
Móveis em estilo missionário e lareiras antigas nos quartos. Café da manhã e serviços de spa.

BOULDER: St. Julien Hotel and Spa $$$
Luxuoso
900 Walnut St, 80302
Tel *(720) 406-9696*
🌐 stjulien.com
O St. Julien propõe luxuosos quartos modernos e saguão e pátio com vistas da Flatiron Range.

BRECKENRIDGE: The Lodge and Spa at Breckenridge $$
Lodge
112 Overlook Dr, 80424
Tel *(970) 453-9300*
🌐 thelodgeandspaatbreck.com
Hospedagem com charme rústico e vários serviços de spa. Situado próximo a estações de esqui.

Quarto confortável do St. Julien Hotel and Spa, em Boulder

COLORADO SPRINGS:
The Mining Exchange, A Wyndham Grand Hotel $$
Histórico
8 S Nevada Ave, 80903
Tel *(719) 323-2000*
🌐 wyndham.com
Quartos confortáveis e modernos são o padrão desse hotel sofisticado em um edifício histórico no centro. Há estrutura para negócios e restaurante refinado.

DENVER: The Holiday Chalet $
B&B
1820 E Colfax, 80209
Tel *(303) 437-8245*
🌐 theholidaychalet.com
Em mansão vitoriana restaurada, esse B&B tem decoração de época, muitos confortos e biblioteca, além de bom café da manhã.

Destaque

DENVER: The Curtis $$
Hotel-butique
1405 Curtis St, 80202
Tel *(303) 571-0300*
🌐 thecurtis.com
Esse hotel-butique enfoca o melhor da cultura pop americana. Cada quarto tem um tema diferente, como One-Hit Wonders, Chick Flicks e TV Mania. Os quartos são amplos e confortáveis e têm despertadores muito originais. Acordar ao som de Elvis Presley ajuda a começar bem o dia. O atendimento é excelente.

DENVER: Warwick Hotel $$
Luxuoso
1776 Grant St, 80203
Tel *(303) 861-2000*
🌐 warwickdenver.com
Opção de luxo acessível com localização privilegiada. Os quartos são muito grandes e decorados à maneira clássica americana. A piscina aquecida na cobertura descortina vistas de 360 graus.

DENVER: Hotel Monaco $$$
Luxuoso
1717 Champa St at 17th, 80202
Tel *(303) 296-1717*
🌐 monaco-denver.com
Os quartos desse hotel-butique, cada qual com um peixinho dourado vivo, exibem toques franceses e art déco. Recepção noturna com vinho à noite.

DURANGO: Strater Hotel $
Histórico
699 Main Ave, 81301
Tel *(970) 247-4431*
🌐 strater.com
Propriedade vitoriana com antiguidades e relíquias de época. Há bar e cinema internos como opções de entretenimento.

SNOWMASS VILLAGE:
Stonebridge Inn $$$
B&B
300 Carriage Way, 81615
Tel *(970) 923-2420*
🌐 stonebridgeinn.com
Espaçosos, os quartos têm vigas de madeira expostas e instalações modernas. O B&B abriga o conhecido restaurante Artisan. Tarifas mais baixas no verão.

TELLURIDE: New Sheridan Hotel $$
Histórico
231 W Colorado Ave, 81435
Tel *(970) 728-4351*
🌐 newsheridan.com
Hotel charmoso no centro, com ar histórico e quartos pequenos mas confortáveis cheios de antiguidades. Hidromassagem com vista das montanhas na cobertura.

VAIL: Tivoli Lodge $$$
Lodge
386 Hanson Ranch Rd, 81657
Tel *(970) 451-4756*
🌐 tivolilodge.com
Luxuosos, os quartos revelam vistas das montanhas ou do vilarejo nesse lodge em estilo europeu. Mais barato na baixa temporada.

Mais informações sobre hotéis *nas pp. 26-7*

Onde Comer e Beber

Idaho

BOISE: Bardenay Restaurant & Distillery $$
Americana moderna
610 W Grove St, 83702
Tel (208) 426-0538
No Bardenay, a comida do Noroeste consiste em carnes e frutos do mar. Peça costeleta suína com sidra ou bacalhau do Pacífico. Coquetéis são feitos com destilados de marca própria.

BOISE: Cottonwood Grille $$$
Americana
913 W River St, 83702
Tel (208) 333-9800
Restaurante elegante com serviço ótimo e comida local bem preparada, incluindo peixe e carne, além de sobremesas.

COEUR D'ALENE: Cedars Floating Restaurant $$$
Frutos do mar/Carnes
1 Marina Dr, 83814
Tel (208) 664-2922
O menu do Cedars apresenta peixes e carnes regionais. O local exibe belas vistas do lago e decoração agradável.

KETCHUM: Sawtooth Club $$
Americana
231 N Main St, 83340
Tel (208) 726-5233
Nesse restaurante com vista para as pistas de esqui o menu oferece carnes e frutos do mar grelhados. Boa carta de vinhos. O bar serve coquetéis e refeições mais leves.

SUN VALLEY: Gretchen's $$
Americana
Sun Valley Lodge, 83353
Tel (208) 622-2144
O cardápio desse lugar bom para famílias oferece diversas carnes e frutos do mar, além de café da manhã. Fecha em abril e maio para manutenção. Ligue antes.

Montana

Destaque

BIGFORK: Bigfork Inn $$
Americana moderna
604 Electric Ave, 59911
Tel (406) 837-6680
Esse restaurante instalado em um chalé suíço é um sucesso local. O serviço profissional e a música ao vivo nos fins de semana criam uma atmosfera descontraída. O menu variado tem opções regionais como salmão ao forno, filé de costela bovina e pato crocante.

BOZEMAN: McKenzie River Pizza Company $
Pizzaria
232 E Main St, 59715
Tel (406) 587-0055
Há pizzas de massa normal ou integral fina ou grossa, com coberturas clássicas e gourmets nesse lugar simpático, que também serve sanduíches, massas e saladas.

GLACIER NATIONAL PARK: Russell's Fireside Dining Room $$
Americana
Lake McDonald Lodge, 59916
Tel (406) 888-5431
Fecha fim set- meados mai
Decorado como um pavilhão de caça, serve cozinha regional que inclui carne de caça. Boa carta de cervejas de Montana e vinhos.

HELENA: Windbag Saloon & Grill $$
Americano
19 S Last Chance Gulch St, 59601
Tel (406) 443-9669 **Fecha** dom
Os clientes aprovam a decoração antiga e o serviço cordial desse salão charmoso. A comfort food, incluindo filés e hambúrgueres, vem em porções fartas.

Categorias de Preço
Por pessoa, para uma refeição composta de três pratos e uma taça de vinho da casa, mais taxas.

$	até US$35
$$	US$35-US$70
$$$	acima de US$70

MISSOULA: Lolo Creek Steakhouse $$
Churrascaria
6600 Hwy 12 W, Lolo, 59847
Tel (406) 273-2622
Fecha seg no inverno
O menu dessa steakhouse em uma cabana de madeira tem carnes, saladas e sobremesas. Peça lombo à moda do Oeste ou filé de costela bovina. Os filés New York são grelhados.

Wyoming

Destaque

BUFFALO: Bozeman Trail Steakhouse $$
Churrascaria
675 E Hart St, 82834
Tel (307) 684-5555
Em uma cidade histórica pela pecuária, essa steakhouse no estilo do Velho Oeste tem cardápio com carne Angus certificada, alce e bisão, além de opções mais saudáveis e leves, como saladas. Há coquetéis, cervejas artesanais, TVs e menu infantil. Ou seja, o local agrada toda a família.

GRAND TETON NATIONAL PARK: Jenny Lake Lodge Dining Room $$$
Americana moderna
Inner Park Rd, 83013
Tel (307) 733-4647 **Fecha** out-mai
Com belo cenário rústico, o restaurante no Jenny Lake Lodge garante uma experiência memorável. O jantar gourmet tem cinco pratos, com delícias como carpaccio de alce, lombo de veado e sobremesas. Exige reserva, assim como paletó para os homens.

JACKSON: Snake River Brewing $
Americana moderna
265 S Millward St, 83001
Tel (307) 739-2337
O pão e a cerveja são feitos na própria microcervejaria. Sanduíches de carne de porco desfiada, costelas com chipotle e o hambúrguer Brew House (dois discos de carne com bacon e queijo) são as especialidades da casa.

Animais decoram a Buckhorn Exchange Steakhouse, em Denver

Mais informações sobre restaurantes nas pp. 28- 9

ONDE COMER E BEBER | 595

JACKSON: Million Dollar Cowboy Steakhouse $$$
Americana
25 N Cache Dr, 83001
Tel *(307) 733-4790*
Anexo ao Million Dollar Cowboy Bar, esse estabelecimento rústico serve filés, inclusive de alce, com toques criativos.

YELLOWSTONE NATIONAL PARK: Old Faithful Inn Dining Room $
Americana
Old Faithful Bypass, 59758
Tel *(307) 545-4999*
Fecha *meados out-meados mai*
Esse salão histórico prepara pratos principais clássicos do Oeste, como chuleta de búfalo e lombinho de alce. A melhor sobremesa é a caldeira de chocolate.

Colorado

ASPEN: bb's Kitchen $$
Americana
525 E Cooper Ave, Ste 201, 81611
Tel *(970) 429-8284*
Peça o gostoso monkey bread (pão doce) e carne de porco desfiada no brunch desse restaurante. O menu do jantar inclui carnes seladas, frutos do mar e saladas.

Destaque
ASPEN: Matsuhisa $$$
Japonesa
303 E Main St, 81611
Tel *(970) 544-6628*
Aberto pelo famoso chef Nobu Matsuhisa em uma casa histórica, esse restaurante ganhou projeção nacional pelos maravilhosos sushis e sashimis. Tome coquetéis enquanto analisa o curto menu no lounge ou ao ar livre. Faça reserva.

BOULDER: Boulder Dushanbe Teahouse $
Internacional
1770 13th St, 80302
Tel *(303) 442-4993*
O menu dessa casa de chá decorada por artesãos do Tajiquistão tem opções bascas, persas, japonesas e indianas. Há mais de 80 tipos de chá.

BOULDER: Frasca $$$
Italiana
1738 Pearl St, 80302
Tel *(303) 442-6966* **Fecha** *dom*
Serve deliciosas massas caseiras, cordeiro do Colorado e frutos do mar frescos inspirados nos sabores de Friuli, Itália. A carta inclui 200 vinhos finos internacionais. Faça reserva.

Peças de decoração asiáticas na Boulder Dushanbe Teahouse

BRECKENRIDGE: Hearthstone Restaurant $$$
Americana
130 S Ridge St, 80424
Tel *(970) 453-1148*
Fecha *meados abr-início mai*
O cardápio desse restaurante em uma casa vitoriana tem filés, carnes de caça e frutos do mar. Há uma longa carta de vinhos e happy-hour diariamente.

COLORADO SPRINGS: Blue Star $$
Americana moderna
1645 S Tejon St, 80905
Tel *(719) 632-1086*
A comida memorável preparada nesse restaurante sofisticado mescla os sabores do Pacífico e do Mediterrâneo.

DENVER: Biker Jim's Gourmet Dogs $
Americana
2148 Larimer St, 80205
Tel *(720) 746-9355*
Os cachorros-quentes de rena, javali, cascavel, antílope, peixe e búfalo podem vir com cebola embebida em Coca-Cola ou outras opções exóticas.

DENVER: Pete's Kitchen $
Grega/Americana
1962 E Colfax Ave, 80206
Tel *(303) 321-3139*
O Pete's funciona 24 horas e serve burritos e bolinhos de batata no café da manhã e gyros tarde da noite. As porções são fartas.

DENVER: Buckhorn Exchange $$
Churrascaria
1000 Osage St, 80204
Tel *(303) 534-9505*
Restaurante local mais antigo, exibe cabeças de animais e armas. É famoso por carnes de caça, bifes e linguiças de búfalo, e medalhões de alce.

Destaque
DENVER: Steuben's $$
Americana
523 E 17th Ave, 80203
Tel *(303) 830-1001*
Esse diner refinado oferece versões tentadoras de comfort food da área de Denver e de todo o país: mac 'n' cheese, frango com waffles, hambúrgueres picantes e sanduíche de lagosta. A brisa entra pelas portas grandes nos meses de verão, mas o salão é aconchegante no inverno. Há hambúrgueres com desconto na happy-hour.

DENVER: Wynkoop Brewing Company $$
Americana
1634 18th St, 80202
Tel *(303) 297-2700*
A primeira microcervejaria da área tem atmosfera divertida. Ales e cervejas excelentes acompanham hambúrgueres, bolo de carne, fish 'n' chips e pratos do dia.

DURANGO: Seasons Grill $$
Americana moderno
764 Main Ave, 81301
Tel *(970) 382-9790*
O menu desse bistrô elegante com cozinha exposta e vistas da rua é americano contemporâneo, com foco em produtos locais. Carta de vinhos ótima.

TELLURIDE: Flavor Telluride $$
Americana moderna
122 S Oak St, 81435
Tel *(970) 239-6047*
Fecha *ter no verão*
A decoração do Flavor Telluride homenageia a paisagem ao redor. O cardápio criativo tem sopas sazonais, saladas e sanduíches, além de muitos pratos vegetarianos.

VAIL: The Little Diner $
Americana
616 W Lionshead Circle, 81657
Tel *(970) 476-4279* **Fecha** *abr-mai*
Lendário, atrai moradores e turistas no café da manhã. Serve panquecas, bolinhos de batata, omeletes e biscoitos o dia todo. No almoço, peça hambúrgueres, chili e outras opções regionais.

VAIL: Sweet Basil $$$
Americana
193 Gore Creek Dr 201, 81657
Tel *(970) 476-0125*
Há pratos americanos modernos à base de truta, carne de porco e cordeiro nesse restaurante com decoração rústica. De sobremesa, peça o delicioso pudim puxa-puxa quente.

O monte Shukan refletido no lago Picture, no North Cascades National Park, Washington

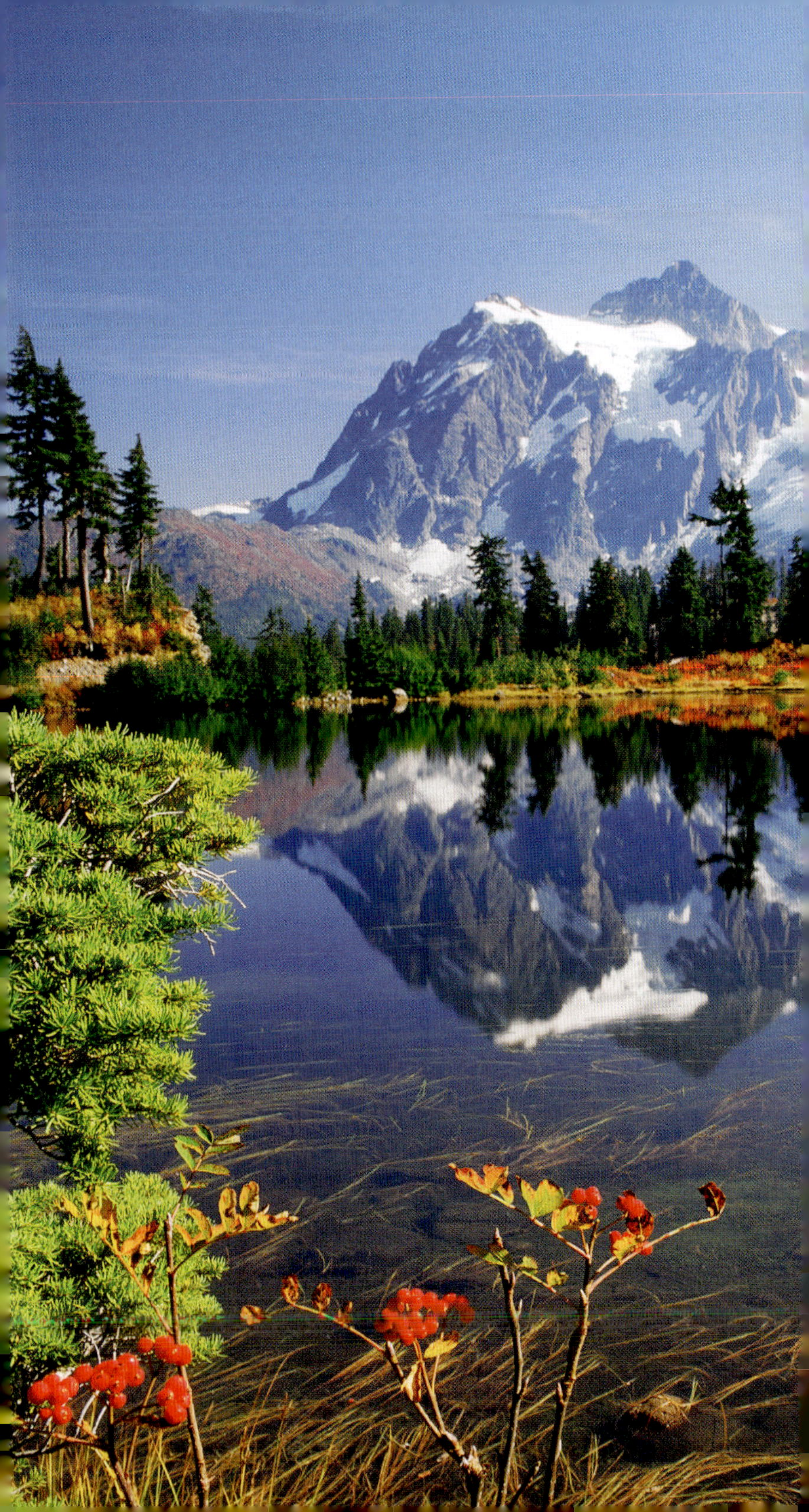

PACÍFICO NOROESTE

Introdução ao Pacífico Noroeste	598-603
Washington	604-617
Oregon	618-629

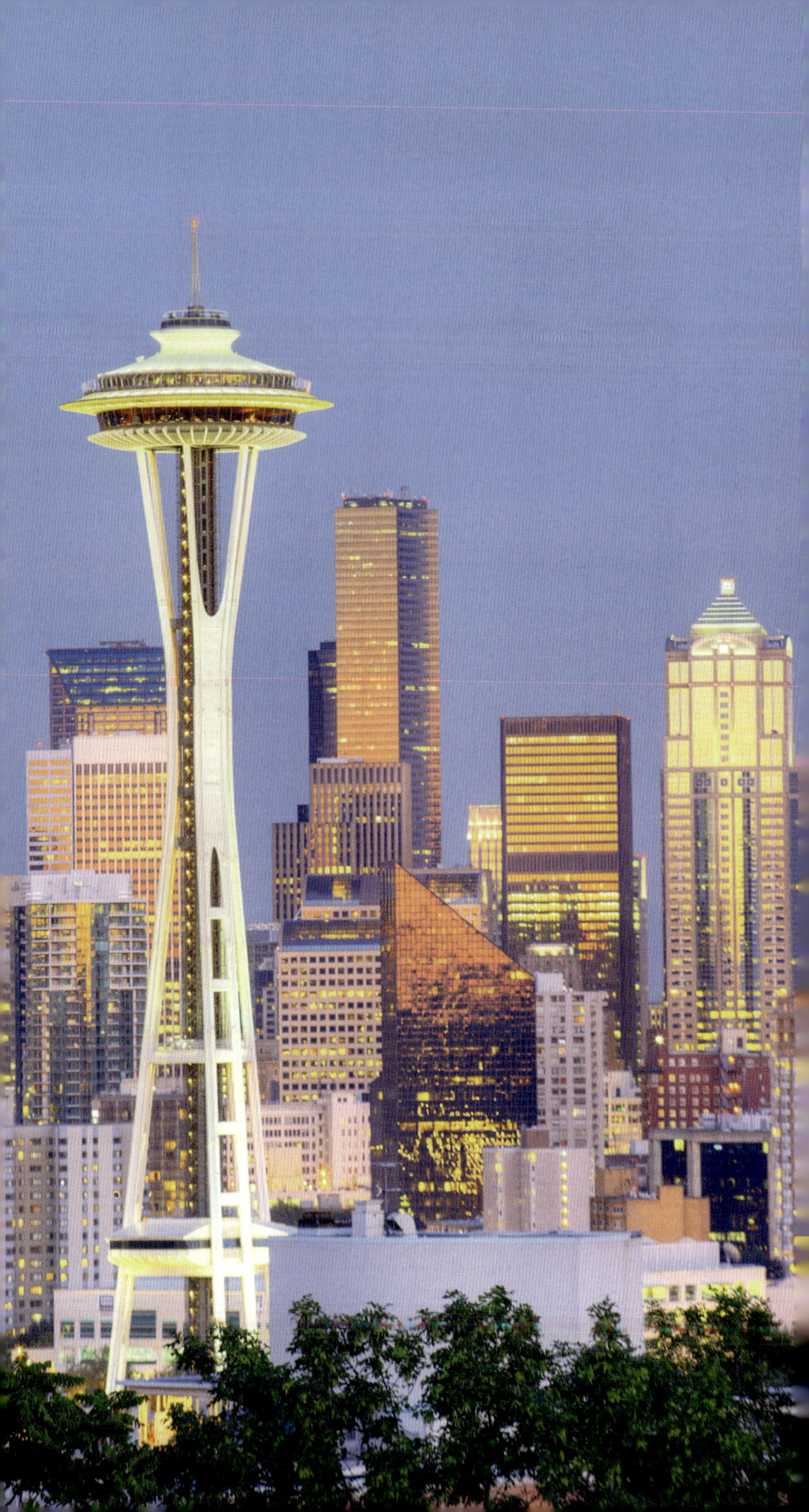

PACÍFICO NOROESTE

Um dos terrenos mais escarpados e espetaculares da América do Norte é o que se estende pelo Pacífico Noroeste. As culturas nativas viveram ali milhares de anos, e a colonização europeia é relativamente recente – início do século XIX. A região abriga hoje duas das mais sofisticadas cidades dos EUA, Portland e Seattle, cercadas por altas montanhas, densas florestas e águas espumantes.

O apelo da vida selvagem atrai visitantes para Oregon e Washington, os estados que formam o Pacífico Noroeste. As amplas paisagens da região trazem a marca das forças geológicas que cavaram profundas gargantas e ergueram altos picos. Apesar do progresso urbano, as áreas selvagens mantêm aspecto relativamente intocado, visível quando se encontra uma árvore sitka de 800 anos numa floresta do litoral ou campos de lava junto ao monte St. Helens, formados na erupção vulcânica de 1980.

O clima da região é tão variado quanto sua topografia. A oeste das montanhas, as correntes do norte do Pacífico garantem verões agradáveis e invernos úmidos e moderados. Nos planaltos mais a leste, no entanto, as temperaturas caem bem abaixo do ponto de congelamento no inverno, com frequência acompanhadas por neves intensas, e no verão elevam-se bastante. Na região montanhosa central, os desertos têm invernos duros com frequentes interdições de estradas e verões quentes e secos.

História

Os povos nativos da região viveram em harmonia com a terra desde que seus ancestrais migraram para lá há 15 mil anos. A abundância de comida e de recursos, a oeste das montanhas Cascade e ao longo da costa, permitiu que muitas tribos vivessem em assentamentos bem estabelecidos, caçando e pescando. As tribos que viviam nas paisagens áridas a leste das montanhas adotaram estilos de vida mais nômades, migrando pelas terras de caça do alto deserto à procura de bisões e gamos. Na primavera e no verão, eles subiam as encostas das montanhas para colher frutos e raízes. A vida dos povos nativos foi abruptamente

O Mount Rainier ergue-se sobre a área industrial da baía Commencement, em Tacoma, Washington

◀ O Space Needle destaca-se na paisagem de Seattle

perturbada com a chegada de comerciantes e colonos europeus.

A procura pela Passagem Noroeste – uma rota oceânica rápida ligando a Europa e o Extremo Oriente – atraiu exploradores europeus para essa região no século XVI. O pioneiro foi o explorador espanhol Juan Rodriguez, que velejou do México ao sul do Oregon em 1543. Depois veio o inglês Sir Francis Drake, que se aventurou mais ao norte até o estreito Juan de Fuca em 1592.

A próxima grande expedição britânica foi na década de 1770, quando o capitão James Cook, acompanhado por George Vancouver e Peter Puget, subiu o litoral do Oregon e de Washington. Em 1791, Vancouver e Puget também mapearam o que é hoje Puget Sound em Washington. Suas explorações coincidiram com as de um comerciante de peles americano da Costa Leste, capitão Robert Gray, que descobriu o rio Colúmbia em 1792, dando-lhe o nome de seu navio. Logo vieram outros barcos americanos atrás de peles de animais e outros bens.

A batalha para controlar o Pacífico Noroeste foi travada entre ingleses e americanos por meio do comércio, e não de armas. A expedição de 1803-06 de Lewis e Clark abriu a região aos comerciantes de peles americanos, determinados a tirar esse comércio muito lucrativo dos ingleses.

Na época, o domínio estava nas mãos da Hudson Bay Company (HBC), inglesa, que controlou a região até meados do século XIX.

Entre 1843 e 1860, milhares de colonos americanos migraram para oeste pela Oregon Trail (3.218km). Como resultado, americanos e ingleses dividiram a região em 1846, adotando o paralelo 49 como nova fronteira entre a Colúmbia Britânica, ao norte, e o Oregon, ao sul. O Oregon, que incluía os atuais estados do Oregon, Washington e Idaho, tornou-se território dos EUA dois anos mais tarde. Em 1852, sofreu nova divisão entre Washington e Oregon. Os menos beneficiados com a divisão de espólios foram os povos nativos. Doenças já haviam dizimado muitas tribos, só que a partir de então os sobreviventes foram removidos de suas terras e transferidos para reservas.

Portland, Cidade das Rosas

Políticas

Quase 10 milhões de pessoas chamam o Pacífico Noroeste de lar. O grande surto de crescimento da população hispânica por todo o país nas duas últimas décadas é visível também na região. Hoje os hispânicos constituem o maior grupo étnico do Oregon, representando quase 12% da po-

PRINCIPAIS DATAS HISTÓRICAS

1543 O explorador espanhol Juan Rodriguez Cabrillo navega a costa sul do Oregon
1765 Robert Rogers mapeia o vasto território que ele chama de Oregon
1792 Robert Gray cruza o rio Colúmbia
1829 Oregon é a primeira cidade a oeste das Montanhas Rochosas
1846 EUA compra Oregon e Washington
1848 É criado o território do Oregon
1851 Portland é anexada
1852 Funda-se o território de Washington
1859 O Oregon torna-se o 33º estado
1865 Seattle é anexada
1897 A Corrida do Ouro de Klondike traz prosperidade a Seattle
1889 Washington torna-se o 42º estado
1905 Portland sedia a Feira Mundial com a Exposição de Lewis e Clark
1916 Criação da Boeing Air Company em Seattle
1949 Terremoto em Seattle
1975 Bill Gates e Paul Allen fundam a Microsoft
1980 Erupção do St. Helens, em Washington
1995 Amazon.com é criada em Seattle

Interpretação romantizada da Oregon Trail, a trilha para o Oeste, pintada por volta de 1904

Snowboarding no monte Hood, Oregon

pulação do estado. Os hispânicos também formam 11% da população local de Washington. Os nativos americanos têm igualmente significativa presença ali, tendo-se recuperado do declínio sofrido após a colonização europeia. Muitas tribos continuam vivendo em comunidades tradicionais, e o advento de dezenas de cassinos tribais trouxe uma fonte de renda.

Portland e Seattle estão entre as cidades que crescem mais rápido no continente. Embora ambas tendam a ser liberais em sua política, outras áreas do Pacífico Noroeste continuam conservadoras. Mesmo assim, a área caracteriza-se por um clima político único. Os habitantes do Oregon foram os primeiros dos EUA a aprovar o suicídio assistido para doentes terminais, e os de Washington, os primeiros a eleger um governador asiático-americano. Culturalmente, a região tem uma rica tradição de excelência nas artes, ciência, serviço público e empreendimentos inovadores. Alguns dos talentos mais criativos da região são Dale Chihuly (n. 1941), um dos mais renomados escultores em vidro do mundo; a lenda do rock Jimi Hendrix (1942-70); Matt Groening (n. 1954), criador do seriado *Os Simpsons*; e Linus Pauling (1901-94), vencedor de dois prêmios Nobel, o de Química em 1954 e o da Paz em 1962.

Economia

Nos anos recentes, a economia da região passou por grandes mudanças. Enquanto setores tradicionais como pesca, mineração e madeira lutam para sobreviver, os de serviços e tecnologia florescem. Desde a década de 1980, quando Bill Gates e Paul Allen, os fundadores da Microsoft, principal empresa de software para computadores do mundo, estabeleceram seu quartel-general em Redmond, houve uma proliferação de empresas de alta tecnologia. Perto de 3 mil negócios de software e comércio por internet operam só na área de Seattle. Jeff Bezos, outro empreendedor com base em Seattle, lançou a Amazon.com, maior varejista da internet do mundo. Entre as demais grandes empresas com interesses na área estão gigantes do setor de computação como Intel, Adobe e Hewlett-Packard, a líder aeroespacial Boeing, que opera várias unidades no oeste de Washington, e a Nike, de material esportivo. A Starbucks, cafeteria inaugurada no Pike Place Market de Seattle na década de 1970, hoje tem filiais no mundo todo.

Luz de néon no Pike Place Market, Seattle

Em meio a essa transformação econômica, um setor tem ido bem com regularidade. Cada vez mais turistas desembolsam boas quantias para apreciar o maior recurso do Pacífico Noroeste – sua beleza natural. A região oferece grandes oportunidades para esportes radicais, como rafting, caiaque, caminhadas, esqui e escaladas, e também muitas opções de lazer mais tranquilo, como sentar junto a um regato de montanha ou passear por uma praia afastada.

A primeira loja da rede de cafeterias Starbucks do mundo, em Seattle; hoje há filiais em mais de 60 países

Como Explorar o Pacífico Noroeste

O Pacífico Noroeste, que inclui os estados de Oregon e Washington, é uma região de grande beleza natural. Suas grandiosas montanhas, profundos cânions, lagos cristalinos, rios poderosos e litoral recortado oferecem aos visitantes muitas atividades ao ar livre. Igualmente atraentes são suas cidades principais – Portland e Seattle –, com excelentes museus e vibrante cena cultural. Ambas têm acesso fácil, de avião, carro ou trem. Mas o melhor modo de explorar a região, em especial as áreas remotas, como o Hell Canyon de Oregon e a Olympic Peninsula em Washington, é de carro.

O Space Needle, cartão-postal de Seattle

Principais Atrações

Washington

1. *Seattle pp. 604-7*
2. Olympic Peninsula
3. Port Townsend
4. Bellingham
5. *San Juan Islands pp. 610-1*
6. North Cascades Highway
7. Lake Chelan
8. Leavenworth
9. Spokane
10. Walla Walla
11. Yakima Valley
12. Maryhill
13. *Mount Rainier National Park pp. 614-5*
14. Tacoma
15. Olympia
16. Mount St. Helens National Volcanic Monument
17. Fort Vancouver National Historic Site

Oregon

18. *Portland pp. 618-9*
19. Columbia River Gorge
20. Mount Hood
21. Astoria
22. Oregon Coast
23. Salem
24. Eugene
25. Madras & Warm Springs
26. Sisters
27. Bend
28. Newberry National Volcanic Monument
29. *Crater Lake National Park pp. 624-5*
30. Oregon Caves National Monument
31. Ashland
32. Steens Mountain
33. Malheur National Wildlife Refuge
34. John Day Fossil Beds National Monument
35. Pendleton
36. Wallowa Mountains
37. *Hell's Canyon National Recreation Area pp. 628-9*

Legenda dos símbolos *na orelha da contracapa*

INTRODUÇÃO AO PACÍFICO NOROESTE | 603

Tabela de Distâncias

Seattle, WA

10 = Distância em milhas
10 = Distância em quilômetros

109	Port Townsend, WA					
175						
280	367	Spokane, WA				
451	591					
273	374	157	Walla Walla, WA			
439	602	253				
172	205	352	243	Portland, OR		
277	330	566	391			
179	190	445	330	87	Astoria, OR	
288	306	716	531	140		
219	251	398	289	46	125	Salem, OR
352	404	640	465	74	201	
461	494	642	536	289	368	244	Ashland, OR
742	795	1033	863	465	592	393	

Legenda

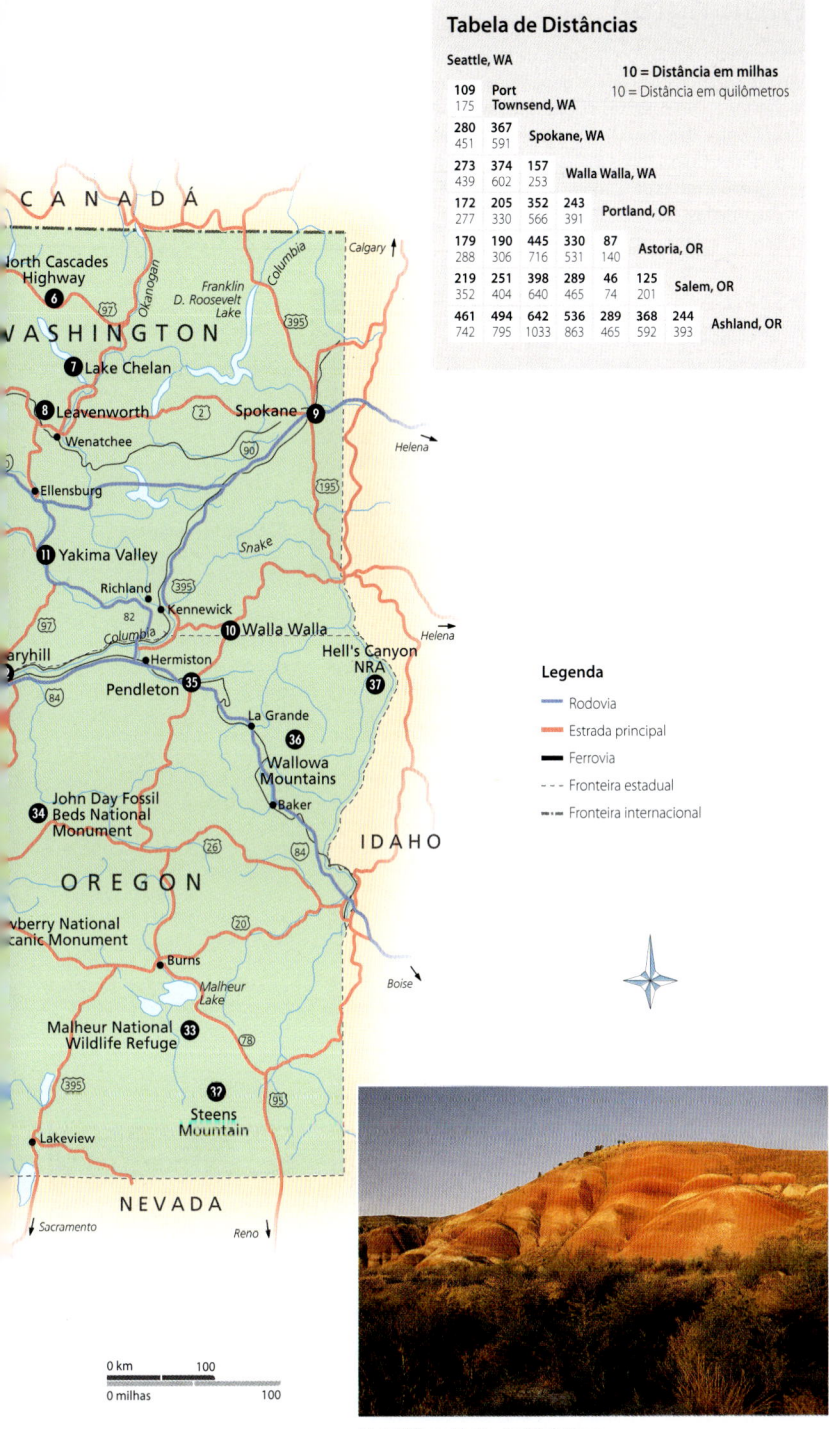

— Rodovia
— Estrada principal
— Ferrovia
--- Fronteira estadual
–··– Fronteira internacional

Painted Hill, nas John Day Fossil Beds, Oregon

Washington

Único estado dos EUA com nome de presidente, Washington tem uma grande diversidade geográfica em seus 176.466km^2 de território. Das suas três distintas regiões geográficas, a costeira Olympic Peninsula tem predomínio de grandes trechos de florestas. Quase todas as maiores cidades do estado ficam na região oeste, verde e úmida, espalhadas em volta de Puget Sound. Um passeio pelos belos picos de North Cascades leva ao leste do estado, ensolarado e seco.

❶ Seattle

608.000. 800 Convention Place, Street Level, (206) 461-5840. visitseattle.org

Situada entre Puget Sound e o lago Washington, com o monte Rainier ao fundo, Seattle tem localização espetacular. Lar da Microsoft e da Amazon. com, a cidade cresceu muito desde a Corrida do Ouro de Klondike em 1897-98 *(p. 723)*. Sua excelente localização geográfica e o invejável estilo de vida fazem de Seattle uma das mais atraentes cidades dos Estados Unidos.

Corrida do Ouro exposta no Klondike National Historical Park

Pioneer Square

Limitado por Alaskan e Yesler Ways, 4th Ave e S King St. 15, 16, 18, 22, 56. Occidental Park. Klondike Gold Rush National Historical Park 319 2nd Ave S. Tel (206) 220-4240. 9h-17h diariam. 1º jan, Ação de Graças, 25 dez. nps.gov/klse

Centro original de Seattle e mais tarde reduto de marginais, a Pioneer Square foi revitalizada e hoje é uma área de negócios e um bairro histórico, com uma agitada cena artística. Muitos de seus edifícios são do período entre os dois eventos-chave de Seattle – o Grande Incêndio de 1889 e a Corrida do Ouro de Klondike de 1897-98. O **Pioneer Building** na 1st Avenue, por exemplo, foi concluído três anos após o incêndio.

O papel de Seattle na Corrida do Ouro é contado no **Klondike Gold Rush National Historical Park**, na South Jackson Street. Uma instituição de Seattle, a **Elliott Bay Book Company**, nas proximidades, ocupa o local do primeiro hospital da cidade e tem cerca de 150 mil títulos à venda. Inaugurada em 1914, a **Smith Tower**, primeiro arranha-céu de Seattle, oferece belas vistas do seu mirante.

Pike Place Market

Limitado por Pike e Virginia Sts, 1st e Western Aves. Tel (206) 682-7453. 10, 12, 21, 22, 56. 9h-18h diariam (7h para peixes e vegetais); horários variam. Ação de Graças, 25 dez. pikeplacemarket.org

Alma de Seattle, o Pike Place Market é famoso por sua viva personalidade e pela abundância de produtos locais. Fundado em 1907, o mais antigo entreposto do país continuamente em operação é hoje um bairro histórico cheio de fazendeiros, artistas e performers de rua. Rachel, um imenso cofre em forma de porquinho, fica na entrada principal do mercado, cujo coração são o **Main Arcade** e o **North Arcade**, ao lado. Bancas vendem frutas frescas, verduras e flores dos produtores regionais. Quem compra "encontra com o produtor", como promete o *slogan* do mercado. Entre as atrações estão o Pike Place Starbucks, berço da onipresente cadeia, e o **Pike Place Fish**, o mais famoso vendedor de frutos do mar do mercado. No local, peixeiros anunciando seus produtos aos gritos são uma tradição.

Seattle Aquarium

Pier 59, 1.483 Alaskan Way. Tel (206) 386-4320. 10, 12, 15, 18, 21, 22, 56. Pike. 9h30h-17h diariam. 6 jun. seattleaquarium.org

Um dos maiores do país, o Seattle Aquarium exibe mais de 400 espécies de animais, plantas e mamíferos do Pacífico Noroeste. Um destaque é a imensa abóbada de vidro embaixo da água, com tubarões, polvos e outros animais de Puget Sound. A primeira ladeira de salmões em aquário do mundo – com peixes saltando até o lago para se reproduzirem – explica todo o ciclo do salmão do Pacífico. Na exposição **Life on the Edge** as crianças podem tocar estrelas-do-mar e eremitas-bernardos e examinar plâncton vivo por um videomicroscópio de alta resolução.

Pike Place Fish no Pike Place Market, que tem peixe e entretenimento

Veja hotéis e restaurantes dessa região nas pp. 632-5

WASHINGTON | 605

🏛 Seattle Art Museum
100 University St. **Tel** (206) 654-3100.
🚌 10, 12, 125. ⏰ 10h-17h qua-dom, 10h-21h qui. 🎟 (grátis 1ª qui do mês; para idosos também 1ª sex).
♿ 🛗 📷 🏛 🎧
🌐 seattleartmuseum.org

🏛 Benaroya Hall
200 University St. **Tel** (206) 215-4700.
🚌 125. ⏰ 10h-18h seg-sex, 13h-18h sáb (bilheteria). 🎭 12h e 13h ter e sex. ♿ 🛗 📷 🏛
🌐 seattlesymphony.org

Na entrada do Seattle Art Museum fica o gigantesco *Hammering Man*, escultura cinética de 15m de altura criada como tributo aos trabalhadores. Instalado em um prédio de calcário e arenito, o acervo do museu conta com 23 mil objetos, de relevos egípcios e esculturas em madeira africanas a quadros de mestres e arte contemporânea americana. As exposições itinerantes ficam no segundo andar. Também fazem parte do museu o Seattle Asian Art Museum no Volunteer Park, em Capitol Hill (*p. 606*), e o Olympic Sculpture Park, localizado na orla de Seattle. Cruzando a rua, ocupando o quarteirão inteiro, fica o **Benaroya Hall**, sede da Sinfônica de Seattle. Uma de suas duas salas de concerto, o Taper Auditorium, famoso por sua acústica excelente, tem 2.500 lugares. O Grand Lobby, impressionante quando iluminado à noite, oferece belas vistas da cidade. O Benaroya Hall promove passeios e tem uma ótima coleção de arte.

🚇 Belltown
Limitado por Denny Way, Virginia St, Elliot Ave e Broad St. 🚌 15, 18, 21, 22, 56. Austin A. Bell Building 2.326 1st Ave. Virginia Inn 1.937 1st Ave. **Tel** (206) 728-1937.
⏰ 11h-2h diariam. ♿ 🛗

Ao sul do Seattle Center fica a descolada Belltown, com suas avenidas amplas cheias de clubes da moda, restaurantes e lojas ecléticas. Ela já foi comparada ao Upper West Side de Manhattan. Antes uma área de estacionamento e tabernas de marinheiros, sua cara mudou a partir da década de 1970, quando artistas, atraídos por aluguéis baratos e espaço para ateliês, foram para lá. A construção de tijolos de quatro andares, **Austin A. Bell Building**, é uma das poucas originais que sobreviveram. Encomendado em 1888 por Austin Americus Bell, filho do pioneiro de Seattle William M. Bell, que deu nome à região, ele faz parte do National Register of Historic Places. Hoje abriga apartamentos de alto nível. O **Virginia Inn**, de tijolos e azulejos, no sul de Belltown, é outro prédio histórico. Popular ponto de encontro por mais de um século, atualmente é o mais badalado bar de arte de Seattle.

Escultura do Hammering Man, na entrada do Seattle Art Museum

Centro de Seattle
① Pioneer Square
② Pike Place Market
③ Seattle Aquarium
④ Seattle Art Museum
⑤ Belltown

Legenda dos símbolos *na orelha da contracapa*

Seattle: Além do Centro

Essa vasta cidade oferece muitas oportunidades para exploração e recreação. Logo ao norte do centro ficam os importantes locais culturais do Seattle Center, a nordeste o destacado Capitol Hill e mais para o interior o agitado University District, o Woodland Park Zoo e os pitorescos bairros de Fremont e Ballard.

🚌 Seattle Center
Ladeado por Denny Way, pela 1st Ave N, e pelas Mercer e Broad Sts.
ℹ️ (206) 684-7200. 🚇 Seattle Center.
🚌 1, 2, 3, 4, 13, 16, 18.
🌐 seattlecenter.com
Space Needle: 400 Broad St. **Tel** (206) 905-2100. ⏰ cheque horários. ♿
📷 🌐 spaceneedle.com
Experience Music Project/Science Fiction Museum: 325 5th Ave N.
Tel (206) 770-2700. ⏰ 10h-17h diariam (19h jun-ago). ● Ação de Graças, 25 dez. 📷 🎫 🛍️ 🍴 📷
🌐 empmuseum.org

O Space Needle, marco mais conhecido e principal atração turística de Seattle

Belo legado da segunda Feira Mundial da cidade, de 1962, esse parque urbano de 30ha contém várias estruturas inovadoras, locais de cultura e excelentes museus. A atração mais impressionante é o **Space Needle**. Apoiado em três curvas de aço, a casa de vidro no alto da agulha abriga um mirante e um restaurante giratório. Na base do Space Needle, o exuberante **Experience Music Project/ Science Fiction Museum**, desenhado por Frank Gehry, homenageia a música com objetos, exposições interativas e espaços para concertos. Os visitantes podem ouvir os músicos contando suas próprias histórias. O primeiro museu do mundo dedicado à ficção científica também está no local. Além das exibições, ele conta com um Hall da Fama, que introduz renomados escritores, artistas, editores e produtores do mundo da ficção científica.

O **Pacific Science Center** é composto de seis edifícios de concreto pré-moldado branco em volta de cinco arcos que se elevam sobre tanques de água e fontes com refletores. Suas mostras interativas de ciência e matemática despertam muito interesse, especialmente nas crianças.

O melhor jeito de chegar ao centro é pegar o **Seattle Monorail**. Ele cobre a distância de 2km entre a estação do centro (5th Avenue, na altura da Pine Street) e o Seattle Center em 90 segundos.

🚌 Capitol Hill
Entre Montlake Blvds E e NE, E Pike e E Madison Sts, 23rd Ave E e I-5.
🚌 3, 4, 48, 84.

O agitado Capitol Hill é um bairro curioso onde ninguém se assusta com cabelo roxo e piercings espalhados pelo corpo. A Broadway, principal avenida do bairro, é cheia de lojas e restaurantes étnicos. Pegadas de bronze, para ensinar tango e foxtrote aos transeuntes, estão cimentadas na calçada da Broadway.

Embora olhar as figuras locais seja uma boa diversão, Capitol Hill também tem dois cinemas clássicos: o **Egyptian Theater**, na East Pine Street, e o **Harvard Exit**, na East Roy Street. A colina também abriga a **St. Mark's Episcopal Cathedral**, na 10th Avenue Street, famosa por seu magnífico órgão Flentrop, com seus 3.944 tubos.

🏛️ Fremont
Limitado pela N 50th St, Lake Washington Ship Canal, Stone Way Ave N e 8th Ave NW.
🚌 26, 28.

Esse pitoresco bairro declarou ser uma "república de artistas" nos anos 1960, com seus estudantes, artistas e boêmios atraídos por aluguéis baratos. No final da década de 1990, sua cara começou a mudar depois que uma empresa de alta tecnologia montou sua sede ali. Mas Fremont preserva suas tradições, como a Summer Solstice Parade e as projeções de filmes ao ar livre.

A arte pública é típica de Fremont. Uma estátua de 4m de Lênin ergue-se acima dos pedestres em Fremont Place, e um gigante de 4,5m de altura comendo um Fusca espreita sob a ponte Aurora. Na 34th Street, a escultura de Richard Beyer *Pessoas esperando o interurbano* aparece muitas vezes vestida com roupas, por gente local. A cara do cão na escultura foi inspirada no rosto de um prefeito com o qual o artista se desentendeu.

🏛️ Museum of Flight
9.404 E Marginal Way S (saída 158 pela I-5). **Tel** (206) 764-5720.
🚌 154, 173, 174. ⏰ 10h-17h diariam (até 21h 1º qui do mês).
● Ação de Graças, 25 dez. 📷
🛍️ 🍴 🌐 museumofflight.org

Edifício do Experience Music Project, no Seattle Center

Veja hotéis e restaurantes dessa região nas pp. 632-5

Escultura de alumínio de Richard Beyer, em Fremont

Com o título de maior museu aeroespacial da costa Oeste, essa é uma das principais atrações de Seattle. Destaque para a Great Gallery, uma linda estrutura de seis andares, feita em aço e vidro, com 39 aeronaves de tamanho real penduradas. Dentre elas um M-21 Blackbird – uma das aeronaves mais velozes já construída – e uma réplica da Estação Espacial Internacional.

Outras aeronaves ficam na parte externa, em uma pequena pista. Os visitantes podem ter uma ideia do que era pilotar um avião de batalha na Segunda Guerra Mundial, ou uma simples asa-delta.

Próximo do museu fica o Red Barn, que conta a história da evolução do voo na humanidade. Exibições para crianças também estão disponíveis. Outra atração é uma completa torre de controle, na qual os visitantes podem ouvir as comunicações de tráfego aéreo do adjacente Boeing Field.

University District
Limitado pela NE 55th St, Portage Bay, Montlake Blvd NE e I-5.
4.014 University Way NE, (206) 543-9198. Dezolto linhas servem esse distrito. 0h-17h seg-sex. Washington Park Arboretum: 2.300 Arboretum Dr E. Tel (206) 543-8616. Centro de Visitantes: 9h-17h. Área externa: 7h-anoitecer. no Jardim Japonês.
depts.washington.edu/uwbg

O eixo do dinâmico U-District é a University of Washington, principal instituição de ensino do Noroeste. Situado no local da Feira Mundial de 1909, o belo parque do campus (280ha) abriga 42 mil estudantes e 218 prédios, que combinam vários estilos arquitetônicos. Junto à principal entrada do campus fica o **Burke Museum of Natural History and Culture**, com fósseis de dinossauros e arte dos nativos do Noroeste. No lado oeste do campus fica a **Henry Art Gallery**, primeiro museu público de arte do estado. A principal avenida da universidade, a **University Way Northeast**, a oeste do campus, é cheia de livrarias, barzinhos e restaurantes a bom preço. A University Village, a leste, tem lojas e restaurantes de categoria.

Uma visita obrigatória é o **Washington Park Arboretum**, um jardim de 93ha e museu de plantas vivas, com 4.600 espécies. Seu jardim japonês tem tanques de carpas e uma autêntica casa de chá que abre para cerimônias uma vez por mês.

Woodland Park Zoo
5.500 Phinney Ave N. Tel (206) 548-2500. 5. cheque os horários.
zoo.org

Projetado em 1899, esse é um dos zoológicos mais antigos da costa Oeste e uma das principais atrações de Seattle. As cerca de 300 espécies animais que vivem nos 37ha do zoo não são agrupadas por espécie, mas por ecossistemas, que procuram recriar seus hábitats naturais. Um centro de visitantes na entrada principal fornece mapas e outras informações, como os horários de alimentação dos animais. Entre os excelentes hábitats recriados está a **Elephant Forest** – com seu enorme tanque e uma réplica de um campo de toras tailandês – e a **Trail of Vines**, que contém a primeira cobertura florestal para orangotangos criada dentro de um zoológico. A **Family Farm** é um pequeno zoo de animais domésticos, e o Bug World, que exibe diversas espécies de artrópodes. Animais nativos da América do Norte podem ser vistos em seu hábitat natural na **Northern Trail**.

Ballard
Limitado pela Salmon Bay, Shilshole Bay e Phinney Ridge.
Dez linhas servem essa área. Hiram M. Chittenden Locks: 3015 NW 54th St. Tel (206) 783-7059. Área externa: 7h-21h diariam. Centro de visitantes: mai-set: 10h-18h diariam; out-abr: 10h-16h qui-seg.

Situado na parte noroeste de Seattle, o bairro de Ballard tem um toque nórdico que data de sua colonização por pescadores e lenhadores escandinavos em 1853. Na virada do século XIX, Ballard era uma cidade de serrarias, que produzia nada menos que 3 milhões de ripas de madeira por dia. Ao norte das serrarias, a **Ballard Avenue** era o centro comercial dessa área e hoje é um bairro histórico, com uma variedade de bares étnicos e agitadas casas de música.

Campanário histórico em Ballard

A herança escandinava da area é celebrada todo ano no Norwegian Constitution Day Parade, em 17 de maio, no excelente **Nordic Heritage Museum** na Northwest 67th Street.

Localizado no extremo oeste de Ballard, o **Hiram M. Chittenden Locks** permite que os barcos viajem entre as águas salgadas de Puget Sound e a água-doce dos lagos Union e Washington. Seus terrenos incluem os 3ha do Carl S. English Jr. Botanical Gardens.

❷ Olympic Peninsula

Olympic National Park Headquarters:
📍 3.002 Mt Angeles Rd, 1,6km ao S de Port Angeles, (360) 565-3130.
🌐 nps.gov/olym

Ladeada pelo oceano Pacífico, pelo estreito Juan de Fuca e por Puget Sound, a Olympic Peninsula de Washington é uma região extraordinária. Sua orla cheia de baías e enseadas é pontuada por majestosos promontórios erodidos pelas ondas, que formam elevações junto à praia. Algumas das montanhas, praias e florestas mais intactas do país estão nessa remota região.

Assentada na ponta noroeste da península, a histórica **Port Townsend** é conhecida por sua arquitetura vitoriana e pela vibrante comunidade de artistas. O filme *A força do destino* (1982), com Richard Gere, foi rodado no local. Ao sul, **Port Gamble**, antiga cidade madeireira na península Kitsap, preservou suas casas em estilo vitoriano da Nova Inglaterra, o armazém e a igreja.

A principal atração da península é o vasto **Olympic National Park** *(p. 44)*, uma reserva da biosfera da Unesco e Patrimônio da Humanidade. Abrangendo 373.540ha, esse parque de incrível diversidade biológica é um tesouro de picos nevados, lagos, cachoeiras, rios e florestas. Cortando o centro do parque ficam as escarpadas montanhas Olympic, cobertas de geleiras. Com seu pico oeste atingindo 2.428m de altura, o monte Olympus, com três picos, é a montanha mais alta da cadeia.

O quartel-general do parque fica em **Port Angeles**, uma ativa cidade portuária. Abrigada pelas montanhas Olympic, Sequim (pronuncia-se "Squim") oferece um local para observação de alces e a Olympic Game Farm, lar de espécies animais ameaçadas de extinção. A sudeste de Sequim, a **Hurricane Ridge** permite vistas panorâmicas das montanhas Olympic, do estreito Juan de Fuca e da ilha Vancouver, desde seu pico de 1.594m. Na primavera, o cume fica coberto de flores silvestres.

A oeste fica a pitoresca área do lago Crescent. A pesca de truta é a principal atração desse lago profundo (190m) de água doce, cujas águas cristalinas também fazem dele uma ótima opção para mergulho. O histórico hotel **Lake Crescent Lodge**, localizado na praia sul do lago, é um local adorável para ficar. Mais a oeste, a praia **Rialto Beach**, com 6,5km de extensão, oferece vistas incríveis da costa do Pacífico, com restingas, promontórios, ilhas rochosas e o Hole in the Wall, um túnel cavado na rocha pelas ondas. Esse litoral recebe a maior precipitação de chuvas do estado. Por isso, as florestas cobrem boa parte da região. A **Hoh Rainforest**, com precipitação anual de 4m, é um lugar mágico, cheio de espruces sitka, abetos-douglas, teixos e cedros-vermelhos, cobertos de musgo. As árvores antigas dali alcançam 90m de altura, e até as samambaias têm altura maior que a de uma pessoa. Também há florestas em volta das praias do lago Quinalt. Montanhas de picos nevados rodeiam esse lago glacial, que atrai pescadores e nadadores.

A vida selvagem é abundante na Olympic Peninsula – há muitos gamos e ursos, e o Olympic National Park tem o maior rebanho de alces Roosevelt do país. A península oferece também muitas atividades ao ar livre, como pesca com isca e de mar profundo, caiaque, rafting, mountain biking, caminhadas e observação de pássaros. O esqui e as caminhadas na neve são atividades muito populares no inverno.

O Olympic Peninsula's Lake Crescent Lodge, à margem do lago

As majestosas montanhas Olympic no Olympic National Park

Veja hotéis e restaurantes dessa região nas pp. 632-5

O Point Wilson Lighthouse, no Fort Worden State Park, em Port Townsend

❸ Port Townsend

🏠 9.100. 🚢 a partir de Keystone, na Whidbey Island, e de Edmonds. 🛈 2.437 E Sims Way, (888) 365-6978. 🌐 jeffcountychamber.org

Esse porto marítimo, Marco Histórico Nacional, é um dos três únicos portos marítimos do National Registry. Um surto de construção no final do século XIX presenteou a cidade com grandes mansões vitorianas, que hoje são a pedra de toque de seu agitado setor turístico.

No centro, a romanesca **Jefferson County Courthouse**, com sua alta torre de relógio de 38m, é considerada a joia da arquitetura vitoriana de Port Townsend. Mais afastada, a antiga prefeitura é hoje a **Jefferson County Historical Society**, sede da câmara, além de um excelente museu. Outros edifícios famosos são a Ann Starrett Mansion e a Rothschild House.

A **Fire Bell Tower**, no centro, foi construída para chamar os bombeiros voluntários da cidade. O farol **Point Wilson Lighthouse**, no Fort Worden State Park, é de 1879 e ainda está em operação. O forte tem dezenas de prédios históricos e os jardins são ótimos para relaxar.

Port Townsend é também uma excelente base para quem quer fazer observação de baleias, andar de caiaque e passear de bicicleta.

Torre da antiga prefeitura, Bellingham

❹ Bellingham

🏠 81.000. ✈ 🛈 904 Potter St, (800) 487-2032. 🌐 bellingham.org

Com vista para a baía de Bellingham e para várias das ilhas San Juan *(pp. 610-1)*, essa cidade formou-se a partir de outras quatro – Whatcom, Sehome, Bellingham e Fairhaven – e ganhou autonomia em 1904.

Sua arquitetura histórica inclui a Old Whatcom County Courthouse na East Street, primeiro edifício de pedra ao norte de São Francisco, de 1858, e o majestoso City Hall, de 1892, em estilo vitoriano do segundo império. Esse último faz parte do **Whatcom Museum of History and Art**, que oferece mostras sobre o passado de Bellingham. O principal prédio do museu, The Lightcatcher, inaugurado em 2009, apresenta uma icônica parede translúcida e abriga exposições de arte periódicas, além de uma galeria para crianças. No centro, o Art District possui muitos restaurantes, galerias de arte e lojas especializadas. Ao sul, o bairro histórico de Fairhaven é um enclave de edifícios vitorianos com galerias, restaurantes e livrarias.

Saindo do centro e subindo a montanha fica o *campus* da **Western Washington University**, com sua famosa coleção de esculturas ao ar livre, que inclui obras de artistas norte-americanos como Richard Serra, Mark di Suvero e Richard Beyer.

De Bellingham saem ferry-boats de passageiros para cruzeiros de observação de baleias e passeios pela ilha Vancouver e pelas ilhas San Juan. Perto da cidade há vários parques junto ao mar, com trilhas para caminhadas e bicicleta e áreas de lazer. Ao sul, fica a estrada panorâmica de Chuckanut Drive (Hwy 11), de 34km. A 90km para leste de Bellingham situa-se o monte Baker (3.285m), muito procurado para esqui e snowboarding.

🏛 **Whatcom Museum of History & Art**
250 Flora St. **Tel** (360) 778-8930. ⏰ 12h-17h qua-dom (até 20h qui, desde 10h sáb). 🌐 whatcommuseum.org

🏛 **Western Washington University**
🛈 S College Dr e College Way. **Tel** (360) 650-3000. Informação do *campus*: ⏰ meados set-meados jun: 7h15-20h seg-sex; meados jun-meados set: 7h15-16h30 seg-sex, 9h30-14h30 sáb. ● feriados.
🌐 edu.com

Armadilhas de caranguejo, num barco no porto de Bellingham

❺ San Juan Islands

Espalhado entre a parte continental de Washington e a ilha Vancouver, o arquipélago de San Juan é formado por cerca de 700 ilhas, 176 delas nomeadas. Ferryboats partem de Anacortes para as quatro maiores ilhas – Lopez, Shaw, Orcas e San Juan. Carinhosamente chamada de "Slopez" por causa de seu ritmo lento, Lopez, com suas estradas ondulantes, muitos pontos de parada e motoristas tranquilos, é ótima para passeios de bicicleta. Orcas, em formato de ferradura e a mais montanhosa das ilhas, oferece vistas incríveis do alto do monte Constitution (734m). Para quem vai a pé, a melhor opção é a ilha San Juan, onde fica Friday Harbor, maior cidade do arquipélago. O Whale Museum, de renome nacional, fica no local. Basicamente residencial, a Shaw Island tem instalações para visitantes limitadas.

Veleiros no Canal
Velejadores adoram os muitos portos e os bons ventos do Canal San Juan.

★ Roche Harbor
Charmosa vila do litoral, Roche Harbor tem uma bela marina, jardins vitorianos, uma capela e o histórico Hotel de Haro, construído em 1886.

Lime Kiln Point State Park
Esse parque estatal, com seu pitoresco farol, é o único parque do país dedicado à observação de baleias.

Veja hotéis e restaurantes dessa região nas pp. 632-5

WASHINGTON | 611

★ Deer Harbor
Fãs do caiaque adoram Deer Harbor e as águas em volta das ilhas Orcas, Lopez e San Juan.

PREPARE-SE

Informações Práticas
ℹ️ Informações aos visitantes:
Tel (888) 468-3701, (360) 378-6822, (206) 464-6400.
🌐 wsdot.wa.gov/ferries
🌐 visitsanjuans.com

Transporte
⛴ Washington State Ferries de Anacortes até Lopez, Shaw, Orcas e San Juan Islands.

★ Lopez
Lopez, com suas elevações suaves, é a mais plana das ilhas San Juan, o que a torna uma boa opção para ciclismo de lazer.

★ Friday Harbor
Maior cidade das ilhas San Juan, Friday Harbor tem restaurantes, hotéis, galerias e lojas – todos a uma distância fácil de percorrer a pé a partir do cais do ferryboat.

Legenda
— Estrada principal
— Estrada secundária
- - - Rota do ferryboat

Legenda dos símbolos *na orelha da contracapa*

O incrível azul-turquesa do lago Diablo, no North Cascades National Park

❻ North Cascades Highway

State Rte 20.

Essa panorâmica estrada constitui o caminho de montanhas mais ao norte do estado de Washington. Ela perfaz o trecho de 213km da Highway 20 entre Winthrop a leste e a I-5 a oeste. Cortando em dois o **North Cascades National Park**, a estrada oferece acesso a muitas maravilhas desse ecossistema de beleza impressionante, com seus picos cobertos de neve, vales de florestas e cachoeiras. A estrada inteira fica aberta de meados de abril a meados de outubro.

A North Cascades segue o rio Skagit, passando por Gorge Creek Falls, lago Diablo e Ruby Creek. No caminho, o Ross Lake Overview é um ponto ideal para apreciar o belíssimo lago. A 1.669m de altitude, o **Washington Pass Overlook** oferece vistas maravilhosas da escarpada passagem até a montanha Liberty Bell. Uma das atrações do parque é o **Mount Shuksan**, com 2.783m de altitude, um dos mais elevados do estado.

Esse parque gélido abriga uma variedade de animais – águias-carecas, lobos-cinzentos e ursos. Muitas trilhas de caminhadas ligam a estrada à tranquila cidade de Stehekin, no extremo norte do lago.

North Cascades National Park
SR 20, perto do marco 120 e de Newhalem, (360) 854-7200.
nps.gov/noca

❼ Lake Chelan

102 E Johnson Ave, (800) 424-3526. lakechelan.com

O magnífico lago Chelan, no remoto extremo noroeste de Cascades, detém a distinção de ser o terceiro lago mais profundo do país, com 457m em seu ponto mais fundo. Alimentado por 27 glaciares e 59 correntes de água, o lago, que tem menos de 3km de largura, estende-se por 89km. No verão, ele é um local cheio de atividade – barcos, pesca, mergulho, esqui aquático e windsurfe. A cidade-estância de **Chelan**, no extremo sudeste do lago, é um ponto de férias bem popular para várias gerações de pessoas do oeste do estado, que procuram o tempo mais ensolarado e seco dessa região. Aquecida ao abrigo das montanhas Cascade, a cidade tem 300 dias de sol por ano. O antigo cinema **Ruby Theatre**, na East Woodin Avenue, é um dos mais velhos cinemas continuamente em operação do Noroeste. Outros destaques de Chelan são os murais nos edifícios, que contam a história do vale do lago Chelan.

A cerca de 14km do centro de Chelan fica a cidade de **Manson**, que tem como atração principal a Scenic Loop Trail. Ela permite explorar os pomares e a região montanhosa próximos. Um pouco mais longe, ao norte, a cidade de **Stehekin**, à beira do lago, pode ser alcançada de ferryboat.

Placa recebe visitantes no lago Chelan

❽ Leavenworth

2.000. 220 9th St, (509) 548-5807. leavenworth.org

Antiga cidade madeireira, Leavenworth, ao pé das montanhas Cascade, no centro de Washington, é hoje uma pequena cidade em estilo alemão que parece ter saído de um conto de fadas. Esse aspecto foi conscientemente desenvolvido na década de 1960 para ajudar a revitalizar a cidade, e hoje cada um dos seus edifícios comerciais, incluindo o Starbucks e o McDonald's, dão a impressão de que a cidade fica nos Alpes.

Hoje, Leavenworth se agita com festivais, mostras de arte e produções de teatro de verão, atraindo mais de 1 milhão de visitantes por ano. Entre suas festas populares estão a Fasching, um Carnaval da Baváriafestejado em fevereiro; a Maifest, com seus trajes do século XVI, danças de fita e torneios; e a Oktoberfest (p. 40), tradicional festa com comida alemã, cerveja e música. Além de lojas e restaurantes em estilo da Bavária, a cidade tem ainda o **Leavenworth Nutcracker Museum**, com mais de 4.500 quebra-nozes de 38 países, alguns com mais de 500 anos.

Leavenworth Nutcracker Museum
735 Front St. **Tel** (509) 548-4573.
mai-out: 14h-17h diariam;
nov-abr: 14h-17h sáb-dom.
para grupos, marcar antes.

Tradicional vagão de chope, puxado a cavalo, em Leavenworth

Veja hotéis e restaurantes dessa região nas pp. 632-5

● Spokane

- 209.000.
- 201 W Main Ave, (888) 776-5263.
- visitspokane.com

Maior cidade não litorânea de Washington, Spokane é o centro comercial e cultural do interior do estado. A cidade foi reconstruída em tijolo e terracota após um incêndio em 1889 – seus belos edifícios são herança desse surto de construção.

Spokane é a menor cidade a ter sediado uma Feira Mundial (Expo '74). O local da feira é hoje o amplo **Riverfront Park**, uma área de 40ha no coração da cidade. Dos dois museus da cidade, o **Northwest Museum of Arts & Culture** trata da história regional, enquanto o **Campbell House** (1898) é um museu interativo. Outras atrações são um cinema IMAX® e um carrossel de 1909. Uma trilha de 60km liga a cidade ao Riverside State Park, 10km a noroeste.

Northwest Museum of Arts & Culture
2.316 W 1st Ave. **Tel** (509) 456-3931.
10h-17h qua-sáb.
feriados.
northwestmuseum.org

● Walla Walla

- 31.000.
- 29 E Sumach St, (509) 525-0850.
- wwvchamber.com

Localizado no canto sudeste do estado, Walla Walla é um oásis verde no meio de paisagem árida. A cidade tem vários edifícios listados no National Register, belos parques e muita arte pública. O belo *campus* da **Whitman College**, uma das faculdades de arte mais prestigiosas do país, fica a três quadras do centro.

Local apreciado por muitos conhecedores de vinhos, o vale de Walla Walla tem mais de 35 vinherias – várias bem no centro da cidade. Outros destaques da cidade são suas deliciosas cebolas doces e o Hot Air Balloon Stampede, um rali anual de balões com 35 pilotos, realizado em maio. Esse evento também tem música ao vivo, barracas de arte e artesanato e outras atrações.

Pode-se ter uma boa ideia da história da área no **Fort Walla Walla Museum**, na Myra Road, com originais e réplicas de edifícios pioneiros. O **Whitman Mission National Historic Site**, cerca de 11km a oeste da cidade, é um memorial aos missionários pioneiros Marcus e Narcissa Whitman, massacrados pelos índios cayuse. Nos fins de semana, a Living History Company homenageia a história local com música e dança.

Uvas do Yakima Valley

Fort Walla Walla Museum
755 Myra Rd. **Tel** (509) 525-7703.
10h-17h diariam (nov-dez: até 16h diariam; jan-mar: até 16h seg-sex).
(ligue antes). agende.
fortwallawallamuseum.org

Whitman Mission National Historic Site
Hwy 12. **Tel** (509) 522-6360.
jun-set: 8h-18h diariam; out-mai: 8h-16h30 diariam. 1º jan, Ação de Graças, 25 dez. (exceto Monument Hill). nps.gov/whmi

● Yakima Valley

- 10 N 8th St, Yakima, (800) 221-0751.
- visityakima.com

Com seu rico solo vulcânico, abundância de água de irrigação e 300 dias de sol por ano, o Yakima Valley é o quinto maior produtor de frutas, legumes e verduras dos EUA e abriga mais de 40 vinherias regionais. Yakima, a maior comunidade do vale e seu eixo comercial, é um bom ponto de partida para visitar as premiadas vinherias do vale. A 40 minutos de carro ficam White Pass e Chinook Pass, bons locais para caminhadas, pesca ou passeios de mountain bike e rafting. Outra opção é conhecer a cultura nativa no Yakima Nation Cultural Center.

● Maryhill

- 100. Klickitat County Visitor Information Center, (509) 773-4395.

Um remoto penhasco sobre o rio Colúmbia foi o local em que o empresário Sam Hill decidiu construir sua luxuosa mansão. Em 1907, ele comprou 2.833ha ali, com o sonho de criar uma utópica colônia para fazendeiros quacre. Ele chamou a comunidade de Maryhill, em homenagem a sua filha Mary. A comunidade ideal não se concretizou, e Hill transformou sua mansão inacabada num museu. Entre os tesouros do acervo do **Maryhill Museum of Art** estão o trono e o traje de ouro da coroação de sua amiga rainha Marie da Romênia, 87 esculturas e desenhos de Auguste Rodin e uma impressionante coleção de arte indígena. Os belos jardins incluem uma área para piquenique.

Maryhill Museum of Art
35 Maryhill Museum Dr, Goldendale.
Tel (509) 773-3733. 15 mar-15 nov: 10h-17h diariam.
maryhillmuseum.org

Balões sobre Walla Walla durante o Hot Air Balloon Stampede

Mount Rainier National Park

Fundado em 1899, o Mount Rainier National Park ocupa 872km², dos quais 97 por cento são selvagens. Seu principal destaque é o Mount Rainier, um vulcão ativo que se ergue a 4.392m acima do nível do mar. Cercado por florestas antigas e campinas de flores silvestres, o monte Rainier recebeu esse nome, em 1792, do capitão George Vancouver (p. 600), em homenagem a seu colega oficial naval inglês Peter Rainier. Marco Histórico Nacional desde 1997, o parque, que abriga arquitetura rústica das décadas de 1920 e 1930 do National Park Service, atrai 2 milhões de visitantes por ano, que no verão vêm para caminhadas, alpinismo e camping; no inverno, o local é procurado para caminhadas na neve e esqui *cross-country*.

Mount Rainier Nisqually Glacier
Perto da entrada Paradise, a geleira Nisqually é uma das mais visíveis no monte Rainier. A geleira continua a diminuir à medida que o clima esquenta.

Mount Rainier Narada Falls
Uma das mais espetaculares quedas-d'água do rio Paradise, as Narada Falls ficam a uma curta caminhada da Route 706, em terreno íngreme. As águas têm uma queda livre de 51m.

National Park Inn
Esse hotel pequeno e acolhedor, localizado em Longmire e aberto o ano todo, é um local perfeito para apreciar belíssimas vistas do monte Rainier.

Veja hotéis e restaurantes dessa região nas pp. 632-5

WASHINGTON | 615

★ Emmons Glacier
Com 11km², o Emmons Glacier, na vertente leste do monte Rainier, é a maior geleira dos "48 estados mais baixos".

PREPARE-SE

Informações Práticas
Hwy 706 perto de Ashford.
Jackson Visitor Center, Paradise. **Tel** (360) 569-2211.
mai-out: 10h-17h diariam; nov-abr: 10h-17h sáb-dom, feriados. Entrada Nisqually: o ano todo. Entrada White River: só no verão, horário varia.
w nps.gov/mora

★ Sunrise
A 1.950m, Sunrise é o ponto mais alto acessível de carro aos visitantes. Fica aberto só no verão, quando as flores silvestres podem ser admiradas.

★ Paradise
Paradise, destino mais popular do parque, fica aberto o ano todo e tem um excelente centro de visitantes, além de trilhas muito bem sinalizadas.

Como Circular

Vindo do Sudoeste (Hwy 706), entre no parque pelo portão Nisqually. Aberta o ano todo, essa é a principal entrada no inverno. Depois de guiar 10km de carro você chega a Longmire, onde as instalações incluem um hotel e um museu, e ao Wilderness Information Center, aberto do final de maio até outubro. A estrada de 19km entre Paradise e Longmire é inclinada; guie com cuidado. Carregue correntes quando viajar de carro no inverno. Verifique a situação das estradas antes de sair, já que as condições podem mudar e as interdições podem ser iniciadas sem grande aviso prévio.

Legenda
— Estrada secundária
= Estrada para 4x4
- - Trilha para caminhadas

Legenda dos símbolos *na orelha da contracapa*

Moderna fachada de aço inoxidável do Tacoma Museum of Glass

⓮ Tacoma

198.000. ✈ ℹ 1.516 Pacific Ave, (253) 627-2836, (800) 272-2662. **w** traveltacoma.com

Terceira maior cidade de Washington, localizada ao sul de Seattle, Tacoma foi fundada como uma serraria na década de 1860. Ela prosperou com a chegada da ferrovia no final da década de 1880, tornando-se um grande porto de embarque para madeira, carvão e grãos. Muitos dos barões das ferrovias, da madeira e da marinha mercante do Pacífico Noroeste instalaram-se no bairro Stadium, em Tacoma. Essa área histórica, com suas majestosas mansões da virada do século XX, é assim chamada por causa da **Stadium High School**, um casarão em estilo francês conhecido como "Castelo".

A estrela da orla revitalizada da cidade é o impressionante **Museum of Glass**. Esse prédio, que ocupa 6.968m², tem mostras de arte contemporânea, com ênfase no vidro. Um original cone de metal de 37m abriga um espaçoso ateliê de vidro soprado.

A incrível Chihuly Bridge of Glass serve como passagem de pedestres ligando o museu ao centro de Tacoma e ao inovador **Washington State History Museum**. Esse museu promove exposições interativas, mostras de alta tecnologia e histórias dramatizadas encenadas por atores vestindo trajes de época, que narram fatos da história do estado.

Placa do centro antigo de Tacoma

O **Tacoma Art Museum** (4.645m²), revestido de aço inoxidável, foi projetado para ser um dinâmico centro cultural e atração da cidade. Seu acervo crescente de obras, do século XVIII até nossos dias, inclui uma grande coleção de arte do Pacífico Noroeste, quadros de impressionistas europeus, gravuras japonesas de madeira e obras de vidro do artista de Tacoma Dale Chihuly (p. 601). Mantendo seu propósito de criar um local que "promova a comunidade através da arte", as instalações do museu abrigam ainda o Bill and Melinda Gates Resource Center, que oferece aos visitantes acesso a um vasto equipamento de pesquisa de alto nível. Crianças de todas as idades podem também usar o estúdio de produção de arte interativa interno, o ArtWORKS.

A atração mais popular de Tacoma é o **Point Defiance Park**, um dos vinte maiores parques urbanos dos EUA. Em seus 285ha, ele abriga o Fort Nisqually, primeiro assentamento europeu em Puget Sound e um grande estabelecimento de comércio de peles. O parque também tem sete jardins, um passeio panorâmico, trilhas para caminhadas e bicicleta, praias, uma marina e área de piquenique.

Destacando espécies nativas do litoral do Pacífico, o **Point Defiance Zoo and Aquarium**, na Pearl Street, tem mais de 5 mil animais. Um ponto privilegiado no oeste do parque oferece belas vistas do monte Rainier (pp. 614-5), de Puget Sound e da Tacoma Narrows Bridge, uma das mais longas pontes suspensas do mundo.

A vila de pescadores **Gig Harbor**, 17km ao sul de Tacoma, tem lojas e restaurantes que refletem a herança escandinava e croata de seus 6.500 habitantes.

🏛 Museum of Glass
1.801 E Dock St. **Tel** (253) 284-4750, (866) 468-7386. ◯ 10h-17h qua-sáb, 12h-17h dom (jun-ago: diariam), 10h-20h 3ª qui do mês. ● 1º jan, Ação de Graças, 25 dez. **w** museumofglass.org

🏛 Washington State History Museum
1.911 Pacific Ave. **Tel** (253) 272-3500. ◯ 10h-17h qua-dom. ● feriados. para grupos. **w** wshs.org

⓯ Olympia

46.000. ℹ 103 Sid Snyder Ave, SW, (360) 704-7544. **w** visitolympia.com

Assim chamada por suas magníficas vistas das montanhas Olympic, a capital de Washington fica na ponta sul de Puget Sound. O seu **State Capitol Campus** é dominado pelo Legislative Building (a assembleia, de 28 andares), cuja cúpula de arenito e tijolo de 87m é uma

O Legislative Building, no State Capitol Campus, Olympia

das mais altas do mundo. Um dos mais impressionantes do país, o *campus* abriga edifícios magníficos, além de fontes e monumentos. Seus jardins foram projetados em 1928 pelos irmãos Olmsted, filhos de Frederick Olmsted, um dos criadores do Central Park de Nova York *(p. 88)*.

O **State Capital Museum** oferece uma visão histórica dos assentamentos pioneiros de Washington em sua coleção de fotos e documentos antigos. Os **State Archives**, com seus registros e artefatos históricos, é outra instituição dedicada ao passado do estado. Ali podem ser vistas peças únicas, como os documentos do Canwell Committee, sobre pessoas suspeitas de serem comunistas na década de 1950 *(p. 60)*.

Ruas arborizadas, casas antigas, uma orla marítima pitoresca e uma comunidade cultural dinâmica, tudo isso contribui para o charme de Olympia. Apertados entre os edifícios históricos do centro ficam várias lojas, restaurantes e galerias. A uma distância fácil de percorrer a pé ficam atrações como o interessante **Olympia Farmers Market,** que oferece produtos locais, frutos do mar e artesanato, além de comida e diversão.

A **Percival Landing**, uma passagem de madeira de 2,5km junto a Budd Inlet, oferece vistas das montanhas Olympic, da cúpula da Assembleia, de Puget Sound e dos navios no porto.

State Capitol Campus
409 13th Ave SW, (360) 586-3460. 1º jan, Ação de Graças, 25 dez. Legislative Building: Memorial Day-Labor Day (1ª seg set): 8h-17h seg-sex, 9h-16h sáb-dom; Labor Day-Memorial Day: 8h-17h seg-sex. *campus*: de hora em hora 10h-15h diariam; Temple of Justice: 8h-17h seg-sex. ga.wa.gov/visitor

State Capital Museum
211 21st Ave SW. **Tel** (360) 753-2580. 10h-16h sáb. feriados. washingtonhistory.org

State Archives
1.129 Washington St SE. **Tel** (360) 586-1492. 8h30-16h30 seg-sex.

O monte St. Helens e área adjacente, após a explosão de 1980

⓰ Mount St. Helens National Volcanic Monument

Tel (360) 449-7800.
fs.fed.us/gpnf/mshnvm

Na manhã de 18 de maio de 1980, o monte St. Helens literalmente explodiu. Depois de um forte terremoto, o pico entrou em erupção, expelindo 4,17km³ de rocha no ar e causando a maior avalanche já registrada na história. Num piscar de olhos, a montanha perdeu 400m, e 606km² de floresta foram destruídos. A erupção também sacrificou 57 vidas humanas e a de milhões de animais e peixes.

Esse monumento de 44.000ha foi criado em 1982 para permitir que o ambiente se recuperasse naturalmente, além de incentivar a pesquisa, o lazer e a educação. Estradas e trilhas permitem aos visitantes explorar essa fascinante região de carro ou a pé. No lado oeste da montanha, a Hwy 504 leva a cinco centros de visitantes, que documentam o desastre e os esforços de recuperação. O Mount St. Helens National Volcanic Monument Visitor Center, no marco 5, oferece exposições sobre a história da montanha. O centro de visitantes em Hoffstadt Bluffs, no marco 27, oferece a primeira vista completa do monte St. Helens e dele saem passeios de helicóptero até à área da explosão, entre maio e setembro. O **Johnson Ridge Observatory**, no final da estrada, oferece vistas panorâmicas.

⓱ Fort Vancouver National Historic Site

Tel (360) 816-6230. abr-out: 9h-17h seg-sáb, 10h-17h dom; nov-mar: 9h-16h seg-sáb, 12h-16h dom. Ação de Graças, 24, 25 e 31 dez. restrito. nps.gov/fova

Entre 1825 e 1849, o Fort Vancouver era um importante posto avançado da Hudson's Bay Company, empresa inglesa de comércio de peles. Localizado perto de grandes rios e de recursos naturais, foi o centro das atividades políticas e comerciais do Pacífico Noroeste naqueles anos. Nas décadas de 1830 e 1840, o forte também forneceu suprimentos essenciais aos colonos.

O Fort Vancouver apresenta fiéis reconstruções de nove edifícios originais, como a cadeia e a loja de peles. Passeios guiados e reencenações mostram o passado do forte. Cerca de 1 milhão de objetos foram escavados desse local.

Bastião de três andares, de 1845, no Fort Vancouver

Oregon

O Oregon é conhecido por suas paisagens maravilhosas – montanhas de picos nevados, rios caudalosos, florestas verdejantes e desertos são apenas algumas das atrações desse estado tão diverso. Essa paisagem rústica foi ocupada pelos pioneiros que migraram pela Oregon Trail *(p. 446)*. Hoje, o estado é conhecido não só pelas belezas naturais, mas também por seus prazeres cosmopolitas. Portland, por exemplo, é uma das cidades mais sofisticadas e culturais do país.

Vista do anoitecer em Portland, à beira do rio Willamette

Portland

584.000. 701 SW 6th Ave, (503) 275-8355, (877) 678-5263. travelportland.com

Conhecida como "Cidade das Rosas", Portland foi fundada em 1843, na margem oeste do rio Willamette. Ela cresceu e virou um grande porto, mas, com a chegada da ferrovia e o declínio no comércio fluvial, o centro passou para a parte mais interna da cidade. Essa área, com seus edifícios de estrutura de aço, é hoje o centro de Portland, enquanto a Old Town abrange o antigo porto e o bairro à margem do rio. Os belos parques e jardins de Portland e seus marcos históricos bem preservados são um exemplo de planejamento urbano antecipado e bem-sucedido.

Pioneer Courthouse Square
SW Broadway e Yamhill St. **Tel** (503) 223-1613. pioneercourthousesquare.com

Essa praça para pedestres com calçamento de pedra, na parte leste do centro, é o coração de Portland, onde as pessoas se reúnem para assistir a concertos grátis na hora do almoço, ver mostras de flores e outros eventos ou apenas sentar e admirar sua bela cidade. Espaços subterrâneos perto da praça abrigam escritórios e lojas, entre eles o Portland Visitors Association Information Center, uma cafeteria e uma filial da Powell's City of Books, especializada em livros de viagem.

Nas proximidades fica a **Pioneer Courthouse**, primeiro prédio federal construído na região do Pacífico Noroeste. Ela abriga a Court of Appeals dos EUA e uma agência dos correios. Sua torre octogonal é um marco de Portland desde 1873. A Courthouse não é aberta ao público.

South Park Blocks
Limitado por SW Salmon St e I-405, SW Park e SW 9th Aves. Oregon Historical Society: 1.200 SW Park Ave. **Tel** (503) 222-1741. 10h-17h seg-sáb, 12h-17h dom. feriados. ohs.org
Portland Art Museum: 1.219 SW Park Ave. **Tel** (503) 226-2811. 10h-17h ter-qua e sáb, 10h-20h qui-sex, 12h-17h dom. feriados. portlandartmuseum.org

Uma faixa verde de gramados sombreados por olmos, construída a mando do negociante e legislador Daniel Lownsdale em 1852, o South Park Blocks é uma extensão de doze quadras que corta o centro da cidade. Ele abriga muitas estátuas e cerca de 40 fontes ornamentais, além de uma agitada feira local, realizada todo sábado, onde os produtores locais vendem suas mercadorias.

A **Oregon Historical Society**, ao sul do parque, tem imensos murais em sua fachada que retratam cenas da expedição de Lewis e Clark *(pp. 561-2)* e outros momentos importantes da história do estado. À mostra nas galerias, espalhadas por três edifícios, há pinturas, fotos, mapas e documentos históricos que fazem desse museu o maior repositório de artefatos históricos do estado.

O **Portland Art Museum**, em frente ao South Park Blocks na Southwest Park Avenue, é o museu mais antigo do Pacífico Noroeste. Sua boa coleção de obras europeias inclui trabalhos de Picasso, Van Gogh e Monet, e esculturas de Rodin e Brancusi. Seu Grand Ronde Center for Native American Art mostra máscaras, joias e totens criados pelos povos indígenas da América do Norte. Foi empreendido um programa de expansão, com a reforma do North Building e a criação de uma galeria subterrânea ligando os dois principais prédios do museu.

Governor Tom McCall Waterfront Park
Entre SW Harrison e NW Glisan Sts, SW Naito Pkwy e Willamette River.

Enterrado sob uma via expressa da década de 1940 até a de 1970, esse longo trecho de

O Saturday Farmers Market, no South Park Blocks

Veja hotéis e restaurantes dessa região nas pp. 632-5

OREGON | 619

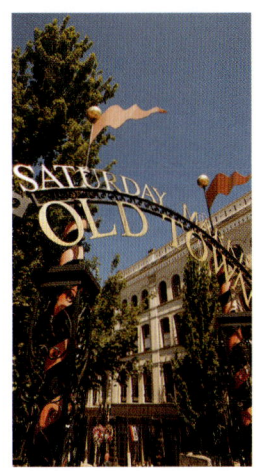

Portão principal do Saturday Market de Portland

2,5km junto ao rio Willamette foi recuperado e transformado num parque. Com o nome de Tom McCall, governador do Oregon de ideias ambientalistas de 1967 a 1975, o parque é hoje um passeio à beira do rio e local de muitas festas locais, como o Rose Festival, que ocorre todo ano entre maio e junho.

Uma de suas principais atrações é a **Salmon Street Springs**, uma fonte cujos cem jatos jorram água diretamente no pavimento, proporcionando alívio nos dias quentes. Outra atração é o **Battleship Oregon Memorial**, na sua ponta sul. Construído em 1956, esse memorial homenageia um barco de 1893 da marinha dos EUA. Uma cápsula em sua base, enterrada em 1976 com itens da época, será aberta em 2076.

A **RiverPlace Marina** na ponta sul do Tom McCall Park oferece opções de lazer como restaurantes, um dos hotéis mais modernos da cidade – o RiverPlace Hotel –, lojas finas, gramados, passeios junto ao rio e uma grande marina.

🏛 Old Town & Chinatown
Entre SW Naito Pkwy, NW Glisan St, NW 3rd Ave e SW Pine St.

As elegantes fachadas de tijolo e as ruas tranquilas da Old Town atual não dão pistas do turbulento passado dessa cidade de fronteira no século XIX. Hoje um National Historic Landmark, esse bairro à beira do rio já reuniu estivadores, construtores de barcos e comerciantes do mundo todo no seu auge como grande porto e centro comercial da cidade. A Old Town é hoje uma área moderna, agitada, em especial nos fins de semana, quando os comerciantes se juntam no **Portland Saturday Market**, maior feira de artesanato da América. O Chinatown Gate, enfeitado com um dragão, é a porta de entrada para Chinatown, lar dos muitos imigrantes asiáticos da cidade, que começaram a chegar ali há 135 anos. Seu tranquilo **Lan Su Chinese Garden** é um enclave murado no estilo Ming do século XV, com pavilhões e cursos d'água.

🏛 Pearl District
W Burnside para NW Lovejoy Sts, de NW 8th para NW 15th Aves. Portland Streetcar leste e sul para NW Lovejoy St e 11th Ave, norte e oeste para 10th Ave e NW Northrup St.
🚋 a cada 15min, 5h30-23h30 seg-sex, 7h15-23h30 sáb, 7h15-22h30 dom.
🌐 shopthepearl.com

Muitas vezes chamado de "mais novo" bairro de Portland, o Pearl District ocupa hoje uma antiga área industrial no lado norte da Burnside Street. Muitos dos antigos armazéns e indústrias foram reformados para abrigar galerias chiques, lojas de grife, estúdios de design, clubes, bares, restaurantes e cervejarias. É bom visitar o Pearl District na primeira quinta-feira do mês, durante o evento First Thursday, quando as muitas galerias de arte da área ficam abertas até tarde, em geral 21h. O bairro tem uma agenda de eventos, desde pequenos grupos de jogos para crianças até feiras regulares como a Farmers' Market, realizada todas as quintas no verão. O site traz detalhes. Uma maneira curiosa de ir do Pearl District até a Nob Hill, um gracioso bairro do fim do século XIX, é pegar o **Portland Streetcar**. Esses bondes tchecos, apesar de lentos, são práticos e gratuitos dentro da área do centro da cidade.

🏛 Washington Park
SW Park Pl. **Tel** (503) 823-2223.
🚪 24h diariam (algumas atrações).
🎨 algumas exposições.
🌐 portlandonline.com/parks

O Washington Park é cercado pela cidade por todos os lados. Entre suas atrações estão o Hoyt Arboretum, com mais de 8 mil árvores e arbustos, o jardim japonês, o International Rose Test Garden e o popular **Oregon Zoo**, que tem o maior número de elefantes criados em cativeiro do mundo.

🏛 Oregon Museum of Science and Industry
1.945 SE Water Ave. **Tel** (503) 797-4000. 🚪 Labor Day-meados jun: 9h30-17h30 ter-dom; meados-jun-Labor Day: 9h30-19h diariam. ● feriados.
🌐 omsi.edu
Eastbank Esplanade: entre o rio Willamette e I-5, pontes Steel e Hawthorne.

Placa no Oregon Zoo

A leste do rio, o Oregon Museum of Science and Industry (OMSI) é um dos grandes museus de ciência dos EUA. Entre as centenas de mostras interativas, uma das favoritas é o simulador de terremotos, que chacoalha e assusta os visitantes enquanto esses aprendem sobre as placas tectônicas que ainda se deslocam sob Portland.

Nas proximidades fica a **Eastbank Esplanade**, um caminho para pedestres e bicicletas que percorre da margem leste do rio Willamette. Um trecho de 365m desse caminho flutua sobre a água, e outra porção fica suspensa sobre um dos píeres comerciais originais da cidade, de modo a permitir vistas desobstruídas do rio.

A Columbia River Gorge e as montanhas Cascade

⓳ Columbia River Gorge

🛈 402 W 2nd St, The Dalles, (800) 984-6743. 🌐 crgva.org

Esse magnífico cânion de rio coberto de pinheiros corta as montanhas Cascade, formando uma fronteira entre Washington e Oregon. A melhor maneira de explorar a área é pegar a **Historic Columbia River Highway**. Ladeada de estreitos rochedos, essa estrada foi projetada de modo a maximizar o prazer de admirar as vistas e de minimizar os danos ambientais. Ao longo da estrada ficam as espetaculares **Multnomah Falls**, com uma queda livre de 186m em duas cachoeiras, e o aconchegante e rústico Timberline Lodge, que data da década de 1930 *(p. 633)*.

⓴ Mount Hood

🛈 24.403 E Welches Rd, Welches, (503) 622-3017. 🌐 mthood.org

O espetacular pico coberto de neve do monte Hood, o mais alto dos picos Cascade do Oregon, eleva-se ao sul da Columbia River Gorge. Os vales abaixo dele, onde se pratica esqui e snowboarding o ano inteiro, são famosos pela produção de maçãs, peras, damascos e pêssegos. O **Mount Hood Loop** é uma boa opção para explorar a área; o ponto mais alto do trajeto, **Barlow Pass**, é tão inclinado que houve um tempo em que se tinha que descer as carroças pelas encostas com cordas. O Hood River Valley tem árvores cheias de frutas na estação e vistas incríveis do majestoso monte Hood. **Hood River**, uma cidade à beira do rio chamada de "Capital Mundial do Windsurfing", também é palco de outros esportes, como o mountain biking.

㉑ Astoria

🛈 9.500. 🛈 111 W Marine Dr. **Tel** (800) 875-6807. 🌐 oldoregon.com

Mais antigo assentamento americano a oeste das Montanhas Rochosas, Astoria foi fundada quando John Jacob Astor mandou comerciantes de peles para o cabo Horn para criar postos comerciais na foz do rio Colúmbia em 1811. Antes, os exploradores Lewis e Clark *(pp. 561-2)* passaram o inverno de 1805-06 numa tosca paliçada perto de Astoria, fazendo mocassins, conservando peixes e relatando em seus diários ataques de ursos e uma chuva praticamente incessante. A paliçada foi reconstruída no Fort Clatsop National Memorial. Hoje em dia, a cidade é um dinâmico porto; suas antigas casas vitorianas sobem pelas encostas do rio. Uma delas, a majestosa **Captain George Flavel House Museum**, ainda preserva a cúpula de onde o capitão e sua esposa observavam o tráfego do rio. Uma vista ainda melhor pode ser admirada do topo de uma escada em espiral de 164 degraus no **Astoria Column**, rodeada de painéis que contam a história do Pacífico Noroeste. A cidade homenageia seu passado marítimo no **Columbia River Maritime Museum**, onde galerias ao longo do rio abrigam barcos de pesca, canoas indígenas e outros artefatos ligados ao rio. O barco-farol *Columbia*, atracado em frente, outrora guiava os barcos pela traiçoeira área da foz do rio.

Astoria Column

🏛 Captain George Flavel House Museum
441 8th St. **Tel** (503) 325-2203. ⏱ mai-set: 10h-17h diariam; out-abr: 11h-16h diariam. ⊘ 1º jan, Ação de Graças, 24-25 dez. ♿

🏛 Columbia River Maritime Museum
1.792 Marine Dr. **Tel** (503) 325-2323. ⏱ 9h30-17h diariam. ⊘ Ação de Graças, 25 dez. ♿ 🌐 crmm.org

O majestoso pico do monte Hood, visto do Hood River Valley

Veja hotéis e restaurantes dessa região nas pp. 632-5

Penhascos marinhos erguem-se na costa de Bandon

⓶ Oregon Coast

137 NE 1st St, Newport, Oregon, (541) 574-2679, (888) 628-2101.
visittheoregoncoast.com

Centenas de quilômetros de praias preservadas fazem da costa do Oregon um dos principais pontos turísticos do estado. No norte, mais desenvolvido, ficam algumas das estâncias mais populares do Oregon; já o sul é mais selvagem. A costa é ideal para atividades de lazer como passear de carro, andar de bicicleta, fazer caminhadas, acampar, pescar moluscos e observar baleias ou pássaros.

Cidade de praia favorita do Oregon, **Cannon Beach**, ao sul de Astoria, preserva um charme tranquilo. Haystack Rock, um dos mais altos monólitos costeiros do mundo, ergue-se 72m acima da praia. O Ecola State Park, ao norte da praia, forma um tapete para o Tillamook Head, um promontório de basalto, com florestas viçosas. Dos mirantes veem-se as ondas espumantes e o Tillamook Rock Lighthouse, de 1880. A natureza é a principal atração ao longo dos 56km da **Three Capes Scenic Route**, bem mais ao sul. As pedras abaixo do Cape Meares State Scenic Viewpoint e do Cape Meares Lighthouse abrigam uma das maiores colônias de acasalamento de aves marinhas da América do Norte. O Cape Lookout State Park é um bom ponto para observar baleias-cinza. A Oregon State Parks Association dá todos os detalhes sobre as atrações ao longo dessa incrível estrada.

A **Cape Perpetua Scenic Area** tem o mirante mais alto da costa. Uma estrada sobe até o topo (240m), e uma curta caminhada pela Giant Spruce Trail leva à majestosa esprucesitka de 500 anos. De Cape Perpetua, a Hwy 101 leva ao Heceta Head State Park, com suas vistas do oceano – aves fazem ninho nas pedras e leões-marinhos e baleias-cinza nadam perto da praia. Erguendo-se sobre as ondas, o Heceta Head Lighthouse acende suas luzes desde 1894. Os leões-marinhos-steller habitam as Sea Lion Caves, única colônia selvagem de leões-marinhos no continente norte-americano.

As imensas dunas de areia da **Oregon Dunes National Recreation Area** estendem-se ao sul a partir de Florence por 64km. Formações de areia, lagos, florestas de pinheiros, pastos e praias atraem uma variedade de turistas. Passarelas permitem apreciar vistas incríveis no Oregon Dunes Overlook, cerca de 32km ao sul de Florence, enquanto uma trilha de 1,6km, a Umpqua Scenic Dunes Trail, 48km ao sul de Florence, margeia as dunas mais altas.

Bandon, perto da foz do rio Coquille, é tão pequena e desgastada que fica difícil imaginar que já tenha sido um porto importante. Formações de rocha elevam-se do mar perto da praia. Essas formações esculpidas pelo vento incluem a Face Rock, que segundo se conta é uma moça índia petrificada por um mau espírito. Uma incrível paisagem de dunas e capim-marinho pode ser vista no Bullards Beach State Park, no estuário do rio Coquille.

Buggy na Oregon Dunes National Recreation Area

Three Capes Scenic Route
Oregon State Parks: Tel (800) 551-6949. oregon.gov/oprd

Cape Perpetua Scenic Area
Visitor Center: Tel (541) 547-3289. nov-meados mar: 10h-16h qui-seg; primavera e outono: 10h-16h diariam; jun-ago: 10h-17h30 diariam. feriados.

Oregon Dunes National Recreation Area
855 Highway Ave, Reedsport. Tel (541) 271-6000. amanhecer-anoitecer diariam. fs.fed.us/r6/siuslaw/recreation

Pitoresca casa na Hemlock Street, em Cannon Beach

Arte e artesanato locais expostos no Saturday Market, em Eugene

㉓ Salem

155.000. 1.313 Mill St SE, (800) 874-7012. **w** travelsalem.com

Movimentado porto no rio Willamette no século XIX, Salem tornou-se a capital do território do Oregon em 1851.

Ao lado do Bush's Pasture Park ficam a **Asahel Bush House**, uma casa de 1878 com uma estufa tida como a primeira a oeste do rio Mississippi, e o histórico **Deepwood Estate**. O **Williamette Heritage Center at the Mill** preserva algumas das primeiras estruturas do estado. Entre elas está a casa de 1841 de Jason Lee, que ajudou a fundar Salem, e o Kay Woolen Mill.

Asahel Bush House, Salem

A história do estado também fica evidente em volta do **Oregon State Capitol**. Um pioneiro dourado encima a rotunda, esculturas de mármore de Lewis e Clark (pp. 561-2) ladeiam a entrada e murais na parte interna retratam o capitão Robert Gray na descoberta do rio Colúmbia (p. 600).

Do outro lado da rua do Capitol Building fica o **Hallie Ford Museum of Art**, com sua bela coleção de cestaria e pinturas dos indígenas americanos do século XX.

🏛 **Williamette Heritage Center at the Mill**
1.313 Mill St SE. **Tel** (503) 585-7012.
⏱ 10h-17h seg-sáb.
⬤ feriados principais.
w williametteheritage.org

㉔ Eugene

156.000. 754 Olive St, (541) 484-5307; (800) 547-5445
w visitlanecounty.org

A University of Oregon traz cultura e sofisticação para a cidade de Eugene, que se estende por ambas as margens do extremo sul do vale do rio Willamette.

O **Hult Center for the Performing Arts**, de vidro e madeira, é um dos mais bem projetados complexos de artes do mundo. O **University of Oregon Museum of Natural and Cultural History** tem entre suas peças alguns curiosos calçados antigos – como um par de sandálias de artemísia de 9.500 a.C.

Artesãos locais vendem suas peças no **Saturday Market**, no centro de Park Blocks. O **Fifth Street Public Market**, um conjunto de lojas e restaurantes num antigo moinho reformado, vive cheio de estudantes universitários.

㉕ Madras & Warm Springs

Madras: 274 SW 4th St, (541) 475-2350. **w** madraschamber.com
Warm Springs: 1.233 Veterans St, (541) 553-1161. **w** warmsprings.com

Madras é uma cidade rural quase deserta cercada de rochedos e vastos trechos de áreas recreativas selvagens. O **Crooked River National Grassland** oferece paisagens e oportunidades para praticar rafting e pesca em dois rios que constam do US National Wild and Scenic Rivers – o Deschutes e o Crooked –, que correm por milhares de hectares de zimbros e artemísias.

O **Cove Palisades State Park** rodeia as águas do lago Billy Chinook, local muito apreciado para passear de barco.

O Tratado de 1855 entre o governo dos EUA e as tribos wasco, walla walla e paiute estabeleceu terras para essas tribos, nos 256 mil hectares da Warm Springs Reservation, no Oregon central. Hoje, elas preservam sua herança cultural no **Museum at Warm Springs** com uma coleção belíssima de cestaria e bordados de contas, fotos históricas de caça e vídeos de cerimônias tribais. As tribos também administram um cassino e um hotel, que tem uma grande piscina aquecida por fontes de água quente.

🏛 **Museum em Warm Springs**
2.189 Hwy 26, Warm Springs.
Tel (503) 553-3331. ⏱ 10h-17h diariam. ⬤ dom e seg (dez-fev), 1º jan, Ação de Graças, 25 dez.
w museumatwarmsprings.org

Piscina alimentada por fontes quentes no resort Warm Springs Reservation

Veja hotéis e restaurantes dessa região nas pp. 632-5

Cavalos galopam perto de Sisters, com os picos das montanhas Three Sisters visíveis a distância

㉖ Sisters

2.000. 291 E Main Ave, (541) 549-0251. sisterschamber.com

Essa cidade rural, no estilo Velho Oeste, é rodeada de florestas de pinheiros, campinas nas montanhas e corredeiras. Os picos das Three Sisters, com mais de 3.000m de altura, elevam-se majestosos ao fundo.

Arredores
A McKenzie Pass sobe de Sisters até um pico de 1,6km em meio a um imenso fluxo de lava. O **Dee Wright Observatory** oferece vistas panorâmicas de mais de uma dúzia de picos, rochedos e campos de lava das montanhas Cascade.

Dee Wright Observatory
Hwy 242, 24km O de Sisters. meados jun-out: amanhecer-anoitecer diariam. out-meados jun.

High Desert Museum, em Bend, com mostras sobre a vida da região

㉗ Bend

77.000. 750 NW Lava Rd, (541) 382-8048, (877) 245-8484. visitbend.com

A agitada Bend, antes uma sonolenta cidade madeireira, está bem perto das trilhas de esqui, lagos, corredeiras e outras atrações naturais. Enquanto o desenvolvimento vai tomando o lugar dos zimbros e dos pastos na periferia, o bairro de negócios preserva o charme de cidade pequena. O Drake Park é um retiro gramado no centro, que ocupa ambas as margens do rio Deschutes; e o **Pilot Butte State Scenic View-point**, sobre um cone de cinzas vulcânicas que se ergue do centro da cidade, permite ver o High Desert e os picos nevados das montanhas Cascade.

O **High Desert Museum** homenageia a vida no árido terreno que cobre muito do centro e do leste do Oregon. Pode-se caminhar no meio de projeções de luz e som, em autênticas recriações de moradias dos nativos americanos. Uma trilha leva a réplicas de uma cabana de colono e de uma serraria, ou a hábitats naturais, como um rio de trutas e um aviário com falcões e outras aves de rapina.

High Desert Museum
59.800 S Hwy 97. Tel (541) 382-4754. mai-out: 9h-17h diariam; nov-abr: 10h-16h diariam. 1º jan, Ação de Graças, 25 dez. highdesertmuseum.org

Arredores
A melhor maneira de explorar as magníficas montanhas South Cascades é pegar a **Cascade Lakes Highway**, um trecho de 153km, partindo de Bend. Ao sul, a estrada passa por Lava Butte, onde há boas vistas das montanhas. Também ao longo da estrada fica o lago Elk, procurado para velejar, pescar e praticar windsurfe. Outra atração é o monte Bachelor, 20km a oeste de Bend, uma das melhores áreas para esqui e snowboard. Um imenso fluxo de lava de 117km² – o Devil's Garden – fica a noroeste do monte Bachelor. Astronautas o usaram para treinar andar a pé e de jipe lunar, antes de seu histórico passeio na Lua em 1969.

㉘ Newberry National Volcanic Monument

abr-out: amanhecer-anoitecer diariam. fs.fed.us/r6/centraloregon/newberrynvm
Lava Lands Visitor Center, 18km S de Bend pela US 97, (541) 593-2421.

Abrangendo paisagens sinistras de lava preta, além de cintilantes lagos de montanha, cascatas, florestas e picos nevados, o Newberry National Volcanic Monument ocupa uma área de 22.000ha. Exposições no **Lava Lands Visitor Center** explicam como o vulcão foi construído por milhares de erupções que, segundo a atividade sísmica sugere, vão ocorrer de novo. Outras exposições destacam a história cultural do Oregon central.

Na Lava River Cave, uma passagem corre por quase 1km dentro de um tubo de lava, por onde uma vez fluiu lava derretida. A Lava Cast Forest tem uma trilha através de uma floresta de moldes ocos, formada por lava quente derretida que criou formas em volta de troncos de árvores.

Formação escarpada no Newberry National Volcanic Monument

Crater Lake National Park

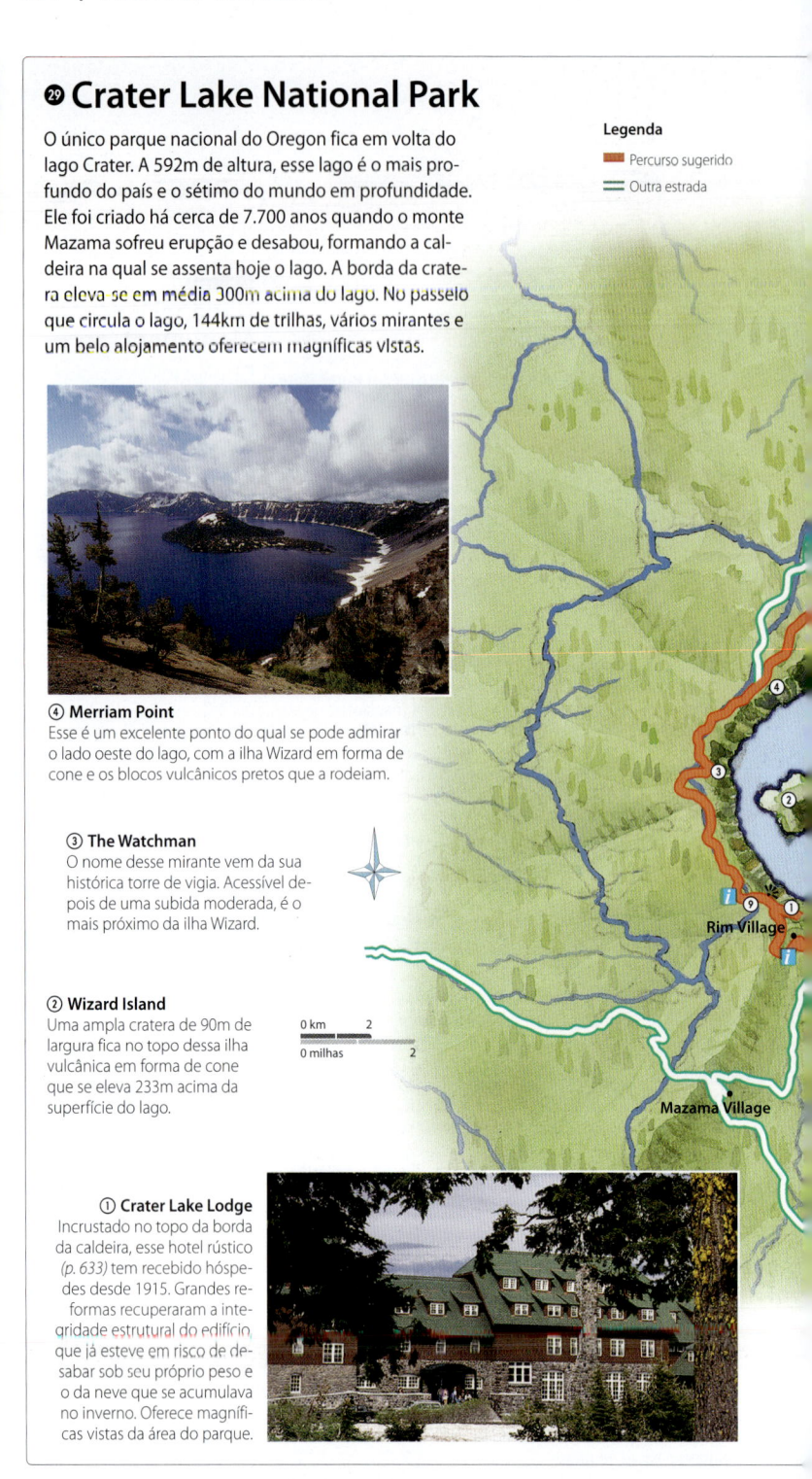

O único parque nacional do Oregon fica em volta do lago Crater. A 592m de altura, esse lago é o mais profundo do país e o sétimo do mundo em profundidade. Ele foi criado há cerca de 7.700 anos quando o monte Mazama sofreu erupção e desabou, formando a caldeira na qual se assenta hoje o lago. A borda da cratera eleva-se em média 300m acima do lago. No passeio que circula o lago, 144km de trilhas, vários mirantes e um belo alojamento oferecem magníficas vistas.

Legenda
- Percurso sugerido
- Outra estrada

④ Merriam Point
Esse é um excelente ponto do qual se pode admirar o lado oeste do lago, com a ilha Wizard em forma de cone e os blocos vulcânicos pretos que a rodeiam.

③ The Watchman
O nome desse mirante vem da sua histórica torre de vigia. Acessível depois de uma subida moderada, é o mais próximo da ilha Wizard.

② Wizard Island
Uma ampla cratera de 90m de largura fica no topo dessa ilha vulcânica em forma de cone que se eleva 233m acima da superfície do lago.

① Crater Lake Lodge
Incrustado no topo da borda da caldeira, esse hotel rústico (p. 633) tem recebido hóspedes desde 1915. Grandes reformas recuperaram a integridade estrutural do edifício, que já esteve em risco de desabar sob seu próprio peso e o da neve que se acumulava no inverno. Oferece magníficas vistas da área do parque.

Veja hotéis e restaurantes dessa região nas pp. 632-5

⑤ Rim Drive

Vistas espetaculares do lago, das ilhas e das montanhas ao redor desdobram-se a cada curva desse trajeto de 53km.

Dicas para o Passeio

Extensão: 53km.
Saída: Steel Information Center, na Rim Drive 6,5km ao norte da Rte 62.
Quando ir: A Rim Drive abre de fim de junho a meados de outubro, quando o tempo permite.
Paradas: Café da manhã, almoço e jantar são oferecidos no Crater Lake Lodge; vendem-se lanches na Rim Village. Viagens de barco narradas de duas horas (jun-set: 10h-16h diariam); saída de Cleetwood Cove, na base de uma íngreme trilha de 1,6km.

Guarda do parque com turistas, no Oregon Caves National Monument

㉚ Oregon Caves National Monument

19.000 Caves Hwy, Caves Junction, (541) 592-2100. Passeios organizados diariam entre fim abr-início nov. Horários variam. início nov-fim abr. nps.gov/orca

Esse passeio guiado de 70 minutos por essas vastas cavernas subterrâneas percorre trilhas iluminadas que passam por estranhas formações, cruzam rios subterrâneos, gigantescas costelas de mármore, e sobem e descem escadas que dão para câmaras cheias de estalactites. Descobertas em 1874 por um caçador atrás de seu cão no lado da montanha Elijah, as cavernas se formaram por respingos constantes de água durante centenas de milhares de anos.

⑥ Cleetwood Trail

Essa cansativa trilha de 1,6km, que desce 210m por uma ladeira, é o único acesso para o lago. No verão, um passeio de barco sai do cais na base da trilha.

⑦ Mount Scott

Quando o tempo permite, as vistas do pico podem se estender até o monte Shasta, na Califórnia.

⑧ The Pinnacles

Espiras de pedra-pomes, também conhecidas como fumarolas fósseis, crescem da base leste da caldeira e formam essa paisagem sinistra. Muitas das espiras são ocas.

㉛ Ashland

20.000. 110 E Main St, (541) 482-3486. ashlandchamber.com

Todo ano, 350 mil pessoas descem até essa agradável cidade. A principal atração é o **Oregon Shakespeare Festival**, que apresenta uma programação de onze peças de Shakespeare, e também de autores de teatro clássicos e contemporâneos. Os fãs de teatro podem também ver adereços e roupas de espetáculos passados e fazer passeios pelos bastidores dos três locais de espetáculo do festival – Elizabethan Stage, Angus Bowmer Theatre e o moderno New Theatre.

Oregon Shakespeare Festival
15 S Pioneer St. **Tel** (541) 482-2111.
osfashland.org

⑨ Sinnott Memorial Overlook

Belas vistas recompensam o viajante que ousa fazer a descida até o Sinnott Memorial Overlook, logo abaixo da borda da caldeira. Guardas-florestais falam com propriedade sobre a geologia.

Legenda dos símbolos *na orelha da contracapa*

® Steens Mountain

Steens Mountain Loop Rd: (por 93,5km/58 milhas), partindo de North Loop Rd em Frenchglen. 484 N Broadway, Burns Oregon 97720, (541) 573-2636. **w** harneycounty.com/steensmountain.html

É vasta a paisagem que se vê dessa montanha de 2.910m de altura no sudeste do Oregon. A vertente oeste sobe gradualmente dos campos de artemísia, e a vertente leste cai de modo mais abrupto. Antílopes, carneiros de chifre longo e cavalos selvagens vagam pelos desfiladeiros e pela tundra alpina forrada de flores; águias e falcões sobrevoam o local.

A **Steens Mountain Loop Road** corta esse cenário incrível. O belo lago Lily, cercado de pântanos, no lado oeste das montanhas Warner, está lentamente assoreando. Mesmo assim, é procurado para pesca de trutas. Os rios Donner e Blitzen, nas proximidades, foram chamados de "Trovão e Raio" por um oficial do exército que tentou atravessá-los durante uma tempestade em 1864. Kiger Gorge, a leste, proporciona vistas de quatro imensas gargantas escavadas das encostas da montanha por imensos glaciares. O **East Rim Viewpoint** fica 1,6km acima das planícies do deserto Alvord. Assentado na parte menos chuvosa da montanha, esse deserto recebe apenas 15cm de chuva durante o ano.

Cervo descansa no Malheur National Wildlife Refuge

® Malheur National Wildlife Refuge

Tel (541) 493-2612. Refúgio e museu: amanhecer-anoitecer diariam. feriados. Centro de Visitantes: 8h-16h seg-qui, 8h-15h sex. feriados. **w** fws.gov/malheur

Um dos maiores refúgios de vida selvagem do país, o Malheur ocupa 75.000ha do Blitzen Valley. Mais de 320 espécies de pássaros e 58 espécies de mamíferos podem ser encontradas no local. Grous, cisnes, garças, íbis-de-cara-branca, antílopes, cervos e trutas estão entre as principais espécies preservadas.

Primavera e verão são as melhores épocas para observar pássaros, que pousam no refúgio durante suas migrações anuais para cima e para baixo da Pacific Flyway, uma importante rota de migração norte-sul das aves aquáticas migradoras da América do Norte. Um pequeno museu mostra espécies de pássaros comumente vistas no refúgio.

Arredores
Partindo do refúgio, a **Diamond Loop National Back Country Byway** (110km) leva até montanhas e cânions de rocha vermelha. Ao longo dessa estrada ficam as Diamond Craters, uma paisagem vulcânica; o Round Barn, típica construção do século XIX; e Diamond, uma pequena cidade-fazenda sombreada por álamos.

Diamond Loop National Back Country Byway
28.910 Hwy 20 W, Hines, (541) 573-4400. **w** blm.gov/or

® John Day Fossil Beds National Monument

32.651 Hwy 19, 64km a O de John Day. **Tel** (541) 987-2333. amanhecer-anoitecer diariam. Centro de Visitantes (Sheep Rock Unit): 9h-17h diariam. feriados entre Ação de Graças e Presidents Day. **w** nps.gov/joda

Leitos fósseis pré-históricos cobrem o John Day Fossil Beds National Monument, onde rochas sedimentares preservam as plantas e os animais que viveram nas florestas e savanas

Vista da montanha Steens a partir do East Rim Viewpoint; ao fundo, as planícies do desolado deserto Alvord

Veja hotéis e restaurantes dessa região nas pp. 632-5

OREGON | 627

Formações em Sheep Rock, no John Day Fossil Beds National Monument

por 40 milhões de anos, entre a extinção dos dinossauros e o início da mais recente Era Glacial. Os 5.600ha do monumento compreendem três unidades – Sheep Rock, Painted Hills e Clarno. Em todas elas, há trilhas que permitem observar de perto os leitos fósseis. Painted Hills é onde ficam as paisagens mais incríveis – formações de rocha vulcânica em tons fortes de vermelho, rosa, bronze e preto. Clarno abriga algumas das formações mais antigas, com 54 milhões de anos, e alguns dos melhores exemplos de restos de plantas fósseis da Terra. Em Sheep Rock, o centro de visitantes mostra vários achados importantes dos leitos.

❸ Pendleton

17.000. 501 S Main St, (541) 276-7411, (800) 547-8911.
pendletonchamber.com

A reputação exagerada de Pendleton como local de caubóis rudes e ladrões de gado tem a ver com o fato de ela ser a maior cidade do leste do Oregon. Mas os visitantes podem se desapontar ao ver que esses dias pertencem ao passado. Mesmo assim, o lado caubói é revivido durante o Pendleton Round-Up todo mês de setembro, quando 50 mil pessoas enchem a cidade para assistir ao rodeio. Edições anteriores dos rodeios são mostradas no **Round-Up Hall of Fame**.

O maior negócio da cidade, o **Pendleton Woolen Mills**, é conhecido por suas roupas e cobertores para o inverno, particularmente seus famosos cobertores cujos desenhos são um tributo aos indígenas americanos. O primeiro cobertor com motivos indígenas da fábrica foi tecido em 1895.

Os **Pendleton Underground Tours** começam num labirinto subterrâneo de opiários, salas de jogo e bares da era da Lei Seca, e incluem paradas num bordel e nos quarteirões do século XIX abarrotados de trabalhadores chineses.

O **Tamástslikt Cultural Institute** celebra a história local exibindo recriações de estruturas históricas, exposições de capacetes de guerra e outros artefatos.

Lago Wallowa

Pendleton Woolen Mills
1.307 SE Court Pl. Tel (541) 276-6911. Vendas: 8h-17h seg-sáb, 11h-15h dom. 1º jan, Ação de Graças, 25 dez. 9h, 11h, 13h30, 15h seg-sex. pendleton-usa.com

Round-Up Hall of Fame
1.114 SW Court Ave. Tel (541) 278-0815. mai-set: 10h-16h seg-sáb; out-abr: 10h-16h sáb. feriados.
pendletonroundup.com

Peão de rodeio no popular Pendleton Round-Up

❸ Wallowa Mountains

Elkhorn Drive National Scenic Byway: (por 171km/106 milhas), partindo de Baker City.

As montanhas Wallowa formam uma longa parede de granito (3.050m de altitude, 64km de extensão), no nordeste do Oregon. Andar de carro pela área permite ver algumas das melhores paisagens do estado.

A melhor maneira de explorar as montanhas Wallowa é pegar a **Elkhorn Drive National Scenic Byway**, estrada de duas pistas que começa em Baker City. Protegida entre as montanhas Wallowa e a serra Elkhorn, a cidade tem alguns belos quarteirões no centro e adoráveis mansões vitorianas.

Mais ao norte, o National Historic Oregon Trail Interpretive Center mostra réplicas de cenas dos pioneiros. Rodeada de muita vida selvagem, a sonolenta cidade de **Joseph** fica a leste das montanhas Wallowa. Seu nome vem do chefe Joseph, líder dos nez percé, e a cidade é procurada como opção de lazer e por artesãos. Uma das principais atrações de Joseph é o **Wallowa County Museum**, dedicado ao famoso refúgio do chefe Joseph e à história tanto dos índios como dos colonizadores da área.

As águas cristalinas do **lago Wallowa** cintilam aos pés das montanhas. O Wallowa Lake Lodge, uma construção de troncos que data da década de 1920, ainda fornece acomodações e refeições. O popular Wallowa Lake Tramway leva os visitantes até o pico do monte Howard para apreciar vistas do lago e dos belos picos.

Wallowa County Museum
110 S Main St, Joseph. Tel (541) 432-6095 ou (541) 432-4834 fora de temporada. Memorial Day-fim set: 10h-17h diariam.
co.wallowa.or.us

⓷ Hells Canyon National Recreation Area

Um dos terrenos mais selvagens da América do Norte é o que sobe as encostas dos picos do Hells Canyon (2.865m), antes de mergulhar na famosa bacia do rio Snake, que corre através da mais profunda garganta de rio do mundo. Os visitantes apreciam as imensas paredes do cânion que se elevam a 1.830m, as florestas de pinheiros da parte alta e as campinas cobertas de flores silvestres – um total de 264.000ha de vida selvagem. A maior parte do terreno é inóspita demais para ser percorrida, mesmo a pé, por isso longos trechos do rio Snake são acessíveis apenas de barco. Muitos visitantes procuram os mirantes para apreciar as incríveis vistas.

Mirante do Hells Canyon National Recreation Area

① Buckhorn Lookout
Um dos vários mirantes situados na área do Hells Canyon, o Buckhorn tem localização remota, mas oferece magníficas vistas da Wallowa-Whitman National Forest e do cânion do rio Imnaha.

② Nee-Me-Poo Trail
Os visitantes que andam a pé por essa trilha histórica seguem as pegadas do famoso chefe Joseph e dos 700 índios nez percé, que em 1877 embarcaram nessa viagem de 2.897km para alcançar a liberdade no Canadá.

⑥ Hells Canyon Reservoir
Esse reservatório de 40km de extensão, parte de um imenso complexo de geração de energia no rio Snake, é formado pela represa Oxbow ao sul e pela represa Hells Canyon ao norte. Uma estrada particular ao longo da praia leste fornece acesso ao rio.

Veja hotéis e restaurantes dessa região nas pp. 632-5

OREGON | 629

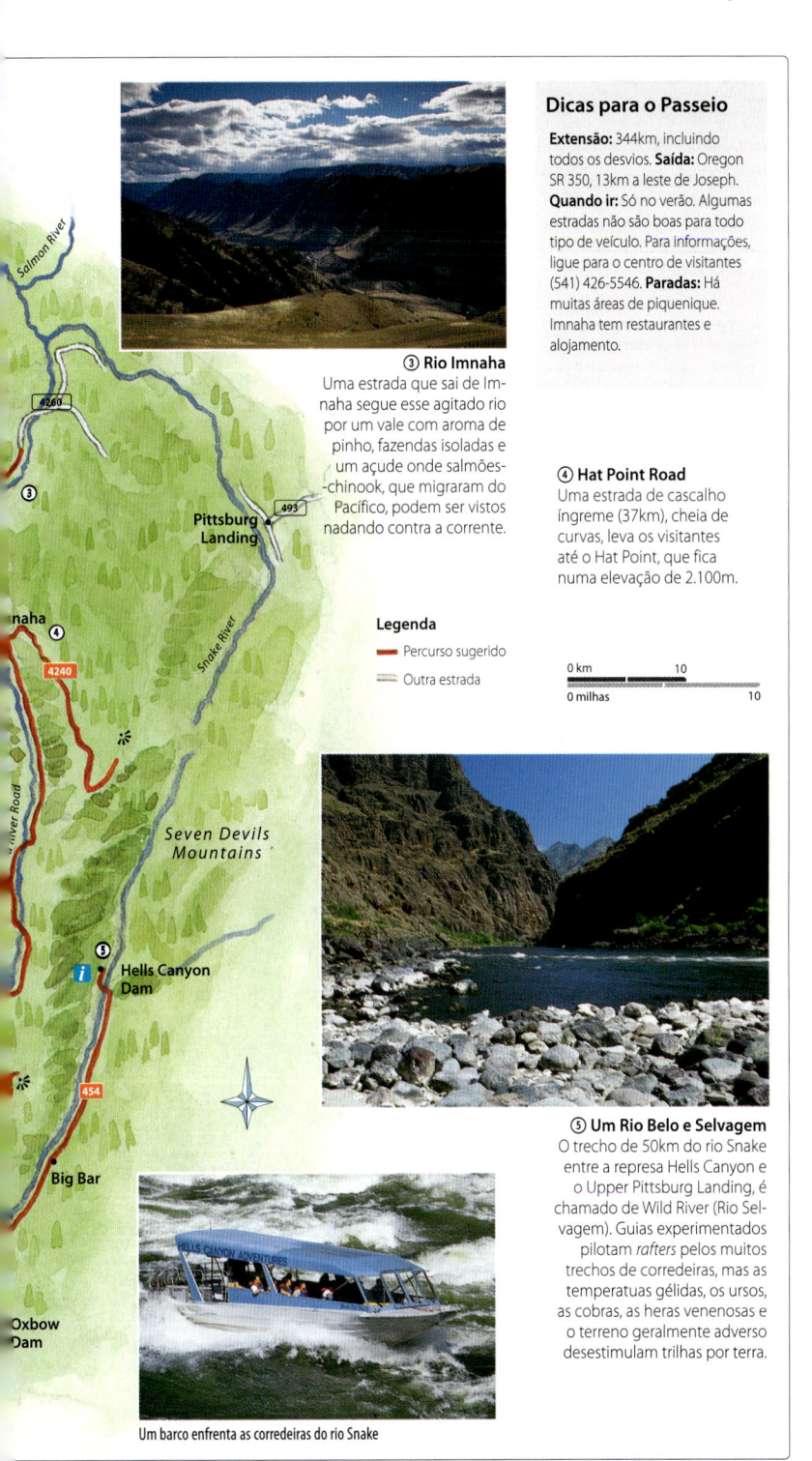

Dicas para o Passeio

Extensão: 344km, incluindo todos os desvios. **Saída:** Oregon SR 350, 13km a leste de Joseph. **Quando ir:** Só no verão. Algumas estradas não são boas para todo tipo de veículo. Para informações, ligue para o centro de visitantes (541) 426-5546. **Paradas:** Há muitas áreas de piquenique. Imnaha tem restaurantes e alojamento.

③ Rio Imnaha
Uma estrada que sai de Imnaha segue esse agitado rio por um vale com aroma de pinho, fazendas isoladas e um açude onde salmões-chinook, que migraram do Pacífico, podem ser vistos nadando contra a corrente.

④ Hat Point Road
Uma estrada de cascalho íngreme (37km), cheia de curvas, leva os visitantes até o Hat Point, que fica numa elevação de 2.100m.

Legenda
- Percurso sugerido
- Outra estrada

0 km — 10
0 milhas — 10

Seven Devils Mountains

Pittsburg Landing
Hells Canyon Dam
Big Bar
Oxbow Dam

⑤ Um Rio Belo e Selvagem
O trecho de 50km do rio Snake entre a represa Hells Canyon e o Upper Pittsburg Landing, é chamado de Wild River (Rio Selvagem). Guias experimentados pilotam *rafters* pelos muitos trechos de corredeiras, mas as temperatuas gélidas, os ursos, as cobras, as heras venenosas e o terreno geralmente adverso desestimulam trilhas por terra.

Um barco enfrenta as corredeiras do rio Snake

Legenda dos símbolos *na orelha da contracapa*

Informações Úteis

O espetacular cenário do Pacífico Noroeste atrai visitantes do mundo todo. A expansão do turismo – e, recentemente, do ecoturismo – disseminou uma ampla rede de instalações e serviços: restaurantes de fama internacional e boas acomodações são fáceis de encontrar, e a eficácia dos transportes leva os visitantes praticamente a qualquer lugar que desejem. O auge da estação de turismo é entre meados de maio e setembro. O inverno também é bom para visitar a região, pois é ideal para praticar esqui e outros esportes na neve.

Informação Turística

Mapas e informações sobre atrações, eventos, hospedagem e passeios estão disponíveis de graça nas agências do **Washington State Tourism** e da **Oregon Tourism Commission**. Elas oferecem ainda serviço gratuito de reserva em hotéis ou indicações sobre esses serviços. A maioria das comunidades do Pacífico Noroeste possui centros de visitantes ou guichês de turismo, que dão informações sobre atividades locais, hospedagem e restaurantes.

Segurança

O Pacífico Noroeste tem orgulho de suas cidades seguras e de sua receptividade para com os visitantes. Assaltos são raros, e a polícia é uma presença visível em todas as grandes cidades. Mas é aconselhável ter cuidado e descobrir que partes da cidade são menos seguras que outras. Seu hotel ou um centro de informação turística irá indicar as áreas a evitar. No campo, os perigos da vida selvagem e junto à natureza podem ser evitados respeitando as advertências e a sinalização.

Numa emergência, ligue 911 para chamar o corpo de bombeiros, a polícia ou uma ambulância; se não estiver numa grande cidade, disque 0. A ligação pode ser feita de qualquer aparelho, de graça. Os hospitais constam das listas telefônicas, e todos têm um pronto-socorro que pode ser acessado 24 horas.

Perigos Naturais

Antes de uma caminhada ou de acampar, cheque com o serviço florestal as condições da área e as recomendações de segurança. Quem faz esqui e snowboard deve respeitar as advertências e andar em trilhas preparadas.

Insetos podem ser um incômodo em caminhadas ou acampando – moscas na primavera e mosquitos no verão. Carrapatos, que podem transmitir a doença de Lyme, são encontrados em áreas secas, de bosque. Proteja-se usando repelente de insetos e calça comprida, mangas compridas e meias. Em caso de infecção ou sintomas de gripe, procure um médico.

Na praia, se for coletar moluscos, respeite as advertências sobre contaminação. Ao acampar, cuidado com pumas e ursos. Lembre-se de que deixar comida ou lixo à mostra pode atrair animais perigosos.

Riscos à segurança para quem dirige incluem estradas de cascalho – que podem ficar muito escorregadias quando chove–, nevascas, camadas de gelo na pista e neblina. Leve um pneu de estepe e sal ou areia no inverno, além de lanterna, cabos, cobertores, água, comida de emergência e uma pá. Leve sempre celular.

Como Circular

Os visitantes do Pacífico Noroeste têm muitas opções de transporte. A **United Airlines** oferece voos para as principais cidades da região, assim como a **Alaska Airlines** e a **Horizon Airlines**.

Embora o ônibus seja o meio mais lento para chegar ao Pacífico Noroeste, talvez seja também o mais econômico. A **Greyhound** tem linhas por toda a região, e a empresa **Gray Line** oferece passeios turísticos. Há descontos para estudantes, crianças e pessoas de terceira idade. O trem é uma boa opção para chegar ao Pacífico Noroeste e para viajar dentro dele. A **Amtrak** oferece trens diários para Oregon e Washington partindo do Meio Oeste e da Califórnia, e linhas diárias entre Seattle, Portland e Eugene. A **Washington State Ferries** faz baldeação em vinte portos por toda parte de Puget Sound, incluindo Seattle.

Dirigir um carro é de longe a melhor opção de transporte para a região, especialmente para poder aproveitar a beleza das áreas mais remotas. Lembre-se de sintonizar a tevê local e as

O Clima no Pacífico Noroeste

A chuva é uma presença característica na metade do Pacífico Noroeste a oeste das montanhas que dividem a região. O clima nessa região oeste costeira mantém-se suave ao longo do ano e a neve é rara, exceto nas maiores altitudes. Nas montanhas neva muito no inverno, para delícia dos esquiadores. A leste das montanhas, os verões são quentes, secos e ensolarados, e os invernos mais severos que o oeste das montanhas.

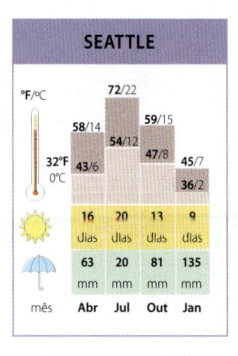

SEATTLE

mês	Abr	Jul	Out	Jan
°F/°C (máx)	58/14	72/22	59/15	45/7
°F/°C (mín)	43/6	54/12	47/8	36/2
dias	16	20	13	9
mm	63	20	81	135

32°F / 0°C

INFORMAÇÕES ÚTEIS | 631

estações de notícias do rádio para informações regulares sobre o trânsito e as condições das estradas, especialmente no inverno.

Etiqueta

O tipo de roupa que se usa no Pacífico Noroeste tende a ser informal, prática. Exigências mais específicas de roupa só nos teatros, restaurantes finos e outros locais formais. Algumas poucas praias permitem *topless* e tomar banho nu. Proibe-se bebida a menores de 21 anos. É proibido fumar em locais públicos.

Leis

A polícia de Seattle e Portland tem uma presença ostensiva, a pé, de bicicleta ou viatura. Existem também equipes de segurança nos bairros, compostas de cidadãos voluntários, que patrulham a pé. Fora das áreas metropolitanas, há polícias do condado e delegacias para prestar ajuda.

É ilegal e denota falta de sensibilidade fazer comentários sobre bombas, armas e terrorismo em locais como aeroportos. Dirigir alcoolizado também é considerado falta grave; é ilegal portar recipientes de bebida alcoólica abertos no carro. Usuários de narcóticos podem sofrer penalizações severas.

Esportes e Atividades ao Ar Livre

O terreno extremamente variado e as belas paisagens do Pacífico Noroeste tornam a região ideal para muitas atividades ao ar livre. Tanto Washington como Oregon oferecem ótimas condições para esportes de aventura como hang-glide e paraglide. Rafting de águas claras também é popular, principalmente nas águas da Cascades Range. Esqui e snowboard são também populares.

Para quem procura lazer mais tranquilo, o **Oregon Department of Fish and Wildlife** ou o **Washington Department of Fish and Wildlife** fornece informações sobre pesca.

Uma das maneiras mais excitantes de explorar o Pacífico Noroeste é a pé. Centros de visitantes e a **American Hiking Society** informam sobre caminhadas, e a **Pacific Northwest Trail Association** dá detalhes sobre a bela trilha de 1.931km que vai da Continental Divide até o Pacífico.

No verão, as muitas praias da região são ideais para relaxar e oferecem águas refrescantes para nadar. O litoral também é muito procurado para observação de pássaros, como gaivotas, maçaricos, tordeiros e patos. Canoas e caiaques são uma maneira ambientalmente positiva de conhecer as belas águas e a variada vida marinha da região. Puget Sound e as ilhas San Juan, ambos em Washington, são os destinos mais populares para andar de caiaque no mar, e o Olympic National Park é o local mais procurado para canoagem. No Oregon, o rio Colúmbia oferece trechos de águas calmas para remar.

A bicicleta e o patins in-line são meios baratos de viajar. A Bicycle Adventures oferece passeios de bicicleta.

Compras

Os bairros do centro no Pacífico Noroeste têm de tudo, desde artigos de luxo oferecidos por lojas exclusivas a brechós. Equipamentos para atividades ao ar livre fabricados por empresas locais mundialmente famosas como a REI são muito procurados por turistas interessados em esportes de aventura. Podem-se comprar também antiguidades, livros e música, tanto de grandes redes como de lojas independentes, além de vinhos de primeira classe (Pinot Noirs, Chardonnays, Rieslings) e salmão defumado do Pacífico. Joias, entalhes, pinturas e outras peças de artesanato feitas por índios americanos também estão disponíveis por toda a região.

AGENDA

Informação Turística

Oregon Tourism Commission
670 Hawthorne Ave SE, Salem, OR 97301-5096.
Tel (503) 378-8850, (800) 547-7842.
W traveloregon.com

Washington State Tourism
PO Box 42500, Olympia, WA 98504-2500
Tel (800) 544-1800.
W experiencewa.com

Viagens

Alaska Airlines
Tel (800) 426-0333.
W alaskaair.com

Amtrak
Tel (800) 872-7245.
W amtrak.com

Gray Line
Tel (503) 241-7373 (Portland), (800) 426-7532 (Seattle).
W grayline.com

Greyhound
Tel (800) 231-2222.
W greyhound.com

Horizon Airlines
Tel (800) 547-9308.

United Airlines
Tel (800) 241-6522.

Washington State Ferries
Tel (206) 464-6400.
W wsdot.wa.gov/ferries

Pesca em Água-Doce

Oregon Dept of Fish and Wildlife
Tel (508) 947-6000, (800) 720-6339.
W dfw.state.or.us

Washington Dept of Fish & Wildlife
Tel (360) 902-2200.
W wdfw.wa.gov

Caminhadas

American Hiking Society
Tel (800) 972-8608.
W americanhiking.org

Pacific Northwest Trail Association
Tel (877) 854-9415.
W pnt.org

Observação de Pássaros

Malheur National Wildlife Refuge
Tel (541) 493-2612.
W fws.gov/malheur

Onde Ficar

Washington

BELLINGHAM:
Chrysalis Inn & Spa $$
B&B
804 10th St, 98225
Tel *(360) 756-1005*
w thechrysalisinn.com
Esse hotel com decoração agradável tem spa completo e um bar de vinhos romântico.

FORKS: Kalaloch Lodge $$
B&B
157151 Hwy 101, 98331
Tel *(866) 662-9969*
w thekalalochlodge.com
Pousada de 1953 cujas cabanas no alto de um penhasco revelam vistas do oceano Pacífico.

MT. RAINIER NATIONAL PARK:
Paradise Inn $$
B&B
Mount Rainier National Park, 98304
Tel *(360) 569-2275*
w mtrainierguestservices.com
De 1916, essa pousada rústica e ampla abriga quilômetros de trilhas. Abre de maio a outubro.

OLYMPIA: Doubletree
by Hilton $$
B&B
415 Capitol Way, 98501
Tel *(360) 570-0555*
w doubletree3.hilton.com
Suítes grandes com TV de tela plana e café da manhã.

SEATTLE: Grand Hyatt Seattle $$
Luxuoso
721 Pine St, 98101
Tel *(206) 774-1234*
w grandseattle.hyatt.com
Com design que atrai profissionais do ramo da alta tecnologia, esse hotel bem localizado tem vistas da cidade, instalações ultramodernas e salas de reunião.

SEATTLE: Hotel Five $$
Hotel-butique
2200 5th Ave, 98121
Tel *(206) 441-9785*
w hotelfiveseattle.com
Esse hotel ecológico com arte industrial urbana empresta bicicletas e aceita cães.

SEATTLE: Hotel Max $$
Hotel-butique
620 Stewart St, 98101
Tel *(206) 728-6299*
w hotelmaxseattle.com
Datado de 1920, foi repaginado com cores vivas e arte contemporânea do Noroeste.

SEATTLE: Inn at Queen Anne $$
Pousada/B&B
505 1st Ave N, 98109
Tel *(206) 282-7357*
w innatqueenanne.com
Os quartos com decoração simples que ocupam esse edifício de 1928 abrigam cozinha básica.

SEATTLE:
Mayflower Park Hotel $$
Hotel-butique
405 Olive Way, 98101
Tel *(206) 623-8700*
w mayflowerpark.com
Esse hotel clássico de 1927 é um dos últimos autônomos da cidade. Boa localização.

Destaque
SEATTLE: The
Edgewater Hotel $$$
Luxuoso
2411 Alaskan Way, 98121
Tel *(206) 728-7000*
w edgewaterhotel.com
Hotel sofisticado diante das águas, cujos quartos ecológicos têm vistas estupendas de Puget Sound e das montanhas Olympic. O interior é de um charme rústico: todos os quartos exibem móveis de pinho, lareiras de pedra e banheiro com toda a estrutura. Excelente, o restaurante mantém mesas ao ar livre. Aceita animais de estimação.

SEATTLE: Inn at the Market $$$
Luxuoso
86 Pine St, 98101
Tel *(206) 443-3600*
w innatthemarket.com
Janelões do teto ao chão revelam lindas vistas da baía nesse hotel perto do Pike Place Market.

Categorias de Preço
Diária de um quarto padrão para duas pessoas, na alta temporada, com taxas de serviço e impostos.
$	até US$150
$$	US$150-US$250
$$$	acima de US$250

SNOQUALMIE:
Salish Lodge & Spa $$
B&B
6501 Railroad Ave, 98065
Tel *(425) 888-2556*
w salishlodge.com
Esse B&B sobre as Snoqualmie Falls tem quartos com hidromassagem, lareira e colchão de plumas.

SPOKANE:
The Davenport Hotel $$
Hotel-butique
10 S Post St, 99201
Tel *(509) 455-8888*
w davenporthotelcollection.com
De 1914, o Davenport abriga um saguão estupendo e um salão de baile, além de quartos elegantes.

TACOMA:
Hotel Murano $$
Hotel-butique
1320 Broadway Plaza, 98402
Tel *(253) 238-8000*
w hotelmuranotacoma.com
Central, o Murano expõe uma escultura de vidro e arte moderna nas áreas comuns. Quartos espaçosos.

Destaque
WALLA WALLA:
Inn at Abeja $$$
Luxuoso
2014 Mill Creek Rd, 99362
Tel *(509) 522-1234*
w abeja.net
Essa casa de fazenda centenária foi meticulosamente restaurada, e seu terreno amplo também abriga uma vinícola e um hotel sofisticado. A hospedagem abrange as casas originais, a sede e um celeiro com suítes imaculadas. Os hóspedes podem explorar toda a área de jardins, riachos e vinhedos.

WOODINVILLE:
Willows Lodge $$$
Luxuoso
14580 NE 145 St, 98072
Tel *(425) 424-3900*
w willowslodge.com
O Willows é um resort suntuoso junto ao rio na região vinícola no oeste de Washington, com restaurantes premiados.

Saguão do luxuoso The Edgewater Hotel, em Seattle

ONDE FICAR | **633**

Quarto com decoração interessante no Ace Hotel, em Portland

YAKIMA: Birchfield Manor Country Inn $
Pousada/B&B
2018 Birchfield Rd, 98901
Tel *(509) 452-1960*
w birchfieldmanor.com
Há quartos com antiguidades na sede ou na cabana para hóspedes dessa fazenda de 1910.

Oregon

ASTORIA: Hotel Elliott $
Hotel-butique
357 12th St, 97103
Tel *(503) 325-2222*
w hotelelliott.com
Hotel central que mantém muitas características originais de 1924. Os quartos, luxuosos, têm lençóis de algodão de 440 fios.

BAKER CITY: Geiser Grand Hotel $
Luxuoso
1996 Main St, 97814
Tel *(541) 523-1889*
w geisergrand.com
Marco de 1889 restaurado, com um vitral na grande claraboia no salão do restaurante.

BEND: Seventh Mountain Resort $$
Resort
18575 SO Century Dr, 97702
Tel *(541) 382-8711*
w seventhmountain.com
Quartos simples e suítes bem equipadas em boa base para esquiar, fazer rafting e pescar.

CANNON BEACH: Stephanie Inn $$$
Pousada/B&B
2740 S Pacific St, 97110
Tel *(503) 436-2221*
w stephanie-inn.com
Esse lugar romântico junto ao mar oferece quartos com lareira, hidromassagem e belas vistas.

CRATER LAKE NATIONAL PARK: Crater Lake Lodge $$$
B&B
565 Rim Dr, 97604
Tel *(800) 774-2728*
w craterlakelodges.com
Construído com pedra e madeira da região, esse B&B de 1915 tem localização espetacular na orla do lago Crater. Abre entre maio e outubro.

MCMINNVILLE: McMenamins Hotel Oregon $
B&B
310 NE Evans St, 97128
Tel *(503) 472-8427*
w mcmenamins.com
Essa opção histórica na região vinícola apresenta diversos quartos confortáveis, alguns com banheiro próprio.

MCMINNVILLE: Youngberghill Vineyards and Inn $$$
B&B
10660 SO Youngberg Hill Rd, 97128
Tel *(503) 472-2727*
w youngberghill.com
Em uma colina com vista para vinhedos pitorescos, esse B&B imponente em estilo craftsman tem uma vinícola premiada e uma casa luxuosa para os hóspedes.

Destaque

MOUNT HOOD: Timberline Lodge $$
B&B
27500 E Timberline Rd, 97028
Tel *(800) 547-1406*
w timberlinelodge.com
Esse hotel histórico magnífico, famoso por servir como locação do filme *O iluminado*, foi construído nos anos 1930. A enorme lareira de pedra no saguão é por si só uma atração. O Timberline também oferece pacotes de esqui e várias opções de alta gastronomia que seduzem os visitantes.

NEWPORT: Sylvia Beach Hotel $
Hotel-butique
267 NO Cliff St, 97365
Tel *(541) 265-5428*
w sylviabeachhotel.com
Nesse hotel elegante em um edifício craftsman antigo, cada quarto é inspirado em um determinado escritor.

PORTLAND: McMenamins Kennedy School $
B&B
5736 NE 33rd Ave, 97211
Tel *(503) 249-3983*
w mcmenamins.com/KennedySchool
Uma escola de 1915 se tornou B&B, cinema, cervejaria e restaurante. Os quartos, extravagantes, apresentam antiguidades e quadros-negros.

Destaque

PORTLAND: Ace Hotel $$
Hotel-butique
1022 SO Stark St, 97205
Tel *(503) 228-2277*
w acehotel.com/portland
Após a reforma total do antigo Clyde Hotel, o Ace se tornou um dos melhores hotéis em uma cidade repleta de boas opções. Exibe uma mescla de detalhes originais de 1912 e características ecológicas modernas. Quartos diferentes entre si. Empresta bicicletas para os hóspedes e aceita animais de estimação.

PORTLAND: Heathman Hotel $$
Luxuoso
1001 SO Broadway, 97205
Tel *(503) 241-4100*
w portland.heathmanhotel.com
Esse marco de 1927 com charme europeu atrai músicos e escritores. Tem vistas da cidade e obras de artistas locais.

PORTLAND: McMenamins Crystal Hotel $$
Hotel-butique
303 SO 12th Ave, 97205
Tel *(503) 972-2670*
w mcmenamins.com/CrystalHotel
Nesse hotel com tema musical os quartos evocam o famoso salão de baile Crystal. Há um café animado e piscina.

SALEM: The Grand Hotel $$
Luxuoso
201 Liberty St SE, 97301
Tel *(503) 540-7800*
w grandhotelsalem.com
Amplos e confortáveis, os quartos e as suítes atraem executivos e turistas. O hotel tem muitas características ecológicas.

Mais informações sobre hotéis *nas pp. 26-7*

Onde Comer e Beber

Washington

CHELAN: Local Myth Pizza $
Pizzaria
122 S Emerson St, 98816
Tel *(509) 682-2914*
Fecha *sáb almoço; dom e seg*
Essa pizzaria fica lotada no verão com o pessoal local e turistas hospedados no resort por perto. As pizzas de massa fina têm coberturas gourmets como presunto italiano cru e nozes.

**FRIDAY HARBOR:
Duck Soup Inn** $$
Americana moderna
50 Duck Soup Ln, 98250
Tel *(360) 378-4878*
Fecha *almoço; seg*
Pratos inovadores com influências globais são feitos com carnes, frutos do mar, ervas e flores locais nesse restaurante elegante junto a um lago.

**LEAVENWORTH:
Andreas Keller** $$
Alemã
829 Front St, 98826
Tel *(509) 548-6000*
Esse restaurante em estilo bávaro serve schnitzels, weinkraut e outros clássicos. O som de acordeão ao vivo torna o ambiente divertido para crianças. Há uma carta fantástica de cervejas da Baviera.

**OLYMPIA: McMenamins
Spar Café** $
Americana
114 4th Ave E, 98501
Tel *(360) 357-6444*
Há clássicos como cozido de ostra de Olympic nesse café de 1935 com a atmosfera dos velhos tempos. Ales feitas na casa.

**PORT TOWNSEND:
Khu Larb Thai** $$
Tailandesa
225 Adams St, 98368
Tel *(360) 385-5023*
O cardápio desse tailandês pioneiro na península Olympic enfoca sobretudo frutos do mar e pratos vegetarianos. Fica no centro histórico.

SEATTLE: Beth's Café $
Americano
7311 Aurora Ave N, 98103
Tel *(206) 782-5588*
O Beth's serve café da manhã farto e pratos clássicos para a clientela que o frequenta de manhã ou tarde da noite. Há omeletes feitas com seis ou doze ovos.

SEATTLE: Elemental Pizza $
Pizzaria
2630 NE University Village St, 98105
Tel *(206) 524-4930*
Saboreie pizzas de forno a lenha com coberturas como salame e cervejas artesanais locais. De sobremesas há um delicioso sanduíche de sorvete.

SEATTLE: Salumi $
Italiana
309 3rd Ave S, 98104
Tel *(206) 621-8772*
Fecha *jantar; sáb-dom*
Esse lugar na Pioneer Square é famoso pelas carnes maturadas à moda italiana. Há um menu de sanduíches, sopas e massas. Só abre no almoço.

**SEATTLE: The Walrus and
the Carpenter** $$
Frutos do mar
4743 Ballard Ave NO, 98107
Tel *(206) 395-9227*
O bufê rústico de ostras desse restaurante tem renome nacional. O menu apresenta moluscos e mexilhões locais, peixe defumado e carnes. Há diversos coquetéis, vinhos e cervejas.

> ### Destaque
>
> **SEATTLE: Canlis** $$$
> Americana moderna
> 2576 Aurora Ave N, 98109
> **Tel** *(206) 283-3313*
> **Fecha** *almoço; dom*
> Parte da vanguarda gastronômica de Seattle desde 1950, o Canlis tem vistas do lago Union, frutos do mar e carnes fabulosos, além de uma carta de 2 mil vinhos. Com decoração bonita e música ao vivo, o ambiente é formal – jeans e trajes casuais não são permitidos.

**SEATTLE:
Ivar's Acres of Clams** $$$
Frutos do mar
1001 Alaskan Way, 98104
Tel *(206) 624-6852*
Marco local que desde 1938 serve pratos divinos com caranguejo, moluscos, ostras e salmão, além do clássico fish 'n' chips. Vistas privilegiadas das águas.

SEATTLE: Metropolitan Grill $$$
Churrascaria
820 2nd Ave, 98104
Tel *(206) 624-3287*
Fecha *almoço sáb e dom*
Essa *steakhouse* luxuosa e sofisticada é o lugar ideal para saborear filés e costeletas fantásticos.

Categorias de Preço
Por pessoa, para uma refeição composta de três pratos e uma taça de vinho da casa, mais taxas.

$	até US$45
$$	US$40-US$80
$$$	acima de US$80

O Ivar's Acres of Clams, em Seattle, tem frutos do mar e vistas das águas

A extensa carta de vinhos dá destaque aos ótimos tintos da Costa Oeste.

**SEATTLE:
Sitka & Spruce** $$$
Americana moderna
1531 Melrose Ave, 98122
Tel *(206) 324-0662*
Esse restaurante premiado serve pratos apetitosos feitos com a grande variedade de ingredientes sazonais locais. O menu mexicano especial nas noites de segunda é mais acessível.

**SPOKANE: Wild Sage
American Bistro** $$
Americana moderna
916 W 2nd Ave, 99201
Tel *(509) 456-7575*   **Fecha** *almoço*
Bistrô elegante com três ambientes e comida sazonal. Entre as opções há fondue de cheddar branco com cogumelos locais, carne da Brandt Farm e bolo com camadas de coco e creme.

**VANCOUVER: Hudson's
Bar & Grill** $$
Americana moderna
7805 NE Greenwood Dr, 98662
Tel *(360) 816-6100*
Em um lodge rústico chique, serve comfort food sazonal da região, com ênfase em carne de veado, chuleta e lombinho bovino. A carta de vinhos enfoca as vinícolas da Costa Oeste.

WALLA WALLA:
Brasserie Four $$
Francesa
4 E Main St, 99632
Tel *(509) 529-2011* **Fecha** *dom e seg*
O cardápio variado tem pizzas criativas e saladas grandes, além de comida francesa como quiches e mexilhões ao vapor. O brunch dominical é ótimo.

WALLA WALLA:
Whitehouse-Crawford $$$
Americana moderna
55 W Cherry St, 99362
Tel *(509) 525-2222*
Fecha *almoço; ter*
Em uma serraria de 1904, esse restaurante elegante tem ajudado a transformar a cultura culinária da região. O menu sazonal utiliza produtos locais, e a carta de vinhos impressiona.

Oregon

ASTORIA: Columbian Café $$
Americano moderno
1114 Marine Dr, 97103
Tel *(503) 325-2233*
Fecha *jantar dom-qua; seg e ter*
Esse pequeno *diner* com ambiente alegre se destaca pelos crepes especiais e pelo café da manhã farto. Serve também frutos do mar locais e comida vegetariana.

CANNON BEACH:
The Irish Table $$
Irlandesa
1235 S Hemlock St, 97145
Tel *(503) 436-0708*
Fecha *almoço; qua e qui*
O Irish Table serve pratos irlandeses feitos com produtos e frutos do mar locais. Os vinhos produzidos na região têm boa saída, assim como os uísques single malt americanos e irlandeses e as canecas de cervejas importadas.

Destaque
DAYTON:
Joel Palmer House $$
Americana moderna
600 Ferry St, 97114
Tel *(503) 864-2995*
Fecha *almoço; dom e seg*
Destino importante na região vinícola, a Joel Palmer House fica em uma mansão histórica anterior à Guerra Civil. O menu, de inspiração internacional, destaca cogumelos e trufas locais e os produtos da estação. Os garçons guiam os clientes pela carta de vinhos, que abrange Oregon Pinot Noir, Pinot Gris e Chardonnay.

HOOD RIVER: Full Sail
Brewing Company $$
Americana
506 Columbia St, 97031
Tel *(541) 386-2247*
O pub e sala de degustação nessa cervejaria é ideal para tomar diversas cervejas artesanais premiadas. O local serve também sanduíches deliciosos, porções e saladas.

MCMINNVILLE: Nick's
Italian Café $$
Americana moderna
521 NE 3rd St, 97128
Tel *(503) 434-4471*
Um marco na região vinícola, o Nick's oferece jantares com menu fixo de vários pratos e carta de vinhos locais.

NEWPORT: April's at
Nye Beach $$
Italiana
749 NO Third St, 97365
Tel *(541) 265-6855*
Fecha *almoço; seg e ter*
Esse café aconchegante revela lindas vistas e cozinha fina e criativa do Noroeste com toques italianos. Há uma carta de vinhos boa e acessível e sobremesas deliciosas.

PORTLAND: Podnah's
Pit Barbecue $
Churrascaria
1625 NE Killingsworth St, 97211
Tel *(503) 281-3700*
No Podnah's encontra-se churrasco defumado lentamente como no Texas. O salão é simples, mas as carnes macias fidelizam os clientes. Há alguns vinhos e cervejas artesanais.

PORTLAND: Dan and
Louis Oyster Bar $$
Frutos do mar
208 SO Ankeny St, 97204
Tel *(503) 227-5906*
Restaurante mais antigo da cidade, esse clássico de 1907 oferece frutos do mar frescos da região, com destaque para ostras.

PORTLAND: Le Pigeon $$
Americana moderna
738 E Burnside St, 97214
Tel *(503) 546-8796* **Fecha** *almoço*
Comida ousada de inspiração francesa e renome nacional é servida em um salão intimista com mesas comunitárias e o balcão do chef. Carta de vinhos longa.

Destaque
PORTLAND: Pok Pok $$
Tailandesa
3226 SE Division St, 97202
Tel *(503) 232-1387*
Um dos restaurantes mais renomados da região, o Pok Pok prepara especialidades do norte da Tailândia, servidas por uma equipe eficiente. Saladas e curries picantes têm sabores e texturas raramente apreciados nos EUA. A carta de bebidas variada inclui vinagres potáveis e coquetéis criativos. Esse foi o embrião de um império culinário bem-sucedido que se estende até Nova York.

PORTLAND: Jake's
Famous Crawfish $$$
Frutos do mar
401 SO 12th Ave, 97205
Tel *(503) 226-1419*
Fecha *almoço dom*
Essa casa aberta em 1892 serve dezenas de peixes frescos que podem ser feitos no vapor, recheados, selados, salteados ou grelhados. As paredes revestidas de painéis de madeira e as obras de arte dão charme ao ambiente.

SALEM:
La Capitale Brasserie $$
Francesa
508 State St, 97301
Tel *(503) 585-1975* **Fecha** *dom*
Em edifício histórico, destaca ingredientes sazonais locais e serve cervejas artesanais e vinhos finos. Prove versões criativas de clássicos franceses e embutidos caseiros.

O renomado restaurante tailandês Pok Pok, em Portland

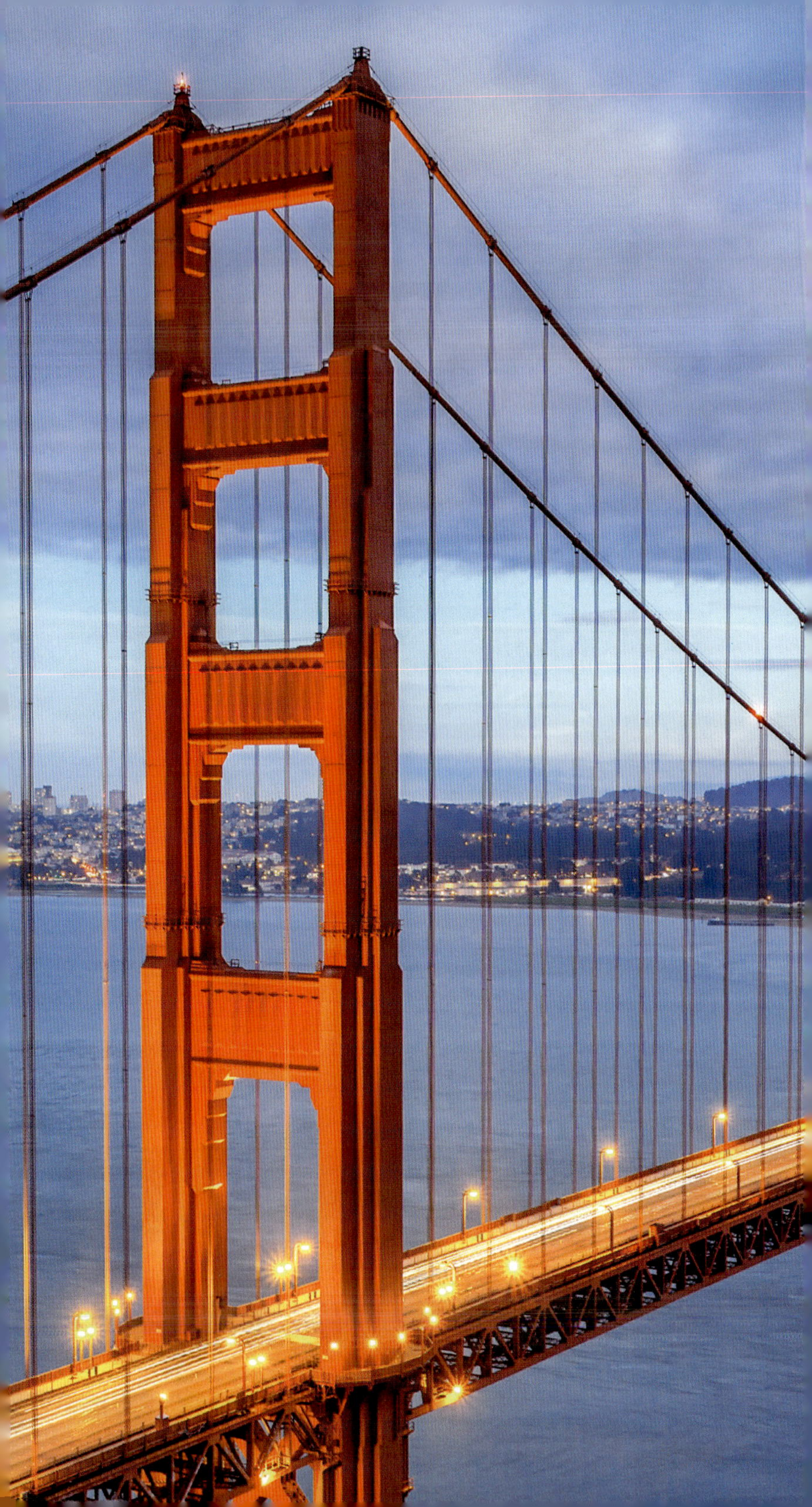

CALIFÓRNIA

Introdução à Califórnia	638-645
Los Angeles	646-665
San Diego County	666-669
Desertos	670-673
Central Coast	674-681
São Francisco	682-699
Wine Country	700-701
Norte da Califórnia	702-703
Gold Country	704-705
High Sierras	706-707

Califórnia em Destaque

Situada na costa do Pacífico, a Califórnia tem 1.300km de comprimento e 400km de largura, cobrindo uma área de 411 mil km². Região de extremos contrastes, nela os desertos escaldantes e as montanhas de picos nevados do sul dão lugar às vastas extensões selvagens do norte. Los Angeles e São Francisco são as duas principais cidades do estado, cuja capital é Sacramento.

Sacramento *(p. 705)*, no Gold Country, é a capital da Califórnia. Seu marco é o California State Capitol (1874). Na cidade velha, ao longo do rio, ficam muitos edifícios históricos construídos para os mineradores de ouro em 1849.

O **Napa Valley** *(pp. 700-1)*, uma longa faixa de terra, fica no coração do Wine Country, no norte do estado. Centenas de vinherias pontuam o vale; a maioria oferece degustações.

A **Golden Gate Bridge** *(p. 695)*, em São Francisco, liga a cidade a Marin County. Esse marco célebre foi inaugurado em 1937.

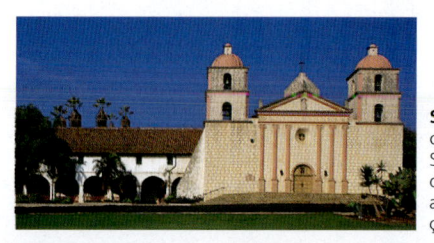

Santa Barbara *(p. 674)*, na Central Coast, concentra a herança espanhola da região. Sua lendária missão, chamada de "Rainha das Missões", foi construída quatro anos após a fundação da cidade como guarnição em 1782.

◄ A famosa Golden Gate Bridge, em São Francisco

INTRODUÇÃO À CALIFÓRNIA | **639**

O **Yosemite National Park** *(pp. 706-7)*, nas High Sierras, é uma inesquecível região de florestas, altas campinas, belas cachoeiras e imponentes rochas de granito. As gigantes sequoias do local foram a primeira atração turística da Califórnia.

Localize-se

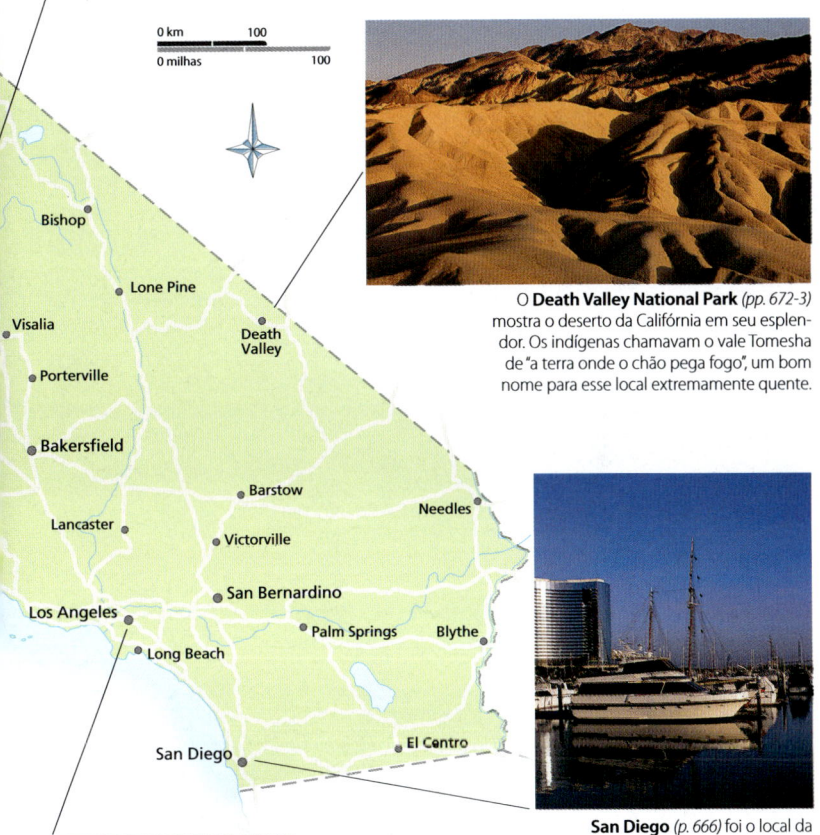

O **Death Valley National Park** *(pp. 672-3)* mostra o deserto da Califórnia em seu esplendor. Os indígenas chamavam o vale Tomesha de "a terra onde o chão pega fogo", um bom nome para esse local extremamente quente.

San Diego *(p. 666)* foi o local da primeira missão espanhola. Hoje, é um grande porto comercial e militar, com porta-aviões, cruzadores, barcos de pesca, transatlânticos e belíssimos iates.

Los Angeles *(pp. 646-65)* é uma cidade dominada pela riqueza, fama e glamour, como se vê em Hollywood. Suas praias ao longo do Pacífico atraem mais de 30 milhões de pessoas por ano.

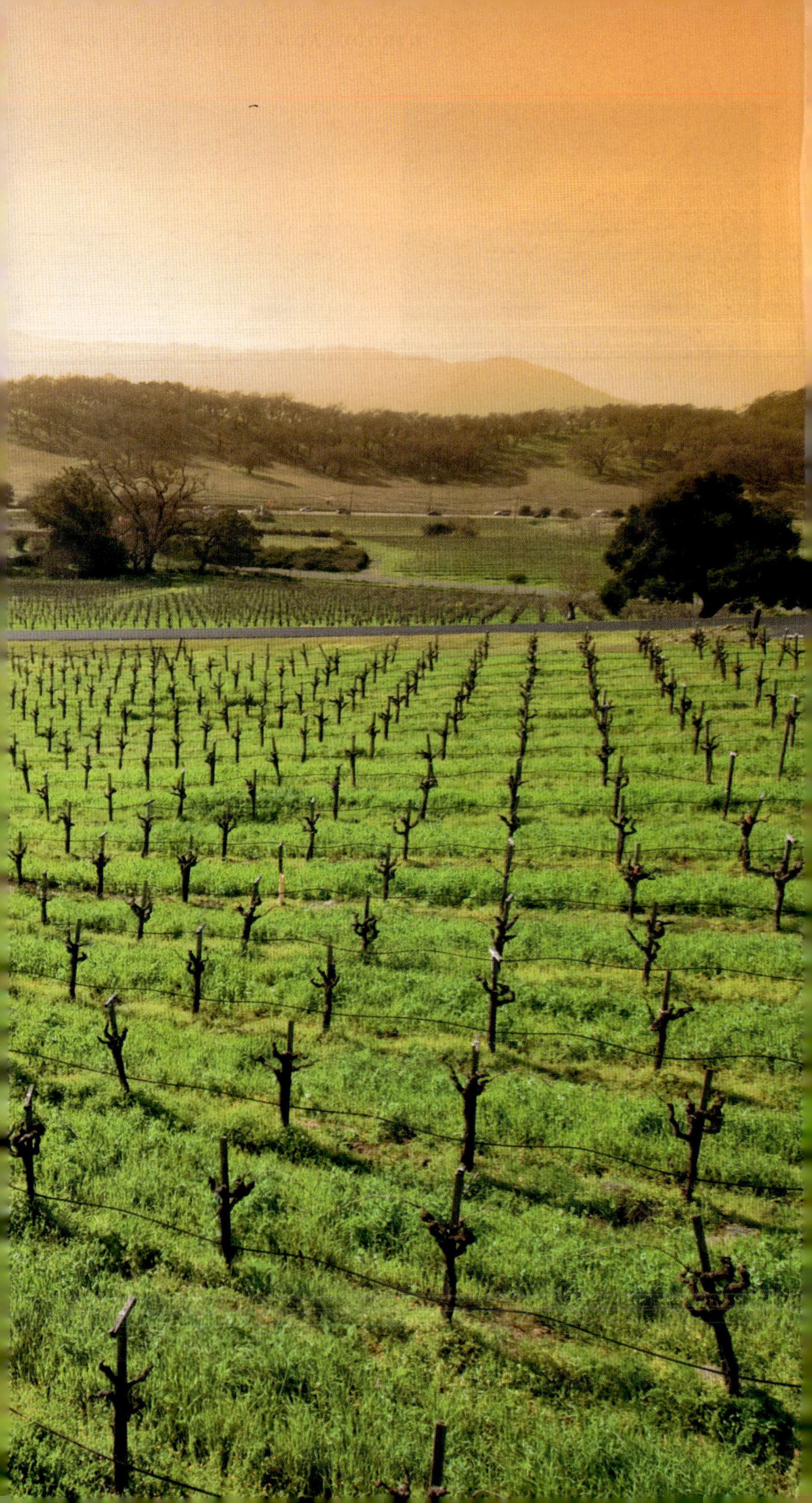

CALIFÓRNIA

Impressionante tanto pelo tamanho quanto pelo domínio que exerce na cultura moderna, a Califórnia simboliza a diversidade e a prosperidade dos Estados Unidos. Ali se encontram florestas, montanhas, desertos a poucas horas das praias e duas das mais avançadas cidades do mundo – São Francisco e Los Angeles.

As opiniões sobre a Califórnia variam tanto que há quem diga que ela é, na verdade, dois estados. A primeira Califórnia, geográfica, é o terceiro maior estado norte-americano (depois do Alasca e do Texas). Ficam ali alguns dos picos mais altos, como o monte Whitney, e a maior extensão de terra árida do país – o Death Valley, ou Vale da Morte. Um em cada oito norte-americanos é californiano, o que transforma o estado no mais populoso da União e aquele que possui a maior bancada no Congresso.

A segunda Califórnia é o reino de fantasia composto de imagens de celuloide bruxuleantes. Ao pensar nela, nossa mente é imediatamente invadida por visões de pessoas em trajes de banho, de famílias de classe média e suas casas imensas no subúrbio, e de celebridades glamourosas descendo de suas limusines diante de hordas de caçadores de autógrafos. Esses estereótipos são alimentados pela indústria do turismo e pela imprensa, em especial a de Hollywood. Os colonizadores espanhóis exaltavam a Califórnia pelo exotismo, ao passo que a Corrida do Ouro a elevou à categoria de terra da fortuna e da oportunidade. Seja qual for a verdade, esses panegíricos criaram a imagem pitoresca e sedutora que ela ostenta hoje.

História

Embora os espanhóis tenham "descoberto" a Califórnia em 1542, eles a colonizaram apenas no século XVIII. Seu domínio se apoiava em três instituições: as missões (Igreja), o presídio (forte) e o pueblo (cidade). A Igreja era a instituição mais influente. Os frades franciscanos fundaram 21 missões a intervalos de cerca de 50km ao longo do Camino Real, entre San Diego e Sonoma. Ainda assim, o território permaneceu pouco habitado até 1848, quando o México o cedeu aos

As vitrines das lojas da Ocean Avenue, a rua mais exclusiva de Carmel
◀ Vinhedo no Sonoma Valley

Estados Unidos e o ouro foi descoberto nos contrafortes da Sierra Nevada. Em 1849, a Corrida do Ouro atraiu hordas de garimpeiros, que ficaram conhecidos como "Forty-Niners". A descoberta de depósitos de prata nas serras ocidentais e a construção da ferrovia transcontinental, em 1869, levaram grande prosperidade ao local. Com as mudanças, porém, vieram as tensões raciais, que tiveram início com o influxo de imigrantes chineses contratados para construir a ferrovia. Desde então os imigrantes têm contribuído para a riqueza cultural do estado, para sua superpopulação e para o surgimento de conflitos raciais.

A popular Third Street Promenade, em Santa Monica

Em 18 de abril de 1906, São Francisco sofreu o pior terremoto que o país já viu, e muitos acreditaram que o apogeu da Califórnia tinha chegado ao fim. Porém, o estado se reergueu, e esse renascimento está ligado a Hollywood. O cinema e a televisão tornaram a Califórnia o símbolo da ressurreição norte-americana do pós-guerra. De repente, todos desejavam a próspera vida de classe média que acreditavam ser a tônica do lugar. Ao mesmo tempo, persistiam a violência e a discriminação racial, as escolas públicas não tinham dinheiro e Hollywood passou a ser atacada pelos políticos como um ninho de comunistas.

Desde os anos 1960 o estado tem sido o berço dos mais importantes movimentos sociais do país. Foi na universidade em Berkeley que nasceu o Movimento Free Speech Movement; Haight Ashbury, em São Francisco, era a meca dos *hippies*. Hoje, o vale do Silício é o centro da indústria de computadores e abriga inúmeras empresas de alta tecnologia. Apesar de tudo, porém, a Califórnia ainda está sujeita a terremotos.

Sociedade e Política

A Califórnia é um microcosmo étnico. Ela é o estado americano que mais recebe imigrantes (tem um terço dos imigrantes do país) e o que tem a maior diversidade racial. O percentual de brancos e de negros está abaixo da média nacional, mas a população asiática é mais de três vezes superior à do país. Os hispânicos respondem por mais de 35 por cento dos californianos. Esse coquetel racial é mais visível em cidades como San Diego, Los Angeles e São Francisco. O crescimento populacional perturbou o equilíbrio entre o campo e a cidade. Desde os anos 1950, as pro-

---

PRINCIPAIS DATAS HISTÓRICAS

1542 O explorador espanhol Juan Rodríguez Cabrillo descobre a Califórnia
1769 Surge a primeira missão em San Diego
1776 Novo presídio é criado em São Francisco
1781 O pueblo de Los Angeles é fundado
1848 Os EUA anexam a Califórnia. Corrida do Ouro
1853 Levi Strauss chega à Bay Area e começa a vender calças de lona
1854 Sacramento se torna capital do estado
1869 A ferrovia transcontinental fica pronta
1891 A Stanford University é inaugurada
1893 A falha de San Andreas é descoberta
1906 Terremoto atinge São Francisco
1911 *The Law of the Range* é o primeiro filme produzido em Hollywood
1929 O ator Douglas Fairbanks Sr. apresenta a primeira premiação da Academia de Cinema
1945 Carta da ONU é assinada em São Francisco
1968 O senador Robert F. Kennedy é assassinado
1978 A Apple lança o computador pessoal
1984 Los Angeles sedia sua segunda Olimpíada
1992 Conflitos raciais em todo o estado
2001 Crise energética; racionamento de energia
2003 Arnold Schwarzenegger é eleito governador

priedades rurais diminuíram e a necessidade de habitação aumentou. Hoje, os setores que mais geram empregos são o de serviços e aquele baseado no vale do Silício.

A maioria dos turistas visita as duas maiores cidades da Califórnia – São Francisco e Los Angeles. Situadas ao norte e ao sul, respectivamente, elas se definem por seu caráter oposto. São Francisco é mais compacta e se orgulha de sua inquietude e de seu espírito libertário. Ela acabou se tornando o berço do trabalhismo e desempenhou um papel importante no ativismo político (liderou o movimento contrário à Guerra do Vietnã). A cidade também tem uma das maiores concentrações mundiais de gays e lésbicas. Los Angeles, ao contrário, é uma cidade "espalhada", sem um centro, onde a ilusão de riqueza, fama e glamour criou um quadro de brilho feérico e política conservadora. A influência conflitante que as duas cidades exercem nas políticas estadual e nacional explica por que a Califórnia parece meio esquizofrênica.

O escritor Jack Kerouac

Cultura e Arte

Para a maioria das pessoas, a contribuição da Califórnia à cultura são os *block-busters* de Hollywood e as séries de televisão. Mas outra espécie de criatividade se revela no histórico de pinturas de paisagens e de retratos e na arte de vanguarda do século XX. Artistas modernos como John McLaughlin e Elmer Bischoff e pioneiros da fotografia como Imogen Cunningham e Ansel Adams alcançaram reconhecimento internacional. O artista britânico David Hockney viveu ali por muitos anos, colocando na tela a imagem ensolarada do estado. A Califórnia também abriga alguns dos melhores museus do mundo, entre os quais o LACMA, o San Francisco Museum of Modern Art e o Getty Museum.

A arquitetura vitoriana da Bay Area sempre foi uma importante atração turística, e arquitetos de fora, como Frank Lloyd Wright e Daniel Burnham, também deixaram sua marca por ali.
Entre os profissionais mais influentes da atualidade estão os residentes Frank Gehry e Joe Esherick.

Viveram na Califórnia muitos escritores de sucesso, como John Steinbeck, vencedor do Prêmio Nobel, Jack Kerouac e Allen Ginsburg. A tradição continua com Amy Tan *(O clube da felicidade e da sorte)* e a escritora de romances policiais Sue Grafton, entre outros. A música pop também tem papel de destaque, pois foi na Califórnia que Beach Boys, Janis Joplin e Red Hot Chili Peppers lançaram suas carreiras.

Os californianos adoram comer fora, e chefs como Wolfgang Puck e Alice Waters ficaram famosos promovendo a "cozinha californiana", uma mescla de ingredientes locais e técnicas asiáticas. Junte-se a isso vinhos de qualidade e está provado que os californianos cuidam bem do paladar. Eles se preocupam com o físico e praticam muito esporte. Como foram agraciados com belas paisagens e clima ameno, não precisam ir longe para desfrutar atividades ao ar livre.

O bonde é um bom jeito de andar por São Francisco

644 | CALIFÓRNIA

Como Explorar a Califórnia

Há muitas cidades e outras atrações a conhecer além de Los Angeles e São Francisco. Entre os destaques, San Diego e o Death Valley National Park, ao sul, e Sacramento e o Yosemite National Park, ao norte. A maior parte dos turistas chega de avião a Los Angeles e São Francisco. Uma extensa rede de rodovias e ferrovias liga as duas cidades ao restante do país.

Iates em Shelter Island, na baía de San Diego

Principais Atrações

1. Los Angeles pp. 646-65

San Diego County
2. San Diego
3. SeaWorld®
4. La Jolla
5. Tijuana, México

Desertos
6. Palm Springs
7. Anza-Borrego Desert State Park
8. Salton Sea State Recreation Area
9. Joshua Tree National Park
10. Mojave Desert
11. Death Valley National Park pp. 672-3

Central Coast
12. Santa Barbara
13. Channel Islands National Park
14. Lompoc Valley
15. San Luis Obispo
16. Hearst Castle® pp. 676-7
17. Big Sur pp. 678-9
18. Carmel
19. Monterey
20. Santa Cruz
21. São Francisco pp. 682-99

Wine Country
22. Sonoma Valley
23. Napa Valley

24. Russian River Valley
25. Fort Ross State Historic Park
26. Mendocino

Norte da Califórnia
27. Humboldt Redwoods State Park
28. Eureka
29. Redwood National Park
30. Weaverville
31. Mount Shasta
32. Lava Beds National Monument
33. Lassen Volcanic National Park

Gold Country
34. Nevada City
35. Grass Valley
36. Marshall Gold Discovery State Park
37. Sacramento p. 705
38. Highway 49
39. Columbia State Historic Park

High Sierras
40. Lake Tahoe
41. Yosemite National Park
42. Eastern Sierras
43. Sequoia & Kings Canyon National Parks

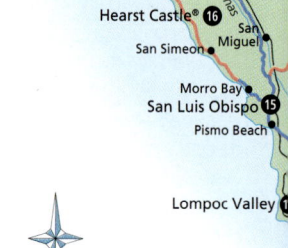

Legenda dos símbolos na orelha da contracapa

INTRODUÇÃO À CALIFÓRNIA | 645

Tabela de Distâncias

Los Angeles

121	San Diego			10 = Distância em milhas				
195				10 = Distância em quilômetros				
107	138	Palm Springs						
172	222							
95	220	202	Santa Barbara					
153	354	325						
320	468	425	250	Monterey				
515	753	684	402					
363	492	467	272	43	Santa Cruz			
584	792	752	438	69				
380	556	485	337	112	73	São Francisco		
612	895	781	542	180	117			
409	599	513	380	158	118	45	Sonoma	
658	964	826	612	254	190	72		
384	504	488	404	195	156	87	69	Sacramento
618	811	785	650	314	251	140	111	

Sequoias gigantes no Yosemite National Park

Legenda

— Rodovia expressa
— Estrada principal
— Ferrovia
-- Fronteira estadual
▬ Fronteira internacional

● Los Angeles

Situada numa bacia plana, cercada de praias, montanhas e desertos, Los Angeles tem 1.200km² e 3,8 milhões de habitantes. A imagem de cartão-postal da cidade, com suas palmeiras, seus shopping centers e seu estilo de vida opulento, é o ideal máximo do sonho americano. Apesar de ser também reconhecida pelos museus e pelas galerias de arte, os turistas, em sua maioria, ainda são atraídos pelo mundo de fantasia de Hollywood e da Disneylândia.

O esqui aquático é um esporte popular na costa sul de Los Angeles

Principais Atrações
① The Getty Center
② Santa Monica
③ Venice
④ Museum of Tolerance
⑤ Westwood & UCLA
⑥ The Golden Triangle
⑦ *Sunset Boulevard pp. 652-3*
⑧ Mulholland Drive
⑨ Hollywood Boulevard
⑩ Hollywood Bowl
⑪ Farmers Market
⑫ Miracle Mile
⑬ Exposition Park & University of Southern California
⑭ Los Angeles Central Library
⑮ Los Angeles City Hall
⑯ Music Center
⑰ Grand Central Market
⑱ Little Tokyo
⑲ Museum of Contemporary Art
⑳ El Pueblo
㉑ Lummis Home and Garden
㉒ The Autry
㉓ Griffith Park
㉔ Hollywood Sign
㉕ Universal Studios

Grande Los Angeles
(veja detalhe)
㉖ Malibu
㉗ Pasadena
㉘ Watts Towers
㉙ Long Beach
㉚ Knott's Berry Farm®
㉛ Mission San Juan Capistrano
㉜ Newport Beach
㉝ Disneyland® Resort pp. 662-3

Legenda dos símbolos *na orelha da contracapa*

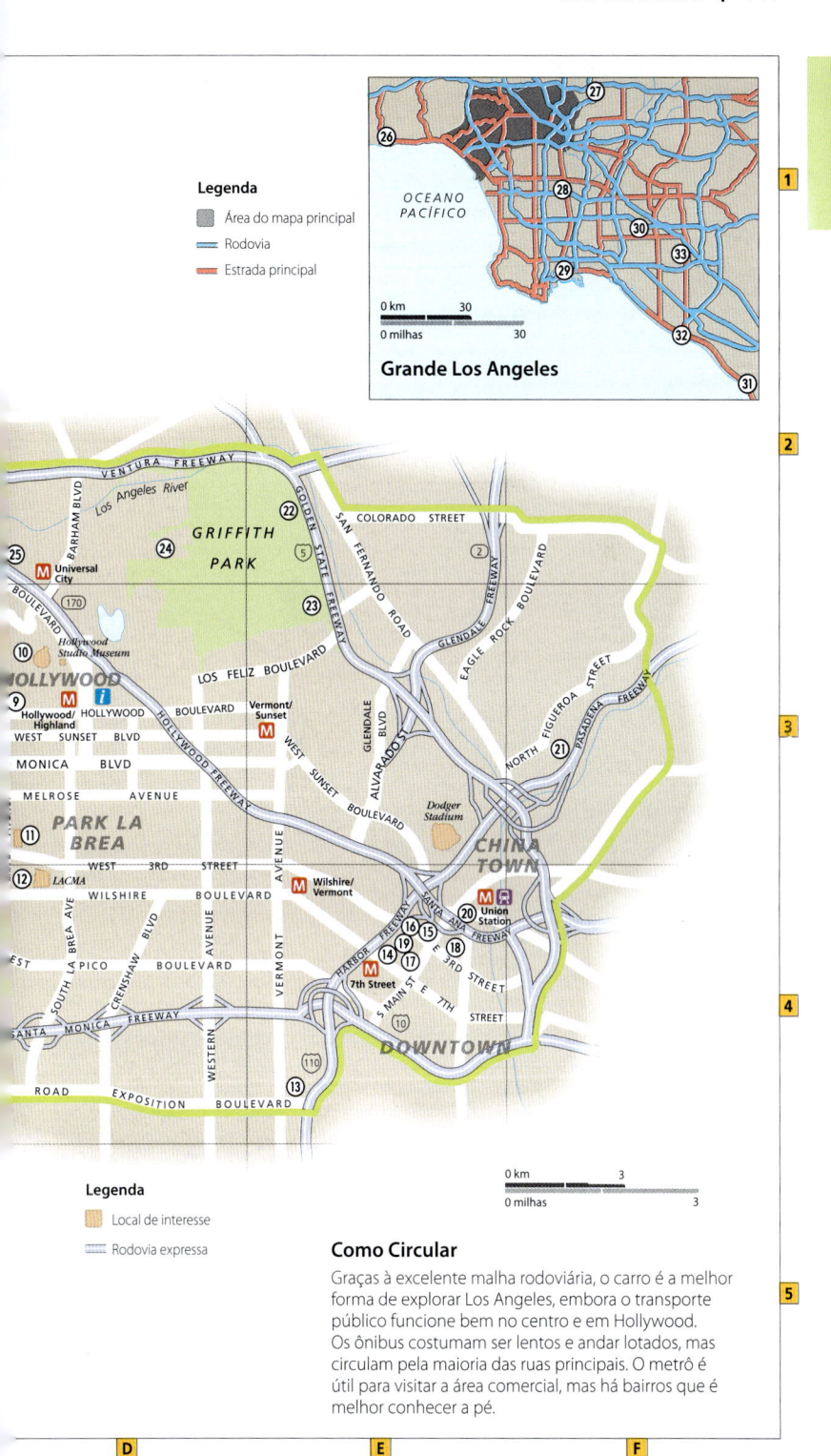

LOS ANGELES | **647**

Legenda

- Área do mapa principal
- Rodovia
- Estrada principal

Grande Los Angeles

Legenda

- Local de interesse
- Rodovia expressa

Como Circular

Graças à excelente malha rodoviária, o carro é a melhor forma de explorar Los Angeles, embora o transporte público funcione bem no centro e em Hollywood. Os ônibus costumam ser lentos e andar lotados, mas circulam pela maioria das ruas principais. O metrô é útil para visitar a área comercial, mas há bairros que é melhor conhecer a pé.

A adoração dos magos (c.1495-1505), de Andrea Mantegna, no Getty Museum

① The Getty Center

Mapa B3. 1.200 Getty Center Dr. **Tel** (310) 440-7300. 10h-17h30 ter-sex e dom, 10h-21h sáb. Não precisa reservar estacionamento. feriados. **w** getty.edu

Situado em meio à natureza selvagem das montanhas de Santa Monica, em Sepulveda Pass, o Getty Center se destaca na paisagem física e cultural da área. Inaugurado em 1997, o complexo de 110ha abriga não apenas o Getty Museum, mas também programas de pesquisa, conservação e bolsas de estudo dedicados à arte e à cultura.

J. Paul Getty (1892-1976) fez fortuna com o petróleo e tornou-se um colecionador de arte apaixonado. Ele reuniu um acervo notável de arte europeia com foco nos movimentos artísticos anteriores ao século XX, da Renascença ao Pós-impressionismo. Colecionador corajoso, Getty gostava da caça a um objeto quase mais do que da sua posse. Ele queria que o público tivesse acesso gratuito a seu acervo. A casa em que morou, a Getty Villa, em Malibu, abrigou o primeiro Getty Museum. A vila passou por uma grande reforma e conta hoje com objetos antigos romanos, gregos e etruscos.

Desde a morte de Getty, sua fundação tem comprado obras de grande qualidade para completar o acervo existente. Novos departamentos, como o de manuscritos e desenhos, também foram criados.

De fora, o centro parece uma fortaleza, mas lá dentro as proporções são intimistas, com fontes, aleias, pátios e nichos. Um bonde elétrico transporta os visitantes do estacionamento ao complexo. O salão de entrada é alto e se abre para um pátio central. Ali estão localizados os cinco pavilhões de dois andares que abrigam as diversas coleções de arte. As pinturas europeias datam do século XIII ao final do século XIX e incluem obras-primas como *A adoração dos magos* (c. 1495-1505), de Andrea Mantegna, *O rapto de Europa* (1632), de Rembrandt, *Natureza-morta com maçãs* (1900), de Paul Cézanne, e *Íris* (1889), de Vincent van Gogh, que foi pintada pelo artista no asilo de St. Remy. O acervo de esculturas do Getty Museum contém finos exemplos de arte barroca e neoclássica, como *Plutão rapta Prosérpina* (c. 1693-1710), de François Girardon, e estátuas – *Vênus, Juno* e *Minerva* (1773) – de Joseph Nollekens.

O departamento de fotografia do museu abriga obras de vários pioneiros, como Louis-Jacques-Mandé Daguerre (inventor do daguerreótipo) e William Henry Fox Talbo (o primeiro a fazer cópias a partir de negativos).

A arte decorativa foi a primeira paixão de J. Paul Getty como colecionador e surgiu quando ele alugou uma cobertura em Nova York decorada com antiguidades francesas e inglesas do século XVIII. O museu dispõe de um acervo soberbo de móveis e objetos de decoração franceses: arcas, candelabros, arandelas e tapeçarias que vão do reinado de Luís XIV à era de Napoleão (1643-1815).

O Getty Center registra o desenvolvimento dos manuscritos iluminados do século VI ao XVI e conta com um acervo magnífico de diferentes períodos históricos, como o bizantino, o otomano, o românico, o gótico e o renascentista.

Músico se apresenta na rua

② Santa Monica

Mapa B4. 90.000. 1.920 Main St, (310) 393-7593. Festival de Santa Monica (mai). **w** santamonica.com

Graças à brisa fresca, ao clima ameno e às ruas agradáveis, Santa Monica é a estrela do litoral de Los Angeles desde os anos 1890, quando os bondes faziam o transporte até o centro e as festas na praia se tornaram uma febre. No início, ela tinha uma vida dupla: cidade-dormitório litorânea e sede de navios-cassino. Nos anos 1920 e 1930, celebridades como Cary Grant e Mary Pickford compraram terras ali e deram origem à "Costa Dourada". Depois do sucesso da série de TV *Baywatch*, a praia e o porto ganharam fama mundial. Mas a cidade, construída no alto de um penhasco com vista para a baía de Santa Monica, também é conhecida pelos restaurantes, pelo comércio e pela vibrante cena artística.

Parques luxuriantes pontuam a paisagem, nenhum tão bonito quanto o **Palisades Park**, numa encosta de frente para o oceano. O parque se estende por 2,5km no alto do morro. Bem-cuidado, é um dos melhores lugares para assistir ao pôr do sol. Quem deseja viver uma experiência

Palmeiras altas ladeiam a rua no Palisades Park, em Santa Monica

Veja hotéis e restaurantes dessa região nas pp. 710-5

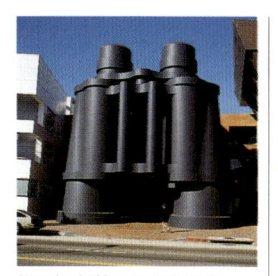

Binoculars Building, em Santa Monica, projetado por Frank Gehry

verdadeiramente californiana pode andar ou correr pelos caminhos sombreados pelas palmeiras com o oceano ao fundo. Na extremidade norte, o Inspiration Point oferece uma grande vista da baía, de Malibu a Palos Verdes.

Mais para dentro, entre o Wilshire Boulevard e a Broadway, está **Third Street Promenade**. Depois de um período de decadência, a rua passou por uma remodelagem completa e é hoje um dos lugares mais animados de Los Angeles. São três calçadões repletos de lojas, cafés, livrarias e cinemas. À noite o clima é especialmente festivo. Artistas de rua apresentam números de música, dança e mágica.

A outra área de comércio importante em Santa Monica é a Main Street, que corre no sentido sul, na direção de Venice. Ela conta com um comércio variado, restaurantes e galerias de arte. Diversas obras de arte enfeitam essa rua, como *Reação em cadeia,* de Paul Conrad, uma escultura de aço inoxidável e cobre contra a guerra nuclear. O edifício **Binoculars Building**, projetado por Frank Gehry em forma de binóculos, domina a rua. Localiza-se também na Main Street o California Heritage Museum, que registra a história do estado.

A nordeste fica o **Santa Monica Pier**, construído em 1908, o mais antigo parque de diversões da Costa Oeste, com bate-bate, montanha-russa e uma roda-gigante imensa. O parque tem também o carrossel de 1922 que apareceu no filme *Golpe de mestre* (1973), estrelado por Paul Newman.

Já a **Bergamot Station** é um complexo de arte que ocupa uma área de 2ha em uma antiga estação de bondes abandonada. Construídos com perfis de alumínio, os prédios ganharam um toque *high-tech* elegante. Mais de vinte galerias exibem arte contemporânea e arte radical.

O Santa Monica Museum of Art, que funciona dentro da Bergamot Station, concentra-se nas obras de artistas contemporâneos, em especial os performáticos e os que trabalham com multimídia.

Santa Monica Pier
Colorado e Ocean Aves.
Tel (310) 458-8900, (310) 266-8784
Pacific Park information. diariam.
Carrossel: mai-set: 10h-17h ter-dom; out-abr: 10h-17h sáb-dom.
(310) 395-4248.
santamonicapier.org

Bergamot Station
2.525 Michigan Ave.
Tel (310) 829-5854.
10h-18h ter-sex, 11h-17h30 sáb.
dom, feriados.

③ Venice

Mapa B5. 2.904 Washington Blvd, Suite 100, (310) 822-5425.
venicechamber.net

Fundado pelo magnata do tabaco Abbot Kinney como uma versão americana de Veneza, na Itália, essa animada praia era um pântano há não mais de cem anos. Com a ideia de produzir um renascimento cultural na Califórnia, Kinney construiu um sistema de canais e importou gôndolas. Hoje existem apenas alguns dos canais originais; o restante foi aterrado. O melhor lugar para vê-los é a **Dell Avenue**, onde velhas pontes, barcos e patos embelezam as águas.

No entanto, Venice é mais conhecida pelo alvoroço da praia. No calçadão de tábuas, durante o fim de semana, homens e mulheres passeiam de bicicleta e skate ao lado de malabaristas, acrobatas e outros artistas que entretêm a multidão. Muscle Beach, onde Arnold Schwarzenegger costumava malhar, ainda atrai fisioculturistas.

Canal artificial em Venice

Raymond Chandler

O escritor americano Raymond Chandler (1888-1959) ambientou diversas histórias em Santa Monica, um lugar que ele detestava e transformou na espalhafatosa Bay City de *Adeus, querida*. A corrupção, a imoralidade e o circuito de jogo nos navios dos anos 1920 e 1930 estão bem documentados nesse retrato de Santa Monica. Romances como *O grande sonho*, *Janela para a morte* e *O longo adeus*, que mostram o lado escuro de LA, viraram filmes. Figura proeminente da chamada escola dura do romance policial, Philip Marlowe, o famoso investigador criado por Chandler, sintetizava uma visão de mundo dura e nada sentimental.

Raymond Chandler

④ Museum of Tolerance

Mapa C4. 9.786 W Pico Blvd. **Tel** (310) 353-8403. ◯ 10h-17h seg-sex e dom (nov-mar: até 15h30 sex). ⬤ sáb, 1º jan, Ação de Graças, 25 dez e principais feriados judeus.
w museumoftolerance.com

Dedicado a promover o respeito e o entendimento entre os povos, o museu é focado no Holocausto e na história do racismo e do preconceito nos EUA.

A visita começa pelo **Tolerancenter**, onde as pessoas são desafiadas a encarar o racismo e a intolerância por meio de mostras interativas. Um mapa de parede computadorizado identifica mais de 250 grupos racistas dos EUA, enquanto uma bateria de dezesseis monitores de vídeo retrata a luta pelos direitos civis deflagrada no país nos anos 1960. Vídeos interativos também apresentam a questão da cidadania responsável e da justiça social. Eles mostram os conflitos raciais ocorridos em LA em 1992, nos quais 26 pessoas morreram e 3 mil casas foram destruídas. A **Finding our Families, Finding Ourselves** é uma exposição multimídia que aborda a diversidade nas histórias pessoais de cidadãos americanos, a exemplo do comediante Billy Crystal e do músico Carlos Santana. A seção do Holocausto reconstitui a Conferência de Wannsee, na qual os líderes do Terceiro Reich propuseram a "solução final do problema judeu", e sua implementação com a câmara de gás. Algumas exposições não são adequadas para menores de 10 anos.

⑤ Westwood & UCLA

Mapa B4. 🚌 UCLA Campus: 📞 (310) 825-4321. **w** ucla.edu
Westwood Village: 📞 LA Visitor Information Center, 685 Figueroa St, (213) 689-8822.

Com seus muitos e variados departamentos acadêmicos, suas escolas para profissionais e seus mais de 35 mil alunos, a University of California Los Angeles (UCLA), que ocupa uma área de 170ha, é uma verdadeira cidade. O *campus* original foi projetado em 1925 ao estilo das cidades românicas da Europa. Com a expansão da universidade, porém, a arquitetura moderna foi favorecida. Entretanto, essa desalentadora mistura de estilos é compensada pela linda paisagem ao redor.

Os quatro edifícios de tijolos vermelhos que compõem o **Royce Quadrangle** são os mais antigos da UCLA. Construídos no estilo românico, Royce Hall, Kinsey Hall, Haines Hall e a Powell Library superam em beleza todos os outros prédios da UCLA.

Desde sua criação, em 1928, Westwood Village – com suas ruas excelentes para o trânsito de pedestres – é uma das áreas de comércio mais bem-sucedidas do sul da Califórnia. Essa é ainda a região com mais cinemas dos EUA. Algumas casas oferecem pré-estreias dos últimos lançamentos.

Ao sul de Westwood, o **Hammer Museum** guarda a coleção de arte do empresário, de indústria de óleo, Armand Hammer (1899-1990). O acervo de Hammer contém uma série de obras impressionistas e pós-impressionistas de artistas como Claude Monet, Camille Pissarro e Vincent van Gogh.

A sudoeste, o tranquilo **Westwood Memorial Park** é a morada final de várias celebridades, entre as quais Dean Martin, Peter Lorre, Natalie Wood e Marilyn Monroe.

Protegido pelas sombras de um cânion ao nordeste de Westwood, o sereno **Mildred E. Mathias Botanical Garden** dispõe de uma enorme variedade de plantas – quase 4 mil espécies nativas e raras com subespécies tropicais e subtropicais.

Mais ao norte, o acervo do **Fowler Museum of Cultural History**, da UCLA, contém 750 mil artefatos contemporâneos e pré-históricos de sociedades africanas, asiáticas, americanas e da Oceania. O Fowler é um dos principais museus universitários do país.

🏛 **Hammer Museum**
10.899 Wilshire Blvd.
Tel (310) 443-7000.
◯ 11h-20h ter-sex, 11h-17h sáb-dom; 11h-17h dom.
⬤ 4 jul, Ação de Graças, 25 dez.
w hammer.ucla.edu

🏛 **Fowler Museum of Cultural History**
308 Charles E. Young Dr.
Tel (310) 825-4361. ◯ 12h-17h qua-dom (até 20h qui). ⬤ seg, ter, feriados. **w** fowler.ucla.edu

Entrada da UCLA no Hammer Museum

Montagem sobre o preconceito racial no Museum of Tolerance

Veja hotéis e restaurantes dessa região nas pp. 710-5

LOS ANGELES | 651

⑥ The Golden Triangle

Mapa C4.

A área delimitada por Santa Monica Boulevard, Wilshire Boulevard e North Crescent Drive é o setor comercial de Beverly Hills, conhecido como Golden Triangle (Triângulo Dourado). As lojas, os restaurantes e as galerias de arte dessas ruas estão entre os mais luxuosos do mundo. **Rodeo Drive**, uma das mais festejadas ruas de comércio do mundo, passa pelo meio do triângulo. Seu nome vem de El Rancho Rodeo de las Aguas, que era como os espanhóis chamavam as terras que incluíam Beverly Hills. Hoje as calçadas amplas e arborizadas de Rodeo Drive abrigam lojas de designers italianos e de marcas como Gucci e Christian Dior, joalherias finíssimas e os principais varejistas de LA. O lugar também é excelente para observar celebridades.

Ao lado, no Wilshire Boulevard, a nata das lojas de departamentos americanas oferece uma mistura intoxicante de estilo e opulência. Virando a esquina, **2 Rodeo**, desenvolvida em 1990 como uma rua de comércio "europeia", é um dos centros de varejo mais caros do mundo.

Na extremidade leste do triângulo fica o prédio da MGM. Construído em 1920, era a sede do recém-formado estúdio Metro-Goldwyn-Mayer. Ao norte se encontram os bem-cuidados Beverly Gardens e o elegante **Beverly**

Fachada do Beverly Hills Civic Center, em Los Angeles

Hills Civic Center, que abriga o **City Hall**. Projetada em 1932 pela empresa Koerner and Gage, a sede da prefeitura foi construída em estilo colonial espanhol. Sua magnífica torre, encimada por uma cúpula azulejada, tornou-se símbolo de Beverly Hills. Em 1990, o arquiteto Charles Moore conectou o prédio a um novo centro cívico por meio de uma série de pátios para pedestres. Nos níveis superiores, balcões e corredores em arcadas dão continuidade ao estilo espanhol. A seção moderna abriga uma linda biblioteca, uma delegacia de polícia e o corpo de bombeiros. Os *outdoors* são proibidos, e o número de andares dos prédios novos é controlado para que o City Hall continue a dominar o horizonte.

A atração mais recente do Golden Triangle é o **Paley Center for Media**, em North Beverly Drive. Ele tem um acervo de 140 mil programas de rádio e de televisão e conta a história da radio difusão de forma abrangente. Os visitantes podem ver e ouvir notícias e uma galeria de programas esportivos e de entretenimento, dos primeiros dias até o presente. Os fãs da música pop podem ver imagens dos primórdios dos Beatles ou a estreia do jovem Elvis Presley na televisão, enquanto os entusiastas dos esportes podem rever disputas clássicas das Olimpíadas. O museu também abriga mostras e seminários sobre temas, atores e diretores específicos.

Ao norte do Golden Triangle, depois do Sunset Boulevard *(veja pp. 652-3)*, encontram-se as suntuosas **propriedades dos astros e estrelas de Hollywood**, que fizeram de Beverly Hills o símbolo do sucesso na indústria do entretenimento. Depois que Mary Pickford e Douglas Fairbanks Sr. ergueram sua mansão, **Pickfair**, no alto de Summit Drive, nos anos 1920, muitos os seguiram – e ficaram. O Sunset Boulevard separa os que têm dos que não têm: quem mora ao sul pode até ser rico, mas os que vivem ao norte são milionários. Os estilos arquitetônicos são variados. Algumas casas são pura ostentação; outras, surpreendentemente modestas. É possível conhecê-las em um passeio de 8km; camelôs vendem os mapas. Lembre-se, porém, de que as casas dos artistas são propriedade privada.

Almofada à venda na loja da marca Gucci

🏛 **Beverly Hills Civic Center**
455 N Rexford Dr. **Tel** (310) 285-1000.
🕐 7h30-17h30 seg-qui, 8h-17h sex.
⬤ feriados. ♿ 🌐 beverlyhills.org

🏛 **Paley Center for Media**
465 N Beverly Dr. **Tel** (310) 786-1000.
🕐 12h-17h qua-dom (até 21h qui).
⬤ feriados. 🌐 paleycenter.org

🏛 **2 Rodeo**
268 N Rodeo Dr. **Tel** (310) 247-7040.
🌐 2rodeo.com

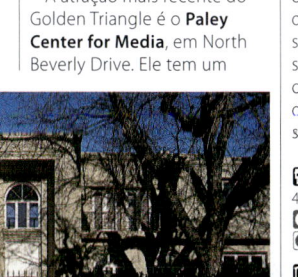

Mansão na exclusiva Palm Drive, em Beverly Hills

⑦ Sunset Boulevard

O Sunset Boulevard está associado ao cinema desde os anos 1920, quando ainda era uma estrada de terra que ligava os estúdios de Hollywood às casas dos artistas. O trecho historicamente mais rico e animado, Sunset Strip, é repleto de restaurantes, hotéis de luxo e casas noturnas. O local, que já foi um ímã de jogadores e contrabandistas, abrigava clubes famosos como o Ciro e o Mocambo – onde, diz a lenda, Margarita Cansino conheceu o chefe de estúdio Harry Cohen, que a rebatizou de Rita Hayworth. Sunset Strip ainda é o centro da vida noturna de LA, a "velha Hollywood" se transformou em um lugar da moda com novos *nightclubs*, restaurantes e lojas, especialmente no Hollywood & Highland Center.

Vista de Sunset Strip a partir de Crescent Heights

Roxy Theatre
Casa noturna da moda, fica no local do velho Club Largo. Muitos artistas famosos já tocaram ali, como Bruce Springsteen e Nirvana.

The Comedy Store
Apresenta comediantes famosos e fica no local antes ocupado pelo Ciro, cujo auge foi nos anos 1940.

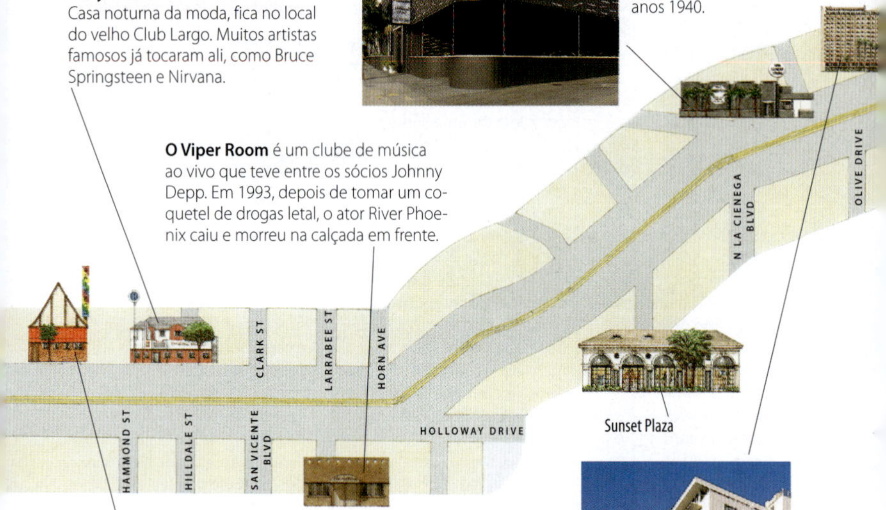

O Viper Room é um clube de música ao vivo que teve entre os sócios Johnny Depp. Em 1993, depois de tomar um coquetel de drogas letal, o ator River Phoenix caiu e morreu na calçada em frente.

Sunset Plaza

O Rainbow Bar & Grill, antigo Villa Nova, tem as paredes forradas de garrafas de vinho e discos de ouro. Foi no local que Vincente Minnelli pediu Judy Garland em casamento e, oito anos depois, em 1953, Marilyn Monroe conheceu Joe DiMaggio num encontro arranjado.

Sunset Plaza
Repleto de lojas e cafés elegantes, o local merece um passeio a pé.

Andaz West Hollywood
Artistas visitantes se hospedam nesse hotel. Jim Morrison, do The Doors, ficou ali quando a banda tocou no Whiskey a Go Go.

Veja hotéis e restaurantes dessa região nas pp. 710-5

LOS ANGELES | **653**

Sunset Tower Hotel
Antigo Argyle Hotel, esse marco art déco foi um prédio residencial na era de ouro de Hollywood, onde moravam celebridades como Clark Gable.

Chateau Marmont
Construído como um castelo do vale do Loire, o hotel foi inaugurado em 1929 e atraía gente como Errol Flynn e Greta Garbo. Hoje é frequentado por Leonardo DiCaprio e Jude Law, entre outros.

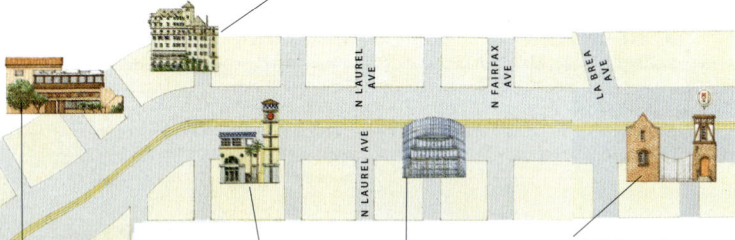

A & M Records
Foi construída por Chaplin para abrigar operários de seu estúdio.

Sunset Trocadero Lounge
Nos dias de glória, o pianista da casa noturna era Nat "King" Cole. Restam apenas três degraus do antigo prédio.

Directors' Guild of America
A sede da associação de diretores é um dos vários escritórios do setor no bulevar.

The Pink Taco, antigo Roxbury Club, é um concorrido restaurante mexicano. Nos anos 1940, o local era ocupado pelo Players Club, que pertencia ao diretor Preston Sturges.

Schwab's Pharmacy Site
Quando foi aberta, essa antiga farmácia era o ponto de encontro de artistas e colunistas. Em frente localiza-se o lendário edifício Garden of Allah, onde moravam Scott Fitzgerald e Dorothy Parker.

House of Blues
Com teto de zinco, esse bar foi trazido de Clarksdale, no Mississippi. Um de seus sócios é o ator Dan Aykroyd, que, junto com John Belushi, estrelou em 1980 o filme *Os irmãos cara de pau*.

Billboards
Outdoors imensos promovem filmes e artistas e são uma das marcas de Sunset Strip.

⑧ Mulholland Drive

Mapa C2. Saída das Hwys 1 e 27, de Hollywood Fwy para Leo Carrillo State Beach.

Mulholland Drive, uma das mais famosas estradas de Los Angeles, tem quase 80km e se estende da porção norte de Hollywood até Malibu. Com um traçado sinuoso por entre as montanhas de Santa Monica, ela oferece uma vista espetacular da cidade de Los Angeles e do vale de San Fernando.

A estrada foi batizada em homenagem a William Mulholland (1855-1935), que projetou uma série de aquedutos para abastecer Los Angeles. Ele supervisionou o fim das obras, em 1924.

⑨ Hollywood Boulevard

Mapa D3.

Uma das avenidas mais famosas do mundo, a Hollywood Boulevard ainda exala glamour. Apesar do aspecto decadente, vários de seus marcos ainda têm o apelo e o carisma originais.

Provavelmente a única via pública da cidade a ser limpa seis vezes por semana, a **Walk of Fame** (Calçada da Fama) é decorada com mais de 2.500 estrelas de mármore. Desde 1960, personalidades do meio artístico são imortalizadas no Hollywood Boulevard e na Vine Street. Porém, alcançar o estrelato não é fácil. Cada personalidade tem de ser aprovada e patrocinada pela Câmara de Comércio, que paga uma licença de US$30 mil.

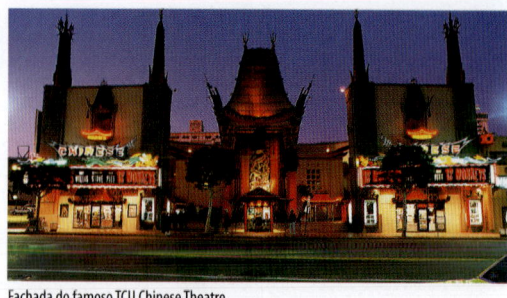

Fachada do famoso TCU Chinese Theatre

O **TCU Chinese Theatre**, na parte norte do bulevar, mudou pouco desde a inauguração como Grauman's Chinese Theatre, em 1927, com a *première* de *Rei dos reis*, de Cecil B. DeMille. O criador do teatro, Sid Grauman, é também o autor de uma das maiores sacadas publicitárias ainda em vigor: um "pátio de autógrafos" com a impressão das mãos e dos pés de celebridades. Diz a lenda que a ideia surgiu quando a estrela do cinema mudo Norma Talmadge pisou sem querer no cimento molhado. Então Grauman teria convidado ela, Mary Pickford e Douglas Fairbanks Sr. para deixar ali, consentidamente, suas impressões. Do outro lado da rua fica o **Hollywood Roosevelt Hotel**, frequentado por famosos como Marilyn Monroe, Clark Gable e Ernest Hemingway. Ele sediou a primeira cerimônia de premiação da Academia Americana de Cinema, em 1929. Perto dali, **El Capitan Theater**, agora restaurado, foi palco de várias estreias cinematográficas. As luzes de néon atraíam visitantes para o teatro, que agora

Estrela do Walk of Fame

apresenta as *premières* dos desenhos da Disney. A oeste, o **Madame Tussauds** se concentra quase exclusivamente em astros de Hollywood. As figuras de cera em tamanho real são dispostas de forma a facilitar as fotos, e sempre é possível vê-las de perto. **The Hollywood Museum** exibe milhares de itens, desde o moinho de vento do Moulin Rouge até trajes usados por atores importantes, com seções dedicadas a Marilyn Monroe, Mae West, Jean Harlow e outras atrizes.

Walk of Fame
6.541 Hollywood Blvd, (323) 461-2804. **Tel** (323) 469-8311.

TCU Chinese Theatre
6.925 Hollywood Blvd. **Tel** (323) 464-8111. diariam.
w manntheatres.com

⑩ Hollywood Bowl

Mapa D3. 2.301 N Highland Ave. **Tel** (323) 850-2000. fim jun-fim set. Bilheteria: 10h-18h ter-dom. **w** hollywoodbowl.com

Situado em um anfiteatro natural um dia reverenciado pelos índios gabrielinos de Cahuenga Pass, o Hollywood Bowl tem 24ha e é sagrado para a população de Los Angeles. Sede de verão da filarmônica da cidade desde 1922, o local recebe milhares de pessoas nas noites mais quentes.

Bastante modificado ao longo dos anos, o palco em forma de concha foi projetado em 1929 por Lloyd Wright, filho do arquiteto Frank Lloyd Wright.

A Ascensão de Hollywood

Em 1887, Harvey Henderson Wilcox e sua mulher, Daeida, fundaram uma comunidade cristã em um subúrbio de LA chamado Hollywood. Ironicamente, nos anos seguintes a indústria do cinema e toda a sua decadência sobrepujaram a utopia do casal. O fenômeno começou em 1913, com as filmagens de *The Squaw Man*, de Cecil B. DeMille. Artistas como Charles Chaplin e Mary Pickford foram sucedidos por ícones de uma Hollywood mais glamourosa, como Errol Flynn e Mae West. Os banqueiros de Wall Street logo perceberam o potencial do negócio e passaram a investir nele altas somas.

Estatueta do Oscar

Veja hotéis e restaurantes dessa região nas pp. 710-5

LOS ANGELES | 655

Dizem que o material de construção foi trazido do set de filmagens de Robin Hood, estrelado por Douglas Fairbanks Sr.

O Edmund D. Edelman Hollywood Bowl Museum explora a rica história do lugar por meio de vídeos, programas antigos, pôsteres e suvenires dos artistas que se apresentaram por lá, como os Beatles.

O Hollywood Bowl tem ao fundo as colinas de Hollywood

⑪ Farmers Market

Mapa D3. 6.333 W 3rd St. **Tel** (323) 933-9211. 9h-21h seg-sex, 9h-20h sáb, 10h-19h dom. 1º jan, Ação de Graças, 25 dez.
w farmersmarketla.com

Durante a Grande Depressão, em 1934, um grupo de agricultores começou a vender seus produtos diretamente ao consumidor em um campo nos limites da cidade. A partir daí, o Farmers Market se tornou um ponto de encontro. Repleto de barracas e lojas, ele vende de tudo – de legumes a camisetas. O mercado também tem alguns dos melhores cafés e restaurantes da cidade.

⑫ Miracle Mile

Mapa D4. Wilshire Blvd entre La Brea e Fairfax Aves. 685 S Figueroa St, (213) 689-8822; 6801 Hollywood Blvd, (323) 467-6412.

Em 1920, W. Ross comprou 7,2ha de terras no Wilshire Boulevard. Ali ele construiu uma área comercial luxuosa – com ruas largas para abrigar automóveis e edifícios art déco – que acabou apelidada de Miracle Mile. Hoje repleta de mercearias, esse trecho é uma sombra do que um dia foi. A extremidade oriental de Miracle Mile saiu-se melhor. Com cinco museus enfileirados, inclusive o **Los Angeles County Museum of Art** (LACMA), a área é conhecida como Museum Row.

Maior museu a oeste de Chicago, o LACMA oferece um registro abrangente da história da arte mundial. Seu acervo de mais de cem mil peças vai da pré-história aos tempos atuais. Entre os objetos encontram-se artefatos de pedra pré-colombianos, arte islâmica e uma ampla coleção de peças decorativas, pinturas e esculturas europeias e norte-americanas. A coleção de pergaminhos e cerâmicas do Extremo Oriente é especialmente marcante.

Nas imediações, o **Page Museum at the La Brea Tar Pits** exibe mais de 1 milhão de fósseis descobertos nos poços de betume de La Brea. Formado cerca de 42 mil anos atrás, o betume aprisionava e matava os animais que lá iam beber água. Seus ossos eram então fossilizados. Índios, espanhóis e mexicanos usavam o betume para impermeabilizar telhados e cestas. Em 1906, geólogos descobriram a maior coleção de fósseis de mamíferos, aves, répteis, plantas e insetos do período Pleistoceno em um só sítio. O único esqueleto humano achado nos poços foi o da "Mulher de La Brea".

O **Peterson Automotive Museum** registra a evolução da cultura do automóvel no país com a exibição de carros de época, antigos showrooms e veículos de celebridades como o Cadillac 1953 de Rita Hayworth e o Mercedes-Benz de Clark Gable. Entre outras coisas, o museu mostra também uma garagem dos anos 1920, um opulento showroom dos anos 1930 e um restaurante drive-in dos anos 1950. Mais adiante, o **Craft and Folk Art Museum** abriga mais de 3 mil peças de artesanato de todo o mundo. Entre elas, objetos tão diferentes quanto colchas do século XIX, mobília moderna e máscaras africanas.

Los Angeles County Museum of Art (LACMA), em Miracle Mile

Máscara africana no Craft Museum

🏛 LACMA
5.905 Wilshire Blvd. **Tel** (323) 857-6000. 11h-17h seg, ter e qui, 11h-20h sex, 10h-19h sáb-dom. qua, Ação de Graças, 25 dez. (grátis 2ª ter do mês e após 17h).
w lacma.org

🏛 Page Museum at the La Brea Tar Pits
5.801 Wilshire Blvd. **Tel** (323) 934-7243. 9h30-17h diariam. 1º jan, 4 jul, Ação de Graças, 25 dez. (grátis 1ª ter do mês, exceto jul-ago).
w tarpits.org

Reprodução dos poços de betume de La Brea, no Page Museum

⑬ Exposition Park & University of Southern California

Mapa E4. DASH Shuttle C do Business District. 81. Natural History Museum of LA County: **Tel** (213) 763-3466. **nhm.org**
LA Memorial Coliseum: **Tel** (213) 747-7111. **lacoliseum.com**
University of Southern California: **Tel** (213) 740-5371. **usc.edu**

Localizado a sudoeste do centro, o Exposition Park surgiu nos anos 1880 para abrigar um mercado ao ar livre, festas de Carnaval e corridas de cavalo. No final do século o bairro estava dominado pelo álcool, pelo jogo e pela prostituição. Quando os alunos do juiz William Miller Bowen na escola dominical começaram a matar aula para apreciar as tentações locais, ele fez pressão para que a área fosse transformada em um centro cultural que hoje inclui três museus. O **Natural History Museum of Los Angeles County**, no coração do parque, exibe diversos espécimes e artefatos e conta com um zoológico de insetos e um centro de experiências práticas, o Discovery Center. Alguns minutos ao sudoeste chega-se ao **California Museum of Science and Idustry**, que busca tornar a ciência acessível a todos com mostras interativas.

Mais a leste surge o **California African-American Museum**, que registra as conquistas dos afro-americanos em vários campos. O parque também abriga o **Los Angeles Memorial Coliseum**, onde foram disputadas as Olimpíadas de 1932 e 1984. Em frente, ficam os 62ha da **University of Southern California**, instituição que tem 28 mil alunos.

Natural History Museum of Los Angeles County, no Exposition Park

Rotunda do City Hall de Los Angeles

⑭ Los Angeles Central Library

Mapa E4. 630 W 5th St. **Tel** (213) 228-7000. 10h-20h seg-qui, 10h-17h30 sex-sáb, 13h-17h dom. feriados. **lapl.org**

Construída em 1926, essa joia foi destruída por um incêndio criminoso em 1986. Sete anos depois, após uma reforma de US$213,9 milhões que recuperou a arquitetura original, a capacidade da biblioteca foi duplicada para mais de 2,1 milhões de livros.

O edifício original mesclava o estilo francês do século XIX com elementos arquitetônicos bizantinos, egípcios e romanos. A biblioteca também oferece leituras de prosa e poesia, além de concertos.

O **First Interstate World Center**, do outro lado da rua, é um prédio de escritórios de 73 andares projetado por I. M. Pei. Com 310m, é o mais alto da cidade.

Fonte do Music Center

⑮ Los Angeles City Hall

Mapa E4. 200 N Spring St. **Tel** (213) 485-2121. 8h-17h seg-sex. feriados. ligar antes. com hora marcada. **lacity.org**

A argamassa com que se construiu o City Hall, o prédio da prefeitura, em 1928, foi feita com a areia de todos os condados da Califórnia e com a água das 21 missões do estado. A torre desse edifício de 28 andares ainda é um dos mais famosos marcos de LA. No interior, a cúpula da rotunda, revestida de ladrilhos, tem excelente acústica. Em frente, o **Los Angeles Children's Museum** oferece cerca de vinte atividades práticas, interligadas por um sistema de rampas. Chamado de Discovery Maze, esse labirinto foi projetado por Frank Gehry.

⑯ Music Center

Mapa E4. 135 N Grand Ave. **Tel** (213) 972-7211. bilheteria do Dorothy Chandler Pavilion: 12h-18h ter-sáb. Bilheterias do Mark Taper Forum e Ahmanson Theater: 12h-18h ter-dom. **musiccenter.org**

Esse complexo para apresentações de teatro e música situa-se no norte de Bunker Hill. O Dorothy Chandler Pavilion foi assim batizado em homenagem à ex-mulher do dono do jornal Los Angeles Times. Ele abriga a Center Theatre Group, a Los Angeles Opera, o Los Angeles Masters Chorale e, no outono e na primavera, a Filarmônica de Los Angeles. No Ahmanson Theater, cujas paredes são móveis, encenam-se peças da Broadway. O Mark Taper Forum já ganhou quase todos os prêmios teatrais nos EUA. No repertório tem obras de primeira classe. O Walt Disney Concert Hall é o palco de um dos maiores corais do mundo, o LA Philharmonic Master Chorale.

Veja hotéis e restaurantes dessa região nas pp. 710-5

⑰ Grand Central Market

Mapa E4. 317 S Broadway. **Tel** (213) 624-2378. 9h-18h diariam. 1º jan, Ação de Graças, 25 dez. grandcentralsquare.com

Os moradores de Los Angeles frequentam essa feira coberta desde 1917. Hoje mais de 40 feirantes trabalham ali, vendendo frutas, legumes, carnes e ervas. A população latino-americana compra produtos de seus países de origem, como cacto e feijão.

Chamada de "a menor ferrovia do mundo", o sistema funicular **Angels Flight** transportou os habitantes da cidade entre Hill Street e Bunker Hill por quase 70 anos. Em 1969, com a degradação de Bunker Hill, o transporte funicular foi interrompido com a promessa de que seria novamente acionado quando a área fosse recuperada. A promessa foi cumprida em 1996, 27 anos depois.

Angels Flight
Entre Grand, Hill, 3rd e 4th Sts. **Tel** (213) 626-1901. 18h45-22h diariam. angelsflight.com

⑱ Little Tokyo

Mapa F4. 244 S San Pedro St, (213) 628-2725. jaccc.org

Situada a sudeste do City Hall, Little Tokyo atrai mais de 200 mil visitantes aos seus mercados e templos japoneses. Os primeiros imigrantes nipônicos se estabeleceram ali em 1884. Atualmente, o coração da área é o Japanese American Cultural and Community Center, que organiza atividades culturais. Perto dali está a Japanese Village Plaza, um animado centro de compras. Instalado em um antigo templo budista, o **Japanese American National Museum** conta a história da imigração japonesa nos EUA.

A leste, na North Central Avenue, o **Geffen Contemporary at MOCA**, antiga garagem da polícia, é usado como espaço de exibição pelo MOCA, o museu

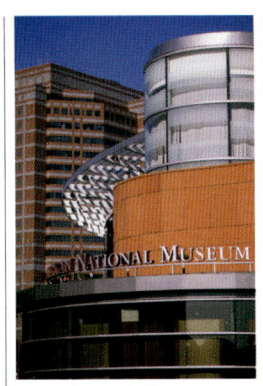

Japanese American Art Museum, em Little Tokyo

de arte contemporânea. Reformulado por Frank Gehry, o armazém é destaque no cenário artístico da cidade.

Japanese American National Museum
369 E 1st St. **Tel** (213) 625-0414. 11h-17h ter, qua e sex-dom; 12h-20h qui. 1º jan, Ação de Graças, 25 dez. janm.org

⑲ Museum of Contemporary Art

Mapa E4. 250 S Grand Ave. **Tel** (213) 621-1745. 11h-17h seg, sex, 11h-20h qui, 11h-18h sáb, dom. feriados. (grátis 17h-20h qui). moca.org

Considerado uma das dez melhores obras de arquitetura dos EUA, o Museum of Contemporary Art (MOCA), projetado pelo japonês Arata Isozaki, apresenta uma intrigante combinação de pirâmides, cilindros e cubos. Ele contém um respeitável acervo de obras de arte do período posterior a 1940. Entre elas, peças do Expressionismo Abstrato e da Pop Art criadas por artistas como Mark Rothko, Claes Oldenburg e Robert Rauschenberg.

⑳ El Pueblo

Mapa F4. Downtown LA. Entre N Main St com Olvera St e N Alamenda St.

A parte mais velha da cidade, El Pueblo de la Reina de Los Angeles, foi fundada em 1781 por Felipe de Neve, governador espanhol da Califórnia. Hoje El Pueblo é um State Historic Monument. Estão ali alguns dos edifícios mais antigos da cidade, como a Old Plaza Church e a Avila Adobe, a casa mais antiga, mobiliada como nos anos 1840. Olvera Street, preservada como mercado mexicano nos anos 1920, está abarrotada de lojas que vendem vestidos coloridos, sandálias de couro, piñatas (animais de barro ou papel-machê) e churros. Durante as festas, como a Bênção dos Animais, o Cinco de Mayo (p. 38) e a independência mexicana (de 13 a 15 de setembro), El Pueblo se enche de cores e sons.

Ali perto, a **Union Station**, imenso terminal de passageiros construído em 1939, é uma mescla de estilos arquitetônicos – espanhol, mourisco e moderno. Várias estrelas do cinema da década de 1940 foram fotografadas ali. A estação foi cenário de vários filmes, como *Nosso amor de ontem* (1973), de Sydney Pollack.

A fachada característica da Union Station, em El Pueblo

㉑ Lummis Home and Garden

Mapa F3. 200 E Ave 43. **Tel** (323) 222-0546. 12h-16h sex-dom. Doação. **socialhistory.org**

Também conhecida como El Alisal, ou "Local dos Sicômoros", essa casa pertencia ao jornalista, fotógrafo, artista e historiador Charles Fletcher Lummis (1859-1928). A estrutura, que o próprio Lummis construiu, exibe diversos estilos – indígena, mexicano *revival* e arts and crafts – e revela as principais influências que ele sofreu.

Atualmente a Lummis Home sedia a Historical Society of Southern California. Ali estão expostos artefatos dos índios americanos da coleção de Lummis. O interior da casa impressiona. Ali se pode ver, por exemplo, uma grande lareira art nouveau.

O jardim, que originalmente continha hortaliças e frutas, tem hoje plantas resistentes à seca e espécies nativas do sul da Califórnia.

Interior restaurado da Lummis Home, do século XIX

㉒ The Autry

Mapa E3. 4.700 Western Heritage Way. **Tel** (323) 667-2000. 10h-16h ter-sex, 10h-17h sáb-dom. Southwest Museum of the American Indian: 234 Museum Dr. **Tel** (323) 221-2164. 10h-16h sáb. **theautry.org**

Instalado no Griffith Park, o Autry National Center of the American West ilustra as experiências dos diversos povos do Oeste dos Estados Unidos, tanto pela perspectiva dos nativos como pela dos colonizadores. Com mais de 500 mil artefatos, o museu também dispõe de fascinantes mostras e instalações temporárias, cujos temas variam desde os figurinos do filme *O cavaleiro solitário* a peças de cerâmica dos pueblos e bordados com pedras indígenas. O Autry também abriga a coleção do Southwest Museum of the American Indian. Localizado no cume do monte Washington, com excelentes vistas do centro de Los Angeles e do sul, esse museu apresenta artefatos tribais da Pré-História aos dias atuais, proporcionando um excelente panorama da herança dos povos nativos.

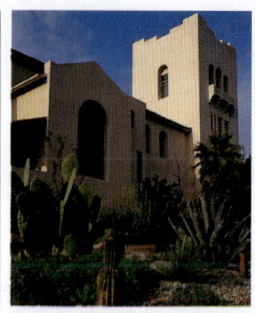

Southwest Museum of the American Indian, parte do Autry

㉓ Griffith Park

Mapa E3. 96. 6h-22h diariam. 4.730 Crystal Springs Dr, (213) 485-5027. **laparks.org**

Localizado no centro de LA, o Griffith Park abrange 1.600ha de escarpas, vales arborizados e campinas verdes. Suas terras foram doadas à cidade em 1896 pelo coronel Griffith J. Griffith, um galês que emigrara para os EUA em 1865 e fizera fortuna na mineração. Atualmente a população vai ao Griffith Park para fugir da agitação da cidade, apreciar a vista, fazer piqueniques e caminhadas ou andar a cavalo. O **Griffith Observatory**, localiza-se na porção sul do monte Hollywood e oferece uma vista esplêndida da bacia de Los Angeles. Em seu interior, o Salão da Ciência explica importantes conceitos científicos com instalações como o pêndulo de Foucault, que demonstra a rotação da Terra. Os visitantes fazem uma viagem no tempo e no espaço quando cerca de 9 mil estrelas são projetadas no teto do planetário. No telhado, o telescópio Zeiss é aberto ao público nas noites claras.

A nordeste do observatório fica o **Greek Theater**. Construído como os antigos anfiteatros gregos, é um local para shows de música com ótima acústica. Nas noites de verão, mais de 6 mil pessoas se sentam sob as estrelas para assistir a espetáculos de música clássica e popular. Mais ao norte, no final da Griffith Park Drive, há um carrossel de 1926. Adultos e crianças ainda podem andar em seus 66 cavalos e ouvir sua música.

O líder indígena Sequoyah

Um pouco mais ao norte localiza-se o **Los Angeles Zoo**, que em seus 46ha abriga mais de 1.200 animais, entre mamíferos, répteis e aves, em ambientes naturais simulados. Vários filhotes podem ser observados no Animal Nursery, o berçário, inclusive alguns do respeitado programa de reprodução de espécies raras e ameaçadas de extinção. O zoológico também faz exibições de animais destinadas ao público jovem.

Em frente, o **Autry National Center** explora as diversas culturas que moldaram o Oeste norte-americano. No acervo, a

Vista do Griffith Observatory, no monte Hollywood, em Griffith Park

Veja hotéis e restaurantes dessa região nas pp. 710-5

réplica de uma fazenda méxico-americana do século XIX, do Arizona. Fundado pelo astro de cinema Gene Autry, "o caubói cantor", o museu também dispõe de uma soberba coleção de suvenires do cinema e da TV.

Na extremidade noroeste do parque, **Travel Town** apresenta uma coleção de trens e carros antigos. Adultos e crianças podem subir em vagões ou pilotar um trem. A leste de Travel Town, na Zoo Drive, marias-fumaça em miniatura realizam passeios nos fins de semana.

Griffith Observatory
2.800 Observatory Rd. **Tel** (213) 473-0800. 12h-22h qua-sex, 10h-22h sáb-dom (é preciso reservar). seg, Ação de Graças, 25 dez. planetário. restrito.
w griffithobs.org

24 Hollywood Sign

Mapa D2. Mount Cahuenga, Hollywood. Hollywood Visitors Information Center, 6.801 Hollywood Blvd, (323) 467-6412.

O letreiro de Hollywood é um símbolo da indústria do cinema internacionalmente conhecido. Instalado no alto de Hollywood Hills, hoje é um local histórico tombado. Embora seja visível a quilômetros de distância, ele não pode ser visitado pelo público, pois não existe nenhuma trilha oficial até suas letras de 13m de altura.

Erguido em 1923, sua função era anunciar o Hollywoodland, um empreendimento imobiliário do antigo dono do jornal *Los Angeles Times*, Harry Chandler. O "land" foi removido em 1949. Quase 30 anos depois, doadores pagaram US$27 mil por letra pela reposição do letreiro. Em 1932, a candidata a atriz Peg Entwhistle se suicidou ali, pulando da letra H. O letreiro também é alvo de trocadilhos constantes. Nos anos 1970, por exemplo, diante das leis mais brandas para o consumo de maconha, virou Hollyweed (erva santa).

25 Universal Studios

Mapa D2. 100 Universal City Plaza, Universal City. **Tel** 1-800-UNIVERSAL. 424. jun-set: 8h-22h diariam; out-mai: 9h-19h diariam. Ação de Graças, 25 dez.
w universalstudios hollywood.com

Espalhado por mais de 168ha, o maior estúdio de TV e cinema do mundo foi inaugurado em 1964. Seu parque temático começou a funcionar em 1964, e, em 2014, para celebrar seu 50º aniversário, os proprietários gastaram US$1,6 bilhão em reformas e outras atrações, com milhares de novas vagas para estacionamento e a construção de mais dois hotéis.

O famoso **Studio Tour**, passeio pelos bastidores da indústria cinematográfica que leva os visitantes em bondes a sets de filmagem, inclui a atração **Fast & Furious – Supercharged**, baseada nos filmes da série *Velozes e furiosos*, em que enormes telas dão a impressão de o bondinho estar correndo em alta velocidade pelas ruas. Os passageiros também encontram King Kong e o tubarão do filme de Steven Spielberg, além de passar por um terremoto, uma ponte que desmorona, uma enchente e uma avalanche.

Baseada no filme *Meu malvado favorito*, a atração **Minion Mayhem** transforma os visitantes em Minions amarelos e peludos e os leva a uma excursão pelo laboratório do supervilão.

O letreiro da atração Jurassic Park

A área com tema aquático **Super Silly Fun Land** é uma réplica do parquinho à beira-mar do mesmo desenho animado.

A colorida atração **Silly Swirly**, considerada a primeira do parque para crianças pequenas, é similar ao famoso brinquedo de Dumbo na Disney, mas com insetos exóticos no lugar de elefantes. *Os Simpsons* são a inspiração do mais concorrido simulador do parque e têm a própria vila temática. Em 2016 será inaugurado o **Harry Potter and "Wizarding World"**, que levará os visitantes à Hogwarts para aventuras mágicas.

Perto dessa área fica a **CityWalk® Promenade**, projetada pelo arquiteto Jon Jerde com uma grande variedade de lojas, restaurantes, bares e teatros – um ótimo lugar para comprar suvenires de Hollywood. O Universal's Entertainment Center e as partes mais baixas do estúdio oferecem os brinquedos mais emocionantes, como os radicais jet skis do **WaterWorld®** e os terríveis monstros do show **Terminator 2™:3D™**, além do inferno de chamas na recriação da cena final do filme *Cortina de fogo*. **Jurassic Park®** captura a emoção dos filmes de dinossauros da série, enquanto **Shrek 4-D™** é uma saga animada baseada no famoso filme. Outro brinquedo, **Revenge of the Mummy**, conduz o visitante pelos arrepiantes labirintos da tumba de uma múmia, entre câmaras mortuárias egípcias.

Plateia aterrorizada diante de Terminator 2®: 3D™, no Universal Studios

Grande Los Angeles

É difícil visualizar a partir das *freeways* todos os tesouros espalhados pela Grande Los Angeles. Mas a pouco tempo das atrações centrais existem passeios surpreendentes. A luxuosa Pasadena, com seu delicioso centro velho, tem museus e galerias de arte excelentes. Mais ao sul, Orange County oferece aos visitantes um leque variado de atrações, entre praias e atividades culturais. Quem busca diversão para a família e as emoções de uma montanha-russa encontrará o que procura em Knott's Berry Farm e em Disneyland®.

Mausoléu projetado por John Russell Pope, em Huntington

㉖ Malibu

Malibu: (310) 456-2489. Malibu Lagoon State Beach: **Tel** (818) 880-0363. amanhecer-anoitecer diariam. **malibu.org**
Adamson House: **Tel** (310) 456-8432. 11h-15h qua-sáb. Malibu Creek State Park: **Tel** (818) 880-0350; reserva no camping (800) 444-7275. amanhecer-anoitecer. **parks.ca.gov**

Em 1887, Frederick e May Rindge compraram o Rancho Topanga Malibu Sequit, 30km ao norte da baía de Santa Monica. Depois, a família Rindge passou anos brigando contra o estado para manter a propriedade intacta. Ao final, perderam e tiveram de vender grande parte de Malibu a celebridades como Bing Crosby e Gary Cooper. Hoje, **Malibu Colony** é um condomínio fechado ocupado em sua maior parte por membros da indústria cinematográfica.

Alguns quilômetros a leste, **Malibu Lagoon State Beach**, maior aldeia do povo chumash no século XVI, é hoje uma reserva natural e um refúgio de pássaros. A leste, Surfrider County Beach é considerada por muitos como a capital mundial do surfe.

Nas imediações, a **Adamson House**, casa em estilo colonial espanhol com ladrilhos coloridos e decoração opulenta, abriga um museu que exibe a história de Malibu.

Ao norte, o **Malibu Creek State Park**, parque de 4.000ha, oferece bosques, cachoeiras, trilhas e área para piquenique. O local pertencia à 20th Century Fox. *M*A*S*H*, Butch Cassidy e Sundance Kid* e *Tarzan* foram filmados ali.

㉗ Pasadena

135.000. 79 no centro. 300 Green St, (626) 795-9311. Tournament of Roses Parade (1º jan); Pasadena Spring Art Festival (meados abr). **visitpasadena.com**

Com a construção da ferrovia de Santa Fe, em 1887, a população abastada da Costa Leste, artistas e boêmios se estabeleceram em Pasadena para usufruir o inverno ameno do sul da Califórnia. Essa mistura de riqueza e criatividade resultou numa cidade com um legado cultural esplêndido.

Old Town Pasadena, bairro histórico no coração da cidade, passou por uma restauração que fez surgir inúmeras lojas, restaurantes e cafés luxuosos em edifícios históricos. Entre os destaques da área estão o **Norton Simon Museum**, que exibe uma coleção incrível de pinturas dos velhos mestres e dos impressionistas.

Ao norte, **Gamble House**, a loja de artesanato dos arquitetos Charles e Henry Greene, é um sucesso.

Alguns quilômetros a leste de Old Town, na opulenta San Marino, está a **Huntington Library, Art Collections, and Botanical Gardens**. Antiga propriedade do magnata das ferrovias Henry E. Huntington (1850-1927). A mansão em estilo francês abriga uma das mais importantes bibliotecas e coleções de arte francesa e inglesa do século XVIII em todo o mundo. Entre os livros raros do acervo estão uma Bíblia de Gutenberg, um manuscrito de Chaucer e a autobiografia manuscrita de Benjamin Franklin. O jardim botânico é composto de quinze áreas temáticas. As mais populares são: Desert Gardens, Japanese Gardens e Shakespearean Gardens.

Huntington Library, Art Collections, & Botanical Gardens
1.151 Oxford Rd. **Tel** (626) 405-2100. jun-ago: 10h30-16h30 qua-seg; set-mai: 12h-16h30 seg, qua-sex, 10h30-16h30 sáb-dom. feriados.
huntington.org

㉘ Watts Towers

1.761-1.765 E 107th St, Watts. **Tel** (213) 847-4646. 10h-16h qua-sáb, 12h-16h dom. (Torres). apenas no Arts Center. 11h-15h qui, sex; 10h30-15h sáb; 12h-15h dom.
wattstowers.us

As Watts Towers incorporam a perseverança e a visão do artista italiano Simon Rodia. Entre 1921 e 1954, ele transformou hastes e canos de aço

A lagoa de Malibu, no sopé das montanhas de Santa Monica

Veja hotéis e restaurantes dessa região nas pp. 710-5

em uma enorme estrutura que adornou com azulejos, cacos de vidro e conchas. Ele jamais explicou a construção das torres e, ao terminá-las, doou as terras a um vizinho e mudou-se de LA. Com 30m de altura no ponto mais alto, as torres são hoje State Historic Site. Ao lado do monumento fica o Watts Towers Arts Center, conhecido pelas mostras do trabalho de artistas afro-americanos. Ali também se fazem oficinas para artistas de todas as idades.

Queen Mary, o hotel mais famoso de Long Beach

㉙ Long Beach

Ⓜ linha azul do metrô a partir do centro de Los Angeles.

Com palmeiras e o oceano ao fundo, Long Beach é uma mistura de edifícios cuidadosamente restaurados e modernos arranha-céus de vidro. No centro, a **Pine Avenue**, repleta de lojas, restaurantes e cafés, conserva o charme do Meio Oeste, o que lhe valeu o apelido de "Iowa do litoral".

Dos restaurantes e das lojas de Shoreline Village, junto ao mar, é possível ver o *Queen Mary*. Nau capitânea da Cunard dos anos 1930 aos 1960, esse navio de luxo passou a transportar soldados durante a Segunda Guerra Mundial. Mais de 80 mil homens passaram por ele. No fim do conflito, a embarcação levou para os EUA mais de 22 mil pessoas, entre noivas e filhos de soldados, na chamada Operação Fralda. O navio está atracado e funciona como hotel e atração turística desde 1967. Hoje os visitantes podem ver parte da sala de máquinas (Engine Room) original, várias cabines e uma mostra sobre os anos de guerra.

Perto dali fica o **Aquarium of the Pacific**, um dos maiores aquários dos EUA. Ele abriga 550 espécies em dezessete grandes hábitats e oferece aos visitantes uma oportunidade fascinante de explorar a flora e a fauna do oceano Pacífico em três regiões diferentes: sul da Califórnia/Baja, Pacífico tropical e norte do Pacífico.

Queen Mary
Pier J, 1.126 Queens Hwy.
Tel (562) 435-3511.
seg-sáb.
w queenmary.com

Aquarium of the Pacific
100 Aquarium Way.
Tel (562) 590-3100. 25 dez, fim de semana do Toyota Grand Prix.
w aquariumofpacific.org

㉚ Knott's Berry Farm

8.039 Beach Blvd, Buena Park.
Tel (714) 827-1776, (714) 220-5200.
29, 38, 42. os horários dependem do dia e da estação. Ligue para confirmar. 25 dez.
w knotts.com

Situada em Buena Vista, no Orange County, Knott's Berry Farm evoluiu de uma fazenda de amoras dos anos 1920 para um complexo de entretenimento do século XXI. Ela oferece mais de 165 atividades e atrações, e seu maior encanto é a autenticidade. A **Old West Ghost Town**, cidade-fantasma situada no coração do parque, tem construções originais. Primeiro parque temático dos EUA, Knott's Berry Farm tem seis áreas temáticas, dezenas de encenações ao vivo, centro de compras, restaurantes e um resort.

Estátuas de caubóis em um banco de Ghost Town

Claustros em torno do pátio central da Mission San Juan Capistrano

㉛ Mission San Juan Capistrano

26.801 Ortega Hwy. **Tel** (949) 234-1300. 8h30-17h diariam. Sexta-Feira Santa à tarde, Ação de Graças, 25 dez.
Swallow Festival (mar).
w missionsjc.com

A "Joia das Missões" foi fundada em 1776. Sua capela é a única sobrevivente dentre aquelas em que o frei Junípero Serra rezou. Essa missão surgiu como comunidade autossuficiente. A igreja de pedra foi destruída por um terremoto em 1812; restou apenas um complexo desconexo de adobe e tijolo. Uma restauração da capela tenta recuperar sua antiga glória.

㉜ Newport Beach

Hwy 1, ao S de Los Angeles.

Famosa pelas casas de US$1 milhão e pelo estilo de vida opulento, Newport Beach é uma faixa de areia de 5km e dois píeres na costa de Orange County.

Peixes frescos, trazidos por históricos barcos de pesca, são vendidos no píer da ponta norte da praia. Mais para o interior, a reserva **Upper Newport Bay Ecological Preserve** é um refúgio de animais selvagens e pássaros migratórios. Ali também é possível andar de bicicleta e de caiaque, pescar e caminhar.

㉝ Disneyland® Resort

O reino mágico de Walt Disney, em Anaheim, não é apenas a principal atração turística da Califórnia, mas parte do sonho americano. O resort tornou-se modelo de parque temático em todo o mundo e hoje abrange o parque original – Disneyland® Park –, Disney's California Adventure®, Downtown Disney® e três imensos hotéis. Quem visita "o lugar mais feliz da Terra" encontra fantasia, atrações eletrizantes, shows cintilantes e um centro de compras num local tão norte-americano quanto a torta de maçã.

Explore o Resort

Espalhado por mais de 34ha, o Disneyland® Park, o parque original, é dividido em oito temas, ou "terras". O transporte pelo parque é feito pela ferrovia Disneyland Railroad e por monotrilho. O Disney's California Adventure® Park é menor que o Disneyland® Park e pode ser visto a pé. Com três áreas temáticas, é mais adequado a adolescentes, pois as atrações são intensas demais para crianças pequenas. Situada no centro do resort, Downtown Disney® é repleta de lojas, restaurantes e locais de diversão. São necessários pelo menos três dias para conhecer os parques. Todos abrem até tarde na temporada. Os fogos do **Fireworks Show**, no Disneyland® Park e em Downtown Disney®, são fantásticos.

Disneyland® Park

A Main Street USA é uma rua animada e repleta de edifícios históricos. A Central Plaza é onde acontece diariamente a "Mickey's Soundsational Parade", desfile dos principais personagens e de cenas dos mais famosos filmes da Disney. Os visitantes terão muitas oportunidades para fotografar seus personagens favoritos. O City Hall oferece mapas e a programação, enquanto o Main Street Cinema passa os filmes mudos da Disney. Os turistas dispõem também de muitas opções de compras e alimentação.

O futuro é a inspiração de Tomorrowland, onde os cenários mudam constantemente para se manter tecnologicamente um passo à frente da vida real. Uma das primeiras atrações, de 1955, foi **Autopia**, que vem sendo atualizada e hoje leva os visitantes a um universo paralelo. **Star Tours** foi redesenhada em conjunto com George Lucas, o criador de *Star Wars – Guerra nas estrelas*. A utilização fabulosa da tecnologia de simulação de voo faz dessa atração uma das mais realistas do parque. Os visitantes embarcam numa espaçonave Star-Speeder e são transportados ao espaço sideral em meio a cometas e asteroides. **Space Mountain®** é uma atração popular que oferece um passeio em alta velocidade por uma montanha-russa de 36m de altura. Realizado quase inteiramente no escuro, o passeio tem clarões meteóricos e uma chuva de corpos celestes e não é adequado a crianças muito pequenas.

Os desenhos animados ganham vida em Mickey's Toontown – um mundo animado em 3D onde vivem os principais personagens da Disney. As residências mais populares são a do Mickey e a da Minnie. A maior parte das atrações destina-se a crianças com mais de 3 anos. **Chip 'n Dale Treehouse**, a mini-montanha-russa de Tico e Teco; **Goofy's Bounce House**, a casa do Pateta; e um passeio de barco oferecem emoções suaves. **Roger Rabbit's Car Toon Spin** é a atração predileta. Seus carros giratórios transportam os turistas por uma louca viagem em um mundo surreal.

Dominada pelo dourado e pelo cor-de-rosa do **Sleeping Beauty's Castle**, o castelo da Bela Adormecida, e por uma réplica do **Matterhorn**, Fantasyland é o templo aos sonhos infantis. Na atração **Matterhorn Bobsleds**, os visitantes descem as encostas "geladas" de uma réplica do famoso pico suíço. Os trenós sobem ao topo e a seguir descem em alta velocidade, passando por cavernas e cachoeiras congeladas. **It's a Small World** é uma visão utópica da harmonia planetária: são 300 bonecas em Audio-Animatronics®, dançando e cantando em trajes típicos de cada país, animadas por impulsos eletrônicos que controlam sons e ações.

A **Parade of Dreams**, que ocorre todas as noites, é um espetáculo para toda a família que combina música, luzes e os mais amados personagens de Walt Disney na Main Street USA. Nos fins de semana o céu é iluminado pelo show de fogos de artifício "Dreams Come True". Quem gosta de emoção não deve perder a montanha-russa **Big Thunder Mountain**, na qual um trem desenfreado corre pelo interior da montanha. Critter Country é um local

---

Ingressos e Dicas

Cada parque temático (exceto Downtown Disney®) tem um ingresso próprio que cobre os shows e as atrações e dá direito a um mapa e à programação. O estacionamento é pago à parte, bem como alguns shows, a comida e as máquinas de fliperama. Os ingressos para três ou quatro dias e os passaportes anuais dão acesso ilimitado a todas as atrações. O Fastpass dá direito a hora marcada em atrações específicas e elimina a espera em longas filas. Os visitantes também podem poupar tempo comprando os ingressos antecipadamente em qualquer loja da Disney ou pela internet, em www.disney.com. O balcão de informações, situado na Main Street, em frente ao Plaza Pavillion, tem dados atualizados sobre a programação e pode ajudá-lo a planejar o passeio.

Veja hotéis e restaurantes dessa região nas pp. 710-5

LOS ANGELES | 663

rústico, ao estilo do Noroeste dos EUA. Ele abriga a **Splash Mountain**, uma das atrações mais populares da Disney. Esse passeio na água em troncos ocos conta com os personagens do filme *Song of the South* (1946), como Brer Rabbit e Brer Fox, e termina numa descida vertical em uma cachoeira.

A charmosa New Orleans Square tem como modelo o French Quarter de New Orleans tal como era no século XIX. Balcões de ferro batido originais decoram os prédios que abrigam lojas ao estilo francês. Uma das principais atrações, **Haunted Mansion**, uma casa mal-assombrada, promete "999 fantasmas e espíritos". Entre essas figuras etéreas muito realistas encontra-se uma cabeça de mulher falante em uma bola de cristal. **Pirates of the Caribbean** é outra atração que faz sucesso. Trata-se de um passeio por um mundo de rufiões que cantam, dançam e bebem sem parar. A tecnologia usada é o Audio-Animatronics® *(It's a Small World, p. 662)*, que empresta vida aos modelos controlando sons e ações por meio de impulsos eletrônicos. A **Disney Gallery** mostra aos visitantes a arte que está por trás do mundo da Disney. Alguns dos desenhos e das artes originais dos elaborados projetos do grupo estão em exibição.

Na atmosfera exótica de Adventureland surgem canais de água escuros e úmidos, ladeados por plantas tropicais. Essa é a menor, mas talvez a mais aventurosa das "terras" do resort. **Enchanted Tiki Room** exibe pássaros canoros mecânicos em um número musical burlesco ambientado nos trópicos. Inspirada na trilogia homônima, a **Indiana Jones™ Adventure** transporta os visitantes em uma jornada de jipe pelo Temple of the Forbidden Eye, ou Templo do Olho Proibido. Cenários e objetos de cena magníficos, trilha sonora realista, imagens soberbas dos filmes e a emoção de uma montanha-russa fazem dessa atração a experiência máxima do Disneyland® Park. A viagem de barco do **Jungle Cruise** conduz os visitantes por uma selva cheia de macacos furiosos e caçadores sanguinários, acompanhados de um capitão de verdade.

Downtown Disney

Localizada entre as entradas do Disneyland® Park e da Disney's California Adventure, Downtown Disney® é um paraíso que oferece aos visitantes cerca de 27.870m² de restaurantes criativos, lojas e locais de diversão. Como a entrada nessa área é gratuita, ela é uma das mais procuradas – e, portanto, mais lotadas. As atrações principais são o AMC Theatre®, com doze telas, a ESPN Zone™ e o LEGO® Imagination Center. As lanchonetes, os restaurantes, as variadas opções de lojas em geral, e de suvenires em particular, contribuem para que os visitantes mergulhem no universo Disney.

Disney's California Adventure®

A estrela de Anaheim é a Disney's California Adventure®,

PREPARE-SE

Informações Práticas
1.313 Harbor Blvd, Anaheim.
Tel (714) 781-7290.
24h por dia, (714) 781-4565.
9h-22h diariam (jun-ago: 8h -24h).

w disneyland.disney.go.com

Transporte
do LAX. 435.

ao lado do Disneyland Park. Ela é dividida em três "terras", cada uma voltada para um tema que festeja o sonho californiano. O foco do lugar são os adultos e os adolescentes, mas há diversão para todas as idades.

Hollywood Pictures Backlot oferece uma visão irônica da indústria cinematográfica. Dois quarteirões de fachadas e imitações dão ao visitante a visão que a Disney tem de Hollywood. O **Hyperion Theater** recebe espetáculos musicais; no **Muppet*Vision 3-D**, de Jim Henson, os turistas podem ver Miss Piggy, o sapo Caco e todos os Muppets em um tributo ao cinema. O Golden State exibe a topografia e a agricultura da Califórnia. **Soarin' Over California** é a atração principal, um voo simulado de asa-delta que mostra as belezas da paisagem californiana em uma tela imensa. Os visitantes sentem as correntes de ar e o aroma das laranjeiras a 12m de altura. Na **Flik's Fun Fair**, a experiência em 3D "It's Tough to Be a Bug!" faz o observador ver o mundo da perspectiva de um inseto, com caixas de comida chinesa voadoras e um guarda-chuva como tenda de circo.

Consideravelmente menos excitante que as outras atrações do parque, Paradise Pier é o reino das montanhas-russas, das rodas-gigantes e do paraquedas. **California Screamin'**, a gigante **Mickey's Fun Wheel** e o **King Triton's Carousel** são reminiscências dos parquinhos litorâneos como eles costumavam ser no passado.

Compras

As lojas do Disneyland Resort, em especial as da Main Street USA, costumam ficar cheias no final do dia, principalmente na hora de fechar. Se você puder, vale a pena fazer as compras no início do dia e retirá-las mais tarde no Redemption Center, uma espécie de depósito. Embora muitos produtos à venda nos parques estampem os personagens da Disney, cada "terra" tem itens próprios. Em Adventureland, por exemplo, é possível comprar roupas como as de Indiana Jones, mas o artesanato indígena é vendido em Frontierland. A Disney Gallery, na New Orleans Square, vende edições limitadas de litogravuras dos desenhistas da empresa. A maior loja do reino mágico é o Emporium, na Main Street.

Informações Úteis em Los Angeles

Los Angeles oferece uma grande variedade de entretenimento e atividades ao ar livre para seus visitantes. Centro da indústria cinematográfica, LA dominou a cena cultural durante a maior parte do século XX. Assim, é natural que ela se veja como a "capital do entretenimento mundial". Mas o glamour dos filmes é apenas um dos lados da cidade que fabrica o sonho americano. LA também é famosa pelas praias, pelas cadeias de montanhas e pelos excelentes museus.

Informação Turística

A principal filial do **Los Angeles Convention and Visitors' Bureau** fica no centro e oferece assistência em várias línguas. Seu website dá detalhes de restaurantes, cafés, hotéis, lojas e outras atrações, além de guias especializados no website. Os outros dois centros de informação são o **Hollywood Visitors' Information Center** e o **Beverly Hills Visitors' Bureau**. Várias publicações ajudam os turistas a escolher a diversão. O *LA Weekly* — jornal gratuito distribuído em bares, clubes e mercados de toda a cidade — traz a lista mais abrangente de locais de entretenimento e eventos artísticos e culturais.

Como Circular

Pode parecer um pouco assustador locomover-se pelos 1.200km² da cidade de Los Angeles. O melhor meio de transporte em termos de custo e benefício é o carro. As freeways são muito convenientes, embora engarrafadas. Evite-as nos horários de pico (das 8h às 9h30 e das 16h às 18h30). Algumas são congestionadas a qualquer hora, e pode ser menos estressante trafegar pelas ruas principais da cidade. Na hora de estacionar, preste atenção às placas que indicam as restrições e lembre-se de levar sempre moedas de 25 centavos para o parquímetro. À noite é melhor usar o serviço de manobristas.

Embora a cidade seja espalhada, vários bairros são bons para caminhadas. Third Street Promenade e a praia de Santa Monica podem ser mais bem exploradas a pé, assim como Old Town Pasadena, o centro e o Golden Triangle, em Beverly Hills. Os turistas devem evitar caminhadas à noite, a menos que a rua seja iluminada e não esteja deserta.

A Grande Los Angeles é servida pela **Metropolitan Transportation Authority (Metro)**. Os pontos de ônibus têm uma placa da MTA e os veículos andam pelas principais vias. O sistema **DASH** de ônibus cobre áreas pequenas, como o centro e Hollywood, por 50 centavos. A tarifa deve ser paga em seu valor exato ou com um cartão TAP. Visite www.taptogo.net/tap/locator para saber onde obtê-lo.

O **metrô** serve muito bem algumas regiões da cidade. Ele é composto de sete linhas, vermelha, azul, roxa, laranja, dourada, prateada e verde. A Linha Verde leva ao aeroporto.

Outra forma de locomoção são os táxis, que além de caros devem ser chamados por telefone. A **Yellow Cab** e a Independent Cab Co. são confiáveis. Quem quiser luxo pode alugar uma limusine. E empresas de ônibus privadas, como a **LA Tours**, fazem pacotes.

Atividades ao Ar Livre

A cada ano mais de 30 milhões de pessoas visitam as praias de LA, fazendo delas o destino turístico mais procurado da Costa Oeste. De Point Dume à lagoa, Malibu alterna praias e litoral rochoso. Mais além, uma comprida faixa de areia leva às famosas praias de Santa Monica e Venice. No interior, o terreno irregular das montanhas de Santa Monica oferece inúmeras trilhas para caminhadas com vista panorâmica do oceano Pacífico. As praias de LA são um grande recurso natural e oferecem aos turistas oportunidades de nadar e jogar vôlei. As águas do píer de Malibu e de Topanga State Beach são consideradas excelentes para o surfe.

O Griffith Park oferece quilômetros de trilhas, cavalgadas e passeios de bicicleta. Mas o melhor lugar para os ciclistas é a ciclovia litorânea, que cobre 40km da baía de Santa Monica (é proibido andar de bicicleta nas *freeways*). A empresa **Sea Mist Rentals** (Santa Monica Pier) aluga bicicletas e skates, assim como os quiosques de pizza da praia de Santa Monica. Entre as atrações esportivas estão o beisebol no afamado Dodger Stadium e o futebol americano universitário no Rose Bowl de Pasadena. Também são populares as partidas de basquete e hóquei no gelo no Great Western Forum, as corridas de cavalo em Hollywood Park Racetrack e as partidas de polo no Will Rogers State Historic Park.

Diversão

Com uma comunidade artística grande e bem-sucedida, sempre há alguma coisa para se fazer em Los Angeles, embora apenas algumas áreas tenham movimento à noite.

A maior parte dos turistas não perde muito tempo vendo filmes em Los Angeles, muito embora haja sempre lançamentos e inúmeros clássicos em cartaz. Porém, os cinemas em si atraem multidões. Mann's Chinese e El Capitan, no Hollywood Boulevard, são os mais conhecidos. Os do tipo multiplex, como os de **Universal City** e Beverly Center, têm instalações moderníssimas.

A produção teatral também é grande. São mais de mil espetáculos profissionais a cada ano. No Pantages Theater de Hollywood, os turistas podem ver musicais da Broadway. Instalados em lindos edifícios no estilo mediterrâneo, o **Pasadena Playhouse** e o **Geffen Playhouse** apresentam espetáculos antigos e novos. A cidade tem uma respeitada orquestra sinfônica, a Filarmônica de LA, e uma companhia de ópera, a **LA Opera**. No verão há concertos ao ar livre em locais como o Hollywood Bowl.

Ambição e juventude desenfreada são o combustível das casas de rock de Sunset Strip. Os veneráveis **Whiskey a Go Go** e **The Roxy** competem com novatos como Viper Room e 1 Oak. A cena jazzística de LA é representada por casas aconchegantes como **The Baked Potato**.

Os clubes oferecem todo tipo de dance music – house e hip-hop no Century Club, ou batidas mais modernas no Garage. Com uma grande população gay, West Hollywood tem várias discotecas. **The Factory** é uma das mais badaladas.

Em LA, vários estúdios de cinema e de televisão oferecem visitas aos bastidores e ingressos para a gravação de programas populares. Nos modernos estúdios da **CBS-TV**, novelas como The Bold and the Beautiful, e programas de jogos são gravados com plateia. O **Warner Bros tour** é talvez a melhor visão da atual produção de filmes.

Várias regiões de LA têm festas locais, em especial no verão, com música ao vivo, arte e artesanato.

Compras

Tudo que o dinheiro compra pode ser encontrado em Los Angeles, de joias Cartier a itens do dia a dia. Embora os shopping centers sejam a regra na maior parte dos EUA, o clima ameno de LA permite mais alternativas ao ar livre. A Melrose Avenue e a Third Street Promenade, em Santa Monica, são áreas jovens e animadas, mas a luxuosa Rodeo Drive é provavelmente mais famosa. Um dos centros de compras mais agradáveis em LA é Old Town Pasadena, que tem diversas lojas exclusivas instaladas em edifícios do século XIX.

As lojas de departamento mais conhecidas de LA são a **Bloomingdales**, a **Macy's** e a **Nordstrom**, que atraem muitos consumidores, especialmente nas liquidações de janeiro e junho.

Em geral, L.A se veste com informalidade, mas Beverly Hills oferece roupas com mais requinte. Todd Oldham e Trina Turk são as duas mais valorizadas marcas de roupa feminina da cidade; Bernini e Mark Michaels são o melhor em trajes masculinos.

Os antiquários se concentram em Melrose Place, perto da Melrose Avenue. Algumas das melhores galerias de arte se localizam na Bergamot Station.

As duas melhores lojas para quem deseja comprar suvenires de Hollywood são a Fantasies Come True e a **Larry Edmund's Bookshop**. The Folk Tree é especializada em arte e artesanato latino-americanos.

Os vinhos da Califórnia podem ser encontrados no Grand Central Market, ao passo que o Farmers Market dispõe de grande variedade de frutas e legumes frescos. Trader Joe's, tido como uma das melhores razões para se viver em Los Angeles, comercializa iguarias finas e vinhos.

AGENDA

Centros de Informação Turística

Hollywood
6801 Hollywood Blvd.
Tel (323) 467-6412.

Los Angeles
900 Exposition Blvd.
Tel (213) 763-3466. W
discoverlosangeles.com

Transporte

LA Tours
Tel (323) 460-6490.
W latours.net

MTA
Tel (323) 466-3873.
W metro.net

Yellow Cab
Tel (800) 200-1085,
(877) 733-3305.
W layellowcab.com

Bicicletas

Sea Mist Rentals
1619 Ocean Front Walk,
Santa Monica, CA 90401.
Tel (310) 395-7076.

Cinemas

Universal City Cinemas
Universal City, CA 91608.
Tel (818) 508-0588.
W amctheatres.com

Teatros

Geffen Playhouse
10886 Le Conte Ave.
Tel (310) 208-5454. W
geffenplayhouse.com

Pasadena Playhouse
39 S El Molino Ave,
Pasadena, CA 91101.
Tel (626) 356-7529.
W pasadenaplayhouse.org

Ópera

LA Opera
135 N Grand Ave.
Tel (213) 972-8001.

W losangelesopera.com

Rock, Jazz, Blues e Clubes

1 Oak
9039 W Sunset Blvd.
Tel (310) 274-5800.

The Baked Potato
3787 Cahuenga Blvd W,
Studio City, CA 91105.
Tel (818) 980-1615.

The Factory
652 N La Peer Dr.
Tel (310) 659-4551.

The Roxy
9009 W Sunset Blvd.
Tel (310) 278-9457.

Whiskey a Go Go
8901 W Sunset Blvd.
Tel (310) 652-4202.

Visita a Estúdios

CBS-TV
W tvtickets.com

Warner Bros
4000 Warner Blvd,
Burbank.
Tel (818) 977-1744.

Compras

Bloomingdales
Beverly Center,
8500 Beverly Blvd.
Tel (310) 360-2700.
W bloomingdales.com

Larry Edmund's Bookshop
6644 Hollywood Blvd.
Tel (323) 463-3273.
W larryedmunds.com

Macy's
8500 Beverly Blvd.
Tel (310) 854-6655.
W macys.com

Nordstrom
10830 W Pico Blvd.
Tel (310) 470-6155.
W nordstrom.com

San Diego County

A vida de San Diego sempre foi marcada pelo mar. Seu magnífico porto natural atraiu espanhóis, garimpeiros e caçadores de baleias. Em 1904, chegou a marinha norte-americana. Hoje San Diego dispõe de um dos maiores efetivos militares do mundo. Os 112km de litoral se estendem até a fronteira com o México e oferecem praias deslumbrantes, penhascos, enseadas e resorts à beira-mar, além de inúmeras atividades de lazer.

Gaslamp Quarter, a estrela do centro de San Diego

❷ San Diego

1.500.000. 1.050 Kettner Blvd. 120 W Broadway. 1.040 W Broadway, (619) 236-1212. Wine & Food Festival (nov). **sandiego.org**

Os museus e os centros de arte do **Balboa Park** *(pp. 668-9)* são a principal atração cultural de San Diego, a segunda maior cidade da Califórnia. A transformação de San Diego em uma cidade moderna começou com o desenvolvimento da zona portuária, iniciativa de um empresário de São Francisco, Alonzo Horton, nos anos 1870. Ele também projetou o **Gaslamp Quarter**, que hoje é o destaque do centro com suas lojas e restaurantes excelentes. A riqueza dos edifícios do período pode ser vista em uma confeitaria, nos escritórios adornados e nos grandes hotéis vitorianos. O bairro é especialmente charmoso à noite, quando se acendem os lampiões a gás. O **Horton Plaza**, shopping center de arquitetura original construído em 1985, fica nas imediações.

Na extremidade oeste da Broadway encontra-se a **Santa Fe Depot**, uma estação ferroviária em estilo colonial espanhol erguida em 1915. A America Plaza abriga o **Museum of Contemporary Art**, cujas galerias exibem as obras de novos artistas e mostras de seu grande acervo permanente.

Os passeios e trapiches de **Embarcadero** levam ao Maritime Museum e seus navios históricos. Dentre eles, o destaque é o *Star of India*, um navio mercante de 1863. Ao sul, no Broadway Pier, os turistas podem fazer um passeio pelo porto.

No norte da cidade está **Old Town**, bairro situado no povoado espanhol original, ao lado do rio San Diego. Hoje mais de vinte construções históricas foram restauradas e fazem parte do Old Town San Diego State Historic Park. A Plaza, localizada no centro do parque, abrigava desfiles e festas. A missão e o presídio espanhóis hoje fazem parte do Presido Park. No alto da colina ergue-se o **Juníparo Serra Museum**, batizado em homenagem ao fundador das missões no estado *(p. 680)*. O museu exibe descobertas arqueológicas e a arte dos vários povos que ocuparam San Diego: os índios, os espanhóis, os mexicanos e os norte-americanos.

A oeste de Old Town fica a **Point Loma Peninsula**, onde se localiza o Cabrillo National Monument, que recebeu o nome do descobridor da cidade, Juan Rodríguez Cabrillo; a estátua fica de frente para a baía. A temporada de observação de baleias acontece entre dezembro e março.

A península de Coronado tem as butiques e os hotéis mais exclusivos da cidade. O **Hotel del Coronado** abriu em 1888 *(p. 710)*. Sua lista de hóspedes registra os principais nomes da história norte-americana do século XX, entre eles, Bill Clinton, Franklin D. Roosevelt e Marilyn Monroe. O "Del" já foi cenário de filmes como *Quanto mais quente melhor*, clássico de 1959 estrelado por Marilyn Monroe e Jack Lemmon. O passeio de ferryboat no final do dia, quando os últimos raios de sol iluminam os arranha-céus, é encantador.

🏛 Juníparo Serra Museum
2.727 Presidio Dr. **Tel** (619) 297-3258.
🕙 10h-17h sáb-dom. ⬤ 25 dez.

Frontões e torreões impressionantes no Hotel del Coronado, San Diego

Veja hotéis e restaurantes dessa região nas pp. 710-5

❸ SeaWorld®

500 SeaWorld Dr. **Tel** (800) 380-3203.
9 (jun-ago), 10 (set-mai).
diariam.
w seaworld.com

O SeaWorld® de San Diego ocupa 60ha em Mission Bay. Do alto da torre de 98m pode-se apreciar uma vista esplêndida. Outra atração fabulosa é o Bayside Skyride, no qual vagões de trem fazem uma volta de 30m sobre as águas da baía.

Porém, as estrelas do SeaWorld® são as baleias e os golfinhos. Em uma apresentação é possível verificar a inteligência desses animais; em outra, o virtuosismo das orcas, as baleias-assassinas. Entre as atrações, piscinas com tubarões e lontras e a possibilidade de alimentar orcas e focas, além das tartarugas marinhas no Animal Spotlight Tour.

Os funcionários do parque resgatam e reabilitam animais e conduzem programas conservacionistas.

❹ La Jolla

32.000. de San Diego.
7.966 Herschel Ave, (619) 236- 1212.
w lajollabythesea.com

Situado em meio a rochedos e enseadas, La Jolla é um elegante resort litorâneo. Suas ruas abrigam finas lojas de chocolates e joalherias, galerias de arte e restaurantes que prometem uma visão "mediterrânea". La Jolla é sede da University of California em San Diego e do **Salk Institute for Biological Studies**, fundado pelo doutor Jonas Salk, criador da vacina contra a poliomielite. A Scripps Institution of Oceanography mantém o **Birch Aquarium at Scripps Institute of Oceanography**, que proporciona um mergulho no mundo da oceanografia. The **Museum of Contemporary Art** ocupa uma área privilegiada de frente para o mar. Parceiro do museu de San Diego, ele exibe obras de arte posteriores a 1950.

❺ Tijuana, México

México. Bonde de San Diego até San Ysidro, depois ônibus ou caminhada. Centro de Informação Turística: Ave Revolución y Calle. **Tel** (888) 775-2417, (01152664) 685-2210. diariam.

De uma das cidades mais visitadas do México, Tijuana passou a ser uma das mais temidas. Em 2010, a repressão do governo contra as atividades dos traficantes de drogas diminuiu um pouco a violência. Mas os grandes traficantes ainda imperam e levam medo até as cidades vizinhas de Tijuana e Juarez. Os turistas são aconselhados a viajar em grupos durante o dia e com guias confiáveis.

O futurístico **Centro Cultural Tijuana**, construído às margens do rio Tijuana em 1982, tem um cinema OMNIMAX que exibe filmes sobre o México. O Mexitlán, museu de miniaturas ao ar livre, recria as joias arquitetônicas do país.

Os melhores locais de compra são os bazares da agitada Avenida Revolución. Entre os produtos à venda, botas de couro, joias em prata e tequila. Em geral, os estabelecimentos aceitam dólares e os principais cartões de crédito.

Centro Cultural Tijuana
Paseo de los Héroes e Javier Mina Zona Rosa. **Tel** (0115266) 4687.
diariam.

A plateia assiste a um espetáculo de acrobacias das orcas no SeaWorld

Vista da linda enseada rochosa de La Jolla

Balboa Park

Localizado no coração de San Diego (p. 666), o Balboa Park é uma das atrações mais populares da cidade. Fundado em 1868, sua beleza exuberante deve muito ao trabalho de Kate Sessions, que plantou árvores em todos os seus 485ha. Em 1915 o parque sediou a Panama-California International Exposition, que festejava a abertura do canal do Panamá. Muitos pavilhões em estilo colonial espanhol construídos naquele ano sobrevivem ao longo de El Prado (a principal rua do parque); os animais reunidos para a exposição deram origem ao renomado zoológico da cidade. Hoje o Balboa Park tem uma das maiores concentrações de museus e espaços para apresentações do país.

Plaza de Panama
Essa praça foi o centro da famosa Exposição de 1915.

★ San Diego Museum of Man
Instalado no California Building, edifício erguido em 1915 no estilo colonial espanhol, esse museu registra a história da humanidade.

San Diego Automotive Museum
Carros e motocicletas de sonho dos EUA e da Europa são guardados por esse museu nostálgico.

★ San Diego Museum of Art
Esse é o principal museu do parque. Em seu acervo, obras de arte norte-americanas e europeias.

Veja hotéis e restaurantes dessa região nas pp. 710-5

SAN DIEGO COUNTY | 669

Entrada do San Diego Zoo

PREPARE-SE

Informações Práticas
Park Blvd, Laurel e 6th Sts.
Visitor Center: Plaza de Panama.
Tel (619) 239-0512. ◯ 9h30-17h diariam. ● 1º jan, Ação de Graças, 25 dez.
Spreckels Organ Pavilion: concertos grátis jun-set: 19h30 seg, 14h-15h dom.
San Diego Zoo: **Tel** (619) 231-1515. ◯ início set-jun: 9h-16h diariam; fim jun-início set: 9h-21h diariam.
w sandiegozoo.org

Transporte
🚌 7.

★ **San Diego Zoo**
Os orangotangos estão entre os 4 mil animais que habitam os cercados desse famoso zoológico.

Botanical Building
Construído com tiras finas de sequoia, esse santuário é cheio de plantas tropicais e subtropicais.

Como Explorar o Balboa Park

A maioria dos museus do parque situa-se em El Prado, a via central, mas há alguns localizados no sul. O entorno agradável, os bosques para piquenique e as ruas sem carros costumam ficar cheias de corredores, ciclistas e artistas de rua.

O **San Diego Museum of Man**, na extremidade oeste de El Prado, é um museu antropológico sobre os primórdios da humanidade. As peças expostas vêm de culturas como a egípcia, a maia e a dos índios norte-americanos. Ali perto, o grande e variado acervo do **San Diego Museum of Art's** costuma ser exibido em mostras especiais. Ele é composto de peças europeias e norte-americanas que datam desde 1300 até o século XX, além de alguns exemplares do sul da Ásia, do Japão e da China.

O **Timken Museum of Art**, a leste, exibe diversas obras esplêndidas de mestres europeus como Frans Hals, Rembrandt e Paul Cézanne. Ele também tem um acervo de ícones russos.

Seguindo a leste, ao longo de El Prado, o **Natural History Museum** dispõe de um cinema em 3D com tela gigante, que exibe cinco filmes sobre a biodiversidade da Califórnia Meridional e do mundo natural. A principal atração no **Reuben H. Fleet Science Center**, do outro lado da praça, é um cinema IMAX® que projeta filmes em uma imensa tela convexa. Shows de laser são realizados ali, assim como projeções do planetário.

Ao norte dos museus, o **San Diego Zoo** é um dos melhores do mundo e famoso pelos programas de conservação. Espalhado por mais de 40ha, ele abriga 800 espécies animais em cercados projetados para parecer seu hábitat natural. Uma visita de ônibus guiada de 35 minutos de duração cobre a maior parte do zoológico, e o Skyfari oferece um passeio emocionante pelo sul do parque em um trenzinho a 55m de altura. Existe também um zoológico para crianças. No verão, fica aberto para visitas à noite.

Legenda

① **Spreckels Organ Pavilion**
② **Pan-American Plaza**
③ **O San Diego Air & Space Museum** dedica-se à história do voo e abriga mais de 60 aeronaves. Há um A-12 Blackbird, de 1962, do lado de fora do museu.
④ **El Prado**
⑤ **Ônibus turístico**
⑥ **San Diego Natural History Museum**
⑦ **Reuben H. Fleet Science Center**

Desertos

Os desertos do sul da Califórnia têm uma beleza própria e inesquecível, com cânions recortados, montes íngremes e, na primavera, tapetes de flores silvestres. No centro do Low Desert está Palm Springs, o resort mais procurado da região. O árido Joshua Tree National Park estende-se a leste. Mais ao norte, o Mojave Desert, o maior segredo do estado, com frequência esquecido pelos turistas. Seu maior atrativo, o Death Valley National Park, apresenta algumas das temperaturas mais altas do Ocidente.

Escultura em jardim do Palm Springs Art Museum

❻ Palm Springs

42.000. Indio. 2.901 N Palm Canyon Dr. 2.901 N Palm Canyon Drive, (800) 347-7746, (760) 778-8418. Palm Springs International Film Festival (início-meio jan). **w** visitpalmsprings.com

Palm Springs, a maior cidade da região dos desertos, foi avistada pela primeira vez em 1853, quando um grupo de pesquisa encontrou um bosque de palmeiras em volta de uma piscina de água-doce no vale da Coachella. O primeiro hotel foi construído em 1886, e, na virada do século, a cidade já era uma estação de águas próspera. Logo depois, ela se tornou uma estância de inverno elegante, para onde os turistas acorriam em busca de tranquilidade. Hotéis de primeira classe, como o Marriot e o Hyatt Regency, são abundantes, e várias celebridades moram ali. A área em torno de Palm Springs tem numerosas estâncias, como Rancho Mirage, Indian Wells e La Quinta, e mais de cem campos de golfe de luxo.

As duas principais ruas de comércio são Palm Canyon Drive e Indian Canyon Drive; ambas têm restaurantes, butiques e galerias de arte. O **Village Green Heritage Center**, no coração da área comercial, tem alguns edifícios históricos, como o Ruddy's 1930s General Store Museum, réplica do original, com mercadorias autênticas como alcaçuz e remédios que podem ser vendidos sem receita. O Agua Caliente Cultural Museum exibe o legado do povo cahuilla, que habitava a região.

O moderno **Oasis Water Resort** tem treze escorregadores aquáticos, um deles com 20m. Uma imensa piscina com ondas de 1,2m de altura permite a prática do surfe e do bodyboard. O resort também tem hotel, piscina aquecida e restaurantes. O teleférico **Palm Springs Aerial Tramway** faz um percurso de 4km, a 1.790m de altura, até Mountain Station, no Mount San Jacinto Wilderness State Park. Os turistas passam por cinco ecossistemas diferentes, que variam do deserto a uma floresta alpina, onde o ar se torna gélido. No topo existem 85km de trilhas para caminhadas, um centro de esqui e um restaurante. Dos mirantes é possível ter uma vista deslumbrante do vale de Coachella, de Palm Springs e das montanhas de San Bernardino. Em um dia claro dá para ver o Salton Sea, a 80km de distância.

O foco do **Palm Springs Art Desert Museum** são as artes plásticas, a ciência natural, o teatro e a música. Suas galerias contêm pinturas do século XIX até os dias de hoje, além de artefatos indígenas e peças de história natural. Esculturas modernas enfeitam os jardins. Cerca de 8km ao sul de Palm Springs estão os **Indian Canyons**, quatro espetaculares oásis naturais no meio de desfiladeiros de pedra. Incrustados em riachos alimentados por nascentes nas montanhas, os cânions Murray, Tahquitz, Andreas e Palm estão localizados nas antigas terras dos índios cahuilla. Ainda é possível ver inscrições nas rochas e outros vestígios desse povo. Os cânions Palm e Andreas têm muitas trilhas onde se pode caminhar ou dirigir.

Palm Springs Aerial Tramway Tramway Rd. **Tel** (760) 325-1391, (888) 515-8726. diariam. **w** pstramway.com

Oasis Water Resort, em Palm Springs

❼ Anza-Borrego Desert State Park

Escondido. Informação Turística: **Tel** (760) 767-5311. jun-set: sáb e dom; out-mai: diariam. **w** parks.ca.gov

Durante a Corrida do Ouro de 1849 *(pp. 641-2)*, dezenas de milhares de garimpeiros passaram

Veja hotéis e restaurantes dessa região nas pp. 710-5

por Anza-Borrego Desert. Hoje essa antiga passagem para San Diego County é um parque remoto e seco. Com seus barrancos íngremes e suas rochas erodidas, ele oferece uma visão e tanto de um ambiente singular como o deserto.

O centro de informação turística fica em **Borrego Springs**, a única cidade importante do parque. Ali perto, a trilha Palm Canyon Nature Trail leva a um oásis onde se avistam carneiros selvagens ameaçados de extinção. Do **Box Canyon Historical Monument**, a oeste do centro de informação turística, dá para ver a antiga estrada usada pelos garimpeiros para as minas, 800km ao norte. Entre março e maio as plantas do deserto florescem e o enchem de cor.

A maior parte do parque é acessível por seus 160km de estradas boas. No entanto, veículos com tração nas quatro rodas são recomendados nos 800km de estradas esburacadas.

❽ Salton Sea State Recreation Area

Mecca. Indio. Informação Turística: 100-225 State Park Rd, North Shore. **Tel** (760) 393-3059. diariam (sex-dom apenas no verão). **parks.ca.gov**

Salton Sea foi criado por acaso, em 1905, quando o rio Colorado transbordou e inundou um canal de irrigação recém-aberto, que ia dar no vale Imperial. Quando a inundação foi estancada, dois anos depois, um mar interior de 55km havia se formado na bacia de Salton.

Apesar da salinidade alta, peixes de até 4,5kg são encontrados ali. Esqui aquático, windsurfe e passeios de barco são atividades populares no Salton Sea. A área ao largo de Mecca Beach tem os melhores pontos para nadar. O pântano adjacente é um refúgio de aves migratórias, como o ganso, a garça-azul e a garça-real. No lado leste existe uma área de recreação com trilhas para caminhadas e locais para acampar.

Vista da porção oeste do Joshua Tree National Park

❾ Joshua Tree National Park

Desert Stage Lines de Palm Springs para Twenty-Nine Palms. Informação Turística: 74.485 National Park Dr, Twenty-Nine Palms. **Tel** (760) 367-5500. 8h-17h diariam. 25 dez. **nps.gov**

O Joshua Tree National Park ostenta o mesmo nome da árvore de Josué *(Yucca brevifolia)*, ou *Joshua tree*, que abunda na região. Por sua vez, a árvore foi assim batizada pelos primeiros viajantes mórmons, que viram os braços erguidos de Josué (Joshua) em seus galhos retorcidos. Essa espécie chega a atingir 9m e vive cerca de mil anos.

Com 255.300ha, o parque tem formações cor-de-rosa e rochas cinzentas, minas abandonadas e oásis: é um paraíso para alpinistas e mochileiros. Uma trilha popular começa no **Oasis Visitors' Center**, o centro de informação turística. Ao sul, no **Hidden Valley**, penedos gigantes formam cercados que funcionavam como esconderijo para ladrões de gado no Velho Oeste. Mais ao sul, **Key's View** oferece uma vista completa do vale, do deserto e das montanhas. Nas imediações de Key's View está **Lost Horse Mine**, mina histórica que produziu mais de U$270 mil em ouro na primeira década de operação.

Vários animais especialmente adaptados vivem no parque. Roedores obtêm alimento e água de sementes, e o coelho americano tem um pelo que lhe permite camuflar-se e esconder-se dos predadores.

❿ Mojave Desert

Barstow. 831 Barstow Rd, (760) 256-8619, (888) 422-7869. **barstowchamber.com**

No século XIX, o Mojave Desert era a porta de entrada da Califórnia. **Barstow**, a maior cidade, é um ponto de parada entre LA e Las Vegas. Nos anos 1870, com a descoberta de ouro e prata na região, surgiram cidades como Calico. Quando as minas se esgotavam, logo elas eram abandonadas e se tornavam cidades-fantasmas. Muitas construções de Calico ainda estão intactas, e os visitantes podem até andar de trem pelo interior de uma mina. A oeste, a Edwards Air Force Base é famosa pelo lançamento de ônibus espaciais. O **Red Rock Canyon State Park**, nas imediações, possui rochas vulcânicas cor-de-rosa e vermelhas, e as **Mitchell Caverns** têm formações de calcário. O nordeste do deserto é dominado pelo **Death Valley National Park** *(pp. 672-3)*.

Formações rochosas nas cavernas do Mojave Desert

⓫ Death Valley National Park

Os índios americanos chamavam o vale Tomesha de "terra do chão em brasas", um nome adequado para o Death Valley, o lugar mais quente do mundo – a temperatura mais alta na sombra, registrada em 1913, foi 57°C. Essa é uma região de extremos, uma depressão na crosta da Terra que vem a ser o ponto mais baixo do hemisfério ocidental. O parque se estende por 225km e é protegido de ambos os lados por algumas das mais elevadas montanhas do continente. Sua paisagem única inclui formações rochosas delicadas, cânions e planícies de sal escaldantes. Embora seja sempre inóspito, é um dos destinos turísticos mais populares da Califórnia.

Vista de Dante's View: picos recortados e o vale ao fundo

Como Explorar o Death Valley National Park

O vale era uma barreira intransponível para garimpeiros e emigrantes. Hoje, os turistas conseguem chegar lá de carro e, após pequenas caminhadas, desfrutar vistas espetaculares. A melhor época para visitar o parque é entre outubro e abril, quando a temperatura oscila em torno de 18°C. Evite o período entre maio e setembro, quando o calor pode exceder 38°C.

O parque abriga uma quantidade surpreendente de plantas; todos os anos, durante algumas semanas, flores silvestres surgem entre as rochas. Animais como raposas e tartarugas se adaptaram para sobreviver nesse clima hostil.

O complexo turístico de **Furnace Creek** localiza-se no coração do Death Valley. Milênios de inundações de inverno escavaram uma passagem nos montes orientais. As fontes são uma das poucas reservas de água-doce do parque; provavelmente, salvaram a vida de centenas de garimpeiros de ouro que cruzaram o deserto. Hoje as mesmas nascentes fazem de Furnace Creek um oásis sombreado por palmeiras. Existem ali vários hotéis e restaurantes, além do **Death Valley Museum and Visitor Center**, museu e centro de informação turística que exibe *slide shows* que explicam a história do lugar. No inverno há passeios guiados. O campo de golfe mais baixo do mundo – 65m abaixo do nível do mar – e o hotel Furnace Creek, dos anos 1920 (*p. 710*), também ficam ali. No inverno o hotel organiza passeios de ônibus.

Na Highway 190, perto do centro turístico, as ruínas sinistras de **Harmony Borax Works** ainda podem ser vistas. O bórax foi descoberto na região em 1873, mas sua comercialização só teve início nos anos 1880, quando o borato cristalizado passou a ser extraído, purificado, embarcado em vagões e transportado por 265km até a estação Mojave. Usado na produção de vidro resistente ao calor, hoje o bórax é um ingrediente comum em detergentes. O Borax Museum exibe as ferramentas de mineração e o maquinário de transporte utilizados no século XIX.

Salt Creek, riacho ao lado do Borax Museum, sustenta uma valente espécie de peixe que, endêmica no Death Valley, suporta uma salinidade quatro vezes superior à do mar e temperaturas de até 44°C. E os peixes atraem outros animais, como a garça-azul. Os turistas podem explorar esse local único por meio de passadiços.

Algumas das atrações mais deslumbrantes do vale se encontram ao sul de Furnace Creek. Cerca de 5km nessa direção, pela Highway 178, uma caminhada breve leva ao **Golden Canyon**. As paredes douradas que dão nome ao cânion ficam mais bonitas ao sol da tarde. Os índios norte-americanos usavam o barro vermelho da entrada do cânion para pintar o rosto. Originalmente, as camadas de rocha eram horizontais, mas graças à atividade geológica hoje elas estão inclinadas em um ângulo de 45°. Devido às inundações repentinas, as estradas costumam estar em mau estado. **Zabriskie Point** oferece uma grande vista do Golden Canyon. Famoso graças a um filme de Antonioni dos anos 1960, Zabriskie Point recebeu o nome de

Vista das colinas multicoloridas de Artist's Palette

Veja hotéis e restaurantes dessa região nas pp. 710-5

DESERTOS | 673

Formações de sal em Devil's Golf Course

um administrador das operações com o bórax.

Dante's View fica a 1.650m acima do nível do mar, na extremidade sul do vale. Seu nome foi inspirado pelo *Inferno*, de Dante. A manhã é o melhor período para visitar Dante's View e observar a paisagem lá embaixo.

Badwater, a oeste, é o ponto mais baixo do hemisfério ocidental. Ele fica 85m abaixo do nível do mar e é um dos lugares mais quentes do planeta. O ar pode chegar a 49°C, e, como a temperatura do solo é 50 por cento superior, é realmente possível fritar um ovo no chão. A água não é tóxica, mas, repleta de cloreto de sódio e de sulfatos, é intragável. A despeito das condições extremas, Badwater abriga diversas espécies de insetos e um caracol ameaçado de extinção.

Devil's Golf Course é uma extensão de pináculos de sal localizada 19km ao sul de Furnace Creek, pela Highway 178. Até cerca de 2 mil anos atrás, uma sucessão de lagos cobria a área. Quando o último evaporou, deixou para trás camadas alternadas de sal e cascalho, algumas com 305m de profundidade e 520km². Cerca de 95 por cento do solo é composto de sal, e é possível ouvi-lo expandir-se e contrair-se à medida que a temperatura muda. Novos cristais de sal (é possível distingui-los porque são mais brancos) continuam a se formar. As colinas multicoloridas conhecidas como **Artist's Palette** ficam ao norte. Seus matizes, criados por depósitos minerais e cinza vulcânica, são mais intensos no final da tarde.

Situada a noroeste do centro de informação turística, a aldeia de **Stovepipe Wells**, fundada em 1926, foi a primeira estância do vale. Segundo a lenda, um lenhador que passava por ali a caminho do oeste achou água e ficou. Uma velha chaminé de fogão marca o lugar, o segundo maior posto do vale.

Caminhar pelos 36km² das **Sand Dunes**, as dunas de areia ao norte de Stovepipe Wells, é uma das melhores experiências no Death Valley. Os ventos alternados dão às dunas sua aparência característica. Algarobeiras pontuam a porção inferior da areia. Uma variedade de animais se alimenta das sementes dessas árvores, como roedores e lagartos. Entre os outros animais do vale, em geral de hábitos noturnos, estão a cobra cascavel e o coiote.

No norte do vale fica **Ubehebe Crater**, cratera de 3 mil anos onde poucos se aventuram. Essa é apenas uma das dezenas de crateras vulcânicas do Mojave; ela tem 800m de largura e 150m de profundidade.

A leste está o **Scotty's Castle**, um castelo mourisco de 2.800m² que custou a Albert Johnson US$2,4 milhões, em 1922. "Death Valley Scotty", um amigo de Johnson, morou ali até morrer, em 1948. Em 1970 o castelo foi comprado pelo Serviço Nacional de Parques, que oferece visitas guiadas.

PREPARE-SE

Informações Práticas
Death Valley Museum e Visitor Center: Rte 190, Furnace Creek. **Tel** (760) 786-3200. diariam.
1º jan, Ação de Graças, 25 dez.
Emergência: Guardas-florestais, disque 911.
nps.gov/deva

Scotty's Castle
Hwy 267. **Tel** (760) 786-2392.
Castelo: diariam.
Área externa: diariam.

Death Valley Scotty

Walter Scott, suposto minerador, charlatão e ator ocasional do Wild West Show de Buffalo Bill, gostava de dizer aos turistas que tinha uma mina de ouro secreta. Na verdade, a "mina" era o amigo Albert Johnson, executivo da área de seguros de Chicago que pagou pela construção do castelo em que Scott recebia turistas. Erguido nos anos 1920 por artesãos europeus e operários índios, o castelo tem um toque mourisco. Scott nunca foi dono do lugar, mas Johnson pagava todas as suas contas. "Ele me recompensa com risadas, dizia Johnson. Ele morreu em 1948, mas Scott pôde permanecer no castelo até a morte, em 1954. O edifício ainda é conhecido como Scotty's Castle.

O grandioso Scotty's Castle, em estilo mourisco

Central Coast

O passado espanhol da Califórnia é bem visível nesse agradável trecho de litoral. Várias das 21 missões fundadas pelos franciscanos entre os séculos XVIII e XIX se encontram ali. As missões e a capital colonial espanhola, Monterey, conservam vestígios do rico passado do estado. Além de sítios históricos, o litoral recortado do oceano Pacífico abriga cidades praianas e grandes áreas de beleza natural.

County Courthouse, em Santa Barbara: estilo colonial espanhol

🔟 Santa Barbara

🏠 90.200. ✈
🚆 209 State St. 🚌 1.020 Chapala St.
🚍 34 W Carrillo. ⚓ Stearns Wharf.
ℹ 1 Garden St, (805) 965-3021 📅
International Film Festival (jan-fev);
Old Spanish Days Fiesta (ago).
🌐 santabarbaraca.com

Santa Barbara é uma raridade no sul da Califórnia: uma cidade com um único estilo arquitetônico. Após um terremoto devastador, em 1925, todo o centro foi reconstruído segundo as regras rígidas ditadas pelo estilo mediterrâneo. Hoje Santa Barbara é um centro administrativo sossegado, com uma população de estudantes considerável.

Frequentemente chamada de "Rainha das Missões", **Santa Barbara Mission** é a mais visitada no estado. Décima missão construída pelos espanhóis, ela foi fundada em 1786 no dia da festa de Santa Bárbara – quatro anos depois de os colonizadores terem estabelecido uma praça forte. A estrutura atual tomou forma depois de a terceira igreja de adobe do local ser destruída por um terremoto, em 1812. Suas duas torres e a mistura dos estilos romano, mourisco e espanhol foram a inspiração para o que veio a ser conhecido como estilo missões. Essa é a única missão que nunca deixou de ser ocupada.

Os Jardins Sagrados já foram área de trabalho dos índios. As habitações em volta exibem um rico acervo de artefatos da época. A fachada clássica da igreja foi projetada pelo padre Antonio Ripoll, que foi influenciado pelo arquiteto romano Vitruvius Pollio (c. 27 a.C.). O interior neoclássico tem colunas que imitam o mármore, enquanto os retábulos têm fundo de lona e estátuas de madeira entalhada.

O palácio da justiça, **County Courthouse**, na Figueroa Street, ainda é usado. Na sala de sessões há murais que retratam a história da Califórnia. O acervo do **Museum of Art**, ali perto, inclui obras da Ásia e da América, antiguidades e fotografias. Ao sul fica o **Lobero Theater.** Esse edifício de 1924 está no local do teatro original da cidade. A leste está o **Presidio.** Construído em 1782, esse foi o último de uma série de quatro fortes espanhóis erguidos no litoral. Entre as outras atrações estão o **Paseo Nuevo**, um shopping center ao ar livre, e o Historical Museum. Entre os vários artefatos em exibição, uma estátua de Santa Bárbara.

🏛 **Santa Barbara Mission**
2.201 Laguna St. **Tel** (805) 682-4713.
🚌 22. ⏰ 9h-16h30 diariam. Doação.
♿ 📷 🌐 sbmission.org

🏛 **Museum of Art**
1.130 State St. **Tel** (805) 963-4364.
⏰ 11h-17h ter-dom. 🎟 (grátis 17h-20h qui). 🌐 sbma.net

Estátua de Santa Bárbara, mártir do século IV

🔟 Channel Islands National Park

🚆 Ventura. 🚌 Island Packers, 1.867 Spinnaker Dr, (805) 642-1393.
Informação Turística: (805) 658-5730.
⏰ diariam. ❌ Ação de Graças, 25 dez. 🌐 nps.gov/chis

Anacapa, San Miguel, Santa Cruz e Santa Rosa, ilhas vulcânicas desabitadas de Santa Barbara, formam o Channel Islands National Park. O acesso a elas é rigidamente controlado por guardas-florestais, que emitem a autorização de entrada no centro de informação turística. É permitido acampar nas ilhas, mas as reservas devem ser feitas duas semanas antes. É preciso levar comida e água, pois não há suprimentos no local.

No passeio de um dia a Anacapa, a mais próxima do continente, é possível observar um ecossistema singular. Em todas as ilhas, as piscinas formadas nas rochas são ricas em vida marinha, e as algas ao redor proporcionam abrigo para mais de mil espécies de animais e plantas. As muitas cavernas das ilhas tornam emocionantes os passeios de

Veja hotéis e restaurantes dessa região nas pp. 710-5

caiaque. A região é considerada uma das melhores do Pacífico para mergulho com snorkel ou tanque.

Há muitos animais nas ilhas, como leões e elefantes-marinhos, cormorões e gaivotas. Dependendo da época do ano, os turistas podem avistar baleias-cinzentas, golfinhos e pelicanos-pardos-da-califórnia no canal de Santa Bárbara.

⓮ Lompoc Valley

Lompoc. 111 S I St, Lompoc, (800 240-0999).
lompoc.com

Um dos maiores produtores mundiais de sementes de flores, Lompoc Valley é cercado de montanhas e campos de flores e se transforma em um tapete de cores entre o final da primavera e meados do verão. Cravo-de-defunto, lobélia, esporinha, capuchinha e centáurea são apenas algumas das espécies cultivadas ali. A Câmara do Comércio da cidade de Lompoc distribui um mapa dos campos de flores da área. Na Civic Center Plaza, entre a Ocean Avenue e a C Street, há um jardim onde todas as variedades são identificadas.

Décima primeira missão do estado, **La Purísima Concepción**, situada 5km ao nordeste de Lompoc, foi declarada State Historic Park nos anos 1930. Os edifícios do início do século XIX foram reconstruídos à perfeição, e o complexo dá uma ideia real da vida na missão. Os turistas podem ver as habitações dos padres, mobiliada com peças autênticas, no prédio residencial. A igreja simples e estreita é decorada com coloridos desenhos feitos com estêncil. As oficinas adjacentes já produziram tecidos, velas, artigos de couro e móveis para a missão.

Os jardins também foram restaurados com fidelidade. As frutas, as verduras e as ervas que ali estão eram comuns no século XIX. Os turistas também podem conhecer o sistema de fornecimento de água da missão.

La Purísima Concepción Mission
2.295 Purísima Rd, Lompoc.
Tel (805) 733-3713. 9h-17h diariam.
1º jan, Ação de Graças, 25 dez.
lapurisimamission.org

La Purísima Concepción, em Lompoc Valley

⓯ San Luis Obispo

43.000. 811 El Capitan Way, (805) 541-8000.
visitsanluisobispocounty.com

Essa cidade pequena, situada em um vale das montanhas de Santa Lucia, desenvolveu-se em torno da **San Luis Obispo Mission de Tolosa**, fundada em 1º de setembro de 1772 pelo padre Junípero Serra (p. 680). Quinta da cadeia de 21 missões e também uma das mais ricas, ainda é utilizada como paróquia. Ao lado da igreja, um museu exibe artefatos dos índios chumash, como cestas, vasos e bijuterias, a cama do padre e o altar original.

Mission Plaza, uma praça ajardinada cortada pelo riacho San Luis, fica em frente à igreja. Nos anos 1860, touradas e brigas de cães com ursos eram realizadas ali; hoje a praça recebe eventos menos sangrentos.

A oeste fica a Ah Louis Store. Fundada em 1874 por um cozinheiro chinês, ela se tornou o centro de uma Chinatown então florescente e servia de correio, banco e loja. Ainda pertence à família Louis, mas agora vende artigos para presente.

San Luis Obispo Mission de Tolosa
751 Palm St. **Tel** (805) 781-8220.
9h-17h seg-sex 1º jan, Páscoa, Ação de Graças, 25 dez.
missionsanluisobispo.org

A Arquitetura das Missões

As 21 missões fundadas ao longo do Camino Real eram adaptações da arquitetura barroca mexicana. Projetadas por frades, as versões provincianas eram feitas de adobe e madeira por índios, operários não especializados. Com o tempo, deterioraram-se ou foram destruídas por terremotos, mas várias foram restauradas com apuro. Entre suas características estão as paredes maciças pintadas com cal branca, as janelas pequenas e os frontões arredondados. O estilo *revival*, do início do século XX, é uma versão mais elegante do original. Hoje as missões recebem turistas.

Santa Barbara Mission

# Hearst Castle®

Situado no alto de uma colina na vila de San Simeon e cercado de jardins, o Hearst Castle® era o parque de diversão e propriedade particular do magnata da mídia William Randolph Hearst. O castelo é um dos principais pontos turísticos da Califórnia, e suas três casas de hóspedes são por si só construções soberbas, mas o ponto alto é a Casa Grande®, com suas torres gêmeas. Projetado pela arquiteta Julia Morgan, que estudou em Paris, e construído por etapas entre 1919 e 1947, o castelo tem 165 cômodos e abriga inúmeras obras de arte. É a epítome do glamour dos anos 1930 e 1940.

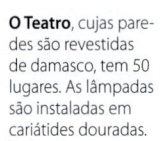

Casa Grande®
A fachada de concreto da Casa Grande® tem o estilo do Renascimento mediterrâneo. Ela é adornada com fragmentos arquitetônicos antigos.

O Teatro, cujas paredes são revestidas de damasco, tem 50 lugares. As lâmpadas são instaladas em cariátides douradas.

★ **Billiard Room**
Esse salão tem uma tapeçaria *millefleurs* que retrata uma caça ao veado.

William Randolph Hearst

Filho de um multimilionário, W. R. Hearst (1863-1951) era uma personalidade entusiasmada que fez fortuna própria no negócio de jornais e revistas. Ele se casou com Millicent Willson, uma corista de Nova York, em 1903. Com a morte da mãe, em 1919, Hearst herdou a propriedade de San Simeon. Começou a construir o castelo como tributo à mãe e depois foi morar lá com a amante, a atriz Marion Davies. Nos 30 anos seguintes o casal levou ali uma vida principesca. Quando Hearst teve problemas no coração, em 1947, mudou-se para uma casa em Beverly Hills, onde morreu em 1951.

William Hearst, aos 31 anos

Veja hotéis e restaurantes dessa região nas pp. 710-5

CENTRAL COAST | **677**

★ **Gabinete Gótico**
Hearst controlava seu império do Gabinete Gótico. Os livros e os manuscritos que ele mais prezava ficavam bem guardados.

PREPARE-SE

Informações Práticas
750 Hearst Castle Rd. **Tel** (800) 444-4445. a partir das 9h diariam; horário de fechamento varia. 1º jan, Ação de Graças, 25 dez. ligue antes. obrigatório. hearstcastle.com

Transporte

Como Explorar o Hearst Castle®

Os turistas devem fazer uma das seis visitas guiadas. A Grand Rooms Tour é a melhor para quem vai ao castelo pela primeira vez. Na primavera e no outono, as visitas noturnas mostram guias, ou "convidados", com roupas de época.

A **Casa Grande** foi construída com concreto reforçado para resistir aos terremotos da Califórnia e recebia os muitos convidados de Hearst. Ela dispõe de 38 cômodos, Sala de Reuniões, Salão de Bilhar, duas piscinas e um teatro, onde mais de 50 espectadores podiam assistir a *premières* de filmes. Hearst morava no terceiro andar, na suntuosa Suíte Gótica. A primorosa **Piscina Romana**, uma piscina coberta e aquecida, é revestida com mosaicos coloridos de ouro e cristal.

Hearst criou um verdadeiro jardim do éden. Em seus 51ha são cultivados ciprestes italianos, palmeiras e imensos carvalhos de 200 anos de idade, que foram transportados até ali a um custo altíssimo. Quatro estufas e milhares de árvores frutíferas supriam plantas e frutas. Estátuas antigas e modernas decoram os terraços, entre elas quatro estátuas de Seimet, a deusa egípcia da guerra, datadas de 1560 a 1200 a.C. A **Piscina de Netuno** tem 32m e é flanqueada por colunatas e uma fachada de templo romano.

Amante da vida ao ar livre, Hearst mantinha uma trilha coberta para poder cavalgar em qualquer clima e um zoológico particular, com leões e ursos. As três casas de hóspedes – Casa del Mar, Casa del Sol e Casa del Monte – também eram mansões luxuosas.

Entrada principal

A Sala de Reunião tem uma lareira francesa do século XVI. Cadeiras de coro italianas ficam encostadas à parede, de onde pendem tapeçarias flamengas.

★ **Refeitório**
Tapeçarias enfeitam as paredes desse salão. A mesa comprida, renascentista, tem candelabros de prata.

Big Sur

O trecho mais selvagem do litoral da Califórnia era chamado de "El País Grande del Sur" pelos colonizadores espanhóis de Carmel *(p. 680)*, no final do século XVIII. Desde então o Big Sur tem sido descrito por meio de hipérboles. O escritor Robert Louis Stevenson, por exemplo, chamou o Point Lobos de "o maior encontro de terra e mar em todo o mundo". Esses 16km de montanhas, penhascos e enseadas deslumbrantes ainda deixam os turistas sem palavras. A não ser pela cinematográfica Highway 1, que foi construída ali nos anos 1930, a natureza de Big Sur tem sido preservada. Não há cidades grandes, e os vestígios de civilização são escassos. A maior parte da costa é protegida por uma série de parques estaduais, que oferecem florestas densas, rios largos e penhascos batidos pelas ondas, todos perto da estrada.

As ondas arrebentam contra as rochas, cena típica de Big Sur

Point Lobos State Reserve
Esse é o hábitat do cipreste-de-monterey, a única planta que resiste à mistura de neblina e borrifos de sal da região. Seus galhos são moldados pelos ventos fortes.

Bixby Creek Bridge
Essa ponte em arco foi construída em 1932. Por muitos anos o seu vão foi o maior do mundo: 79 m de altura e 213m de comprimento. Nela, em 1966, a Highway 1 foi nomeada a primeira rodovia com paisagem do estado.

LEGENDA

① **O Point Sur Lighthouse** fica no topo de um vulcão. Operado manualmente até 1974, hoje o farol é automático.

② **Nepenthe** é um restaurante escondido por carvalhos. Há tempos é frequentado pelas celebridades de Hollywood.

③ **O Esalen Institute** foi criado nos anos 1960 para abrigar seminários da Nova Era. Suas fontes de água quente já eram frequentadas pelos índios e ainda atraem turistas.

④ **San Simeon Point** é um porto natural que William Randolph Hearst utilizava para levar materiais para sua propriedade, o Hearst Castle®, situado nas imediações *(pp. 676-7)*.

Andrew Molera State Park
Aberto em 1972, esse parque tem 16km de trilhas e 4km de praias tranquilas.

Veja hotéis e restaurantes dessa região nas pp. 710-5

CENTRAL COAST | **679**

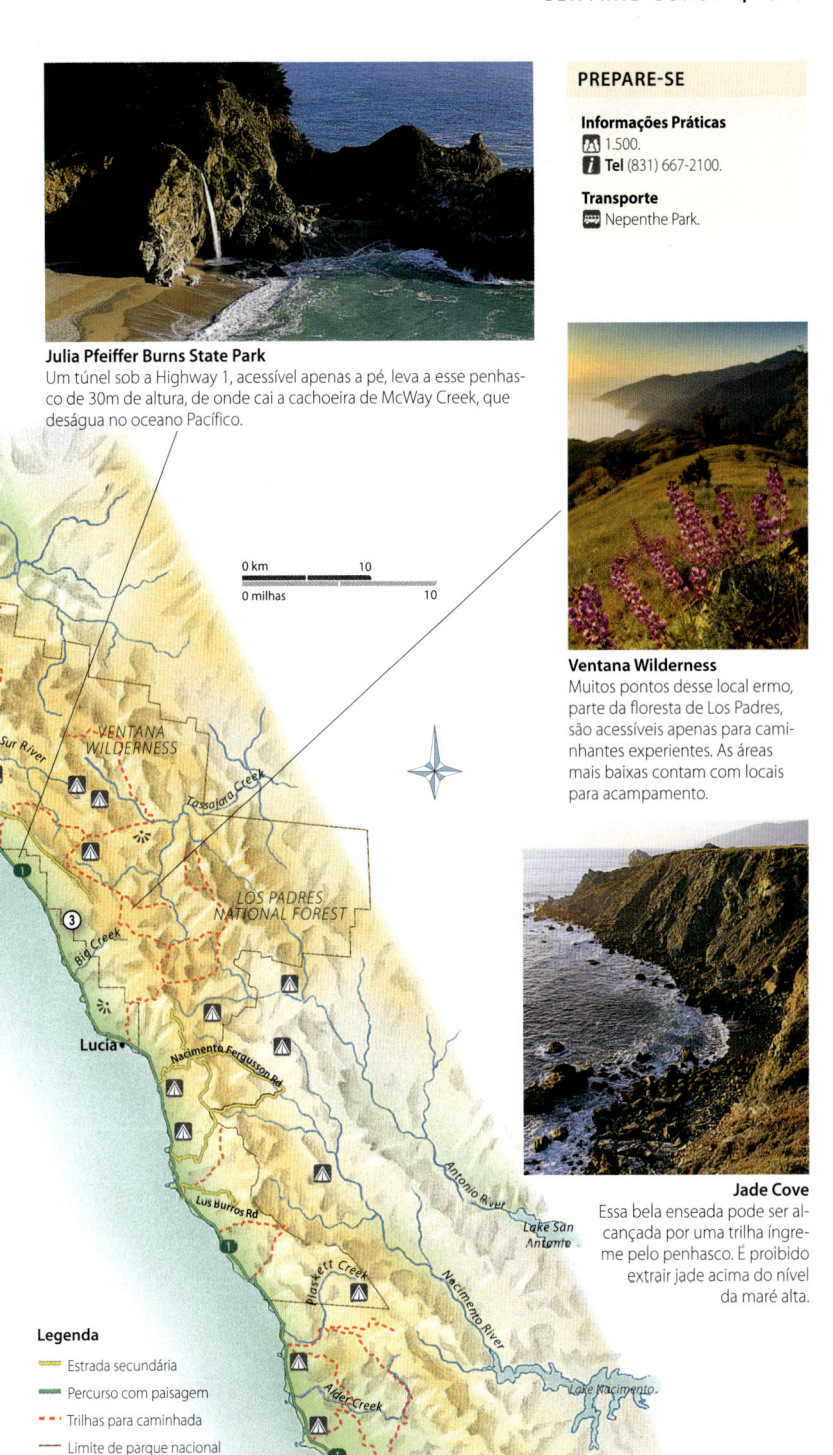

PREPARE-SE

Informações Práticas
1.500.
Tel (831) 667-2100.

Transporte
Nepenthe Park.

Julia Pfeiffer Burns State Park
Um túnel sob a Highway 1, acessível apenas a pé, leva a esse penhasco de 30m de altura, de onde cai a cachoeira de McWay Creek, que deságua no oceano Pacífico.

Ventana Wilderness
Muitos pontos desse local ermo, parte da floresta de Los Padres, são acessíveis apenas para caminhantes experientes. As áreas mais baixas contam com locais para acampamento.

Jade Cove
Essa bela enseada pode ser alcançada por uma trilha íngreme pelo penhasco. É proibido extrair jade acima do nível da maré alta.

Legenda
- Estrada secundária
- Percurso com paisagem
- Trilhas para caminhada
- Limite de parque nacional
- Rio ou lago

Legenda dos símbolos *na orelha da contracapa*

O belo arco gótico do altar principal de Carmel Mission

⑱ Carmel

🚶 24.000. 🚌 Monterey-Salinas Transit (MST), (831) 899-2555.
ℹ️ San Carlos entre 5th e 6th, (800) 550-4333. 🎭 Carmel Bach Festival, Monterey (set-mar).
🌐 carmelcalifornia.org

Essa estância abastada, repleta de galerias de arte e lojas, tem uma das praias mais espetaculares da região. Entre os vários eventos culturais da cidade está o Bach Festival.

Carmel Mission, fundada em 1770 pelo pai da cadeia de missões californianas Junípero Serra, fica nas imediações da cidade. Ela era o centro administrativo das missões do norte do estado. O padre Serra, que viveu ali até morrer, em 1784, está enterrado aos pés do altar. O sarcófago, um dos mais bonitos dos EUA, retrata-o reclinado no leito de morte, cercado por três sacerdotes. Carmel Mission foi abandonada em 1834, e o trabalho de restauração começou em 1924, seguindo as plantas originais. Hoje ela funciona como igreja católica. Seu belo altar, com um arco gótico e ricamente adornado, é o único desse tipo entre as 21 missões da Califórnia. As habitações reconstruídas evocam a vida na missão no século XVIII; a cozinha conserva o fogão mexicano original.

🏛 **Carmel Mission**
3.080 Rio Rd, Carmel.
Tel (831) 624-1271.
🕐 9h30-17h seg-sáb, 10h30-17h dom. ⛔ Ação de Graças, 25 dez.

⑲ Monterey

🚶 35.000. ✈️ 🚌 Tyler, Pearl e Munras Sts, (831) 899-2555.
ℹ️ 150 Olivier St, (888) 221-1010.
🎭 Monterey Blues Festival (jun); Monterey Jazz Festival (set); Laguna Seca Races (mai-out).
🌐 monterreyinfo.org

O navegador Sebastián Vizcaíno desembarcou na baía em 1602 e batizou-a com o nome de seu financiador, o conde de Monterrey. Porém, o local só se tornou um pueblo com a chegada do capitão espanhol Gaspar de Portolá e do padre Serra, que, em 1770, ergueram uma igreja e um presídio. Monterey foi capital do governo espanhol na Califórnia até a Corrida do Ouro de 1849, quando perdeu a posição para São Francisco. A cidade ainda conserva as características de porto de pesca e centro comercial. Hoje os turistas a visitam por causa dos sítios históricos cuidadosamente restaurados e do famoso festival de jazz, realizado todos os anos em setembro.

No centro, um aglomerado de prédios antigos forma o Monterey State Historic Park. No imponente **Colton Hall**, em 1849, assinou-se a primeira Constituição da Califórnia. Hoje o edifício abriga um museu. Um pouco ao norte surge a **Larkin House**, construída em 1837 pelo mercador Thomas Larkin. Seu estilo arquitetônico – dois andares, tijolos de adobe, pórticos de madeira, planta e projeção vertical simétricos – tornou-se representativo de Monterey. A leste, **Stevenson House**, residência do escritor Robert Louis Stevenson em 1879, hoje é um museu. A Royal Presidio Chapel, capela de 1794 situada na Church Street, é o prédio mais antigo da cidade. Ao norte estão a Old Whaling Station, que exibe lembranças da indústria baleeira, e a Custom House, a sede da alfândega, preservada tal como era nos anos 1830 e 40. Ali perto, **Fisherman's Wharf**, antes o centro da indústria baleeira, é hoje conhecido pelos restaurantes.

Cannery Row, uma rua de seis quadras de frente para o porto celebrada pelo escritor John Steinbeck em seus romances, já abrigou mais de vinte fábricas de processamento de sardinhas. As fábricas de enlatados *(canneries)* floresceram no início do século XX. Em 1945 a sardinha desapareceu e as fábricas foram abandonadas. Os prédios que sobraram abrigam restaurantes e lojas. No número 800, hoje um clube privado, ficava o laboratório do "doutor" Ricketts, célebre biólogo marinho e melhor amigo de Steinbeck.

O **Monterey Bay Aquarium**, no final da Cannery Row, é o

Placa de rua em Cannery Row

A 17-Mile Drive

O litoral da península de Monterey é mais bem explorado por uma rodovia com pedágio, a 17-Mile Drive. Essa estrada oferece vistas deslumbrantes do mar, da flora costeira e da floresta Del Monte Forest. Ela começa em Spanish Bay, uma área de piquenique em Pacific Grove. Entre as atrações, Carmel Mission; a surpreendente Tor House, construída em uma rocha pelo poeta Robinson Jeffers; Lone Cypress, talvez a planta mais fotografada do mundo; e Spyglass Hill, um campo de golfe que recebeu o nome de um lugar do livro *A ilha do tesouro*, de Robert Louis Stevenson. Entre as outras atrações estão *country clubs* exclusivos e campos de golfe profissionais.

Spanish Bay, área de piquenique

Veja hotéis e restaurantes dessa região nas pp. 710-5

maior dos EUA. Mais de 570 espécies e 350 mil espécimes representam o rico ambiente marinho da baía de Monterey. Há uma floresta de algas, uma piscina de rochas e medusas vivas. Em Outer Bay Wing, um tanque de 4,5 milhões de litros recria as condições oceânicas. Ele contém albacoras, peixes-lua e barracudas. O Research Institute oferece aos visitantes a oportunidade de ver oceanógrafos em serviço, e na Splash Zone as crianças podem colocar a mão na massa.

Pacific Grove, no fim da península, foi fundada em 1889 como retiro religioso. Hoje é mais conhecida pelas graciosas casas de madeira (muitas delas convertidas em hotéis), pelos parques costeiros e pelas lindas borboletas-monarca, que chegam entre outubro e abril.

Arco escavado na rocha no Natural Bridges State Beach, em Santa Cruz

Monterey Bay Aquarium
886 Cannery Row. **Tel** (831) 648-4888.
diariam. 25 dez.
mbayaq.org

⑳ Santa Cruz

252.000. 920 Pacific Ave.
1.211 Ocean St, (831) 425-1234.
Santa Cruz Fungus Fair (jan); Clam Chowder Cook-off (fev).
santacruzca.org

Situada na extremidade norte da baía de Monterey, Santa Cruz é uma cidade praiana animada, que tem ao fundo montanhas com uma floresta fechada. Cercada de fazendas, tem uma atmosfera rural. O caráter cosmopolita da cidade vem do imenso *campus* da University of California, que conta com alunos e professores de todo o mundo.

Boa parte do centro foi destruída pelo terremoto de Loma Prieta, em 1989. A cidade foi recuperada e hoje exibe livrarias, galerias de arte e cafés.

O ponto alto da cidade é a praia, em especial o **Santa Cruz Beach Boardwalk**, o último sobrevivente dos antigos parques de diversão da Costa Oeste. Sua principal atração é a montanha-russa Giant Dipper, construída por Arthur Looff em 1924 e hoje um National Historic Landmark. Os carros trafegam pelo trilho de madeira de 1,6km a 88km/h. O carrossel ao lado tem cavalos e carruagens esculpidos à mão pelo pai de Looff, o artesão Charles Looff, em 1911. O passeio é feito ao som de um órgão de cem anos. O parque tem outros 27 brinquedos modernos e um salão de baile art déco.

O **Museum of Art and History at the McPherson Center**, na Front Street, é um centro cultural de 1.858m² inaugurado em 1993. A Art Gallery exibe prioritariamente trabalhos de artistas locais, enquanto a History Gallery mostra vários aspectos da história de Santa Cruz.

Numa colina a nordeste da cidade fica uma réplica da **Mission Santa Cruz**, fundada em 1791. Todos os traços originais foram destruídos por vários terremotos, e a estrutura atual foi construída em 1931. Hoje ela abriga um pequeno museu. A cinematográfica Cliff Drive, que margeia o litoral, conduz a **Natural Bridges State Beach**, uma área protegida da praia em que as ondas do mar esculpiram arcos naturais. Um deles ainda existe: a água passa por ali e vai dar em uma enseada arenosa. O parque também preserva um bosque de eucaliptos e uma trilha natural que mostra o ciclo de vida da borboleta-monarca. O Surfing Museum também fica na costa, instalado em um farol. O museu registra a história do surfe em Santa Cruz. Há desde pranchas feitas com tábuas de sequoia até as versões modernas de alta tecnologia.

A leste do centro, Mystery Spot é um bosque de sequoias que há séculos atrai turistas graças a eventos estranhos. Alguns são truques; outros, verdadeiros. Bolas rolam montanha acima, linhas paralelas convergem e as leis da física parecem suspensas. É preciso ver para crer.

Santa Cruz Beach Boardwalk
400 Beach St.
Tel (831) 423-5590.
ligue para verificar os horários.

Surfe na Califórnia

Originalmente, o surfe era praticado pela nobreza havaiana como cerimônia religiosa; foi levado para a Califórnia por George Freeth em 1907. O esporte se transformou numa atividade verdadeiramente californiana em 1961, com o hit "Surfin' USA", dos Beach Boys. Filmes como *Ride the Wild Surf* (1964) e *Beach Blanket Bingo* (1965) ajudaram a consolidar o fascínio. Nos anos 1960, festas na praia ao estilo das dos filmes eram muito populares. Hoje a cultura do surfe dita a moda e a linguagem.

Surfistas em pranchas modernas

㉑ São Francisco

São Francisco é, depois de Nova York, a cidade mais densamente povoada dos EUA. Situada na ponta de uma península que tem o oceano Pacífico a oeste e a baía de São Francisco a leste, a cidade acomoda seus 805 mil habitantes em 122km². Ao norte, a Golden Gate Bridge conduz ao promontório de Marin. A Grande São Francisco abrange Oakland e Berkeley. São Francisco é uma cidade compacta, que pode ser quase toda explorada a pé. Estima-se que tenha 43 morros, o que dá às ruas uma inclinação quase impossível, mas também vistas estupendas.

São Francisco vista do bar de uma cobertura em Nob Hill

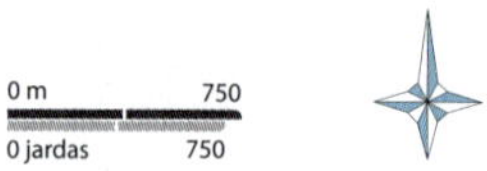

Legenda
- Local de interesse
- Rodovia expressa

Como Circular

A Municipal Railway (Muni) administra o transporte público de São Francisco. Os turistas podem usar um passe, o Muni Passport, para circular em ônibus, bondes elétricos e nas três linhas de bonde a tração ainda em operação. Os ônibus e os bondes elétricos servem toda a cidade. Já o sistema ferroviário BART (Bay Area Rapid Transit) conecta os subúrbios e o aeroporto. À noite é melhor usar táxis. Os ferryboats fazem o transporte para o leste e o norte da baía.

SÃO FRANCISCO | **683**

Principais Atrações
① Financial District
② Wells Fargo History Museum
③ Yerba Buena Center for the Arts
④ San Francisco Museum of Modern Art
⑤ Union Square
⑥ Chinatown
⑦ *Nob Hill p. 689*
⑧ Fisherman's Wharf
⑨ North Beach
⑩ *Alcatraz Island p. 691*
⑪ Pacific Heights
⑫ Asian Art Museum
⑬ *Mission Dolores p. 693*
⑭ Haight Ashbury
⑮ California Academy of Sciences
⑯ de Young Museum
⑰ Legion of Honor
⑱ The Presidio
⑲ Golden Gate Bridge

Grande São Francisco
(veja detalhe)
⑳ San Jose
㉑ Palo Alto
㉒ Oakland
㉓ Berkeley
㉔ Sausalito
㉕ Muir Woods

Legenda
- Área do mapa principal
- Rodovia
- Estrada principal
- Outra estrada
- Ferrovia

Legenda dos símbolos *na orelha da contracapa*

The 49-Mile Scenic Drive

Com seus 79km, a 49-Mile Scenic Drive conecta regiões intrigantes, atrações fascinantes e vistas espetaculares, proporcionando um panorama esplêndido de São Francisco. É fácil manter-se na estrada: siga as placas azuis e brancas com o desenho de uma gaivota. Algumas ficam escondidas pela vegetação, por isso preste atenção. Reserve um dia inteiro para esse passeio; há muitos lugares onde parar para admirar a vista e tirar fotos.

㉔ The Palace of Fine Arts & the Exploratorium
Essa grandiosa construção neoclássica e seu moderno museu de ciências ficam perto à entrada de Presidio.

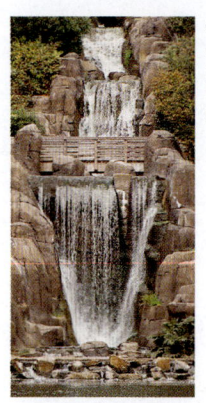

⑤ Stow Lake
A ilha desse lago pitoresco tem cachoeira e um pavilhão chinês. Também é possível alugar barcos.

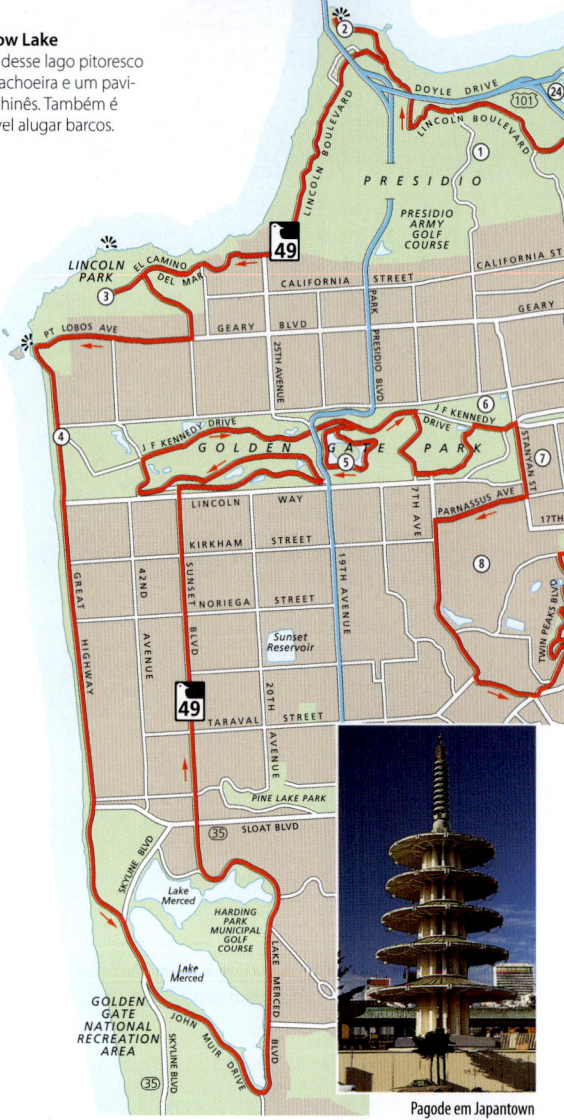

⑧ Sutro Tower
Essa torre laranja e branca é visível de todos os pontos da cidade.

Pagode em Japantown

Legenda
— 49-Mile Scenic Drive

Legenda dos símbolos *na orelha da contracapa*

⑳ Coit Tower
De frente para North Beach, Telegraph Hill é encimado por essa torre, que tem belos murais e um deque de observação.

㉑ San Francisco National Historical Park: Maritime Museum
Esse edifício de 1939 abriga um acervo de bricabraque náutico.

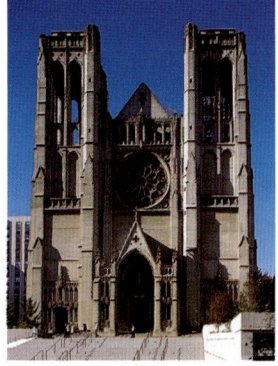

⑱ Grace Cathedral
Inspirada na Notre-Dame de Paris, essa catedral domina o topo do morro mais íngreme da cidade, o Nob Hill.

Encontre as Atrações

① The Presidio p. 695
② Fort Point p. 695
③ Legion of Honor p. 694
④ Queen Wilhelmina Tulip Garden
⑤ Stow Lake
⑥ Conservatory of Flowers
⑦ Haight Street
⑧ Sutro Tower
⑨ Twin Peaks
⑩ Mission Dolores p. 693
⑪ Ferry Building p. 686
⑫ Embarcadero Center p. 686
⑬ Civic Center
⑭ St. Mary's Cathedral
⑮ Japan Center
⑯ Union Square p. 687
⑰ Chinatown Gateway p. 688
⑱ Grace Cathedral p. 689
⑲ Cable Car Barn p. 689
⑳ Coit Tower p. 690
㉑ San Francisco National Historical Park: Maritime Museum p. 690
㉒ Fort Mason
㉓ Marina Green
㉔ Palace of Fine Arts and the Exploratorium p. 692

Dicas para o Passeio

Saída: Qualquer um. O circuito foi criado para ser percorrido em sentido anti-horário a partir de qualquer ponto.

Quando ir: Evite dirigir nos horários de pico (das 7h às 9h e das 16h às 19h). A maior parte das atrações é espetacular à noite e durante o dia.

Estacionamento: Utilize os estacionamentos situados no Financial District, no Civic Center, em Japantown, em Nob Hill, Chinatown, North Beach e Fisherman's Wharf. Em geral, nos outros locais é fácil estacionar na rua.

Veja hotéis e restaurantes dessa região nas pp. 710-5

Transamerica Pyramid, o edifício mais alto da cidade

① Financial District

Mapa F3. Entre Washington e Market Sts. 🚌 1, 12, 15, 32, 42, 83. 🚋 F, J, K, L, M, N. 🚇 California St. Embarcadero Center: 🚌 1, 32, 42. 🚋 J, K, L, M, N. 🚇 California St.

O motor econômico de São Francisco é o Financial District, no centro da cidade. O bairro se estende dos imponentes arranha-céus e praças do **Embarcadero Center** à sóbria Montgomery Street, a "Wall Street do Oeste". Os principais bancos, corretoras e escritórios de advocacia se encontram ali.

Concluído em 1981 depois de uma década de obras, o imenso Embarcadero Center vai da Justin Herman Plaza à Battery Street e abriga um grande número de escritórios e pontos comerciais. Um shopping center ocupa os três primeiros andares das quatro torres altas. A esplêndida entrada do Hyatt Regency Hotel, localizado ali, é um átrio de dezessete andares.

Ao norte de Washington Street, o **Jackson Square Historical District** já foi o centro da comunidade financeira. Reformada no início dos anos 1950, essa área contém fachadas de tijolos, ferro fundido e granito da época da Corrida do Ouro. De 1850 a 1910, o bairro, notório pelos prostíbulos e pela sujeira, ficou conhecido como Costa da Barbárie. Hoje suas construções abrigam vitrines de lojas, escritórios de advocacia e antiquários; alguns dos melhores prédios estão nas ruas Jackson e Montgomery.

A **Transamerica Pyramid**, um dos marcos de São Francisco, fica ao lado, encimada por uma agulha, tem 48 andares e 260m de altura. É o edifício mais alto da cidade. Os faxineiros levam um mês inteiro para limpar todas as suas 3.678 janelas. Projetado por William Pereira, o prédio foi erguido no local onde ficava o histórico Montgomery Block, que abrigava escritórios importantes. Inúmeros artistas e escritores o frequentavam, inclusive Mark Twain, que costumava visitar o Exchange Saloon, no subsolo. Mais ao sul, o **555 California Street**, originalmente Bank of Italy, foi fundado por A. P. Giannini em San Jose; depois, sediou o Bank of America. Com 52 andares, é um dos edifícios mais altos da cidade e oferece vistas incríveis. Na extremidade nordeste do bairro, ergue-se o **Ferry Building**, construído em 1903. No início dos anos 1930, mais de 50 milhões de passageiros passavam por ali todos os anos, indo e vindo pela ferrovia transcontinental em Oakland ou a caminho das residências do outro lado da baía. A torre do relógio foi inspirada na torre mourisca da Catedral de Sevilha, na Espanha. Com a inauguração da Bay Bridge, em 1936, o edifício entrou em decadência. Alguns ferryboats ainda fazem o trajeto até Tiburon, Sausalito e Oakland. À direita do Ferry Building encontra-se o monumento a Gandhi (1988). Projetado por K. B. Patel e esculpido por Z. Pounov e S. Lowe, ele tem uma inscrição com uma mensagem de Gandhi.

🚇 Transamerica Pyramid
600 Montgomery St. ⏰ 8h30-16h30 seg.-sex. ● feriados. ♿

🚇 555 California Street
555 California St. **Tel** (415) 433-7500 (Carnelian Room). ⏰ apenas o primeiro andar é aberto ao público.
w carnelianroom.com

② Wells Fargo History Museum

Mapa F3. 420 Montgomery St. **Tel** (415) 396-2619. 🚌 1, 12, 15, 42. 🚇 Montgomery St. ⏰ 9h-17h seg.-sex. ● feriados. ♿ 📷
w wellsfargohistory.com

Fundada em 1852, a Wells Fargo and Co. tornou-se o maior grupo financeiro e de transporte do Oeste. Ele transportava pessoas, mercadorias, ouro e correspondência. A Pony Express era uma de suas empresas. O museu exibe diligências esplêndidas – famosas pelas lendas de cocheiros heroicos e bandidos que tentavam roubá-las. O ladrão mais conhecido era Black Bart, que deixava poemas nas cenas do crime. Descobriu-se mais tarde que ele era o engenheiro de minas Charles Boles. Entre as atrações, um passeio simulado de diligência, fotos, pepitas de ouro e a moeda criada pelo excêntrico Joshua Norton, que se proclamou imperador dos EUA em 1854.

Diligência exibida no Wells Fargo Museum

③ Yerba Buena Center for the Arts

Mapa F3. 3rd St, entre a Mission e Howard Sts. **Tel** (415) 978-2700. 🚌 9, 14, 15, 30, 45, 76. 🚋 J, K, L, M, N. Center for the Arts Galleries & Forum: ⏰ 12h-18h qua e dom, 12h-20h qui-sáb. ● feriados. 🎟 (grátis 12h-20h 1ª ter do mês). ♿ 📷
Children's Creativity Museum: ℹ️ 221 4th St, (415) 820-3320. ⏰ 10h-16h qua-dom. ● 25 dez. ♿ 📷
w ybca.org

A construção do subterrâneo Moscone Center, maior centro de convenções de São Francisco, anunciou o início dos ambiciosos planos para o Yerba Buena Gardens, hoje Yerba Buena Center for the Arts. Surgiram novos projetos habitacionais, hotéis, museus e lojas. O centro está situado no coração de SoMa (South of Mar-

SÃO FRANCISCO | **687**

Esplanade Gardens, no Yerba Buena Center for the Arts

ket), área que se tornou o "bairro dos artistas", com galpões transformados em estúdios, bares e teatros de vanguarda. Os jardins do **Esplanade Gardens** dão aos visitantes a oportunidade de passear ou descansar em seus bancos. Nas imediações, o Martin Luther King Jr. Memorial apresenta mensagens de paz em várias línguas. O **Center for the Arts Galleries and Forum**, ao lado, tem galerias de arte e uma sala de projeção que mostra arte contemporânea e filmes. O **Center for the Arts Theater** abriga espetáculos que refletem a diversidade cultural da cidade. O **Children's Creativity Museum**, situado no topo do Yerba Buena, tem programação de eventos sobre design. O **Contemporary Jewish Museum** exibe trabalhos escolares e artísticos, relacionados à cultura judaica. Dentre os trabalhos exibidos, estão filmes, música e leituras de livros.

④ San Francisco Museum of Modern Art

Mapa F3. 151 Third St. **Tel** (415) 357-4000. 5, 9, 12, 14, 15, 30, 38, 45. J, K, L, M, N. até 2016 para obras de expansão. Verifique o site para exposições e programações itinerantes pela cidade.
w sfmoma.org

Esse museu é um dos responsáveis pela reputação de São Francisco como importante centro da arte moderna. Criado em 1935 com o objetivo de exibir obras de artistas do século XX, mudou-se para a sede atual em 1995. O ponto central do edifício modernista do arquiteto suíço Mario Botta é a clarabóia cilíndrica de 38m, que leva a luz até o átrio central, no andar térreo. Mais de 17 mil obras de arte estão espalhadas por 4.600m² de galerias. O museu também oferece mostras temporárias de vários países.

As galerias exibem pinturas, esculturas, trabalhos de arquitetura, design, fotografia e mídia, inclusive arte da Bay Area e da Califórnia. Entre os destaques estão obras de Dalí, Matisse e Picasso; o mural *O carregador de flores*, de Diego Rivera, uma poderosa ironia sobre o custo humano do luxo, pintado em óleo e têmpera sobre compensado, em 1935; e um trabalho de Richard Shaw na seção de arte californiana.

⑤ Union Square

Mapa E3. 2, 3, 4, 30, 38, 45. J, K, L, M, N. Powell-Mason, Powell-Hyde.

Ladeada de palmeiras, a Union Square fica no centro do principal bairro comercial da cidade e tem muitas lojas de departamentos elegantes. A praça foi batizada em homenagem aos comícios pró-União realizados ali durante a Guerra Civil de 1861-65. As igrejas, os clubes para homens e uma sinagoga deram lugar a lojas e escritórios. Entre as principais lojas estão a Macy's, a Saks e a Gump's. Existem também antiquários, livrarias e pequenas butiques na área. A Union Square marca o limite do **Theater District**. A oeste está o luxuoso Westin St. Francis Hotel. No meio da praça ergue-se a Goddess of Victory (deusa da vitória), estátua de bronze esculpida por Robert Aitken em 1903 para celebrar a vitória do almirante Dewey na guerra hispano-americana de 1898. A antiga **Circle Gallery**, localizada no número 140 da Maiden Lane, foi projetada por Frank Lloyd Wright como precursor do Guggenheim Museum, em Nova York (p. 92). Hoje funciona como a Xanadu Art Gallery.

Victory Monument, na Union Square

Os Terremotos da Califórnia

A falha de San Andreas se estende por 965km ao longo da costa da Califórnia e é um dos poucos locais da Terra onde a atividade das placas tectônicas ocorre na superfície. Todos os anos, a Placa do Pacífico se move de 2,5 a 4cm. O incêndio que destruiu São Francisco em 1906 foi causado por um terremoto de estimados 7,8 pontos na Escala Richter. Mais recentemente, o terremoto de outubro de 1989, ao sul de São Francisco, matou 62 pessoas e causou prejuízos de pelo menos US$6 bilhões. Em 1994, o terremoto de Northridge, de 6,7 pontos, sacudiu Los Angeles. Os cientistas preveem que o próximo grande abalo, o "Big One", atingirá o sul do estado.

A falha de San Andreas

A colorida arquitetura chinesa da Grant Avenue, em Chinatown

⑥ Chinatown

Mapa F3. 1, 2, 3, 4, 15, 30, 45. as três linhas vão a Chinatown.

Estima-se que 25 mil imigrantes chineses tenham se estabelecido na Stockton Street durante a Corrida do Ouro dos anos 1850 (pp. 641-2). Hoje o bairro evoca a atmosfera de uma vibrante cidade do sul da China, embora a arquitetura e os costumes formem um híbrido das culturas americana e cantonesa. As fábricas, lavanderias e apertados apartamentos que deram a essa área o apelido de "gueto dourado" deram lugar a lojas bem decoradas e áreas residenciais revitalizadas. O bairro é servido pelos bondes a tração.

O Chinatown Gateway, porta de entrada ao sul de Chinatown, foi projetado por Clayton Lee. Trata-se de um arco sobre a principal via turística, a **Grant Avenue**. A estrutura foi inspirada nas entradas cerimoniais das aldeias chinesas. É coberta por telhas verdes e animais auspiciosos de cerâmica vitrificada.

A Grant Avenue está repleta de postes com cabeças de dragão, tetos curvos e lojas que vendem pipas, utensílios de cozinha, antiguidades, sedas e pedras preciosas. A maior parte das construções surgiu depois do terremoto de 1906, no estilo renascentista oriental. Nos anos 1830 e 40 ela era a principal artéria de Yerba Buena, a aldeia que deu origem a São Francisco. Uma placa no número 823 indica o local da primeira residência, uma tenda de lona erguida em 1835.

A leste da Grant Avenue fica a primeira praça da cidade, **Portsmouth Plaza**, traçada em 1839. Em 1846 os *marines* hastearam a bandeira americana na praça, tomando oficialmente o porto como parte dos EUA. Dois anos depois, foi ali que Sam Brannan anunciou a descoberta de ouro em Sierra Nevada (pp. 706-7). Ela logo se tornou o centro da florescente nova cidade. Hoje Portsmouth Plaza é o centro social de Chinatown. De manhã, a população pratica *tai chi*, e do meio-dia até a noite se junta para jogar cartas.

Os moradores locais fazem compras na **Stockton Street**, paralela à Grant Avenue. Caixas cheias de verduras, frutas e peixes frescos invadem as calçadas lotadas. O Kong Chow Temple, situado ali, vende belas peças de madeira entalhadas.

As lotadas ruelas de Chinatown, localizadas entre a Grant e a Stockton, ecoam sons e imagens autênticos do Oriente. A maior das quatro ruelas é Waverly Place, também conhecida como "rua dos balcões pintados". Preste atenção ao Tin How Temple, efusivamente decorado com centenas de lanternas douradas e vermelhas. Na pequena Fortune Cook Factory, situada na Ross Alley, os turistas podem ver como é feito o biscoito da sorte. As ruelas têm muitos prédios antigos, tinturarias e lojas de ervas, que exibem chifres de alces, cavalos-marinhos e outros exotismos. Inúmeros restaurantes pequenos, no nível da rua ou nos subsolos, servem comida barata e saborosa.

Cabeça de dragão na Chinese Historical Society

A **Chinese Historical Society** exibe um leque fascinante de peças, entre as quais uma fantasia de dragão cerimonial e um tritão que foi utilizado em uma das batalhas das Guerras Tong. Os Tong eram clãs rivais que disputavam o controle do jogo e da prostituição na cidade no século XIX. Outros artefatos, documentos e fotografias trazem à luz o cotidiano dos imigrantes chineses de São Francisco, desde os anos 1600 até os dias de hoje. Entre eles, um anuário inteiramente escrito em chinês.

Chinese Historical Society
965 Clay St. **Tel** (415) 391-1188.
1, 30, 45. Powell St.
12h-17h ter-sex, 11h-16h sáb.
feriados. chsa.org

Bondes

O sistema de bondes a tração surgiu em 1873. Seu inventor, Andrew Hallidie, dirigiu o primeiro veículo. A inspiração para resolver o transporte das pessoas para o alto dos morros da cidade veio quando ele viu um carro puxado a cavalos rolar encosta abaixo. Sua invenção foi um sucesso, e em 1889 já havia oito linhas de bondes a tração. Antes do terremoto de 1906, 600 veículos estavam em operação. Com o advento do motor de combustão interna, porém, eles se tornaram obsoletos. Em 1947 tentaram substituir os bondes por ônibus. Depois dos protestos da população, três linhas foram conservadas.

Bonde a tração

Veja hotéis e restaurantes dessa região nas pp. 710-5

⑦ Nob Hill

Mapa E3. 🚌 1, 12, 30, 45, 83.
🚋 California St, Powell-Mason, Powell-Hyde.

Nob Hill é o ponto mais alto da cidade. A colina está 103m acima do mar. É o pico mais festejado de São Francisco, famoso pelos bondes a tração, pelos hotéis suntuosos e pela vista panorâmica. As encostas íngremes afastaram os cidadãos preeminentes até a inauguração de uma linha de bondes, em 1878. Então os ricos correram para construir suas casas ali, inclusive os quatro barões das ferrovias, que estavam entre os mais abastados. Acredita-se que o nome "Nob Hill" venha da palavra indígena *nabob*, que significa "chefe". Infelizmente, quase todas as mansões foram destruídas no terremoto e no incêndio de 1906. A única que sobrou foi a casa de James C. Flood, onde hoje está instalado o Pacific Union Club.

Os hotéis de Nob Hill, que ainda lembram a opulência da era vitoriana e oferecem bonitas vistas da cidade, continuam atraindo os visitantes ricos. **Grace Cathedral** é a principal igreja episcopal de São Francisco. Projetada por Lewis P. Hobart, ela foi inspirada na Notre-Dame de Paris. As obras começaram em 1928, mas a catedral só ficou pronta em 1964. A porta de entrada foi feita a partir de moldes da "Porta do Paraíso" do Batistério de Florença, de autoria de Ghiberti.

Um pouco ao norte de Nob Hill fica o **Cable Car Barn**. Erguido em 1909, funciona como garagem, oficina, museu e casa de força dos bondes a tração. No chão estão instalados os motores e os cabos que correm sob as ruas da cidade. Os turistas podem vê-los do mezanino e depois observá-los debaixo da rua. O museu também abriga um bonde antigo e os mecanismos que controlam cada veículo.

🏛 Grace Cathedral
1.100 California St.
Tel (415) 749-6300. 🎵 Coral das vésperas: verifique o site; Coral eucarístico 6h, 7h30, 8h15, 11h dom.
🌐 **gracecathedral.org**

🚋 Cable Car Barn
1.201 Mason St.
Tel (415) 474-1887.
⏰ verão: 10h-18h diariam; inverno: 10h-17h diariam. ⊗ 1º jan, Ação de Graças, 25 dez. ♿ só mezanino. Videoshow.
🌐 **cablecarmuseum.com**

Grace Cathedral

O interior dessa catedral gótica é repleto de mármore e vitrais. Alguns vitrais foram desenhados por Charles Connick, que se inspirou no azul único da Catedral de Chartres, na França. O vitral das rosas tem um vidro facetado espesso e é iluminado por dentro, à noite. Os outros vitrais são de Henry Willet e Gabriel Loire e retratam Albert Einstein e o astronauta John Glenn, entre outros. A catedral também tem um crucifixo catalão do século XIII e uma tapeçaria de Bruxelas do século XVI. É muito procurada pelo coral das vésperas. Verifique a agenda no site.

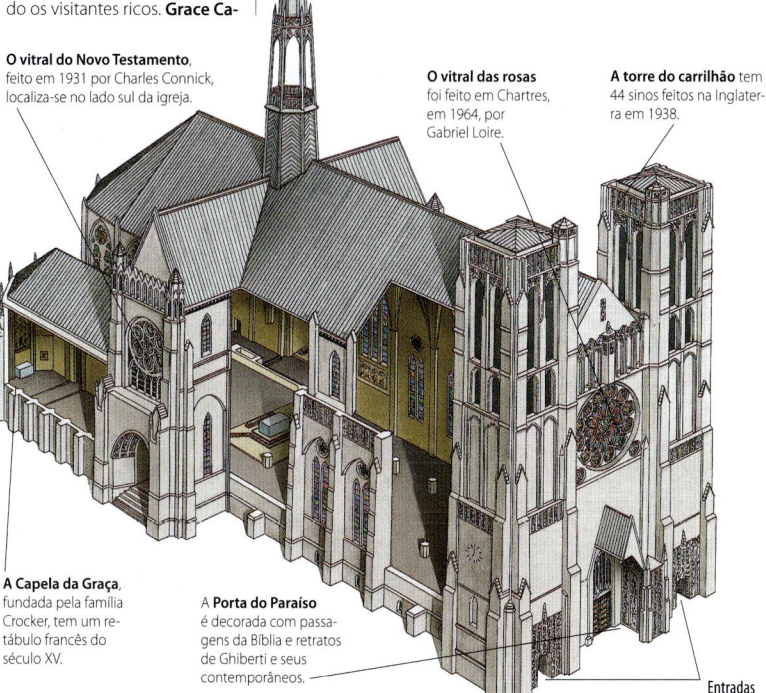

O vitral do Novo Testamento, feito em 1931 por Charles Connick, localiza-se no lado sul da igreja.

O vitral das rosas foi feito em Chartres, em 1964, por Gabriel Loire.

A torre do carrilhão tem 44 sinos feitos na Inglaterra em 1938.

A Capela da Graça, fundada pela família Crocker, tem um retábulo francês do século XV.

A Porta do Paraíso é decorada com passagens da Bíblia e retratos de Ghiberti e seus contemporâneos.

Entradas

Lojas e diversão no Pier 39, em Fisherman's Wharf

⑧ Fisherman's Wharf

Mapa E2. Entre o mar e Beach St.
🚌 15, 19, 25, 30, 32, 39, 42, 45, 47.
🚋 Powell-Mason, Powell-Hyde.

Os restaurantes italianos de frutos do mar substituíram a pesca como principal atividade econômica de Fisherman's Wharf. Pescadores de Gênova e da Sicília chegaram ali no final do século XIX e criaram a indústria de pesca de São Francisco. Desde os anos 1950, a área se tornou ponto turístico, embora alguns barcos coloridos ainda saiam ao mar todas as manhãs. A especialidade do lugar é um delicioso caranguejo do Pacífico.

O **Pier 39** é o centro da área. Seus restaurantes e lojas têm ao fundo a deslumbrante baía. Reformado em 1978 para parecer uma vila de pescadores, o píer também abriga leões-marinhos, que vêm até ali para tomar sol. O submarino **USS Pampanito**, que lutou na Segunda Guerra Mundial e afundou seis navios inimigos, fica atracado no Pier 45. Os visitantes podem ver a sala dos torpedos, as galeras e a sala de comando. Ao sul, na Jefferson Street, fica o **Ripley's Believe It Or Not! Museum**, que exibe o acervo de curiosidades do desenhista – como um bonde feito com 275 mil palitos de fósforo. Continuando pela Jefferson Street, **The Cannery**, ex-processadora de frutas, hoje abriga restaurantes, museus e lojas. O **San Francisco Maritime National Historical Park** tem um museu na Beach Street que exibe vários objetos náuticos e sedia exibições temporária. O parque também possui uma grande coleção de navios antigos que está atracada em **Hyde Street Pier**, nas imediações do museu. Um dos melhores é o *C. A. Thayer*, uma escuna de três mastros fabricada em 1895.

⑨ North Beach

Mapa E2. 🚌 15, 30, 39, 45.
🚋 Powell-Mason, Powell-Hyde.

Ao sul de Fisherman's Wharf fica a North Beach, também conhecida como Little Italy. Imigrantes do Chile, da China e da Itália levaram para a área seu entusiasmo pela vida noturna. Com o tempo, o bairro passou a atrair boêmios e escritores como o líder da geração *beat*, Jack Kerouac. Na junção da Broadway com a Columbus Avenue, a **City Lights Bookstore**, que já pertenceu ao poeta Lawrence Ferlinghetti, foi a primeira livraria dos EUA a vender apenas *paperbacks*. O **Vesuvio**, ao sul de City Lights, foi um dos mais populares bares *beat*. O poeta galês Dylan Thomas era cliente e ainda é cultuado entre poetas e artistas. O **Condor Club** situa-se num trecho da Broadway conhecido como The Strip, notório pelo "entretenimento adulto". O estabelecimento fica no local em que o primeiro show de *topless* da área foi apresentado, em junho de 1964. O **Caffè Trieste**, na esquina da Vallejo Street, é o mais antigo de San Francisco e ponto de encontro *beat* desde 1956. Parte da cultura ítalo-americana, tem ópera ao vivo nas tardes de sábado.

A **Lombard Street**, um pouco ao norte, é conhecida como a "rua mais sinuosa do mundo". Construída num morro com inclinação natural de 27 graus, mostrou-se íngreme demais para a subida de veículos. Nos anos 1920, um trecho perto do topo de Russian Hill recebeu o acréscimo de oito curvas fechadas. Do alto, a vista da cidade é espetacular, em especial à noite. Ali perto, o **San Francisco Art Institute** é famoso pela Diego Rivera Gallery, que tem um mural criado pelo artista em 1931.

A **Coit Tower**, com 65m de altura, fica no alto de Telegraph Hill. No saguão, vários murais da época da Depressão.

Os Murais de São Francisco

A herança cosmopolita de São Francisco ganha vida nos murais que decoram paredes e locais públicos em várias partes da cidade. A vida na metrópole é um dos temas principais. Em Mission District há mais de 200 murais pendurados em restaurantes, bancos e escolas retratando a vida diária. Vários deles foram pintados nos anos 1970, quando a cidade e muitas instituições privadas compraram obras de arte públicas. Um dos melhores é o Mural de Carnaval, na 24th Street. A cidade também tem três murais de Diego Rivera, o artista mexicano que ressuscitou a pintura de afrescos nos anos 1930 e 1940.

Mural da Coit Tower mostra Fisherman's Wharf em 1930

Carros descem a Lombard Street, a "rua mais sinuosa do mundo"

Veja hotéis e restaurantes dessa região nas pp. 710-5

⑩ Alcatraz Island

A palavra "alcatraz" significa "pelicano" em espanhol e é uma referência aos primeiros habitantes dessa ilha rochosa e íngreme. Em 1859, o exército dos EUA criou ali um forte que protegia a baía de São Francisco até 1907, quando se tornou uma prisão. De 1934 a 1963, ela funcionou como penitenciária de segurança máxima. Apelidada pelos prisioneiros de "A Rocha", ela abrigava em média 264 criminosos de alta periculosidade, que eram transferidos para lá por episódios de desobediência em outras prisões. Hoje Alcatraz faz parte da Golden Gate National Recreation Area.

PREPARE-SE

Informações Práticas
Tel (415) 981-1625 para ingressos e horários. do píer 33. diariam: 1º ferryboat 9h; último 14h15 (16h15 no verão). 1º jan, 25 dez. Visitas noturnas: Tel (415) 981-7625. alguns lugares. Projeção do filme: gratuita com ingresso.
w alcatrazcruises.com

Transporte
do Pier 33.

Pavilhão das Celas
Os prisioneiros passavam de 16 a 23 horas por dia sozinhos em celas equipadas apenas com vaso sanitário e cama. Muitas celas mediam 1,5m por 2,7m.

Caixa-d'água

Oficinas de presos

Necrotério militar

Pátio de desfile militar

Loja dos militares

Oficina de manutenção elétrica

Dormitório dos militares

Ancoradouro

Vista de Alcatraz
Assomando agourentamente no oceano, "A Rocha" prometia a seus internos disciplina rígida e vigilância constante.

O **centro de informação turística** fica atrás do ancoradouro. Ele abriga uma livraria, exposições e uma mostra multimídia que dá uma visão geral da história de Alcatraz.

Pátio de Exercícios
As refeições e a caminhada no pátio de exercícios eram o ponto alto do dia dos prisioneiros. Esse pátio murado aparece nos filmes rodados ali.

Prisioneiros Famosos de Alcatraz

Al Capone
Al Capone foi condenado em 1934 por sonegação de impostos e cumpriu grande parte da sentença de cinco anos em uma solitária. Saiu da prisão mentalmente desequilibrado.

Irmãos Anglin
John e Clarence Anglin e Frank Morris fugiram por um buraco escavado nas celas, que escondiam com caixas de papelão. Escaparam numa jangada e nunca foram recapturados. Sua história foi contada no filme *Alcatraz: fuga impossível* (1979).

Robert Stroud
Stroud cumpriu a maior parte da pena de dezessete anos confinado em uma solitária. Apesar do que afirmava o filme *O homem de Alcatraz* (1962), ele não podia manter pássaros na cela.

George Kelly
George "Metralhadora" Kelly foi o prisioneiro mais perigoso de Alcatraz. Ele cumpriu pena de dezessete anos por sequestro e extorsão. Morreu de ataque cardíaco em Leavenworth.

692 | CALIFÓRNIA

A Haas-Lilienthal House, mansão de 1886, em Pacific Heights

⑪ Pacific Heights

Mapa D3. 🚋 1, 3, 12, 19, 22, 24, 27, 28, 29, 30, 42, 43, 45, 47, 49, 83. 🚃 California St.

Os quarteirões de ladeiras entre **Alta Plaza e Lafayette Park** ficam no sofisticado bairro Pacific Heights. Depois que os bondes ligaram o bairro ao centro na década de 1880, ele virou um local atraente para se morar, e muitas mansões vitorianas alinham-se em suas ruas tranquilas. Algumas são do final do século XIX, outras foram construídas após o devastador terremoto e posterior incêndio de 1906.

A **Haas-Lilienthal House**, uma linda mansão em estilo rainha Ana, foi construída em 1886 para o comerciante William Haas. Mobiliada em estilo vitoriano, ela é a única casa particular intacta do período, funciona como museu e abriga a sede da Architectural Heritage Foundation. A impressionante **Spreckels Mansion** na Washington Street, construída nos moldes de um palácio barroco francês, é hoje a casa da romancista Danielle Steele, autora de best-sellers. Nas proximidades, o Lafayette Park é um dos mais belos parques elevados de São Francisco, cheio de pinheiros e eucaliptos. Ele oferece ótimas vistas de diversas casas vitorianas nas ruas dos arredores. Cruzando a rua do parque, a bela mansão em estilo francês da **Sacramento Street 2151** tem uma placa que lembra a visita do famoso escritor Sir Arthur Conan Doyle em 1923. No centro de Pacific Heights fica o Alta Plaza, um parque urbano onde a elite de São Francisco vai relaxar. Criado na década de 1850, essa área verde no alto da montanha tem quadras de tênis e playground. Os degraus de pedra que sobem da Clay Street no lado sul oferecem vistas de Haight Ashbury.

Ao norte de Pacific Heights, as ruas descem íngremes até o bairro Marina, criado em área conquistada do mar para a Panama-Pacific Exposition de 1915. O único monumento que sobreviveu da exposição é o **Palace of Fine Arts**. Esse edifício neoclássico tem uma grande cúpula com pinturas alegóricas e abriga o divertido Exploratorium Science Museum, além de eventos como o May Film Festival.

🏛️ **Haas-Lilienthal House**
2.007 Franklin St.
Tel (415) 441-3004. 🕐 12h-15h qua e sáb, 11h-16h dom. 🎟️ 📷
🌐 sfheritage.org

⑫ Asian Art Museum

Mapa E4. 200 Larkin St. **Tel** (415) 581-3500. 🚋 5, 8, 19, 21, 26, 42, 47, 49. 🚇 F, J, K, L, M, N. 🕐 9h-17h ter-dom (até 21h qui). 🎟️ ♿ 📷 🎁 🍴
🌐 asianart.org

O novo Asian Art Museum fica no Civic Center Plaza num edifício que era a joia da coroa do movimento beaux-arts. A antiga Main Library, construída em 1917, ganhou reforços contra abalos sísmicos e reformulação do espaço para dar lugar ao maior museu dedicado exclusivamente à arte asiática. Entre as novas peças do museu estão 12 mil objetos de arte que abrangem 6 mil anos de história e representam cerca de 40 países asiáticos. Há ainda locais para espetáculos, programas educacionais e um centro de descoberta interativo. O café ao ar livre tem vista para o Civic Center e o Fulton Street Mall.

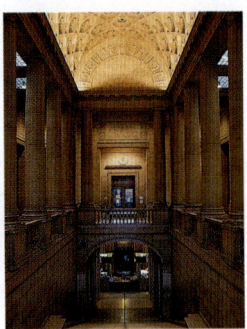

A grande escadaria do Asian Art Museum

Os Sons da São Francisco dos anos 1960

No final dos anos 1960, em especial durante o "Summer of Love" de 1967, jovens de todo o país enchiam o bairro de Haight Ashbury. Eles vinham não só para "turn on, tune in and drop out" ("ficarem chapados, ligados e cair fora"), mas também para ouvir bandas como a Janis Joplin's Big Brother and the Holding Company, Jefferson Airplane e Grateful Dead, todas emergentes dessa agitada cena musical. O empresário Bill Graham juntou nomes díspares como Miles Davis e Grateful Dead no mesmo palco do Fillmore Auditorium, e trouxe também grandes performers como Jimi Hendrix e The Who, fazendo do "the Haight" o foco do mundo do rock.

Haight Ashbury na década de 1960

Veja hotéis e restaurantes dessa região nas pp. 710-5

⑬ Mission Dolores

Mapa E4. 3.321 16th St. 22. J. (415) 621-8203. 9h-16h diariam. Ação de Graças, 25 dez. missiondolores.org

Preservado intacto desde 1791, Mission Dolores, que deu nome ao bairro Mission em volta dele, é o edifício mais antigo da cidade e testemunho das raízes coloniais espanholas de São Francisco. Fundado pelo padre Junípero Serra como sexta missão da Califórnia, é conhecido como Missão de São Francisco de Assis. O nome Dolores vem da sua proximidade da Laguna de los Dolores (lago de Nossa Senhora das Dores), uma antiga lagoa. O edifício é modesto para os padrões das missões, mas suas grossas paredes (1,2m de largura) sobreviveram. Pinturas de nativos americanos enfeitam o teto restaurado. Há um belo altar e retábulos barrocos, e uma mostra de documentos históricos no pequeno museu. A maioria das missas é rezada na basílica, construída ao lado da missão em 1918. O cemitério contém os túmulos de pioneiros de São Francisco e um túmulo coletivo de 5 mil nativos americanos, mortos nas epidemias de sarampo de 1804 e 1826.

Retábulo da Mission Dolores, importado do México em 1780

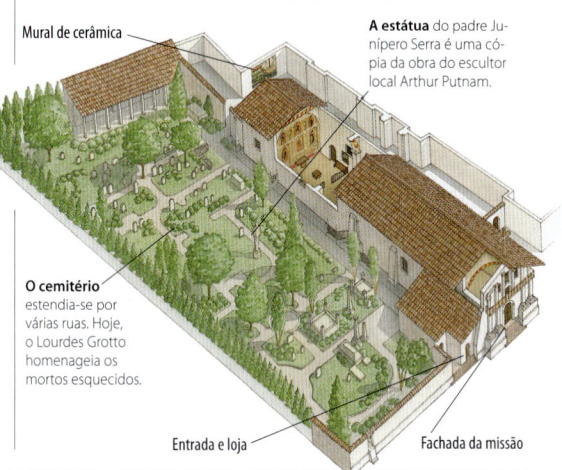

Figura de santo na missão

Mural de cerâmica

A estátua do padre Junípero Serra é uma cópia da obra do escultor local Arthur Putnam.

O cemitério estendia-se por várias ruas. Hoje, o Lourdes Grotto homenageia os mortos esquecidos.

Entrada e loja

Fachada da missão

⑭ Haight Ashbury

Mapa D4. 6, 7, 33, 37, 43, 66, 71. N. Lower Haight: 6, 7, 22, 66, 71. K, L, M.

Espalhado entre o Buena Vista Park e o Golden Gate Park, Haight Ashbury foi o centro do mundo *hippie* nos anos 1960. Originalmente um bairro tranquilo de classe média – daí as dezenas de casas em estilo rainha Ana –, ele mudou drasticamente e virou a meca de uma comunidade boêmia que desafiava as convenções sociais. Em 1967, o "Summer of Love" ("Verão do Amor"), alimentado pela mídia, trouxe 75 mil jovens à procura de amor livre, música e drogas, e o bairro tornou-se o foco de uma cultura jovem de âmbito mundial. Milhares deles viviam no local, e havia até uma clínica gratuita que tratava de *hippies* sem seguro médico.

Hoje, "the Haight" preserva sua atmosfera radical e acabou se estabelecendo como um dos mais animados e menos convencionais locais de São Francisco, com uma eclética mistura de pessoas, brechós de roupa, música excelente e livrarias, além de ótimos barzinhos.

O Buena Vista Park em seu lado leste tem uma grande área verde e oferece vistas magníficas da cidade. A grande (Richard) Spreckels Mansion na Buena Vista Avenue (não confundir com a da Washington Street) é uma típica casa do vitoriano tardio. Já foi uma casa de hóspedes, ocupada por gente como o escritor Jack London e o jornalista Ambrose Bierce. O **Red Victorian B&B**, carinhosamente chamado de "Jeffrey Haight" em 1967, era um dos locais favoritos dos *hippies*. Hoje atende a clientes New Age, em quartos com temática transcendental.

A meio caminho entre o City Hall e Haight Ashbury, o **Lower Haight** delimita a fronteira com o bairro predominantemente afro-americano de Fillmore, uma das partes mais badaladas da cidade. Galerias de arte inusuais, lojas, barzinhos baratos servem uma clientela basicamente boêmia. Ele também tem muitas casas chamadas de "vitorianas", construídas entre 1850 e 1900, incluindo chalés como a Nightingale House, na Buchanan Street, 201. Apesar de seguro de dia, o Lower Haight pode ser menos receptivo à noite.

O Red Victorian B&B em Haight Ashbury, relíquia da era hippie

⑮ California Academy of Sciences

Mapa C4. 55 Music Concourse Dr, Golden Gate Park. **Tel** (415) 379-8000. 44. 9h30-17h seg-sáb (até 21h qui), 11h-17h dom. Ação de Graças, 25 dez. Fotografia é permitida em algumas áreas.
calacademy.org

Fundada em 1853, a California Academy of Sciences é o museu de ciências mais antigo e procurado de São Francisco. Após dez anos de reformas, foi reaberto em 2008. Projetado por Renzo Piano, o prédio é envolto em paredes de vidro, permitindo a entrada da luz natural. Entre as características mais impressionantes da construção está o telhado de 18.300m², com um tapete vivo de plantas de espécies nativas. Uma esplanada a céu aberto dá ao visitante uma visão de perto das plantas e é o local ideal para observar aves, borboletas e insetos da Califórnia Setentrional. As claraboias acima das cúpulas mais amplas abrem e fecham o dia inteiro, permitindo que a luz do sol chegue às mostras de baixo. O **African Hall**, notável por seus majestosos dioramas, foi aberto em 1934 e dá ao visitante um noção dos diversos ecossistemas do continente. Eles foram reconstituídos fielmente no prédio moderno, com algumas surpresas, incluindo dezesseis dioramas que mostram leões, zebras e babuínos como animais de montaria. A exposição **The Altered State** explora os efeitos perigosos da mudança climática em geral. **Islands of Evolution** é uma mostra que explora as remotas ilhas de Madagascar e Galápagos com os olhos dos cientistas da Academy. O visitante pode examinar espécimens reunidos durante exposições passadas, como os cascos de tartaruga de Galápagos e os famosos tentilhões de Darwin. Use os controles para coletar insetos virtuais e saiba de que modo as ilhas funcionam como laboratórios vivos para a evolução. As **Rainforests of the World**, dentro de uma cúpula de vidro com 27m de diâmetro, constituem a maior mostra esférica de florestas tropicais do planeta, com 1.600 animais vivos, entre os quais 250 aves soltas e borboletas, e uma caverna cheia de morcegos. Cada nível representa uma floresta tropical diferente do mundo todo, como as de Bornéu, Madagascar, Costa Rica e Amazônia. O **Morrison Planetarium** é o maior planetário digital do mundo, com tela de projeção numa cúpula de 23m de diâmetro que reconstitui o céu noturno. "Life: A Cosmic Story" e "Tour of the Universe" são dois shows concorridos. O bonito **Steinhart Aquarium**, o mais antigo e um dos mais variados dos EUA, abriga mais de 38 mil animais vivos, representando mais de 900 espécies distintas.

Esqueleto de Tyrannosaurus rex

Dioramas realistas no African Hall da California Academy of Sciences

⑯ de Young Museum

Mapa C4. 50 Hagiwara Tea Garden Dr. **Tel** (415) 863-3330. 44. 9h30-17h15 ter-dom (meados jan-nov: até 20h45 sex). seg. (grátis 1ª ter do mês).
famsf.org

O de Young Museum foi fundado em 1895 e é parte integrante do Golden Gate Park há mais de 100 anos. Em 1989 o prédio sofreu danos irreparáveis causados por um terremoto, e o velho edifício fechou para dar lugar a um novo, mais resistente a abalos sísmicos. O novo museu, que abriu em 2005, tem o dobro do espaço para exposições do antigo, e mesmo assim devolveu uma área de cerca de 0,8ha de espaço aberto ao parque.

A coleção permanente do de Young compreende arte americana do século XVII ao XX, além de obras de cerca de 30 países. Existem também exposições especiais realizadas regularmente, e fora há um jardim de esculturas e um terraço, além de espaço ajardinado para crianças.

⑰ Legion of Honor

Mapa C4. 34th Ave e Clement, Lincoln Park. **Tel** (415) 750-3600. 18. (415) 863-3330. 9h30-17h15 ter-dom. seg. (grátis ter). Reservar para ver a Achenbach Collection.
famsf.org

Inspirada pelo Palais de la Légion d'Honneur em Paris, Alma de Bretteville Spreckels construiu esse museu nos anos 1920 para promover a arte francesa na Califórnia. Projetado pelo arquiteto George Applegarth, ele mostra arte europeia dos últimos oito séculos, com pinturas de Rembrandt, Monet e Rubens, e mais de 70 esculturas de Rodin. A Achenbach Foundation, uma conhecida coleção de obras gráficas, ocupa parte da galeria.

A coleção de arte europeia do museu fica nas galerias do primeiro andar. O quadro *The Impresario* (1877), de Edgar Degas, enfatiza o tamanho do as-

Veja hotéis e restaurantes dessa região nas pp. 710-5

sunto fazendo-o parecer grande demais para a moldura. O belo *Waterlilies* (1914-7), de Claude Monet, é um dos quadros da série que retrata o tanque de lírios de seu jardim em Giverny, perto de Paris. O bronze original do *Le Penseur* (1904), de Rodin (*O pensador*), fica no centro da Court of Honor. É um dos onze bronzes da estátua espalhados pelo mundo.

⑱ The Presidio

Mapa C3. Centro de Visitantes: 105 Montgomery St. **Tel** (415) 561-4323. 10h-16h qui-dom. feriados. nps.gov

Detalhe do canhão do século XIX localizado na área do Presidio

Ao norte do Golden Gate Park, de frente para a baía de São Francisco, o Presidio foi fundado como posto do Império Espanhol no Novo Mundo em 1776. Por muitos anos foi uma base militar, mas em 1994 tornou-se um parque nacional, com hectares de bosques cheios de vida selvagem. Há também várias trilhas para caminhadas e bicicleta, além de praias. O caminho da costa é um dos passeios mais populares da cidade.

O Presidio Museum é parte do **Mott Visitor Center** na área do Main Post. Ele abriga artefatos relacionados à longa história do Presidio. Bem perto, o **Officers' Club** foi construído sobre os restos de adobe do forte espanhol do século XVIII, ainda preservado dentro do edifício. Um canhão do século XIX da guerra Espanha-EUA repousa no campo de manobras anexo. Ao norte, perto da baía, fica o amplo e gramado **Crissy Field**, conquistado da área pantanosa para a Panama-Pacific Exposition de 1915. O **Military Cemetery**, a leste do centro de visitantes, guarda os restos de 15 mil soldados mortos em diversas guerras. Na ponta noroeste do Presidio, o **Fort Point** é uma fortaleza de pedra que protegia a Golden Gate durante a Guerra Civil e também sobreviveu ao terremoto de 1906. O forte foi construído em 1861 para proteger a baía de São Francisco de ataques e defender os navios que traziam ouro das minas da Califórnia. É um bom local para ver a Golden Gate Bridge e tem também um museu que mostra uniformes militares e armas.

Detalhe do Arguello Gate

⑲ Golden Gate Bridge

Mapa B2. Hwy 101, Presidio. **Tel** (415) 923-2000. 2, 4, 8, 10, 18, 20, 28, 29, 50, 72, 76, 80. Pedestres e ciclistas podem circular durante o dia, só pelo passeio leste. apenas na área de observação. goldengatebridge.org

Tendo o mesmo nome da parte da baía de São Francisco chamada de "Golden Gate" por John Frémont em 1844, a Golden Gate Bridge foi inaugurada em 1937, ligando a cidade ao Marin County. Ela levou apenas quatro anos para ser construída e custou US$35 milhões. Esse marco mundialmente famoso oferece vistas incríveis; a ponte tem seis pistas para veículos, uma passagem grátis para pedestres e uma ciclovia. Por ano, mais de 40 milhões de veículos atravessam a ponte, numa média de 118 mil por dia. É a terceira ponte do mundo no comprimento de seu vão único e se estende por 2,7km. Quando foi construída a estrutura suspensa mais longa e mais alta do mundo.

Projetada pelos engenheiros Joseph Strauss e Leon Moisseiff, a ponte é uma admirável obra de engenharia. A imensa estrutura pode suportar ventos de até 160 km/h. O píer do sul afundou no leito do mar, e cada píer suporta um torre de aço construída sobre uma proteção de concreto. A camada original de tinta durou 27 anos, mas desde 1965 ele exigiu pinturas constantes. Os dois cabos contêm fios de aço suficientes para rodear a Terra três vezes, na altura do Equador. As melhores vistas são as de Marin County. Aos pés da ponte essa o Bay Area Discovery Museum, o único museu para crianças nos Estados Unidos, localizado no National Park. Oferece arte interativa, ciência, exibições sobre o meio ambiente, performances, eventos especiais e festivais culturais para crianças de 6 meses a 8 anos.

Bay Area Discovery Museum
557 McReynolds Rd, Sausalito. **Tel** (415) 339-3900. 9h-17h ter-dom. baykidmuseum.org

A Golden Gate Bridge, com um vão único de 1.280m

Grande São Francisco

Muitos dos locais em torno da baía de São Francisco já foram retiros de verão dos residentes na cidade, mas hoje são grandes subúrbios ou cidades autônomas. Dois pontos populares na East Bay são o museu de Oakland e a famosa Universidade de Berkeley. A famosa San Francisco-Oakland Bay Bridge tem extensão de 7,2km e é atravessada por 250 mil veículos por dia – mais do que na Golden Gate. Mais ao sul, San Jose combina a tecnologia do Silicon Valley (Vale do Silício) com ótimos museus e arquitetura colonial espanhola. Ao norte fica o litoral rochoso das Marin Headlands, com sua abundante vida selvagem.

O pensador, de Auguste Rodin, no Stanford Museum of Art

⑳ San Jose

846.000. 65 Cahill St. 70 Almeden Blvd. *i* 408 Almaden Blvd, (800) 726-5673, (408) 295-9600. Festival of the Arts (set). **w** sanjose.org

Única colônia espanhola da Califórnia além de Los Angeles, San Jose foi fundada em 1777 por Felipe de Neve e se tornou a terceira maior cidade do estado. Ela é hoje o centro comercial e cultural da South Bay e o coração urbano do Silicon Valley.

A **Mission Santa Clara de Asis**, no *campus* da Jesuit University of Santa Clara, é uma réplica moderna da missão original de adobe, de 1777. Entre as relíquias há sinos dados aos missionários pela monarquia espanhola. O grande **Rosicrucian Egyptian Museum and Planetarium** tem uma grande coleção de artefatos egípcios antigos. As peças incluem múmias, túmulos e brinquedos, alguns de 1.500 a.C. Há réplicas do sarcófago em que foi descoberto Tutankâmon, em 1922, e da Pedra de Roseta.

No centro de San Jose, o fascinante **Tech Museum of Innovation** tem inúmeras exposições interativas que estimulam os visitantes a descobrir como funcionam as invenções tecnológicas. A ênfase está em compreender o hardware e o software de um computador.

Órgão, Winchester Mystery House

A **Winchester Mystery House**, na periferia da cidade, tem uma história notável. Sarah Winchester, viúva e herdeira da fortuna do rifle Winchester, recebeu de um médium a notícia de que a expansão de sua fazenda iria exorcizar os espíritos dos que haviam sido mortos pelo rifle. Ela manteve os pedreiros trabalhando 24 horas por dia, sete dias por semana, durante 38 anos, até sua morte em 1922. O resultado é um bizarro complexo de 160 quartos, com escadarias que levam a lugar nenhum e janelas abertas em pisos. O custo foi de US$5,5 milhões. Centro da indústria de computação, o **Silicon Valley** cobre cerca de 260km² de Palo Alto até San Jose. O nome refere-se a uma miríade de negócios, mais do que a um local específico. As sementes do setor de hardware e software foram plantadas nos anos 1980 na Stanford University, no Xerox Palo Alto Research Center e nas garagens dos pioneiros William Hewlett, David Packard, e mais tarde Steve Jobs e Stephen Wozniak, que inventaram o computador pessoal da Apple. Várias empresas de renome mundial estão no vale.

Winchester Mystery House
525 S Winchester Blvd. **Tel** (408) 247-2100. ligar antes. 25 dez. só nos jardins. **w** winchestermysteryhouse.com

㉑ Palo Alto

Stanford University: **Tel** (650) 723-2560. Palo Alto Visitor Center: 400 Mitchell Lane. 9h-17h seg-sáb, (650) 324-3121.

Um dos mais agradáveis subúrbios da área da baía, Palo Alto cresceu para atender a Stanford University, um dos mais renomados centros educacionais dos EUA. Ela foi fundada em 1891 pelo barão da ferrovia Leland Stanford em homenagem ao seu filho que morreu aos 16 anos. O *campus* ocupa 3.320ha, maior do que o bairro central de São Francisco. Projetados numa fusão dos estilos românico e missões, seus edifícios de arenito são cobertos por telhas vermelhas. A Memorial Church é decorada em ouro e azulejos em mosaico. O **Stanford Museum of Art** tem uma das maiores coleções de esculturas de Auguste Rodin, incluindo o impressionante *Portões do inferno*.

㉒ Oakland

387.000. 463 11th St. (510 839-9000). Festival no Lago (jun). **w** visitoakland.org

Por um tempo um pequeno subúrbio de trabalhadores de São Francisco, Oakland tornou-se uma cidade florescente quando passou a ser o terminal da costa Oeste da ferrovia transcontinental. Muitos afro-americanos que trabalharam na ferrovia se instalaram ali, seguidos mais tarde pelos hispânicos, o que deu a Oakland um ambiente multicultural que se mantém até hoje. Suas associações literárias, que incluem Jack London e Gertrude Stein, também promoveram a área como centro cultural.

A **Jack London Square**, à beira do lago, homenageia em seu nome o escritor, que cresceu em Oakland na década de 1880 e visitava a área com frequência. Hoje, ela é um passeio repleto de lojas, restaurantes e barcos de lazer. O Jack London Museum contém livros, fotos e objetos. A leste fica o **Oakland Museum of California**, que reabriu no início de 2010, depois de passar por uma reforma de US$53 milhões. O museu dedica-se a documentar a arte, a história e a ecologia do estado, e é famoso pelas antigas pinturas a óleo de São Francisco e Yosemite.

Ao norte, as duas quadras da **Old Oakland** (conhecida também como Victorian Row) atraem os que vão às compras. O único **Mormon Temple** do Norte da Califórnia, situado num monte na parte leste da cidade, oferece belas vistas da área da baía. Seu zigurate central é cercado por quatro torres, todas revestidas de granito branco e encimadas por pirâmides douradas.

Oakland Museum of California
1.000 Oak St. (510) 318-8400.
11h-17h qua-dom (até 21h sex). 1º jan, Ação de Graças, 25 dez, seg e ter. (grátis 2º dom).
museumca.org

㉓ Berkeley

104.900. 2.160 Shattuck Ave. 2.030 Addison St, (800) 847-4823. Fogos de artifício de 4 de jul; Telegraph Ave Book Fair (jul). **visitberkeley.com**

Berkeley começou a se expandir após o terremoto de 1906, quando muitos moradores de São Francisco saíram da cidade e foram morar na East Bay. Foi o local de manifestações contra a Guerra do Vietnã nos

Modelo de DNA na Universidade da Califórnia em Berkeley

anos 1960, o que lhe valeu o apelido de "Beserkeley". Muitas lojas ainda remetem à era *hippie* com mercadorias psicodélicas, mas nos anos recentes Berkeley começou a mudar de perfil. Restaurantes deram à cidade a reputação de oferecer boa comida. Foi nela que nasceu a popular cozinha da Califórnia.

Berkeley é essencialmente uma cidade universitária. A reputação da **University of California at Berkeley** de abrigar movimentos da contracultura às vezes eclipsa sua reputação acadêmica, mas com seus 30 mil estudantes ela é uma das instituições de maior prestígio no país. Fundada em 1868, ela tem pelo menos dez prêmios Nobel entre seus professores. Há muitos museus, atrações culturais e edifícios que merecem uma visita. A **University Art Museum** tem obras de Picasso e Cézanne. Outros destaques são o principal marco do *campus*, a **Sather Tower** de 94m, e o esplêndido **Lawrence Hall of Science.**

A **Telegraph Avenue**, ao sul, foi o centro dos protestos estudantis nos anos 1960. Hoje, abriga inúmeras livrarias, bares e lanchonetes. A norte da universidade, a **Shattuck Avenue**, apelidada de "Gourmet Ghetto", é famosa por seus restaurantes.

University of California at Berkeley
Tel (510) 642-5215. Berkeley Art Museum e Pacific Film Archive: **Tel** (510) 642-1412. 11h-17h qua-dom (21h qui). feriados.
berkeley.edu

㉔ Sausalito

7.300. 777 Bridgeway Ave, 4º andar, (415) 332-0505. **sausalito.org**

Nessa pequena cidade, chalés vitorianos sobem pelas montanhas a partir da baía de São Francisco. A Bridgeway Avenue, ao longo da praia, serve como passeio para milhares de clientes dos restaurantes e lojas. O **Bay Model Visitor Center** é um fascinante modelo que simula as marés da baía.

Bay Model Visitor Center
2.100 Bridgeway Ave. **Tel** (415) 332-3871. set-mai: ter-sex; jun-ago: ter-dom. feriados.

㉕ Muir Woods

Mill Valley. Visitor Center: Hwy 1, Mill Valley, (415) 388-2595. 8h-17h diariam. **nps.gov**

No sopé do monte Tamalpais fica o Muir Woods National Monument, um dos poucos bosques de sequoias costeiras remanescentes. Antes do *boom* do setor madeireiro no século XIX, essas altas árvores (a mais velha tem mil anos) cobriam a costa da Califórnia. O nome dos bosques homenageia John Muir, naturalista responsável por transformar Yosemite num parque nacional *(p. 706)*. Muir Beach, nas proximidades, é uma vasta extensão de areia.

Muir Woods, última floresta de sequoias da área da baía

Informações Úteis em São Francisco

São Francisco ocupa uma área compacta, o que lhe permite oferecer belíssimas vistas. Seu eficiente sistema de transportes tem bondes, ônibus, o Muni Metro e o metrô BART. A cidade orgulha-se de suas muitas opções culturais e de diversão, que fazem dela uma das melhores do mundo para férias. O Civic Center é o principal local para música erudita, ópera e balé, e a música popular – em especial jazz e blues – é um dos grandes destaques da cidade. Há também várias companhias de teatro e cinemas especializados.

Informação Turística

Quem planeja uma viagem vai achar muito útil o *San Francisco Visitors Planning Guide*, publicado pelo **San Francisco Convention and Visitors' Bureau**. Ele é distribuído de graça no **Visitor Information Center** da Hallidie Plaza. Informação sobre o que está em cartaz é dada nos jornais *San Francisco Chronicle* e *Examiner*. Outras fontes são jornais como o *San Francisco Weekly* ou o *San Francisco Bay Guardian*. Ambos dão roteiros e resenhas, especialmente sobre música ao vivo, filmes e casas noturnas.

Como Circular

A melhor maneira de explorar São Francisco é a pé, embora as ladeiras sejam cansativas. As principais atrações ficam a 15-20 minutos uma da outra. Os táxis operam 24 horas por dia. O **Green Cab** e o Yellow Cab são boas opções.

O San Francisco Municipal Railway, ou **Muni**, controla o sistema de transportes da cidade. O Muni Passport, válido por 1, 3 ou 7 dias, permite viajar sem restrições nos ônibus Muni, bondes Muni Metro e também nas três linhas de bondes a cabo de São Francisco. O City Pass pode ser usado por sete dias consecutivos para viajar em todos os veículos de Muni e inclui entrada para diversas atrações. Os passes são vendidos no Visitor Information Center. Os bilhetes estão à venda no Visitor Information Center.

Ônibus e bondes servem todas as áreas. Os ônibus param apenas nos pontos, a cada duas ou três quadras, e os números das linhas são indicados nos próprios ônibus. Os bondes elétricos Muni Metro e o metrô BART usam os mesmos terminais subterrâneos na Market Street. Os mais velozes BART param em cinco estações do centro: Van Ness, Civic Center, Powell, Montgomery e Embarcadero.

Os famosos bondes a cabo de São Francisco operam das 6h30 às 12h30, com intervalos de 15 minutos. As linhas são a Powell-Hyde, a Powell-Mason e a linha Califórnia.

Barcos e balsas de passageiros são uma boa opção para passear pelo litoral da cidade. O Ferry Building é o terminal para os **Golden Gate Ferries**. Cruzeiros para ver a baía partem de Fisherman's Wharf e são operados pela **Blue & Gold Fleet**. A **Hornblower Dining Yachts** oferece refeições em seus cruzeiros.

Você pode também alugar uma bicicleta por cerca de US$25 por dia ou US$125 por semana. Detalhes sobre estradas panorâmicas podem ser obtidos na agência **Bike Hut**. Pedicabs (charretes) e táxis puxados por cavalo partem do Embarcadero. Também há passeios turísticos de ônibus pela cidade.

Esportes e Atividades ao Ar Livre

A cidade tem muitas opções para os fãs de esportes. A casa do time de futebol americano San Francisco 49ers fica em Monster Park, 3. Os outros times são das universidades UC Berkeley e Stanford. Dois times profissionais de beisebol jogam na área da baía, o AT&T Park e o Oakland Athletics, da American League (McAfee Coliseum).

Golfistas têm vários campos à sua escolha, incluindo os municipais no **Harding and Lincoln Park**. A maioria das piscinas públicas fica nos subúrbios; para detalhes, contate o **City of San Francisco Recreation and Parks Department** (www.parks.sfgov.org). Para nadar no oceano gelado, vá até China Beach. Lá você encontra quadras de tênis em quase todos os parques públicos – as maiores estão no Golden Gate Park. O **Claremont Hotel Club & Spa**, em Berkeley, oferece ótimas quadras sem impor limitação de tempo para jogar. Há diversos grupos de corrida e eventos no decorrer do ano, o **Golden Gate Running Club** é um deles.

Diversão

São Francisco oferece aos visitantes inúmeras opções de entretenimento de alta qualidade. A cidade tem um público ávido por cinema, e uma das melhores casas de exibição é o **Sundance Kabuki 8**, um complexo de oito telas no Japan Center, que também abriga o **International Film Festival** de São Francisco, em maio. O principal local para estreias de filmes estrangeiros é o **Opera Plaza**, na Van Ness Avenue. Para os fãs de teatro, os grandes espetáculos acontecem nas casas do Theater District – as maiores são o **Curran Theater**, para shows da Broadway, e o Geary Theater, hoje sede do **American Conservatory Theater (ACT)**, ambas localizadas na Geary Street.

A **San Francisco Opera** se apresenta de setembro a dezembro; os ingressos podem custar mais de US$100, mas há uma temporada de verão com ingressos baratos e muitos concertos ao ar livre. O complexo do **Civic Center** na Van Ness Avenue oferece ópera, música erudita e dança. A temporada do **San Francisco Ballet** vai de maio a junho, e o Yerba Buena Center for the Arts é a sede do **LINES Ballet**.

Duas das melhores casas de

rock, a **Slim's** e a **Paradise Lounge**, ficam uma em frente a outra no bairro SoMa. Outro local popular é o **Fillmore Auditorium**, na Geary Boulevard, legendário berço do rock psicodélico dos anos 1960. Há vários locais para se ouvir jazz, como o **Yoshi's San Francisco**, e o blues é tocado em bares como o **The Saloon**, na Grant Avenue. O **San Francisco Blues Festival** atrai todo ano bandas de blues do país inteiro.

O **1015 Folsom** tem alguns dos melhores DJs da cidade. A clientela é diversificada, mas alguns clubes bem badalados são basicamente gays, mas não exclusivamente. Entre esses está o **Rawhide II**, na Seventh Street.

Todos os piano-bares têm música ao vivo. Um dos melhores é o **Top of the Mark**, no alto do Mark Hopkins InterContinental Hotel, em Nob Hill.

São Francisco também oferece concertos gratuitos. A San Francisco Symphony Orchestra toca no fim do verão em Stern Grove e Yerba Buena Garden. A San Francisco Opera se apresenta no Golden Gate Park no evento "Opera in the Park". No verão acontece o Shakespeare Festival no Presidio.

Compras

Fazer compras em São Francisco é uma rica experiência que permite vislumbrar a cultura da cidade. A diversidade de São Francisco faz com que comprar alguma coisa ali seja uma aventura. Há uma enorme variedade de produtos disponíveis, dos mais práticos aos mais excêntricos, mas você pode escolher com calma, pois todos procuram deixar os clientes à vontade, particularmente nas muitas lojas especializadas e butiques. Há passeios de compras guiados para os que querem ir direto às melhores lojas.

Para os que procuram praticidade, há muitos shopping centers excelentes, como o Embarcadero Center e o Japan Center.

Há também imensas lojas de departamentos, como a **Macy's** e a **Neiman Marcus**, que oferecem uma incrível variedade de produtos e serviços.

O espírito empreendedor e inovador da cidade fica evidente nas lojas especializadas, como a **LiuLi**, que vende arte em vidro de influência chinesa, ou a loja de brinquedos incomuns **Ambassador Toys**.

Uma meca para roupa de grife, a cidade é o lar da famosa **Levi Strauss & Co**, que vem fazendo jeans desde 1853 e oferece visitas em sua fábrica às terças e quartas. Para roupas de grife com desconto, vá até o moderno bairro SoMa.

Quem gosta de livros deve ir até a **Green Apple Books** ou até o famoso refúgio *beat* **City Lights Bookstore**, que fica aberto até tarde e é uma instituição de São Francisco.

Os amantes de arte podem visitar as centenas de galerias da cidade, com obras de artistas emergentes e consagrados, além de trabalhos de artistas nativos americanos.

Há também muitas lojas de comida, para quem adora bons vinhos e refeições requintadas. Mercados no centro vendem frutas, verduras e vegetais, e os frutos do mar e vinhos da **Napa Valley Winery Exchange** estão entre as melhores opções de compra de São Francisco.

AGENDA

Informação Turística

Visitor Information Center
900 Market St.
Tel (415) 391-2000.
🅦 sanfrancisco.travel

Como Circular

BART
🅦 bart.gov

Blue & Gold Fleet
Tel (415) 205-8200.

Golden Gate Ferries
Tel (415) 921-5858.
🅦 goldengateferry.org

Green Cab
Tel (415) 626-4733.
🅦 626greencab.com

Muni Information
🅦 sfmta.com

Filme e Teatro

American Conservatory Theater (ACT)
Tel (415) 749-2228.

Sundance Kabuki
1881 Post St. **Tel** (415) 346-3243. 🅦 sundancecinemas.com

Ópera, Música Erudita e Dança

LINES Ballet
26 Seventh St.
Tel (415) 863-3040.

San Francisco Opera
301 Van Ness Ave.
Tel (415) 864-3330.
🅦 sfopera.org

San Francisco Symphony Orchestra
201 Van Ness Ave.
Tel (415) 864-6000.
🅦 sfsymphony.org

Jazz

Yoshi's San Francisco
1330 Fillmore St.
Tel (415) 655-5600.

Clubes

1015 Folsom
1015 Folsom St.
Tel (415) 264-1015.

Esportes e Atividades ao Ar Livre

Golden Gate Running Club
🅦 goldengaterunningclub.org

Compras

Ambassador Toys
186 W Portal Ave.
Tel (415) 759-8697.

Bloomingdale's
845 Market St.
Tel (415) 856-5300.

City Lights Bookstore
261 Columbus Ave.
Tel (415) 362-8193.

Green Apple Books
506 Clement St.
Tel (415) 387-2272.

Levi Strauss & Co
250 Valencia St.
Tel (415) 565-9159.

LiuLi
37 Yerba Buena Lane.
Tel (415) 979-9588.

Macy's
Stockton e O'Farrell Sts.
Tel (415) 954-6271.

Napa Valley Winery Exchange
415 Taylor St.
Tel (415) 771-2887.

Neiman Marcus
150 Stockton St.
Tel (415) 362-3900.

Saks Fifth Avenue
384 Post St.
Tel (415) 986-4758.

Wine Country

Iniciada no vale do sonoma em 1823, quando frades franciscanos plantaram videiras, a indústria vinícola da Califórnia ganhou novo impulso com o conde húngaro Agoston Haraszthy em 1857. Conhecido como o "Pai do Vinho Californiano", ele plantou videiras europeias no primeiro grande vinhedo do estado, a reverenciada Buena Vista Winery. Hoje, além de seus soberbos vinhos e vinhedos, o Wine Country é conhecido por seu clima suave, paisagens rochosas, praias privadas, bosques de sequoias e por sua arquitetura.

Vista dos vinhedos do vale do Sonoma, famoso por suas vinherias

㉒ Sonoma Valley

8.600. 90 Broadway e W Napa Sts, Sonoma Plaza. 453 1st St E, (866) 996-1090. Valley of the Moon Vintage Festival (final set). **w** sonomavalley.com

O vale do Sonoma, com sua forma de crescente, abriga 2.400ha de belos vinhedos. Ao pé do vale fica a pequena cidade de Sonoma. Foi nela que, em 1846, cerca de 30 fazendeiros americanos capturaram o general mexicano Mariano Vallejo e seus homens, para protestar contra o fato de que a propriedade da terra era reservada a cidadãos mexicanos. Eles controlaram Sonoma, declararam a Califórnia uma república independente e hastearam a própria bandeira, com um tosco desenho de um urso-cinzento. Embora a república tenha sido anulada 25 dias mais tarde, quando os EUA anexaram a Califórnia, o desenho do urso foi adotado na bandeira do estado em 1911.

As principais atrações de Sonoma são suas vinherias mundialmente famosas e os locais históricos meticulosamente preservados ao longo da praça em estilo espanhol. Muitos dos edifícios de adobe abrigam lojas de vinhos, butiques e restaurantes que servem a excelente cozinha local. A leste da praça fica a restaurada **Mission San Francisco Solano de Sonoma**, última das 21 missões franciscanas da Califórnia (fundada pelo padre espanhol José Altimira em 1823). Hoje, do prédio original sobrevive apenas o corredor dos seus aposentos. A capela de adobe foi construída pelo general Vallejo em 1840.

Mais ao norte fica o **Jack London State Historic Park.** No início do século XX, London, o famoso autor de *O chamado selvagem* e *O lobo do mar*, abandonou seu estilo de vida agitado e se instalou nessas tranquilas terras (325ha) de carvalhos e sequoias. O parque mantém as ruínas da casa de sonhos de London, a Wolf House, misteriosamente destruída pelo fogo logo após seu término. Depois da morte de London, sua viúva, Charmian Kittredge, construiu uma bela casa, a House of Happy Walls, hoje transformada em museu, com objetos do escritor.

Mission San Francisco Solano de Sonoma
E Spain St. **Tel** (707) 938-9560. diariam. 1º jan, Ação de Graças, 25 dez.

Jack London Historic State Park
London Ranch Rd, Glen Ellen. **Tel** (707) 938-5216. Park & Museum: 9h-17h30 diariam (dez-fev: apenas qui-seg). 1º jan, Ação de Graças, 25 dez. só no museu.

㉓ Napa Valley

115.000. 1.310 Town Center Mall, Napa, (707) 226-7459. Napa Valley Mustard Festival (fev-abr). **w** napavalley.com

Situada no coração da indústria de vinho da Califórnia, a faixa de terra de 56km conhecida como vale do Napa abrange as cidades de Yountville, Oakville, St. Helena, Rutherford e Calistoga. Há mais de 250 vinherias espalhadas por suas colinas e vales, algumas do início do século XIX. Entre elas destaca-se a vinheria **Mumm Napa Valley**, propriedade parcial do produtor francês de champanhe G. H. Mumm, onde os vinhos são feitos dentro da tradição clássica. Ao norte, a **Rutherford Hill Winery** tem adegas cavadas nas encostas das montanhas, para envelhecer o vinho. Mais ao norte, a moderna vinheira **Clos Pegase** é famosa por sua coleção de arte e pelos vinhos de alta qualidade. Para uma vista aérea do vale, os visitantes podem fazer viagens de balão pelo Wine Country a partir de Yountville ou uma viagem de três horas no Napa Valley Wine Train, apreciando uma cozinha requintada. Mas a melhor maneira de explorar o vale é pegar a estrada panorâmica (64km), parando no caminho nos pequenos hotéis das cidades de St. Helena e Calistoga. A úl-

Estátua em Clos Pegase

Veja hotéis e restaurantes dessa região nas pp. 710-5

tima é popular por seus spas e pela boa cozinha do Wine Country, preparada com ingredientes frescos. Poucos quilômetros ao norte de Calistoga, o Old Faithful Geyser solta jatos de 18m de água mineral fervendo a cada 40 minutos. A oeste fica a **Petrified Forest**, com as maiores árvores petrificadas do mundo – imensas sequoias que viraram pedra após uma erupção vulcânica ocorrida há mais de 3 milhões de anos.

Petrified Forest
4.100 Petrified Forest Rd. **Tel** (707) 942-6667. diariam. Ação de Graças, 25 dez. restrito.

A vinheria Clos Pegase, projeto de Michael Graves, no vale do Napa

㉔ Russian River Valley
de Healdsburg. 16.209 1st St, Guerneville, (707) 869-9000, (877) 644-9001. **russianriver.com**

Cortado pelo rio Russian e seus afluentes, esse vale contém muitos vales menores, pontuados de vinherias, macieiras, bosques de sequoias, fazendas e praias de rios. Seu eixo é **Healdsburg**, com uma esplêndida praça em estilo espanhol, cheia de lojas, restaurantes e cafés.

A sudoeste de Healdsburg fica **Guerneville**, um paraíso de verão para a população gay de São Francisco. Todo setembro, a cidade abriga o famoso Russian River Jazz Festival na Johnson's Beach, onde os visitantes descem o calmo rio Russian de canoa ou balsa. É comum ver lontras e garças por ali.

Muita gente vai para Guerneville também para caminhadas ou passeios a cavalo nos 330ha da **ArmstrongRedwoods State Natural Reserve**, uma das poucas florestas de sequoias remanescentes na Califórnia. Entre as sequoias há uma gigante de 94m – uma árvore de 1.400 anos batizada de Colonel Armstrong.

Armstrong Redwoods State Natural Preserve
17.020 Armstrong Woods Rd, Guerneville. **Tel** (707) 869-2015, 865-23 91. diariam. **parks.ca.gov**

㉕ Fort Ross State Historic Park
Tel (707) 847-3286. de Point Arena. 19005 Coast Hwy, Jenner. 10h-16h30 sex-dom, feriados. Ação de Graças, 25 dez. **fortross.org**

Num promontório de fortes ventos ao norte de Jenner fica esse bem restaurado posto comercial russo, fundado em 1812 ("Ross" vem do russo "Rossyia," que significa Rússia). Os russos foram os primeiros europeus a visitar a região, trabalhando numa empresa russo-americana, fundada em 1799. Eles abandonaram o forte após 30 anos de comércio pacífico.

Construída em 1836, a casa do último administrador do forte, Alexander Rotchev, está intacta. Dentro da paliçada de madeira há várias outras construções reformadas. A mais impressionante é a capela ortodoxa russa de 1824. Em julho, realiza-se um dia de história viva, quando atores em trajes de época recriam um dia na vida do posto comercial.

A cidade de Mendocino, no alto de seus promontórios rochosos

㉖ Mendocino
1.200. 217 N Main St, Fort Bragg, (707) 961-6300. **mendocinocoast.com**

Os fundadores dessa vila de pescadores chegaram à Califórnia vindo da Nova Inglaterra em 1852 e ergueram suas novas casas no estilo das que haviam deixado. A costa de Mendocino costuma por isso ser chamada de "Nova Inglaterra da Califórnia". Encravada num promontório rochoso no Pacífico, Mendocino preserva o charme pitoresco dos seus dias de centro pesqueiro. Rochedos cobertos de urzes, baleias-cinza e belas vistas do oceano fazem dela um centro turístico, embora a cidade pareça preservada do comércio. Ela é um agitado centro de artes com grande número de artistas e escritores residentes. Os visitantes podem passear por suas butiques, galerias, livrarias e cafés.

Vinhos da Califórnia

Com cerca de 132 mil hectares de terras de viticultura, a Califórnia produz 90% do vinho do país. Sua latitude, a proximidade do oceano e os vales abrigados criam um clima suave, ideal para as videiras. Metade dos vinhedos da região é cultivada na fértil faixa de terra ladeada pelo vale do Sacramento, ao norte, e pelo vale San Joaquim, ao sul. A costa norte, sede da maioria das 800 vinherias do estado, ocupa menos de um quarto das terras vinícolas da Califórnia, mas produz muitas das melhores uvas Sauvignon Blanc, Cabernet Sauvignon, Merlot e Chardonnay do país. As uvas Chardonnay e Pinot Noir são as principais da costa central, que se estende da área da baía de São Francisco até Santa Barbara.

O Cuvée Napa espumante de Mumm

Norte da Califórnia

Acidentado e pouco habitado, o Norte da Califórnia tem uma paisagem diversificada, com florestas densas, montanhas vulcânicas e planícies áridas. Também conta com a maior concentração mundial de sequoias, agora protegidas em parques nacionais. Os percursos com paisagem oferecem ao visitante a oportunidade de absorver sua beleza. Contudo, para sentir a grandiosidade das árvores, o melhor é caminhar pelos bosques majestosos.

Avenue of the Giants, no Humboldt Redwoods State Park

㉗ Humboldt Redwoods State Park

US Hwy 101. Garberville. Visitor Center: Weott. **Tel** (707) 946-2263. abr-out: 9h-17h; nov-mar: 10h-16h. Ação de Graças, 25 dez. **humboldtredwoods.org**

Esse parque tem as maiores sequoias do mundo e os bosques mais extensos e antigos dessa espécie. A Dyersville Giant, o maior exemplar, com 110m de altura, foi derrubada por uma tempestade em 1991. Agora, caída, seu tamanho parece ainda mais espantoso.

A sinuosa **Avenue of the Giants**, com 53km, corta o parque de mais de 21.000ha. O centro de visitantes fica bem na metade da estrada.

Ao norte está a cidade de **Scotia**, formada em 1887 para abrigar os operários da enorme serraria de sequoias da Pacific Lumber Company. Scotia é a única comunidade madeireira completa ainda existente na Califórnia. Seu pequeno museu conta a interessante história da cidade e da indústria madeireira, e também oferece visitas guiadas.

㉘ Eureka

27.600. 1.034 2nd St, (800) 346-3482. **redwoods.info**

Fundada por garimpeiros de ouro em 1850, Eureka recebeu esse nome por causa do antigo lema grego do estado, que significa "Descobri". Atualmente, é o maior centro industrial da costa norte, com atividades como indústria de pesca e madeireira em volta do porto natural protegido pelo estado. Os diversos prédios do século XIX foram restaurados em Old Town e hoje são café, bares e restaurantes da moda. Eureka conta com a Carson Mansion, de 1885, residência do magnata das serrarias William Carson, agora um clube particular. Seu projeto gótico ganhou o realce da estrutura de sequoia, pintada para parecer pedra.

㉙ Redwood National Park

De Arcata até Crescent City são 125km. A US Hwy 101 é o trajeto mais rápido. 1.111 Second St, Crescent City, (707) 465-7306. **nps.gov**

Algumas das maiores florestas originais de sequoias do mundo estão preservadas nesse parque nacional, que se estende pela costa e ocupa 23.500ha. Ele inclui muitos parques estaduais menores e pode ser explorado de carro em um dia. Mas no passeio de dois dias dá tempo de caminhar fora das estradas e sentir a tranquilidade dos bosques magníficos ou avistar uma das poucas manadas que ainda existem de alces-roosevelt.

A sede do parque fica em **Crescent City**. Alguns quilômetros ao norte dela está o Jedediah Smith Redwoods State Park, de 3.720ha, com sequoias fantásticas e ótimas instalações para camping. Seu nome homenageia Jedediah Smith, caçador de peles e primeiro homem branco a atravessar os EUA. Ao sul de Crescent City, o bosque das **Trees of Mystery** apresenta estátuas de fibra de vidro do mítico lenhador Paul Bunyan e de seu fiel boi, Babe *(p. 417)*. A prin-

---

Sequoias e a Indústria Madeireira

A sequoia *(Sequoia sempervirens)* é a árvore mais alta do mundo, uma conífera exclusiva da costa noroeste da América do Norte. Vive 2 mil anos e atinge 105m, com raízes de até 60m na horizontal, mas apenas 1 a 2m de profundidade. De crescimento rápido e resistente às doenças, tornou-se ideal para uso comercial. Na década de 1920, porém, as serrarias haviam destruído 90% dos bosques. Foi formada a Save the Redwoods League, que comprou as terras que agora estão sob proteção de parques. Madeireiras ainda possuem alguns bosques, e seu futuro constitui uma questão ambiental importante em termos local e nacional.

Madeireira de sequoia

Veja hotéis e restaurantes dessa região nas pp. 710-5

cipal atração do parque é a árvore mais alta do mundo, uma gigante de 112m, que fica no **Tall Trees Grove**. Mais ao sul está Big Lagoon, um lago de água-doce que se alonga por 5km e dois outros estuários. Juntos, eles formam o **Humboldt Lagoons State Park**.

O promontório do Patrick's Point State Park constitui um ótimo lugar para observar a migração das baleias-cinza durante o inverno.

❸⓿ Weaverville

3.500. 215 Main St, (800) 487-4648. trinitycounty.com

Pequena cidade rural, pouco mudou desde que foi fundada por garimpeiros de ouro, há 150 anos. O **Jake Jackson Museum**, no coração do pequeno bairro comercial, narra a história da cidade, da mineração em seu entorno e da região madeireira. Ao lado, o **Joss House State Historic Site** é o templo chinês mais antigo e bem conservado do país. Construído em 1874, ele faz lembrar os muitos imigrantes chineses que vieram para os EUA garimpar ouro e ficaram como mão de obra barata para construir as ferrovias da Califórnia.

Ao norte de Weaverville, os Trinity Alps despontam no centro de belas montanhas, que são famosas entre os que gostam de caminhar e acampar, no verão, e entre os que praticam esqui *cross-country*, no inverno.

❸❶ Mount Shasta

Dunsmuir. Siskiyou. Shasta. Visitor Center: 300 Pine S. **Tel** (530) 926-4865, (800) 926-4865. diariam. mtshastachamber.com

Com altitude de 4.316m, o Mount Shasta é o segundo mais alto das Cascade Mountains, depois do Mount Rainier em Washington *(pp. 614-5)*. Visível a mais de 160km de distância e quase sempre coberto de neve, seu topo é um destino procurado por entusiastas de esportes de aventura, como o

O Mount Shasta, ao fundo, próximo da cidade de Shasta

montanhismo. Em seus contrafortes fica a pitoresca cidade de **Shasta**, que foi um dos maiores campos de garimpo de ouro do estado. Agora, Shasta é uma base para passeios, com bons locais para se hospedar.

❸❷ Lava Beds National Monument

Tel (530) 667-2282. Klamath Falls. diariam. nps.gov

Com mais de 18.800ha no Modoc Plateau, essa paisagem vulcânica lúgubre possui mais de 200 cavernas e túneis cilíndricos criados pela lava, quando se transforma em pedra. A maioria das cavernas fica perto do centro de visitantes, onde o turista pode fazer passeios sozinho ou com a orientação de guardas. Para visitar as cavernas, use sapatos resistentes, leve lanterna e verifique antes no centro de visitantes se está tudo bem.

O parque é igualmente famoso como local da Guerra Modoc, de 1872-3, um dos muitos conflitos entre os EUA e os indígenas. Por seis meses, um grupo de índios modoc, sob o comando do "capitão Jack," se esquivou da Cavalaria dos EUA, usando uma fortaleza feita de passagens naturais, na divisa norte do parque. O capitão acabou enforcado, e os demais índios foram confinados numa reserva que é a atual Oklahoma.

❸❸ Lassen Volcanic National Park

Chester, Red Bluff. Visitor Center: **Tel** (530) 595-4444. diariam. nps.gov

Antes da erupção do Mount St. Helens, em Washington, em 1980 *(p. 617)*, o Lassen Peak, de 3.187m de altitude, foi o último vulcão a explodir na parte continental dos EUA. Em quase 300 erupções entre 1914 e 1917, ele arrasou 40.400ha das terras ao seu redor.

Considera-se que Lassen Peak ainda está ativo. Diversas áreas em suas encostas mostram sinais claros do processo geológico. A trilha de madeira de Bumpass Hell (nomeada em homenagem a um dos primeiros guias, que perdeu a perna numa fonte de lama fervente, em 1895) passa por uma série de poços de água sulfurosa fervente, aquecida pela rocha derretida no subsolo. No verão, o visitante pode pegar a estrada sinuosa que atravessa o parque, subindo mais de 2.500m até o lago Summit. A estrada segue serpenteando pela chamada Área Devastada, uma paisagem desolada e cinza de fluxos vulcânicos endurecidos, que termina no lago Manzanita e no **Loomis Museum**.

Loomis Museum
Lassen Park Rd, Entrada Norte. **Tel** (530) 595-6140. 21 mai-31 out: 9h-17h diariam.

Fontes sulfurosas no Lassen Volcanic National Park

Gold Country

Situado no coração da Califórnia, o Gold Country foi um eldorado de verdade, onde um grande veio de ouro esperava para ser descoberto. Essa era a terra dos povos miwok e maidu, e a Corrida do Ouro transformou a pacata região numa balbúrdia sem lei, para onde vinham garimpeiros do mundo todo. Mas essa explosão minguou por volta de 1860. Alguns anos depois, a área teve outra expansão de curta duração, quando a ferrovia transcontinental foi construída na Sierra Nevada por operários mal pagos, muitos deles chineses.

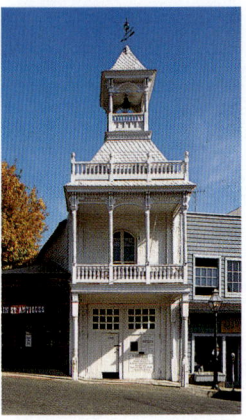

Firehouse nº 1 Museum, uma referência em Nevada City

③④ Nevada City

2.855. 132 Main St, (530) 265-2692, (800) 655-6569. 9h-17h seg-sex, 11h-16h sáb.
w nevadacitychamber.com

Ao norte dos campos auríferos de Mother Lode, essa cidade merece a fama de "Rainha das Minas do Norte". Mas caiu no esquecimento com o fim da Corrida do Ouro. Reergueu-se como destino turístico, um século depois, com galerias, restaurantes e hospedarias que recriam temas da Corrida do Ouro. Nevada City se orgulha de ter uma das fachadas mais fotografadas da região, a do **Firehouse nº 1 Museum**, com balaustradas delicadas e torre branca, hoje museu da história local. Antigas ferramentas de mineração estão dispostas na frente. Entre outros prédios históricos estão o Nevada Theater, inaugurado em 1865, e o National Hotel, um dos mais velhos da Califórnia, que funciona desde meados da década de 1850.

③⑤ Grass Valley

9.000. 248 Mill St, (530) 273-4667, (800) 655-4667. 10h-17h seg-sex, 10h-15h sáb-dom.
w grassvalleychamber.com

Uma das maiores e mais movimentadas cidades mineradoras, Grass Valley empregava operários das minas de estanho da Cornualha, na Inglaterra. Foi a perícia deles que permitiu que as minas desse local continuassem funcionando bem depois que outras se esgotaram. Na entrada do seu **Northstar Mine Powerhouse & Pelton Wheel Museum** está uma Roda de Pelton enorme, que aumentava a produção das minas. Também está à mostra uma britadeira.

Pepita de ouro dentro de um cristal de quartzo

Grass Valley também servia à vizinha **Empire Mine**, a mina de ouro mais rica e que sobreviveu mais tempo no estado. Tornou-se parque estadual e recuperou mais de 170 toneladas de ouro quando fechou, em 1956. Os equipamentos de mineração podem ser vistos no parque e no museu.

🏛 **Northstar Mine Powerhouse & Pelton Wheel Museum**
10.933 Alison Ranch Rd. **Tel** (530) 273-4255. set-abr: 10h-17h diariam; mai-ago: 9h-18h diariam.

🏛 **Empire Mine Historic State Park**
10.791 E Empire St. **Tel** (530) 273-8522. diariam. 1º jan, Ação de Graças, 25 dez.

③⑥ Marshall Gold Discovery State Park

Tel (530) 622-3470. de Placerville. 8h-17h diariam. 1º jan, Ação de Graças, 25 dez.
w parks.ca.gov

Esse parque tranquilo preserva o local onde se descobriu ouro, em 1848. James Marshall notou algumas lascas brilhantes num duto de água de uma serraria que ele e outros operários estavam construindo para o empreendedor suíço John Sutter em Coloma. Os garimpeiros logo invadiram as terras de Sutter, deixando-o sem nada. Coloma, após um ano, se tornara uma cidade pujante, mas começou a declinar quando descobriram outros depósitos mais ricos.

Uma réplica do **Sutter's Mill** foi erguida no local original, e uma estátua de Marshall marca seu túmulo. O Gold Country Museum exibe objetos indígenas e outras mostras sobre a descoberta do ouro.

Sutter's Mill, reconstruído, no Marshall Gold Discovery State Park

Veja hotéis e restaurantes dessa região nas pp. 710-5

GOLD COUNTRY | 705

⓷ Sacramento

✈ 🚆 🚌 30, 31, 32. 🛈 1.002 St, 10h-17h diariam, (916) 442-7644.
🌐 discovergold.org

Fundada por John Sutter, em 1839, a capital da Califórnia conserva muitas construções históricas junto à margem de Old Sacramento. A maior parte dos prédios data da década de 1860, quando se tornou núcleo de abastecimento para os garimpeiros. No local ficavam os terminais oeste da ferrovia transcontinental e do Pony Express. Barcos fluviais faziam a travessia para São Francisco. O **California State Railroad Museum**, na extremidade norte da cidade velha, exibe locomotivas muito bem restauradas. Um pouco além da cidade velha, o State Capitol fica num parque ajardinado. A leste, Sutter's Fort é uma recriação do núcleo original da cidade.

🏛 California State Railroad Museum
125 I St. **Tel** (916) 445-2560.
🕐 10h-17h diariam. ⬤ 1º jan, Ação de Graças, 25 dez.

Califórnia State Capitol

Projetado em 1860, no grandioso estilo neorrenascentista, essa construção foi terminada em 1874. O Capitólio, além de abrigar o gabinete do governador e a Assembleia Legislativa, também serve como museu da história política e cultural do estado.

Em 1975, a **Rotunda do Capitólio** readquiriu o esplendor original do século XIX.

Estátuas originais de 1860

Entrada

Os **Historic Offices**, no primeiro andar, contêm alguns gabinetes do governo, restaurados para retomar a aparência que tinham na virada do século.

⓸ Highway 49

🚌 🛈 542 Main St, Placerville, (530) 621-5885.

O Gold Country oferece um dos passeios de carro mais panorâmicos da Califórnia pela Highway 49, que passa por rochedos escarpados e rios. Muitas das cidades que ela atravessa, como **Sutter Creek**, permaneceram inalteradas desde a Corrida do Ouro. Com nome que homenageia John Sutter, essa cidade com belas paisagens cresceu por causa da Old Eureka Mine, propriedade de Hetty Green, a "Mulher Mais Rica do Mundo". Leland Stanford fez fortuna ali, investindo na Lincoln Mine da cidade. Ele usou o dinheiro para se tornar um dos magnatas das ferrovias e, depois, governador da Califórnia.

Rumo a sudeste chega-se a **Jackson**, uma barulhenta comunidade do garimpo do ouro que continuou a prosperar como cidade madeireira, a partir de 1850. O Amador County Museum, numa colina acima da cidade, possui grande variedade de equipamentos de mineração antigos. Para o norte, a rodovia 49 passa por **Placerville**. Antigo e movimentado centro de suprimentos para a área dos garimpos, a cidade ainda é importante centro de transportes. Suas atrações são o Placerville History Museum e o El Dorado County Historical Museum, com uma réplica de armazém do século XIX, objetos chineses e outras mostras históricas do local.

Parrots Ferry Bridge, na Highway 49

⓹ Columbia State Historic Park

Hwy 49. 🛈 N255 Jackson St, (209) 588-9128. 🌐 parks.ca.gov

No auge da Corrida do Ouro, Columbia era uma das cidades mais importantes do Gold Country. A maioria dos núcleos de mineração do estado desapareceu quando o ouro acabou, no final da década de 1850. Mas Columbia foi mantida intocada por seus moradores até 1945, quando se transformou em parque estadual. Muitos prédios foram preservados, como o **Wells Fargo Express Office** e a **Columbia Schoolhouse**, restaurada. O visitante pode comprar uma bateia e garimpar.

🏛 Wells Fargo Express Office & Columbia Schoolhouse
🕐 10h-16h diariam, jun-ago: até 18h.
⬤ Ação de Graças, 25 dez.

High Sierras

As montanhas de sierra nevada, formadas há 3 milhões de anos, criaram na Califórnia uma muralha coberta de florestas, com altitudes de até 4.270m. Conhecidas como High Sierras, essas montanhas escarpadas constituem uma das áreas de recreação mais concorridas do estado, preservada por diversos parques nacionais.

Esqui no Alpine Meadows Resort de Lake Tahoe

⓴ Lake Tahoe

🛈 3.066 Lake Tahoe Blvd, (530) 544-5050. W **visitinglaketahoe.com**

As águas profundas, cor de esmeralda, desse belo lago ficam num vale alpino no ponto mais alto das High Sierras. Há mais de um século, Lake Tahoe é um centro de recreação procurado o ano todo, com esportes aquáticos, caminhadas e camping.

South Lake Tahoe, a maior cidade da área, acolhe os visitantes que vão aos cassinos de Nevada. A oeste, a entrada do Emerald Bay State Park é a parte mais fotografada do lago. Ao norte fica o D. L. Bliss State Park, com a Ehrman Mansion, de 1903.

Os cumes em volta são famosos pelas estações de esqui. Os excelentes Alpine Meadows e Squaw Valley são bem conhecidos por causa das Olimpíadas de Inverno neles realizadas em 1960.

⓴ Yosemite National Park

🚆 de Merced. 🚌 Yosemite Valley. 🚌 de Merced. 🛈 PO Box 577, Yosemite, (209) 372-0200. ⏱ diariam. W **nps.gov/yose**

O Yosemite National Park ocupa 3.030km² de uma área tomada por florestas perenes, campos elevados e íngremes paredões de granito. Criado em 1890, o parque protege um dos mais bonitos terrenos montanhosos do mundo. Penhascos elevados, cânions escarpados, vales, árvores gigantescas e cachoeiras se combinam para tornar a beleza de Yosemite algo único. Cada estação oferece um espetáculo diferente, desde as cachoeiras avolumadas na primavera até as cores avermelhadas do outono. Diversas estradas, passeios de ônibus, pistas de ciclismo e trilhas para caminhadas enchem os olhos do visitante com belíssimos panoramas.

O Yosemite Valley é uma boa base para explorar o parque. O **Yosemite Museum**, no vilarejo, mostra a história dos povos nativos miwok e paiute, junto com obras de artistas locais. Ali perto fica o **Ahwahnee Hotel** *(p. 712)*. Construído em 1927, é um dos hotéis mais conhecidos do país. Ao sul do Valley Visitor Center, a pequena **Yosemite Chapel** (1879), de madeira, é a única lembrança que restou da Old Village do parque, que datava do século XIX.

Aproximadamente 1,6km acima do leito do vale, a silhueta do rochedo **Half Dome** se tornou símbolo de Yosemite. Os geólogos acreditam que ele agora tenha três quartos do tamanho original. Imagina-se que 15 mil anos atrás o derretimento do gelo glacial varreu o vale, cortando os rochedos e depositando-os no rio. Uma trilha fantástica leva ao topo de 2.695m, oferecendo vistas panorâmicas do vale. Outra rocha importante, **El Capitan**, monta guarda na entrada oeste do vale e atrai alpinistas que passam dias no lado mais íngreme

El Capitan, maior bloco do mundo de granito exposto, no Yosemite National Park

Veja hotéis e restaurantes dessa região nas pp. 710-5

para alcançar o topo. Mas o melhor panorama de Yosemite é visto do alto do **Glacier Point**, com 980m. Só se tem acesso a ele no verão, pois a neve bloqueia a estrada no inverno.

Entre as atrações mais famosas do parque estão as cachoeiras de Yosemite, as mais altas da América do Norte. Despencando de uma altura de 740m, em dois grandes saltos, o **Upper** e o **Lower Yosemite Falls**, que atingem o máximo de vazão em maio de junho, quando a neve derrete. Em setembro, porém, as cachoeiras costumam secar.

No verão, quando as flores do campo desabrocham, a paisagem maravilhosa do parque é apreciada em todos os detalhes em **Tuolumne Meadows**, ao longo do rio Tuolumne, na ponta leste de Yosemite.

Alguns quilômetros depois da entrada sul do parque, o **Mariposa Grove** apresenta mais de 500 sequoias gigantes *(Sequoiadendron gigantea)*, algumas com mais de 3 mil anos de vida.

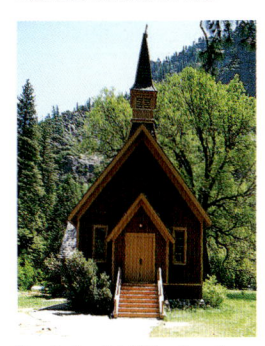

Agulhas de tufa despontam do Mono Lake, em Eastern Sierras

Yosemite Chapel, de 1879, no Yosemite National Park

㊷ Eastern Sierras

Bodie State Historic Park: de Bridgeport. Fim da Hwy 270, (760) 647-6445. diariam. Mono Lake: **Tel** (760) 647-3044. Merced.
monolake.org

No alto das Eastern Sierras fica o **Bodie State Historic Park**, a maior cidade-fantasma da Califórnia. Seu nome homenageia o garimpeiro Waterman S. Bodey, que descobriu ouro de superfície no local, em 1859. A cidade floresceu em meados da década de 1870, mas entrou em declínio quando o ouro acabou, em 1882. Protegidas como parque histórico estadual, as 170 construções de Bodie são mantidas num estado de "suspensão de decadência". O resultado é a visão de ruas desertas ladeadas por construções de madeira vazias. O Miner's Union Hall foi transformado em centro de visitantes e museu. Perto está **Mono Lake**, que ocupa uma área de 155km² e se localiza no sopé das montanhas de Sierra Nevada e apresenta a misteriosa visão de agulhas de pedra calcária que afloram da água.

Situado entre duas ilhas vulcânicas, o lago não tem escoadouro natural, mas a evaporação e o desvio de água para Los Angeles, por meio de aquedutos, fizeram com que ele encolhesse para um quinto de seu tamanho. A água se tornou salobra e alcalina, colocando em grave perigo o ecossistema e a vida selvagem do entorno. Mono Lake é tema de debates ambientais.

㊸ Sequoia & Kings Canyon National Parks

Ash Mountain, Three Rivers. **Tel** (559) 565-3135. diariam. ligar antes. apenas no verão.
nps.gov/seki

Essa dupla de parques nacionais preserva florestas verdejantes, belos cânions esculpidos por geleiras e picos de granito. O cânion mais profundo dos EUA, a bifurcação sul do rio Kings, corta um abismo de 2.500m no Kings Canyon. Há estradas apenas no lado oeste dos parques; no restante só se chega a pé ou a cavalo.

Os parques abrangem 34 bosques isolados de sequoia, a maior espécie de árvore do mundo. A **Giant Forest**, na ponta sul do Sequoia National Park, é um dos maiores bosques de sequoias vivas do mundo. Uma trilha de 5km sai dali e vai até Moro Rock, um monólito de granito que permite uma vista de 360 graus das High Sierras e do Central Valley. A leste fica o pantanoso Crescent Meadow, margeado de sequoias. Outra trilha curta leva a **Tharp's Log**, uma sequoia perfurada, onde morou Hale Tharp, um fazendeiro do século XIX que conheceu a área por intermédio dos índios.

Ao norte da Giant Forest está o maior ser vivo do mundo, a **General Sherman's Tree**, de 84m de altura. Essa árvore ainda cresce 1cm a cada dez anos e compete com a terceira maior sequoia, a **General Grant Tree**, do Kings Canyon Park. Esse parque também apresenta a Big Stump Trail, ladeada de grandes toras *(stumps)* deixadas por madeireiros, na década de 1880.

Ao longo da divisa leste do Sequoia está o **Mount Whitney**, com 4.420m de altitude, um dos picos mais elevados dos EUA. Uma trilha íngreme vai de Whitney Portal Road até o topo, de onde se têm vistas panorâmicas das High Sierras. O monte, cujo nome homenageia o geólogo Josiah Whitney, foi escalado pela primeira vez em 1873. Os agradáveis campos alpinos à sua volta são ideais para a caminhada de mochileiros nos meses de verão.

Informações Úteis

A Califórnia é um belo destino turístico. O espírito do estado pode ser sentido nas movimentadas cidades de São Francisco, Los Angeles e San Diego, assim como no interior tranquilo das montanhas da Sierra Nevada. No centro da indústria cinematográfica, Los Angeles se orgulha de ser a capital mundial do entretenimento. Em todo o estado, as necessidades do visitante são bem atendidas. Os pontos turísticos mais importantes atraem viajantes de meados de abril até setembro. Mas os meses de inverno também são concorridos, tanto pelo clima quente do sul quanto pelas pistas de esqui de Lake Tahoe.

Informação Turística

Podem-se obter informações na **California Division of Tourism** ou no consulado americano mais próximo. O Visitors' and Convention Bureaus local fornece mapas, guias, lista de eventos e passes com desconto para transportes públicos e pontos turísticos.

Segurança Pessoal

São Francisco é uma das cidades mais seguras dos EUA. Os problemas são mais visíveis em Los Angeles, embora as gangues da cidade não costumem incomodar visitantes. Contudo, como em qualquer cidade grande, o visitante pode ser vítima de pequenos roubos ou furto de carro. Mesmo com a patrulha regular da polícia nas áreas turísticas, convém ser cauteloso. As regras de segurança para pedestres devem ser observadas à risca: atravessar a rua sem olhar ou fora dos sinais pode dar multa.

Perigos Naturais

No caso de terremoto, o importante é não entrar em pânico. A maioria dos ferimentos ocorre na queda de materiais. Fique embaixo de um batente ou agache-se sob uma mesa. No carro, pare no acostamento ou no meio-fio. Em caminhadas, tome cuidado com ocasionais perigos naturais. Também fique atento para mudanças climáticas bruscas nos desertos, onde a temperatura pode cair abaixo de zero nos pontos mais elevados. O Pacífico pode ser traiçoeiro, com fortes ressacas.

Como Circular

Apesar de levar mais tempo, viajar de trem, ônibus e ferryboat pode ser um modo econômico de circular pelo estado. Dentro das cidades de São Francisco, Los Angeles e San Diego, a rede de transportes públicos serve bem algumas áreas, com ônibus circulares, bondes, metrô, ferryboat, táxis e teleféricos. A rede ferroviária da Amtrak e de ônibus de conexão serve as áreas mais populosas do estado. Passeios de ônibus com guia constituem um modo prático de fazer turismo. Serviços expressos de barcos fazem a ligação de Los Angeles com Santa Catalina Island, enquanto outros navegam com calma pela baía de São Francisco. A maioria dos ferryboats leva pedestres e ciclistas.

Como Dirigir

O carro é o melhor meio de transporte para conhecer o estado. Verifique na sua cidade se há algum pacote promocional que reúna voo e aluguel de carro. Descubra o que está incluído e se vai haver algum pagamento extra quando o carro for devolvido. Tais acréscimos – que podem incluir desistência de danos por colisão, taxa de *drop-off* (entrega do carro fora do ponto de aluguel) e taxa de aluguel – podem duplicar o preço inicial. Litígios são comuns na Califórnia, por isso é melhor se prevenir.

O uso de cinto de segurança é obrigatório. Em geral, o limite máximo de velocidade nas estradas é de 104km/h. Nas cidades, os limites de velocidade ficam restritos ao que está nas placas e podem variar no decorrer de alguns quilômetros. O controle disso é cumprido à risca pela Highway Patrol. Dirigir alcoolizado é infração grave, sujeita a penas pesadas. Pode-se virar à direita no semáforo vermelho se primeiro você parar e nenhum veículo vier em sentido contrário. O primeiro veículo a chegar a um cruzamento sem semáforo tem a preferência. Não é permitido falar ao celular enquanto estiver dirigindo. O estacionamento na Califórnia é controlado e pode ser caro. Em áreas remotas, o motorista deve ficar atento aos animais silvestres que podem cruzar as estradas.

Atividades ao Ar Livre

A Califórnia sempre lembra atividades ao ar livre. Os desertos, as florestas de sequoias, os campos alpinos, as montanhas, os

O Clima da Califórnia

Com exceção dos extremos no norte e nos desertos, o clima do estado não é sufocante no verão nem muito frio no inverno. A Northern Coastal Range é temperada, embora úmida no inverno. Para leste, a chuva vira neve nas montanhas da Sierra Nevada. No centro e no Central Valley o clima é mediterrâneo, caracterizado por mudanças sazonais nas chuvas – verão seco e inverno chuvoso –, mas com mudanças moderadas na temperatura. O clima se torna mais seco e quente em direção ao sul, com temperaturas elevadas no verão do deserto.

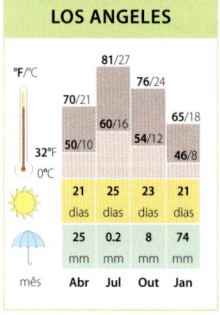

LOS ANGELES

mês	Abr	Jul	Out	Jan
°F/°C máx	70/21	81/27	76/24	65/18
°F/°C mín	50/10	60/16	54/12	46/8
dias de sol	21	25	23	21
mm de chuva	25	0.2	8	74

lagos, as praias, tudo acolhe o visitante. O estado tem uma rica cultura de atividades físicas, e as áreas campestres estão sempre perto de qualquer cidade.

Com mais de 250 lugares classificados como parques estaduais, áreas florestais ou sítios históricos, a Califórnia é um paraíso para quem gosta de caminhar e acampar. Para acampar, reserve um lugar com **State Park Reservations** ou **Yosemite Reservations**. Há mais de 1,6 milhão de quilômetros de trilhas no estado. A mais longa é a Pacific Crest Trail, que se estende do Canadá ao México. O **Sierra Club** organiza saídas com guia e fornece mapas detalhados. Muitos parques do estado permitem ciclistas em suas trilhas de caminhada. Lojistas, como a **Backroads**, levam grupos de ciclistas em passeios pelos campos. Os que gostam de andar a cavalo encontram muitas trilhas adequadas. Com 1.450km de litoral, a Califórnia oferece muitas praias. Algumas têm ondas fortes e chão pedregoso; outras, com areia branca, ondas em tubos e água tépica, são ideais para surfar. Entre as melhores praias estão a **Leo Carrillo State Beach**, em Orange County, a **Windansea Beach**, em La Jolla, e a **Corona del Mar**, em Newport.

Os lagos, os rios e as praias da Califórnia oferecem muitos esportes aquáticos, desde lentos cruzeiros em barcaças até paragliding e rafting em corredeiras. A maioria dos lojistas que oferecem rafting em rios também organiza passeios de canoa e caiaque. Para mais informações, contate a **American River Touring Association**. Os rios e o litoral se enchem de pássaros migratórios. No outono, patos, gansos e outras aves aquáticas podem ser avistados ali. O estado é também um refúgio para pescadores. Os rios e riachos das montanhas da Sierra Nevada têm muita truta. A pesca de perca nos lagos e reservatórios é abundante o ano todo.

De dezembro a abril, as baleias-cinza viajam mais de 11 mil km da costa da Califórnia até o México. Cruzeiros oceânicos permitem a observação desses belos mamíferos.

Não se pode esquecer o circuito das ilhas. Cinco ilhas vulcânicas em mar aberto formam o Channel Islands National Park, ideal para caminhar, conhecer as piscinas nas pedras e avistar baleias e golfinhos. A **Island Packers** é apenas uma das empresas que oferecem passeios nas ilhas.

A Califórnia é famosa pelas férias de interesse especial. A mais famosa consiste no passeio pelas missões do estado, ao longo do Camino Real. Escritores residentes sempre fazem palestras em eventos internacionais, como na **Santa Barbara Writers' Conference**. Instituições como **Tante Marie's Cooking School** fornecem acomodações, aulas de culinária, passeios de compras e visitas ao Wine Country.

Compras

Com papel de destaque na economia mundial, a Califórnia é conhecida por suas roupas informais e também pela alta-costura. É a maior produtora de roupas infantis dos EUA, e Sara's Prints e **Levi Strauss** estão entre as melhores. Ganhou fama pelas roupas esportivas e de praia, com grifes como **C&C California**.

Frutas frescas, nozes e verduras do vale de San Joaquin abastecem o país inteiro. Os vinhos finos dos vales do Napa e do Sonoma estão disponíveis nas vinícolas do estado. Algumas, como **Viansa Winery** e **Sebastiani Vineyards**, também vendem diversos produtos relacionados a vinhos.

Além das áreas de compras de Los Angeles e São Francisco, as cidade menores oferecem mercadorias variadas e produtos locais em bancas de alimentos à beira de estradas, vinícolas, lojas de antiguidades e mercados de pulgas, onde os preços são menores do que nas cidades.

AGENDA

Informação Turística

California Division of Tourism
Tel (877) 225-4367.
W visitcalifornia.com

Férias Especiais

Santa Barbara Writers' Conference
PO Box 6627, Santa Barbara, CA 93160.
Tel (805) 568-1516.
W sbwriters.com

Tante Marie's Cooking School
271 Francisco St, SF, CA 94133. Tel (415) 788-6699.
W tantemarie.com

Campings

State Park Reservations
Tel (800) 444-7275.
W parks.ca.gov

Yosemite Reservations
Tel (801) 559-4884.
W yosemitepark.com

Caminhadas

Sierra Club
Tel (916) 557-1100.
W sierraclubcalifornia.org

Mountain Biking

Backroads
801 Cedar St, Berkeley.
Tel (800) 462-2848.
W backroads.com

Rafting e Caiaque

American River Touring Association
24000 Casa Loma Rd, Groveland, CA 95321.
Tel (800) 323-2782.
W arta.org

Circuito das Ilhas

Island Packers
1691 Spinnaker Dr, Ventura, CA 93001.
Tel (805) 642-1393.
W islandpackers.com.

Compras

C&C California
W candccalifornia.com

Original Levi's Store
300 Post St, São Francisco, CA 94108.
Tel (415) 501-0100.
W levi.com

Vinícolas

Sebastiani Vineyards
389 Fourth St E, Sonoma, CA 95476.
Tel (800) 888-5532, (707) 933-3230.
W sebastiani.com

Viansa Winery
25200 Arnold Dr, Sonoma, CA 95476.
Tel (800) 995-4740.
W viansa.com

Onde Ficar

Los Angeles

BEVERLY HILLS:
Hotel Avalon $$$
Hotel-butique **Mapa** C4
9400 O Olympic Blvd, 90212
Tel *(310) 277-5221*
🅦 avalonbeverlyhills.com
Hotel esplêndido de meados do século XX, com serviço cortês. O restaurante, premiado, tem mesas ao lado da piscina.

DOWNTOWN:
Figueroa Hotel $$
Econômico **Mapa** E4
939 S Figueroa St, 90015
Tel *(213) 627-8971*
🅦 figueroahotel.com
Esse hotel pitoresco mescla elementos do sul da Califórnia, do México e do Norte da África na decoração.

HOLLYWOOD: Hollywood
Orchid Suites $$
Econômico **Mapa** C3
1753 Orchid Ave, 90028
Tel *(323) 874-9678*
🅦 orchidsuites.com
Situado atrás do famoso Chinese Theatre, esse apart-hotel prático tem quartos bons e café da manhã grátis.

HOLLYWOOD:
The Standard Hotel $$$
Hotel-butique **Mapa** C3
8300 Sunset Blvd, 90069
Tel *(323) 650-9090*
🅦 standardhotels.com/hollywood
Com localização ótima na Sunset Strip, The Standard oferece quartos com decoração despojada, porém charmosa.

Decoração exótica no saguão do Figueroa Hotel, no centro de Los Angeles

SANTA MONICA: Best
Western Gateway Hotel $$
Econômico **Mapa** B4
1920 Santa Monica Blvd, 90404
Tel *(310) 829-9100*
🅦 gatewayhotel.com
Opção barata com quartos básicos, porém confortáveis. O traslado para a praia é um extra bem-vindo. Equipe poliglota.

Destaque
VENICE: Hotel Erwin $$$
Hotel-butique **Mapa** B5
1697 Pacific Ave, 90291
Tel *(310) 452-1111*
🅦 hotelerwin.com
Os charmosos quartos do Hotel Erwin tem obras de arte e modernidades como camas de luxo, TV HD e mesa com cadeiras ergonômicas. Aprecie vistas do oceano e do calçadão a partir da sacada e do bar ao ar livre na cobertura.

Destaque
WEST HOLLYWOOD:
Andaz West Hollywood $$$
Hotel-butique
8401 Sunset Blvd, 90069
Tel *(323) 656-1234*
🅦 andaz.com
Com ambiente que exala luxo, o Andaz oferece quartos bonitos e confortáveis. Usufrua o serviço impecável e a localização ideal, com acesso fácil à maioria dos melhores restaurantes, lojas e casas noturnas da cidade.

San Diego County

CORONADO: Hotel
del Coronado $$$
Histórico
1500 Orange Ave, 92118
Tel *(619) 435-6611*
🅦 hoteldel.com
Esse luxuoso resort vitoriano na praia tem quartos modernos e casas extremamente confortáveis e bem equipadas.

SAN DIEGO: Catamaran $$
Econômico
3999 Mission Blvd, 92109
Tel *(858) 488-1081*
🅦 catamaranresort.com
Resort elegante perto de Mission Bay e da orla do Pacífico. Os hóspedes podem relaxar na piscina tropical ao ar livre.

Categorias de Preço
Diária de um quarto padrão para duas pessoas, na alta temporada, com taxas de serviço e impostos.
$	até US$150
$$	US$150-US$250
$$$	acima de US$250

SAN DIEGO: Omni Hotel $$
Moderno
675 L St, 92101
Tel *(619) 231-6664*
🅦 omnihotels.com
Elegantes, os quartos têm instalações modernas e vistas da baía de San Diego e do centro da cidade. Há um business center.

SAN DIEGO: Paradise Point $$
Luxuoso
1404 Vacation Rd, 92109
Tel *(858) 274-4630*
🅦 paradisepoint.com
Quartos confortáveis em estilo de bangalô se espalham pela ilha de 18ha. Há também um spa premiado.

Destaque
SAN DIEGO: The US Grant $$$
Histórico
326 Broadway, 92101
Tel *(619) 232-3121*
🅦 usgrant.net
Um marco desde 1910, esse hotel tem localização ideal para ir às atrações principais. Os quartos são antigos, mas apresentam todos os equipamentos modernos de alto padrão, propiciando uma experiência elegante e memorável.

Desertos

DEATH VALLEY: Inn at
Furnace Creek $$$
Luxuoso
Hwy 190, 92328
Tel *(760) 786-2345*
🅦 furnacecreekresort.com
Essa linda propriedade abriga quartos suntuosos e piscina natural. Oferece passeios a cavalo, golfe e tênis.

MOJAVE: Best Western Plus
Desert Winds $
Econômico
16200 Sierra Hwy Mojave, 93501
Tel *(661) 824-3601*
🅦 bestwestern.com
Há quartos limpos e confortáveis nesse simpático hotel de rede com piscina ao ar livre. Há trilhas para caminhada nos arredores.

Destaque

PALM SPRINGS: Ace Hotel & Swim Club $
Hotel-butique
701 L Palm Canyon Dr, 92264
Tel *(760) 325-9900*
w acehotel.com
Esse hotel moderno atrai jovens bem-sucedidos. Os quartos são decorados em estilo contemporâneo e dispõem de camas confortáveis e estrutura completa. Refresque-se na piscina ou agende uma massagem em uma tenda da Mongólia.

PALM SPRINGS: Desert Riviera Hotel $
Econômico
610 E Palm Canyon Dr, 92264
Tel *(760) 327-5314*
w deserttrivierahotel.com
Jardins bem cuidados e vistas das montanhas são pontos altos desse hotel dos anos 1950 reformado.

Central Coast

ANAHEIM: Disney®'s Grand Californian Hotel $$$
Luxuoso
1600 S Disneyland Dr, 92802
Tel *(714) 956-6425*
w disneyland.disney.go.com
Esse hotel magnífico dentro de Disney's California Adventure Park oferece piscinas, um spa e um clube para crianças.

Destaque

LAGUNA BEACH: Surf and Sand Resort $$$
Luxuoso
1555 S Coast Hwy, 92651
Tel *(877) 741-5908*
w surfandsandresort.com
Resort muito bem conceituado instalado em um terreno diante da praia. Os quartos e as suítes exalam luxo moderno e têm vistas do oceano. A excelente estrutura conta com piscinas, um spa e um restaurante, o que torna esse destino de férias bastante requisitado.

SAN LUIS OBISPO: Garden Street Inn $$
B&B
1212 Garden St, 93401
Tel *(805) 545-9802*
w gardenstreetinn.com
Casarão vitoriano restaurado que abriga quartos decorados com antiguidades – alguns deles têm lareira e hidromassagem.

O Four Seasons The Biltmore, em Santa Barbara

SANTA BARBARA: Hotel Santa Barbara $$
Histórico
533 State St, 93101
Tel *(805) 957-9300*
w hotelsantabarbara.com
Esse hotel charmoso de 1926, com quartos bem equipados, fica a somente cinco quadras da praia.

SANTA BARBARA: Four Seasons The Biltmore $$$
Luxuoso
1260 Channel Dr, 93108
Tel *(805) 969-2261*
w fourseasons.com
O esmero nos detalhes é evidente nesse hotel em estilo colonial espanhol com quartos opulentos e chalés isolados.

São Francisco

Destaque

BERKELEY: Berkeley City Club $$
Histórico
2315 Durant Ave, 94704
Tel *(510) 848-7800*
w berkeleycityclubhotel.com
Construído em 1929, o Berkeley City Club tem quartos pequenos mas charmosos e áreas comuns elegantes. Nade na bela piscina coberta ou mantenha a boa forma na academia. O clube interno sedia performances e palestras.

CHINATOWN E NOB HILL: Hotel Triton $
Hotel-butique
342 Grant Ave, 94108
Tel *(415) 394-0500*
w hoteltriton.com
Uma decoração eclética digna de Chagall permeia tudo nesse hotel simpático com quartos pequenos e coloridos. Alguns são ecológicos, outros, indicados para quem viaja sozinho.

CHINATOWN E NOB HILL: The Fairmont $$$
Luxuoso
950 Mason St, 94108
Tel *(415) 772-5000*
w fairmont.com/san-francisco
Hotel centenário em Nob Hill, The Fairmont recebe os hóspedes em um fantástico saguão dourado. Abriga uma casa noturna e três restaurantes e lounges renomados.

DOWNTOWN: Taj Campton Place $$$
Luxuoso
340 Stockton St, 94108
Tel *(415) 781-5555*
w tajhotels.com
Suntuosos, os quartos têm mesa com tampo de couro e cabides acolchoados. Há serviço de quarto 24 horas, restaurante com estrela do Michelin e bar acolhedor.

FISHERMAN'S WHARF E NORTH BEACH: Best Western Tuscan Inn $$
Econômico
425 North Point St, 94133
Tel *(415) 561-1100*
w tuscaninn.com
A poucos passos da beira-mar, esse hotel tem quartos amplos e coloridos, alguns com lareira, além de um pátio verdejante e um restaurante italiano.

HAIGHT ASHBURY E MISSION: The Red Victorian Bed, Breakfast & Art $
B&B
1665 Haight St, 94117
Tel *(415) 864-1978*
w redvic.com
B&B em um edifício vermelho da época do "Summer of Love". Os quartos têm decoração hippie e partilham banheiros. Não há TV.

Mais informações sobre hotéis *nas pp. 26-7*

OAKLAND: Waterfront Plaza Hotel $$
Econômico
10 Washington St, 94607
Tel (800) 729-3638
w jdvhotels.com

Os quartos exibem tema náutico; alguns dispõem de sacada, lareira e vista da baía. Há também academia, piscina e sauna.

PACIFIC HEIGHTS: Inn at the Presidio $$
Hotel-butique
42 Moraga Ave, 94129
Tel (415) 800-7356
w innatthepresidio.com

No antigo presídio da área, esse hotel tem belos quartos com vistas da Golden Gate Bridge.

SAUSALITO: Hotel Sausalito $$
Hotel-butique
16 El Portal, 94965
Tel (415) 332-0700
w hotelsausalito.com

Marco de 1915 em estilo missionário *revival*, com armários, camas de ferro batido e um pátio pequeno.

Wine Country

HEALDSBURG: Camellia Inn $$
B&B
211 North St, 95448
Tel (707) 433-8182
w camelliainn.com

Essa casa vitoriana de 1869 em estilo italiano é cercada por jardins. Acomoda quartos românticos e uma bela piscina.

MENDOCINO: The Stanford Inn by the Sea $$
Hotel-butique
Hwy 1 & Comptche-Ukiah Rd, 95460
Tel (707) 937-5615
w stanfordinn.com

Os quartos têm deques privativos com vista para o mar. Há serviços de spa, piscina coberta e restaurante. Jardins cercam o hotel.

NAPA: La Residence $$$
B&B
4066 Howard Lane, 94558
Tel (707) 253-0337
w laresidence.com

Em uma mansão do século XIX com jardins, esse B&B romântico oferece café da manhã e recepção noturna com vinhos.

SONOMA: The Inn at Ramekins $$
B&B
450 West Spain St, 95476
Tel (707) 933-0450
w ramekins.com

Próximo à praça, esse B&B fica em cima de uma escola de culi-

Categorias de Preço *na p. 710*

Interior de uma das casas no Sutter Creek Inn, em Sutter Greek

nária renomada. Os quartos, espaçosos, apresentam antiguidades francesas e vistas dos campos.

Norte da Califórnia

BIG SUR: Deetjen's Big Sur Inn $$
Histórico
48865 Hwy 1, 93920
Tel (831) 667-2377
w deetjens.com

Retiro tranquilo na mata. Quartos aconchegantes, belos jardins e um restaurante ótimo.

Destaque

CARMEL: Pine Inn $$
B&B
Ocean Ave e Monte Verde, 93921
Tel (831) 624-3851
w pineinn.com

Situado perto de butiques, de galerias e da praia, esse B&B icônico oferece quartos elegantes equipados com todas as comodidades modernas. O restaurante interno é muito frequentado pelo pessoal local.

EUREKA: Carter House Inns $$$
Histórico
301 L St, 95501
Tel (707) 444-8062
w carterhouse.com

Complexo de cinco edifícios históricos, a Carter House oferece quartos de alto padrão e um restaurante com estrela do Michelin.

SANTA CRUZ: Sea and Sand Inn $$
Econômico
201 West Cliff Dr, 95060
Tel (831) 427-3400
w santacruzmotels.com

Os quartos têm vista do oceano nesse hotel em um rochedo perto da praia. Há também suítes e quitinetes. O delicioso café da manhã padrão está incluso na tarifa.

Gold Country

GRASS VALLEY: Holbrooke Hotel and Restaurant $
Histórico
212 O Main St, 95945
Tel (530) 273-1353
w holbrooke.com

Aberto em 1851 durante a Corrida do Ouro, esse hotel tem instalações modernas, mas mantém o charme do Velho Oeste.

SACRAMENTO: Sheraton Grand Sacramento $$
Econômico
1230 J St, 95814
Tel (916) 447-1700
w starwoodhotels.com

Os quartos são grandes e decorados ao gosto contemporâneo nesse hotel central que ocupa um charmoso edifício antigo.

SUTTER CREEK: Sutter Creek Inn $$
B&B
75 Main St, 95685
Tel (209) 267-5606
w suttercreekinn.com

Esse B&B de 1859 em estilo campestre tem casas privadas com lareira. Os jardins sombreados dispõem de trilhas e redes.

High Sierras

YOSEMITE NATIONAL PARK: Cedar Lodge $
Econômico
9966 Hwy 140, 95318
Tel (209) 379-2612
w nationalparkreservations.com

O Cedar Lodge oferece opções como quartos básicos e suítes para catorze pessoas. Fica próximo ao Yosemite National Park.

Destaque

YOSEMITE NATIONAL PARK: The Ahwahnee Hotel $$$
Histórico
Yosemite Valley, 95389
Tel (559) 253-5636
w yosemitepark.com

Esse lodge famoso funciona desde 1927. A variedade de acomodações e a hospitalidade o tornam uma ótima escolha dentro desse parque nacional. Tem também um belo solário e um restaurante excelente.

Onde Comer e Beber

Los Angeles

BEVERLY HILLS: The Bazaar $$$
Espanhola Mapa C4
*SLS Hotel at Beverly Hills,
465 S La Cienega Blvd, 90048*
Tel *(310) 246-5567*
As criações do chef José Andrés atraem amantes da boa mesa do mundo inteiro. Os clientes tem alguns ambientes à escolha: salões surpreendentes, um terraço arejado em estilo mediterrâneo e uma pâtisserie agradável.

DOWNTOWN: Hae Jang Chon Korean BBQ Restaurant $
Coreana Mapa E4
3821 O 6th St, 90020
Tel *(213) 389-8777*
Conheça comida coreana autêntica nesse restaurante muito requisitado para comemorações na Koreatown local. Os garçons explicam em minúcias o cardápio tradicional.

DOWNTOWN: Philippe The Original $
Delicatéssen/Café Mapa E4
1001 N Alameda St, 90012
Tel *(213) 628-3781*
De 1908, esse é um dos restaurantes mais antigos de LA. Afirma ter inventado o sanduíche french dip, que tem versões com rosbife, carne de cordeiro, frango e peru.

HOLLYWOOD: Pink's Famous Hot Dogs $
Cachorro-quente Mapa C3
709 N La Brea Ave, 90038
Tel *(323) 931-4223*
Foi nesse lugar lendário que certa vez Orson Welles comeu dezoito cachorros-quentes. O clássico dog apimentado é um dos favoritos. Alguns tipos especiais têm nomes de celebridades.

Destaque
**HOLLYWOOD:
Musso and Frank Grill** $$$
Churrascaria Mapa C3
6667 Hollywood Blvd, 90028
Tel *(323) 467-7788*
Fecha *dom e seg*
Esse é o restaurante mais antigo de Hollywood – e nunca sai de moda. Com decoração clássica à base de mogno e couro, atrai legiões de turistas e moradores locais, que começam pelo bar para tomar martínis. Entre os pratos favoritos dos clientes estão pastelão de frango, fígado acebolado e filés suculentos.

MIDTOWN: Pizzeria Mozza $$
Pizzaria/Italiana Mapa D3
641 N Highland Ave, 90036
Tel *(323) 297-0101*
Na Mozza, as criativas pizzas saem fumegando do forno de pedra, disposto à vista dos clientes. Os vinhos italianos têm preços acessíveis. A pizzaria é ligada à Osteria Mozza, que fica ao lado.

Destaque
**SANTA MONICA:
JiRaffe** $$$
Americana moderna Mapa B4
502 Santa Monica Blvd, 90401
Tel *(310) 917-6671* **Fecha** *dom*
A culinária californiana rústica com um toque francês desse restaurante chique está entre as melhores da cidade. Os produtos são trazidos direto de fazendas e feiras locais. Nhoque peruano roxo com camarão e rack de cordeiro da Nova Zelândia assado são dois dos pratos mais pedidos da casa. Há coquetéis clássicos e carta de vinhos variada que agrada a todos os gostos.

San Diego County

**CORONADO:
1500 Ocean** $$$
Mediterrânea
Hotel del Coronado, 1500 Orange Ave, 92118
Tel *(619) 522-8490*
Fecha *almoço; dom e seg*
No Hotel del Coronado, esse restaurante diante da praia utiliza ingredientes costeiros. Há coquetéis com ervas frescas e carta de vinhos extensa.

Categorias de Preço
Por pessoa, para uma refeição composta de três pratos e meia garrafa de vinho da casa, mais taxas.

$	até US$40
$$	US$40-US$70
$$$	acima de US$70

Destaque
**LA JOLLA:
California Modern** $$$
Americano moderno
1250 Prospect St, 92037
Tel *(858) 454-4244* **Fecha** *almoço*
O menu bem elaborado desse restaurante chique com serviço refinado tem pratos inventivos à base de frutos do mar e ingredientes locais. A extensa carta de vinhos e coquetéis complementa as refeições. As belas vistas do oceano e a ambientação moderna também justificam a visita ao California Modern.

SAN DIEGO: Hodad's $
Hambúrguer
5010 Newport Ave, 92107
Tel *(619) 224-4623*
Esse estabelecimento na praia serve há décadas hambúrgueres para surfistas. Com bastante carne e outros recheios, são acompanhados por uma porção de "frings" (fritas e anéis de cebola).

SAN DIEGO: Karl Strauss Brewing Company $
Americana
1157 Columbia St, 92101
Tel *(619) 234-2773*
Microcervejaria no centro, a Karl Strauss oferece comida de pub e ampla variedade de cervejas artesanais de barril. No cardápio há bolo de carne, hambúrgueres, saladas e asas de frango.

O Pink's Famous Hot Dogs, em Hollywood

Mais informações sobre restaurantes *nas pp. 28-9*

Desertos

Destaque

DEATH VALLEY: Inn at Furnace Creek Dining Room $$$
Americana moderna
Furnace Creek Resort, Hwy 190, 92328
Tel *(760) 786-3385*
Em um edifício de pedra e adobe, esse restaurante refinado tem vistas fantásticas. A comida mescla influências do Sudoeste e da região do Pacífico. Pratos como salada de cacto e empanadas de cascavel refletem o deserto. Há também opções mais simples e algumas vegetarianas. O chá da tarde no saguão é uma tradição. O restaurante pode fechar no verão; ligue antes para se informar.

PALM SPRINGS: Melvyn's Restaurant $$
Americana
200 O Ramon Rd, 92260
Tel *(760) 325-2323*
No histórico Ingleside Inn, o Melvyn's é escolhido para ocasiões especiais desde 1975. O menu clássico é muito apreciado, e vários pratos são preparados à vista dos clientes. Tome um drinque no bar ao som de piano.

Central Coast

ANAHEIM: Napa Rose $$$
Americana moderna
Disney's Grand Californian Hotel, 1600 S Disneyland Dr, 92803
Tel *(714) 781-3463* **Fecha** *almoço*
Os pratos gourmets do Napa Rose têm ingredientes agrícolas frescos que realçam os sabores da região vinícola da Califórnia e se harmonizam com vinhos de safras antigas com renome mundial.

ORANGE: The Hobbit $$$
Europeia/Francesa
2932 E Chapman Ave, 92669
Tel *(714) 997-1972*
Fecha *almoço; seg e ter*
Banquetes com sete pratos a preço fixo começam na adega e incluem um intervalo para os clientes visitarem a cozinha. Faça reserva para essa experiência gastronômica.

SAN LUIS OBISPO: Cioppinot Seafood Grill $$$
Italiana
1051 Nipomo St, 93401
Tel *(805) 547-1111* **Fecha** *almoço*
Uma família comanda essa casa que serve ostras e outros frutos do mar. A carta de vinhos sugere Pinots tintos e brancos do mundo inteiro. Não há taxa de rolha, e o serviço é simpático.

SANTA BARBARA: La Super-Rica Taqueria $
Mexicana
622 N Milpas St, 93103
Tel *(805) 963-4940* **Fecha** *qua*
Barraca de beira de estrada cujos clientes fazem fila pela comida mexicana simples. Prove os tacos, feitos com tortillas grelhadas e recheio de peru marinado, carne, frango, chouriço ou outros itens.

Destaque

SANTA BARBARA: Bouchon $$$
Francesa/Americana moderna
9 O Victoria St, 93101
Tel *(805) 730-1160* **Fecha** *almoço*
Bistrô fino com clima agradável. Entre os pratos favoritos do público estão pato glaceado com bourbon e bordo e búfalo tartare. Peça o bolo quente de chocolate de sobremesa. Garçons explicam o menu em minúcias e dão dicas de harmonização. Casais adoram a atmosfera romântica do Bouchon.

O interior chique do Bouchon, em Santa Barbara

Categorias de Preço *na p. 713*

São Francisco

BERKELEY: Skates on the Bay $$
Frutos do mar
100 Seawall Dr, 94710
Tel *(510) 549-1900*
Frutos do mar do Pacífico – de ostra e salmão a sushi –, filés, frango, hambúrgueres e massas compõem o cardápio. Há lindas vistas da baía e do porto, além de muita animação no bar.

CHINATOWN E NOB HILL: Great Eastern $
Chinesa
649 Jackson St, 94133
Tel *(415) 986-2500*
Um dos melhores chineses de frutos do mar da cidade tem tanques com peixes, caranguejos e camarões vivos. O menu também exibe pato de Pequim, dim sum e outras delícias.

DOWNTOWN: Tadich Grill $$
Americana
240 California St, 94111
Tel *(415) 391-1849* **Fecha** *dom*
Opte entre pratos com frutos do mar, coquetéis de camarão e assado de panela nesse restaurante com reservados aconchegantes e a mesma equipe há décadas. Martínis bons.

Destaque

DOWNTOWN: The Slanted Door $$$
Vietnamita
One Ferry Building #3, 94111
Tel *(415) 861-8032*
Elogiado em todo o país, esse restaurante diante da baía serve desde comida tradicional de rua a pratos com um toque francês. Tome um drinque enquanto espera o camarão caramelizado, o talharim com caranguejo, o frango feito em panela de barro, o tofu com capim-limão ou um prato vegetariano.

HAIGHT ASHBURY E THE MISSION: Kate's Kitchen $
Americana
471 Haight St, 94117
Tel *(415) 626-3984*
Esse local simpático é famoso por rabanada, biscoitos com molho, panquecas de fubá com bacon e cheddar, sopa caseira de frango e comfort food em geral.

OAKLAND: Bay Wolf $$
Frutos do mar
3853 Piedmont Ave, 94611
Tel *(510) 655-6004*
Adepto do movimento Slow Food e da manutenção de hortas

próprias, o Bay Wolf fica em uma casa vitoriana repaginada. Há pratos rústicos com pato, frutos do mar mediterrâneos, cassoulet, nhoque, risoto e frango frito.

**PACIFIC HEIGHTS:
Swan Oyster Depot** $$
Frutos do mar
1517 Polk St, 94109
Tel *(415) 673-1101*
Desde 1912 serve sopa de mariscos, ostras, caranguejo, lagosta e outros frutos do mar excelentes, com cerveja ou vinho. Pagamento somente em dinheiro.

Wine Country

Destaque
**GEYSERVILLE: Rustic
Francis's Favorites** $$$
Italiana
300 Via Archimedes, 95441
Tel *(707) 857-1485*
Esse restaurante na vinícola de Francis Ford Coppola oferece favoritos da família do cineasta como frango ao limão da sra. Scorsese, costelas e bife florentino. Os clientes podem comer no bar cercado por relíquias de filmes, em torno da piscina, perto da parrilla interna em estilo argentino ou no terraço com vistas do vinhedo.

HEALDSBURG: Jimtown Store $
Americana
6706 Hwy 128, 95448
Tel *(707) 433-1212*
É um empório sortido, antiquário, *deli* e café gourmet. Oferece chili, queijo grelhado, sanduíches, bolo caseiro de chocolate e outros lanches, que podem ser embrulhados para um piquenique.

**NAPA:
Bistro Don Giovanni** $$$
Italiana
4110 Howard Ln, 94558
Tel *(707) 224-3300*
Há massas, fritto misto, pizzas de forno a lenha, frutos do mar locais, meio frango assado e pavê. Mesas no bar e no pátio.

**SONOMA: The Girl and
the Fig** $$$
Francesa
110 O Spain St, 95476
Tel *(707) 938-3634*
Deguste delícias francesas em salões com obras de arte ou no pátio. O menu tem queijos e embutidos artesanais, tartares, steak-frites e pratos vegetarianos. Tome um vinho local no bar antigo.

Prato bem apresentado no elogiado Restaurant 301, em Eureka

Norte da Califórnia

CARMEL: Pacific's Edge $$$
Californiana costeira
120 Highlands Dr, 93923
Tel *(831) 622-5445*
Restaurante fino no Highlands Inn, tem pratos com carne, cordeiro e frutos do mar, menu-degustação do chef e menu de bar. Ótima carta de vinhos e vistas do mar.

Destaque
EUREKA: Restaurant 301 $$$
Californiana
301 L St, 95501
Tel *(707) 444-8062*
Esse premiado templo da gastronomia fica em um elegante casarão vitoriano. O menu é diário e inclui legumes orgânicos da horta própria, frutos do mar, aves e carnes locais. Enófilos fazem peregrinações para participar dos jantares do vinicultor e degustar as safras da adega com 3.400 garrafas.

**MENDOCINO: Ravens'
Restaurant** $$
Vegetariana
44850 Comptche Ukiah Rd, 95460
Tel *(707) 937-5615*
Em ambiente simpático na costa, serve sopas, pizzas, massas e pratos grelhados. Vá mais cedo e visite as hortas orgânicas.

**MONTEREY: Old
Fisherman's Grotto** $$
Frutos do mar
39 Fishermans Wharf, 93940
Tel *(831) 375-4604*
Lugar apreciado de gestão familiar, com vistas estupendas do porto. O cardápio tem frutos do mar frescos, filés, massas e deliciosas sobremesas caseiras.

SANTA CRUZ: Crow's Nest $
Frutos do mar
2218 L Cliff Dr, 95062
Tel *(831) 476-4560*
Um ícone desde 1969, essa casa serve especialidades com frutos do mar, massas, filés e costeletas. O bar no andar de cima é mais informal. Lindas vistas do porto.

Gold Country

**GRASS VALLEY: Swiss
House Restaurant** $
Suíça/Alemã
535 Mill St, 95945
Tel *(530) 273-8272*   **Fecha** *seg-qua*
A Swiss House se destaca na área pelas especialidades suíças e alemãs. O cardápio revela sopas, sauerbraten, jaegerschnitzel e bratwurst, assim como pães e doces. O serviço é ágil e bastante cordial.

Destaque
**SACRAMENTO:
Chando's Tacos** $
Mexicana
863 Arden Way, 95815
Tel *(916) 641-8226*
Essa barraca colorida de beira de estrada é considerada um dos melhores restaurantes de Sacramento. Os tacos, em especial, são excepcionais. Todas as carnes – como adobado e carnitas – são bem temperadas, grelhadas e usadas nas tortillas. As tortas também são ótimas.

High Sierras

**MAMMOTH LAKES: The
Restaurant at Convict Lake** $$
Americana/Francesa
1 Convict Lake Rd, 93546
Tel *(760) 934-3803*
Saboreie carnes e peixes locais harmonizados com um rótulo da excelente carta de vinhos nesse belo cenário alpino. O brunch também é delicioso.

**YOSEMITE NATIONAL PARK:
Wawona Dining Room** $$
Americana
Wawona Hotel, 8308 Wawona Rd, 95389
Tel *(209) 375-1425*
Fecha *1º-19 dez, 2 jan-10 abr*
No hotel homônimo, o Wawona prepara especialidades sazonais e pratos tradicionais. Filés saborosos e truta são destaques. Sente-se ao ar livre ou no salão vitoriano.

Mais informações sobre restaurantes *nas pp. 28-9*

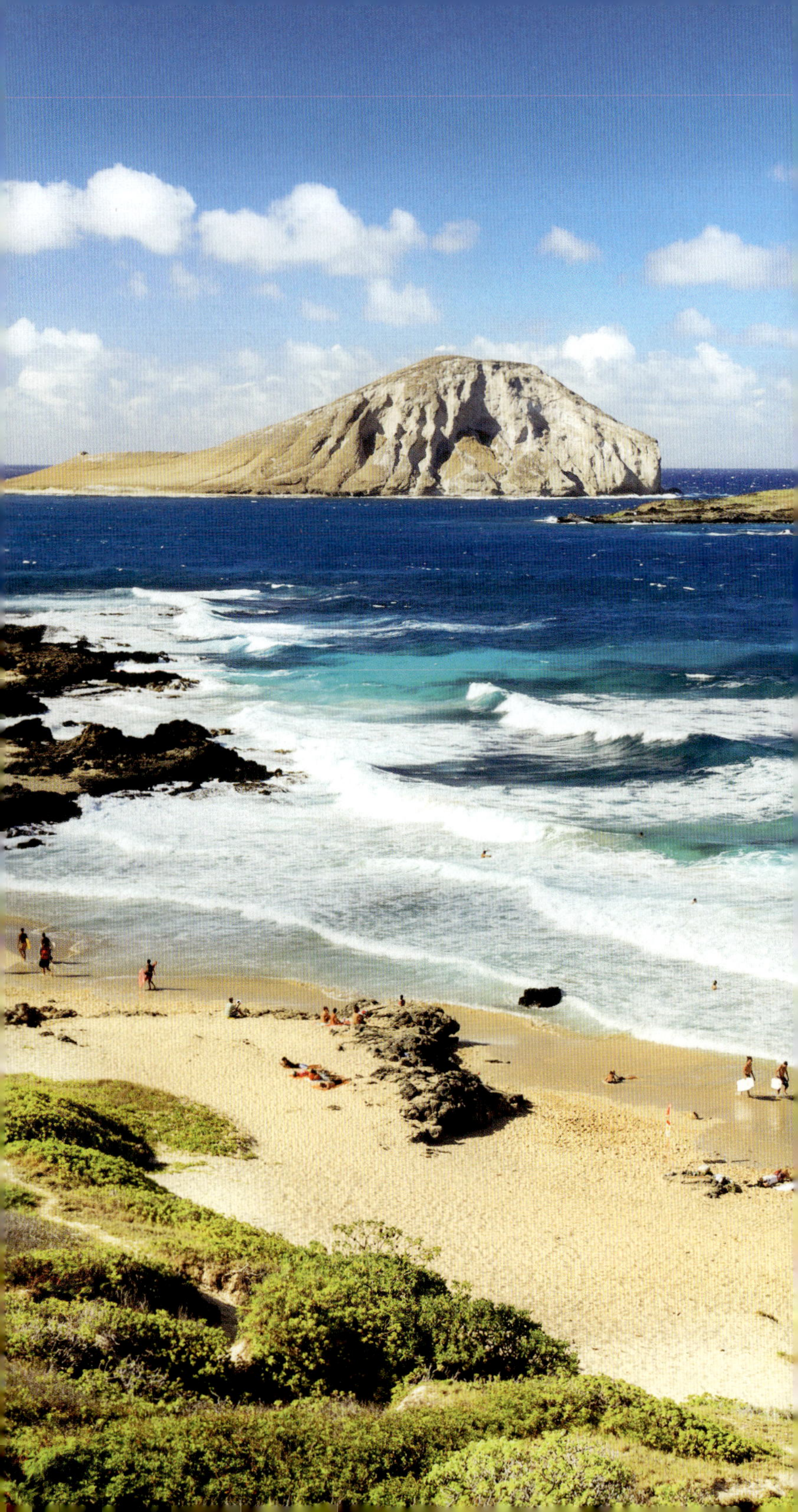

ALASCA E HAVAÍ

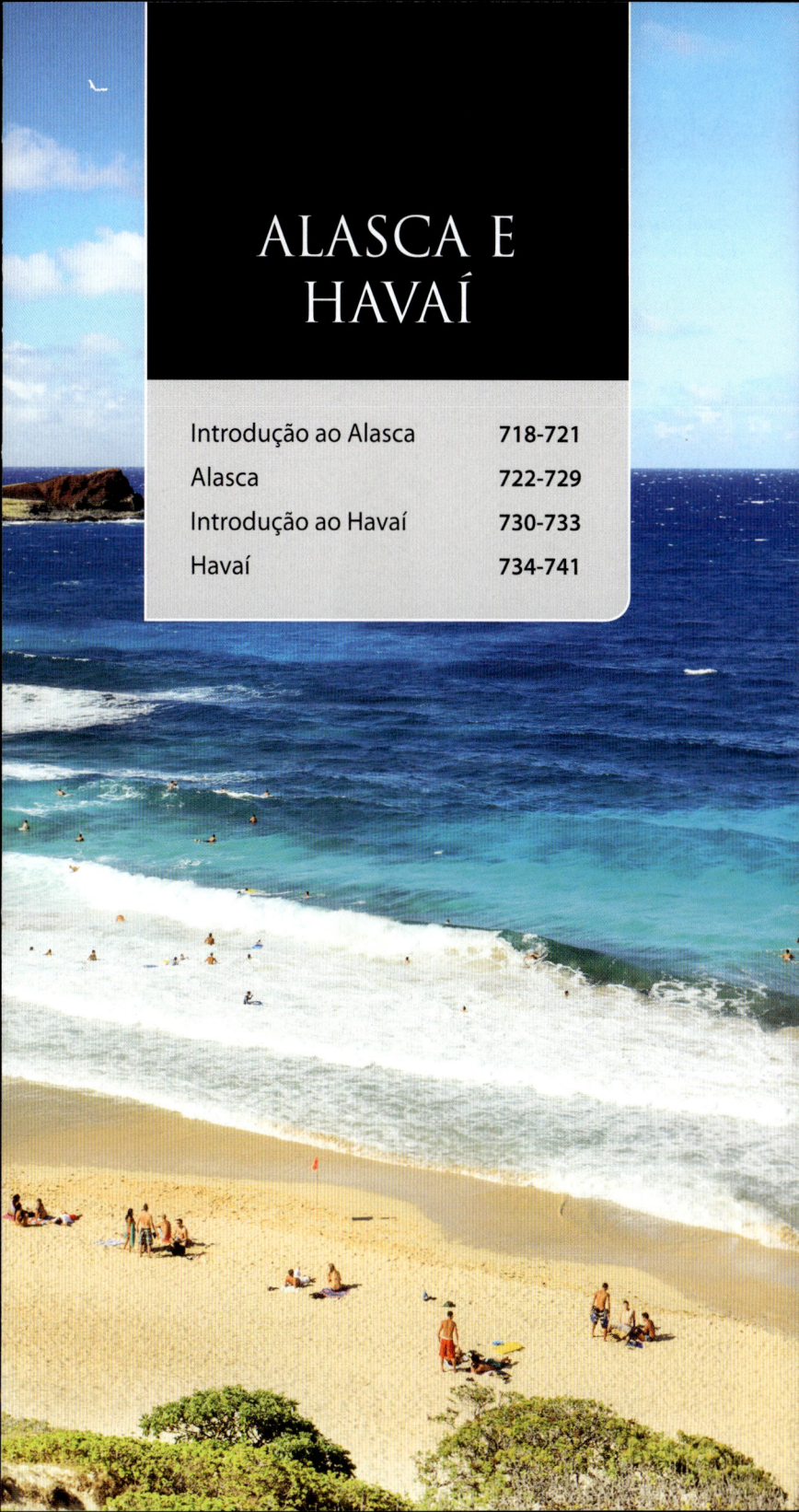

Introdução ao Alasca	718-721
Alasca	722-729
Introdução ao Havaí	730-733
Havaí	734-741

ALASCA

Para a maior parte dos visitantes, as imagens conhecidas do Alasca incluem rios cristalinos, picos nevados, geleiras formando icebergs e grandes ursos-pardos se banqueteando com salmão. Tudo isso e muito mais ainda pode ser encontrado na "última fronteira" da América do Norte, onde em menos de 1% dos 375 milhões de acres existe algum sinal de presença humana.

Situado no topo do continente norte-americano e separado do resto do país pelo Canadá, o Alasca tem duas vezes o tamanho do Texas, o segundo maior estado. O Alasca pode ser dividido em três regiões, tanto geograficamente como em termos de viagem. O sudeste, também chamado de Inside Passage (passagem interna), é um longo e estreito conjunto de ilhas e canais entre o oceano Pacífico e as montanhas costeiras do Canadá. Pitorescas cidades litorâneas, incluindo a capital, Juneau, estão ligadas por um eficiente sistema estadual de ferrovias.

A grande parte do território do Alasca, no entanto, fica no canto extremo noroeste do continente, mais perto da Rússia do que dos "outros 48" estados. A moderna cidade de Anchorage é uma boa base para se explorar a península Kenai e o Denali National Park ou servir de ponto de partida para destinos mais ousados, como a ilha Kodiak e a península do Alasca. Partindo da terra firme na direção oeste, o arquipélago vulcânico – exposto ao vento – das ilhas Aleútas se estende por 1.932km a oeste, mar de Bering adentro.

Boneca russa à venda em Juneau

História

A parte sudeste está a 805km do resto dos Estados Unidos, mas sua ponta extrema fica a apenas 80km da Rússia. Por isso, a história do estado reflete seu papel como ponte e zona de amortecimento entre as duas grandes nações. A história do homem vai muito mais longe, uma vez que foi pelo Alasca que os primeiros homens pisaram na América do Norte, cruzando o estreito de Bering entre 13 mil e 30 mil anos atrás. Enquanto alguns grupos continuaram migrando em direção ao sul, outros se estabeleceram por milênios, caçando e pescando até a chegada dos europeus ocidentais. Os seus verdadeiros descendentes incluem hoje os povoados das Aleutas, a Tlingit costeira, os atabascanos do interior e os esquimós do Ártico e do Alasca ocidental.

Os primeiros povoamentos não nativos foram postos avançados dos comerciantes de pele russos no final do século XVIII. Embora o assentamento chegasse ao sul até a Califórnia, seu declínio veio

Vista panorâmica do pico mais alto da América do Norte, o monte McKinley, no Denali National Park

◀ *Makapu'u Beach, com vista das ilhas Turtle e Rabbit, em O'ahu, Havaí*

Um urso-pardo atrás de salmão em Brooks Camp, no Katmai National Park, península do Alasca

quando os caçadores dizimaram a então extensa população de focas e lontras marinhas. Tido como um risco, o Alasca foi vendido pelos russos em 1867 ao secretário de Estado dos Estados Unidos, William Seward. A compra foi considerada uma perda de dinheiro na época e apelidada de "a loucura de Seward", mas as dúvidas desapareceram quando os primeiros vestígios de ouro surgiram perto de Juneau. Mais minerais foram descobertos, incluindo ouro em 1898 na distante Nome, e grandes quantidades de cobre e petróleo na baía de Prudhoe.

O Alasca Hoje

Vivem hoje no Alasca 710 mil pessoas. Dessa população, 14% são descendentes de nativos, enquanto o resto tem origens diversas (apenas 34% do total nasceram no estado). Sua densidade populacional é de uma pessoa por milha quadrada (comparada a mais de mil em Nova Jersey). A economia depende do petróleo de North Slope, mas a administração pública, o processamento de pescado e o turismo também são importantes. Anchorage é um grande centro internacional de carga aérea. Com o tempo, cresceu a consciência de se preservar a vida selvagem do Alasca das pressões comerciais, devido à riqueza do local. Quase toda a área pertence ao governo e grande parte das terras está protegida na forma de parques nacionais, assim como outras áreas ainda não desenvolvidas que vão de Glacier Bay até Gates of the Artic.

PRINCIPAIS DATAS HISTÓRICAS

13.000-30.000 anos atrás. Povos migratórios chegam ao Alasca através da atual Sibéria

1741 Sob as ordens do czar da Rússia, o explorador dinamarquês Vitus Bering e sua tripulação são os primeiros a visitar o Alasca

1867 Para sair de uma recessão econômica, a Rússia vende o Alasca por US$7,2 milhões

1880 Ouro é descoberto perto de Juneau

1897 A Corrida do Ouro atinge Skagway

1912 O Alasca torna-se território americano

1942 O exército americano constrói uma estrada de 2.322km interligando o Alasca

1959 O Alasca torna-se o 49º estado americano

1964 O Terremoto da Sexta-Feira Santa destrói boa parte de Anchorage

1968 Descoberto petróleo na baía de Prudhoe

1977 O oleoduto Trans-Alasca é inaugurado

1989 O *Exxon Valdez* afunda em Bligh Reef, despejando 50 milhões de litros de óleo no canal Prince William

de 2000 até hoje O aquecimento global está causando grandes mudanças no Alasca, particularmente no Ártico. Essas mudanças causarão grande impacto no ecossistema do estado

Visitantes na geleira Aialik, uma das maiores atrações, no Kenai Fjords National Park

Como Explorar o Alasca

Com muitos rios inexplorados, altas montanhas, uma abundante vida selvagem e geleiras em movimento, o Alasca é de longe o maior estado do país. Suas dimensões fazem com que somente a viagem ocupe uma boa parte do tempo do visitante. No entanto, a região tem uma excelente rede de transportes e infraestrutura para receber 1,5 milhão de turistas todos os anos, a maior parte durante o breve verão, que vai do final de maio ao começo de setembro. Boas autoestradas ligam Anchorage, Fairbanks e outras cidades, mas grande parte do sudeste – incluindo a capital, Juneau – é inacessível por estrada. Serviços de ferryboat, aviões e navios de cruzeiro ligam as cidades costeiras, enquanto vilarejos mais remotos só são acessíveis por ar.

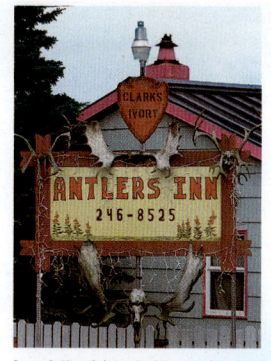

Pousada King Salmon Antler, perto do Katmai NP, península do Alasca

Principais Atrações

1. Ketchikan
2. Sitka
3. Juneau
4. Glacier Bay National Park
5. Skagway
6. Anchorage
7. Valdez
8. Seward
9. Homer
10. Kodiak Island
11. Alaska Peninsula
12. Ilhas Aleútas
13. Nome
14. Fairbanks
15. Wrangell-St. Elias National Park
16. Denali National Park pp. 728-9

Legenda dos símbolos *na orelha da contracapa*

INTRODUÇÃO AO ALASCA | **721**

Legenda
— Estrada principal
⋯ Fronteira internacional

Tabela de Distâncias

Skagway						10 = Distância em milhas
						10 = Distância em quilômetros
833	Anchorage					
1340						
757	307	Valdez				
1218	494					
960	127	429	Seward			
1544	205	690				
1055	236	531	180	Homer		
1697	379	854	289			
712	429	362	484	582	Fairbanks	
1145	690	582	779	936		
833	237	504	364	473	121	Denali NP
1340	382	811	585	761	195	

Geleira Aialik perto de Seward, com focas num iceberg, em primeiro plano

Hidroaviões ancorados na ilha Kodiak, golfo do Alasca

❶ Ketchikan

🏠 7.400. ✈🚌 3km S do centro.
ℹ️ 131 Front Street,
(907) 225-6166, (800) 770-3300.
🌐 visit-ketchikan.com

Ao longo das águas do estreito de Tongass e tendo ao fundo montanhas, Ketchikan é a primeira parada na Inside Passage dos navios de cruzeiro e ferryboats que se destinam ao Alasca. Toda espécie de meios de navegação, hidroaviões e caiaques disputam o espaço no congestionado beira-mar. Os navios de cruzeiro ficam em frente ao centro, possibilitando aos passageiros um acesso fácil às atrações locais, como o distrito da **Creek Street**. Antigamente uma zona de prostituição, a rua tem uma série de casas de madeira coloridas, construídas sobre palafitas e ligadas por uma calçada de madeira. Mesmo para aqueles que não se interessam pela vida selvagem, o **Southeast Alaska Discovery Center** vale uma visita. Traz exposições sobre a história do homem e da natureza da região sudeste do Alasca e inclui uma fabulosa recriação de uma floresta tropical. O **Totem Heritage Center** exibe uma coleção de mais de 30 totens originais, muitos centenários. Ao norte da cidade, a avenida Tongass se estende pelo beira-mar até o parque histórico de Totem Bight. De lá uma trilha, ladeada por enormes totens, leva a uma reconstituição de uma casa de um clã nativo.

Totem, Sitka

🏛️ **Southeast Alaska Discovery Center**
50 Main Street. **Tel** (907) 228-6220.
🕐 mai-set: 8h-17h seg-sex, 8h-16h sáb-dom; out-abr: 10h-16h qui-sáb.

❷ Sitka

🏠 9.000. ✈🚌 11km N do centro.
ℹ️ 303 Lincoln St, (907) 747-5940/ 800) 557-4852. 🎭 Alaska Day (18 out). 🌐 sitka.org

Fundada por um empresário russo, Alexander Baranof, em 1799, Sitka era a capital da América russa até que o Alasca foi vendido aos Estados Unidos em 1867. Mesmo hoje ainda se nota uma forte influência russa. O centro da cidade é dominado pela **St. Michael's Cathedral**, uma catedral ortodoxa russa reconstruída segundo a estrutura original de 1848, depois de ter sido destruída por um incêndio em 1966. No seu interior fica a madona de Sitka, tida como milagrosa. Depois de St. Michael está o **Sitka National Historical Park**, onde se travou uma batalha feroz entre os russos e a tribo local dos tlingit, em 1804. O parque está coberto de totens e fica à margem do estreito de Sitka. Artesãos nativos expõem suas obras no centro cultural durante o verão. O local também oferece uma bela vista da natureza que envolve a cidade. O estreito tem muitas ilhas, e o vulcão de topo coberto de neve, o monte Edgecumbe – muitas vezes comparado ao monte Fuji, do Japão –, ergue-se majestosamente no horizonte.

A catedral em estilo russo de St. Michael, Sitka

O **Alaska Raptor Center**, atravessando-se o rio Indian, cuida de águias-carecas, corujas e falcões. Os visitantes podem passear pelo parque ou fazer uma visita guiada. Sitka também tem uma rede de trilhas para caminhadas e bicicletas para quem quiser se aventurar.

🏛️ **Alaska Raptor Center**
1.000 Raptor Way. **Tel** (907) 747-8662, (800) 693-9425. 🕐 mai-set: 8h-16h diariam. ⭕ out-abr.
🌐 alaskaraptor.org

❸ Juneau

🏠 31.000. ✈🚌 Auke Bay, 22km NO do centro, (907) 465-3940.
ℹ️ Centennial Hall Visitor Center, 101 Egan Dr, (907) 586-2201.
🌐 traveljuneau.com

Juneau é talvez a capital americana situada no mais espetacular cenário. É também a mais remota, sem conexão por terra com o resto do mundo (inclusive com o próprio estado). Com uma grande população, esse movimentado centro da Inside Passage atrai mais de 1 milhão de visitantes todos os anos, durante o breve verão (fim de maio-início set). Situado entre altos picos cobertos de florestas e o canal de Gastineau, o coração da cidade é uma intrigante mistura de modernos e altos edifícios e joias históricas como o **Red Dog Saloon** e o **Alaskan Hotel**. A melhor forma de apreciar a cidade é pegar um bondinho até o **monte Roberts**, de onde se descortina um panorama que vai além do canal de Gastineau.

A rua Creek de Ketchikan, com construções restauradas

Veja hotéis e restaurantes dessa região nas pp. 744-7

ALASCA | 723

No centro, o **Alaska State Museum** abriga uma bela coleção de artesanato russo e nativo, como as máscaras de esquimós. A seção de história natural exibe a recriação de um ninho de águia-careca. Localizada no extremo norte da cidade, a 21km do centro, a **Mendenhall Glacier** é impressionante. Parte do maciço Juneau Icefield, essa geleira forma icebergs que se deslocam rumo ao lago de Mendenhall. Um centro para visitantes às margens do lago oferece painéis explicativos que descrevem a dinâmica da movimentação glacial. Esse é o ponto de partida das trilhas de caminhada de onde se pode ver a geleira mais de perto. Rafting também está à disposição dos que estão em busca de aventura.

Alaska State Museum
395 Whittier St. **Tel** (907) 465-2901. para reformas até abr 2016. **museums.state.ak.us**

Mendenhall Glacier
Na saída da Mendenhall Loop Rd. **Tel** (907) 789-6640. mai-set: 8h-19h30 diariam; out-abr: 10h-16h qui-dom.

❹ Glacier Bay National Park

de Juneau. (907) 697-2230. **nps.gov/glba**
Glacier Bay Cruiseline: Partidas: jun-início set: 7h-15h30 diariam (horários variam). **Tel** (907) 264-4600, (888) 229-8687. **visitglacierbay.com**

Glacier Bay mudou muito desde que o explorador britânico capitão George Vancouver *(p. 600)* encontrou seu caminho através do Icy Strait em 1794. Nos 200 anos seguintes as geleiras recuaram quase 160km, criando um magnífico caminho entre as águas, com extensas baías, protegido por um parque nacional de 3.354km². Seis geleiras chegam até o mar e se partem em grandes pedaços que flutuam em uma baía habitada por jubartes, golfinhos e focas. Chega-se ao local por navios de cruzeiro, mas os viajantes também podem usar o caminho do vilarejo de Gustavus, perto de Juneau, fazendo uma curta viagem por terra até Bartlett Cove e Glacier Bay Lodge *(p. 744)* de ônibus. De Bartlett Cove são 64km até a geleira mais próxima em um catamarã de alta velocidade. Um naturalista a bordo descreve a história natural da baía. As geleiras do litoral são o ponto alto da viagem a esse fabuloso parque.

❺ Skagway

800. SE final da Broadway. Broadway na 2nd Ave, (907) 983-2854. **skagway.com**

Na extremidade norte, a parada final para os visitantes, na Inside Passage, é essa pequena cidade turística rodeada de picos elevados. Em 1897, milhares de aventureiros que iam para os campos auríferos de Klondike chegavam ali e encontravam um obstáculo quase intransponível: a **Chikoot Trail**. Com 53km, essa trilha atravessava um declive de 45 graus apelidado de "Golden Staircase" (escada dourada) sobre o White Pass até as águas do rio Yukon. Nos anos seguintes, Skagway tornou-se um lugar sem lei, nas mãos de um notório comerciante, "Soapy" Smith, que morreu num famoso tiroteio em frente à prefeitura. Hoje a riqueza de Skagway é a sua interessante história. Todo o centro da cidade é tombado, assim como o **Klondike Gold Rush National Historic Park**, com suas fachadas de cenário, bares de época e o significativo Arctic Brotherhood Hall, cuja interessante fachada é decorada com mais de 8 mil peças de madeira retirada da água. A ferrovia **White Pass & Yukon Route**, construída originalmente sobre o White Pass como uma alternativa à trilha de Chilkoot, hoje funciona apenas para turistas em uma viagem panorâmica de três horas de ida e volta até a passagem.

A panorâmica ferrovia White Pass & Yukon Route, perto de Skagway

A Estrada Marítima do Alasca

O serviço estadual de ferryboats conecta cidades que são inacessíveis por terra, nas regiões sudeste e centro-sul do Alasca, e no sul até Prince Rupert (Colúmbia Britânica) e Bellingham (Washington). No caminho, os visitantes passam por magníficos fiordes, geleiras e florestas virgens. Os confortáveis e bem-equipados barcos transportam carros e têm cabines, restaurantes e naturalistas que orientam os turistas. É possível armar barracas no deque externo. As reservas devem ser feitas com muita antecedência *(p. 742)*.

Logotipo da Alaska Marine Highway

Casa de clã no Alaska Native Heritage Center, Anchorage

❻ Anchorage

🚆 292.000. ✈ 🚌 🚐 🚗 ℹ 4th Ave na F St, (907) 274-3531. 🎪 Alaska State Fair (fim ago). 🌐 **anchorage.net**

Situada entre Cook Inlet e as montanhas Chugach, Anchorage é a maior cidade do Alasca. Embora seu urbanismo ao longo da costa seja muitas vezes considerado incomum, vale a pena passar um tempo nessa metrópole do norte. É também o ponto de convergência financeiro e dos transportes do Alasca. Quase todo o centro foi destruído no Terremoto da Sexta-Feira Santa *(p. 719)*, em 1964, quando a parte norte da 4th Avenue afundou 3m. No **Earthquake Park**, a oeste do centro, pode-se ver uma exposição que conta a história do grande terremoto.

Um dos melhores museus do Alasca, o **Anchorage Museum** abriga material sobre a história do estado, da ciência e da cultura nativa, junto com algumas das melhores artes do Alasca, e o Imaginarium Discovery Center. No **Alaska Native Heritage Center**, atores fantasiados dão aos visitantes uma visão da cultura nativa através da dança. Uma seção inteira foi dedicada à reconstituição de um vilarejo nativo ao lado de um lago. A uns 80km a sudeste da cidade, o **Portage Glacier** está em recuo permanente e hoje já não pode ser visto do centro de visitantes. Pode-se fazer um passeio de barco, que se aproxima da geleira. Em março há uma corrida de cães puxando trenó.

🏛 **Anchorage Museum**
121 W 7th Ave. **Tel** (907) 929-9200.
🕐 mai-set: 9h-18h diariam; out-abr: 10h-18h ter-sáb, 12h-18h dom. ♿
🌐 **anchoragemuseum.org**

🏛 **Alaska Native Heritage Center**
8.800 Heritage Center Dr.
Tel (907) 330-8000, (800) 315-6608.
🕐 início mai-fim set: 9h-17h diariam.
🚫 fim set-início mai. ♿
🌐 **alaskanative.net**

❼ Valdez

🚆 4.000. ✈ 🚌 downtown.
ℹ 104 Chenega St, (907) 835-4636.
🌐 **valdezalaska.org**
Stan Stephens Glacier & Wildlife Cruises: Partidas: meados mai-meados set: diariam, (877) 777-2805. ♿ restrito. 🌐 **stanstephenscruises.com**

A pitoresca cidade de Valdez fica no sopé de picos cobertos de neve, ao longo de um braço do estreito Prince William, uma grande baía que compreende ilhas, geleiras e águas geladas repletas de vida selvagem. Esse é o porto que não congela mais ao norte do continente. O oleoduto **Trans-Alaska**, que corre 1.288km sobre a superfície através do estado, da baía de Prudhoe até o oceano Ártico, termina nesse ponto, de onde o petróleo é transferido para os navios petroleiros. O *Exxon Valdez* afundou em 1989, derramando milhões de litros de óleo. Um tremendo esforço foi feito para restaurar o estreito e, embora hoje não haja mais vestígios do acidente, seu efeito nocivo sobre aves, peixes e mamíferos marinhos perdura. Um cruzeiro pelo estreito passa pela **Columbia Glacier**, uma geleira com mais de 4,8km de largura em sua face mais alta (75m), e que continuamente desloca icebergs rumo ao mar. O **Valdez Museum** traz mostras da cultura nativa, da importância do petróleo na economia local, do derramamento de óleo e do devastador Terremoto de Sexta-Feira Santa, cujo epicentro foi a menos de 97km de Valdez. A cidade também oferece belas caminhadas, caiaque e rafting.

Escultura de bronze, Valdez Museum

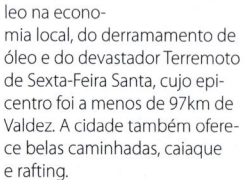

🏛 **Valdez Museum**
217 Egan Dr. **Tel** (907) 835-2764.
🕐 meados mai-meados set: 9h-17h diariam; meados set-meados mai: 12h-17h seg-sáb, 12h-16h sáb. ♿
🌐 **valdezmuseum.org**

Reconstituição de uma tradicional cabana de mineiro, no Valdez Museum

Veja hotéis e restaurantes dessa região nas pp. 744-7

O magnífico glaciar Exit, no Kenai Fjords National Park, ao norte de Seward

❶ Seward

3.200. downtown.
3rd St, (907) 224-8051.
sewardak.com

Uma das maiores cidades na península de Kenai, Seward é um charmoso porto pesqueiro na baía Ressurrection, cercada pelas montanhas Kenai, cobertas de neve. Um dos destaques é o **Alaska SeaLife Center**, que exibe a vida marinha da região. O que desperta maior interesse é uma série de três aquários com aves, focas e leões-marinhos. Tanques menores abrigam caranguejos e polvos, enquanto um "tanque de toque" encoraja o turista a tocar a vida que se concentra na zona das marés.

Seward faz fronteira com o **Kenai Fjords National Park**, uma região selvagem costeira às geleiras, de 2.347km². Do gigante Hardy Icefield difundem-se geleiras por todas as partes, oito delas sendo "geleiras de maré", que chegam ao nível do mar. As docas do centro de Seward são o ponto de partida para viagens de barco ao largo da costa do parque. Essas excursões diárias proporcionam uma excelente oportunidade para observar baleias, focas, leões-marinhos, golfinhos e uma vasta concentração de fotogênicos papagaios-do-mar pousados sobre as rochas. A geleira mais acessível do parque é a Exit (Saída), situada fora da estrada, 6,4km ao norte de Seward. Do final da estrada de acesso, uma curta trilha passa por uma floresta com árvores emergindo no rio de gelo azulado, dentro do vale que ele esculpiu.

Alaska SeaLife Center
Railway Ave. **Tel** (907) 224-6300, (800) 224-2525. set-fim mai: 10h-17h diariam; fim mai-ago: 9h-21h seg-qui, 8h-21h sex-dom. Ação de Graças, 25 dez. alaskasealife.org

Kenai Fjords National Park
Parque: Visitor Center: **Tel** 422-0500. fim mai-início set: 8h30-19h diariam; inverno: 9h-17h seg-sex. nps.gov/kefj

❷ Homer

5.000. Homer Spit.
201 Sterling Hwy, (907) 235-7740.
homeralaska.org
Islands and Ocean Center:
95 Sterling Hwy, (907) 235-6961.

Ao final da autoestrada de Sterling fica Homer, um simpático vilarejo à beira d'água descoberto em 1896 por Homer Pennock, que estava atrás de ouro. Hoje se tornou um destino muito popular entre os visitantes. O destaque é **Homer Spit**, um trecho de terra de 6,4km que avança para dentro da baía de Kachemak, com as montanhas Kenai cintilando do outro lado das águas. Uma movimentada estrada atravessa o Spit, passando por praias repletas de barcos coloridos, lojas de equipamentos para pesca e restaurantes animados. Conhecida como a "capital mundial do linguado-gigante", sua atração principal é a pesca. Operadores de charters e seus barcos ficam na área de Spit, e os passeios diários incluem aparelhagem, iscas e todas as instruções necessárias. Quem consegue pescar um linguado ou um salmão pode congelá-los e enviá-los para casa. O **Fishing Hole**, em Spit, é um buraco cavado pelo homem para se pescar salmão com facilidade. A incrível natureza selvagem do **Kachemak Bay State Park**, na outra margem da baía, pode ser explorada por várias trilhas. A mais conhecida delas leva à Grewingk Glacier (geleira Grewingk).

Pescadores na pesagem de um linguado-gigante em Homer Spit

O extremo norte da ilha Kodiak, coberto por florestas de abetos

❿ Kodiak Island

14.000. downtown.
100 Marine Way, (800) 789-4782;
(907) 486-4782. **w** kodiak.org

Segunda maior ilha dos Estados Unidos, Kodiak se estende por 160km através do golfo do Alasca. A maior parte da ilha é uma área inacessível de natureza selvagem protegida pelo **Kodiak National Wildlife Refuge**, com 7.690km². A ilha é famosa por ser o hábitat dos 2.500 ursos Kodiak – o maior urso-pardo do mundo –, alguns com 3m de altura e até 675kg de peso. O centro de visitantes fornece detalhes dos voos charter para os melhores lugares a serem observados. Quase todos os habitantes da ilha moram na cidade de Kodiak, que abriga o maior posto da Guarda Costeira do país e a terceira maior frota pesqueira. A edificação russa mais antiga da América do Norte, um armazém de 1808, é hoje o excelente **Baranov Museum**. Suas maiores atrações incluem uma incrível coleção de samovares, caiaques aleútes e fotos da cidade quando foi atingida por um tsunami provocado pelo Terremoto da Sexta-Feira Santa, em 1964 *(p. 719)*. Para explorar a indústria da pesca local é só seguir a rua Shelikof, passar o porto e ir às fábricas de conservas, uma delas um antigo navio militar de 1945.

🏛 Baranov Museum
101 Marine Way.
Tel (907) 486-5920.
jun-ago: 10h-16h seg-sáb; set-mai 10h-15h ter-sáb.
w baranovmuseum.org

Samovar, Baranov Museum

⓫ Alaska Peninsula

King Salmon Airport, (907) 246-4250.

Dominada pela cadeia de montanhas do Alasca, essa parte remota do estado atrai visitantes que desejam observar sua natureza e vida selvagem. A segunda maior explosão registrada na história ocorreu em 1912, quando o monte Novarupta, na península, entrou em erupção, cobrindo uma área de 1.036km² de cinzas e pedras-pomes a uma altura de 210m. A explosão foi ouvida até em Seattle, e as cinzas da erupção ficaram na atmosfera por um ano. O **Katmai National Park**, com 16.187km², abrange a área onde o vulcão foi mais ativo. Mas ainda resta o Valley of 10,000 Smokes (vale das 10 mil fumaças), onde gases de alta temperatura e cinzas continuam a ser expelidos em meio a uma paisagem lunar. Pessoas do mundo todo vão ao **McNeil River State Game Sanctuary** para fotografar ursos-pardos caçando salmões no rio McNeil. O acesso se dá por táxi aéreo de King Salomon ou de Homer *(p. 725)*.

Katmai National Park
(907) 246-3305.
w nps.gov/katm

McNeil River State Game Sanctuary
Melhor época para observação: jul-meados ago. Permissão necessária: do Department of Fish & Game, (907) 267-2182.
w adfg.alaska.gov

Urso-pardo no parque nacional de Katmai, península do Alasca

Veja hotéis e restaurantes dessa região nas pp. 744-7

ALASCA | 727

⓬ Ilhas Aleútas

🏔 9.000. 🚏 ⛴ Unalaska. ℹ️
Unalaska Dutch Harbor Convention and Visitors' Bureau, (907) 581-2612, (877) 581-2612. 🌐 **unalaska.info**

Além da península do Alasca, os topos da cadeia de montanhas Aleútas criaram uma sequência de ilhas que se estende por 1.932km no oceano Pacífico. Originalmente habitadas por caçadores de focas aleútes, as ilhas foram ocupadas por mais de um ano pelos japoneses durante a Segunda Guerra Mundial. Hoje, mais da metade da população do arquipélago mora em **Unalaska**, situada junto a um porto holandês. Essa cidade tem a maior produção de frutos do mar do país, que inclui caranguejo, linguado-gigante, bacalhau e peixes. O porto abriga barcos pesqueiros, guindastes de contêineres e fábricas de processamento. A igreja ortodoxa russa da Sagrada Ascensão, de 1827, é um ponto de referência à beira-mar.

⓭ Nome

🏔 3.000. 🚏 ℹ️ 301 Front St, (907) 443-6555, (800) 478-1901. 🌐 **visitnomealaska.com**

Poucos poderiam discordar da frase local que diz que "não existe nenhum lugar como Nome". À beira do mar de Bering, mais perto da Rússia do que de Anchorage, a cidade tem o seu nome devido ao erro de um cartógrafo, que anotou no mapa 'Name?' ('Nome?', em inglês). Mais tarde, outro cartógrafo leu errado de novo e acabou ficando "Nome".

Embora Nome seja hoje uma sombra do passado, é ainda fascinante e popular entre os visitantes. Funcionários cordiais do centro de informação turística indicam relíquias históricas, como o **Last Train to Nowhere** (último trem para lugar nenhum) e todo o material por lá abandonado. Há várias trilhas que cruzam a tundra sem árvores. Percorrer as praias garimpando ouro é também outra atividade sem igual.

⓮ Fairbanks

🏔 35.000. 🚏 🚌 ℹ️ 101 Dunkel St, (907) 456-5774, (800) 327-5774. 🌐 **explorefairbanks.com**

Cercada por uma natureza selvagem subártica, Fairbanks é a segunda maior cidade do Alasca e a mais populosa nessa latitude. Localizada apenas 241km ao sul do Círculo Ártico, o sol quase não desaparece na linha do horizonte por ocasião do solstício solar (21 jun). As longas horas de escuridão durante o inverno tornam o local ideal para se apreciar a aurora boreal, um fenômeno de camadas deslumbrantes de luz produzidas no céu por partículas de elétrons e prótons do vento solar. Fairbanks também é conhecida por suas temperaturas extremas, que muitas vezes ultrapassam os 32°C no verão e ficam abaixo de -1 °C no inverno. No centro, o **Morris Thompson Cultural & Visitor Center** tem informações e excelentes exposições sobre a história regional. O University of Alaska Museum of the North concentra-se em história natural e arte. No **Pioneer**

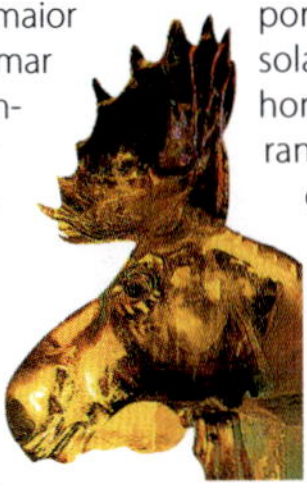

Caribu no Ice Museum, Fairbanks

Vista das auroras boreais, ou luzes do norte, no Alasca

Park, edificações históricas de todas as partes do estado recriam uma cidade da época da Corrida do Ouro, às margens do rio Chena. Todas as tardes, no verão, o parque apresenta uma revista musical, com dançarinos em trajes típicos de época.

🏛 **Pioneer Park**
Airport Way. **Tel** (907) 459-1087. 🔘 fim mai-início set: 12h-20h diariam.

🏛 **Morris Thompson Cultural & Visitor Center**
101 Dunkel St. **Tel** (907) 459-3700. 🔘 diariam.

⓯ Wrangell-St. Elias National Park

🚏 McCarthy. 🚌 para McCarthy. ℹ️ Wrangell-St. Elias National Park Visitors' Center, milha 106,5 da Richardson Highway; (907) 822-7476. Postos de patrulha em Chitina e Slana. 🌐 **nps.gov/wrst**

É o maior Parque Nacional do país – tem seis vezes o tamanho de Yellowstone. São 52.500km² de natureza intocada que se espalha pelo sudoeste do continente. Dominado pelas montanhas vulcânicas Wrangell Mountains e pelo congelado St. Elias Range, o parque tem nove das dezesseis maiores montanhas dos Estados Unidos. Declarado Patrimônio da Humanidade pela Unesco em 1992, o parque conta com locais históricos de mineração, como a cidade de McCarthy.

A velha cidade mineira de McCarthy, no Wrangell-St. Elias National Park

⑯ Denali National Park

A maior atração do Alasca, o Denali National Park tem 24.281km². O monte McKinley, o mais alto da América do Norte, se destaca entre os picos à sua volta, com 3.048m de altitude. O parque tem uma abundante vida selvagem, incluindo ursos-pardos, alces e caribus, assim como uma profusão de flores silvestres que explodem em cores pela tundra, em julho. Apenas uma estrada passa pelo parque, atravessando paisagens variadas que abrangem baixadas e passagens no alto das montanhas, assim como várias trilhas perto do centro de visitantes. Outras atividades incluem demonstrações de trenós puxados por cachorros, rafting no rio Nenana e voos panorâmicos em volta do monte McKinley.

Alaska Railroad
Muitos viajantes preferem viajar de trem para visitar Denali.

★ **Wonder Lake**
Perto do final da estrada do parque, o Wonder Lake fornece uma das melhores vistas do monte McKinley.

★ **Monte McKinley**
Vista do monte McKinley coberto de neve, de Park Road, a caminho do lago Wonder. Originalmente chamado de Denali, "O Grande", pelos nativos atabascanos, muitos no Alasca ainda se referem ao monte por seu antigo nome.

Veja hotéis e restaurantes dessa região nas pp. 744-7

ALASCA | 729

★ **Rafting em Whitewater**
Trilhas e muita água no rio Nenana, que flui ao longo da fronteira leste do parque nacional.

PREPARE-SE

Informações Práticas
Parque: ◯ diariam. Centro de Visitantes: ◯ meados mai-meados set: 8h-18h diariam. **Tel** (907) 683-2294.
Ônibus para o parque: reservar antes. Alguns ônibus retornam do Centro de Visitantes Eielson, que tem vistas do monte McKinley; outros continuam até o lago Wonder, a 40km do pico. A viagem de ida e volta de 150km leva 13 horas.
Partidas: meados mai-meados set: 6h-14h diariam em intervalos regulares. Conferir os horários no site. **Tel** (907) 272-7275, (866) 761-6629.

Turistas em um ônibus no parque

A Vida Selvagem

Uma das maiores atrações do Alasca é a observação da vida selvagem, e o Denali National Park proporciona grandes oportunidades para ver os maiores e mais impressionantes animais do estado. Ursos-pardos, alces, ovelhas dall e caribus são sempre avistados pelos turistas, de dentro dos ônibus, com os motoristas parando para tirar fotos. O parque também abriga lobos – embora não apareçam com a mesma frequência dos outros mamíferos, descobri-los pode ser uma experiência memorável para os visitantes.

Urso-pardo se alimentando

Alce na água

Caribus são muito frequentes

Legenda
- - - Limites do parque
—— Ferrovia do Alasca
—— Estrada principal
══ Estrada de terra

Legenda dos símbolos *na orelha da contracapa*

HAVAÍ

Um paraíso tropical de praias com areia dourada, cachoeiras e florestas exuberantes, o Havaí atrai mais de 6 milhões de visitantes por ano. O arquipélago, isolado no meio do oceano Pacífico, de paisagem exótica e hospitalidade ímpar, oferece experiências extraordinárias, de erupções vulcânicas ao melhor surfe do mundo até vislumbres da fascinante herança cultural da Polinésia.

Localizadas no meio do oceano Pacífico, 4.000km a sudoeste de Los Angeles, as ilhas havaianas são de origem vulcânica. Na verdade, as ilhas ainda estão evoluindo, como se pode observar pelo fluxo de lava nas vertentes do monte Kilauea, de 4.205m de altura, situado na ilha do Havaí, ou "A Grande Ilha".

A segunda maior ilha, Maui, foi formada pelo vulcão dormente Haleakala. Essa ilha, a de mais rápido crescimento, ainda conserva uma história significativa, sobretudo no antigo porto baleeiro de Lahaina. A ilha seguinte, Molokai, não faz parte do roteiro turístico. Antigamente um centro de plantações de abacaxi, Molokai é famosa pelos altos penhascos de sua costa norte. Lanai, outra ilha pequena, é vizinha a Maui.

A ilha mais popular e desenvolvida é Oahu, onde vivem três quartos da população e para onde a maioria dos visitantes se dirige. O centro de Oahu é Honolulu, a capital do estado e sua única grande cidade. Mais adiante fica a mágica Kauai, conhecida como "ilha jardim" por suas florestas tropicais sempre úmidas por causa da precipitação de chuva, que chega a 10m por ano.

Dança polinésia, uma atração popular

História

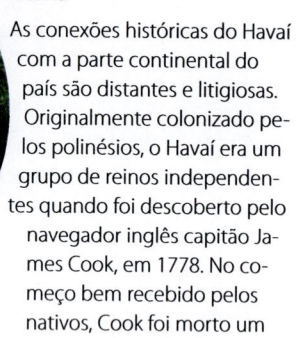

As conexões históricas do Havaí com a parte continental do país são distantes e litigiosas. Originalmente colonizado pelos polinésios, o Havaí era um grupo de reinos independentes quando foi descoberto pelo navegador inglês capitão James Cook, em 1778. No começo bem recebido pelos nativos, Cook foi morto um ano depois. Outros exploradores o sucederam, trazendo novas e fatais doenças. No final do século XVIII as ilhas se reuniram sob uma monarquia, conduzida por Kamehameha, o Grande, que reinou de 1795 a 1819. No início do século XIX, comerciantes europeus trouxeram mudanças fundamentais. O cristianismo foi introduzido pelos missionários puritanos de Boston em 1820, enquanto economicamente a madeira e a caça à baleia ganhavam importância. Isso ajudou a desestabilizar a cultura nativa, e, por volta de 1880, empresários americanos brancos, em especial fazendeiros de abacaxi e cana-de-açúcar, acabaram tomando o controle, derrubando a monarquia em 1893. Depois de uma série de manobras políticas complexas, o Havaí tornou-se parte dos Estados Unidos em 1898. Bem mais tarde, em 1993, os Estados Unidos desculparam-se formalmente ante o povo havaiano por terem participado da "derrubada ilegal do reino do Havaí". Poderosos fazendeiros americanos dominaram a primeira metade do século XX, e

O topo do monte Haleakala, em Maui

Canoagem e natação, algumas das mais populares atividades aquáticas no Havaí

todas as tentativas de sindicalizar a força de trabalho local, na maioria japonesa, foram rechaçadas. Ironicamente, foi apenas com a ameaça de invasão que as instituições feudais se democratizaram. Em 7 de dezembro de 1941 o Japão atacou Pearl Harbor, forçando os americanos a entrar na Segunda Guerra Mundial, o que mudou o Havaí para sempre.

Havaí Hoje

A meio caminho entre os Estados Unidos continental e o Extremo Oriente, o Havaí tem uma população diversificada. Do 1,3 milhão de residentes, um terço é de não asiáticos, um terço é de ascendência japonesa e o resto é composto de filipinos, chineses, coreanos e samoanos. Sobraram poucos verdadeiros nativos havaianos, mas o espírito nativo de "aloha", uma palavra havaiana que significa "olá", "adeus", "bem-vindo" e "amor", ainda permanece.

Em 1959 foi introduzido o tráfego aéreo, aproximando o Havaí da Costa Oeste. Quando o turismo se tornou sua principal indústria, surgiram os resorts, que marcaram uma nova era. Ao mesmo tempo, o resgate da cultura nativa, da língua e do artesanato humanizaram o desenvolvimento comercial, pois, não importa para qual ilha se vá, as raízes polinésias estão sempre presentes.

Ciclista passeia em uma paisagem deslumbrante, longe da movimentada praia de Waikiki

PRINCIPAIS DATAS HISTÓRICAS

400 d.C. Polinésios migram das ilhas Marquesas para as ilhas do Havaí

1778 James Cook é o primeiro europeu a chegar às ilhas, e as nomeia ilhas Sandwich, em homenagem a seu protetor, o conde de Sandwich

1795 Começa o reinado de Kamehameha

1893 Com o apoio da marinha, comerciantes norte-americanos derrubam o reino do Havaí, declarando-o uma república independente

1898 O Havaí é anexado aos EUA

1941 Bombardeiros japoneses atacam Pearl Harbor no dia 7 de dezembro

1959 O Havaí torna-se o 50º estado

1983 O monte Kilauea começa a sua presente erupção

1993 O governo americano faz uma declaração formal de desculpas no 100º aniversário da derrubada do reino do Havaí

1996 Os havaianos são convocados para votar sobre a questão da soberania

Como Explorar o Havaí

O mais isolado arquipélago do mundo, o Havaí fica a 4.000km da Costa Oeste. As cinco ilhas principais – Oahu, Molokai, Maui, Havaí e Kauai – espalham-se por mais de 805km no oceano Pacífico. A maior parte dos 6 milhões de vistantes anuais chega por via aérea a Honolulu, a capital do estado; para se ir de uma ilha a outra devem-se pegar voos locais. Há disponível um serviço de ferryboat, e alguns cruzeiros de luxo também fazem a conexão entre as ilhas. A melhor maneira de explorar individualmente cada ilha é de carro, porque quase não existe transporte público, exceto em Oahu.

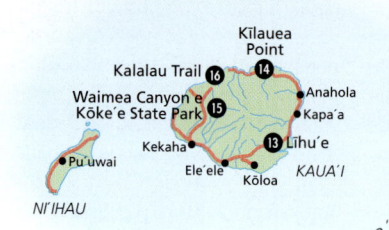

Um lugar isolado onde se pode nadar, na costa rochosa da península Keanae

Principais Atrações

O'ahu
1. Honolulu
2. Byodo-In Temple
3. Hawai'i's Plantation Village
4. North Shore

Moloka'i e Maui
5. Kaunakakai
6. Kalaupapa National Historical Park
7. Lahaina
8. Haleakalā National Park
9. Hāna

Ilha do Havaí
10. *Hawai'i Volcanoes National Park p. 738*
11. Hilo
12. Pu'uhonua O Hōnaunau National Historical Park

Kaua'i
13. Līhu'e
14. Kīlauea Point
15. Waimea Canyon e Kōke'e State Park
16. Kalalau Trail

Praticantes de windsurfe no Hookipa Beach Country Park, perto da cidade litorânea de Paia, na costa norte de Maui

Legenda dos símbolos *na orelha da contracapa*

INTRODUÇÃO AO HAVAÍ | 733

A baía de Honoman com suas águas azuis, cercada por penhascos com florestas

Legenda
— Autoestrada
— Estrada principal

Oahu

A terceira maior ilha do arquipélago, com uma área de 1.550km², Oahu é a mais visitada e a mais populosa. Três quartos dos 1,3 milhão de habitantes do estado moram ali, a maior parte na área da Grande Honolulu. Fora das áreas urbanas, com suas atrações culturais, Oahu oferece uma paisagem espetacular, com vegetação luxuriante, praias tropicais e um paraíso para os surfistas na North Shore.

Estátua do rei Kamehameha desejando boas-vindas

❶ Honolulu

905.000. O'ahu VB, (808) 524-0722. visit-oahu.com; HVCB (Hawai'i Visitors and Convention Bureau), (808) 923-1811, (800) 464-2924. gohawaii.com

A capital do Havaí tem dois pontos de interesse – a parte histórica e comercial do centro de Honolulu e o resort de Waikiki, mundialmente famoso, 5km a leste. A área central, que começou a se destacar como um porto comercial no início do século XIX, hoje abriga enormes arranha-céus, um palácio real, santuários japoneses, casas em estilo missionário da Nova Inglaterra, uma movimentada Chinatown, locais de *striptease* e mercados de peixe numa área relativamente pequena.

Dominando o distrito central, Capitol, fica o **'Iolani Palace**, concluído em 1882. Único palácio real dos Estados Unidos, foi desenhado e habitado pelo rei David Kalakaua, seguido por sua irmã, a rainha Lili'uokalani, que reinou por dois anos apenas, até a derrubada da monarquia em 1893 (p. 730). Local de frequentes eventos comunitários, seu interior é luxuoso e tem uma escadaria de madeira *koa*. Mais ao sul fica a **Kawaiaha'o Church**, uma igreja no estilo da Nova Inglaterra, construída com blocos de coral. Foi erguida em 1842, quando os missionários americanos já haviam conseguido converter importantes figuras locais ao cristianismo. A galeria superior tem retratos dos monarcas havaianos, a maior parte deles batizada, casada e coroada no local. Ao lado da igreja fica o **Mission Houses Museum**,

Elmo do 'Iolani Palace

que contém a mais antiga casa de estrutura de madeira do Havaí, construída em 1821 pelo missionário da Nova Inglaterra reverendo Hiram Bingham. Composto de três edifícios, o museu tem uma gráfica e interior muito bem conservado.

Perto dali fica a estátua de bronze do rei **Kamehameha**, o mais respeitado monarca havaiano, que reinou de 1795 a 1819 (p. 730). A estátua, com o seu manto de penas e um braço estendido de boas-vindas, é uma das mais famosas atrações do Havaí.

Ao norte do distrito Capitol fica **Chinatown**, com dois leões de mármore guardando a entrada. A área é um bairro exótico com mercados ao ar livre, barracas de *lei* (guirlanda de flores), restaurantes e lojas de ervas medicinais. Os primeiros chineses a chegar ao Havaí em navios mercantes, em 1789, seguidos de muitos outros, em 1852, vieram para trabalhar nas plantações de cana-de-açúcar de Oahu. Entre os edifícios a serem visitados em Chinatown estão o art déco **Hawai'i Theatre** e o mais antigo santuário xintoísta japonês do estado, o **Izumo Taisha Shrine**, construído em 1923. No porto de Honolulu, o fascinante **Hawai'i Maritime Center** apresenta canoas antigas e mostras que relatam os feitos dos navegadores polinésios. Ancorado ao lado está o Hokule'a, o último veleiro de quatro mastros que existe no mundo.

Waikiki, originalmente um lugar com plantações de *taro* (inhame) e lagos com peixes, é hoje uma das praias mais famosas do mundo – suas areias ficam repletas, tendo ao fundo a **cratera Diamond Head**. Cerca de 65 mil turistas por dia vão a essa praia para tomar sol em suas areias douradas, nadar em suas águas protegidas e surfar. A praia se estende por 4km, do Hilton Hawaiian Village até Diamond Head. As ruas e shopping centers estão abarrotadas de vendedores de roupa de praia, casais em lua de mel, matronas japonesas e até jovens surfistas carregando suas pranchas. Entre os edifícios de vidro e concreto aparecem dois imponentes hotéis antigos – o cor-de-rosa **Royal Hawaiian**

Praia de Waikiki com seus hotéis

Veja hotéis e restaurantes dessa região nas pp. 744-7

Hotel e o **Moana Hotel**, em estilo colonial, o mais antigo de Waikiki.

Algumas das atrações mais interessantes estão na Grande Honolulu. Considerado o melhor museu de cultura polinésia, o **Bishop Museum** foi criado pelo comerciante americano Charles Bishop para preservar as relíquias culturais deixadas por sua mulher, uma princesa havaiana. Entre as peças de valor inestimável estão paramentos cerimoniais de penas, raros paramentos *tamate* feitos de retalhos de fibras, imagens sacras e uma *hale* (casa tradicional) feita de grama *pili*.

O **National Memorial Cemetery of the Pacific**, em Punchbowl, a cratera de um vulcão extinto, tem mais de 33 mil sepulturas. Entre os que estão enterrados nesse cemitério encontram-se as vítimas de Pearl Harbor e mortos nas guerras da Coreia e do Vietnã.

Pearl Harbor, um lugar de peregrinação para muitos visitantes, abriga navios de guerra, museus militares e memoriais. O mais significativo deles é o **USS Arizona Memorial**, instalado no navio do mesmo nome que foi afundado durante o bombardeio japonês de 7 de dezembro de 1941. Alguns dos guias-voluntários que trabalham no local são sobreviventes do ataque, que matou mais de 2 mil oficiais americanos (homens e mulheres) e destruiu dezoito navios de guerra, levando os Estados Unidos à Segunda Guerra Mundial *(p. 731)*.

Hawai'i Maritime Center
Pier 7, Honolulu Harbor. **Tel** (808) 599-3810. 19, 20. 9h-17h qua-seg. 25 dez. bishopmuseum.org

Bishop Museum
1.525 Bernice St. **Tel** (808) 847-3511. 2. 9h-17h qua-seg. 25 dez. Demonstrações de artesanato, recitais de música e dança diariam. bishopmuseum.org

Pearl Harbor
11km a NO do centro de Honolulu. 20, 42. USS: Arizona: Memorial: 1 Arizona Memorial Drive. **Tel** (808) 422-0561. 7h-17h diariam. 1º jan, Ação de Graças, 25 dez. nps.gov/usar

❷ Byodo-In Temple
47-200 Kahekili Hwy (Hwy 83), Kāne'ohe. **Tel** (808) 239-8811. na Kahekili Hwy (Hwy 83), depois 10min a pé. 9h-17h diariam. 25 dez. byodo-in.com

Essa réplica de um templo japonês de 900 anos, em um local tranquilo e isolado, é o tesouro secreto de Oahu, com suas paredes vermelhas contrastando com os penhascos verdes ao fundo. Uma ponte curva em vermelho-forte e um sino de 3 toneladas conduzem ao templo de Byodo-In, que abriga um maravilhoso Buda de 3m. O pôr do sol ali é uma experiência mágica.

Placa para Haleiwa, a cidade dos surfistas de Oahu

❸ Hawai'i's Plantation Village
94-695 Waipahu St, Waipahu. **Tel** (808) 677-0110. 43. passeios a cada hora, 10h-14h seg-sáb. feriados. hawaiiplantationvillage.org

Esse vilarejo restaurado por US$3 milhões retrata cem anos da cultura da plantação da cana-de-açúcar, de 1840 a 1943. Abriga também a reconstituição de várias edificações de grupos étnicos que trabalharam na fazenda – coreanos, porto-riquenhos e japoneses –, assim como um santuário xintoísta. Objetos pessoais nas casas dão a impressão de que os moradores acabaram de sair. O pequeno museu local proporciona caminhadas informativas aos visitantes.

❹ North Shore
2.500. HVCB, Oahu, (877) 525-6248. O-Bon Buddhist Festival (jul ou ago). gohawaii.com

O centro da comunidade surfista de North Shore (costa norte) é **Haleiwa**. O pitoresco porto da cidade fica perto das praias públicas. **Ali'i Beach** é famosa por suas grandes ondas e pelos campeonatos de surfe. Ao lado, o **Hale'iwa Beach Park** é um dos poucos lugares de North Shore onde se pode nadar tranquilo durante o inverno. Por ocasião do festival O-Bon, milhares de lanternas flutuantes são lançadas ao mar. Outro lugar popular em North Shore é o **Waimea Valley**. O vale é um paraíso botânico, com 36 jardins, milhares de raras plantas tropicais e 30 espécies de aves. Já não são apresentados shows comerciais pelos quais Waimea Valley ficou famoso, como a *hula* e o mergulho dos penhascos. Em vez disso, o centro tornou-se um local de estudos e preservação da natureza. Os visitantes podem passear pelo vale, e é bom levar binóculos para observar as aves. Depois, pode-se aproveitar e nadar ou mergulhar no Waimea Beach Park, na frente do centro.

Waimea Valley
59-864 Kamehameha Hwy (Hwy 83), Waimea. **Tel** (808) 638-7766. 9h30-17h seg-sex. 1º jan, Ação de Graças, 25 dez.

O encantador templo de Byodo-In, um santuário budista

Molokai e Maui

A pequena ilha de Molokai, entre Oahu e Maui, não é tão turística como as outras. A vida tranquila e as paisagens espetaculares da costa sul coberta de flores e o Kalaupapa National Historical Park, que abriga os maiores penhascos do mundo, encantam os visitantes. Maui, a segunda maior ilha do Havaí, dispõe de uma série de resorts com esportes aquáticos, plantações exuberantes e a impressionante grandeza do vulcão Haleakala.

A península de Kalaupapa, isolada pelas montanhas, em Molokai

❺ Kaunakakai

2.700. Ala Malama St e Kamehameha V Hwy (Hwy 450), (800) 464-2924. Ka Molokai Makahiki (festival cultural, fim jan). gohawaii.com

A principal cidade de Molokai, Kaunakakai, foi construída no século XIX como um porto para as fazendas de cana e de abacaxi. Hoje a agricultura comercial quase desapareceu da ilha. A rua principal, com sua calçada de madeira, é um enfileirado de fachadas reconstituídas. A pouca distância do centro, os pescadores locais abarrotam o **Kaunakakai Harbor**, com o seu quebra-mar de pedra avançando mar adentro. Cerca de 3km a oeste da cidade fica **Kapuaiwa Coconut Grove**, cujas mil árvores elevadas formam uma paisagem magnífica.

Arredores

A leste de Kaunakakai começa a **Kamehameha V Highway**, uma das mais bonitas estradas costeiras do Havaí. A rodovia de 44km passa por igrejas pitorescas, belíssimas praias e antigos vilarejos acomodados entre flores tropicais e exuberantes florestas. O caminho termina no **Halawa Valley**, sem dúvida a paisagem mais impressionante de Molokai, com cachoeiras, praias idílicas, vegetação opulenta e contrafortes.

❻ Kalaupapa National Historical Park

Pode-se chegar ao parque a pé ou em mula pela trilha de Kalaupapa: pega-se a Hwy 470, 5km ao norte de Kualapuu, entre as cocheiras das mulas e Kalaupapa Overlook. obrigatória. Father Damien Tours, (808) 567-6171. Fazer reserva. Visitantes devem ser maiores de 16 anos. Para Molokai Mule Ride (808) 567-6088, fazer reserva.

A isolada península de Kalaupapa, afastada do resto de Molokai por uma barreira de penhascos, abriga o **Kalaupapa National Historical Park**. Em 1865, quando a lepra chegou ao Havaí e colocou em perigo a população local, essa península foi designada para ser uma colônia de leprosos; todos aqueles atingidos pela doença eram exilados no local. O parque é hoje um memorial. O centro era o vilarejo de Kalaupapa, na parte oeste e protegida da península. Os últimos pacientes chegaram em 1969, quando terminou a política de isolamento forçado. A pequena população de Kalaupapa hoje inclui alguns pacientes idosos que escolheram viver ali.

Ao sul do vilarejo fica a **Kalaupapa Trail**, uma trilha muito popular entre os que gostam de caminhadas ou de andar de mula, por suas estupendas vistas durante um percurso de 3km. No centro da península fica a **Kauhako Crater**, uma cratera com um lago a 245m de profundidade.

Na costa oriental da península fica a **St. Philomena Church**, no leprosário original de Kalawao. Transportada de Honolulu em 1872, a igreja foi mais tarde modificada pelo padre belga Damien (1840-89), que dedicou sua vida ao leprosário. Ele morreu de lepra em 1889 e foi beatificado pelo papa. A sua mão direita está enterrada na igreja. Do lado oriental da península algumas ilhas surgem das águas do oceano perto de altíssimos penhascos de 600m de altura – os maiores penhascos costeiros do mundo.

St. Philomena Church, onde a mão do padre Damien está enterrada

Veja hotéis e restaurantes dessa região nas pp. 744-7

HAVAÍ | 737

Moradores mostram sua coragem no Keka'a Point, em Ka'anapali

❶ Lahaina

🏠 9.500. 🚢 Lahaina Harbor.
ℹ️ 648 Wharf St, (808) 667-9175.
🎉 A Taste of Lahaina (festival gastronômico, meados set); Halloween Mardi Gras of the Pacific (31 out). 🌐 **visitlahaina.com**

Uma das mais populares atrações de Maui, essa pequena cidade portuária foi a capital do reino do Havaí até 1845 e um grande centro baleeiro. A área em torno da Front Street tem uma série de sítios históricos restaurados que evocam o passado de Lahaina. Entre eles está **Baldwin Home**, a mais antiga construção em estilo ocidental de Maui, de 1830, com a sua mobília e objetos originais. Ali perto fica o **Chinese Wo Hing Temple**, um templo de 1912. Uma referência na cidade é o seu primeiro hotel, de 1901, o **Pionner Inn**, um dos favoritos entre os turistas.

No porto, ao lado do farol, fica a *Carthaginian II*, uma escuna alemã de 1920, transformada para parecer um pequeno cargueiro como aqueles que levavam pessoas e carga até as ilhas por volta de 1800. A embarcação abriga um museu dedicado às baleias e ao seu comércio.

Apenas 10km ao norte de Lahaina fica o maior resort de Maui, **Ka'anapali**, com os seus hotéis enfileirados à beira de uma praia de areias brancas. **Pu'u Keka'a**, mais conhecida como a "rocha negra", domina a praia e é também um dos melhores locais para snorkeling. Antigas locomotivas a vapor fazem o curto trajeto panorâmico de Lahaina até ali. Ao norte de Ka'anapali, 20 minutos de carro, fica outro grande resort, **Kapalua**, com hotéis de luxo, campos de golfe e lindas plantações de abacaxi.

❽ Haleakala National Park

Haleakala Crater Road (Hwy 378).
🕐 24h diariam. 🎫 🏢 Escritório Central do Parque: ☎ (808) 572-4400.
🕐 7h30-16h diariam. 🏛 Visitor Center: 🕐 6h30-15h30 diariam.
🏠 🌐 **nps.gov/hale**
Chalés: 🌐 **fhnp.org/wcr** (para reservas).

A parte maciça do leste de Maui é na realidade o topo de um enorme vulcão que começa mais de 5km abaixo do nível do mar. Haleakala teve a sua última erupção há 200 anos e ainda é considerado ativo, embora sem erupções recentes. A sua depressão no topo tem 12km de comprimento e 4km de largura. Essa maravilha natural está preservada e faz parte de um parque nacional. A viagem de 2 horas até **Pu'u 'Ula'ula Summit**, a 3.055m de altura, o ponto mais alto de Maui, oferece uma deslumbrante vista do vulcão inteiro, com seus cones de lava e suas cinzas.

O melhor modo de apreciar o Haleakala é descer 900m vulcão adentro. A **Sliding Sands Trail**, uma trilha de 16km, sai do centro de visitantes e passa por cenários que vão de um deserto de lava a uma paisagem tipicamente alpina. Também vale a pena explorar o **Silversword Loop**, onde cresce uma das mais raras plantas do mundo, a Haleakala Silversword, que leva 50 anos para florescer e, quando isso acontece, oferece espetáculo de flores púrpura.

❾ Hana

🏠 700. ✈ ℹ️ MVB, Wailuku, (808) 244-3530. 🎉 East Maui Taro Festival (mar-abr). 🌐 **hanamaui.com**

Muitas vezes considerada a mais havaiana das cidades do arquipélago, Hana continua defasada em modernidade. Sua baía perfeitamente redonda e o clima agradável sempre a tornaram o lugar ideal. **Ka'uiki Head**, um grande cone de lava no flanco direito da baía, serviu como fortificação natural.

O **Hana Cultural Center** apresenta um *kaubale* (conjunto residencial) no estilo anterior ao contato com os brancos, antigamente existente só nessa região, e expõe objetos da história local. A **Wananalua Church**, construída com blocos de coral em 1838, foi erguida por missionários sobre um *helau* (templo) que havia no local, simbolizando o triunfo do cristianismo sobre o paganismo.

A panorâmica **Hana Belt Road** segue a costa até Pa'ia, de onde se veem cachoeiras, uma bela vegetação, jardins botânicos, penhascos rochosos e a baía de Honomanu com sua praia de areia preta.

Pu'u 'Ula'ula Summit, no Haleakala National Park, o ponto mais alto de Maui

Havaí

Espalhada por 10.450km², a ilha do Havaí, também conhecida como a Grande Ilha, é duas vezes maior que todas as outras ilhas juntas. As suas maravilhas naturais incluem a montanha mais maciça do planeta, Mauna Loa, que se ergue a mais de 9.150m acima do mar, e Kilauea, o mais ativo vulcão do mundo; ambos constituem uma parte do Hawai'i Volcanoes National Park. Também fascinantes são os bem-conservados sítios culturais no parque histórico de Pu'uhonua O Honaunau.

❿ Hawai'i Volcanoes National Park

Hawai'i Belt Road (Hwy 11). ⬤ 24h diariam. Kilauea: Visitor Center: **Tel** (808) 985-6000. ⬤ 7h45-17h diariam. Jaggar Museum: **Tel** (808) 985-6049. ⬤ 8h30-20h30 diariam. Volcano Art Center: **Tel** (808) 967-7565, (866) 967-7565. ⬤ 9h-17h diariam. ⬤ 25 dez. Volcano House Hotel: **Tel** (808) 967-7321. **W** nps.gov/havo

Com mais de um quarto de milhão de acres, esse parque nacional inclui o cume do Mauna Loa, de 4.169m, 240km de trilhas e uma grande área selvagem que preserva algumas das espécies mais raras da flora e da fauna do planeta. Mas é Kilauea Caldera e o fluxo de lava que escorre por seu lado oriental que atraem a maioria dos visitantes. Duas estradas – **Crater Rim Drive**, que circunda a caldera (boca de vulcão extinto), e **Chain of Craters Road**, que cruza os mais recentes lugares por onde passou a lava – formam um gigantesco museu interativo. A erupção atual começou em 1983; produz uma lava que desce devagar e não causa nenhum perigo aos visitantes. Devem-se evitar as áreas cercadas; ninguém sabe por quanto tempo a lava vai continuar a fluir ou quando será a próxima erupção.

Lava jorrando do Kilauea durante a erupção de 1983

Legenda

▰ Estrada principal
▰ Estrada secundária
• • Trilha de caminhada

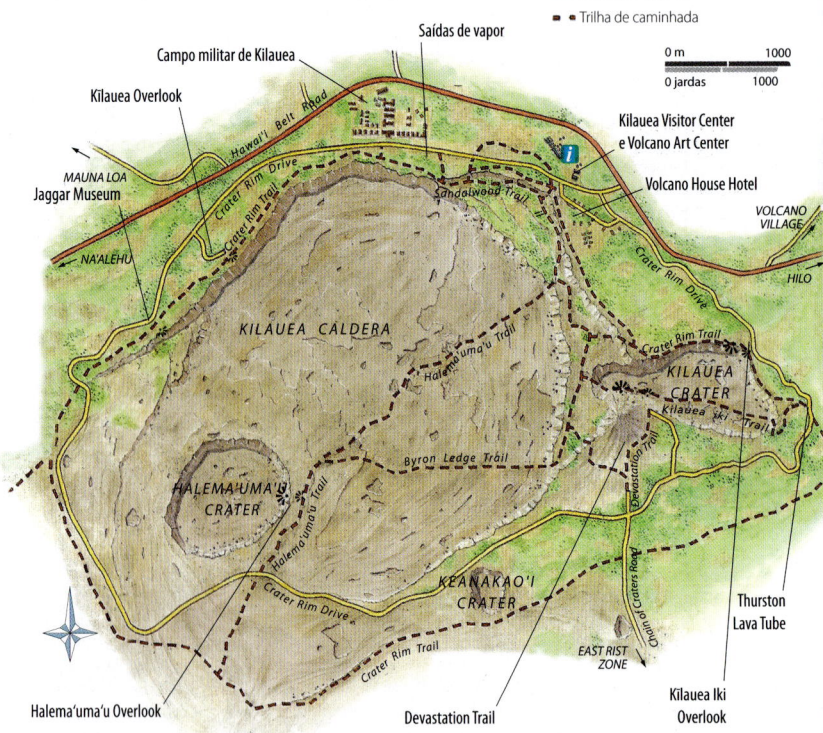

Legenda dos símbolos *na orelha da contracapa*

HAVAÍ | 739

Thurston Lava Tube, túnel formado pelo endurecimento da lava

A leste do parque, o **Kilauea Iki Overlook** oferece uma vista da cratera, que em 1959 se encheu de lava borbulhante, com jatos de fogo que atingiam 580m de altura. Do outro lado da estrada da cratera, na parte lateral oriental do parque, fica Thurston Lava Tube. Esse enorme túnel foi abandonado quando um rio subterrâneo de lava secou. Perto dali, a curta Devastation Trail (Trilha da Devastação) conserva restos fantasmagóricos de uma floresta tropical, extinta pelas cinzas do Kilauea Iki na erupção de 1959. Mais a oeste, de Halema'uma'u Overlook avista-se o outrora lago de lava borbulhante. A cratera abaixo ainda solta fumaça sulfurosa. Essa é a moradia de Pele, a deusa dos vulcões, de difícil temperamento, que migrou de Kahiki (Taiti) procurando um lugar seco para seus fogos eternos.

⓫ Hilo

45.000. Kamehameha Ave, perto de Mamo St, (808) 961-8744. BIVB, 250 Keawe St, (808) 961-5797. Merrie Monarch Festival (mar ou abr). **w** gohawaii.com/bigisland

Embora seja a segunda cidade do estado, "a velha e chuvosa Hilo" é um contraste com a ensolarada e urbana Honolulu. O progresso da cidade depende da natureza – lá chove 278 dias por ano, e dois tsunamis atingiram Hilo, em 1946 e 1960. Desde então a cidade se afastou do mar, transformando o beira-mar em grandes parques, enquanto a chuva ajudou o crescimento de orquídeas e antúrios. Boa parte da população de Hilo é descendente de japoneses e filipinos. O centro comercial, com os seus edifícios restaurados, vale a pena ser explorado a pé. O **Lyman Museum and Mission House** evoca o passado – está preservado como era em 1830, com sua decoração e artefatos vitorianos. Na península de Waiakea, sobressaindo na baía de Hilo, ficam os 12ha dos **Lili'uokalani Gardens**, em estilo japonês, enquanto a leste do centro estão as **Rainbow Falls**, de 24m de altura. O sol da manhã, filtrado pelas águas das quedas, forma lindos arco-íris. Na parte leste da baía de Hilo pode-se nadar e fazer snorkel no **James Kealoha Beach Park** e também no **Richardson Ocean Park**.

⓬ Pu'uhonua O Honaunau National Historical Park

Hwy 160, saída da Hawai'i Belt Rd (Hwy 11). **Tel** (808) 328-2326. 7h-20h diariam. Visitor Center: 8h45-16h30. Palestras de orientação diárias. **w** nps.gov/puho

Desde o século XI, as interações sociais eram reguladas pelo sistema *kapu* (tabu), e até infrações menores, como pisar na sombra do chefe, eram punidas com uma morte violenta. Mas os infratores podiam escapar do castigo se atingissem o *pu'uhonua* (lugar de refúgio). O maior deles era em **Hinaunau**, um conjunto de templos numa área de 2ha, do século XVI, onde era oferecida absolvição a todos os que conseguiam nadar e escapar dos guerreiros do chefe. O poder foi retirado do santuário em 1819, após o fim do sistema *kapu*. Hoje, parcialmente restaurado, o local dá uma ideia de como era o Havaí antes do contato com os colonizadores.

Situado numa península de lava negra, a principal atração do *pu'uhonua* é o **Hale O Keawe Heiau**, templo de 1650 que antes guardava os ossos dos grandes chefes, de onde vinha o seu *mana* (poder sagrado). Do lado de fora ficam as Ki'i – imagens de madeira dos deuses. Impressionante é a muralha de pedra de 3m de altura e 5m de largura. Construída por volta de 1550, separava o *pu'uhonua* da área palaciana em terra firme.

Professor Jaggar (1871-1953)

Thomas A. Jaggar foi um pioneiro na nova ciência da vulcanologia. Professor de geologia no Massachusetts Institute of Technology, fundou o observatório Hawaiian Volcano em Kilauea Caldera em 1912. Quatro anos depois, ele e o editor de Honolulu Lorrin Thurston convenceram o Congresso americano a preservar a área como parque nacional. Jaggar desenvolveu técnicas para coletar gases vulcânicos, medir a inclinação da terra, a atividade sísmica e a temperatura da lava. O trabalho por ele iniciado tornou o Kilauea o vulcão mais estudado do mundo.

O professor Jaggar em uma viagem de barco

Hale O Keawe Heiau, um lugar espiritual

Veja hotéis e restaurantes dessa região nas pp. 744-7

Kauai

O vento e a água levaram 6 milhões de anos para transformar Kauai, a mais antiga das grandes ilhas havaianas, numa sequência impressionante de penhascos e incríveis precipícios cobertos por uma manta de vegetação. Também conhecida como a "ilha jardim", Kauai é a mais bonita e irresistível de todas. Suas atrações principais incluem as belas praias de Kilauea Point, o impressionante cânion Waimea e os penhascos da trilha de Kalalau na costa de Na Pali. É possível conhecer Kauai em menos de três horas de carro.

A varanda sombreada em Grove Farm Homestead, de madeira *koa*

⓭ Lihue

5.900. Rice St, (808) 241-6410. KVB, 4.334 Rice St, Suite 101, (800) 262-1400, (808) 245-3971. Kauai-Taiti Fete (meados ago). **gohawaii.com**

Embora Lihue seja a capital administrativa e de negócios de Kauai, ela é apenas um pouco maior do que um vilarejo. Foi construída no século XIX para servir a Lihue Sugar Mill (moinhos de açúcar), cujas máquinas ainda hoje dominam a área central. O beira-mar de Lihue, com sua bela praia de Kalapaki, é muito bonito, e os arredores da cidade oferecem atrações como grandes casas de fazenda e impressionantes cachoeiras.

Na cidade, o **Kauai Museum** possui uma bela coleção de artefatos tradicionais, como bacias de madeira, estandartes reais de penas e armas antigas. Também apresenta exposições sobre a geologia e a história da ilha. A imponente **Grove Farm Homestead**, na estrada Nawiliwili, é uma mansão do início do século XX, revestida de madeira *koa*, escura e pesada. Um passeio com guia, reservado antecipadamente, mostra a casa por inteiro, além do pomar com seus aromas.

Kalapaki Beach, com areias brancas e águas protegidas, é a praia mais segura da região e indicada para famílias com crianças pequenas. Mais afastado, o parque com palmeiras de **Nawiliwili Beach County** é ideal para piqueniques.

A majestosa casa dos anos 1930 conhecida como **Kilohana Plantation**, 2,5km a oeste de Lihue, parece uma casa de campo inglesa. Os visitantes podem fazer um passeio pela casa, que conta com um restaurante e algumas lojas, e explorar as plantações de cana-de-açúcar em carruagens antigas puxadas por cavalos. A mansão tem uma esplêndida vista da área montanhosa de Kilohana.

Arredores

Apenas 8km ao norte de Lihue, uma estrada sinuosa através das plantações de cana-de-açúcar leva às cascatas gêmeas das **Wailua Falls**, de 24m de altura. A melhor visão delas é a partir do estacionamento à beira da estrada, uma vez que o caminho morro abaixo pode ser escorregadio. **Menehune Fish Pond**, 2,5km ao sul de Lihue, está localizado em um cenário panorâmico. Feito de pedra, o lago foi usado para a engorda de peixes para a mesa do rei.

⓮ Kilauea Point

Kilauea Road, na saída da Kuhio Hwy (Hwy 56), 16km a NO de Anahola. Kilauea. KVB, Lihu'e, (808) 245-3971. **kauaidiscovery.com**

Ponta extrema do norte do arquipélago havaiano, Kilauea Point é um promontório rochoso onde quebram ondas potentes. A área varrida pelo vento foi transformada em um refúgio, o **Kilauea Point National Wildlife Refuge**, onde observadores de aves podem avistar albatrozes e outras espécies. Uma caminhada a partir do centro de visitantes leva a um farol vermelho e branco, **Kilauea Lighthouse**, construído em 1913. Aproximando-se da ponta do promontório tem-se uma esplêndida vista dos famosos penhascos de

As Wailua Falls perto de Lihu'e

Veja hotéis e restaurantes dessa região nas pp. 744-7

Pu'u O Kila Lookout, com vista do vale de Kalalau

Na Pali. Cerca de 800m a oeste da saída de Kilauea, na estrada de Kalihiwai, uma trilha de terra leva à **Sacred Beach** (praia sagrada), de bela areia amarela. O mar é muito bravo para nadar, mas é um ótimo lugar para caminhadas, com suas belas paisagens do farol e uma linda cachoeira ao final.

Kilauea Point National Wildlife Refuge
Kilauea Point. **Tel** (808) 828-1413. 10h-16h seg-sex. 1º jan, Ação de Graças, 25 dez.

KILAUEA LIGHTHOUSE
Marcador oficial

⓯ Waimea Canyon e Koke'e State Park

Koke'e Road (Hwy 550). **Tel** Kaua'i Division of State Parks, (808) 274-3444. Koke'e State Park: diariam. Koke'e Museum: **Tel** (808) 335-9975. Doações. 10h-16h diariam. **W** kokee.org
Koke'e Lodge: **Tel** (808) 335-6061. Chalés disponíveis para alugar.
W thelodgeatkokee.net

Nenhum visitante deveria deixar Kauai sem antes visitar o grandioso Waimea Canyon e a vista deslumbrante do Koke'e State Park. Waymea Canyon, conhecido como "o grande cânion do Pacífico", foi criado por um terremoto que quase dividiu Kauai ao meio. O desfiladeiro, agora com 915m de profundidade, ainda está em erosão pelos deslizamentos de terra e pelas toneladas de solo levadas pelo rio Waimea. De todos os pontos de observação do cânion, o **Waimea Canyon Lookout** é o melhor deles. Os mais aventureiros podem pegar a trilha para explorar maiores profundidades. A **Kukui Trail** desce abruptamente cânion adentro, chegando até o rio Waimea – uma caminhada fácil e que vale a pena. No extremo norte do Waimea Canyon fica o **Koke'e State Park**, atravessado por diversas trilhas. De **Pu'u O Kila Lookout** é onde se pode observar o majestoso anfiteatro do vale de Kalalau; também se tem uma excelente vista de **Kalalau Lookout**. O ponto alto do parque é o **Alaka'i Swamp**, uma depressão em forma de bacia encharcada por quase 13m de água das chuvas que caem por ano. Parte floresta tropical, parte lamaçal, a região desse pântano abriga algumas das mais raras aves, como o o *'i'iwi* ou saíra e o pequeno e amarelo *'anianiau*. Uma trilha leva até as partes mais acessíveis do pântano. Informação, conselhos para caminhadas e mapas podem ser encontrados na sede do parque estadual de Koke'e.

⓰ Kalalau Trail

Os visitantes devem obter permissão com o State Parks Office. State Parks Office: 3.060 'Eiwa St, Lihue, HI 96766, (808) 274-3444. **W** hawaiistateparks.org

As precipitações na costa de Na Pali tornam impossível a estrada continuar a oeste da praia de Kae'ae, na costa norte de Kauai. Mesmo ciclistas veteranos só conseguem seguir a estreita trilha Kalalau por mais 18km até o isolado vale de Kalalau. Uma das trilhas mais impressionantes do mundo, cobre uma paisagem quase intocada em sua grandeza e esplendor. Embora não seja uma expedição simples, pode-se fazer uma viagem de doze horas ao vale de Hanakapi'ai, resultando em uma experiência ímpar. A trilha começa no final da autoestrada de Kuhio, vai até o **Makana Peak** e oferece vistas espetaculares da costa escarpada. Ela continua até **Ke Ahu A Laka**, antigamente a mais famosa escola de dança do Havaí. A próxima parada é o **Hanakapi'ai Valley**, onde no verão uma praia de águas claras surge no lugar do cascalho encontrado na boca do vale durante o inverno. Não se aconselha nadar nessa área devido às fortes correntes.

A parte da trilha que traz mais desafios é quando ela atravessa uma plantação de café abandonada até as **Hanakapi'ai Falls** e daí para **Pa Ma Wa'a**, um penhasco de 240m de altura, o ponto mais alto do percurso. A trilha passa em seguida por diversos vales cortados por riachos que correm em direção ao mar, até atingir a bela área de acampamento no vale de Hanakoa, situada entre ruínas de antigos terraços de *taro* (inhame). Os últimos 8km conduzem a um perigoso penhasco de arenito. A vista mágica do vale de Kalalau é a recompensa da trilha. Deve-se levar em conta que não há água potável nem comida durante o trajeto.

Os altivos penhascos da costa de Na Pali, trilha de Kalalau

Informações Úteis no Alasca

Viajar pelo maior estado norte-americano requer um bom planejamento. O Alasca tem muito a oferecer aos visitantes: intermináveis campos nevados, florestas tropicais majestosas, uma impressionante tundra, vulcões ativos, as espetaculares "luzes do norte" e algumas das mais abundantes reservas de vida selvagem do mundo. Embora passear pelo estado seja mais caro do que por outras partes do país, com um orçamento mais modesto pode-se fazer uma viagem inesquecível.

Informação Turística

A melhor fonte de informações de viagem é o guia *Alaska Vacation Planner*, publicado pela **Alaska Travel Industry Association** (ATIA), uma organização dirigida conjuntamente pelo estado e por várias organizações de turismo. Muitos conselhos regionais de turismo publicam folhetos sobre suas áreas.

Como Circular

Os visitantes podem contar com várias opções de transporte. A **Alaska Airlines** tem voos que ligam as cidades de grande e médio portes, enquanto aviões menores levam os visitantes a áreas mais remotas. A ferrovia do estado, **Alaska Railroad**, conecta Fairbanks, Anchorage, Seward e o Denali National Park. A principal linha de ônibus intermunicipal, a **Alaska Direct Bus Line**, funciona o ano todo. O serviço estadual de ferryboats, **Alaska Marine Highway System**, liga as cidades do sudoeste e centro-sul ao Alaska, com serviço que se estende até o sul de Bellingham, Washington. Os navios são grandes, confortáveis e bem equipados; levam centenas de veículos, além de terem cabines, áreas de alimentação e naturalistas a bordo. A viagem é tranquila; alguns viajantes até dormem no deque exterior, sob as estrelas. Deve-se fazer reserva com muita antecedência. Dirigir pelo Alasca envolve grandes distâncias, por isso é preciso estar atento à vida selvagem ao redor para evitar acidentes.

Perigos Naturais

Muitos viajantes vão para o Alasca no verão, entre o final de maio e o início de setembro. Mesmo assim, convém trazer abrigos e roupas quentes para as noites frias. No verão os insetos costumam atacar, sobretudo as moscas e os mosquitos. Os que viajam para o interior devem ser precavidos em relação aos ursos. Os guardas do **Park Service** ou do **Forest Service** dão as orientações necessárias.

O Clima do Alasca

Embora situado perto do Círculo Ártico, o clima é muito variado no Alasca. Os invernos são frios e sombrios; o verão, com tempo quente e longos dias, é a melhor época para os visitantes. Na parte norte do estado o sol não se põe durante dois meses, e a luz do dia dura 22 horas, em junho, em Fairbanks. Julho é o mês em que mais chove. A maior parte dos cruzeiros pela costa se realizam no verão.

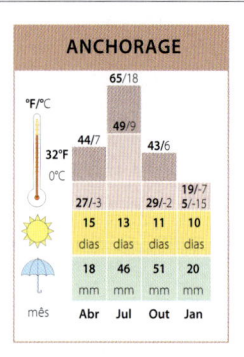

ANCHORAGE

mês	Abr	Jul	Out	Jan
°F máx	44/7	65/18	43/6	19/-7
°C min	27/-3	49/9	29/-2	5/-15
dias sol	15	13	11	10
mm chuva	18	46	51	20

AGENDA

Informação Turística

Alaska Travel Industry Association (ATIA)
Tel (907) 929-2200, (800) 862-5275. W travelalaska.com

Viagem

Alaska Airlines
Tel (206) 433-3100, (800) 426-0333. W alaskaair.com

Alaska Direct Bus Line
Tel (907) 277-6652,
 (800) 770-6652.
W alaskadirectbusline.com

Alaska Marine Highway System
Tel (907) 465-3941.
W ferryalaska.com

Alaska Railroad
Tel (907) 265-2494,
 (800) 544-0552.
W alaskarailroad.com

Festivais

Inúmeros eventos ocorrem no Alasca o ano inteiro. Começando em março, a famosa **Iditarod Trail Sled Dog Race** acontece entre Anchorage e Nome. Em abril tem lugar o **Alaska Folk Festival**, em Juneau. A **Alaska State Fair** (agosto), em Palmer, é famosa pelos repolhos e abóboras gigantes, que crescem sob o sol de 24 horas. Em 18 de outubro a **Alaska Day Celebration** comemora a venda do Alasca pelos russos, movimentando a cidade colonial de Sitka.

Atividades ao Ar Livre

Grande parte do território do Alasca é constituída de terras públicas, o que o torna um paraíso para os andarilhos, pescadores e outros adeptos de esportes ao ar livre. Caminhadas, escaladas de montanhas, esqui, rafting, caiaque e observação de baleias são algumas das atividades para os visitantes. A maioria dos centros de informação de turismo fornece detalhes sobre as numerosas opções do Alasca.

Informações Úteis no Havaí

O turismo é a principal indústria havaiana. Das luzes brilhantes de Waikiki e Honolulu às remotas cachoeiras de Hana em Maui, as ilhas oferecem de tudo para todos os bolsos. O custo de vida no Havaí é 40% mais caro que no resto do país, mas mesmo assim é um destino turístico o ano inteiro. Os visitantes, no entanto, podem encontrar preços mais acessíveis fora da alta temporada, entre abril e dezembro.

Informação Turística

Os centros de informação turística de todos os aeroportos têm mapas e guias, e os grandes hotéis dispõem de serviço de informação para os hóspedes. Em todas as ilhas há uma filial do **Hawai'i Visitors' and Convention Bureau** (HVCB) ou de outro centro de informações.

Como Circular

Dirigir é a melhor maneira de circular, já que o transporte público é limitado. O uso de cinto de segurança é obrigatório, e crianças com menos de 3 anos devem usar assentos especiais. Como as distâncias entre os postos de gasolina podem ser grandes, mantenha o tanque abastecido pelo menos até a metade. Confira sempre a previsão do tempo – muitas estradas desaparecem com a chuva forte.

Perigos Naturais

Os visitantes devem estar atentos aos possíveis perigos que o sol e o mar podem trazer à saúde. Convém usar óculos de sol, chapéu e bloqueador solar e tomar bastante líquido.

Pergunte ao salva-vidas sobre as condições do mar, pois algumas praias, seguras no verão, podem se tornar perigosas no inverno. Ao nadar, não perca de vista a praia, pois as correntezas podem arrastá-lo mar afora. Se você for levado por uma correnteza, nade a seu favor até que ela se dissipe. Verifique se há rochas ou corais no fundo do mar e use proteção para os pés. Se você se cortar com um coral, use antisséptico. Se pisar em um ouriço ou for tocado por uma água-viva, mergulhe a parte atingida em água quente para aplacar a dor. Embora os tubarões sejam raros, confira com o salva-vidas antes de entrar na água.

Atividades ao Ar Livre

O Havaí oferece uma grande gama de atividades ao ar livre, muitas no mar, como surfe, natação, pesca, mergulho e snorkel. Os entusiastas de esportes têm ainda a possibilidade de cavalgar, caminhar e jogar golfe em vários dos melhores campos do mundo.

Diversão

Música e dança são tão importantes para os havaianos como o ar que respiram. A maioria das ilhas oferece extravagantes shows polinésios, com refeições em estilo de *luau* e também música e dança de outras ilhas do Pacífico, como Taiti e Fiji. Pode-se dançar a noite inteira nos clubes noturnos de Honolulu e Maui, mas em outras partes do estado a vida termina mais cedo.

Festivais

Uma grande variedade de festivais e eventos ocorre o ano inteiro. No início do verão há o **Lei Day**, quando todos usam guirlandas de flores. O **King Kamehameha Day** homenageia o chefe que uniu as ilhas. Durante todo o verão acontecem festivais culturais, de música e de gastronomia, assim como eventos esportivos, de rodeios a corridas de canoa e ao exaustivo **Iroman Triathlon**. O verão é encerrado com os grandes **Aloha Week Festivals**.

No inverno há eventos como o **Triple Crown of Surfing** e o **Merrie Monarch Festival**, que culmina com uma "Olimpíada" de *hula*.

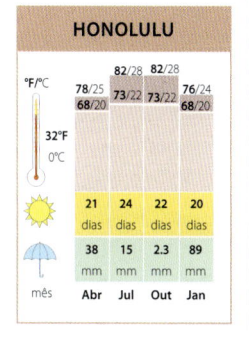

AGENDA

Informação Turística

Hawai'i Visitors & Convention Bureau
Tel (800) 464-2924.
w gohawaii.com

Snorkeling

Snorkel Bob's
700 Kapahulu Ave, Honolulu, O'ahu. **Tel** (800) 262-7725.
w snorkelbob.com

Scuba Diving

Bubbles Below
PO Box 157, Eleele, Kaua'i.
Tel (808) 332-7333.
w bubblesbelowkauai.com

O Clima do Havaí

O Havaí tem duas estações: o verão e o inverno. De maio a outubro é quente e seco, enquanto de novembro a abril é mais fresco e chuvoso. São raros os dias em que não se pode ir à praia. Chuvas ou tempestades súbitas indicam que o inverno está chegando, assim como as grandes ondas, para a alegria dos surfistas. Mas o Havaí não é só sol; os habitantes de áreas rurais mais frescas passam o Natal ao redor da lareira.

HONOLULU

	Abr	Jul	Out	Jan
°F máx/mín	78/25	82/28	82/28	76/24
°C máx/mín	68/20	73/22	73/22	68/20
dias de sol	21	24	22	20
mm chuva	38	15	2.3	89

Onde Ficar

Alasca

ANCHORAGE: Dimond Center Hotel $
Econômico
700 E Dimond Blvd, 99515
Tel (907) 770-5000
w dimondcenterhotel.com
Os quartos, amplos, apresentam cama e banheiro de luxo com hidromassagem. Bufê matinal e traslado para o aeroporto grátis.

ANCHORAGE: Inlet Tower Hotel and Suites $
Hotel-butique
1200 L St, 99501
Tel (907) 276-0110
w inlettower.com
Hotel convidativo com quartos e suítes de bom gosto, além de vistas das colinas ao redor.

ANCHORAGE: Hotel Captain Cook $$$
Luxuoso
939 W 5th Ave, 99501
Tel (907) 276-6000
w captaincook.com
Ostenta acomodações luxuosas com vistas de Cook Inlet e das montanhas Chugach, além de academia e quatro restaurantes.

DENALI NATIONAL PARK: Denali Mountain Morning Hostel $
Econômico
Mile 224.5 Parks Hwy, 99755
Tel (907) 683-7503
w hostelalaska.com
Dormitórios e cabanas às margens de um riacho no sul do parque. Abre entre maio e meados de setembro.

FAIRBANKS: Minnie Street B&B $$
B&B
345 Minnie St, 99701
Tel (907) 456-1802
w minniestreetbandb.com
Algumas suítes desse B&B ótimo têm cozinha e banheira; as suítes premium dispõem de hidromassagem. Localização central perto do rio Chena.

FAIRBANKS: River's Edge Resort $$
Resort
4200 Boat St, 99709
Tel (907) 474-0286
w riversedge.net
Próximo ao rio Chena, oferece vagas para trailers, lodges e camping para barracas, além de cabanas bem equipadas.

Destaque

GLACIER BAY NATIONAL PARK: Glacier Bay Lodge $$
Resort
179 Bartlett Cove Rd, 99826
Tel (907) 264-4600
w visitglacierbay.com
Cercada por árvores da floresta tropical e próxima a Bartlett Cove, essa é a única opção de hospedagem no Glacier Bay National Park. Abriga quartos acolhedores e confortáveis. A sala de estar com lareira é convidativa após um dia de caminhadas pelas geleiras. Abre somente nos meses de verão.

HOMER: Land's End Resort $
Resort
4786 Homer Spit Rd, 99603
Tel (907) 235-0400
w lands-end-resort.com
Resort em Homer Spit com piscina, sauna e banheira ao ar livre.

JUNEAU: Historic Silverbow Inn $$
B&B
120 2nd St, 99801
Tel (907) 586-4146
w silverbowinn.com
Esse B&B pequeno e cordial tem uma padaria interna famosa pelos bagels e pelo brunch.

Categorias de Preço
Diária de um quarto padrão para duas pessoas, na alta temporada, com taxas de serviço e impostos.

$	até US$150
$$	US$150-US$250
$$$	acima de US$250

KETCHIKAN: Gilmore Hotel $
Histórico
326 Front St, 99901
Tel (907) 225-9423
w gilmorehotel.com
Datado de 1927, esse hotel exibe atmosfera retrô, vistas do estreito de Tongass e restaurante.

KODIAK: Best Western Kodiak Inn $
Econômico
236 W Rezanof Dr, 99615
Tel (907) 486-5712
w kodiakinn.com
Esse hotel atrai executivos e pescadores e disponibiliza freezers para os peixes pescados. Café da manhã padrão de cortesia.

SEWARD: Seward Windsong Lodge $$
Resort
Mile 0,5 Herman Leirer/Exit Glacier Rd, 99664
Tel (907) 224-7116
w sewardwindsong.com
No meio do Resurrection River Valley, esse lodge confortável hospeda os visitantes do Kenai Fjords National Park.

SITKA: Sitka Hotel $
Econômico
118 Lincoln St, 99835
Tel (907) 747-3288
w sitkahotel.net
Os quartos desse hotel central compartilham banheiros. Menores de 12 anos se hospedam de graça.

SKAGWAY: Skagway Inn $$
Histórico
7th c/ Broadway, 99840
Tel (907) 983-2289
w skagwayinn.com
Antigo bordel, esse hotel de 1897 apresenta decoração em estilo vitoriano e um jardim.

VALDEZ: Best Western Valdez Harbor Inn $
Econômico
100 Harbor Dr, 99686
Tel (907) 835-3434
w valdezharborinn.com
Melhor hotel da cidade, da rede Best Western, dispõe de business center, sala de ginástica e alguns quartos com banheira.

O Land's End Resort, com vistas da baía de Kachemak e das montanhas Kenai

Havaí

HĀNA: Travaasa Hana $$$
Resort
5031 Hāna Hwy, Maui, 96713
Tel *(888) 820-1043*
🌐 travaasa.com/hana
No Travaasa Hana há atividades disponíveis como snorkel, pesca e confecção de guirlandas. Os chalés proporcionam bela vista.

**HILO: Uncle Billy's
Hilo Bay Hotel** $
Econômico
87 Banyan Dr, Hawai'i, 96720
Tel *(808) 935-0861*
🌐 unclebilly.com
Nesse hotel na Hilo Bay, todos os quartos têm varanda própria. Há cozinha em alguns deles.

**KĀ'ANAPALI: Kā'anapali
Beach Hotel** $$
Resort
2525 Kā'anapali Pkwy, Maui, 96761
Tel *(808) 661-0011*
🌐 kbhmaui.com
Acomodações no estilo da ilha e diante da praia. Há atividades culturais havaianas e um jardim tropical.

**KAPOLEI: Aulani,
A Disney Resort & Spa** $$$
Resort
92-1185 Ali'Inui Dr, O'ahu, 96707
Tel *(808) 674-6200*
🌐 resorts.disney.go.com
Mickey, Minnie e sua turma convivem com os hóspedes nesse resort. Há várias piscinas e atividades para crianças.

LAHAINA: Lahaina Inn $
Histórico
127 Lahainaluna Rd, Maui, 96761
Tel *(808) 661-0577*
🌐 lahainainn.com
Os quartos e suítes desse pequeno hotel-butique são decorados com móveis vitorianos autênticos.

**LAHAINA: Best Western
Pioneer Inn** $$
Histórico
658 Wharf St, Maui, 96761
Tel *(808) 667-5708*
🌐 pioneerinnmaui.com
Datado de 1910, fica no belo Lahaina Harbor. Quartos com estrutura completa moderna.

**LAHAINA: Lahaina Shores
Beach Resort** $$$
Luxuoso
475 Front St, Maui, 96761
Tel *(808) 661-4835*
🌐 lahainashores.com
Acomodações diante da praia em quartos, quitinetes e suítes com cozinha, varanda e vista do oceano ou da montanha.

**LĪHU'E: Kaua'i
Marriott Resort** $$$
Resort
3610 Rice St, Kaua'i, 96766
Tel *(808) 245-5050*
🌐 marriott.com
Há piscina, dois campos de golfe e vários restaurantes nesse resort em uma praia de areias brancas perto do aeroporto.

**PRINCEVILLE: Hanalei Bay
Resort & Suites** $$
Resort
5380 Honoiki Rd, Kaua'i, 76722
Tel *(808) 826-6522*
🌐 hanaleibayresort.com
Esse hotel bonito e elegante tem decoração tropical, piscinas grandes e instalações esportivas.

**VOLCANO VILLAGE:
Kīlauea Lodge** $$
B&B
Old Volcano Rd, Hawai'i, 96785
Tel *(808) 967-7366*
🌐 kilaualodge.com
Outrora da YMCA, esse hotel de 1938 situa-se próximo ao Hawai'i Volcanoes National Park e abriga um restaurante.

**WAIKĪKĪ: Holiday Inn Waikīkī
Beachcomber** $$
Econômico
2300 Kalākaua Ave, O'ahu, 96815
Tel *(808) 922-4646*
🌐 waikikibeachcomberresort.com
Localizado poucos passos da praia, esse hotel de rede oferece numerosas opções de gastronomia e diversão.

WAIKĪKĪ: Lotus Honolulu $$
Luxuoso
2885 Kalakaua Ave, O'ahu, 96815
Tel *(808) 922-1700*
🌐 lotushonoluluhotel.com
Retiro de luxo entre Diamond Head e Waikīkī Beach, o Lotus Honolulu apresenta uma mescla singular de elegância e descontração. Pela manhã há aulas de ioga, e à noite os hóspedes relaxam com vinhos.

**WAIKĪKĪ: Outrigger Reef
on the Beach** $$
Resort
2169 Kālia Rd, O'ahu, 96815
Tel *(808) 923-3111*
🌐 outriggerreef-onthebeach.com
Diversão à moda havaiana todas as noites, uma piscina sempre animada e um spa junto ao oceano. Também há três restaurantes e acesso à internet grátis nesse resort perto de Fort DeRussy.

Destaque

WAIKĪKĪ: Halekulani $$$
Luxuoso
2199 Kālia Rd, O'ahu, 96815
Tel *(808) 923-2311*
🌐 halekulani.com
Opção mais luxuosa da ilha, o Halekulani está instalado bem na praia. Oferece atendimento excelente e estrutura com spa, jardins tropicais impecáveis, decoração simples porém de bom gosto e linda piscina com uma orquídea esculpida no fundo. A comida do restaurante La Mer é espetacular, e a equipe poliglota, muito prestativa com os hóspedes.

**WAIMEA: Aston Waimea
Plantation Cottages** $$$
Luxuoso
9400 Kaumuali'i Hwy, Kaua'i, 96796
Tel *(808) 338-1625*
🌐 astonhotels.com
Casas rurais com cozinha inteiramente equipada e todos os confortos modernos em meio a um coqueiral junto ao mar na entrada do cânion Waimea.

Bar em um jardim tropical no Kā'anapali Beach Hotel

Mais informações sobre hotéis *nas pp. 26-7*

Onde Comer e Beber

Alasca

ANCHORAGE: Moose's Tooth Pub and Pizzeria $
Pizzaria/Americana
3300 Old Seward Hwy, 99503
Tel *(907) 258-2537*
Lugar informal e badalado que serve pizzas gourmets, sopas e sanduíches feitos com ingredientes sazonais. Há também uma boa variedade de cervejas locais.

ANCHORAGE: Glacier Brewhouse $$
Americana
737 W 5th Ave, 99501
Tel *(907) 274-2739*
Essa cervejaria afamada tem ambiente extremamente agradável, aquecido por lareiras. Frutos do mar do Alasca e carnes assadas se destacam no cardápio extenso. As ales e stouts artesanais são ótimas.

Destaque

ANCHORAGE: Marx Bros Café $$$
Americana moderna
627 W 3rd Ave, 99501
Tel *(907) 278-2133* **Fecha** seg
Considerado por muitos o melhor restaurante do estado, o pequeno Marx Bros Café é famoso por seu inovador menu sazonal, que sempre inclui frutos do mar frescos do Alasca. A deliciosa salada caesar é preparada diante do cliente. O restaurante tem uma carta de vinhos notável e várias sobremesas deliciosas. Faça reserva com bastante antecedência.

DENALI VILLAGE: McKinley Creekside Café $$
Americana
Mile 224 George Parks Hwy, 99755
Tel *(907) 745-7116*
Café consagrado junto ao sereno Carlo Creek, riacho localizado 21km ao sul da entrada do Denali National Park. O menu variado inclui tacos de linguado e filés grelhados de costela bovina. Abre apenas no verão.

FAIRBANKS: LemonGrass $
Tailandesa
388 Old Chena Pump Rd, 99709
Tel *(907) 456-2200*
O LemonGrass oferece cozinha tailandesa autêntica feita com ingredientes importados da Ásia. Oriente a equipe sobre o grau de pimenta de sua preferência.

Autêntico prato tailandês do LemonGrass, em Fairbanks

FAIRBANKS: The Pump House $$
Americana
Mile 1,3 Chena Pump Rd, 99708
Tel *(907) 479-8452*
Esse restaurante vasto às margens do rio Chena tem um cenário histórico que evoca a Corrida do Ouro nos anos 1890. Saboreie frutos do mar do Alasca bem preparados. O brunch dominical é disputado.

HAINES: Mountain Market and Café $
Americana
151 3rd Ave, 99827
Tel *(907) 766-3340*
Boa opção para um almoço leve ou um café da manhã saudável, com wraps, sanduíches, sopas caseiras e ótimos croissants. Há um empório nos fundos.

HOMER: Homestead Restaurant $$$
Americana moderna
Mile 8,2 E End Rd, 99603
Tel *(907) 235-8723*
Esse restaurante é aclamado por sua cozinha de fusão à base de ingredientes locais. Fica em uma cabana rústica com arte do Alasca e vista para as geleiras estupendas da Kachemak Bay.

JUNEAU: Hangar on the Wharf $$
Americana/Internacional
2 Marine Way, 99801
Tel *(907) 586-5018*
Instalado diante das águas e com um deque ensolarado, o Hangar fica apinhado de turistas e moradores locais. O extenso cardápio apresenta saladas, wraps, filés, hambúrgueres e frutos do mar.

Categorias de Preço
Por pessoa, para uma refeição composta de três pratos e uma taça de vinho da casa, mais taxas.

$	até US$35
$$	US$35-US$70
$$$	acima de US$70

JUNEAU: Tracy's King Crab Shack $$
Frutos do mar
356 S Franklin St, 99802
Tel *(907) 723-1811*
Esse restaurante serve vários tipos de caranguejo do Alasca, incluindo King, Snow e Dungeness, acompanhados de pãezinhos de alho e manteiga.

KETCHIKAN: Ketchikan Coffee Company $
Café
211 Stedman St, 99901
Tel *(907) 247-2326*
Esse café fica no histórico New York Hotel, a poucos passos da Creek Street. Escolha entre bagels, panini, ovos florentinos e lattes fumegantes.

KODIAK: The Old Power House Restaurant $$
Sushi/Japonesa
516 E Marine Way, 99615
Tel *(907) 481-1088* **Fecha** dom e seg
Restaurante popular pelos sushis. O abrangente menu também oferece peixes, carne e pratos vegetarianos.

SEWARD: Ray's Waterfront $$$
Americana/Frutos do mar
1316 4th Ave, 99664
Tel *(907) 224-5632*
Fecha *out-meados abr*
Esse restaurante famoso serve deliciosos peixes locais, incluindo salmão em tábua de cedro e linguado com crosta de nozes.

SITKA: Ludvig's Bistro $$
Mediterrânea
256 Katlian St, 99835
Tel *(907) 966-3663*
Fecha *dom; out-meados fev*
Esse bistrô é renomado por sua excelente cozinha mediterrânea feita com frutos do mar locais e ingredientes orgânicos.

SKAGWAY: Red Onion Saloon $
Americana
205 Broadway, 99840
Tel *(907) 983-2222* **Fecha** *nov-mar*
Outrora o bordel da cidade, esse estabelecimento histórico agora é um bar animado, que oferece opções simples, como sanduíches e pizzas e cervejas locais. Entretenimento ao vivo.

Havaí

HALE'IWA: Coffee Gallery $
Café
66-250 Kamehameha V Hwy,
North Shore Marketplace, O'ahu,
96712
Tel (808) 637-5355
Ponto de encontro de surfistas e do pessoal local, esse café serve café da manhã famoso, que inclui omeletes cujos nomes evocam o surfe. O balcão de expresso oferece vários cafés gourmets.

HĀNA: Dining Room at Travaasa Hotel $$$
Havaiana/Americana moderna
5031 Hāna Hwy, Maui, 96713
Tel (808) 359-2401
Com belo cenário tropical, esse restaurante fino serve cozinha da área do Pacífico à base de frutas e legumes de uma fazenda da região, além de peixes frescos.

HILO: Café Pesto $$
Havaiana
308 Kamehameha Ave, Hawai'i, 96721
Tel (808) 969-6640
O cardápio desse café informal tem comida regional, como peixe da ilha, saladas orgânicas, massas e pizzas.

HONOLULU: Ono Hawaiian Foods $
Havaiano
726 Kapahulu Ave, O'ahu, 96816
Tel (808) 737-2275 **Fecha** dom
Sempre apinhado de clientes, esse restaurante serve clássicos locais como poi (pasta de cará), laulau (carne ou peixe envolto em folha) e salmão lomi-lomi. Os combos são acompanhados de cebola crua e sal havaiano.

HONOLULU: Nico's Pier 38 $$
Frutos do mar
1133 N Nimitz Hwy, O'ahu, 96817
Tel (808) 540-1377
Esse restaurante grande com um deque externo serve almoço e jantar havaianos com peixes que chegam do leilão realizado diariamente em Honolulu.

KAHUKU: Giovanni's Shrimp Truck $
Frutos do mar
56-505 Kamehameha Hwy, O'ahu, 96731
Tel (808) 293-1839
Faça o pedido no balcão e depois saboreie porções fumegantes de camarão ao alho no pátio coberto. Esse é um dos lugares mais frequentados na North Shore por quem gosta de camarão.

KAUNAKAKAI: Kanemitsu's Bakery $
Café/Padaria
79 Ala Malama St, Moloka'i, 96748
Tel (808) 553-5855
Padaria cordial e bem sortida que oferece o famoso pão doce Molokai. Na cafeteria adjacente, café da manhã e almoço em estilo local são servidos em reservados ou para viagem.

LAHAINA: Sansei Seafood Restaurant & Sushi Bar $$
Sushi/Japonesa
Kapalua Resort, 600 Office Rd, Maui, 96761
Tel (808) 669-6286
A cozinha asiática moderna é servida em um ambiente animado. Uma carta extensa de saquês e coquetéis criativos complementa os pratos inventivos.

LAHAINA: Longhi's $$$
Italiana
888 Front St, Maui, 96761
Tel (808) 667-2288
Um dos melhores restaurantes da ilha, o Longhi's serve comida italiana excelente e tem uma extensa carta de vinhos.

LĪHU'E: Hamura Saimin Stand $
Havaiana/Asiática
2956 Kress St, Kaua'i, 96766
Tel (808) 245-3271
Frequentado por entusiastas culinários, o Hamura serve tigelas fumegantes de saimin, uma sopa com talharim, wontons, legumes, carne de porco e temperos.

LĪHU'E: Tip Top Café $
Café/Padaria
3173 Akahi St, Kaua'i, 96766
Tel (808) 245-2333 **Fecha** seg
Com reservados no estilo dos anos 1950 e orquídeas em todas as mesas, o Tip Top é sucesso local desde 1916 pelas opções como panquecas de macadâmia e sopa de rabada.

WAIKĪKĪ: Duke's Waikiki $$
Americana
Outrigger Waikiki on the Beach,
2335 Kalākaua Ave, O'ahu, 96815
Tel (808) 922-2268
Batizado em homengem ao campeão de surfe havaiano Duke Kahanamoku, esse lugar diante do mar tem música havaiana ao vivo e serve filés, frutos do mar e pratos mais leves.

WAIKĪKĪ: Side Street Inn $$
Havaiana
1225 Hopaka St, O'ahu, 96814
Tel (808) 591-0253
É frequentado por chefs e gastrônomos tarde da noite. Há opções como poke de ahi (salada de peixe cru) e costelas de porco fritas. Karaokê e TVs de tela grande.

Destaque

WAIKĪKĪ: Chef Mavro $$$
Americana moderna
1969 South King St, O'ahu, 96826
Tel (808) 944-4714 **Fecha** seg
O chef francês George Mavrothalassitis se tornou uma celebridade na ilha por usar técnicas clássicas e modernas no preparo de pratos com uma infinidade de ingredientes locais frescos. A clientela pede muito o excelente menu-degustação. A carta de vinhos é criteriosa e caríssima, e o salão prima pela elegância.

WAIKĪKĪ: La Mer at Halekulani $$$
Francesa
2199 Kālia Rd, O'ahu, 96815
Tel (808) 923-2311
Em um dos hotéis mais luxuosos da ilha, esse restaurante sofisticado oferece impecável cozinha francesa moderna, servida por uma equipe competente. Carta de vinhos premiada e vistas românticas da praia.

O Sansei Seafood Restaurant & Sushi Bar, em Lahaina, serve comida asiática

Mais informações sobre restaurantes nas pp. 28-9

Índice Geral

Os números de página em **negrito** referem-se às entradas principais.

A

Aaron, Hank 260
Abilene (TX) **487**
Abolicionistas 134, 141, 151, 224, 225, 454
Academy Awards 38
Acadia National Park (ME) 11, 14, 45, **180**
Acadianos 356, **357**
 ver também Cajuns
Achados e perdidos 25
Ackroyd, Dan 653
Acomodação **26-7**
Adams, John 62, 210
Adams, John Quincy 62
Adams, Samuel 144, 145, 146
Adirondack Mountains (NY) **103**
Adirondack Park (NY) 103
Adler Planetarium and Astronomy Museum (Chicago) 13, **391**
Adoração dos magos, A (Mantegna) 648
Aerial Lift Bridge, ponte (Duluth, MN) 417
African Meeting House *ver* Museum of African American History
Afro-americanos 71, 141, 257, 339, 344, 361, 393, 696
Águias-carecas 271, 315, 320, 413, 416, 566, 612, 722
Aialik, geleira (AK) 721
Aitken, Robert 687
Alabama 15, **364-5**
 hotéis 370
 restaurantes 373
Álamo (San Antonio, TX) 479
Alasca **718-29**
 agenda 742
 atividades ao ar livre 742
 clima 42, 742
 como circular 742
 Denali National Park **728-9**
 Estrada Marítima do Alasca **723**
 festivais 742
 história 718-9
 hotéis 744
 informação turística 742
 mapa 720-1
 nativos 722, 728
 perigos naturais 742
 população 719
 restaurantes 746
 tabela de distâncias 721
 terremoto 724
 transporte 720
 vida selvagem 729
Alaska Marine Highway **723**
Alaska Native Heritage Center (Anchorage) 724
Alaska Peninsula **726**
Alaska Railroad 728
Alaska Raptor Center (Sitka) 722
Alaska SeaLife Center (Seward) 725
Alaska State Museum (Juneau) 723
Albany (NY) **102**
Albergues da juventude **26**
Albuquerque (NM) **542-4**
Alcatraz Island (São Francisco) 13, **691**
Alces 575
Aldrich, Thomas Bailey 177
Aldrin, Buzz 205
Aleútas, ilhas (AK) 718, **727**
Alexandria (VA) **216-7**
Alfândega **20-1**
 ver também Passaportes e vistos
Allegheny, rio (Pittsburgh, PA) 64-5
Allen, Paul 601
Allen, Woody 97
Allman Brothers 260
Almoço dos remadores, O (Renoir) 214
Almonester y Rojas, Don Andrés 345
Alta Plaza (São Francisco) 692
Aluguel de carros 24, 33
Amana Colonies (IA) **448**
Amarillo (TX) **487**
Amelia Island Museum of History (Fernandina Beach, FL) 315
American Association of Retired Persons 21, 25
American Express, cartões de crédito 25
American Folk Art Museum (NYC) 93
American Immigrant Wall of Honor (NYC) 77
American Museum of Natural History (NYC) **93**
Americanos nativos
 Abbe Museum 180
 Amerind Foundation (AZ) 525
 apaches 498
 arapahoe 562
 assentamento pré-histórico indígena 397
 Blackhawk, guerra 396
 caddo 433
 Cahokia, montículos 397
 cayugas 70
 chefe Joseph 627, 628
 cheroquis 251, 265, 338, 364, 434, 456
 cheyennes 562, 573
 chickasaws 338
 choctaw 338, 364
 comanches 433
 Crazy Horse 442, 444
 creek 338, 364
 crow 562
 cultura adena 403
 dakotas 440
 Dança Ceremonial dos Fantasmas 441
 destruição dos índios 56
 Eiteljorg Museum 400-1
 fox 380
 heritage centers 456
 hogan, moradia navajo 537
 hopewells 403
 hopi 498
Americanos nativos (cont.)
 hurons 380
 índios algonquianos 69
 índios chumash 675
 índios dakota-sioux 416
 índios gabrielinos de Cahuenga Pass 654
 índios havasupai 530
 índios modoc 703
 índios potawatomi 411
 índios sauk 396
 índios seminoles 286, 321
 iroqueses 69, 70, 101
 lakota 440, 441
 mandan 433, 438, 439
 menominees 380
 Mid-America All-Indian Center (Wichita, KS) 455
 Mille Lacs Indian Museum 417
 mohawks 70
 montículos cerimoniais 362
 montículos funerários 403
 Nakota Sioux 440
 navajo 498, 535, 536, 537
 Nez Percé 562, 570, 627, 628
 oglala sioux 441
 ojibwes 380, 418
 oneidas 70
 onondagas 70
 osage 433, 454
 pawnee 433
 povo pré-histórico 487
 povos nativos miwok e paiute 706
 reserva indígena Pine Ridge 441
 senecas 70
 shawnees 380
 shoshone 562
 sioux 434, 440, 562, 573
 suapaw 338
 Touro Sentado, chefe 573
 tribo arikara 438
 tribo hidatsa 438
 tribo indígena huron 405
 tribo Nanticoke 231
 tribo paiute 622
 tribo walla walla 622
 tribo wasco 622
 tribos indígenas erie 405
 tribos indígenas ottawa 405
 tribos kansa 454
 tribos kootenai 570
 tribos pend d'oreille 570
 tribos salish 570
Americus (GA) **260**
Amerind Foundation (AZ) **525**
Amicalola Falls State Park (GA) 261
Amish 69, 116, **119**, 399, 403
Anchorage (AK) 718, **724**
 clima 742
Ancient Spanish Monastery (Miami) **298**
Anderson Japanese Gardens (Rockford, IL) 396
Anderson, Hans Christian 88
Anderson, Sherwood 381
Andrew Molera State Park (Big Sur, CA) 678

ÍNDICE GERAL | 749

Angels Flight (Los Angeles, CA) 657
Anheuser-Busch, cervejaria (St. Louis, MO) 451
Ann Arbor (MI) **408**
Annapolis (MD) **227**
Antelope Island State Park (Great Salt Lake, UT) 510
Antietam National Battlefield (MD) **226**
Anza-Borrego Desert State Park (CA) **670-1**
Apache, índios 498
Apalachicola (FL) **317**
Apostas em cassinos, Las Vegas (NV) 548
Apostle Islands (WI) **413**
Apostle Islands National Lakeshore (WI) 413
Appalachian Trail 182-3, 225, 264
Appellate Court (NYC) 82
Appomattox Court House National Historical Park (VA) **222**
Aquarium of the Pacific (Los Angeles) 661
Aransas National Wildlife Refuge (TX) **482-3**
Arbor Day Fard (Nebraska City, NE) 447
Arbor Lodge State Historical Park (Nebraska City, NE) 447
Arches National Park (UT) 495, **512-3**
Arizona **520-37**
  Cânion de Chelly National Monument **536-7**
  Grand Canyon **530-3**
  hotéis 551-2
  Monument Valley **534-5**
  passeio pelo coração do Arizona **521**
  Phoenix **522-3**
  restaurantes 554-5
  Velho Oeste **535**
Arkansas **358-9**
  hotéis 369
  restaurantes 372-3
Arlington House (Washington, DC) 215
Arlington National Cemetery (Washington, DC) **215**
Armstrong Redwoods State Natural Reserve (CA) 701
Armstrong, Louis 344, 347
Armstrong, Neil 205
Arnaud's (New Orleans) 348
Arquitetura
  Do Reboco à Pedra (Museum of Science & Industry, Chicago) **392**
  em Chicago **386-7**
Arthur, Chester A. 62
Asheville (NC) **251**
Ashland (OR) **625**
Ashton Villa (Galveston, TX) 482
Asian Art Museum (São Francisco) **692**
Asimov, Isaac 94
Aspen (CO) 565, 586

Assistência legal 25
Astoria (OR) 17, **620**
Astronaut Hall of Fame (Titusville, FL) 303
Ataque terrorista 76, 77, 215
Athens (GA) **260**
Atividades ao ar livre
  Alasca 742
  Boston e Nova Inglaterra 182-3
  Califórnia 708-9
  Extremo Sul 367
  Flórida 325
  Grandes Lagos 421
  Grandes Planícies 459
  Havaí 743
  Los Angeles 664-5
  NY e a Região Meio-Atlântica 121
  Pacífico Noroeste 631
  Rochosas 591
  São Francisco 698
  segurança 25
  Sudeste 275
  Sudoeste 549
  Texas 489
  Washington, DC e Região da Capital 232
Atlanta (GA) 11, 15, 242, **262-3**
  clima 274
Atlantic City (NJ) **106-7**
Atwood, Charles B. 392
Audubon Aquarium of the Americas (New Orleans, LA) **350**
Auroras boreais 727
Austin (TX) **476**
Austin, Stephen F. 469
Autry, Gene 659
Avalanche Creek (MT) 571
Avenue of the Giants (CA) 702

B

Babe Ruth 103
Babe, o Boi Azul 417
Back Bay (Boston) 12, 140, 151
Bacon, Henry 209
Badlands National Park (SD) 44, **440-1**
Bahia Honda State Park (FL) 322-3
Balboa Park (San Diego, CA) 17, 666, **668-9**
Ballard (Seattle, WA) 17, **607**
Baltimore (MD) 193, **226-7**
Bancos **22-3**
Bancroft, Jr, Samuel 230
Bandeira americana 111
Bandon (OR) 17, **621**
Banner, Peter 145
Bar Harbor (ME) 14, **180**
Baraboo (WI) **412**
Baranov Museum (Kodiak Island, AK) 726
Bardstown (KY) **273**
Barnes Foundation (Filadélfia, PA) **115**
Barnes, Albert C. 115
Bartholdi, Frédéric-Auguste 77, 151
Bartlesville (OK) **456**
Bash Bish Falls (MA) 159
Bass Museum of Art (Miami) **293**

Batalha de Bunker Hill (Trumbull) 133
Batalha de New Orleans, A (Carter) 338
Batalhas
  "acima das nuvens" 265
  Blackhawk, guerra 396
  das Árvores Caídas 405
  de Bloody Marsh 259
  de Bunker Hill 141, 155
  de Concord 156
  de Gettysburg 116
  de Little Bighorn 439
  de New Orleans 345
  de Saratoga 71, 102
  do lago Erie 405
Baton Rouge (LA) **355**
Battery Park City (NYC) 12, **77**
Bay Bridge (São Francisco) 686
Bay Model Visitor Center (Sausalito, CA) 697
Bayou Bend (Houston, TX) 480-1
Bayou Teche (LA) **356-7**
Bayside Market (Miami) 14, **294**
Beach Boys 681
Beacon Hill (Boston) 13, **140-1**, 168-9
Bear's Lodge (WY) 578
Beaufort (NC) **253**
Bed-and-Breakfast 26
Beisebol **103**
Bell, Alexander Graham 146
Bellagio (Las Vegas, NV) 16, **503**
Belle Meade Plantation (Nashville, TN) 267
Bellingham (WA) **609**
Belltown (Seattle, WA) 605
Belushi, John 653
Belvedere Castle (NYC) 89
Belvedere Mansion (Galena, IL) 396
Beman, Solon S. 389
Ben & Jerry's Ice Cream Factory (VT) **173**
Benaroya Hall (Seattle, WA) 605
Bend (OR) **623**
Benefit Street's Mile of History (Providence, RI) 14, **160**
Bennett, H. H. 412
Bennington (VT) 170
Benton, Thomas Hart 207, 398
Berea (KY) **270**
Bergamot Station (Los Angeles) 649
Berkeley (São Francisco) **697**
Berkshires (MA) **159**
Berlin (OH) **403**
Bernstein, Carl 213
Berry, Chuck 404
Bethel (ME) **181**
Bethesda Fountain (NYC) 88
Beverly Hills (Los Angeles) 651
Beverly Hills Civic Center (Los Angeles, CA) 651
Bezos, Jeff 601
Bibliotecas
  Asher Library (Chicago) 390
  Beinecke Rare Book & Manuscript Libraries (New Haven, CT) 166
  Boston Public Library 151
  Butler Library (NYC) 94

Bibliotecas (cont.)
  Chicago Public Library (IL) 390
  Cleo Rodgers Memorial Library (Columbus, IN) 401
  Family History Library (Salt Lake City, UT) 510
  Harold Washington Library Center (Chicago) 387, **390**
  Huntington Library (Los Angeles) 660
  Jimmy Carter Library and Museum (Atlanta, GA) 11, 15, **263**
  Library of Congress (Washington, DC) 202
  Low Library (NYC) 94
  Lyndon Baines Johnson Presidential Library (Austin, TX) 476
  New York Public Library (NYC) 84
  Newbury Library (Chicago) 386
  Widener Library (Cambridge, MA) 154
Bicicletas 34
Bierce, Ambrose 693
Big Bend National Park (TX) **484-5**
Big Cypress National Preserve (FL) 320
Big Cypress Swamp (FL) **320**
Big Hole National Battlefield (MT) **570**
Big Hole Valley (MT) 570
Big Sur (CA) 16, **678-9**
Big Thicket National Preserve (TX) **482**
Bighorn Mountains (WY) **578**
Billings (MT) 559, **573**
Billings Farm & Museum (Woodstock, VT) 171
Billy Bob's Texas Nightclub (Dallas) 15, **475**, 489
Biltmore Estate (Asheville, NC) 251
Biltmore Hotel (Miami) **296**
Birmingham (AL) **365**
Bisão 577
Bisbee (AZ) **525**
Biscayne Bay Boat Trips (FL) **294**
Biscayne National Park (FL) **322**
Bischoff, Elmer 643
Bismarck (ND) **439**
Bitterroot Mountains (MT) 570
Bixby Creek Bridge (Big Sur, CA) 678
Black Bart 686
Black Canyon do Gunnison National Park (CO) **589**
Black Heritage Trail (MA) **141**
Black Hills (SD) 430, **442-3**
Blackhawk, chefe 396
Blackwater Falls State Park (WV) 224
Blanchard Springs Caverns (AR) 359
Block Island (RI) 130, **163**
Bloomington (IN) **398**
Blue Ridge Mountains (VA) 223
Blue Ridge Parkway 51, 192, **222**, **251**
Bluegrass, música 339
Blues, música 334, 339, **361**
Boca Raton (FL) **300**
Bodie State Historic Park (CA) 707
Bodmer, Karl 434, 447
Boise (ID) **567**

Boles, Charles 686
Bondes (São Francisco) **688**, 698
Boone, Daniel 270
Borglum, Gutzon 261, 443
Borrego Springs (CA) 671
Boston (MA) 14, 131, **138-55**
  2 Dias em Boston **12-3**
  Beacon Hill **140-1**
  clima 182
  Grande Boston **152-5**
  hotéis 184
  mapa 138-9
  Massachusetts State House **144-5**
  restaurantes 187
  The Freedom Trail **142-3**
  Trinity Church **150**
Boston Athenaeum **141**
Boston Brahmins 135
Boston Common & Public Garden 12, **141**
Boston Public Library 151
Boston Tea Party **134**, 146, 147, 149
Botta, Mario 687
Boulder (CO) **582**
Boulder City (NV) 506-7
Boundary Waters Canoe Area Wilderness (MN) **418**
Bourbon Street (New Orleans) 11, 15, **348**
Bourne, George 179
Box Canyon Falls & Park (CO) 589
Box Canyon Historical Monument (CA) 671
Bozeman (MT) **573**
Brainerd Lakes Area (MN) **417**
Brancusi, Constantin 115
Brand, William 348
Brannan, Sam 688
Branson (MO) **452**
Breckenridge (CO) **587**
Bretton Woods (VT) **174**
Brick Store Museum (The Kennebunks) 179
Broadmoor Resort (Colorado Springs, CO) 584
Bronx (NYC) **97**
Brookgreen Gardens (SC) 256
Brooklyn (NYC) **97**
Brooklyn Botanic Gardens (NYC) 97
Brooklyn Bridge (NYC) 68, **78**
Brooks, Mel 97
Brown University (Providence, RI) 14, **160**
Brown, John 224, 225, 454
Brown, Molly (Margaret Tobin) 580
Brule, Etienne 380, 409
Brumidi, Constantino 202, 203
Bruneau Dunes State Park (ID) **568**
Bruxas de Salem, julgamentos **156**
Bryce Canyon National Park (UT) **518-9**
Buchanan, James 62
Buckhorn Saloon & Museum (San Antonio) 479
Buckingham Fountain (Chicago) 13, **390**
Buckstaff Bathhouse (Hot Springs, AR) 359
Buda, estátua 735

Buddy Holly **486**
Buffalo (NY) **104-5**
Buffalo Bill 58, 434, 445, 447, 475, **574**, 582
Buffalo Bill Museum (Cody, WY) 574
Buffalo Bill Ranch State Historical Park and State Recreation Area (NE) 445
Buffalo Gap Historical Village (Abilene, TX) 487
Buffalo Gap National Grassland (Badlands NP, SD) 441
Buffalo National River (AR) 359
Bulfinch, Charles 140, 141, 144
Bullards Beach State Park (OR) 621
Bunker Hill Monument (Charlestown, Boston) 143, 155
Bunyan, Paul 417, 702-3
Buren, Martin Van 62
Burlington (VT) **172**
Burne-Jones, Edward 150
Burnham, David 82
Busch Gardens (Tampa, FL) 318
Busch-Reisinger Museum (Boston) 155
Bush, Barbara 63
Bush, George 63
Bush, George W. 63, 469
Butler, general Benjamin "Beast" 345
Butte (MT) **572-3**
Butte Theater (Cripple Creek, CO) 585
Butterfield Trail (TX) 486
Byodo-In Temple (O'ahu, HI) **735**

C

Cabanas de madeira 172, 264
Cabildo (New Orleans, LA) 15, **346**
Cable Car Barn (São Francisco) 689
Cabot, John 53
Cabrillo, Juan Rodríguez 666
Cadillac Mountain (ME) 180
Cadillac Ranch (Amarillo, TX) 487
Caesars Palace (Las Vegas, NV) 16, **503**
Café 345
Café du Monde (New Orleans) **345**
Café Lafitte in Exile (New Orleans) 348
Caffè Trieste (São Francisco) 13, **690**
Cagney, James 94
Cahokia Mounds State Historic & World Heritage Site (IL) 397
Caixas eletrônicos **22**
Cajun Country ver Lafayette
Cajuns 339, 356, **357**
Calamity Jane 442
Calçada da Fama (Los Angeles) 654
Calder, Alexander 90, 206
Calendar Islands (Portland, ME) 178
Califórnia 636-715
  17-Mile Drive, rodovia (CA) 16, **680**
  5 Dias na Califórnia 10, **16-7**
  agenda 709
  atividades ao ar livre 708-9
  Big Sur **678-9**
  Central Coast **674-81**
  clima 42, 708
  como circular 708
  como dirigir 708

Califórnia (cont.)
  compras 709
  cultura e arte 643
  Desertos **670-3**
  Gold Country **704-5**
  Grande São Francisco **696-7**
  Hearst Castle **676-7**
  High Sierras **706-7**
  história 641-2
  hotéis 710-2
  informação turística 708
  Los Angeles **646-65**
  mapas 638-9, 644-5
  Norte da Califórnia **702-3**
  perigos naturais 708
  restaurantes 713-5
  San Diego County **666-9**
  São Francisco **682-99**
  segurança pessoal 708
  sociedade e política 642-3
  surfe 681
  tabela de distâncias 645
  terremotos **687**
  Wine Country **700-1**
California Academy of Sciences (São Francisco) 13, **694**
California Building (São Francisco, CA) 686
California State Capitol (Sacramento) 638, 705
California State Railroad Museum (Sacramento) 705
Câmbio 23
Cambridge (Boston, MA) **154-5**
Camden (Penobscot Bay, ME) 179
Camden Hills State Park (ME) 179
Camp Verde (AZ) 521
Campings **26-7**
Campobello Island (ME) **181**
Canaan Valley Resort State Park (WV) 224
Canaveral National Seashore (FL) **303**
Canção de Hiawatha, A (Longfellow) 154
Cânion de Chelly National Monument (AZ) 501, **536-7**
Cannery Row (Monterey) 680
Cannon Beach (OR) 17, **621**
Cañon City (CO) **585**
Cansino, Margarita 652
Canterbury Shaker Village (NH) 130, **176**
Canton (OH) 404
Canyon (TX) **486-7**
Canyon Road (Santa Fe, NM) 16, **541**
Canyonlands National Park (UT) **514**
Cape Cod (MA) 131, **158-9**
Cape Hatteras Lighthouse (Outer Banks, NC) 252
Cape Hatteras National Seashore (Outer Banks, NC) 252
Cape Henlopen State Park (Lewes, DE) 231
Cape Lookout State Park (OR) 621
Cape May (NJ) 67, **107**
Cape Perpetua Scenic Area (OR) 621
Capital Reef National Park (UT) **516**
Capitol Hill (Seattle, WA) 606

Capitólios estaduais
  Arizona State Capitol (Phoenix, AZ) 522
  Colorado State Capitol (Denver) 580
  Connecticut State Capitol (Hartford) 164
  Idaho State Capitol (Boise) 567
  Iowa State Capitol (Des Moines) 448
  Louisiana State Capitol (Baton Rouge) 355
  Maryland State House (Annapolis) 227
  Minnesota State Capitol (St. Paul) 415
  Mississippi State Capitol (Jackson) 362
  Missouri State Capitol (Jefferson City) 452
  Montana State Capitol (Helena) 572
  Nebraska State Capitol (Lincoln) 445
  New Capitol Building (Tallahassee, FL) 316
  New York State Capitol (Albany) 102
  North Dakota State Capitol (Bismarck) 439
  Oregon State Capitol (Salem) 622
  South Dakota State Capitol (Pierre) 440
  State Capitol (Carson City, NV) 508
  State Capitol (Raleigh, NC) 250
  State Capitol Campus (Olympia, WA) 616, 617
  Texas State Capitol (Austin) 476
  United States Capitol (Washington, DC) 12, **202-3**
  Utah State Capitol (Salt Lake City) 510
  Wisconsin State Capitol (Madison) 412
Capone, Al 114, 294, 296, 691
Captiva Island (FL) 320
Caribu 45
Carlsbad Caverns National Park (NM) **546**
Carlyle House (Alexandria, VA) 216
Carmel (CA) 16, **680**
Carmel Mission (CA) 680
Carnegie, Andrew 118
Carolina do Norte **250-3**
  hotéis 276
  restaurantes 279
Carolina do Sul **254-7**
  Charleston **254-5**
  hotéis 276-7
  restaurantes 279-80
Carros, aluguel 24, 33
Carson City (NV) **508**
Carson, Kit 508, 536, 538
Carson, William 702
Carter, Jimmy 63, 246, 260, 263
Carter, Rosalynn 63, 207
Cartier (NYC) 87
Cartões de crédito 22-3
  perda ou roubo 25

Carver, George Washington 365
Casa Branca (Washington, DC) 12, 193, **210-1**
Casas de atores de Hollywood (Los Angeles) 651
Cascade Mountains 612, 620, 703
Casper (WY) **578**
Cass Scenic Railroad State Park (WV) 224
Cassatt, Mary 113
Cassidy, Butch 474, 578, 579
Cassinos 102, 106, 107, **502-6**
Castillo de San Marcos (St. Augustine, FL) 314
Castro, Fidel 295
Cathedral of St. John the Baptist (Lafayette, LA) 356
Cathedral of St. John the Divine (NYC) 94
Catlett, Elizabeth 95
Catlin, George 416
Caubóis 455, 457, 627
  Texas 469, **475**, 487
Cave of the Winds (Manitou Springs, CO) 584
Cedar City (UT) **516**
Cedar Rapids (IA) **449**
Cédulas bancárias 23
Celestin, Oscar "Papa" 347
Centennial Olympic Park (Atlanta, GA) 15, **262**
Center for Southern Folklore (Memphis, TN) 269
Central Coast (CA) **674-81**
  17-Mile Drive, rodovia **680**
  Arquitetura das Missões **675**
  Big Sur **678-9**
  Hearst Castle **676-7**
  hotéis 711
  restaurantes 714
  Surfe na Califórnia **681**
  William Randolph Hearst **676**
Central Park (NYC) 12, **88-9**
Centro Cultural Tijuana (México) 667
Cerveja *ver* Cervejarias
Cervejarias 410, 411
Cézanne, Paul 92, 115, 389
Chaco Culture National Historical Park (NM) **538**
Chadron (NE) **444**
Chamizal National Memorial (El Paso) 485
Chandler, Dorothy 656
Chandler, Raymond **649**
Channel Islands National Park (CA) **674-5**
Chaplin, Charlie 653, 654
Charles Street (Boston) 13, **140**
Charles Street Meeting House (Boston) 140
Charleston (SC) 240-1, **254-5**
Charlestown (Boston, MA) 143, **155**
Charlottesville (VA) **221**
Chatham (Cape Cod) 158
Chattanooga & Chickamauga National Military Park (TN) 265
Chattanooga (TN) **265**
Chautauqua (NY) **104**
Cheques de viagem 23

ÍNDICE GERAL

Cherokee Heritage Center (Tahlequah, OK) 456-7
Cheroqui 251, 265, 338, 364, 433-4, 456-7
  Trilha das Lágrimas 265, 434, 457
Cheyenne (WY) **579**
Chicago (IL) 374-5, 377, **384-95**
  2 Dias em Chicago 13
  arquitetura em Chicago **386-7**
  clima 420
  como circular 384
  Grande Chicago **394-5**
  hotéis 422
  Loop **388-9**
  mapa 384-5
  Muito Dinheiro **391**
  restaurantes 425
Chicago Children's Museum 13, **387**
Chicago History Museum **386**
Chicago Public Library, Harold Washington Library Center 390
Chicago Theater 385
Chicago Tribune 387
Chihuly, Dale 601, 616
Children's Zoo (Fort Wayne, IN) 399
Chimney Rock (Scottsbluff, NE) 446
Chinatown (Boston) **145**
Chinatown (NYC) **79**
Chinatown (Portland, OR) 619
Chinatown (São Francisco) 13, **688**
Chincoteague (VA) **221**
Chinese Historical Society (São Francisco) 688
Chineses, imigrantes 145, 619, 703, 704
Chisholm Trail 474
Chocolate World (Hershey, PA) 116-17
Christ Church (Boston) 154
Christ Episcopal Church *ver* Old North Church
Christ of the Ozarks (Eureka Springs, AR) 359
Chrysler Building (NYC) 85
Church of the Covenant (Boston) 151
Churchill, Winston 174, 213, 402
Ciclismo recreativo 34
Cincinnati (OH) **402**
Ciprestes (Van Gogh) 91
Ciro's (Los Angeles) 652
City Hall & Courthouse (St. Paul, MN) 415
City Hall (NYC) 79
City Lights Bookstore (São Francisco) 13, **690**
City Park (New Orleans) **351**
Civic Center (NYC) **79**
Civil Rights Memorial (Montgomery, AL) 364-5
Civilizações antigas
  do Mississippi 357
  índios *pueblos* 562
  Mimbres Mogollon 547
  povos ancestrais 547
Clark, William *ver* Lewis, Meriwether
Clarksdale (MS) **360**
Clear Creek History Park (Golden) 582

Cleaveland, Moses 404
Cleópatra (Romanelli) 314
Cleveland (OH) **404**
Cleveland, Grover 62, 63, 77
Clima **20, 42-3**
  Alasca 742
  Anchorage 742
  Atlanta 274
  Boston 182
  Califórnia 708
  Chicago 420
  Dallas 488
  Denver 590
  Extremo Sul 366
  Flórida 324
  Grandes Lagos 420
  Grandes Planícies 458
  Havaí 743
  Honolulu 743
  Kansas City 458
  Las Vegas 548
  Los Angeles 708
  Miami 324
  New Orleans 366
  Nova Inglaterra 182
  Nova York 120
  Pacífico Noroeste 630
  Região Meio-Atlântica 120
  Rochosas 590
  Seattle 630
  Sudeste 274
  Sudoeste 548
  Texas 488
  Washington, DC 232
Clingman's Dome (Great Smoky Mountains NP) 249
Clinton, Hillary 63
Clinton, William J. 63, 166, 334, 338, 358, 359, 498, 516, 666
Cloud Peak (Bighorn Mountains, WY) 578
CNN Studio (Atlanta, GA) 15, **262**
Coastal Islands (SC) **257**
Cobb, Henry Ives 386, 392
Coca-Cola 242, 262
Cocoa Beach (FL) **302**
Coconut Grove Village (Miami) **297**
Códigos telefônicos internacionais 22
Cody (WY) **574**
Cody Nite Rodeo 574
Cody, William Frederick *ver* Buffalo Bill
Coeur d'Alene (ID) 558, 560, **566**
Cohen, Ben 173
Cohen, Harry 652
Coit Tower (São Francisco) 685, 690
Cole, Nat King 365, 653
College of Physicians of Philadelphia/Mütter Museum (PA) **114**
Collins, Michael 205
Colombo, Cristóvão 53
Colonial National Historical Park (Yorktown) 220
Colonial Theater (Boston) 145
Colonial Williamsburg (VA) *ver* Williamsburg colonial

Colorado **580-9**
  estâncias de esqui **586-7**
  hotéis 593
  rafting **585**
  restaurantes 595
Colorado e a Southern Railway 556-7
Colorado National Monument **589**
Colorado Plateau 530
Colorado Springs (TX) **584**
Colorado, estância de esqui **586-7**
Colorado, rio 530
Colt Tower (São Francisco) 13, **690**
Colter, Mary E.J. 532, 533
Columbia (SC) **256**
Columbia River Gorge (OR) **620**
Columbia River Historic Highway 50
Columbia State Historic Park (CA) **705**
Columbia University (NYC) **94**
Columbus (IN) **401**
Columbus (OH) **403**
Commonwealth Avenue (Boston) **151**
Compras
  Boston e Nova Inglaterra 183
  Califórnia 709
  Flórida 325
  Grandes Lagos 421
  Grandes Planícies 459
  Los Angeles 665
  Nova York 99
  NY e a Região Meio-Atlântica 121
  Pacífico Noroeste 631
  Rochosas 591
  São Francisco 699
  Sudeste 275
  Sudoeste 549
  Texas 489
  Washington, DC e Região da Capital 233
Comunicações **22-3**
Conch Train (Key West, FL) 14, 323
Concord (MA) **156-7**
Concord (NH) **176**
Coney Island (NYC) 97
Conflitos raciais 650
Congaree Swamp National Park (SC) 256
Connecticut 130, **164-7**
  hotéis 185
  restaurantes 188
Connecticut Coast 167
Connecticut River Valley **165**
Connick, Charles 689
Conrad, Paul 649
Conversão de medidas **21**
Cook, capitão James 600, 730, 731
Coolidge, Calvin 63
Cooper, Gary 660
Cooperstown (NY) **103**
Copley Square (Boston) **151**
Copley, John Singleton 151, 153
Copp's Hill Burying Ground (Boston) **148**
Copper Mountain (CO) 587
Coral Gables (Miami) **296**
Coral Reef (FL) **323**
Corbin (KY) 271
Corcoran, William Wilson 212

ÍNDICE GERAL | 753

Corn Palace (Mitchell, SD) 440
Coroação da Virgem (Ghirlandaio) 293
Corot, Jean-Baptist Camille 212
Corpus Christi (TX) **483**
Cosanti Foundation (Phoenix, AZ) 522-3
Costa do Golfo (FL) **318-20**
 clima 43
 hotéis 328
 restaurantes 331
Costa do Golfo (MS) 335, **363**
Costa do Oregon **621**
Cotton Bowl 473
Cotton Trail (FL) 316
Country e bluegrass, música **271**
Country Music Hall of Fame & Museum (Nashville, TN) 266
Country Music Highway (KY) 270, 271
Courthouse (Nova York) 81
Cove Palisades State Park (OR) 622
Coward, Noël 93
Cradle of Liberty (Boston) 142
Crater Lake National Park (OR) **624-5**
Crater, lago 624-5
Craters of the Moon National Monument (ID) **569**
Crazy Horse, chefe sioux oglala 442, 444
Crested Butte (CO) 586
Criação, A (Hart) 214, 215
Crianças 21
 acomodações 27
Cripple Creek (CO) **585**
Crisfield (MD) **229**
Crooked River National Grasslands (OR) 622
Crosby, Bing 660
Crow Indian Reservation (MT) 573
Cubanos 295
Cumberland Falls State Resort Park (KY) 271
Cumberland Gap National Historic Park (KY) 270, **270**
Cummings, E. E. 81
Currier Museum of Art (Manchester, NH) 176-7
Curtis, Tony 666
Custer State Park (SD) 433, 443
Custer, coronel George Armstrong 442, 573
Custom House (New Orleans) **350**
Custom House (The Hamptons, NY) 100

D

D. L. Bliss State Park (CA) 706
Daguerre, Louis-Jacques-Mande 648
Dahlonega (GA) **261**
Dakota do Norte **438-9**
 hotéis 460
 restaurantes 463
Dakota do Sul **440-3**
 hotéis 460
 restaurantes 463
Dakota sioux, índios 416

Dalí, Salvador 318
Dallas (TX) 15, 48, **472-3**
 clima 488
 mapa 473
Daniel Boone National Forest (KY) **271**
Davenport (IA) **449**
Davenport House (Savannah, GA) 258
Davidson, Arthur 117
Davies, Marion 676
Davis Mountains (TX) 485
Davis, Jefferson 261, 364
Davis, Miles 692
Davis, Stuart 153
Dayton (OH) **402**
Daytona Beach (FL) **314**
De Young Museum (São Francisco) **694**
Deacon John Grave House (CT) 167
Deadwood (SD) 442
Deadwood Stage 579
Death Valley National Park (CA) 44, 639, **672-3**
Death Valley Scotty **673**
Declaração da Independência 49, 108, 110, 111, **145**, 147
 cópia manuscrita 84
Dee Wright Observatory (OR) 623
Deer Harbor (WA) 611
Deerfield Beach (FL) 285
Deering, James 297
Degas, Edgar 226, 695
Delaware **230-1**
 hotéis 236
 restaurantes 239
Delaware Seashore State Park (DE) 231
Delgado, Isaac 351
DeMille, Cecil B. 654
Denali National Park (AK) 45, **728-9**
Denver (CO) 559, **580-1**
 clima 590
 mapa 581
Depp, Johnny 652
Des Moines (IA) 431, **448**
Desastres Naturais
 erupções vulcânicas 617
 furacões 298, 363, 482
 incêndios 604, 687
 maior avalanche registrada 617
 terremotos 681, 687, 724, 726, 741
 tsunamis 726, 739
Desert View Drive (Grand Canyon) 16, **532**
Desertos (CA) **670-3**
 Death Valley National Park **672-3**
 hotéis 710-1
 restaurantes 714
Desertos
 Califórnia **670-3**
 Death Valley National Park (CA) 670, **672-3**
 flora e fauna 671
 fontes 672
 Painted Desert (AZ) 526
 vida selvagem 672, 673
Destin (FL) 317
Destrehan Plantation (LA) 354

Detroit (MI) 377, **406-7**
Devil's Tower National Monument (WY) **578**
Devils Lake (ND) **438**
Dia da Independência 39
Dia do Orgulho Gay 39
Diebenkorn, Richard 113
Dinheiro 22, **23**, 24
Direitos Civis, movimento pelos 61, 257, 364, 650
Discovery Children's Museum (Las Vegas, NV) 506
Discovery Cove (FL) 311
Disney Wilderness Preserve (Orlando, FL) 313
Disneyland Resort (Los Angeles) **662-3**
 compras 663
 Disney's California Adventure 663
 Disneyland Park 662
 Downtown Disney 663
 ingressos e dicas 663
Distritos e marcos históricos nacionais
 Bathhouse Row (Hot Springs, AR) 358-9
 Strand (Galveston, TX) 482
Distritos históricos nacionais
 Fort Worth Stockyards (TX) 11, 15, **474-5**
 Manitou (CO) 584
 Pioneer Square (Seattle, WA) 604
 Printing House Row (Chicago) 390
Diversão
 Boston e Nova Inglaterra 183
 Extremo Sul 367
 Flórida 325
 Grandes Lagos 421
 Grandes Planícies 459
 Havaí 743
 Los Angeles 664
 Nova York 98-9
 NY e a Região Meio-Atlântica 121
 Rochosas 591
 São Francisco 698-9
 Sudeste 275
 Sudoeste 549
 Texas 489
 Washington, DC e Região da Capital 233
Dodge City (KS) 431, **455**
Dodger Stadium (Los Angeles) 665
Door County (WI) **411**
Downtown Crossing (Boston) **145**
Doyle, sir Arthur Conan 692
Drake, sir Francis 600
Driveaways 33
Du Pont, Alfred I. 231
Du Pont, Eleuthere 230
Du Pont, Henry 230
Dubuque (IA) **449**
Duluth (MN) **417**
Dumbarton Oaks Conference 213
Duncan, Isadora 93
Durango & Silverton Narrow Gauge Railroad (CO) 588
Durango (CO) **588**
DuSable Museum of African American History (Chicago) **393**

Dyersville Giant 702
Dylan, Bob 80

E

Eagle Bluff Lighthouse (WI) 411
Earhart, Amelia 205
Earp, Wyatt 455, 525
East Village (NYC) **81**
Eastern Sierras (CA) **707**
Eastern State Penitentiary (Filadélfia) **114**
Eastern States Buddhist Temple (NYC) 79
Easton (MD) **228-9**
Eastwood, Clint 475
Ecola State Park (OR) 621
Edison, Thomas Alva 320, 407
Einstein, Albert 106, 689
Eisenhower, Dwight D. 63, 101, 212
Eiteljorg Museum of American Indian & Western Art (Indianápollis, IN) 400-1
Eiteljorg, Harrison 400-1
El Pais Grande del Sur *ver* Big Sur
El Paso (TX) **485**
El Pueblo (Los Angeles) **657**
Eldridge Street Synagogue (NYC) **79**
Eleutherian Mills (DE) **230**
Eliot, T. S. 84
Elk Neck State Park (MD) 228
Ellington, Duke 59, 197, 365
Ellis Island (NYC) 12, **77**
Elvis Presley, local de nascimento (Tupelo, MS) 361
Ely, Joe 486
Embaixadas 25
Embarcadero (San Diego, CA) 17, **666**
Embarcadero Center (São Francisco) 686
Emergências 25
Emerson, Ralph Waldo 156
Empire Arts Center (Grand Forks, ND) 438
Empire State Building (NYC) 12, **83**, 84
Engine, Cummins 401
Ephrata Cloister (PA) 116
Erie Canal (NY) 71, 102
Erie Canal Museum (Syracuse, NY) 104
Esportes aquáticos 316, 317
Esportes
Boston e Nova Inglaterra 182-3
Extremo Sul 367
Flórida 325
Grandes Lagos 420-1
Grandes Planícies 458-9
Los Angeles 664
NY e a Região Meio-Atlântica 120-1
Pacífico Noroeste 631
Rochosas 591
São Francisco 698
Sudeste 275
Texas 489
Washington, DC e Região da Capital 232

Esqui, estâncias
Aspen (CO) 586
Blackwater Falls State Park (WV) 224
Breckenridge (CO) 587
Canaan Valley Resort State Park (WV) 224
Catamount Trail (VA) 173
Cedar City (UT) 516
Colorado **586-7**
Copper Mountain (CO) 587
Crested Butte (CO) 586
Keystone (CO) 587
Killington (VT) 171
Leadville (CO) 587
Nova Inglaterra 173, 183
Snowmass (CO) 586
Snowshoe Mountain Resort (WV) 224
Steamboat Springs (CO) 586
Sugarloaf/USA (ME) 181
Sunday River (ME) 181
Telluride (CO) 586
Trapp Family Lodge Ski Center (VA) 173
Vail (CO) 587
Winter Park (CO) 587
Estações do ano 20, 38-41
Estátua da Liberdade (NYC) 12, **77**, 82, 151
Estefan, Gloria 294, 295
Estilos arquitetônicos
arranha-céus/moderno 661, 686
art déco 11, 14, 146, 292-3, 653
beaux-arts 84, 85, 153, 656
bizantino 656
Chicago **386-7**
colonial espanhol 651, 660
colonial francês 344
contemporâneo/moderno 657
crioulo 348, 357
crioulo-americano 348
das Missões 674, 675, 696
de antes da guerra 363
déco tropical 292
do sudoeste **524-5**
egípcio 656
federal 140, 258, 350
ferro fundido 80
georgiano 95
germânico 477
gótico 214, 680, 689
idade de ouro 162
império francês 212
internacional **387**
italiano **386**
mediterrâneo 674
missão espanhola 657
modernista 687
moderno 401
Monterey 680
mourisco 657, 673
nativo americano 658
neoclássico 206, **387**, 684, 692
neogótico 76, 87, **386**
neorrenascentista 705
paladiano 85
pós-moderno **387**
pradaria 386, 393, 397, 413
rainha Anne **387**, 692, 693

Estilos arquitetônicos (cont.)
renascentista 95
renascentista francês 390
renascentista oriental 688
revival das Missões 658
revival grego 147, 344, 401
revival mediterrâneo 292, 676
richardsoniano românico **386**
românico 696
romano 656
Streamline Moderne 292, 657
vitoriano 583, 609, 692, 693
Etiqueta
Extremo Sul 366
Flórida 324
Grandes Lagos 420
Grandes Planícies 458
Pacífico Noroeste 631
Rochosas 590
Sudeste 274
Sudoeste 548
Washington, DC e Região da Capital 232
EUA, mapa **18-9**
Eugene (OR) **622**
Eureka (CA) **702**
Eureka Springs (AR) **359**
Everglades e Keys (FL) 11, **321-3**
hotéis 328
restaurantes 331
Everglades National Park (FL) 11, 15, 45, **321**
Excalibur (Las Vegas, NV) 16, **502**
Exit, geleira (AK) 725
Exploração do espaço, cronologia **302**
Exposition Park (Los Angeles) **656**
Extremo Sul **332-73**
5 Dias no Extremo Sul, Sudeste e Texas 11, 15
Alabama **364-5**
agenda 367
Arkansas **358-9**
clima 366
como circular 366
cultura e arte 339
diversão 367
esportes e atividades ao ar livre 367
etiqueta 366
festivais 366-7
história 337-9
hotéis 368-70
informação turística 366
Louisiana **354-7**
mapas 334-5, 340-1
Mardi Gras **351**
Mississippi **360-3**
New Orleans **342-51**
perigos naturais 366
povos e economia 339
restaurantes 371-3
tabela de distâncias 341
Exxon Valdez 724

F

F.A.O. Schwarz (NYC) 87
Fabergé, Peter Carl 220, 227
Fair Park (Dallas, TX) 473

ÍNDICE GERAL | 755

Fairbanks (AK) **727**
Fairbanks, Douglas Sr. 651, 654, 655
Fairchild Tropical Botanic Garden (Miami) **299**
Fairmount Park (Filadélfia, PA) **114-5**
Fallingwater (Ohiopyle State Park, PA) 119
Falmouth (Cape Cod, MA) 158
Faneuil Hall (Boston) 13, **142**
Fargo (ND) **439**
Farmers Market (Los Angeles) **655**
Faróis
   Bodie Island Lighthouse (NC) 252
   Cape Hatteras Lighthouse (NC) 252
   Eagle Bluff Lighthouse (WI) 411
   Fenwick Island Lighthouse (DE) 231
   Hooper Strait Lighthouse (MD) 228
   Kilauea Lighthouse (HI) 740, 741
   Marblehead Lighthouse (OH) 405
   Montauk Point Lighthouse (NY) 100
   Old Mission Lighthouse (MI) 382
   Old Mission Point Lighthouse (MI) 409
   Point Sur Lighthouse (CA) 678
   Point Wilson Lighthouse (WA) 609
   Portland Head Light (ME) 178
   St. Simons Lighthouse (GA) 259
   Sand Island Light (WI) 413
   Southeast Lighthouse (Block Island, RI) 128-9, 163
Faulkner, William 339, 360
Fazendeiros *crackers* 286
Federal Reserve Bank (Nova York) 76
Feminismo 103
Feriados públicos **21**
Ferlinghetti, Lawrence 690
Fermi, Enrico 393
Fernadina Beach (FL) **315**
Ferrovias históricas 35
Ferry Building (São Francisco) 13, **686**
Festivais **38-41**
   Alasca 742
   Extremo Sul 366-7
   Grandes Lagos 421
   Grandes Planícies 458
   Havaí 743
   NY e a Região Meio-Atlântica 120
   Rochosas 590-1
   Sudeste 274-5
   Texas 488
Field, Sabra 135
Fifth Avenue (NYC) 12, **87**
Figge Art Museum (Davenport, IA) 449
Filadélfia (PA) 49, 67, **108-15**
   como circular 108
   hotéis 124
   Independence National Historic Park **110-1**
   mapa 108-9
   restaurantes 127
Fillmore, Millard 62
Financial District (São Francisco) **686**
Finger Lakes (NY) **103**
Firehole Lake Drive (Yellowstone NP) 561

First Baptist Church (Boston) 151
First Baptist Church in America (Providence, RI) 160
First Church of Christ (New Haven, CT) 166
First Congregational Church (Bennington, VT) 170
First Unitarian Church (Burlington, VA) 172
First White House of the Confederacy (Montgomery, AL) 364, 365
Fisher, Carl 400
Fisher, Mel 323
Fisherman's Wharf (São Francisco) 13, **690**
Fitzgerald, F. Scott 365, 381, 653
Fitzgerald, Zelda 365
Flagler Museum (Palm Beach, FL) 301
Flagler, Henry 286, 301, 322
Flagstaff (AZ) **520**
Flamingo (Everglades NP) 15, **321**
Flathead Valley (MT) **570**
Flatiron Building (NYC) **82**
Flint Hills (KS) **454-5**
Flood, James C. 689
Flora das Great Smoky Mountains (TN) **264**
Florence Griswold Museum (Old Lyme, CT) 165
Florestas nacionais
   Apalachicola (FL) 317
   Bighorn (WY) 578
   Daniel Boone (KY) 271
   Gila (NM) 547
   Green Mountain (VT) 170
   Los Padres (CA) 679
   Monongahela (WV) 224
   Nebraska (NE) 444
   Ocala (FL) 315
   Pike (CO) 583
   Prescott (AZ) 521
   San Juan (CO) 588
   Shawnee (IL) 397
   Superior (MN) 418, 419
   Wallowa-Whitman (OR) 628
   White Mountain (NH) 175
Florestas tropicais (WA) 608
Flórida **282-331**
   5 Dias no Sul da Flórida 11, **14-5**
   agenda 325
   clima 43, 324
   como dirigir 324
   compras 325
   cultura 286-7
   diversão 325
   economia e turismo 287
   esportes e atividades ao ar livre 325
   etiqueta 324
   Everglades e Keys **321-3**
   Gold e Treasure Coasts **300-1**
   Gulf Coast **318-20**
   história 285-6
   hotéis 326-8
   informação turística 324
   mapa 288-9
   Miami **290-9**
   Nordeste **314-5**

Flórida (cont.)
   Orlando e Space Coast **302-13**
   Panhandle **316-7**
   perigos naturais 324
   recife de coral **323**
   restaurantes 329-31
   saúde 324
   SeaWorld® & Discovery Coast **310-1**
   segurança 324
   sociedade 286-7
   tabela de distâncias 288
   Universal Orlando **308-9**
   Walt Disney World® Resort **304-7**
Floyd Monument (Sioux City, IO) 448
Flynn, Errol 653, 654
Fogg Art Museum (Cambridge, MA) 155
Folhagem de outono
   linha direta 183
   na Nova Inglaterra **174**
Fontes sulfurosas (Lassen Volcanic NP, CA) 703
Fontes termais, Yellowstone NP (WY) 576-7
Ford, Gerald R. 63, 213, 408
Ford, Henry 320, 380, 406
Ford, Justina 581
Fort Abraham Lincoln State Park (Mandan) 439
Fort Adams State Park (Newport) 163
Fort Clinch State Park (FL) 315
Fort Conde (Mobile) 364
Fort Davis (TX) **485**
Fort George (ME) 179
Fort Knox (KY) 273
Fort Larned National Historic Site (Dodge City) 455
Fort Lauderdale (FL) **300**
Fort Mackinac (Mackinac Island, MI) 409
Fort Mandan (Washburn, ND) 438
Fort Massachusetts (MS) 363
Fort Meigs State Memorial (Toledo, OH) 405
Fort Myers (FL) 320
Fort Robinson State Park (NE) 444
Fort Ross State Historic Park (CA) **701**
Fort St. Jean Baptiste (Natchitoches) 357
Fort Totten State Historic Site (ND) 438
Fort Vancouver National Historic Site (WA) **617**
Fort Walton Beach (FL) 317
Fort Wayne (IN) **399**
Fort Worth (TX) 15, **474-5**
Fortune Cookie Factory (São Francisco) 688
Fósseis pré-históricos 626-7
Foster, Stephen 273
Founding Fathers, fundadores 196
   ver também Peregrinos
Foxhunt, The (Homer) 113
Franconia Notch (VT) **174-5**
Franklin D. Roosevelt Memorial (Washington, DC) 12, **209**

ÍNDICE GERAL

Franklin Park Conservatory & Botanical Garden (Columbus) 403
Franklin, Benjamin 70, 110, 111
Frederick (MD) **226**
Fredericksburg (TX) **476-7**
Fredericksburg (VA) **217**
Frederik Meijer Gardens and Sculpture Park (MI) 408
Freedom Trail (Boston) **142-3**
Freeth, George 681
Fremont (Seattle, WA) 17, **606**
Fremont Street Experience (Las Vegas, NV) 16, **506**
Frémont, John 695
French Market (New Orleans) 15, **344**
French, Daniel Chester 209
Frick Collection (NYC) **90**
Frick, Henry Clay 90
Friday Harbor (WA) 611
Frontenac State Park (MN) 416
Frost, Charles S. 387
Frost, Robert 134, 170, 175, 323
Frutos do mar do Alasca 727
Full Gospel Tabernacle Church (Memphis, TN) 269
Furacões 298, 363, 482
Furnace Creek (CA) 672
Fuso horário **30**

G

Gable, Clark 653, 654, 655
Gado, conduções de 468, 474
Galena (IL) **396**
Galerias de arte *ver* Museus e galerias
Gallagher, Percival 400
Galveston (TX) **482**
Gandhi Monument (São Francisco) 686
Garbo, Greta 653
Garden District (New Orleans) **351**
Garden Island (Kauaʻi, HI) **740-1**
Garden of the Gods (Colorado Springs) 584
Garfield, James A. 62
Garland, Hamlin 381
Garland, Judy 296, 652
Garrison, William Lloyd 134, 145, 151
Gaslamp Quarter (San Diego, CA) 666
Gates, Bill 601, 616
Gateway Arch-Jefferson National Expansion Monument (St. Louis, MO) 431, 432, **450**
Gauguin, Paul 400
Gaye, Marvin 407
Gays e lésbicas 80-1, 293, 323, 348
Gehry, Frank 388, 606, 643, 656, 657
Gêiseres 576-7
Geleiras
 Aialik Glacier (AK) 719, 721
 Columbia Glacier (AK) 724
 Emmons Glacier (WA) 615
 Exit Glacier (AK) 725
 Mendenhall Glacier (AK) 723
 Nisqually Glacier (WA) 17, **614**
 Portage Glacier (AK) 724
George Eastman House (Rochester, NY) 104

George Washington (Gilbert Stuart) 207
Georgetown (CO) **583**
Georgetown (SC) **256-7**
Georgetown (Washington, DC) 213
Geórgia 15, **258-63**
 hotéis 277
 restaurantes 280-1
Georgia Aquarium (Atlanta) 15, **262**
Geronimo 498
Getty, J. Paul 648
Gettysburg (PA) 66, **116**
Gettysburg National Military Park (PA) 116
Ghirlandaio, Domenico
 Coroação da Virgem 293
Giannini, A. P. 686
Giant Dipper, montanha russa (Santa Cruz, CA) 681
Gila Cliff Dwellings National Monument (NM) **547**
Gilbert, Cass 82, 203, 415
Gillette Castle (CT) 165
Girard, Alexander 401
Glacial Grooves (OH) 405
Glacier Bay National Park (AK) **723**
Glacier National Park (MT) **571**
Glenn, John 380, 689
Going-to-the-Sun Road 50
Gold Country (CA) **704-5**
 hotéis 712
 restaurantes 715
Gold e Treasure Coasts (FL) **300-1**
 hotéis 326-7
 restaurantes 329-30
Golden (CO) **582**
Golden Gate Bridge (São Francisco) 10, 13, 636-7, 638, **695**
Golden Isles (GA) **259**
Golden Triangle (Los Angeles) **651**
Golfo do Alasca (AK) 721
Goodnight, Charles 486-7
Gordon, Ruth 391
Gordy Jr, Berry 407
Gortner, Mollie Kathleen 585
Grace Cathedral (São Francisco) 685, 689
Graceland (Memphis, TN) 269
Grafton Notch State Park (ME) 181
Graham, Bill 692
Graham, Bruce 387, 389
Grand Canyon (AZ) 10, 16, 492-3, 494, **530-3**, 577
Grand Canyon National Park (AZ) 44, **532-3**
Grand Canyon of Texas 487
Grand Central Market (LA) **657**
Grand Central Terminal (NYC) **85**
Grand Forks (ND) **438**
Grand Hotel (Mackinac Island, MI) 409, 423
Grand Loop Road (Yellowstone NP, WY) 576
Grand Ole Opry House (Nashville) 267
Grand Prismatic Spring (Yellowstone NP, WY) 576
Grand Rapids (MI) **408**
Grand Staircase-Escalante National Monument (UT) **516**

Grand Teton Mountains 569
Grand Teton National Park (WY) 44, **575**
Grande Depressão 59, 156, 655
Grande Incêndio de 1871 (Chicago) 386
Grandes cidades americanas **48-9**
 Boston 138-55
 Chicago 384-95
 Dallas 472-3
 Filadélfia 108-15
 Los Angeles 646-65
 Miami 290-9
 New Orleans 342-51
 Nova York 74-99
 São Francisco 682-99
 Seattle 604-7
 Washington, DC 200-5
Grandes Lagos **374-427**
 agenda 421
 atividades ao ar livre 421
 Chicago **384-95**
 clima 43, 420
 como circular 420
 compras 421
 cultura 381
 Detroit **406-7**
 diversão 421
 esportes 420-1
 etiqueta 420
 festivais 420
 história 379-80
 hotéis 422-4
 Illinois **384-97**
 imigrantes 380-1
 Indiana **398-401**
 indústria 380-1
 informação turística 420
 mapas 376-7, 382-3
 Michigan **406-9**
 Minneapolis e St. Paul **414-5**
 Minnesota **414-9**
 Ohio **402-5**
 perigos naturais 420
 política 381
 restaurantes 425-7
 tabela de distâncias 383
 Wisconsin **410-3**
Grandes Planícies **428-65**
 agenda 459
 atividades ao ar livre 459
 Black Hills **442-3**
 clima 43, 435, 458
 como circular 458
 como dirigir 458
 compras 459
 cultura 435
 Dakota do Norte **438-9**
 Dakota do Sul **440-3**
 diversão 459
 esportes 458-9
 etiqueta 458
 festivais 458
 geologia 435
 história 460-2
 hotéis 460-3
 informação turística 458
 Iowa **448-9**
 Kansas **454-5**

ÍNDICE GERAL | 757

Grandes Planícies (cont.)
mapa 430-1, 436-7
Missouri **450-3**
Nebraska **444-7**
Oklahoma **456-7**
Oregon Trail **446**
perigos naturais 458
povos 435
restaurantes 463-5
St. Louis **450-1**
tabela de distâncias 437
Granite Mountain Mine Memorial (Butte) 572
Grant, Cary 648
Grant, Ulysses S. 62, 101, 222, 396
Grass Valley (CA) **704**
Grateful Dead 692
Grauman, Sid 654
Grayton (FL) 317
Great Basin National Park (NV) **509**
Great Falls (MT) **572**
Great Lakes Aquarium (Duluth, MN) 417
Great River Bluffs State Park (MN) 416
Great River Road 51
Great Salt Lake (UT) **510**
Great Sand Dunes National Monument & Preserve (CO) **588**
Great Smoky Mountains National Park (TN) 45, 249, 251, **264**
Greater Cleveland Aquarium (Cleveland) 404
Green Mountain National Forest (VT) **170**
Green River (UT) **515**
Green, Hetty 705
Greenfield, Jerry 173
Greenwich (CT) 167
Greenwich Village (NYC) 12, **80-1**
Griffith Observatory (Los Angeles) 659
Griffith Park (Los Angeles) **658-9**
Griffith, coronel Griffith J. 658
Grima, juiz Felix 348
Groening, Matt 601
Grous americanos 482-3
Grunsfeld, Ernest 391
Guadalupe Mountains National Park (TX) **486**
Gucci (Los Angeles) 651
Guernsey (WY) **579**
Guerra Civil **56-7**, 101, 144, 196-7, 222, 226, 270, 361
Guerra Fria 60
Guerra hispano-americana 687
Guerra Mexicana 468
Guerra Modoc 703
Guggenheim, Solomon 92
Gunfight at OK Corral, faroeste (Tombstone, AZ) 525
Guy, Buddy 390

H

Haas, William 692
Habitat for Humanity (GA) 260
Hagley Museum (DE) **230**
Haight Ashbury (São Francisco) 13, 692, **693**
Haleakalā National Park (Maui, HI) **737**
Haleakalā Silversword 737
Hallidie, Andrew 688
Hamill House Museum (Georgetown, CO) 583
Hammer Museum (Los Angeles) 650
Hammer, Armand 650
Hammonasset Beach State Park (CT) 167
Hampton Plantation State Park (SC) 257
Hampton, James 207
Hamptons e Montauk (NY) **100**
Hāna (Maui, HI) **737**
Hancock, John 142, 145
Handel, George Frederick 145
Handy, W. C. 361, 365
Haraszthy, conde Agoston 700
Harding, Warren 63
Harlem (NYC) 95
Harley, William 117
Harley-Davidson (PA) **117**
Harley-Davidson Final Assembly Point (York, PA) 117
Harlow, Jean 653, 654
Harmonistas 398
Harmony Society 398
Harper, Robert 225
Harpers Ferry (WV) **225**
Harpista, A (Florence Griswold Museum, CT) 165
Harris, Joel Chandler 354
Harrison, Benjamin 62
Harrison, Peter 154
Harrison, W. H. 62
Harrodsburg (KY) **272**
Hart, Frederick
A criação 214, 215
Hart, Thomas 473
Hartford (CT) **164-5**
Harvard Museum of Natural History (Cambridge, MA) 155
Harvard University (Cambridge, MA) 154
Harvard, John 154
Hastings, Thomas 84
Havaí **730-41**
agenda 743
atividades ao ar livre 743
clima 42, 743
como circular 743
diversão 743
festivais 743
história 730
hoje 731
hotéis 745
ilha **738-9**
informação turística 743
Kauai 740-1
mapa 732-3
Maui 736, **737**
Molokai **736**
monarquia 734
Oahu **734-5**
perigos naturais 743
restaurantes 747
vulcões NP 738-9
Hawai'i Maritime Center (O'ahu, HI) 734, 735
Hawai'i Volcanoes National Park (Havaí, HI) **738-9**
Hawai'i's Plantation Village (O'ahu, HI) **735**
Hawk's Nest State Park (WV) 225
Hawthorne, Nathaniel 134
Hayes, Rutherford B. 62
Haystack Rock (OR) 621
Hayworth, Rita 652, 655
Hearst Castle (CA) 16-7, **676-7**
Hearst, William Randolph **676**
Heceta Head State Park (OR) 621
Helena (MT) **572**
Hell's Half Acre, Meio Acre do Inferno (WY) 578
Hells Canyon National Recreation Area (ID) **566**
Hells Canyon National Recreation Area Tour (OR) **628-9**
Hemingway, casa de (Key West, FL) 14, **323**
Hemingway, Ernest 323, **395**, 568, 654
Hendrix, Jimi 601, 692
Hennepin, Louis 105
Hepzibah Swan Houses (Boston) 141
Herald Square (NYC) **83**
Herbert Hoover National Historic Site (IA) 449
Heritage Museums and Gardens (Sandwich, MA) 158, 159
Hermann-Grima Historic House (New Orleans, LA) **348**
Hermitage (Nashville, TN) 267
Hershey (PA) **116-7**
Hewlett, William 696
Heyward-Washington House (Charleston, SC) 254
Hickock, Wild Bill 442
High Sierras (CA) **706-7**
hotéis 712
restaurantes 715
Hildene (VT) 170
Hill, Abram 95
Hillbillies, caipiras 339
Hilo (Havaí, HI) **739**
Hilton Head Island (SC) 257
Hippies 81, 297, 693, 697
Hispânicos 287, 545, 600, 697
História dos Estados Unidos **52-63**
boom e colapso 59
colônias rivais 53
conflitos por terras 56
Destino Manifesto 55
destruição dos índios 56
Era Moderna 61
Grande Depressão e o New Deal 59
Guerra Civil 56-7, 196-7
Guerra Fria 60
Imigração, Urbanização e Industrialização 58-9
Independência 196-7
Movimento pelos Direitos Civis 61
nascimento de uma nação 55
Oeste Selvagem 58
Presidentes americanos 62-3
primeiros exploradores europeus 53
Prosperidade Pós-Guerra 60
Revolução Americana 54

ÍNDICE GERAL

History Colorado Center (Denver, CO) 580
Ho'okipa Beach County Park (Maui, HI) 732
Hoban, James 210
Hobart, Lewis P. 689
Hockney, David 643
Hodgenville (KY) **272-3**
Hoh Rainforest (WA) 608
Hohauser, Henry 292, 293
Hohokam 497
Holabird, William 388
Holley, Charles Hardin *ver* Buddy Holly
Hollywood (Los Angeles) **659**
  ascensão 654
  letreiro 659
  Studio Tour 659
Hollywood Boulevard (Los Angeles) 10, 17, **654**
Hollywood Bowl (Los Angeles) **654-5**
Holocaust Memorial (Miami, FL) 14, **293**
Homem de braços cruzados (Cézanne) 92
Homer (AK) **725**
Homer, Winslow 135, 153, 230, 400
  A caça à raposa 113
Honolulu (Oʻahu, HI) **734-5**
  clima 743
Honomanū Bay (HI) 733
Hoodoos (Bryce Canyon NP, UT) 518
Hoover Dam (NV) **506-7**
Hoover, Herbert 63, 223, 449, 506
Hope Diamond 206
Hopewell Culture National Historic Park (OH) **403**
Hopi, índios 494
  artesanato 494
  reserva (AZ) **526-7**
Hopkins, Stephen 157, 160
Hopper, Edward 90, 91, 179, 400, 402, 414
Hot Springs (AR) 334, **358-9**
Hot Springs National Park (AR) **358-9**
Hotéis e resorts **26-7**
  Alabama 370
  Alasca 744
  Arizona 551-2
  Arkansas 369
  Boston 184
  Califórnia 710-2
  Carolina do Norte 276
  Carolina do Sul 276-7
  Central Coast (CA) 711
  Chicago 422
  Colorado 593
  Connecticut 185
  Dakota do Norte 460
  Dakota do Sul 460
  Delaware 236
  Desertos (CA) 710-1
  Estado de Nova York 123
  Everglades e Keys (FL) 328
  Extremo Sul 368-70
  Filadélfia 124
  Flórida 326-8
  Geórgia 277
  Gold Coast e Treasure Coast (FL) 326-7

Hotéis e resorts (cont.)
  Gold Country (CA) 712
  Grandes Lagos 422-4
  Grandes Planícies 460-2
  Gulf Coast (FL) 328
  Havaí 745
  High Sierras (CA) 712
  Idaho 592
  Illinois 422
  Indiana 422-3
  Iowa 461
  Kansas 462
  Kentucky 278
  Los Angeles (CA) 710
  Louisiana 368-9
  Maine 186
  Maryland 235
  Massachusetts 184-5
  Miami (FL) 326
  Michigan 423
  Minnesota 423-4
  Mississipi 369-70
  Missouri 461-2
  Montana 592
  Nebraska 460-1
  Nevada 550
  New Hampshire 186
  New Jersey 123-4
  Nordeste da Flórida 327-8
  Norte da Califórnia 712
  Nova Inglaterra 184-6
  Nova York (NY) 122-3
  Novo México 552
  NY e a Região Meio-Atlântica 122-4
  Ohio 424
  Oklahoma 462
  Oregon 633
  Orlando e Space Coast (FL) 327
  Pacífico Noroeste 632-3
  Panhandle (FL) 328
  Pensilvânia 124
  Rhode Island 185
  Rochosas 592-3
  San Diego County (CA) 710
  São Francisco (CA) 711-2
  Seattle 632
  segurança 24
  Sudeste 276-8
  Sudoeste 550-2
  Tennessee 277-8
  Texas 490
  Utah 550-1
  Vermont 185-6
  Virgínia 235-6
  Virgínia Ocidental 236
  Washington, DC 234-5
  Washington, DC e Região da Capital 234-6
  Washington, estado de 632-3
  Wine Country (CA) 712
  Wisconsin 424
  Wyoming 592-3
Hotéis econômicos 27
Hotel del Coronado (San Diego, CA) 17, **666**
Hotel des Artistes (Nova York) 93
House on Ellicott's Hill (Natchez, MS) 363
House on the Rock (WI) 413

Houston (TX) **480-1**
Hovenweep National Monument (UT) **515**
Hudson River Valley (NY) **101**
Hudson, Henry 70, 102
Hughes, arcebispo John 87
Humboldt Lagoons State Park (Redwood NP, CA) 703
Humboldt Redwoods State Park (CA) **702**
Hunting Island State Park (SC) 257
Huntington Beach State Park (SC) 256
Huntington Library, Art Collections, & Botanical Gardens (Los Angeles) 660
Huntington, Henry E. 660
Huntsville (AL) **365**
Hutchings, dr. William D. 401
Hutterite 399
Hyannis (Cape Cod, MA) 158
Hyde Street Pier (São Francisco) 690

I

Idaho **566-9**
  hotéis 592
  restaurantes 594
Idaho Falls (ID) 569
Idaho National Laboratory (Idaho Falls, ID) **569**
Idaho Springs & Georgetown (CO) **583**
Iditarod Trail Sled Dog Race (AK) 724
Idosos 21, 25, 47
Iglesias, Julio 294, 295
Illinois **384-97**
  Chicago 384-95
  hotéis 422
  restaurantes 425
  sul de **397**
Imigrantes 58, 59, **380-1**
  alemães 116, 410, 417, 435, 476, 477
  asiáticos 619
  chineses 145, 619, 704
  escandinavos 415, 417, 607
  franceses 357
  franco-canadenses (cajuns) 334
  islandeses 411
  japoneses 657
  morávios 250
  tchecos 449
Independence Hall (Filadélfia, PA) 111, **112**
Independence Mall *ver* Independence National Historic Park
Independence National Historic Park (Filadélfia, PA) **110-1**
Independence Seaport Museum (Filadélfia, PA) **112-3**
Indian Peaks Wilderness Area (CO) 582
Indiana **398-401**
  hotéis 422-3
  restaurantes 425-6
Indiana Dunes National Lakeshore (IN) **398**
Indianápolis (IN) 377, **400-1**

Indianápolis 500, corrida de automóveis 400
Indianapolis Motor Speedway 400, 401
Influência espanhola 545
Informação de viagem **30-5**
Informação turística
  Alasca 742
  Boston e Nova Inglaterra 182
  Califórnia 708
  Extremo Sul 366
  Flórida 324
  Grandes Lagos 420
  Grandes Planícies 458
  Havaí 743
  Los Angeles 664
  Nova York 98
  NY e a Região Meio-Atlântica 120
  Pacífico Noroeste 630
  Rochosas 590
  São Francisco 698
  Sudeste 274
  Sudoeste 548
  Texas 488
  Washington, DC e Região da Capital 232
Informações práticas **20-7**
Insetos 24
Institute of Contemporary Art (Boston, MA) 149
International Bridge (TX) 485
International Drive (FL) **313**
International UFO Museum & Research Center (Roswell, NM) 546
International Wolf Center (Ely, MN) 418
Internet, acesso à 22
Iolani Palace (Honolulu) 734
Iowa **448-9**
  hotéis 461
  restaurantes 464-5
Iowa City (IA) **449**
Iron Range (MN) **418**
Irving, John 134
Irving, Washington 101
Isabella Stewart Gardner Museum (Boston) 13, **152**
Isozaki, Arata 657
Ithaca (NY) 103

J

Jackson (MS) **362**
Jackson (WY) **574**
Jackson Hole (Grand Teton NP, WY) 575
Jackson Square (New Orleans, LA) 15, **345**
Jackson, Andrew 62, 267, 286, 345, 362
Jackson, Stonewall 261
Jaggar, professor Thomas A. **739**
James, Henry 140
James, Jesse 453
Jamestown, assentamento (VA) **220**
Jazz 334, 339, 344
  artistas 347, 365
  bandas de jazz em vapores 347
  Era do Jazz 59
  New Orleans (LA) **347**

Jean Lafitte National Historical Park Acadian Cultural Center (Lafayette, LA) 356
Jedediah Smith Redwoods State Park (Redwood NP, CA) 702
Jefferson City (MS) **452**
Jefferson Landing State Historic Site 452
Jefferson Memorial (Washington, DC) 12, 190-1, **208**
Jefferson, Thomas 62, 84, 196, 202, 208, 221
Jennings, Waylon 486
Jenny Lake (Grand Teton NP, WY) 575
Jerde, Jon 659
Jerome (AZ) 521
Jimmy Carter Library & Museum (Atlanta, GA) 11, 15, **263**
Jimmy Carter National Historic Site (Plains, GA) 260
JN "Ding" Darling National Wildlife Refuge (FL) 320
Jobs, Steve 696
Jockey Ridge State Park (NC) 252
John Brown House (Providence, RI) 161
John Brown's Fort (Harpers Ferry NP, WV) 198
John Day Fossil Beds National Monument (OR) 603, **626-7**
John F. Kennedy Library & Museum (Boston) **152**
John G. Shedd Aquarium (Chicago) 13, **391**
John Hancock Center (Chicago) 13, **387**
John Hancock Tower (Boston) 151
John Pennekamp Coral Reef State Park (Key Largo, FL) 322
Johns, Jasper 207
Johnson, Albert 673
Johnson, Andrew 62
Johnson, Lyndon B. 63, 469, 476-7
Johnson, Philip 294, 388, 474
Jolliet, Louis 380
Jones Beach State Park (NY) **100**
Jones, John Paul 177
Jones, Robert Trent 401
Jongers, Alphonse 165
Joplin, Janis 476, 692
Jordan, Alex 413
Joshua Tree National Park (CA) **671**
Joss House State Historic Site (Weaverville, CA) 703
Judd, Donald 414
Judeus americanos 79
Julia Pfeiffer Burns State Park (Big Sur, CA) 679
Juneau (AK) **722-3**

K

Kachemak Bay State Park (AK) 725
Kahn, Louis 475
Kalalau Trail (Kaua'i, HI) **741**
Kalapaki Beach (Lihu'e, HI) 740
Kalaupapa National Historical Park (Moloka'i, HI) **736**
Kamehameha, rei 734

Kansas **454-5**
  hotéis 462
  restaurantes 465
Kansas City (MS) **452-3**
  clima 458
Kansas Museum of History (Topeka, KS) 454
Katmai National Park (AK) 719, **726**
Kaua'i (HI) **740-1**
Kaunakakai (Moloka'i, HI) **736**
Kawaiaha'o, igreja (Honolulu, HI) 734
Ke'anae, península (HI) 732
Keillor, Garrison 421
Kelleys Island State Park (Lake Erie Islands, OH) 405
Kelly, George 691
Kemp's Ridley, tartaruga marinha 483
Kenai Fjords National Park (AK) 719, **725**
Kennebunkport 179
Kennebunks (ME) **179**
Kennedy Center (Washington, DC) 12, **212**
Kennedy Space Center (FL) **302-3**
Kennedy, família 158
  casa de verão 158
Kennedy, Jacqueline 63, 207, 212, 213
Kennedy, John F. 63, 135, 212, 294, 302, 407, 469, 472, 476
  sepultura 215
Kentucky **270-3**
  hotéis 278
  música country e bluegrass **271**
  restaurantes 281
Kentucky Derby 245, 270, 273
Kentucky Fried Chicken 271
Kentucky Guild of Artists & Craftmen's Fair 270
Kentucky Horse Park (Lexington, KY) 272
Kerouac, Jack 643, 690
Kerrville (TX) **477**
Ketchikan (AK) **722**
Ketchum Sun Valley Heritage & Ski Museum (ID) 568
Key Biscayne (FL) **299**
Key Largo (FL) 322, 323
Key West (FL) **323**
Key, Francis Scott 197, 207, 226
Keys (FL) 11, 14, **322-3**
  hotéis 328
  restaurantes 331
Keystone (CO) 587
Khan, Fazlur R. 387, 389
Ki Mo Theatre (Albuquerque, NM) 543
Kīlauea Caldera (Hawai'i Volcanoes NP, HI) 738
Kīlauea Point (Kaua'i, HI) **740-1**
Killington (VT) **171**
King Jr, Martin Luther 61, 209, 246-7, 257, 262, 364, 365
  memorial 60, 687
  sepultura 247
King, B. B. 360
King, Stephen 135
King's Chapel & Burying Ground (Boston) 142, **146**

760 | ÍNDICE GERAL

Kings Canyon National Park (CA) **707**
Kinney, Abbot 649
Kissing Camels (CO) 584
Klehm Arboretum & Botanic Garden (Rockford, IL) 396
Klondike Gold Rush National Historical Park (Seattle, WA) 604
Knievel, Evel 569
Knife River Indian Village National Historic Site (ND) 438
Knott's Berry Farm® (Los Angeles) **661**
Kodiak Island (AK) 718, 721, **726**
Kōke'e State Park (Kaua'i, HI) **741**
Kong Chow Temple (São Francisco) 688
Konza Prairie (KS) 454, 455
Krewes 351

L

L'Enfant, Pierre 215
La Crosse (WI) **413**
La Jolla (San Diego, CA) **667**
La Purísima Concepción, Missão (CA) 675
La Villita (São Antonio, TX) 478
LaBranche, Jean Baptiste 349
Laclede's Landing (St. Louis, MO) 450
Lafayette (LA) 334, **356**
Lafayette Park (São Francisco) 692
Lafitte, Jean & Pierre 348, 482
Lafitte's Blacksmith Shop (New Orleans, LA) 349
Lagos
 Champlain (VT) 172-3
 Chelan (WA) 612
 Coeur d'Alene (ID) 558, 560, 566
 Crater (OR) 624-5
 Erie Islands (OH) **405**
 Flathead (MT) 570
 Great Salt (UT) 510
 Havasu City (AZ) **520**
 Jenny (WY) 575
 Martin (LA) 356
 McConaughy (NE) 444-5, 459
 McDonald (MT) 571
 Mead (Las Vegas) 507
 Mendota (WI) 412
 Michigan (MI) 409
 Monona (WI) 412
 Pepin (MN) 416
 Placid (NY) 103
 Powell (UT) 515
 Superior (MN) 417
 Tahoe (CA) 509, 706
 Wallowa (OR) 627
 Winnipesaukee (NH) 175, **175**
 Mendenhall (AK) 723
 Mille Lacs (MN) 417
 Mono (CA) 707
 Picture (WA) 596-7
 Profile (NH) 174
 Rainy (MN) 419
 Redfish (ID) 567
 Stow (CA) 684
 Swiftcurrent (MT) 571
 Wonder (AK) 728
Lahaina (Maui, HI) **737**

Lakeshores nacionais
 Apostle Islands (WI) 413
 Indiana Dunes (IN) 398
 Pictured Rocks (MI) 409
 Sleeping Bear Dunes (MI) 409
Lan Su Chinese Garden (Portland, OR) 17, **619**
Lancaster (PA) 69, **116**
Lane, Fitz Henry 153
Lanier, James 401
Lansing (MI) **408**
Lapidus, Morris 293
Laramie (WY) **579**
Laredo (TX) **484**
Larimer Square & Lower Downtown (LoDo) (Denver, CO) 580-1
Larkin, Thomas 680
Las Vegas (NV) 10, 16, 494, 496, 497, **502-7**
 apostas 548
 cassinos e hotéis 502-5
 clima 548
 hotéis 550
 letreiros de néon 505
 mapa 502-5
 museus 506
 restaurantes 553
 Strip 502-5
Lassen Peak 703
Lassen Volcanic National Park (CA) **703**
Last Train to Nowhere, último trem para lugar nenhum (Nome, AK) 727
Laura Plantation (LA) 354
Laurel Highlands (PA) **119**
Laurel Ridge State Park (PA) 119
Lava Beds National Monument (CA) **703**
Laveau, Marie 346
Lawrence (KS) **454**
Le Corbusier 154
Leadville (CO) 587
Leavenworth (WA) **612**
Lee Island Coast (FL) **320**
Lee, Clayton 688
Lee, general Robert E. 101, 116, 197, 215, 216, 222, 261, 351
Legion of Honor (São Francisco) **694-5**
LEGOLAND® (FL) 313
Leis
 Nova Inglaterra 182
 Pacífico Noroeste 631
Lemmon, Jack 666
Lennon, John 88
León, Juan Ponce de 285, 292
Letreiro de Hollywood (Los Angeles) 659
Lewes (DE) **231**
Lewis, George 344
Lewis, Meriwether & Clark, William 434, 561-2, 566, 572, 620
 Interpretive Center (Washburn, ND) 438
Lewis, Sinclair 381
Lexington (Boston) 155
Lexington (KY) 242, **272**
Libbey, Edward Drummond 405

Liberty Bell (Filadélfia, PA) 110, 112
Lichtenstein, Roy 90
Līhu'e (Kaua'i, HI) **740**
Lilly Jr, J. K. 400
Lime Kiln Point State Park (San Juan Islands, WA) 610
Lincoln (NE) **445**
Lincoln (NH) 175
Lincoln Center for the Performing Arts (NYC) **93**
Lincoln County Historical Museum (North Platte, NE) 445
Lincoln Highway 562
Lincoln Home National Historic Site (Springfield, IL) 397
Lincoln Memorial (Washington, DC) 12, **209**
Lincoln Park Zoo (Chicago) **394**
Lincoln Road Mall (Miami) 14, **292**
Lincoln, Abraham 56, 57, 62, 209, 226, 397
 discurso 81
 esposa de 272
 filho de 170
 local de nascimento 272-3
 recordações 160
 retrato 210
Lindbergh, Charles 205
Linhas aéreas domésticas **31**
Litchfield (CT) **165**
Little Bighorn Battlefield National Monument (MT) **573**
Little Havana (Miami) **295**
Little Italy (NYC) **79**
Little Italy (São Francisco) 690
Little Richard 260
Little Rock (AR) **358**
Little Tokyo (Los Angeles) **657**
Lobos 418, **419**, 729
Loire, Gabriel 689
Lombard Street (São Francisco) 690
Lompoc Valley (CA) 675
London, Jack 697, 700
Loneliest Road (US 50) 509
Long Beach (Los Angeles) **661**
Long Island (NY) 100
Long Wharf (Boston) 149
Long, Huey 355
Longfellow, Henry Wadsworth 148, 154, 178, 356
Longwood Gardens (PA) **117**
Looff, Arthur e Charles 681
Lookout Mountain (TN) 265
Loon Mountain (NH) 175
Loop (Chicago) **388-9**
Loop Road (Acadia NP, ME) 45
Lopez (San Juan Islands, WA) 611
Loretto Chapel (Santa Fe, NM) 541
Lorre, Peter 650
Los Angeles (CA) 10, 17, 48, 639, **646-65**
 20th Century Fox 660
 agenda 665
 ascensão de Hollywood **654**
 atividades ao ar livre 664, 665
 clima 708
 como circular 647, 664, 665
 compras 665
 Disneyland Resort **662-3**

ÍNDICE GERAL | 761

Los Angeles (CA) (cont.)
  diversão 664, 665
  Grande Los Angeles **660-1**
  hotéis 710
  informação turística 664, 665
  mapa 646-7
  restaurantes 713
  Sunset Boulevard **652-3**
Los Angeles Central Library (CA) **656**
Los Angeles City Hall (CA) **656**
Los Angeles County Museum of Art (LACMA) (CA) 655
Lost Horse Mine (Joshua Tree NP, CA) 671
Louis, Joe 365, 406
Louisburg Square (Boston) 140
Louisiana **342-57**
  Acadianos – Cajun Country **357**
  Baton Rouge **355**
  história 354
  hotéis 368-9
  New Orleans **342-51**
  plantações **354-5**
  restaurantes 371-2
Louisiana Old State Capitol (Baton Rouge, LA) 355
Louisiana Sports Hall of Fame & Northwest Louisiana History Museum (Natchitoches, LA) 357
Louisville (KY) **273**
Lowell (MA) **156**
Lowell Observatory (AZ) 520
Loxahatchee National Wildlife Refuge (FL) **300-1**
Lubbock (TX) **486**
Lucy, the Margate Elephant (Atlantic City, NJ) 107
Lummis Home and Garden (LA) **658**
Lummis, Charles Fletcher 658
Lyndon B. Johnson National Historical Park (TX) 476-7

M

MacArthur, Douglas 101
Mackinac Island (MI) 378, **409**
Macon (GA) **260**
Macy, Rowland Hussey 83
Macy's 12, **83**, 687
Madame Tussauds (Los Angeles, CA) 654
Madison (CT) 167
Madison (IN) 401
Madison (WI) **412**
Madison County (IO) 448
Madison Square (NYC) **82**
Madison, Dolley 63
Madison, James 62, 196, 221
Madona Alba, A (Rafael) 205
Madras (OR) **622**
Magnificent Mile (Chicago) 13, **386-7**
Maher, George W. 395
Mahogany Hammock Boardwalk (Everglades NP) 15, **321**
Maine 131, **178-81**
  hotéis 186
  Portland 178
  restaurantes 189
Makapuu Beach (O'ahu, HI) 716-7

Malheur National Wildlife Refuge (OR) **626**
Malibu (Los Angeles) **660**
Malibu Creek State Park (CA) 660
Mall, o (Washington, DC) 12, **204-5**
Mammoth Cave National Park (KY) **270**
Mammoth Hot Springs (Yellowstone NP, WY) 576
Mammoth Site (Black Hills, SD) 443
Manatis 319
Manchester (NH) **176-7**
Manchester (VT) **170**
Mandan (ND) **439**
Manitou Springs (CO) **584**
Manitou Springs Cliff Dwellings (CO) 584
Mantenga, Andrea 648
Mapas
  49-Mile Scenic Drive (CA) 684-5
  Alasca 19, 720-1
  Albuquerque (NM) 542-3
  América do Norte 19
  Arches National Park (UT) 512
  Atlanta (GA) 263
  Baton Rouge (LA) 355
  Baton Rouge Center (LA) 355
  Beacon Hill (Boston) 140-1
  Big Sur (CA) 678-9
  Black Hills (SD) 442-3
  Boston (MA) 138-9
  Bryce Canyon National Park (UT) 518-9
  Califórnia 638-9, 644-5
  Canyonlands National Park (UT) 514
  Charleston (SC) 255
  Chicago (IL) 384-5
  Colorado Ski Resorts 586-7
  Crater Lake National Park (OR) 624-5
  Dallas (TX) 473
  Denver (CO) 581
  Detroit (MI) 407
  EUA dentro do mapa 18-9
  Extremo Sul 334-5, 340-1
  Filadélfia 108-9
  Flórida 288-9
  Freedom Trail (Boston) 142-3
  Glacier National Park (MT) 571
  Grande Boston (MA) 139
  Grande Chicago (IL) 385
  Grande Filadélfia (PA) 109
  Grande Los Angeles (CA) 647
  Grande Miami (FL) 291
  Grande New Orleans (LA) 343
  Grande Nova York (NY) 75
  Grande São Francisco (CA) 683
  Grande Washington, DC 201
  Grandes Cidades Americanas 48-9
  Grandes Lagos 376-7, 382-3
  Grandes Planícies 430-1, 436-7
  Hartford (CT) 164
  Havaí 732-3
  Houston 481
  Independence Hall National Historic Park (Filadélfia, PA) 110-1
  Kilauea Caldera (HI) 738
  Los Angeles (CA) 646-7

Mapas (cont.)
  Memphis (TN) 269
  Miami (FL) 290-1
  Minneapolis e St. Paul (MN) 414-5
  Monument Valley (AZ) 534-5
  Mount Rainier National Park (WA) 614-5
  Nashville (TN) 267
  New Orleans (LA) 342-3
  Nova Inglaterra 130-1, 136-7
  Nova York (NY) 74-5
  NY e a Região Meio-Atlântica 66-7, 72-3
  Oak Park (Chicago) 395
  Os Melhores Percursos com Paisagem 50-1
  Pacífico Noroeste 602-3
  Parques nacionais 44-5
  Passeio pela Hells Canyon National Recreation Area (OR) 628-9
  Passeio pelo Coração do Arizona 521
  Passeio pelos pueblos do norte (NM) 539
  Phoenix (AZ) 522-3
  Portland (ME) 178
  Providence (RI) 161
  Rochosas 558-9, 564-5
  San Antonio (TX) 478-9
  San Juan Islands (WA) 610-1
  Santa Fé (NM) 540-1
  São Francisco (CA) 682-3
  Seattle (WA) 605
  St. Louis (MO) 451
  Strip (Las Vegas, NV) 502-5
  Sudeste 242-3, 248-9
  Sudoeste 494-5, 500-1
  Texas 470-1
  Walt Disney World® Resort (FL) 304
  Washington, DC 200-1
  Washington, DC e Região da Capital 192-3, 198-9
  Washington, DC Mall 204-5
  Williamsburg colonial(VA) 218-9
  Yellowstone National Park (WY) 576-7
  Zion Canyon (UT) 517
Marcos históricos nacionais
  Adler Planetarium & Astronomy Museum (Chicago) 391
  Eldridge Street Synagogue (NYC) 79
  Giant Dipper roller coaster (Santa Cruz, CA) 681
  Old Town (Portland, OR) 17, **619**
  Ozark Folk Center State Park (AR) 359
  Port Townsend (WA) **609**
  Rockefeller Center (NYC) 86
  San Francisco Plantation (LA) 354
  Sloss Furnaces (Birmingham, AL) 365
  Virginia City (NV) **508**
Mardi Gras 350, **351**
Mardi Gras Museum (New Orleans, LA) 346
Mardi Gras World (New Orleans) 350

"Marfim negro" 348
Maritime Museum (Lake Chaplain, VT) 173
Marlowe, Philip 649
Marquette Building (Chicago) 388
Marquette, Jacques 380
Marshall Gold Discovery State Park (CA) **704**
Marshall, Thurgood 197
Martha's Vineyard (MA) 158-9
Martin Luther King Jr. Memorial (Washington) 209
Martin Luther King Jr. National Historic Site (Atlanta, GA) 11, 15, **262**
Martin, Dean 650
Martinez, Maria 538
Mary Todd Lincoln House (Lexington, KY) 272
Maryhill (WA) **613**
Maryland **226-9**
  hotéis 125
  restaurantes 238
Masefield, John 81
Mason-Dixon, linha 71
Masonic Temple (Filadélfia, PA) **113**
Massachusetts **138-59**
  Boston **138-55**
  hotéis 184-5
  restaurantes 188
Massachusetts Institute of Technology (Cambridge, MA) 154
Massachusetts State House (Boston) **144**
Massacre Cave (Canyon de Chelly, AZ) **537**
Massacre de Boston 54, 147
Massasoit 157
Mastercard, cartão de crédito 25
Masterson, Bat 455
Matheson Wetlands Preserve (UT) 513
Matisse, Henri 115, 398
Maui (HI) 736, **737**
Mayflower II 157
Mayflower, navio 133, 157
Mayo Clinic (Rochester, MN) 416
Mayo, Will & Charles 416
McAuliffe, Christa 176
McAuliffe-Shepard Discovery Center (Concord, NH) 176
McConaughy State Recreation Area, lago (NE) 444-5
McConnell's Mill State Park (PA) 119
McDonald Observatory (Fort Davis, TX) 485
McIlhenny Tabasco Company (Avery Island, LA) 356-7
McIntryre, Samuel 153
McKinley, William 63
McKittrick Canyon (Guadalupe Mountains NP, TX) 486
McLaughlin, John 643
McNeil River State Game Sanctuary (AK) 726
Mead National Recreation Area, lago (Las Vegas) 507
Medicine Wheel (WY) 578
Meier, Richard 401

Mellon, Andrew 206
Melrose Plantation (Natchez, MS) 363
Melville, Herman 134, 159
Memphis (TN) **268-9**
Mencken, H. L. 197
Mendenhall Glacier (AK) 723
Mendocino (CA) **701**
Menno-Hof Mennonite Anabaptist Interpretive Center (Shipshewana, IN) 399
Menonitas 399, 435
Merritt Island National Wildlife Refuge (FL) 303
Mesa Verde National Park (CO) 44, 559, **588-9**
Metro-Goldwyn-Mayer (Los Angeles) 651
Metropolitan Life Tower (Nova York) 82
Metropolitan Museum of Art (NYC) 12, **90-1**
Metropolitan Opera House (Nova York) 93
México 540
  cultura 657
  independência 540
  visitando o México 485
MGM Grand Hotel (Las Vegas, NV) 502
Miami (FL) 11, 14, 49, **290-9**
  centro **294-5**
  clima 324
  como circular 291
  Grande Miami 291, **298-9**
  hotéis 326
  mapa 290-1
  Ocean Drive **292-3**
  restaurantes 329
Miami Beach 14, **292-3**
Miami-Dade Cultural Center (FL) 14, **294**
Michener, James 476
Michigan **406-9**
  hotéis 423
  restaurantes 426
Mickey Mouse 305
Microsoft 604
Midtown Manhattan (NYC) **84-5**
Mildred E. Mathias Botanical Garden (Los Angeles) 650
Millay, Edna St. Vincent 179
Mille Lacs Band of Ojibwe, reserva indígena (MN) 417
Mille Lacs, lago (MN) 417
Millennium Park (Chicago) 13, **388**
Miller, Frederick 411
MillerCoors Brewery, cervejaria (Milwaukee, WI) 411
Milwaukee (MN) **410-1**
Mingus, Charles 525
Minneapolis e St. Paul (MN) **414-5**
Minnelli, Vincente 652
Minnesota **414-9**
  hotéis 423-4
  Minneapolis e St. Paul (MN) **414-5**
  restaurantes 426
Minnesota Discovery Center (Chisholm, MN) 418

Minorias étnicas 71, 79, 344, 704
Minute Man National Historic Park (Concord, MA) 156
Minutemen, milicianos americanos 155, 156
Miracle Mile (Los Angeles) **655**
Miracle Rock (Colorado National Monument, CO) 589
Mirage (Las Vegas, NV) 16, **504**
Mission Dolores (CA) 13, **693**
Mission San Francisco Solano de Sonoma (CA) 16, **700**
Mission San Juan Capistrano (Los Angeles) **661**
Mission Santa Clara de Asis (San Jose, CA) 696
Mission Santa Cruz (CA) 681
Missions National Historical Park (TX) **478**
Mississippi **360-3**
  blues, música **361**
  hotéis 369-70
  restaurantes 372-3
Mississippi Delta (MS) **360**, 361
Mississippi Delta Blues Festival 360
Mississippi River **416**
Mississippi River Towns (MN) 416
Missões, arquitetura das (CA) **675**
Missoula (MT) **570**
Missouri **450-3**
  hotéis 461-2
  restaurantes 463-4
Missouri Botanical Garden (St. Louis, MO) 451
Missouri River Valley (ND) 438
Mitchell (SD) **440**
Mitchell Caverns (CA) 671
Mitchell, Margaret 262
Mizner, Addison 301
Moab (UT) **513**
Mobile (AL) 15, **364**
Moby Dick (Melville) 134, 159
Moedas **23**
Mogollon 497
Mohegan Bluffs (Block Island, RI) 163
Moisseiff, Leon 695
Mojave, deserto (CA) **671**
Mollie Kathleen Gold Mine (Cripple Creek, CO) 585
Molly Brown House (Denver, CO) 580
Moloka☒i (HI) **736**
Mondrian, Piet 473
Monet 206, 398, 402, 694, 695
Mono Lake (CA) 707
Monona Terrace Community & Convention Center (Madison, WI) 412
Monongahela National Forest (WV) **224**
Monroe, James 62, 220
Monroe, Marilyn 650, 652, 654, 666
Montana **570-3**
  hotéis 592
  restaurantes 594
Montauk Point Lighthouse (Montauk, NY) 100
Monterey (CA) 16, **680-1**

ÍNDICE GERAL | 763

Monterey Bay Aquarium (CA) 16, **680-1**
Monterey State Historic Park 680
Montezuma Castle National Monument (AZ) 521
Montgomery (AL) 15, **364-5**
Montgomery Locks & Dam (PA) 119
Monticello (VA) **221**
Montrose District (Houston, TX) 481
Monument Valley (AZ) 8-9, 497, **534-5**
Monumentos nacionais
 Cabrillo (San Diego, CA) 666
 Cânion de Chelly (AZ) 536-7
 Cedar Breaks (UT) 516
 Colorado 589
 Craters of the Moon (ID) 569
 Devil's Tower (WY) 578
 Federal Hall (NYC) 76
 Fort Frederica (Golden Isles, GA) 259
 Fort Pulaski (GA) 258
 Fort Sumter (SC) 254-5
 Gateway Arch-Jefferson National Expansion Monument (St. Louis, MO) 432, **450**
 Gila Cliff Dwellings (NM) 547
 Grand Staircase-Escalante (UT) 516
 Great Sand Dunes National Monument & Preserve (CO) 588
 Hovenweep (UT) 515
 Jewel Cave (Black Hills, SD) 442
 John Day Fossil Beds (OR) 626-7
 Lava Beds (CA) 703
 Little Bighorn Battlefield (MT) 573
 Montezuma Castle (AZ) 521
 Mount St. Helens National Volcanic Monument (WA) 10, **617**
 Muir Woods (CA) 697
 Navajo (AZ) 527
 Newberry National Volcanic Monument (OR) 623
 Ocmulgee (Macon, GA) 260
 Oregon Caves (OR) 625
 Petroglyph (Albuquerque, NM) 544
 Pipestone (MN) 416
 Poverty Point (LA) 357
 Rainbow Bridge (UT) 515
 Scotts Bluff (OR) 446
 Timpanogos Cave (UT) 511
 Tuzigoot (AZ) 521
 White Sands (NM) 546-7
Moody Gardens (Galveston, TX) 482
Moore, Charles 651
Moore, Henry 86, 206, 393
Moore, Marianne 81
Moraine State Park (PA) 119
Moran, Thomas 475
Morell, Abelardo 135
Morgan Jr, J. P. 85
Morgan Library & Museum (NYC) **85**
Morgan, Charles W. 167
Morgan, Julia 676
Morgan, Pierpoint 85
Mormon Tabernacle (Salt Lake City, UT) 510
Mormon Trail Center (Omaha, NE) 447

Mórmons **511**, 515
 fundador 511
 igreja 510
 Joshua tree 671
 Mormon Trail Center (Omaha, NE) 447
 templo (Oakland, CA) 697
Morris Performing Arts Center (South Bend, IL) 399
Morris, William 150
Morrison, Jim 404, 652
Morse, Reynolds 318
Morton, Jelly Roll 347
Moses Mason House (Bethel, ME) 181
Moses, Anna Mary ("Grandma") 135, 170
Motéis, hotéis de beira de estrada **26**
Motocicletas, aluguel e passeios 34
Motor homes e trailers 33
Motown Historical Museum (Detroit, MI) 407
Mount Constitution (San Juan Islands, WA) 610
Mount Crested Butte (CO) 565
Mount Desert Oceanarium (Acadia NP, ME) 180
Mount Hood (OR) 601, **620**
Mount Locke (TX) 485
Mount Mansfield (VT) 173
Mount Marcy (NY) 103
Mount Mazama (OR) 624
Mount McKinley (AK) 718, 728
Mount Mitchell (NC) 251
Mount Novarupta (AK) 726
Mount Olympus (WA) 608
Mount Rainier (WA) 599
Mount Rainier National Park (WA) 10, 17, **614-5**
Mount Rushmore (SD) 430
Mount Rushmore National Memorial (Black Hills, SD) 443
Mount San Jacinto Wilderness State Park (CA) 670
Mount Shasta (CA) **703**
Mount Shuksan (WA) 596-7, **612**
Mount St. Helens National Volcanic Monument (WA) 10, 17, **617**
Mount Tom State Park (Litchfield, CT) 165
Mount Vernon (VA) **216-7**
Mount Vernon Street (Boston) 140
Mount Washington (NH) 174
Mount Washington Cog Railway (NH) 174
Mount Whitney (CA) 707
Mountain View (AR) **359**
Movimento Sufragista 103
Mud Island (Memphis, TN) 268
Muddy Waters 361
Muir Woods (CA) **697**
Muir, John 697
Muito Dinheiro (Chicago) **391**
Mulholland Drive (Los Angeles) **654**
Mulholland Point (Campobello Island, ME) 181
Mulholland, William 654
Multnomah Falls (OR) 620
Murais (São Francisco) **690**

Museus e galerias
 Abbe Museum (Bar Harbor, ME) 180
 Abraham Lincoln Presidential Library and Museum (Springfield, IL) 397
 Academy Museum of the Arts (Easton, MD) 228, 229
 Adler Planetarium e Astronomy Museum (Chicago) 391
 African-American Museum (Filadélfia, PA) 110
 Alaska State Museum (Juneau) 723
 Albright-Knox Art Gallery (Buffalo, NY) 105
 Albuquerque Museum of Art and History (NM) 543
 Amana Heritage Society and Museum (IO) 448
 Amelia Island Museum of History (Fernandina Beach, FL) 315
 American Folk Art Museum (NYC) 93
 American International Rattlesnake Museum (Albuquerque, NM) 543
 American Jazz Museum (Kansas City, MO) 453
 American Museum of Natural History (NYC) **93**
 American Saddlebred Museum (Lexington, KY) 272
 American Swedish Institute (Minneapolis, MN) 415
 American Visionary Art Museum (Baltimore, MD) 226, 227
 Amon Carter Museum (Fort Worth, TX) 15, **475**
 Anchorage Museum (AK) 724
 Anderson-Abruzzo (Albuquerque, NM) 544
 Andy Warhol Museum (Pittsburgh, PA) 118
 Argo Gold Mine, Mill & Museum (Idaho Springs, CO) 583
 Arizona Toy and Doll Museum (Phoenix, AZ) 522
 Arizona-Sonora Desert Museum (Tucson, AZ) 524
 Art Institute of Chicago 13, **388-9**
 Arthur M. Sackler Gallery (Washington, DC) 204
 Asian Art Museum (São Francisco) 692
 Astor House Museum (Golden, CO) 582
 Atwater-Kent Museum (Filadélfia, PA) 110
 Baltimore Museum of Art (MD) 226, 227
 Baranov Museum (Kodiak Island, AK) 726
 Basque Museum & Cultural Center (Boise, ID) 567
 Bass Museum of Art (Miami) **293**
 Battles for Chattanooga Electric Mapa (Chattanooga, TN) 265
 Bay Area Discovery Center (São Francisco) 695

Museus e galerias (cont.)
Bennington Museum & Grandma Moses Gallery (VT) 170
Best Place (Milwaukee, WI) 411
Bible Museum (Eureka Springs, AR) 359
Billings Farm & Museum (Woodstock, VT) 171
Birmingham Civil Rights Institute (AL) 365
Birmingham Museum of Art (AL) 365
Bishop Museum (Honolulu, HI) 735
Black American West Museum & Heritage Center (Denver, CO) 581
Blanton Museum of Art (Austin, TX) 476
Boca Raton Museum of Art (FL) 300
Boot Hill Museum (Dodge City, KS) 455
Brick Store Museum (Kennebunk, ME) 179
Brooklyn Children's Museum (NYC) 97
Brooklyn Museum of Art (NYC) 97
Buddy Holly Center (Lubbock, TX) 486
Buffalo Bill Museum (Cody, WY) 574
Burke Museum of Natural History & Culture (Seattle, WA) 607
Busch-Reisinger Museum (Cambridge, MA) 155
C&D Canal Museum (Chesapeake, MD) 228
California African-American Museum (Los Angeles) 656
California Museum of Science & Industry (Los Angeles) 656
California State Railroad Museum (Sacramento, CA) 705
Campbell House (Spokane, WA) 613
Captain George Flavel House Museum (Astoria, OR) 17, **620**
Carnegie Museum of Art (Pittsburgh, PA) 118
Cedar Rapids Museum of Art (IA) 449
Chapin Mesa Archaeological Museum (Mesa Verde NP, CO) 588, 589
Charles H. Wright Museum of African American History (Detroit, MI) 406-7
Charles Hosmer Morse Museum of American Art (Orlando, FL) 312
Charles M. Russell Museum (Great Falls, MT) 572
Charleston Museum (SC) 255
Chattanooga Regional History Museum (TN) 265
Chesapeake Bay Maritime Museum (MD) 228
Cheyenne Frontier Days Old West Museum (WY) 579
Chicago Children's Museum (IL) 13, **387**

Museus e galerias (cont.)
Chicago History Museum (IL) 386
Children's Museum (Boston) 149
Children's Museum and Theatre of Maine (Portland, ME) 178
Children's Museum of Indianapolis (IN) 400
Children's Museum of New Hampshire (Dover, NH) 177
Chrysler Museum of Art (Norfolk, VA) 220
Cincinnati Art Museum (OH) 402
Cincinnati Museum Center (OH) 402
Circus World Museum (Baraboo, WI) 412
Cleveland Museum of Art (OH) 404
Colorado Springs Pioneer Museum (Colorado Springs, CO) 584
Columbia River Maritime Museum (Astoria, OR) 620
Corcoran Gallery of Art (Washington, DC) **212**
Cornell Fine Arts Museum (Orlando, FL) 312
Cottonlandia Museum (Greenwood, MS) 360
Craft & Folk Art Museum (Los Angeles) 655
Currier Museum of Art (Manchester, NH) 176-7
Dallas Museum of Art (TX) 15, **472-3**
Dayton Art Institute (OH) 402
De Young Museum (São Francisco) 694
Delaware Art Museum (Wilmington, DE) 230
Delta Blues Museum (Clarksdale, MS) 360
Denver Art Museum (CO) 580
Denver Museum of Nature & Science (CO) 581
Des Moines Art Center (IA) 448
Detroit Historical Museum (MI) 406
Detroit Institute of Arts (MI) 406
Discovery Children's Museum (Las Vegas, NV) 506
Door County Maritime Museum (Sturgeon Bay, WI) 411
Dorothy Molter Museum (Ely, MN) 418
Dorothy Pecault Nature Center (Sioux City, IO) 448
Durango & Silverton Narrow Gauge Railroad & Museum (CO) 588
Durham-Western Heritage Museum (Omaha, NE) 447
DuSable Museum of African American History (Chicago) **393**
Eiteljorg Museum of American Indian & Western Art (Indianápolis, IN) 400-1
Ellis Island Immigration Museum (NYC) 77

Museus e galerias (cont.)
Erie Canal Museum (Syracuse, NY) 104
Everson Museum of Art (Syracuse, NY) 104
Experience Music Project (Seattle, WA) 17, **606**
Farnsworth Art Museum (Rockland, ME) 179
Fenimore Art Museum (Cooperstown, NY) 103
Fernbank Natural History Museum (Atlanta, GA) 263
Field Museum (Chicago) 13, **391**
Figge Art Museum (Davenport, IA) 449
Firehouse #1 Museum (Nevada City, CA) 704
Flagler Museum (Palm Beach, FL) 301
Fogg Art Museum (Cambridge, MA) 155
Fort Caspar Museum (Casper, WY) 578
Fort Myers Historical Museum (FL) 320
Fort Walla Walla Museum (Walla Walla, WA) 613
Fowler Museum of Cultural History (Los Angeles) 650
Freer Gallery of Art (Washington, DC) 204
Galena/Jo Daviess County History Museum (Galena, IL) 396
Gallatin Pioneer Museum (Bozeman, MT) 573
Geffen Contemporary at MOCA (Los Angeles) 657
Georgia O'Keefe Museum (Santa Fe, NM) 16, **541**
Gerald R. Ford Museum (Grand Rapids, MI) 408
Gold Museum (Dahlonega, GA) 261
Golden History Center (Golden, CO) 582
Grand Rapids Public Museum (Grand Rapids, MI) 408
Great Plains Black History Museum (Omaha, NE) 447
H.H. Bennett Studio & History Center (Wisconsin Dells, WI) 412
Haas-Lilienthal House (São Francisco) 692
Hagley Museum (DE) 230
Halifax Historical Society Museum (Daytona Beach, FL) 314
Hallie Ford Museum of Art (Salem, OR) 622
Hamill House Museum (Georgetown, CO) 583
Hammer Museum (Los Angeles) 650
Hands On Museum (Ann Arbor, MI) 408
Harley-Davidson Museum (Milwaukee, WI) 410, 411
Harlington Arts and Heritage Museum (Rio Grande, TX) 484

ÍNDICE GERAL | 765

Museus e galerias (cont.)
Harvard Art Museum (Cambridge, Hamill House Museum (CO), MA) 154
Harvard Museum of Natural History (Cambridge, MA) 155
Havre de Grace Decoy Museum (MD) 228
Hay House Museum (Macon, GA) 260
Heard Museum (Phoenix, AZ) 522
Henry Art Gallery (Seattle, WA) 607
Henry B. Plant Museum (Tampa, FL) 318
High Desert Museum (Bend, OR) 623
High Museum of Art (Atlanta, GA) 263
Hirshhorn Museum (Washington, DC) 205
Historic Cold Spring Village (Cape May, NJ) 107
Historic Fort Wayne & Tuskegee Airmen Museum (Detroit, MI) 406-7
Historic New Orleans Collection (LA) 349
History Colorado Center (Denver, CO) 580
Hollywood Museum (Los Angeles, CA) 654
Home Sweet Home Museum (The Hamptons, NY) 100
Indiana State Museum (Indianápolis, IN) 400
Indiana University Art Museum (Bloomington) 398
Indianapolis Museum of Art (IN) 400, 401
Institue of Texas Cultures (San Antonio, TX) 479
International Museum of Photography & Film (Rochester, NY) 104
International Museum of the Horse (Lexington, KY) 272
Isabella Stewart Gardner Museum (Boston) 13, **152**
J. Millard Tawes Museum (Crisfield) MD 229
Jamestown Settlement (VA) 220
Japanese American National Museum (Los Angeles) 657
Jell-O Museum (Buffalo, NY) 105
Jimmy Carter Library & Museum (Atlanta, GA) 11, 15, **263**
John F. Kennedy Hyannis Museum (MA) 158, 159
John F. Kennedy Library & Museum (Boston) 152
John Gorrie State Museum (Apalachicola, FL) 317
John Wesley Powell River History Museum (Green River, UT) 515
Joslyn Art Museum (Omaha, NE) 447
Juníperro Serra Museum (San Diego, CA) 666

Museus e galerias (cont.)
Kansas City Museum (MO) 452, 453
Kansas Museum of History (Topeka, KS) 454
Kaua'i Museum (Lihu'e, HI) 740
Kelsey Museum of Archaeology (Ann Arbor, MI) 408
Kentucky Derby Museum (Louisville) 273
Ketchum Sun Valley Heritage & Ski Museum (ID) 568
Kimbell Art Museum (Fort Worth, TX) 475
Lake Champlain Maritime Museum (Basin Harbor, VT) 173
Landis Valley Museum (Lancaster, PA) 116
Las Vegas Natural History Museum (NV) 506
Leavenworth Nutcracker Museum (WA) 612
Lee-Fendall House Museum (Alexandria, VA) 216, 217
Legion of Honor (São Francisco) 694-5
Lewis & Clark National Historic Trail Interpretive Center (Great Falls, MT) 572
Lightner Museum (St. Augustine, FL) 314
Lincoln County Historical Museum (North Platte, NE) 445
Little Rock Central High School National Historic Site Visitor Center (AR) 358
Loomis Museum (Lassen Volcanic NP, CA) 703
Los Angeles Children's Museum (CA) 656
Los Angeles County Museum of Art (LACMA) (CA) 655
Lost City Museum of Archaeology (Overton, NV) 507
Louisiana Sports Hall of Fame & Northwest Louisiana History Museum (Natchitoches, LA) 357
Louisville Slugger Museum (KY) 273
Lowe Art Museum (Miami) 296
LSU Rural Life Museum (Baton Rouge, LA) 355
Lyman Museum & Mission House (Hilo, HI) 739
Lyndon House Arts Center (Athens, GA) 260
Madame Tussauds (Los Angeles, CA) 654
Maine Narrow Gauge Railroad Co. & Museum (Portland, ME) 178
Mardi Gras Museum (New Orleans, LA) 346
Margaret Mitchell House & Museum (Atlanta, GA) 262-3
Maritime Museum (San Diego, CA) 17, **666**
Mark Twain House and Museum (Hartford, CT) 164-5
Martha's Vineyard Museum (MA) 159

Museus e galerias (cont.)
Maryhill Museum of Art (WA) 613
Maryland Science Center (Baltimore, MD) 226, 227
Memphis Rock-N-Soul Museum (TN) 268
Menil Collection (Houston, TX) 480
Merchant's House Museum (NYC) 81
Metropolitan Museum of Art (NYC) 12, **90-1**
Miami-Dade Cultural Center (FL) 14, **294**
Michigan Historical Museum (Lansing) 408
Michigan Maritime Museum (South Haven) 409
Mid-America All-Indian Center (Wichita, KS) 455
Mille Lacs Indian Museum (MN) 417
Milwaukee Art Museum (WI) 411
Milwaukee County Historical Center (WI) 410
Milwaukee Public Museum (WI) 410
Minneapolis Institute of Arts (MN) 414
Minnesota History Center (St. Paul, MN) 415
Mission Houses Museum (Honolulu, HI) 734
Mississippi Agriculture & Forestry Museum (Jackson) 362
Mobile Carnival Museum (Mobile, AL) 364
Morgan Library & Museum **85**
Morris Thompson Cultural & Visitor Center (Fairbanks, AK) 727
Morrison Hotel Gallery (NYC) 80
Motown Historical Museum (Detroit, MI) 407
Museo de las Americas (Denver, CO) 581
Museum at Warm Springs (OR) 622
Museum Campus (Chicago) **391**
Museum of African American History (Boston) 141
Museum of Art & History at the McPherson Center (Santa Cruz, CA) 681
Museum of Art (Santa Barbara, CA) 674
Museum of Colorado Prisons (Cañon City) 585
Museum of Contemporary Art (Los Angeles) 17, **657**
Museum of Contemporary Art (San Diego) 17, 666
Museum of Contemporary Photography (Chicago) 390
Museum of Early Southern Decorative Arts (Winston-Salem, NC) 250-1
Museum of Fine Art (St. Petersburg, FL) 318
Museum of Fine Arts (Boston) 13, **152-3**

Museus e galerias (cont.)
Museum of Fine Arts (Houston) 480
Museum of Flight (Seattle) 60-76
Museum of Florida History (Tallahassee) 316
Museum of Idaho (Idaho Falls) 569
Museum of International Folk Art (Santa Fe, NM) 16, **541**
Museum of Modern Art (NYC) **87**
Museum of Natural History of the Florida Keys (Marathon Key) 322
Museum of Northern Arizona (Flagstaff) 520
Museum of Science & Industry (Chicago) **392**
Museum of Science & Industry (Tampa, FL) 318
Museum of the Confederacy (Richmond, VA) 220
Museum of the Fur Trade (Chadron, NE) 444
Museum of the Rockies (Bozeman, MT) 573
Museum of Tolerance (Los Angeles) **650**
Museum of Western Art (Kerrville, TX) 477
Museum of Westward Expansion (St. Louis, MO) 450
Museum Park (Miami, FL) 294
Musicians Hall of Fame at Nashville Municipal Auditorium (TN) 266
Mütter Museum (Filadélfia, PA) 114
Nasher Sculpture Center (Dallas, TX) 15, **473**
National Air & Space Museum (Washington, DC) 12, **205**
National Automobile Museum (Reno, NV) 509
National Baseball Hall of Fame (Cooperstown, NY) 103
National Civil Rights Museum (Memphis, TN) 268
National Cowboy Museum (Oklahoma City, OK) 457
National Czech & Slovak Museum & Library (Cedar Rapids, IA) 449
National Frontier Trails Center (Independence, MO) 453
National Gallery of Art (Washington, DC) 12, 205, **206**
National Mississippi River Museum & Aquarium (Dubuque) 449
National Museum of African Art (Washington, DC) 204
National Museum of American History (Washington, DC) 12, **204**
National Museum of American Jewish History (Filadélfia, PA) 110
National Museum of Natural History (Washington, DC) 204
National Museum of Nuclear Science & History (Albuquerque, NM) 544
National Museum of the Pacific War (Fredericksburg, TX) 476, 477

Museus e galerias (cont.)
National Museum of the US Air Force (Dayton, OH) 402
National Portrait Gallery (Washington, DC) 207
National Prisoner of War (POW) Museum (Andersonville, GA) 260
National Route 66 Museum (Elk City, OK) 457
National September 11 Memorial & Museum (Nova York) 12, **70**
National Voting Rights Museum (Selma, AL) 364
National World War II Museum (New Orleans, LA) 345, 346
Natural History Museum of Los Angeles County (CA) 656
Nebraska History Museum (Lincoln) 445
Negro Leagues Baseball Museum (Kansas City, MO) 453
Nelson-Atkins Art Museum (Kansas City, MO) 453
Nevada State Museum (Carson City) 508
Nevada State Railroad Museum (Carson City) 508
New England Quilt Museum (Lowell, MA) 156
New Mexico Museum of Art (Santa Fe, NM) 540
New Mexico Museum of Natural History & Science (Albuquerque) 542-3
New Orleans Jazz Collection (LA) 344
New Orleans Museum of Art (LA) 351
New York State Museum (Albany, NY) 102
Nichols House Museum (Boston) 141
Nordic Heritage Museum (Seattle, WA) 607
Norman Rockwell Museum (Stockbridge, MA) 159
North Carolina Maritime Museum (Beaufort) 253
North Carolina Museum of Art (Raleigh) 250
North Carolina Museum of History (Raleigh) 250
North Dakota Museum of Art (Grand Forks) 438
North Star Mine Powerhouse & Pelton Wheel Museum (Grass Valley, CA) 704
Northwest Museum of Arts & Culture (Spokane, WA) 613
Norton Simon Museum (Los Angeles) 660
Oakland Museum of California (São Francisco, CA) 697
Ocean City Life-Saving Station Museum (MD) 229
Ohio History Center (Columbus, OH) 403
Oklahoma History Center (Oklahoma City, OK) 457

Museus e galerias (cont.)
Old Capitol Museum of Mississippi History (Jackson, MS) 362
Old Cowtown Museum (Wichita, KS) 455
Old State House State History Museum (Little Rock, AR) 358
Oregon Museum of Science & Industry (Portland) 619
Oriental Institute Museum (Chicago) 393
Orlando Museum of Art (FL) 312
Orlando Science Center (FL) 312
Page Museum at the La Brea Tar Pits (Los Angeles) 655
Paley Center for Media (Los Angeles, CA) 651
Palm Springs Art Museum (CA) 670
Panhandle-Plains Historical Museum (Canyon, TX) 486
Park City Museum (UT) 511
Peabody Essex Museum (Salem, MA) 156
Peabody Museum of Archaeology & Ethnology (Cambridge, MA) 155
Peabody Museum of Natural History (New Haven, CT) 166
Pearl Harbor (HI) 735
Pennsylvania Academy of Fine Arts **113**
Pérez Art Museum (Miami, FL) 294
Peterson Automative Museum (Los Angeles) 655
Philadelphia Museum of Art (PA) **115**
Pilgrim Hall Museum (Plymouth, MA) 157
Plains Art Museum (Fargo, ND) 439
Pony Express Museum (Kansas City, MO) 453
Portland Art Museum (OR) 17, **618**
Portland Museum of Art (ME) 14, **178**
Pueblo Grande Museum (Phoenix, AZ) 522
R.E. Olds Transportation Museum (Lansing, MI) 408
Ralph Mark Gilbert Civil Rights Museum (Savannah, GA) 258
Renwick Gallery (Washington, DC) **212**
Republic of the Rio Grande Museum (Laredo, TX) 484
Rice Museum (Georgetown, SC) 256-7
Ringling Museum Complex (Sarasota, FL) 319
RISD Museum of Art (Providence) 160, 161
Robert Hull Fleming Museum (Burlington, VT) 172
Rock & Roll Hall of Fame & Museum (Cleveland, OH) 404
Roger Maris Baseball Museum (Fargo, ND) 439

Museus e galerias (cont.)
Rosicrucian Egyptian Museum & Planetarium (San Jose, CA) 696
Rosson House (Phoenix, AZ) 522
Sackler Museum (Cambridge, MA) 155
Salem Witch Museum (Salem, MA) 156
Salvador Dali Museum (St. Petersburg, FL) 318
San Diego Automotive Museum (CA) 668, 669
San Diego Museum of Art (CA) 668, 669
San Diego Museum of Man (CA) 669
San Diego Natural History Museum (CA) 669
San Francisco Maritime National Historical Park (CA) 685, **690**
San Francisco Museum of Modern Art (CA) **687**
Santa Monica Museum of Art (Los Angeles) 649
Science Fiction Museum (Seattle, WA) 606
Science Museum of Virginia (Richmond) 220
Seashore Trolley Museum (Kennebunkport, ME) 179
Seattle Art Museum (WA) 605
Shelburne Museum (VT) 171
Ships of the Sea Maritime Museum (Savannah, GA) 258
Sixth Floor Museum (Dallas) 15, **472**
Smart Museum of Art (Chicago, IL) 393
Smithsonian American Art Museum & National Portrait Gallery (Washington, DC) 12, **207**
Solomon R. Guggenheim Museum (NYC) 12, **92**
Sophienburg Museum & Archives (New Braunfels, TX) 477
South Carolina Confederate Relic Room & Museum (Columbia) 256
South Carolina State Museum (Columbia) 256
Speed Art Museum (Louisville, KY) 273
Spencer Museum of Art (Lawrence, KS) 454
Spertus Museum (Chicago) 390
SS *William A. Irwin* (Duluth, MN) 417
St. Louis Art Museum (MO) 451
St. Petersburg Museum of History (FL) 318
Stanford Museum of Art (Palo Alto, CA) 696
State Capitol Museum (Olympia, WA) 617
Strong National Museum of Play (Rochester, NY) 104
Studebaker National Museum (South Bend, IN) 399
Studio Museum in Harlem (NYC) **95**

Museus e galerias (cont.)
Surfing Museum (Santa Cruz, CA) 681
Tacoma Art Museum (WA) 616
Tacoma Museum of Glass (WA) 616
Tampa Museum of Art (FL) 318
Tech Museum of Innovation (San Jose, CA) 696
Tennessee State Museum (Nashville) 266
The Autry National Center of the American West (Los Angeles) 658
The Eisner: American Museum of Advertising and Design (Milwaukee, WI) 410-1
The Getty Center (Los Angeles) 17, **648**
The Henry Ford (Detroit, MI) 407
Thomas Gilcrease Institute (Tulsa, OK) 456
Timken Museum of Art (San Diego, CA) 669
Toledo Museum of Art (OH) 405
Torpedo Factory Art Center (Alexandria, VA) 216-7
TT Wentworth, Jr., Florida State Museum (Pensacola) 317
Turquoise Museum (Albuquerque, NM) 542
Ulrich Architecture & Design Gallery (Minneapolis, MN) 414
United States Holocaust Memorial Museum (Washington, DC) 208
University Museums (Oxford, MS) 360-1
University of Nebraska State Museum (Lincoln) 445
University of New Mexico & Art Museum (Albuquerque, NM) 544
University of Oregon Museum of Natural and Cultural History 622
University of Wyoming Art Museum (Laramie) 579
US Naval Academy (Annapolis, MD) 227
Valdez Museum (AK) 724
Vermilionville (Lafayette, LA) 356
Virginia Museum of Fine Arts (Richmond) 220
Voigt House Victorian Museum (Grand Rapids, MI) 408
Wadsworth Atheneum (Hartford, CT) 164
Walker Art Center (Minneapolis, MN) 414
Wallowa County Museum (Joseph, OR) 627
Walter Anderson Museum of Art (Ocean Springs, MS) 363
Walters Art Gallery (Baltimore, MD) 227
Ward Museum of Wildfowl Art (Salisbury, MD) 229
Washington Park Arboretum (Seattle, WA) 607
Washington State History Museum (Tacoma, WA) 616

Museus e galerias (cont.)
Wells Fargo Express Office & Columbia Schoolhouse (Columbia, CA) 705
Western Washington University (Bellingham, WA) 609
Whale Museum (Friday Harbor, WA) 610
Whatcom Museum (Bellingham, WA) 609
Whitney Museum of American Art (NYC) **90**
Wiliam J. Clinton Presidential Center (Little Rock, AR) 358
Williamette Heritage Center at the Mill (Salem, OR) 622
Wings Over Miami (FL) 299
Woolaroc Museum & Wildlife Preserve (Bartlesville, OK) 456
World Museum of Mining (Butte, MT) 572, 573
World of Coca-Cola (Atlanta, GA) 15, **262**
Wreckers' Museum (Key West, FL) 14, **323**
Yellowstone Art Museum (Billings, MT) 573
Zwaanendael Museum (Lewes, DE) 231
Museus nacionais e galerias *ver* Museus e galerias
Music Center (Los Angeles) **656**
Mustang Island State Park (TX) 483
Mütter Museum (Filadélfia, PA) **114**
My Old Kentucky Home State Park (Bardstown) 273
Myrtle Beach (SC) 243, **256**
Mystic Seaport (CT) 167

N

Nações Unidas (NYC) 84
  obras de arte **86**
Nags Head Woods Preserve (NC) 252
Nambe Pueblo (NM) 539
Nantucket Historical Association 159
Nantucket Island (MA) 159
Napa Valley (CA) 10, 16, 638, **700-1**
Narada Falls 17, **614**
NASA (FL) 286, 302
NASA-Marshall Space Flight Center (Huntsville, AL) 365
Nasher Sculpture Center (Dallas, TX) 473
Nashville (TN) 242, **266-7**
Natchez (MS) **363**
Natchez Trace Parkway (MS) 51, 267, **362-3**
Natchez, vapor (New Orleans) 349
Natchitoches (LA) **357**
National Aeronautics & Space Administration *see* NASA
National Air & Space Museum (Washington, DC) **205**
National Aquarium (Baltimore, MD) 226, 227
National Center for Atmospheric Research (Boulder, CO) 582
National Elk Reserve (Jackson, WY) 574

768 | ÍNDICE GERAL

National Hurricane Center (Miami) 366, 367
National Memorial Cemetery of the Pacific (O'ahu, HI) 735
National Mississippi Museum & Aquarium (Dubuque) 449
National Park Service 46
National Underground Railroad Freedom Center (Cininnati, OH) 402
National World War II Memorial **208**
National Zoological Park (Washington, DC) **214**
Natural Bridge State Resort Park (KY) 271
Nauticus, the National Maritime Center (Norfolk, VA) 220
Navajo 498, 527, 536
   artesanato 535, 545
   massacre 537
   moradias 535, 537
Navajo National Monument (AZ) **527**
Navarre Beach (FL) **316**
Navy Pier (Chicago) 13, **387**
Nebraska **444-7**
   hotéis 460-1
   Oregon Trail **446**
   restaurantes 463
Nebraska City (NE) **447**
Nebraska History Museum (Lincoln) 445
Nelson, Willie 476
Nemours Mansion & Gardens (DE) **231**
Nevada **502-9**
   hotéis 550
   lago Tahoe **509**
   Las Vegas **502-7**
   restaurantes 553
Nevada City (CA) **704**
Neve, Felipe de 657, 696
New Braunfels (TX) **477**
New Castle (DE) **231**
New Deal 59
New England Aquarium (Boston) 13, **149**
New Hampshire **174-7**
   hotéis 186
   restaurantes 189
New Harmony (IN) **398**
New Haven (CT) **166**
New Jersey **106-7**
   hotéis 123-4
   restaurantes 126-7
New Mexico Museum of Art (Santa Fe, NM) 540
New Orleans (LA) 11, 15, 335, 336, **342-51**
   clima 366
   como circular 343
   culto vodu **346**
   hotéis 368-9
   jazz **347**
   mapa 342-3
   Mardi Gras **351**
   restaurantes 371-2
   Royal Street 11, 15, **348-9**
   trabalhos de ferro 336, **345**

New River Gorge National River 188, (WV) 192, **224-5**
New York Aquarium (Nova York) 97
New York Botanical Garden (NYC) 97
New York Life Insurance Company Building (Nova York) 82
New York Philharmonic (NYC) 93
New York Public Library (NYC) **84**
New York State Capitol (Albany, NY) 102
New York State Theater (Nova York) 93
New York Stock Exchange (NYC) 76
New York Times 84
New York-New York (Las Vegas, NV) 16, **502**
Newberry Library (Chicago) **386**
Newberry National Volcanic Monument (OR) **623**
Newberry, Walter 386
Newbury Street (Boston) **151**
Newman, Paul 649
Newport (RI) 11, 14, **162-3**
Newport Beach (Los Angeles) **661**
Newton, Robert 148
Niagara Falls (NY) 66, 69, 71, **105**
Nichols House Museum (Boston) 141
Nichols, Rose 141
Nimitz, almirante Chester 476
Nixon, Richard 63, 213
Nob Hill (São Francisco) 685, **689**
Nogales (AZ) **525**
Nome (AK) **727**
Nordeste da Flórida **314-5**
   hotéis 327-8
   restaurantes 330-1
Norfolk (VA) **220**
Noriega, Manuel 295
Norte da Califórnia **702-3**
   hotéis 712
   restaurantes 715
North Bay (MD) **228**
North Beach (São Francisco) 13, **690**
North Beaches (Miami) **298**
North Cascades Highway (WA) **612**
North Cascades National Park (WA) 612
North Dakota Heritage Center (Bismarck, ND) 439
North End (Boston) 13, **142**, 143
North Platte (NE) **445**
North Shore (O'ahu, HI) **735**
Norton, Joshua 686
Nottoway Plantation (LA) 354
Nova Inglaterra **128-89**
   5 Dias na Nova Inglaterra 11, **14**
   agenda 183
   atividades ao ar livre 182-3
   Boston **138-55**
   Bruxas de Salem, julgamentos **156**
   clima 43, 182
   como circular 182
   compras 183
   Connecticut **164-7**
   Cores do Outono **174**
   diversão 183
   esportes 182-3
   esqui 173, **173**
   Hartford **164-5**

Nova Inglaterra (cont.)
   história 133-4
   hotéis 184-5
   informação turística 182
   leis 182
   Maine **178-81**
   mapa 130-1, 136-7
   Massachusetts **156-9**
   New Hampshire **174-7**
   perigos naturais 182
   Portland **178**
   povos e cultura 134-5
   Providence 160-1
   restaurantes 187-9
   Rhode Island **160-3**
   segurança na estrada 182
   segurança pessoal 182
   tabela de distâncias 137
   Vermont 170-3
Nova York (NY) 49, 67, **74-99**
   2 Dias em Nova York 12
   agenda 99
   Central Park **88-9**
   clima 120
   como circular 75, 98
   compras 99
   diversão 98-9
   etiqueta 98
   hotéis 122-3
   mapa 74-5
   Midtown Manhattan **84-5**
   restaurantes 125-6
   segurança pessoal 98
Nova York e a Região Meio-Atlântica **64-127**
   agenda 121
   atividades ao ar livre 121
   clima 120
   como circular 120
   compras 121
   cultura 71
   diversão 121
   esportes 120-1
   estado de Nova York **100-5**
   eventos e festivais 120
   história 69-70
   hotéis 122-4
   independência 70-1
   indústria 70-1
   mapa 66-7, 72-3
   New Jersey **106-7**
   Nova York **74-99**
   Pensilvânia **108-19**
   perigos naturais 120
   povos 71
   restaurantes 125-7
   tabela de distâncias 73
Nova York, estado de 67, **100-5**
   hotéis 123
   restaurantes 126
Novo México 495, 498, **538-47**
   Albuquerque **542-4**
   cultura hispânica **545**
   flora e fauna do deserto **546-7**
   hotéis 552
   passeio pelos pueblos do Norte **539**
   restaurantes 555
   Santa Fe **540-1**

ÍNDICE GERAL | 769

Nu (Renoir) 104
Nurse, Rebecca 156

O

O'ahu (HI) 716-7, **734-5**
O'Keeffe, Georgia 90, 153, 177, 400, 401, 414, 475, 499, 538, 541
O'Neill, Eugene 81
Oak Park (Chicago) **394-5**
Oakland (São Francisco) **696-7**
Obama, Barack 63, 380
Oberlin (OH) 404
Ocala National Forest (FL) **315**
Ocean City (MD) **229**
Ocean Drive (Miami) **292-3**
Oeste Selvagem 58, 673
Ogallala (NE) **444-5**
Oglethorpe, general James 258, 259
Ohio 377, **402-5**
 hotéis 424
 restaurantes 427
Ohio River Valley **401**
Ohiopyle State Park (Laurel Highlands, PA) 119
Ohkay Owingeh (NM) 539
Okefenokee Swamp National Wildlife Refuge (GA) **259**
Oklahoma 431, **456-7**
 hotéis 462
 restaurantes 465
 Route 66: a histórica "Mother Road" **457**
Oklahoma City (OK) **457**
Old Faithful Geyser (Napa Valley, CA) 701
Old Faithful Geyser (Yellowstone NP) 558, 576
Old Governor's Mansion (Baton Rouge, LA) 355
Old Granary Burying Ground (Boston) 147
Old Idaho Penitentiary (Boise) 567
Old Ironsides (Boston) 143, 155
Old Man of the Mountain, afloramento rochoso 174
Old North Church (Boston) 13, 143, **148**
Old Salem (NC) 250-1
Old South Meeting House (Boston) **146**
Old St. Patrick's Cathedral (NYC) 79
Old State Capitol (Springfield, IL) 397
Old State House (Boston) **147**
Old Stone House (Georgetown, Washington, DC) 213
Old Tucson Studios (AZ) **524**, 528-9
Old Ursuline Convent (New Orleans) **344**
Old US Mint (New Orleans) 15, **344**
Old West Ghost Town (Los Angeles) 661
Oldenburg, Claes 657
Olds, Ransom E. 408
Oliver, King 347
Olmsted, Frederick Law 88, 97, 105, 114, 214, 251
Olympia (WA) **616-7**
Olympic Mountains (WA) 608, 617
Olympic National Park (WA) 44, 608

Olympic Peninsula (WA) **608**
Omaha (NE) **447**
Omni Mount Washington Hotel & Resort (NH) 174
Onate, Juan de 485
Ônibus de viagem **35**
 ver também Transporte
Ono, Yoko 88
Oregon 618-29
 Crater Lake National Park 624-5
 hotéis 633
 passeio pela Hells Canyon National Recreation Area 628-9
 Portland **618-9**
 restaurantes 635
Oregon Caves National Monument **625**
Oregon Dunes National Recreation Area (OR) 17, **621**
Oregon Shakespeare Festival (Ashland) 625
Oregon Trail (NE) **446**, 600
Orlando (FL) **312**
Orlando e Space Coast (FL) **302-13**
 cronologia da exploração americana do espaço 302
 hotéis 327
 restaurantes 330
 SeaWorld e Discovery Cove **310-1**
 Universal Orlando Resort **308-9**
 Walt Disney World® Resort **304-7**
Ory, Edward "Kid" 347
Oswald, Lee Harvey 472
Ouray (CO) 589
Ouray Hot Springs Pool (CO) **589**
Ouro 582, 672
 Corrida do Ouro 604, 641, 642, 670, 680, 686, 688, 704-5
 garimpeiros 703, 707, 727
 minas 671, 703, 704-5
Outer Banks (NC) 243, **252**
Outlet Collection at Riverwalk (New Orleans, LA) **350**
Oval Office (Washington, DC) 199
Owens, Jesse 365
Owyhee Mountains (ID) 568
Oxford (MS) **360-1**
Oyster Bar (NYC) 85
Ozark Folk Center State Park (AR) 359

P

Pabst, capitão Frederick 410
Paca, William 227
Pacific Coast Highway (Hwy-1) 50
Pacific Heights (São Francisco) **692**
Pacífico Noroeste **596-635**
 5 Dias no Pacífico Noroeste 10, **17**
 agenda 631
 atividades ao ar livre 631
 clima 630
 como circular 630-1
 compras 631
 Crater Lake National Park **624-5**
 economia e indústria 601
 esportes 631
 Estado de Washington **604-17**
 etiqueta 631
 história 599-600

Pacífico Noroeste (cont.)
 hotéis 632-3
 informação turística 630
 leis 631
 mapa 602-3
 Mount Rainier National Park **614-5**
 Oregon **618-29**
 passeio pela Hells Canyon National Recreation Area **628-9**
 perigos naturais 630
 povos e política 600-1
 restaurantes 634-5
 San Juan Islands **610-1**
 Seattle 604-7
 tabela de distâncias 603
Packard, David 696
Pacotes com passagem aérea e aluguel de carro 31
Padre Island National Seashore (TX) **483**
Pa-hay-okee Overlook (Everglades NP) 15, **321**
Paine, Robert 145
Painted Canyon (Theodore Roosevelt NP, ND) 439
Painted Wall (Black Canyon of the Gunnison NP, CO) 589
Palace of Fine Arts & the Exploratorium (São Francisco) 684
Palace of Governors (Santa Fe, NM) 16, **540**
Palisades Park (Los Angeles) 648-9
Palm Beach (FL) **301**
Palm Springs (CA) **670**
Palm Springs Aerial Tramway (CA) 670
Palmer, Potter 391
Palo Alto (São Francisco) **696**
Palo Duro Canyon State Park (TX) 487
Panama City Beach (FL) 317
Panhandle (FL) **316-7**
 hotéis 328
 praias 316-7
 restaurantes 331
Paris (Las Vegas, NV) 16, **503**
Park City (UT) **511**
Park Street Church (Boston) **145**
Parker, Dorothy 653
Parks, Rosa 364
Parques estaduais
 Amicalola Falls (GA) 261
 Andrew Molera (Big Sur, CA) 678
 Antelope Island (Great Salt Lake, UT) 510
 Anza-Borrego Desert (CA) **670-1**
 Bahia Honda (FL) 322-3
 Blackwater Falls (WV) 224
 Bruneau Dunes (ID) **568**
 Bullards Beach (OR) 621
 Camden Hills (ME) 179
 Canaan Valley Resort (WV) 224
 Cape Henlopen (Lewes, DE) 231
 Cape Lookout (OR) 621
 Cass Scenic Railroad (WV) 224
 Chadron (NE) 444
 Cove Palisades (OR) 622
 Cumberland Falls (KY) 271

Parques estaduais (cont.)
Custer (SD) 433, 443
Delaware Seashore (Rehoboth Beach, DE) 231
Dinosaur (CT) 165
D.L. Bliss (Lake Tahoe, CA) 706
Ecola (OR) 17, **621**
Elk Neck (MD) 228
Fakahatchee Strand Preserve (FL) 320
Fort Abraham Lincoln (Bismarck, ND) 439
Fort Adams (RI) 163
Fort Clinch (FL) 315
Fort Robinson (Chadron, NE) 444
Franconia Notch (NH) 174
Frontenac (MN) 416
Grafton Notch (ME) 181
Great River Bluffs 416
Great Salt Lake (UT) 510
Hammonasset Beach (Madison, CT) 167
Hampton Plantation (Georgetown, SC) 257
Hawk's Nest (WV) 225
Heceta Head (OR) 621
Humboldt Lagoons (Redwood NP, CA) 703
Humboldt Redwoods (CA) 702
Hunting Island (SC) 257
Huntington Beach (Myrtle Beach, SC) 256
Jedediah Smith Redwoods (Redwood NP, CA) 702
Jockey Ridge (NC) 252
John Pennekamp Coral Reef (Key Largo, FL) 322
Jones Beach (NY) **100**
Julia Pfeiffer Burns (Big Sur, CA) 679
Kachemak Bay (AK) 725
Kelleys Island (OH) 405
Kōke'e (Kaua'i, HI) **741**
Laurel Ridge (PA) 119
Lime Kiln Point (San Juan Islands, WA) 610
McConnell's Mill (PA) 119
Mackinac Island (MI) 409
Malibu Creek (CA) 660
Marshall Gold Discovery (CA) **704**
Moraine State Park (PA) 119
Mount San Jacinto Wilderness (CA) 670
Mount Tom (Litchfield, CT) 165
Mustang Island (TX) 483
My Old Kentucky Home (Bardstown, KY) 273
Natural Bridge (KY) 271
Niagara Falls (Niagara Falls, NY) 105
Ohiopyle (Laurel Highlands, PA) 119
Ozark Folk Center (Mountain View, AR) 359
Palo Duro Canyon (TX) 487
Patrick's Point (Redwood NP, CA) 703
Peninsula (WI) 411
Perrot (WI) 413
Porcupine Mountains Wilderness (MI) 409
Red Rock Canyon (CA) 671

Parques estaduais (cont.)
Riverside (WA) 613
Saratoga Spa (Saratoga Springs, NY) 102
Silver River (Silver Springs, FL) 315
Soudan Underground Mine (MN) 418
Stephen C. Foster (GA) 259
Taughannock Falls (NY) 103
Three Island Crossing (ID) 568
Valley of Fire (NV) 507
Wakulla Springs (FL) 316
Parques históricos estaduais
Arbor Lodge (Nebraska City, NE) 447
Bodie (CA) 707
Buffalo Bill Ranch (NE) 445
Columbia (CA) **705**
Empire Mine (Grass Valley, CA) 704
Fort Ross (CA) 701
Jack London (CA) 700
La Purísima Concepción (CA) 675
Monterey (CA) 680
Old Town San Diego (CA) 17, **666**
Totem Bight (Ketchikan, AK) 722
Will Rogers (Los Angeles) 665
Wyoming Territorial Prison (Laramie) 579
Parques históricos nacionais
Appomattox Court House (VA) 222
Chaco Culture (NM) 538
Colonial (VA) 220
Cumberland Gap (KY) 270
Harpers Ferry (WV) 225
Hopewell Culture (OH) 403
Independence (Filadélfia, PA) 111
Jean Lafitte (Lafayette, LA) 356
Kalaupapa (Moloka'i, HI) 736
Klondike Gold Rush (Seattle, WA) 604
Lyndon B. Johnson (TX) 476-7
Minute Man (Concord, MA) 156
Missions (San Antonio, TX) **478**
Pu'uhonua O Hōnaunau (HI) 738, 739
Saratoga (NY) 102
Sitka (AK) 722
Parques militares nacionais
Gettysburg (PA) 116
Vicksburg (MS) 361
Parques nacionais (geral) **44-7**
agenda 47
dicas para visitar os parques 47
onde ficar 47
origens 46
passaportes, taxas e permissões 46-7
Parques nacionais (individual) **44-7**
Acadia (ME) 11, **180**
Arches (UT) 512-3
Badlands (SD) 440-1
Big Bend (TX) 484-5
Biscayne (FL) 322, 323
Black Canyon of the Gunnison (CO) 589
Bryce Canyon (UT) 518-9
Canyonlands (UT) 514
Capitol Reef (UT) 516

Parques nacionais (individual) (cont.)
Carlsbad Caverns (NM) 546
Channel Islands (CA) 674-5
Congaree Swamp (Columbia, SC) 256
Crater Lake (OR) 624-5
Death Valley (CA) 639, **672-3**
Denali (AK) 718, **728-9**
Everglades (FL) 11, 15, **321**
Glacier (MT) 571
Glacier Bay (AK) 723
Grand Canyon (AZ) 530-3
Grand Teton (WY) 575
Great Basin (NV) 509
Great Smoky Mountains (TN) 251, **264**
Guadalupe Mountains (TX) 486
Haleakalā (HI) 737
Hawai'i Volcanoes (HI) 738
Hot Springs (AR) 358-9
Joshua Tree (CA) 671
Katmai (AK) 719, 726
Kenai Fjords (AK) 719, **725**
Kings Canyon (CA) 707
Lassen Volcanic (CA) 703
Mammoth Cave (KY) 270
Mesa Verde (CO) 559, **588-9**
Mount Rainier (WA) 10, 17, **614-5**
North Cascades (WA) 612
Olympic (WA) 608
Petrified Forest (AZ) 16, **526**
Redwood (CA) 702-3
Rocky Mountain (CO) 583
Sequoia (CA) 707
Shenandoah (VA) 223
The Presidio (São Francisco) 695
Theodore Roosevelt (ND) 428-9, 430, **439**
Voyageurs (MN) 419
Wind Cave (SD) 443
Wrangell-St. Elias 727
Yellowstone (WY) 44, 558, **576-7**
Yosemite (CA) 639, 706-7
Zion (UT) 517
ver também Parques históricos nacionais
Parques
ABQ Bio Park (Albuquerque, NM) 542
Balboa Park (CA) 17, 666, **668-9**
Carillon Historical Park (Dayton, OH) 402
Cedar Point Amusement Park (Sandusky, OH) 405
Centennial Olympic Park (Atlanta, GA) 15, **262**
Central Park (NYC) 12, **88-9**
Central Park West (NYC) 93
Chattanooga & Chickamauga National Military Park (TN) 265
Chesapeake & Ohio Canal (Washington, DC) 213
City Park (Denver, CO) 581
City Park (New Orleans) 351
Civic Center Park (Denver, CO) 580
Clear Creek History Park (Golden, CO) 582
Exposition Park (CA) 656

ÍNDICE GERAL | 771

Parques (cont.)
 Fair Park (Dallas, TX) 473
 Fairmount Park (Filadélfia, PA) 114-5
 Forest Park (St. Louis, MO) 451
 Franklin Park Conservatory & Botanical Garden (Columbus, OH) 403
 Governor Tom McCall Waterfront Park (Portland, OR) 619
 Griffith Park (Los Angeles) 658
 Ho'okipa Beach County Park (Maui, HI) 732
 Lafayette Park (São Francisco) 692
 Lincoln Park Zoo (Chicago) 394
 Loch Haven Park (Orlando, FL) 312
 Millennium Park (Chicago, IL) 13, **388**
 Oak Park (Chicago) 394-5
 Palisades Park (Los Angeles) 648-9
 Pioneer Park (Fairbanks, AK) 727
 Point Defiance Park (Tacoma, WA) 616
 Roosevelt Campobello International Park (ME) 181
 Royal Gorge Bridge & Park (CO) 585
 Stone Mountain Park (GA) 261
 Tubbs Hill Park (Coeur d'Alene, ID) 566
 Waimea Valley (O'ahu, HI) 735
 Washington Park (Portland, OR) 619
 Waterplace Park and Riverwalk (Providence, RI) 14, **160**
 ver também Parques históricos nacionais; Parques militares nacionais; Parques nacionais; Parques históricos estaduais; Parques estaduais
Parrish, Maxfield 230
Pasadena (Los Angeles) **660**
Páscoa 38
Passaportes e vistos **20-1**
Pássaros, observação de 89, 181, 303, 315, 321, 398, 445, 621
Passeios pelos pueblos do norte (NM) **539**
Pat O'Brien's (New Orleans, LA) 348
Patel, K. B. 686
Patrick's Point State Park (Redwood NP, CA) 703
Paul Revere House (Boston) 13, **148**
Paul Revere Mall (Boston) **148**
Pauling, Linus 601
Peabody Essex Museum (Salem, MA) 156
Peabody Museum of Archaeology & Ethnology (Cambridge, MA) 155
Peabody Museum of Natural History (New Haven, CT) 166
Peale, Rembrandt 52
Pearl District (Portland, OR) 10, 17, **619**
Pearl Harbor (O'ahu, HI) 735
Pei, I. M. 153, 398, 401, 404, 656
Peixes-boi, ver Manatis
Pemberton Historical Park (Salisbury, MD) 229
Pendleton (OR) **627**
Peninsula State Park (WI) 411

Penn Center (St. Helena Island, SC) 257
Penn, William 70, 108, 231
Penn's Treaty with the Indians (Benjamin West) 70
Pennsylvania Academy of Fine Arts **113**
Penobscot Bay (ME) **179**
Pensacola (FL) **316-7**
Pensacola Beach (FL) 316
Pensador, O (Rodin) 696
Pensilvânia **108-19**
 Amish 119
 Filadélfia **108-15**
 Harley-Davidson 117
 hotéis 124
 restaurantes 127
Pentágono (Washington, DC) **215**
People's Center (Pablo, ID) 570
Percursos com Paisagens, os melhores **50-1**
Perdido Key (FL) 316
Peregrine Funds World Center for Birds of Prey (Boise, ID) 567
Peregrinos 157, 158
Perigos naturais
 Alasca 742
 Boston e Nova Inglaterra 182
 Califórnia 708
 Extremo Sul 366
 Flórida 324
 Grandes Lagos 420
 Havaí 743
 NY e a Região Meio-Atlântica 120
 Pacífico Noroeste 630
 Rochosas 590
 Sudeste 274
 Sudoeste 548
 Texas 488
Perrot State Park (WI) 413
Perry, comodoro Oliver Hazard 405
Perry's Victory & International Peace Memorial (Lake Erie Islands, OH) 405
Pescaria em Florida Keys **322**
Petrified Forest (CA) 16, **701**
Petrified Forest National Park (AZ) 16, **526**
Philadelphia Museum of Art (PA) **115**
Philadelphia Zoo (PA) **114**
Phillips Collection (Washington, DC) **214**
Phoenix (AZ) **522-3**
Piano, Renzo 152, 154-5
Picasso, Pablo 87, 91, 92, 105, 226
Picket's Charge 116
Pickfair (Los Angeles) 651
Pickford, Mary 648, 651, 654
Pier 39 (São Francisco) 690
Pierce, Franklin 62
Pierre (SD) **440**
Pike Place Market (Seattle, WA) 10, 17, **604**
Pike, Zebulon 562
Pikes Peak Cog Railway (CO) 584
Pilgrim Hall Museum (Plymouth, MA) 157
Pilgrim Monument (Provincetown, MA) 158

Pine Ridge, reserva indígena (SD) **441**
Pioneer Courthouse Square (Portland, OR) 17, **618**
Pioneer Square (Seattle, WA) 17, **604**
Pipestone National Monument (MN) **416**
Pittsburgh (PA) 66, **118**
Plant, Henry 286, 318
Plantation Alley (LA) **354**
Plantations
 Ashley River Plantations (SC) 255
 Belle Meade Plantation (Nashville) 267
 Destrehan Plantation (LA) 354
 Hampton Plantation State Park (SC) 257
 Kenmore Plantation & Gardens (Fredericksburg, VA) 217
 Laura Plantation (LA) 354
 Louisiana plantations 354-5
 Magnolia Mound Plantation (Baton Rouge, LA) 355
 Magnolia Plantation (SC) 255
 Melrose Plantation (Cane River Country, LA) 357
 Melrose Plantation (Natchez, MS) 363
 Nottoway Mansion (LA) 354
 Oak Alley (Vacherie, LA) 354
 Plimoth Plantation (Plymouth, MA) 157
 San Francisco Plantation (LA) 354
 Plimoth Plantation (Plymouth, MA) 157
Plymouth (MA) **157**
Pocahontas 220
Poe, Edgar Allen 197
Point Defiance Park (Tacoma, WA) 616
Pojoaque Pueblo (NM) 539
Polícia 25
Polinésios 730, 731
Polk, James K. 62
Pollack, Sydney 657
Pollock, Jackson 91, 105, 153, 158
Pont, Pierre du 117
Pontalba, baronesa Micaela **345**
Pontaut Chapter House (NYC) 96
Pony Express 453, 686, 705
População **18**
Porcupine Mountains Wilderness State Park (MI) 409
Port Townsend (WA) 608, **609**
Portadores de deficiência **21**
 acomodação 27
Portland (OR) 11, 17, 601, **618-9**
Portland Saturday Market (OR) 17, **619**
Portland, (ME) 10, 14, **178**
Portolá, Gaspar de 680
Portsmouth (NH) **177**
Portsmouth Plaza (São Francisco) 688
Post Office Square (Boston, MA) 146
Postos de gasolina 33
Pousadas históricas 26
Poverty Point National Monument (LA) 357

Powell & Glen Canyon National Recreation Area, lago (UT) **515**
Pradarias 454, 455, 456
Praias de Panhandle (FL) **316-7**
Praias Estaduais
  East Matunuck (RI) 163
  Malibu Lagoon (CA) 660
  Misquamicut (RI) 163
  Natural Bridges (Santa Cruz, CA) 681
  Roger Wheeler 163
  Scarborough (RI) 163
Praias nacionais
  Canaveral (FL) 303
  Cape Cod (MA) 158
  Cape Hatteras (NC) 252
  Cape Lookout (NC) 253
  Gulf Islands (MS) 363
  Padre Island (TX) 483
Presbytère (New Orleans, LA) 15, **346**
Prescott 521
Preservation Hall (New Orleans, LA) 348
Presidentes americanos **62-3**
  ver também pelo nome
Presidio (São Francisco) **695**
Presley, Elvis 269, 360, 361, 457, 503, 651
Pretty Boy Floyd 452
Primeira Dama **63**, 207
Prince Maximilian 434, 447
Princeton (NJ) **106**
Princeton University (NJ) 106
Printing House Row Historic District (Chicago) 390
Proclamação de Emancipação 226
Profile Lake (Franconia Notch, NH) 174
Providence (RI) 14, **160-1**
Providence Athenaeum (RI) 160
Provincetown (Cape Cod, MA) 158
Pu'u 'Ula'ula Summit (Haleakalā NP, HI) 737
Pu'uhonua O Hōnaunau National Historical Park (Hawai'i Island, HI) **739**
Puck, Wolfgang 643
Pueblos ancestrais 497-8, 515, 526, 527, 536, 538, 547, 588
  arquitetura 544
  Indian Pueblo Cultural Center (NM) 544
Pulitzer, Joseph 94
Punk rock, música 81
Puritanos 133
Puye Cliff Dwellings (NM) 539
Pyle, Howard 230

Q

Quacres 176, 613
Quacres da Filadélfia 114
Quad Cities (IA) **449**
Quechee Gorge 171
Queen Mary 661
Quietwater Beach (FL) 316
Quincy Market (Boston) 13, **147**

R

Radio City Music Hall (NYC) 86
Rafael
  A Madona Alba 205
Rafting no Colorado **585**
Rainy Lake (MN) 419
Raleigh (NC) 250
Raleigh, sir Walter 253
Ranching Heritage Center (Lubbock, TX) 486
Randolph, Peyton 196
Rankin, Jeanette 572
Rauschenberg, Robert 207, 657
Reading (PA) **117**
Reading Pagoda (PA) 117
Reading Terminal Market (Philadelhia, PA) 113
Reagan, Nancy 63, 207
Reagan, Ronald 63
Reclining Figure (Moore) 86
Recreational vehicles, ou motor homes e trailers 33
Red Cloud Heritage Center (SD) 441
Red Cloud, chefe da tribo oglala-sioux 441, 444
Red Earth Native American Festival 39
Red Rock Canyon (NV) 507
Red Rock Canyon State Park (CA) 671
Red Victorian B&B (São Francisco) 13, **693**
Redding, Otis 260, 412
Redfish Lake (ID) 567
Redford, Robert 511
Redwood National Park (CA) **702-3**
Refúgios de vida selvagem nacionais
  Aransas (TX) 482-3
  Blackwater (MD) 228-9
  Chincoteague (VA) 221
  JN "Ding" Darling (FL) 320
  Kīlauea Point (HI) 740, 741
  Kodiak (AK) 726
  Malheur (WA) 626
  Merritt Island (FL) 303
  Ninigret (RI) 163
  Okefenokee Swamp (GA) 259
Regras da estrada **32**
Rehoboth Beach (DE) 193, **231**
Rembrandt 91, 152, 153, 648, 694
Remington, Frederic 401, 475
Reno (NV) **508-9**
Renoir, August 104, 115, 404
  O almoço dos remadores 214
Renwick, James 212
Research Triangle Region (NC) **250**
Reserva indígena Mille Lacs Band of Ojibwe (MN) 417
Restaurantes
  Alabama 373
  Alasca 746
  Arizona 554-5
  Arkansas 372
  Boston 187
  Califórnia 713-5
  Carolina do Norte 279
  Carolina do Sul 279-80
  Central Coast (CA) 714
  Chicago 425
  Colorado 595

Restaurantes (cont.)
  Connecticut 188
  Dakota do Norte 463
  Dakota do Sul 463
  Delaware 239
  Desertos (CA) 714
  Estado de Nova York 126
  Everglades e Keys (FL) 331
  Extremo Sul 371-3
  Filadélfia (PA) 127
  Flórida 329-31
  Geórgia 280-1
  Gold e Treasure Coasts (FL) 329
  Gold Country (CA) 715
  Grandes Lagos 425-7
  Grandes Planícies 463-5
  Gulf Coast (FL) 331
  Havaí 747
  High Sierras (CA) 715
  Idaho 594
  Illinois 425
  Indiana 425-6
  Iowa 464
  Kansas 465
  Kentucky 281
  Las Vegas 553
  Los Angeles 713
  Louisiana 371-2
  Maine 189
  Maryland 238
  Massachusetts 188
  Miami 329
  Michigan 426
  Minnesota 426
  Mississippi 372-3
  Missouri 463-4
  Montana 594
  Nebraska 463-4
  Nevada 553
  New Hampshire 189
  New Jersey 126-7
  New Orleans 371-2
  Nordeste da Flórida 330-1
  Norte da Califórnia 715
  Nova Inglaterra 187-9
  Nova York 125-6
  Novo México 555
  NY e a Região Meio-Atlântica 125-7
  Ohio 427
  Oklahoma 465
  onde comer 28-9
  Oregon 635
  Orlando e Space Coast (FL) 330
  Pacífico Noroeste 634-5
  Panhandle (FL) 331
  Pensilvânia 127
  Rhode Island 188
  Rochosas 594-5
  San Diego County (CA) 713
  São Francisco 714-5
  Seattle (WA) 634
  Sudeste 279-81
  Sudoeste 553-5
  Tennessee 281
  Texas 491
  Utah 553-4
  Vermont 189
  Virgínia 238-9
  Virgínia Ocidental 239

ÍNDICE GERAL | 773

Restaurantes (cont.)
  Washington State 634-5
  Washington, DC 237
  Washington, DC e Região da
    Capital 237-9
  Wine Country (CA) 715
  Wisconsin 427
  Wyoming 594-5
Retrato de Lady Meux (Whistler) 90
Reunion Tower (Dallas, TX) 472
Revere, Paul 142, 143, 146, 148, 153, 160
  cavalgada legendária 148
  estátua 148
  sino 176
  túmulo 145
Revolta dos pueblos 540
Revolução Americana 54, 142, 155, 179
Rhode Island **160-3**
  hotéis 185
  Providence **160-1**
  restaurantes 188
Rhode Island State House
  (Providence) 14, **161**
Rialto Beach (WA) 608
Richardson, Henry Hobson 150
Richmond (VA) **220**
Ricketts, Doc 680
Riley, James Whitcomb 400
Rimrocks (Billings, MT) 573
Ringling Museum Complex
  (Sarasota, FL) 319
Ringling, John **319**
Rio Grande Valley (TX) **484**
Ripley's Believe It Or Not! Museum
  (São Francisco) 690
RISD Museum of Art (Providence, RI)
  160, 161
Rivera, Diego 381, 406, 520, 690
Riverside Church (NYC) **94-5**
Riverside State Park (WA) 613
Riverwalk (San Antonio, TX) 466-7, **478**
Road Scholar 21
Roanoke Island (NC) **253**
Roanoke Island Festival Park
  (Manteo, NC) 253
Robert Hull Fleming Museum
  (Burlington, VT) 172
Robert Shaw Memorial (Boston, MA) 141
Robie House (Chicago) 393
Robie, Frederick 393
Robinson, Smokey 407
Roche Harbor (WA) 610
Roche, Martin 388
Rochester (MN) **416**
Rochester (NY) **104**
Rochosas **556-95**
  5 Dias no Sudoeste e Rochosas
    10, **16**
  agenda 591
  atividades ao ar livre 591
  clima 590
  Colorado **580-9**
  como circular 590
  Denver (CO) **580-1**
  diversão 591

Rochosas (cont.)
  esportes 591
  estâncias de esqui do Colorado
    586-7
  etiqueta 590
  festivais 590-1
  Grand Teton National Park **575**
  história 561-2
  hotéis 592-3
  Idaho **566-9**
  informação turística 590
  mapas 558-9, 564-5
  Montana **570-3**
  perigos naturais 590
  progresso e desenvolvimento
    562-3
  restaurantes 694-5
  tabela de distâncias 565
  turismo e economia 563
  Wyoming **574-9**
  Yellowstone National Park **576-7**
Rock 'n' roll, música 339, 361
Rockefeller Center (NYC) 12, **86**
Rockefeller Memorial Chapel
  (Chicago) 393
Rockefeller, família 171
Rockefeller, John D. 218, 392, 575
Rockefeller, Jr, John D. 86
Rockefeller, Nelson 91
Rockford (IL) **396**
Rockwell, Norman 86, 93, 159
Rocky Mountain National Park (CO) **583**
Rodeo Drive (Los Angeles) **651**
Rodia, Simon 660
Rodin, Auguste 398, 613, 694, 695, 696
Rodriguez, Juan 600
Roebling, John A. 78, 402
Roger Maris Baseball Museum
  (Fargo, ND) 439
Rogers, Will 457
Rolfe, John 220
Rolling Chair (Atlantic City, NJ) 107
Romanelli, Rafaello
  Cleópatra 314
Roosevelt, Eleanor 63, 101, 210, 211
Roosevelt, Franklin D. 63, 70, 101, 181, 209, 666
Roosevelt, Theodore 63, 82, 210
Rosenwald, Julius 392
Ross, Betsy 111
Ross, Diana 407
Ross, John 265
Roswell (NM) **546**
Roteiros **10-7**
  2 Dias em Boston **12-3**
  2 Dias em Chicago **13**
  2 Dias em Nova York **12**
  2 Dias em São Francisco **13**
  2 Dias em Washington, DC **12**
  5 Dias na Califórnia 10, **16-7**
  5 Dias na Nova Inglaterra 11, **14**
  5 Dias no Extremo Sul, Sudeste e
    Texas 11, **15**
  5 Dias no Pacífico Noroeste 10, **17**
  5 Dias no Sudoeste e nas
    Rochosas 10, **16**
  5 Dias no sul da Flórida 11, **14-5**

Rothko, Mark 158, 657
Route 100 51
Route 66 50, 431, **457**
Rowan Oak (Oxford, MS) 360, 361
Rowes Wharf (Boston) 149
Royal Gorge Bridge & Park (CO) 585
Royal Gorge Route Railroad (CO) 584
Royal Street (New Orleans, LA) 11, 15, **348-9**
Ruby Falls (TN) 265
Russell, Charles M. 401, 572
Russian River Valley (CA) **701**
Ryman Auditorium (Nashville, TN) 266

S

Saarinen, Eliel 401
Sabal Palm Audubon Sanctuary (TX) 484
Sacagawea (Indian woman) 438, 562, 566
Sackler Museum (Cambridge, MA) 155
Sacramento (CA) 638, **705**
Sacred Arts Center (Eureka Springs, AR) 359
Saint Francis Cathedral (Santa Fe, NM) 541
Saint Patrick's Cathedral (NYC) 12, **87**
Saks 87, 687
Salem (MA) **156**
Salem (OR) **622**
Salinger, J. D. 94
Salisbury (MD) **229**
Salk, Dr. Jonas 667
Salmon (ID) **566**
Salt Lake City (UT) **510**
Salton Sea State Recreation Area
  (CA) **671**
Salvador Dali Museum
  (St. Petersburg, FL) 318
San Andreas Fault (CA) 687
San Antonio (TX) 466-7, **478-9**
San Diego (CA) 17, 639, **666**
San Diego Bay (CA) 644
San Diego County (CA) **666-9**
  hotéis 710
  restaurantes 713
San Francisco Maritime National
  Historical Park (CA) 685, **690**
San Francisco Museum of Modern
  Art (CA) **687**
San Ildefonso Pueblo (NM) 539
San Jacinto Battleground (TX) 481
San Jose (CA) **696**
San Juan Islands (WA) **610-1**
San Juan Mountains (CO) 588
San Luis Obispo (CA) 17, **675**
San Luis Obispo Mission de Tolosa
  (CA) 675
San Remo, apartamentos (Central
  Park, NYC) 36-7, **89**
San Simeon Point (Big Sur, CA) 679
San Xavier del Bac Mission (Tucson, AZ) 524
Sand Island Light Station (Apostle
  Islands, WI) 413
Sandusky (OH) **405**
Sandwich (MA) 158

774 | ÍNDICE GERAL

Sanibel (FL) 320
Santa Barbara (CA) 17, 638, **674**
Santa Barbara Mission (CA) 674
Santa Clara Pueblo (NM) 539
Santa Cruz (CA) **681**
Santa Cruz Beach Boardwalk (CA) 681
Santa Fe (NM) 10, 16, **540-1**
Santa Fe, ferrovia 660
Santa Monica (CA) 17, **648-9**
Santa Monica Pier (CA) 649
Santa Rosa Beach (FL) 317
São Francisco (CA) 10, 16, 48, 636-7, **682-99**
  2 Dias em São Francisco **13**
  49-Mile Scenic Drive 684-5
  agenda 699
  Alcatraz Island **691**
  atividades ao ar livre 698
  bondes **688**
  como circular 682, 698
  compras 699
  diversão 698-9
  esportes 698
  Grace Cathedral 689
  Grande São Francisco **696-7**
  hotéis 711-2
  informação turística 698
  mapa 682-3
  murais **690**
  restaurantes 714-5
  Sons da São Francisco de 1960 **692**
  terremotos e incêndio **687**
Sarasota (FL) **319**
Saratoga National Historical Park (NY) 102
Saratoga Spa State Park (NY) 102
Saratoga Springs (NY) **102**
Sargent, John Singer 152, 153, 206
Saúde **24-5**
Sausalito (CA) 13, **697**
Savannah (GA) **258**
Sawtooth Mountains 566
Sawtooth National Recreation Area (ID) **567**
Schrock's Amish Farm (Berlin, OH) 403
Scotia (Humboldt Redwoods State Park, CA) 702
Scott, Walter 673
Scotts Bluff National Monument (NE) 430, **446**
Scottsdale (Phoenix, AZ) 522
Screw Auger Falls (Bethel, ME) 181
Seashore Trolley Museum (Kennebunkport, ME) 179
Seattle (WA) 10, 17, 48, 598, 601, **604-7**
  clima 630
  hotéis 632
  mapa 605
  restaurantes 634
Seattle Aquarium (WA) 604
Seattle Art Museum (WA) 605
Seattle Center (WA) 17, **606**
Seattle Monorail (WA) 606
SeaWorld® & Discovery Cove (FL) **310-1**
  atrações e brinquedos 310
  dicas 310
  shows e passeios 310-1

SeaWorld® (San Diego, CA) **667**
Second Bank of the United States (Filadélfia, PA) **112**
Sedona (AZ) 521
Segunda Guerra Mundial 174
Segurança **24-5**
  Boston e Nova Inglaterra 182
  Califórnia 708
  Flórida 324
  Pacífico Noroeste 630
  Sudoeste 548
  Washington, DC e Região da Capital 232
Seguro
  de carro 33
  viagem 25
Selma (AL) 335, **364**
Seminole, índios 321
Sequoia National Park (CA) **707**
Sequoias 707
  e a Indústria Madeireira **702**
Serpent Mound (OH) 377, **403**
Serra, Fr. Junípero 661, 675, 680, 693
Serviços
  financeiros 22, **22**
  médicos 25
  postais 22
Sessions, Kate 668
Seward (AK) **725**
Shadows-on-the-Teche (LA) 356
Shaker Village of Pleasant Hill (Harrodsburg, KY) 272
Shakers 176, 272
Shaw, Richard 687
Shaw, Robert, memorial 141
Shawnee National Forest (IL) 397
Shelburne Museum & Farms (VA) 171
Shenandoah National Park (VA) 223
Shenandoah, rio e vale (WV) 195, 225
Shepard, Alan 227
Sherman, general 222, 256, 258, 262, 362
Shipshewana (IN) **399**
Shoshone Falls (ID) 569
Shreve, Anita 135
Shreveport (LA) **357**
Siegel, Bugsy 497, 503
Siegfried & Roy's Secret Garden and Dolphin Habitat (Las Vegas) 506
Sierra Nevada Mountains ver High Sierras
Sierra Silver Mine Tour (Wallace, ID) 566
Silicon Valley (CA) 696
Silver River State Park (Silver Springs, FL) 315
Silver Springs (FL) 315
Simon, Neil 97
Singer Building (Nova York) 80
Sinissippi Gardens (Rockford, IL) 396
Sioux City (IA) **448**
Sisters (OR) **623**
Sítios Históricos Estaduais
  Fort Totten (Devil's Lake, ND) 438
  Jefferson Landing (Jefferson City, MO) 452

Sítios Históricos Estaduais (cont.)
  Joss House (Weaverville, CA) 703
  Kaw Mission School (Flint Hills, KS) 454
  Lanier Mansion (Madison, IN) 401
  Longfellow-Evangeline (St. Martinville, LA) 356
  New Harmony (New Harmony, IN) 398
  Oregon Trail Ruts (Guernsey, WY) 579
  Thomas Wolfe (Asheville, NC) 251
  Watts Towers (Los Angeles) 660-1
Sítios históricos nacionais
  Abraham Lincoln, local de nascimento (Hodgenville, KY) 272-3
  Fort Davis (TX) 485
  Fort Laramie (Guernsey, WY) 579
  Fort Larned (Dodge City, KS) 455
  Fort Raleigh (Roanoke Island, NC) 253
  Fort Vancouver (WA) 617
  Franklin D. Roosevelt, casa de (NY) 101
  Herbert Hoover (Iowa City, IA) 449
  Jimmy Carter (Plains, GA) 260
  John F. Kennedy (Boston) 152
  Knife River, vila indígena (Washburn, ND) 438
  Lincoln Home (Springfield, IL) 397
  Little Rock Central High School (AR) 358
  Longfellow House – Washington's Headquarters (Cambridge, MA) 154
  Martin Luther King Jr. (Atlanta, GA) 11, 15, **262**
  Salem Maritime (MA) 156
  Tuskegee Institute (AL) 365
  Whitman Mission (WA) 613
Sitka (AK) **722**
Skagway (AK) **723**
Skyline Drive (VA) **223**
Smith Island (MD) 229
Smith, Jedediah 702
Smith, John 133, 229
Smithsonian American Art Museum & National Portrait Gallery (Washington, DC) 12, **207**
Smokejumpers Base Visitor Center (Missoula, MT) 570
Snake River (OR) 628, 629
Snake River Gorge (ID) 569
Snowmass (CO) 586
SoBe, ver South Beach
SoHo Historic District (NYC) 12, **80**
Solomon R. Guggenheim Museum (NYC) 12, **92**
Sonoma Valley (CA) 10, 16, 640, **700**
Sonoran Desert (AZ) 520
Sorin, padre Edward 399
Soto, Hernando de 338
Soudan Underground Mine State Park (MN) 418
Soul Food, comida 339
South Beach (Miami) 14, 282-3, 284, **292-3**
South Bend (IN) **399**
South Carolina Aquarium (Charleston, SC) 254

ÍNDICE GERAL | 775

South County Beaches (RI) 163
South Dakota Cultural Heritage Center (Pierre, SD) 440
South Loop (Chicago) **390**
South Park Blocks (Portland, OR) 618
South Rim Road (Black Canyon of the Gunnison NP, CO) 589
South Street Seaport (NYC) **78**
Southeast Alaska Discovery Center (Ketchikan, AK) 722
Southwest Museum (Los Angeles) 658
Space Center (TX) 481
Space Needle (Seattle, WA) 17, 598, 602, **606**
Spokane (WA) **613**
Spoonbridge and Cherry (Walker Art Center, Minneapolis, MN) 414
Spreckels Mansion (São Francisco) 692
Spring Green (WI) **413**
Springfield (IL) 376, **397**
Spruce Knob-Seneca Rocks National Recreation Area (WV) 224
SS *Ticonderoga* (Shelburne Museum, VA) 171
St. Andrews (FL) 317
St. Augustine (FL) **314**
St. Charles Avenue Streetcar (New Orleans, LA) 351
St. Joseph (MO) **453**
St. Louis (MO) 431, **450-1**
St. Louis Cathedral (New Orleans, LA) **346**
St. Louis Cemetery # 1 (New Orleans, LA) **346**
St. Mark's Episcopal Cathedral (Seattle, WA) 606
St. Mark's-in-the-Bowery (NYC) 81
St. Michael's Cathedral (Sitka, AK) 722
St. Michaels (MD) **228**
St. Nicholas Historic District (NYC) **95**
St. Paul's Chapel (NYC) 94
St. Petersburg (FL) **318-9**
St. Philomena Church (Kalaupapa National Historical Park, HI) 736
Stanford University (Palo Alto, CA) 696
Stanford, Leland 696, 705
Starbucks (Seattle, WA) 601
State Forest, Mount Washington (MA) 159
State Game Sanctuary, McNeil River (AK) 726
State Historic Monuments, El Pueblo (Los Angeles) 657
State Reserve, Point Lobos (Big Sur, CA) 678
Steamboat Springs (CO) 586
Steele, Danielle 692
Steens Mountain (OR) **626**
Stein, Gertrude 697
Steinbeck, John 431, 435, 457, 680
Stephen C. Foster State Park (GA) 259
Stevenson, Robert Louis 678, 680
Stewart, Paul 581
Stone Mountain Park (GA) **261**
Stonington (MA) 133

Storyville Jazz Salon (New Orleans, LA) 347
Stow Lake (São Francisco) 684
Stowe (VA) **173**
Stowe, Harriet Beecher 165, 402
Stratosphere Tower (Las Vegas, NV) 50
Strauss, Joseph 695
Strawberry Fields (NYC) 88
Strawbery Banke (Portsmouth, NH) 177
Strickland, William 344
Strip (Las Vegas, NV) 16, **502-5**
Stroud, Robert 691
Stuart, Gilbert 161, 207
Studio Museum in Harlem (NYC) **95**
Sturbridge (MA) **159**
Sublette, William 446
Sudeste **240-81**
  5 Dias no Extremo Sul, Sudeste e Texas 11, **15**
  agenda 275
  Carolina do Norte **250-3**
  Carolina do Sul **254-7**
  clima 274
  como circular 274
  country e bluegrass, música **271**
  diversão 275
  esportes e atividades ao ar livre 275
  etiqueta 274
  festivais 274-5
  Geórgia **258-63**
  história 245-7
  hotéis 276-8
  informação turística 274
  Kentucky **270-3**
  mapas 242-3, 248-9
  perigos naturais 274
  restaurantes 279-81
  sociedade, cultura e arte 247
  tabela de distâncias 249
  Tennessee **264-9**
  turismo 247
Sudoeste **492-555**
  5 Dias no Sudoeste e Rochosas 10, **16**
  agenda 548
  Albuquerque **542-4**
  Arches National Park **512-3**
  Arizona **520-37**
  arquitetura do sudoeste **524-5**
  atividades ao ar livre 511, 517, 537, 538, **549**
  Bryce Canyon National Park **518-9**
  Cânion de Chelly National Monument **536-7**
  Canyonlands National Park **514**
  clima 42, 499
  como circular 548
  compras 549
  cultura hispânica **545**
  diversão 549
  economia e turismo 499
  etiqueta 548
  flora e fauna do deserto **546-7**
  Grand Canyon **530-3**
  história 497-8
  hotéis 550-2
  informação turística 548
  Las Vegas **502-7**

Sudoeste (cont.)
  mapas 494-5, 500-1
  Monument Valley **534-5**
  mórmons **511**
  Nevada **502-9**
  Novo México **538-47**
  passeio pelos pueblos do norte **539**
  perigos naturais 548
  Phoenix **522-3**
  restaurantes 553-5
  Santa Fe **540-1**
  sociedade e cultura 498-9
  tabela de distâncias 500
  Utah **510-9**
  Velho Oeste **535**
Sugarloaf (ME) **181**
Sul de Illinois (IL) **397**
Sun Studio (Memphis, TN) 269
Sun Valley (ID) 558, **568**
Sundance Film Festival (Park City, UT) 511
Sundance Kid 474
Sundance Square (Fort Worth) 15, **475**
Sunflower River Blues & Gospel Festival (Clarksdale, MS) 360
Sunnyside (Hudson River Valley, NY) 101
Sunset Boulevard (Los Angeles) 10, 17, 651, **652-3**
Sunset Plaza (Los Angeles) 652
Superdome (New Orleans, LA) 367
Surfe na Califórnia **681**
Sutro Tower (São Francisco) 684
Sutter, John 705
Swiftcurrent Lake (Glacier NP, MT) 571
Switzerland of America (Ouray, CO) 589
Syracuse (NY) **104**

T

Tacoma (WA) **616**
Taft, William H. 63
Tahlequah (OK) **456-7**
Tahoe, Lake (CA) **706**
Talbott, William Henry Fox 648
Taliesin (Spring Green, WI) 413
Taliesin West (Phoenix, AZ) 522
Tallahassee (FL) **316**
Tallgrass Prairie National Preserve (Bartlesville, KS) 455
Tampa (FL) **318**
Taos (NM) **538**
Tarzan 315
Taughannock Falls (NY) 72
Taughannock Falls State Park (NY) 103
Táxis, aeroporto 31
Taylor, Zachary 62
TCL Chinese Theatre (Los Angeles, CA) 654
Teach, Edward "Barba Negra" 253
Telefones 22
Telegraph Hill (São Francisco) 685
Telluride (CO) 586
Tempo *ver* Clima
Tendas indígenas 562

ÍNDICE GERAL

Tennessee **264-9**
 flora das Great Smoky Mountains **264**
 hotéis 277-8
 Memphis **268-9**
 Nashville **266-7**
 restaurantes 281
Tennessee Aquarium (Chattanooga) 265
Terremotos 681, **687**, 724, 726, 741
Tesuque Pueblo (NM) 539
Texas **466-91**
 5 Dias no Extremo Sul, Sudeste e Texas 11, **15**
 agenda 489
 atividades ao ar livre 489
 Austin **476**
 Buddy Holly **486**
 caubóis **475**
 clima 488
 como circular 488
 compras 489
 Dallas **472-3**
 diversão 489
 economia e cultura 469
 esportes 489
 eventos anuais e festivais 488
 Fort Worth **474-5**
 história 468-9
 hotéis 490
 Houston **480-1**
 informação turística 488
 mapa 470-1
 perigos naturais 488
 restaurantes 491
 San Antonio **478-9**
 tabela de distâncias 471
 visitando o México **485**
Texas State Aquarium (Corpus Christi) 483
Texas State Capitol (Austin, TX) 476
Thanks-Giving Square (Dallas, TX) 473
Tharp, Hale 707
The Arcade (Providence, RI) 161
The Autry National Center of the American West (Los Angeles) **658**
The Breakers (Newport, RI) 11, 14, **162**, 163
The Cloisters (NYC) **96**
The Dairy (NYC) 88
The Depot/St. Louis County Heritage & Arts Center (Duluth, MN) 417
The Getty Center (Los Angeles) **648**
The Rookery (Chicago) 388, **389**
"The Star-Spangled Banner", hino 197, 207
Theater District (Boston) **145**
Theodore Roosevelt National Park (ND) 428-9, 430, **439**
Thomas, Dylan 690
Thoreau, Henry David 134, 156
Three Capes Scenic Route (OR) 621
Three Island Crossing State Park (ID) **568**
Three Sisters (Monument Valley, AZ) 534
Three Sisters Mountain (OR) 623

Thurston Lava Tube (Hawai'i Volcanoes NP, HI) 739
Tidal Basin (Washington, DC) 12, **208**
Tiffany, Louis Comfort 312
Tiffany's (NYC) 87
Tijuana, México **667**
Tilghman, general 341
Times Square (NYC) 12, **84**
Timpanogos Cave National Monument (UT) **511**
Tin How Temple (São Francisco) 688
Titanic 580
Todd, Mary 272
Toledo (OH) **405**
Tombstone (AZ) 525
Tomesha (Death Valley NP, CA) 672-3
Tongs 79, 688
Topeka (KS) **454**
Touro Sentado, chefe 573
Touro Synagogue (Newport, RI) 162, 163
Trabalhos de ferro em New Orleans (LA) **345**
Traficantes de escravos 348
Trail Ridge Road (Rocky Mountain NP, CO) 583
Trans-Alaska, oleoduto 724
Transamerica Pyramid (São Francisco) 686
Transcontinental, ferrovia 642
Transporte
 aéreo **30-1**
 Alasca 742
 Boston 182
 Califórnia 708
 de bicicleta/motocicleta **34**
 Extremo Sul 366
 ferroviário **35**
 Flórida 324
 Grandes Lagos 420
 Grandes Planícies 458
 Havaí 743
 Los Angeles 664
 nas estradas **32-3**
 Nova Inglaterra 182
 Nova York (NY) 75, 98
 NY e a Região Meio-Atlântica 120
 Pacífico Noroeste 630-1
 Rochosas 590
 São Francisco 698
 Sudeste 274
 Sudoeste 548
 Texas 488
 Washington, DC e Região da Capital 232
Trapp Family Lodge (Stowe, VA) 173
Tratado de Paris 227
Treister, Kenneth 293
Trenós puxados por cachorros, demonstrações (AK) 728
TriBeCa (NYC) **80**
Trilha das Lágrimas 434
Trinity Alps (CA) 703
Trinity Church (Boston) 139, **150**
Trinity Church (NYC) 76
Truman, Harry S. 63, 453
Trumbull, John 54

Trump, Donald 88
Tsunamis 726
Tuba City (AZ) **527**
Tubbs Hill Park (Coeur d'Alene, ID) 566
Tucker, Tanya 486
Tucson (AZ) 495, **524**
Tulsa (OK) **456**
Tupelo (MS) **361**
Turnblad, Swan 415
Tuskegee (AL) **365**
Tutancâmon 393
Tuzigoot National Monument (AZ) 521
Twain, Mark 81, 134, 164-5, 338, 433, 686
Twin Falls (ID) **569**
Tyler, Anne 197
Tyler, John 62, 220
Tyrannosaurus Rex, esqueleto 391, 694

U

Uísque, destilarias (KY) 273
Umpqua Scenic Dunes Trail (OR) 17, **621**
Unalaska (Aleútas Islands, AK) 727
Uncle Tom's Cabin (Stowe) 165
Uncle Tom's Trail (Yellowstone NP, WY) 577
Union Depot (St. Paul, MN) 415
Union Square (NYC) **82**, 687
United States Capitol (Washington, DC) 12, **202-3**
United States Holocaust Memorial Museum (Washington, DC) **208**
Universal Orlando Resort (FL) **308-9**
 Islands of Adventure 309
 onde comer e fazer compras 308
 Universal Citywalk® 309
 Universal Studios Florida 308
Universal Studios (Los Angeles) **659**
University District (Seattle, WA) 607
University of Arizona (Tucson, AZ) 524
University of California at Berkeley (CA) 697
University of California Los Angeles (UCLA) 650
University of Chicago (IL) **392-3**
University of Colorado (Boulder) 582
University of Michigan (Ann Arbor) 408
University of North Carolina (Chapel Hill) 250
University of Southern California (Los Angeles) 656
University of Texas (Austin) 476
University of Wyoming Art Museum (Laramie) 579
Upper Newport Bay Ecological Preserve (CA) 661
Upper Peninsula (MI) **409**
US 49, estrada **705**
US 50, estrada 509
US 61, estrada 416
US 93, estrada 566
US Bureau of Citizenship and Immigration Services 20-1, 25

ÍNDICE GERAL | 777

US Military Academy (NY) 101
US Mint (Filadélfia, PA) **112**
US Space and Rocket Center (Huntsville, AL) 365
US Supreme Court (Washington, DC) **203**
USS *Arizona* Memorial (HI) 735
USS *Constitution*, navio (Boston, MA) 143, 155
USS *Kidd* (Baton Rouge, LA) 355
Utah **510-9**
  Arches National Park **512-3**
  Bryce Canyon National Park **518-9**
  Canyonlands National Park **514**
  hotéis 550-1
  mórmons **511**
  restaurantes 553-4
  Zion National Park **517**
Utópicas, comunidades/seitas 398

V

Vail (CO) 587
Valdez (AK) **724**
Vallejo, general Mariano 700
Valley of 10, 000 Smokes (Katmai NP, AK) 726
Valley of Fire State Park (NV) 507
Van Gogh, Vincent 87, 91, 226, 404, 648
Vancouver, capitão George 614, 723
Vanderbilt Mansion (Hyde Park, NY) 101
Vanderbilt, Cornelius 85
Vanderbilt, Cornelius II 162
Vanderbilt, Frederick W. 101
Vaux, Calvert 88, 90, 97
Venetian (Las Vegas, NV) 16, 496, **504**
Venetian Pool (Miami, FL) **296**
Venice (CA) 17, 649
Ventura, Jesse 380
Venturi, Robert 401
Vermont 130, **170-3**
  hotéis 185-6
  restaurantes 189
Vermont Institute of Natural Science (Woodstock, VA) 171
Verrazano, Giovanni da 70
Vespúcio, Américo 53
Vesuvio (São Francisco) 13, **690**
Viagem aérea **30-1**
  linhas domésticas 31
  ver também Transporte
Viagem de carro **32-3**
  ver também Transporte
Viagem de negócios **26**
Vicksburg National Military Park (MS) **361**
Victoria Mansion (Portland, ME) 14, **178**
Vida marinha 321, 322, 621, 680-1, 725
  golfinhos 322
  manatis 319, 321
  recife de coral 322
Vida selvagem
  alces 729

Vida selvagem (cont.)
  aligatores 45, 321, 351
  baleias 158, 610
  caribus 729
  condores da Califórnia 533
  crocodilos 321
  lobos 418, **419**, 729
  manatis (peixes-boi) 319, 321
  marmotas 180
  ovelhas dall 729
  panteras 320
  raposas vermelhas 180
  segurança 24
  ursos 315, 577, 726, 729
  veados-galheiros 180
Vietnã, Guerra do 697
Vietnam Veterans Memorial (Washington, DC) **209**
Vinhos da Califórnia **701**
Vinícolas (CA) **700-1**
  Clos Pegase Winery 16, **701**
  Mumm Napa Valley 16, **700-1**
  Rutherford Hill Winery 16, **700**
  Sebastiani Vineyards 709
  Viansa Winery 709
Vinícolas, Califórnia *ver* Wine Country
Virgínia **216-23**
  hotéis 235-6
  restaurantes 238-9
  Skyline Drive **223**
  Williamsburg colonial 218-9
Virginia City (MT) **573**
Virginia City (NV) **508**
Virgínia Ocidental **224-5**
  hotéis 236
  restaurantes 239
Vizcaíno, Sebastián 680
Vizcaya (Miami, FL) **297**
Vodu, culto (New Orleans) **346**
Voyageurs National Park (MN) 45, 376, **419**
Vulcões
  Haleakalā Volcano (HI) 730, 737
  Lassen Peak (CA) 703
  Mount Edgecumbe (AK) 722
  Mount Kīlauea (HI) 730, 731

W

Wadsworth Atheneum (Hartford, CT) 164
Wadsworth-Longfellow House (Portland, ME) 14, **178**
Waikīkī (O'ahu, HI) **734-5**
Wailua Falls (Kaua'i, HI) 740
Waimea Canyon (Kaua'i, HI) **741**
Waimea Valley (O'ahu, HI) 735
Wakulla Springs State Park (FL) 316
Walden Pond (Concord, MA) 156-7
Waldorf-Astoria (NYC) 85
Wall (SD) **441**
Wall Street (NYC) 12, **76**
Wall Street do Oeste (São Francisco) 686
Walla Walla (WA) **613**
Waller, Robert 448
Wallowa Mountains (OR) **627**
Walpi (AZ) 526, 527

Walt Disney World® Resort (FL) **304-7**
  Animal Kingdom 307
  como circular 304
  crianças pequenas 304
  Disney's Hollywood Studios 307
  duração da visita 304
  Epcot 306-7
  estacionamento 305
  estadia no resort 305
  Experimental Prototype Community of Tomorrow *ver* EPCOT
  ingressos e tipos de passes 305
  Magic Kingdom 306
  mapa 304
  quando visitar 304
  segurança 305
  telefones úteis 304
  onde comer e beber 306
  portadores de deficiência 304
Warhol, Andy 118, 207, 226, 398, 402
Warm Springs Reservation (OR) **622**
Washburn (ND) **438**
Washington Artillery Park and Moonwalk (New Orleans) **346**
Washington cruzando o Delaware (Leutze) 230
Washington Island (WI) 411
Washington Monument (Washington, DC) 12, **208**
Washington National Cathedral (Washington, DC) **214-5**
Washington Square (NYC) **80**
Washington, Booker T. 365
Washington, DC **200-15**
  2 Dias em Washington, DC **12**
  Capitólio dos Estados Unidos **202-3**
  Casa Branca **210-1**
  clima 232
  como circular 200
  hotéis 234-5
  Mall **204-5**
  mapa 200-1
  restaurantes 237
Washington, DC e Região da Capital **190-239**
  agenda 233
  atividades ao ar livre 232
  clima 232
  como circular 232
  compras 233
  Delaware **230-1**
  diversão 233
  esportes 232
  etiqueta 232
  história 195-7
  hotéis 234-6
  informação turística 232
  mapas 192-3, 198-9
  Maryland **226-9**
  povos e cultura 197
  restaurantes 237-9
  segurança pessoal 232
  Skyline Drive **223**
  tabela de distâncias 199
  Virgínia **216-23**
  Virgínia Ocidental **224-5**
  Washington, DC **200-15**
  Williamsburg colonial **218-9**

Washington, estado **604-17**
  hotéis 632-3
  Mount Rainier National Park **614-5**
  restaurantes 634-5
  San Juan Islands **610-1**
  Seattle **604-7**
Washington, George 53, 62, 154, 196
  biblioteca 141
  busto 148
  estátuas 101, 141
  inauguração 80
  lar e túmulo 216-7
  retrato 91
Washington, Harold 393
WASPs, protestantes anglo-saxões 135
Water Gardens (Fort Worth, TX) 474
Waterfront (Boston) **149**
Watergate Complex (Washington, DC) **213**
Waterplace Park and Riverwalk (Providence, RI) 14, **160**
Waters, Alice 643
Watts Towers (Los Angeles) **660-1**
Wayne, John 434, 448, 475
Weaverville (CA) **703**
Wedding Cake House (Kennebunk, ME) 179
Weismuller, Johnny 296, 315
Wells Fargo History Museum (São Francisco) **686**
Welty, Eudora 362
West End Historic District (Dallas, TX) 472
West, Benjamin 70, 113
West, Mae 654
Western Amish Country (PA) **119**
Westwood & UCLA (Los Angeles) **650**
Westwood Memorial Park (Los Angeles) 650
Wethersfield (Hartford, CT) 165
Wharton, Edith 82
Wheeler Peak Scenic Drive (Great Basin NP, NV) 209
Whistler, James McNeill 90, 152, 206, 228
Whitaker's Point, trilha (Ozark, montanhas, AR) 332-3
White Horse Tavern (Newport, RI) 162
White House Visitor Center 12, **211**
White Mountain National Forest (NH) **175**
White Mountains Trail 175
White Pass & Yukon Route Railroad (Skagway, AK) 723
White Sands National Monument (NM) **546-7**
Whitman, Walt 97
Whitney Museum of American Art (NYC) **90**

Whitney, Josiah 707
Wichita (KS) 431, **455**
Widener Library, Harvard (Cambridge, MA) 154
Wilcox, Harvey Henderson 654
Wild Bill Hickock 442
Wilder, L. Douglas 196
Will Rogers State Historic Park (Los Angeles) 664
Willet, Henry 689
William J. Clinton Presidential Center (Little Rock, AR) 358
William Paca House (Annapolis, MD) 227
Williams, Hank 266, 365
Williams, Roger 160
Williams, Tennessee 145, 345, 351, 360
Williamsburg colonial (VA) 194, **218-9**
Willis Tower (Chicago) **389**
Wilmington (DE) **230**
Wilshire Boulevard (Los Angeles) 651
Wilson, Woodrow 63
Winchester Mystery House (San Jose, CA) 696
Winchester, Sarah 696
Wind Cave National Park (Black Hills, SD) 443
Window Rock (AZ) **526**
Wine Country (CA) 16, **700-1**
  hotéis 712
  restaurantes 715
Winfrey, Oprah 360
Wings Over Miami (FL) **299**
Winston-Salem (NC) **250-1**
Winter Park (CO) 587
Winter Park (FL) **312**
Winterthur (DE) **230**
Wisconsin 376, **410-3**
  hotéis 424
  restaurantes 427
Wisconsin Dells (WI) **412**
Wisconsin State Capitol (Madison, WI) 412
Wolfe, Thomas 251
Wonder, Stevie 407
Wood, Grant 228, 449
Wood, Natalie 650
Woodstock (NH) 175
Woodstock (VA) **171**
Woodstock (VT) 132
Woodward, Bob 213
Woolaroc Museum & Wildlife Preserve (Bartlesville, OK) 456
Woolworth Building (NYC) 79
World Financial Center (NYC) 77
World Trade Center Site e 9/11 Memorial (NYC) **76**
Worth Avenue (Palm Beach, FL) 301
Wozniak, Stephen 696
Wrangell-St. Elias National Park **727**
Wren, sir Christopher 145, 148

Wright Brothers National Memorial (Kill Devil Hills, NC) 252
Wright, Frank Lloyd 91, 92, 119, 177, 386, 389, 393, 394, 397, 408, 411, 413, 522, 687
Wright, Orville & Wilbur 205, 252, 402, 407
Wyeth, Andrew 177, 179
Wyeth, N. C. 82, 230
Wyoming **574-9**
  Buffalo Bill **574**
  Grand Teton National Park **575**
  hotéis 592-3
  restaurantes 594-5
  Yellowstone National Park **576-7**
Wyoming Territorial Prison State Historic Park (Laramie, WY) 579

Y

Yakima Valley (WA) **613**
Yale Center for British Art 166
Yale University (New Haven, CT) 166
Yankee Stadium (NYC) 97
Yellowstone National Park (WY) 44, 558, **576-7**
Yerba Buena Center for the Arts (São Francisco) **686-7**
York (PA) **117**
Yorktown (VA) **220**
Yosemite National Park (CA) 34, 639, 651, **706-7**
Young, Andrew 247
Young, Brigham 511

Z

Zion National Park (UT) **517**
Zoológicos
  Audubon Zoo (New Orleans, LA) 351
  Bronx Zoo (NYC) 97
  Cape May County Park & Zoo (NJ) 107
  Denver Zoo (CO) 581
  Fort Wayne Children's Zoo (IN) 399
  Insect Zoo (Washington, DC) 206
  Lincoln Park Zoo (Chicago, IL) 394
  Los Angeles Zoo (CA) 658
  National Zoological Park (Washington, DC) 214
  Oregon Zoo (Portland) 619
  Philadelphia Zoo (PA) 114
  Point Defiance Zoo & Aquarium (Tacoma, WA) 616
  Rio Grande Zoological Park (Albuquerque, NM) 543
  Roger Williams Park & Zoo (Providence, RI) 161
  San Diego Zoo (CA) 17, **669**
  Woodland Park Zoo (Seattle, WA) 60
  Zoo Miami (FL) **299**

Agradecimentos

A Dorling Kindersley agradece às seguintes pessoas, cuja contribuição e assistência tornaram possível este livro.

Principais Colaboradores
Emma Anacootee, Emily Anderson, Brigitte Arora, Lydia Baillie, Claire Baranowski, Sherry Collins, Jo Cowen, Caroline Elliker, Nicola Erdpresser, Caroline Evans, Madeline Farbman, Emer FitzGerald, Rhiannon Furbear, Jacky Jackson, Maite Lantaron, Jude Ledger/Pure Content, Hayley Maher, Pamela Marmito, Alison McGill, Sam Merrell, George Nimmo, Catherine Palmi, Susie Peachey, Rada Radojicic, Marisa Renzullo, Ellen Root, Locamata Sahoo, Sands Publishing Solutions, Jaynan Spengler, Stuti Tiwari, Ros Walford, Conrad Van Dyk.

Outros Colaboradores
Ruth e Eric Bailey, Bob Barnes, Jyl Benson, Mary Bergin, Eleanor Berman, Jeremy Black, Lester Brooks, Patricia Brooks, Tom Bross, Susan Burke, Rebecca Carman, Richard Cawthorne, Brett Cook, Donna Dailey, Jackie Finch, Bonita Halm, Michelle de Larrabeiti, David Dick, Susan Farewell, Rebecca Poole Forée, Paul Franklin, Donald S. Frazier, Bonnie Friedman, Jennifer Greenhill-Taylor, Rita Goldman, Eric Grossman, Patricia Harris, Ross Hassig, Carolyn Heller, Pierre Home-Douglas, Lorraine Johnson, Penney Kome, Esther Labi, Philip Lee, Helga Loverseed, David Lyon, Clemence McLaren, Guy Mansell, Fred Mawer, Nancy Mikula, Melissa Miller, Kendrick Oliver, Barry Parr, Carolyn Patten, Ellen Payne, J. Kingston Pierce, Don Pitcher, Alice L. Powers, Jennifer Quasha, George Raudzens, Juliette Rogers, John Ryan, Alex Salkever, Litta W. Sanderson, Kem Sawyer, AnneLise Sorensen, Emma Stanford, Brett Steel, Arvin Steinberg, Phyllis Steinberg, Nigel Tisdall, Brian Ward, Greg Ward, John Wilcock, Ian Williams, Marilyn Wood, Paul Wood, Stanley Young.

Ilustrações Adicionais
Ricardo Almazan, Ricardo Almazan Jr, Arcana Studios, Robert Ashby, William Band, Gilles Beauchemin, Richard Bonson, Joanne Cameron, Stephen Conlin, Gary Cross, Richard Draper, Dean Entwhistle, Eugene Fleurey, Chris Forsey, Martin Gagnon, Vincent Gagnon, Stephen Gyapay, Stéphane Jorisch, Patrick Jougla, Nick Lipscombe, Claire Littlejohn, Luc Normandin, Lee Peters, Mel Pickering, Robbie Polley, Kevin Robinson, Hamish Simpson, Mike Taylor, Pat Thorne, Chris Orr & Associates, Jean-François Vachon, John Woodcock.

Equipe Editorial e de Arte
Editor: Douglas Amrine.
Editora de Arte: Jane Ewart.
Diretora Editorial: Helen Townsend.
Editor Sênior de DTP: Jason Little.
Produção: Sarah Dodd, Melanie Dowland, Mary Slater.
Bibioteca de Imagens da DK: Mark Dennis.
Cartografia: Casper Morris.
Pesquisa: Mary Bergin, D. Clancy, Jerry Dean, Paul Franklin, Patricia Harris, Joseph Hayes, Lyn Kidder, David Lyon, Jill Metzler, Nancy Mikula, Carolyn Patten, Don Pitcher, Alice Powers, Mike Rogers, AnneLise Sorensen.
Revisão e Indexação: Glenda Fernandes, Susanne Hillen, Helen Peters, Nikky Twyman.

Fotografias Adicionais
Max Alexander, Peter Anderson, Jaime Baldovinos, Alan Briere, Demetrio Carrasco, Philippe Dewet, Philip Dowell, Neil Fletcher, Bruce Forster, Steven Greaves, Patricia Harris, John Heseltine, Ed Homonylo, Philip C. Jackson, Eliot Kaufman, Alan Keohane, Dave King, Andrew Leyerle, Neil Lukas, David Lyons, Norman McGrath, Andrew McKinney, Tim Mann, Gunter Marx, Neil Mersh, Howard Millard, Michael Moran, Sue Oldfield, Scot Pitts, Rob Reichenfeld, Julio Rochon, Rough Guides/Greg Ward, Kim Sayer, Neil Setchfield, Mike Severns, Chris Stevens, Clive Streeter, Giles Stokoe, Scott Suchman, Matthew Ward, Stephen Whitehorne, Linda Whitwam, Francesca Yorke.

Referências Fotográficas e Obras de Arte
Madeline Farbman; Emily Hovland; Independence National Historic Park: Phil Sheridan; National Park Service: Tom Patterson; Philadelphia Convention & Visitors Bureau: Danielle Cohn, Ellen Kornfield, Marissa Philip, San Antonio Convention & Visitors Bureau: Angela McClendon; M&A Design: Ajay Sethi, Mugdha Sethi; AirPhoto USA: Brian Garcia, Shannon Kelley.

Autorização de Imagens
A Dorling Kindersley agradece a permissão dada pelas seguintes instituições para que fossem fotografadas (os estabelecimentos estão listados por ordem de capítulos):

Old Merchant's House, East Village, NY; American Museum of Natural History, NY; Museum of American Folk Art, NY; Studio Museum in Harlem, NY; The Cloisters, NY; Columbia University, NY; Rockefeller Group, NY; Massachusetts State House, Boston; Nichols House Museum, Boston; Trinity Church, Boston; Museum of Fine Arts, Boston; Sackler Museum, Boston; New England Aquarium, Boston; Salem Witch Museum, MS; Plimoth Plantation, MS; Mark Twain House, CT; Florence Griswold Museum, CT; Currier Gallery of Art, Manchester; National Air and Space Museum, Washington, DC; National Museum of Natural History, Washington, DC; National Museum of African Art, Washington, DC; National Museum of American History, Washington, DC; Kenmore House, VA; Library of Congress, Washington, DC; South Carolina State Museum, SC; Stone Mountain Park, GA; Shaker Village of Pleasant Hill, Harrodsburg, KY; Graceland, TN; Historic New Orleans Voodoo Museum, New Orleans, LA; Nottoway Plantation, LA; National Voting Rights Museum and Institute, Selma, AL; Elvis Presley Park, Tupelo CVB; Spertus Museum of Jewish Studies, Chicago; Field Museum, Chicago; Oriental Institute Museum, Chicago; Museum of Broadcast Communications, Chicago; University of Notre Dame, IN; Eiteljorg Museum, IN; Franklin Park Conservatory and

AGRADECIMENTOS

Botanical Gardens, OH; Detroit Metro CVB, MI; The Detroit Institute of Arts, MI; Circus World Museum, Baraboo, WI; Walker Art Center, MN; The Mammoth Site of Hot Springs, South Dakota Inc., SD; The Nelson Atkins Museum of Art, MO; City Manager, Vince Capell, St. Joseph, MO; Woolaroc Ranch Museum, OK; Oral Roberts University, OK; Cowboy Artists of America Museum, Kerville,TX; Museum of Indian Arts and Culture, Santa Fe; Millicent Rogers Museum, Taos, NM; Las Vegas Natural History Museum; Cedar City Museum, UT; Museum of Northern Arizona, Flagstaff, AZ; Phoenix Museum of History, Phoenix, AZ; Hopi Learning Center, AZ; New Mexico Museum of Natural History and Science, Albuquerque, NM; Albuquerque Museum of Art and History, Albuquerque, NM; Maxwell Museum of Anthropology, Albuquerque, NM; Hubbell Trading Post, NM; Odyssey Maritime Discovery Center, WA; Seattle Art Museum, WA; National Park Service, OR; Museum of Tolerance, Los Angeles, CA; Balboa Park, San Diego; Hearst Castle, San Simeon; Huntington Library, San Marino; Knotts Berry Farm, Buena Park; Museum of Contemporary Art, LA; Queen Mary, Long Beach; Sacramento State Capitol; San Diego Aerospace Museum; San Diego Automotive Museum; San Diego Museum of Art; San Diego Zoological Society; Santa Barbara Mission, CA; Wells Fargo History Museum, São Francisco, CA; San Francisco History Center, San Francisco Public Library, CA; University of California, Berkeley; University of California, LA; Winchester Mystery House, San Jose; Valdez Museum, Valdez, AK; Baranof Museum, Kodiak Island, AK; Ice Museum, Fairbanks, AK; e todos os outros museus, igrejas, hotéis, restaurantes, lojas, galerias e pontos turísticos muito numerosos para citar individualmente.

Créditos das Fotografias

a = acima; b = abaixo; c = centro; f = afastado; e = esquerda; d = direita; t = topo.
As obras de arte foram reproduzidas com a permissão dos detentores dos direitos autorais a seguir:

Courtesy Commonwealth of Massachusetts Art Commission: *Civil War Army Nurses Memorial* Bela Pratt, 1911, 144td; vitral, Main Stair Hall, 1900/detalhes: *Magna Carta seal 43, Seal of the Commonwealth* (antes de 1898) 144ce; *Return of the Colours to the Custody of the Commonwealth*, 22 de dezembro, 1986, mural de Edward Simmons 1902: 145cbl. © Denman Fink: Detalhe de *Law Guides Florida's Progress*, 1940, 287te; **Historic New Orleans Voodoo Museum:** *Marie Laveau* de Charles M. Gandolfo, 346bd; **Cortesia de Florence Griswold Museum:** *The Harpist, A Portrait of Miss Florence Griswold*, de Alphonse Jongers, 1903, 165bd; © Georg John Lober: *Hans Christian Anderson*, 1956, 88bd. **Millicent Rogers Museum:** 499te; **Henry Moore Foundation:** *Reclining Figure: Hand* (1979), a ilustração na página 86be foi reproduzida com permissão da Henry Moore Foundation; **Sackler Museum,** Cambridge, Boston: 155cte; **Courtesy Kenneth Treister Holocaust Memorial:** © Kenneth Treister, *A Sculpture of Love and Anguish*, 1990, 293ce. **Cortesia de The Seattle Arts Commission** © Jonathan Borofsky: *Hammering Man*, 1988, 605td. © Victor Arnautoff, *City Life*, Coit Tower, 1934, 690be. **Collection of Spertus Museum:** *Flame of Hope* de Leonardo Nierman, 1995, 390cdb.

Os editores agradecem às seguintes pessoas, companhias e bibliotecas de fotografias pela permissão para reproduzir suas imagens:

1661 Inn and Hotel Manisses: Malcolm Greenaway 185td; **4Corners:** SIME/Antonino Bartuccio 36-7; SIME/Estock 336.

Ace Hotel, Portland: 633te; **Aiden Marketing:** 235td
Al Forno: 188bd; **Alamy Images:** Aurora Photos/Cary Anderson 744be; Daniel Borzynski 403bc; Gary Crabbe / Enlightened Images 679cda; Ian G Dagnall 503td; dbimages 280te; Patrick Eden 505be; Greg Balfour Evans 713bd; Andre Jenny 238td; Mervyn Rees 433b; **The African American Museum in Philadelphia:** 110cea; **Albuquerque Convention & Visitors Bureau www.ItsATrip.org:** 543td **Atlanta – Fulton Public Library Foundation, Inc. Courtesy The Atlanta History Center:** 262cd; **Audubon Aquarium of the Americas:** 350be; **AWL Images:** Walter Bibikow 466-7; Alan Copson 487t; Danita Delimont Stock 168-9, 428-9, 432, 528-9, 556-7, 598; Michele Falzone 716-7.

© **Richard Beyer:** *People Waiting for the Interurban* 607te; **Beach Bistro:** 331bc; **Bell Tower Hotel:** 422be; **The Biltmore Hotel:** 326be; **Blue Point Grill:** 427bd; **Bouchon Bistro:** 714be; **Boulder Dushanbe Teahouse:** 595tc; **Brasa:** 426td; **The Brooklyn Museum of Art:** 97bc; **Buckhorn Exchange Steakhouse Denver:** O'Hara 594be.

Caesars Entertainment: 503bd; © **Carnegie Museum of Art, Pittsburgh:** W. Cody 118bc; **Carolina Inn,** Chapel Hill: 276bc; **Caroline's Restaurant:** 465bd; **The Catbird Seat:** Strategic Hospitality LLC 281be; **Chateau on the Lake:** 461te; **El Chorro:** 554td; **Church Street Cafe:** 555bd; **City Tavern Restaurant:** 127td; **The Class Act:** 464ca; **Clumsy Butcher:** 491bd; **Commander's Palace:** 372td; **Bruce Coleman, Londres:** Raimund Cramm GDT 303bd; **Colorado Historical Society:** William Henry Jackson Collection: *Westward HO!* 1904, 600be; **Convention and Visitors Association of Lane County, OR:** 622te; **Corbis:** 42bd, 44bd, 48td, 48ce, 49bd, 57b, 59t, 63ca, 105te, 105b, 133b, 174bd, 193te, 392be, 676bc, 727td; 738cda, 739be; AFP 63bd; James L. Amos 67te; Craig Aurness 208te, 676td (Hearst Castle, CA Park Service), 680te; Dave Bartruff 111bd; Tom Bean 45te, 51bd, 519bd, 727bc; Nathan Benn 66ce; Corbis-Bettman 38bd, 53b, 54bd, 55t, 56te, 60te, 63tc, 63td, 70ce, 100be, 104be, 197be, 229ce, 229bc, 230cea, 338te, 347bd, 391cdb, 419cea, 446cea, 503be, 641ca, 649bd; Richard Bickel 118cd; Kristi J. Black 677te;Steve Chenn 112be; Jerry Cooke 102cd, 245b; Richard A. Cooke 119b, 192be, 225b; Lake County Museum 511bd; Richard Cummins 40bc, 113tc, 117td, 337b, 479tc; Jeff Curtes 587be; Corcoran Gallery of Art, Washington, D.C.: 2003: *Washington Before Yorktown*, 1824-25, de Rembrandt Peale, 52; *George Washington*, 1796, de Gilbert Stuart, 62cea; Dennis Degnan 115te; Hulton-Deutsch Collection 146cd; Jay Dickman 223bd; Henry Dittz 653bd; Duomo 39bd;

AGRADECIMENTOS | 781

Sandy Felsenthal 478td; Peter Finger 100td, 101td; Kevin Fleming 193cd, 196t, 229td, 230bd, 231bd, 405bd; Owen Franken 39ce; Michael Freeman 202c; Raymond Gehman 519tc; Mark E. Gibson 198bd; Tod A. Gipstein 193bd; Farell Grehan 107bd, 173be; Bob Gomes 39td; The Solomon R. Guggenheim Foundation, NY: (Man with Arms Crossed, 1895-1900, de Cézanne, foto de Francis G. Mayer) 92td; Liz Haymans 585bd; Robert Holmes 114bc; Dave G. Houser 700cea; George H. H. Huey 495ca; Swim Ink 58ca; Woolfgang Kaehler 44ce; Catherine Karnow 111tc; Steve Kaufman 571td; Layne Kennedy 119td, 419td; Bob Krist 13tc, 71be, 108td, 113ce, 132, 676ceb, 677be; Owaki-Kulla 351be; Robert Landau 103te, 658bd; Larry Lee 42td; Danny Lehman 45td; George D. Lepp 49td; Jean-Pierre Lescourret 8-9; Craig Lovell 42ce; Georgia Lowell 694be; James Marshall 509bc; Francis G. Mayer 54te, 70td, 91te, 104cdb; Buddy Mays 101cd, 469bd; Joe McDonald 75b; Kelly-Mooney Photography 41te 106bd, 107te, 203c; David Muench 43te, 66be, 102bc, 116cea, 192td, 222bd, 223cea, 224cea, 228td, 519cdb, 741te; Marc Muench 586td, 587te, 587cdb; Walley McNamee 63cdb; © National Portrait Gallery, Smithsonian Institution, Washington, DC, adquirida como presente à nação através da generosidade da Donald W. Reynolds Foundation, 2003; 207bd (Lansdowne portrait of George Washington, 1796, de Gilbert Stuart, foto de Archivo Iconografico, S. A.); Richard T. Nowitz 114te, 195b, 224bd, 225te; Douglas Peebles 43be, 586ce; The Phillips Collection, Washington, D.C.: (The Luncheon of the Boating Party, 1881, de Pierre Auguste Renoir (1841-1919), foto de Francis G. Mayer) 214te; Charles Philip 45be; Philadelphia Museum of Arts: 115cdb; Neil Preston 271be; Carl e Ann Purcell 104tc; Roger Ressmeyer 286bd, 617td; Jim Richardson 43cd; Bill Ross 48be, 73bd; Paul A. Souders 228b; Kevin Schafer 66td; Alan Schein 67bd, 102te, 118te; Phil Schermeister 376cb, 508bc; Flip Schulke 61td; Michael T. Sedam 44td, 599b, 736cea; Leif Skoogfors 112cea, 117be; Lee Snider 71ca, 101be, 106ceb, 110td, 111cd, 111cb, 116bd, 203ce, 227te, 231te; Joseph Sohm; ChromoSohm Inc. 49te, 51te, 221cda; 480b; Ted Spiegel 67cdb; Mark L Stephenson 41cdb, 741bd; Frank Trapper 659c; Underwood & Underwood 103be, 266cea, 379b; Ron Watts 42be, 43td, 72td, 103bd; David H. Wells 115b; Stuart Westmorland 596-7; Nick Wheeler 657tc; Oscar White 63cb; Michael S. Yamashita 106cea, 419b; Bo Zaunders 475te; **Currier Museum of Art:** 176cdb. **Deveny:** Adrienne Battistella 350td; **Dreamstime.com:** Brandon Alms 332-3; Hasan Can Balcioglu 638; Andrey Bayda 68; Jay Beiler 10ce; Gary Blakeley 12tc; Jeff Coleman 553bd; Shelley Coleman 374-5; Jerry Coli 206cd; Brett Critchley 284; Daveallenphoto 240-1; Sydney Deem 11te; Songquan Deng 190-1, 496; Prochasson Frederic 636-7; Jorg Hackemann 282-3; Heysues23 244; Svitlana Imnadze 17bd; Wangkun Jia 194; Wangkun Jia 138td; Kguzel 2-3; Leerobin 128-9; Mike Little 15bd; Lunamarina 13bd, 492-3; Michigannut 378; Mkojot 352-3; Luciano Mortula 1; Sean Pavone 78tc; Daniil Peshkov 67cda; Photoquest 16be, 507te; Jorge Salcedo 12bd; Shutterfree, Llc/R. Gino Santa Maria 15te; Snehitdesign 64-5; Peter Spirer 94cea; Tupungato 14be; Wollertz 560; Robert Zehetmayer 11be.

Edgewater Hotel, Seattle: 632be; **Emeril's:** 371bd; **Empire State Building Company L.L.C.:** o desenho do Empire State Building é marca registrada e é usada com permissão da ES BC 83be; **Enchantment Group:** 552td.

Figueroa Hotel: 710be; **Firehouse Brewing Company:** 463bc; **The Floridian:** 329be; **Four Seasons Resort The Biltmore Santa Barbara:** 711td; **Paul Franklin:** 533td; **The Frick Collection:** Lady Meux de James Abbot McNeill Whistler, 1881, 90be.

Gaynor Ranch and Resort: 592be; **Getty Images:** AFP/ Mark Ralston 601bd; Obama Transition Office/Pete Souza 63cd; Redferns/David Refern 59bc; © **J Paul Getty Trust:** Adoration of the Magi, 1495-1505, de Andrea Mantegna, 648te; **Grand Bohemian:** 327te; **The Grand Hotel Mackinack Island:** Don Johnston 423te; **Granger Collection, Nova York:** 62ca, 62ceb, 62be, 62bc, 62bd, 63be; **Grapevine Public Relations:** 425bd.

Courtesy of Harley Davidson Motor Company: 117bd; **Heard Museum Collection:** 522ca; **Hells Canyon Adventures:** 629cdb, 629be; **Hemingway's Hyatt Regency Resort:** 330td; **Henry Ford Museum & Greenfield Village:** 407td; **Hilton Hotels & Resorts:** 462td; **Historic New Orleans Collection:** 349cb; **Historic New Orleans Voodoo Museum:** Portrait of Marie Laveau 346bd; **Hotel Valley Ho:** 551td; **The Hotel Hershey:** 124be; **Husk:** Courtesy of NDG 279bd;

The Jefferson Hotel: 236td; **Jessop's Tavern:** 239bd.

Ka'anapali Beach Hotel: 745td; **Kapalua Resort:** 747bd; **The Kessler Collection:** 328te.

L'Espalier Restaurant: 187bc; **Las Vegas News Bureau:** 504td; **LemonGrass:** 746tc; **Lincoln Park Zoo,** Chicago: 394ce; **The London NYC:** 122bd; **Louisiana Office of Tourism (CRT):** 357cdb.

Mandarin Oriental, Nova York: George Apostolidis 123te; **Mary Evans Picture Library:** 475be; **Masterfile:** Bill Brooks 50td; Gail Mooney 45cdb; Randy Lincks 51cd; **MGM Resorts:** 504c; **Museum of Fine Arts, Boston:** HU – MFA Expedition Shawabtis of Taharka 153te; Egypt Exploration Fund Inner Coffin of Nes-mut-aat-neru 153ce; Ruth e Carl J. Shapiro Colonnade and Vault John Singer Sargent Murals 153bd; **Museum of International Folk Art, uma unidade do Museum of New Mexico:** Girard Foundation Collection, Photo Michel Monteaux Toy Horse Bangladesh, Índia. C. 1960. 541cb.

© 2003 Board of Trustees, National Gallery of Art, Washington, DC: The Alba Madonna, 1510, de Raphael (Raffaello Sanzio of Urbino, 1483-1520), Andrew W. Melon Collection: 205te; **NHPA:** David Middleton 547bd; **National Museum of American History/Smithsonian Institution:** 204ca; **National Museum of American Jewish History:** Collection of Congregation Mikveh Israel: 110ceb; **National Park Service, OR:** 625td; **The Nature Conservancy:** Rich

Franco Photography 313b; **Nelson-Atkins Museum of Art, Kansas City, Missouri:** *Shuttlecocks* de Claes Oldenburg and Coosje van Bruggen, 1994: 453te; **New Orleans Hotel Collection:** 368bd; **New Orleans Metropolitan Convention & Visitors Bureau:** Ann Purcell 342be; Carl Purcell 344te.; **The New Tropicana Las Vegas:** 502be; **Omni Hotels:** 184bc, 186te.

Pedro E. Guerrero © 2002, Talesin Preservation Inc.: 413te; © **Courtesy of the Pennsylvania Academy of Fine Arts; Filadélfia:** Joseph E. Temple Fund, 2003: *The Fox Hunt*, 1893, de Winslow Homer 113bd.; **Peter Luger Steakhouse:** 126bd; **Pok Pok:** David Reamer 635bd; **Provenance Hotels:** Hotel Preston 278td; **Pure Food and Wine:** 125tc.

Restaurant 301: 715tc; **Ritz-Carlton:** 369td, 424te; **Riviera Hotel & Casino:** 505cdb; **Robert Harding Picture Library:** Ruth Tomlinson 17te; **The Ronald Grant Archive:** 654be.

San Francisco History Center, San Francisco Public Library, CA: 691bd; **Mae Scanlan:** 206te; **Shack Up Inn:** 370te; **John G. Shedd Aquarium,** Chicago: © Edward G. Lines 391td; **Sleep Inn & Suites:** 234bd; **St Julien Hotel and Spa, Boulder:** B Public Relations 593td; **Stonehurst Place, Atlanta:** Prairie Dog Media 277td; **Superstock:** 312te.; **Sutter Creek Inn:** 712tc;

Terra Galleria Photography: 612te; **ThinkFoodGroup:** 237bd.

© 2011 **Universal Orlando**® **Resort.** Todos os direitos reservados: 308-9 todas; **Universal Studios Hollywood:** 659bd.

The View Hotel and Restaurant: Rebecca S. Ortega, Two World's Photography 550be; **Viewfinders:** Bruce Forster 611cda, 625ca, 625be, 627bc, 628c; Trevor Graves 601te; Rich Iwasaki 608tc; Pefley 610td; Bob Poole 620bd; Greg Vaughn 608b, 611te, 616bd, 620cda, 621t, 621cdb, 623bd, 624cea, 624bd, 626b, 628be, 629te.

Walla Walla Chamber of Commerce: 613be; **Walker Art Center, Minneapolis:** *Spoonbridge and Cherry* de Claes Oldenburg e Coosje van Bruggen, 1987-1988, doação de Frederick R. Weisman em homenagem a seus pais, William e Mary Weisman, 1988: 414td; **White Horse Tavern:** 189td; © **White House Historical Association (White House Collection):** 210cea, 210bc, 211tc, 211cd, 211be (653, 579, 656, 140, 663) Bruce White 199td (3074); **Wintzell's:** 373bd; **Wyndham Hotel Group:** 460be, 490tc; **Words and Pictures:** 342be, 344te; **World Pictures:** 639b.

Guarda posterior: **Corbis:** Tom Bean Ebe; Jan Butchofsky--Houser Dcd; Charles Krebs Ete; Owaki-Kulla Ece; Robert Landau Ecdb; Lester Lefkowitz Dtc.

Capa

Frente e lombada: **AWL Images:** Michele Falzone.

Todas as outras imagens © **Dorling Kindersley**
Para mais informações, acesse www.dkimages.com

Frases

Na terceira coluna, você encontra a transcrição mais aproximada em português da pronúncia das palavras em inglês.
Há na língua inglesa, no entanto, sons inexistentes em português como o "th", que é transcrito aqui de duas maneiras diferentes: como "d" na palavra "this" ou como "f" na palavra "thank you". A pronúncia correta é, nos dois casos, com a língua entre os dentes frontais. O "h" de " help" é transcrito pelas letras "rr" enquanto o "rr" de "sorry" aparece na terceira coluna como "r", com um som próximo ao do "r" seguido de consoante pronunciado em algumas regiões do interior de São Paulo.

Em Emergências

Socorro	Help	rrélp
Pare	Stop	stóp
Chame um médico	Call a doctor	koladóktor
Chame uma ambulância	Call an ambulance	kolanémbiulens
Chame a polícia	Call the police	kol dê pólis
Chame os Bombeiros	Call the fire department	kol dê fáier dépártment
Onde fica o telefone mais próximo?	Where is the nearest telephone?	ueriz dê nírest télefoun?
Onde fica o hospital mais próximo?	Where is the nearest hospital?	ueriz dê nírest rróspital?

Comunicação Essencial

Sim	Yes	iés
Não	No	nôu
Por favor	Please	plíz
Obrigado	Thank you	fênkiu
Desculpe	Sorry	sóri
Com licença	Excuse me	ekskiúzmi
Oi	Hello	rrélou
Adeus	Goodbye	gudbái
Manhã	Morning	mórnin
Tarde	Afternoon	afternún
Noite	Evening	ívnin
Noite (tarde)	Night	náit
Ontem	Yesterday	iéstêrdei
Hoje	Today	túdei
Amanhã	Tomorrow	tumórou
Aqui	Here	rríêr
Lá	There	dér
O quê?	What?	úat
Quando?	When?	úen
Por quê?	Why?	úai
Onde?	Where?	uér

Frases Úteis

Como vai?	How are you?	rrauáriu
Muito bem, obrigado.	Very well, thank you	véri uél, fênkiu
Muito prazer em conhecer você	Pleased to meet you	plízd tu mítiu
Até logo	See you soon	síu sún
Está bem/bom	That's fine	déts fáin
Onde está/estão?	Where is/ where are...?	uériz uérár
Quantos metros/quilômetros são até...?	How far is it to...	rrau farízit tu
Como se vai para...?	Which way to...?	úitch uei tu
Você fala português?	Do you speak portuguese?	du iu spík pórtiuguíz?
Você fala espanhol?	Do you speak spanish?	du iu spík spênish?
Não entendo	I don't understand	ai dount anderzténd
Pode falar mais devagar, por favor?	Could you speak more slowly, please?	kúdiu spík môr slôuli plíz?
Sinto muito	I'm sorry	áim ssóri

Palavras Úteis

grande	big	bég
pequeno	small	smól
quente	hot	rót
frio	cold	kôuld
bom	good	gúd
ruim	bad	béd
suficiente	enough	ináf
bem	well	uél
aberto	open	ôupen
fechado	closed	klôuzd
esquerda	left	léft
direita	right	ráit
direto	straight (on)	strêit (ón)
perto	near	níer
longe	far	fár
em cima	up	áp
abaixo	down	dáun
cedo	early	êrlí
tarde	late	léit
entrada	entrance	êntranss
saída	exit	égzét
banheiros	toilettes	tóilétz
mais	more	môr
menos	less	léss

Nas Compras

Quanto custa isto?	How much does this cost?	rrau mátch daz dês kóst?
Eu gostaria	I would like	ai uôd laik
Vocês tem...?	Do you have...?	du iu rrév
Estou só olhando, ...obrigado	I'm just looking, ...thank you	aim djast lúkin fênkiu
Vocês aceitam cartões de crédito?	Do you take credit cards?	du iu têik krédit kardz?
A que horas vocês abrem?	What time do you open?	uotáim du iu ôupen?
A que horas vocês fecham?	What time do you close?	uotáim du iu klôuz?
Este	this one	dêss uán
Aquele	that one	dét uán
caro	expensive	ekspénssív
barato	cheap	tchíp
tamanho (roupas e sapatos)	size	ssáiz
branco	white	úait
preto	black	blék
vermelho	red	réd
amarelo	yellow	iélou
verde	green	grín
azul	blue	blú
loja de antiguidades	antique shop	entík shóp
padaria	bakery	bêikeri
banco	bank	bénk
livraria	bookshop	bôkshop
açougue	butcher's	bôtcherz
farmácia	chemist's	kémists
peixaria	fishmonger's	fêshmônguerz
quitanda	greengrocer's	grín grôusserz
loja de alimentos	grocer's	grôusserz
cabeleireiro	hairdresser's	rrer désserz-
mercado, a feira	market	márket
jornaleiro	newsagent's	niúzêidjentz
agência do correio	post office	pôustófiss
loja de calçados	shoe shop	shú shóp
supermercado	supermarket	supermárket
tabacaria	tobacconist	tbákounlst
agência de viagens	travel agency	trévl êidjenssí

Atrações Turísticas

galeria de arte	art gallery	art guéleri
catedral	cathedral	kfídral
igreja	church	tchêrtch
jardim	garden	gárden
biblioteca	library	láibreri
Museu	museum	miuzíam
informação turística	tourist information	tórist infôrmêishan
a prefeitura	townhall	táunról
fechado por férias/feriado	closed for holiday	klouzd for rrólidei
ponto de ônibus	bus stop	bástop
estação de trem	railway station	reiluei stêishan

No Hotel

Português	English	Pronúncia
Tem quarto disponível?	Do you have a vacant room?	du iu rev â vêikant rum?
quarto para dois	double room	dâbô rúm
com cama de casal	with double bed	uêf dâbô bed
quarto com duas camas	twin room	tuên rúm
quarto de solteiro/individual	single room	cêngol rúm
quarto com banheiro	room with a bath	rúm uêf â bef
chuveiro	shower	sháuer
porteiro	porter	pórter
chave	key	kí
Eu tenho uma reserva	I have a reservation	ai rev â rezêrvêishan

No Restaurante

Português	English	Pronúncia
Tem uma mesa para...?	Have you got a table for...?	rreviu gat a teibôu for..?
Quero reservar uma mesa	I want to reserve a table	ai uant tu rízérv â teibôu
A conta, por favor	The bill, please	dê bêll, plíz
Sou vegetariano/a	I'm vegetarian	âim vedjetérian
garçonete	waitress	uêltress
garçom	waiter	uêter
menu	menu	mêniu
menu do dia	fixed-price menu	fêkst-praiss mêniu
carta de vinhos	winelist	uáin lêst
copo	glass	gláss
garrafa	bottle	bátlôu
faca	knife	náif
garfo	fork	fórk
colher	spoon	spún
café-da-manhã	breakfast	brékfest
almoço	lunch	lântch
jantar	dinner	dêner
prato principal	main course	mêin kórs
entrada	starter	stárter
prato do dia	dish of the day	dêsh ov dê dêi
café	coffee	kófi
mal passado	rare	rér
ao ponto	medium	mídium
bem passado	well done	uél dán

Interpretando o Cardápio

Português	English	Pronúncia
apple	âpôl	maçã
baked	bêik	ao forno
banana	bnána	banana
beef	bíf	carne de boi
beer	bíer	cerveja
bread	bréd	pão
butter	bâtâr	manteiga
cake	kêik	bolo
cheese	tchíz	queijo
chicken	tchéken	frango
chocolate	tchâklat	chocolate
cold meat	kôuld mít	os frios
dessert	dézért	sobremesa
dry	drâi	seco
egg	êg	ovo
fish	fêsh	peixe
fried	fráid	frito
fruit	frút	a fruta
garlic	gárlek	alho
ham	rrem	presunto
icecream	áiss krím	sorvete
lamb	lêm	cordeiro
lemon	léman	limão
lemonade	lémanêid	limonada
lobster	lábster	lagosta
meat	mít	carne
milk	mêlk	leite
mineral water	míneral uáter	água mineral
nuts	náts	nozes
oil	óill	azeite
olives	ólêvz	azeitonas
onion	ânian	cebola
orange	órandj	laranja
pepper	péper	pimenta
pie	pái	torta
pork	pórk	porco
potatoes	ptêitôuz	batatas
prawns	prónz	camarões
red wine	red úain	vinho tinto
rice	ráiss	arroz
roast	rôust	assado
rosé wine	rouzê úain	vinho rosé
salt	sólt	sal
sauce	sóss	o molho
sausages	sósêdj	linguiças
seafood	sífud	frutos do mar
sirloin steak	sêrloin stêik	filé mignon
soup	súp	sopa
still/sparkling	stíl/spárklin	sem gás/com gás
sugar	shûgar	açúcar
vegetable stew	védjetabôu stú	cozido de vegetais
tea	tí	chá
toasts	tôusts	torradas
vinegar	vênagar	vinagre
white wine	úait úain	vinho branco

Números

0	zero	zírou
1	one	uán
2	two	tú
3	three	frí
4	four	fór
5	five	faiv
6	six	sêks
7	seven	sévên
8	eight	êit
9	nine	nain
10	ten	tên
11	eleven	ilévên
12	twelve	tuélv
13	thirteen	fêrtín
14	fourteen	fortín
15	fifteen	fêftín
16	sixteen	sêkstín
17	seventeen	seventín
18	eighteen	êitín
19	nineteen	naintín
20	twenty	tuentí
21	twenty-one	tuentí uán
22	twenty-two	tuentí tú
30	thirty	fêrtí
31	thirty-one	fêrtí uán
40	fourty	fórti
50	fifty	fêfti
60	sixty	sêksti
70	seventy	séventi
80	eithty	êiti
90	ninety	náinti
100	one hundred	uán rrândrêd
200	two hundred	tu rrândrêd
500	five hundred	faiv rrândrêd
1.000	one thousand	uán fáuzand
1.001	one thousand one	uán fáuzand úan

Tempo

Português	English	Pronúncia
um minuto	one minute	uán mênat
uma hora	one hour	uán âuar
meia hora	half an hour	rráfen âuar
segunda-feira	Monday	mândei
terça-feira	Tuesday	túzdei
quarta-feira	Wednesday	uênizdêi
quinta-feira	Thursday	fêrzdêi
sexta-feira	Friday	fráidêi
sábado	Saturday	satêrdêi
domingo	Sunday	sândei

---

* Os países de língua inglesa adotam a grafia 1,000 para o numeral 1.000 (um mil) e 1.50 para 1,50 (um e cinquenta), exatamente o oposto da convenção brasileira.

Tudo para uma viagem perfeita.
Conheça todos os títulos da série Guias Visuais.

Guias Visuais
Os guias que mostram o que os outros só contam

África do Sul • Alemanha • Amsterdã • Argentina • Austrália • Áustria • Barcelona e Catalunha • Bélgica e Luxemburgo • Berlim • Brasil • Califórnia • Canadá • Caribe • Chile e Ilha de Páscoa • China • Costa Rica • Croácia • Cuba • Egito • Espanha • Estados Unidos • Estônia, Letônia e Lituânia • Europa • Flórida • França • Holanda • Ilhas Gregas e Atenas • Índia • Inglaterra, Escócia e País de Gales • Irlanda • Istambul • Itália • Japão • Jerusalém e a Terra Santa • Las Vegas • Lisboa • Londres • Madri • México • Moscou • Nova York • Nova Zelândia • Paris • Peru • Portugal, Madeira e Açores • Praga • Roma • São Francisco e Norte da Califórnia • Suíça • Turquia • Vietnã e Angkor Wat • Walt Disney World® Resort & Orlando

Guias Visuais de Bolso
Guia e mapa: a cidade na palma da mão

Amsterdã • Barcelona • Berlim • Boston • Bruxelas, Bruges, Antuérpia e Gent • Budapeste • Edimburgo • Las Vegas • Lisboa • Londres • Madri • Melbourne • Milão • Nova York • Paris • Praga • Roma • São Francisco • São Petersburgo • Sevilha • Sydney • Toronto • Vancouver • Veneza

Top 10
O guia que indica os programas nota 10

Barcelona • Berlim • Bruxelas, Bruges, Gent e Antuérpia • Budapeste • Buenos Aires • Cancún e Yucatán • Cidade do México • Florença e Toscana • Israel, Sinai e Petra • Istambul • Las Vegas • Londres • Los Angeles • Miami e Keys • Nova York • Orlando • Paris • Praga • Rio de Janeiro • Roma • São Petersburgo • Toronto

Estradas
Viagens inesquecíveis

Alemanha • Califórnia • Espanha • França • Inglaterra, Escócia e País de Gales • Itália

Férias em Família
Onde ficar, o que ver e como se divertir

Flórida • Itália • Londres • Nova York • Paris

Guias de Conversação para Viagens
Manual prático para você se comunicar

Alemão • Árabe • Chinês • Espanhol • Europa • Francês • Grego • Holandês • Inglês • Italiano • Japonês • Português • Russo • Tailandês • Tcheco • Turco

Guias de Conversação Ilustrados
Essencial para a comunicação – livro e CD

Alemão • Chinês • Espanhol • Francês • Inglês • Italiano

15 Minutos
Aprenda o idioma com apenas 15 minutos de prática diária

Alemão • Árabe • Chinês • Espanhol • Francês • Inglês • Italiano • Japonês

Confira a lista completa no site da Publifolha
www.publifolha.com.br

Destaques dos EUA

Mount Rainier National Park, importante atração natural de Washington

Luzes de néon típicas de Las Vegas

O luxuoso Beverly Hills Hotel, ponto de referência de Los Angeles

Formações de arenito, Zion National Park, Utah

Legenda
- Cidades principais
- Cidades interessantes
- Locais divertidos para visitar
- Parques nacionais